CONSTITUTION

제4판
SIGNATURE 헌법 판례

2 | 헌법총론·통치구조론·헌법재판론

변호사 **강성민** 편저

- 2024년 3월 헌법재판소 결정례 선고분까지 반영
- 400개 이상의 헌법재판소 중요판례 전문·전문요약·결정요지
- 함께 보는 추가판례 약 50개 이상 수록
- 변호사시험 및 중요 국가시험 빈출지문 반영
- 법학전문대학원협의회 표준판례 반영

CONTENTS

제2편 헌법총론

제1장 헌법과 헌법학

| 관습헌법 |

001. 행정수도 이전 사건 [위헌] ... 3
- 2004. 10. 21. 선고 2004헌마554·566(병합)

002. 신행정수도 후속대책을 위한 연기·공주지역 행정중심복합도시 건설을 위한 특별법 위헌확인 [각하] ... 12
- 2005. 11. 24. 선고 2005헌마579,763

| 합헌적 법률해석 |

003. 국가보안법상 찬양·고무·동조 등 죄에 관한 사건 [한정합헌] ... 15
- 1990. 4. 2. 선고 89헌가113

| 저항권 |

004. 입법과정의 하자가 저항권행사의 대상이 되는지 여부 사건 [각하] ... 16
- 1997. 9. 25. 선고 97헌가4

제2장 대한민국 헌법총설

제1절 대한민국 헌정사 ... 17

제2절 대한민국 국가형태 ... 17

제3절 헌법의 적용범위 ... 17

| 국적 |

005. 부계혈통주의 규정 및 부모양계혈통주의를 10년간만 소급하는 부칙규정 사건 [헌법불합치, 각하] ... 17
- 2000. 8. 31. 선고 97헌가12

006. 병역준비역에 편입된 복수국적자 국적이탈 제한 사건 [헌법불합치, 기각] ... 19
- 2020. 9. 24. 선고 2016헌마889

007. 재외동포법 적용대상에서 정부수립이전 이주동포를 제외한 사건 [헌법불합치] ... 24
- 2001. 11. 29. 선고 99헌마494

| 영토 |

008. 대한민국과 일본국 간의 어업에 관한 협정 사건 [각하, 기각] ... 26
- 2001. 3. 21. 선고 99헌마139·142·156·160(병합)

009. 북한 주민과의 접촉시 통일부장관의 승인을 얻도록 한 사건 [합헌] ... 30
- 2000. 7. 20. 선고 98헌바63

제4절 한국헌법의 기본원리 ... 35

제1항 헌법전문 ... 35

제2항 국민주권 원리 ... 35

제3항 민주주의 원리 ... 35

제4항 법치국가 원리 ... 35

010. 친일반민족행위 결정 사건 [합헌] ... 35
- 2011. 3. 31. 선고 2008헌바141,2009헌바14,19,36,247,352,2010헌바91(병합)

011. 재직중 사유로 금고이상 형을 받은 공무원의 퇴직급여 감액 사건 [헌법불합치] ... 42
- 2007. 3. 29. 선고 2005헌바33

012. 공무원연금법 제64조 제1항 제1호 등 위헌소원 사건 [위헌, 합헌] ... 46
- 2013. 8. 29 선고 2010헌바354

013. 국세관련 경력공무원에 대한 세무사자격 부여제도 폐지 사건 [헌법불합치, 기각] ... 52
- 2001. 9. 27. 선고 2000헌마152

014. 산업재해보상보험법상 최고보상제도 사건 [위헌] ... 58
- 2009. 5. 28. 선고 2005헌바20,22,2009헌바30(병합)

015. 법원조직법 부칙 사건 [한정위헌] ... 65
- 2012. 11. 29. 선고 2011헌마786, 2012헌마188(병합)

제5항 사회국가 원리 ... 66

016. 저상버스 도입의무 불이행 사건 [각하] ... 66
- 2002. 12. 18. 선고 2002헌마52

제6항 문화국가 원리 ... 70

제7항 평화국가 원리 ... 70

017. 일본군 위안부 문제 합의 발표 사건 [각하, 기타] ... 70
- 2019. 12. 27. 선고 2016헌마253

018. 마라케쉬 협정 사건 [합헌] ... 73
- 1998. 11. 26. 선고 97헌바65

제5절 정당제도 ... 76

019. 경찰청장 퇴직 후 2년내 정당가입 금지 사건 [위헌, 각하] ... 76
- 1999. 12. 23. 선고 99헌마135

020. 정당등록요건으로 "5 이상의 시·도당과 각 시·도당 1,000명 이상의 당원"을 요구하는 정당법 사건 [기각] ... 82
- 2006. 3. 30. 선고 2004헌마246

021. 정당등록취소 및 등록취소된 정당의 명칭사용금지 사건 [위헌] ... 86
- 2014. 1. 28. 선고 2012헌마431,2012헌가19(병합)

022. 통합진보당 해산 청구 사건 [인용(해산)] ... 91
- 2014. 12. 19. 선고 2013헌다1

023. 위헌정당 해산결정으로 해산결정을 받은 정당 소속 비례대표지방의회의원이 공직선거법 제192조 제4항에 따라 의원직을 상실하는지가 문제된 사건 ... 100
- 2021. 4. 29. 선고 2016두39825

024. 정당에 대한 후원을 금지한 정치자금법 규정의 위헌 여부 [헌법불합치] ... 102
- 2015. 12. 23. 선고 2013헌바168

025. 단체와 관련된 자금의 정치자금 기부금지 사건 [합헌] ... 103
- 2010. 12. 28. 선고 2008헌바89

026. 정치자금법상 후원회지정권자 사건 [헌법불합치] ... 106
- 2019. 12. 27. 선고 2018헌마301·430(병합)

027. 지방의회의원의 후원회지정 금지 사건 [헌법불합치] ... 110
- 2022. 11. 24. 선고 2019헌마528

제6절 선거제도 · · · 112

028. 집행유예자 수형자 선거권제한 사건 [위헌, 헌법불합치] · · · 112
- 2014. 1. 28. 선고 2012헌마409,510,2013헌마167(병합)

029. 수형자 선거권 제한 사건 [기각] · · · 117
- 2017. 5. 25. 선고 2016헌마292·568(병합)

030. 주민등록을 요건으로 재외국민의 선거권 등 제한 규정 사건 [헌법불합치] · · · 118
- 2007. 6. 28. 선고 2004헌마644,2005헌마360(병합)

031. 재외선거인 선거권 및 국민투표권 제한 사건 [헌법불합치, 기각, 각하] · · · 124
- 2014. 07. 24. 선고 2009헌마256, 2010헌마394(병합)

032. 국회의원선거시 ① 2천만원 기탁금 ② 20% 반환기준 ③ 1인1표제 ④ 저지조항 사건 [한정위헌] · · · 126
- 2001. 7. 19. 선고 2000헌마91·112·134(병합)

033. 비례대표 기탁금 1500만원 사건 [헌법불합치, 기각] · · · 133
- 2016. 12. 29. 선고 2015헌마509, 2015헌마1160(병합)

034. 예비후보자 기탁금 반환조항 위헌확인 사건 [헌법불합치] · · · 135
- 2018. 1. 25. 선고 2016헌마541

035. 선거권 연령 제한 사건 [기각] · · · 137
- 2013. 7. 25. 선고 2012헌마174

036. 국회의원선거 선거구를 획정함에 있어 허용되는 인구편차 기준에 관한 사건 [헌법불합치] · · · 139
- 2014. 10. 30. 선고 2012헌마190,192,211,262,325,2013헌마781,2014헌마53(병합)

037. 시·도의원선거 선거구를 획정함에 있어 허용되는 인구편차 기준에 관한 사건 [기각] · · · 145
- 2018. 6. 28. 선고 2014헌마189

038. 자치구·시·군 의회의원 선거구 획정에서 인구편차 허용기준 사건 [기각] · · · 147
- 2018. 6. 28. 선고 2014헌마166

039. 후보자의 명함교부 주체 관련조항 사건 [위헌, 기각] · · · 149
- 2016. 9. 29. 선고 2016헌마287

040. 대통령선거경선후보자가 경선과정에서 탈퇴시 후원금 전액을 국고에 귀속하도록 한 정치자금법 사건 [위헌] · · · 153
- 2009. 12. 29. 선고 2007헌마1412

041. 언론인의 선거운동 금지 사건 [위헌] · · · 158
- 2016. 6. 30. 선고 2013헌가1

042. 한국철도공사 상근직원 선거운동 금지 사건 [위헌] · · · 162
- 2018. 2. 22. 선고 2015헌바124

043. 탈법행위에 의한 문서·도화의 배부·게시 등 금지조항에 인터넷이 포함되는 것으로 해석하는 것의 위헌 여부 사건 [한정위헌] · · · 163
- 2011. 12. 29. 선고 2007헌마1001,2010헌바88,2010헌마173,191(병합)

044. 현수막, 그 밖의 광고물 설치·게시, 그 밖의 표시물 착용, 벽보 게시, 인쇄물 배부·게시, 확성장치사용을 금지하는 공직선거법 조항 사건 [헌법불합치,합헌] · · · 167
- 2022. 7. 21. 선고 2017헌바100

045. 기초의회의원선거 후보자의 정당표방 금지 사건 [위헌, 각하]   170
- 2003. 1. 30. 선고 2001헌가4

046. 공직선거법상 부재자투표시간 제한 사건 [헌법불합치, 기각, 각하]   172
- 2012. 2. 23. 선고 2010헌마601

047. 해상에 장기 기거하는 선원들을 부재자투표 대상자로 규정하지 않은 사건 [헌법불합치]   173
- 2007. 6. 28. 선고 2005헌마772

제7절 공무원제도   177

048. 교원의 공직선거 및 교육감선거 입후보 시 사직의무 및 선거운동금지 사건 [기각, 각하]   177
- 2019. 11. 28. 선고 2018헌마222

049. 교원의 정당 및 정치단체 결성·가입 사건 [위헌, 기각, 각하]   179
- 2020. 4. 23. 선고 2018헌마551

050. 공무원이 선거운동의 기획에 참여하거나 그 기획의 실시에 관여하는 행위 금지 사건 [헌법불합치]   184
- 2008. 5. 29. 선고 2006헌마1096

제8절 지방자치제도   186

051. 제주특별자치도의 설치 및 국제자유도시조성을 위한 특별법안 사건 [기각]   186
- 2006. 4. 27. 선고 2005헌마1190

052. 금고이상의 형을 선고받고 형이 확정되지 않은 지방자치단체장의 권한대행 사건 [헌법불합치]   190
- 2010. 9. 2. 선고 2010헌마418

053. 공소제기후 구금된 지방자치단체장에 대한 직무정지 사건 [기각]   195
- 2011. 4. 28. 선고 2010헌마474

054. 지방자치단체 장의 계속 재임 3기 제한 사건 [기각]   197
- 2006. 2. 23. 선고 2005헌마403

055. 지방자치단체의 장 선거에서 후보자가 1인일 경우 무투표 당선을 규정한 공직선거법 조항 위헌확인 사건 [기각]   200
- 2016. 10. 27. 선고 2014헌마797

056. 지방자치단체장의 임기중 다른 선거 입후보 금지 사건 [위헌, 기각]   201
- 1999. 5. 27. 선고 98헌마214

057. 행정안전부장관이 서울특별시 자치사무에 대하여 실시한 합동감사(서울시와 정부간 권한쟁의) 사건 [인용(권한침해)]   202
- 2009. 5. 28. 선고 2006헌라6

058. 경기도가 남양주시에 대하여 실시한 감사가 남양주시의 지방자치권을 침해하였는지 여부에 관한 사건 [인용(권한침해), 기각]   208
- 2023. 3. 23. 선고 2020헌라5

059. 주민등록을 할 수 없는 국내거주 재외국민에 대한 주민투표권 제외 사건 [헌법불합치, 각하]   210
- 2007. 6. 28. 선고 2004헌마643

060. 주민소환제도 사건 [기각]   212
- 2009. 3. 26. 선고 2007헌마843

061. 주민소환투표청구를 위한 서명요청 활동 제한 규정 사건 [합헌]   221
- 2011. 12. 29. 선고 2010헌바368

062. 서울특별시 학생 인권 조례 재의요구 철회 사건 [기각] 223
- 2013. 9. 26. 선고 2012헌라1

제3편 통치구조

제1장 통치구조의 구성원리

제1절 대의제의 원리 229

001. 국회구성권 침해 위헌확인 사건 [각하] 229
- 1998. 10. 29. 선고 96헌마186

002. 국회의장의 김홍신 의원에 대한 사·보임행위 사건 [기각] 231
- 2003. 10. 30. 선고 2002헌라1

003. 사개특위 위원 개선 사건 [기각] 238
- 2020. 5. 27. 선고 2019헌라1

004. 비례대표국회의원후보자명부에 의한 승계원칙의 예외를 규정한 공직선거법 사건 [위헌] 246
- 2009. 10. 29. 선고 2009헌마350,386(병합)

005. 임기만료일 전 180일 이내에 비례대표국회의원에 궐원이 생긴 때를 비례 대표국회의원 의석승계 제한사유로 규정한 공직선거법 사건 [헌법불합치] 248
- 2009. 6. 25. 선고 2008헌마413

제2절 권력분립의 원리 253

006. 지방의회의원과 농협 등 조합장의 겸직금지 사건 [위헌, 기각] 253
- 1991. 3. 11. 선고 90헌마28

007. 구 조세감면규제법 부칙 제23조 위헌소원 사건 [한정위헌] 256
- 2012. 5. 31. 선고 2009헌바123,126(병합)

008. 궐석재판, 전재산 몰수형 등을 규정한 반국가행위자의처벌에관한특별조치법 사건 [위헌] 258
- 1996. 1. 25. 선고 95헌가5

009. 연합뉴스를 국가기간뉴스통신사로 지정한 사건 [기각] 260
- 2005. 6. 30. 선고 2003헌마841

제2장 국 회

010. 국회선진화법 사건 [각하] 262
- 2016. 5. 26. 선고 2015헌라1

011. 한미FTA 비준동의안에 관한 권한쟁의 사건 [인용(권한침해), 기각, 각하] 269
- 2010. 12. 28. 선고 2008헌라7

012. 정보위원회 회의를 비공개하도록 규정한 국회법 조항에 관한 사건 [각하, 위헌] 279
- 2022. 1. 27. 선고 2018헌마1162, 2020헌바428(병합)

013. 금융소득에 대한 분리과세제도 사건 [기각] 282
- 1999. 11. 25. 선고 98헌마55

014. 미디어법 등 관련 권한쟁의 사건 [인용(권한침해),기각,각하] 284
- 2009. 10. 29. 선고 2009헌라8,9,10(병합)

015. 국회의장의 무제한토론 거부행위와 공직선거법 본회의 수정안의 가결선포행위에 관한
　　　권한쟁의 사건 [기각] ... 291
　　　- 2020. 5. 27. 선고 2019헌라6, 2020헌라1(병합)

016. 노무현 대통령 탄핵심판 [기각] ... 296
　　　- 2004. 5. 14. 선고 2004헌나1

017. 박근혜 대통령 탄핵심판 [인용(파면)] ... 308
　　　- 2017. 3. 10. 선고 2016헌나1

018. 국회의원 유성환의 국시론 사건 ... 312
　　　- 대법원 1992. 9. 22. 선고 91도3317 판결 [국가보안법위반]

019. 국회의원 노회찬의 안기부X파일 사건 ... 313
　　　- 대법원 2011. 5. 13. 선고 2009도14442

020. 면책특권의 한계 ... 315
　　　- 대법원 2007. 1. 11. 2005다57752

제3장 대통령과 정부

| 불소추특권 |

| 통치행위 |

021. 금융실명제 사건 [기각, 각하] ... 317
　　　- 1996. 2. 29. 선고 93헌마186

022. 개성공단 전면중단 조치에 관한 위헌소원 사건 [기각, 각하] ... 322
　　　- 2022. 1. 27. 선고 2016헌마364

023. 일반사병 이라크파병 위헌확인 사건 [각하] ... 327
　　　- 2004. 4. 29. 선고 2003헌마814

024. 2007년 전시증원연습 사건 [각하] ... 329
　　　- 2009. 5. 28. 선고 2007헌마369

| 국가긴급권 |

025. 긴급조치 제1호 등 사건 [위헌] ... 330
　　　- 2013. 3. 21. 선고 2010헌바70,132,170(병합)

| 위임입법 |

| 사면권 |

| 국민투표제도 |

| 국무총리 |

026. 국가안전기획부의 설치근거와 그 직무범위를 규정한 정부조직법 사건 [합헌, 각하] ... 341
　　　- 1994. 4. 28. 선고 89헌마221

제4장 법 원

027. 작량감경을 하여도 집행유예를 선고할 수 없도록 법정형을 정한 강도상해죄 사건 [합헌] ... 344
　　　- 1997. 8. 21. 선고 93헌바60

028. 판사의 근무성적평정과 연임 결격 사건 [합헌] ... 346
　　　- 2016. 9. 29. 선고 2015헌바331

029. 법관징계법 위헌소원 사건 [합헌]   350
- 2012. 2. 23. 선고 2009헌바34

제4편 헌법재판

제1장 헌법재판제도 일반이론

| 재판관의 제척·기피·회피 |
001. 재판관 기피 제한 사건 [기각]   361
- 2016. 11. 24. 선고 2015헌마902

| 가처분 |
002. 사법시험 4회 응시자에 대한 4년간 응시제한 가처분 사건 [인용]   362
- 2000. 12. 8. 선고 2000헌사471

003. 변호사시험 합격자 명단 공고 가처분 사건 [인용]   364
- 2018. 4. 6. 선고 2018헌사242, 2018헌사245(병합)

| 위헌결정의 기속력 |
004. 시각장애인에 대하여만 안마사 자격인정을 받을 수 있도록 하는 이른바 비맹제외기준을 설정하고 있는 구 의료법 조항 사건 [기각]   367
- 2008. 10. 30. 선고 2006헌마1098,1116,1117(병합)

| 일사부재리 |

| 재 심 |
005. 통합진보당 해산결정에 대한 재심 사건 [각하]   374
- 2016. 5. 26. 선고 2015헌아20

| 다른 법령의 준용 |
006. 정당해산심판절차에서의 민사소송법령 준용 및 가처분 조항에 관한 사건 [기각]   376
- 2014. 2. 27. 선고 2014헌마7

제2장 개별심판절차

제1절 위헌법률심판   380

| 한정위헌청구 |
007. 뇌물죄의 주체인 '공무원'의 해석·적용에 대한 위헌소원 사건 [한정위헌]   380
- 2012. 12. 27. 선고 2011헌바117

| 위헌결정의 소급효 |
008. 위헌결정의 소급효 사건 [합헌]   384
- 1993. 5. 13. 선고 92헌가10,91헌바7,92헌바24,50

제2절 위헌심사형 헌법소원심판   386

제3절 권리구제형 헌법소원심판   387
009. 헌법재판소법 제68조 제1항 본문의 '법원의 재판'부분 사건 [한정위헌, 인용(취소)]   387
- 1997. 12. 24. 선고 96헌마172,173(병합)

010. 재판 취소 사건 [위헌, 인용(취소), 각하] 396
- 2022. 6. 30. 선고 2014헌마760

| 부작위 |

011. 연명치료중단등에관한법률 입법부작위 사건 [각하] 400
- 2009. 11. 26. 선고 2008헌마385

012. 국회의 퇴임한 헌법재판소 재판관 후임자 선출 부작위 사건 [각하] 408
- 2014. 4. 24. 선고 2012헌마2

013. 선거구 입법부작위 사건 [각하] 412
- 2016. 4. 28. 2015헌마1177·1220, 2016헌마6·17·25·64(병합))

014. 일본군위안부의 행정부작위 위헌소원 사건 [인용(위헌확인)] 413
- 2011. 8. 30. 선고 2006헌마788

015. 군법무관의 봉급에 관한 행정입법부작위 사건 [인용(위헌확인)] 419
- 2004. 2. 26. 선고 2001헌마718

016. '사실상 노무에 종사하는 공무원'에 관한 조례 입법부작위 사건 [인용(위헌확인)] 422
- 2009. 7. 30. 선고 2006헌마358

017. 사법시험 성적세부산출 및 합격결정에 필요한 사항에 관한 행정입법부작위 사건 [각하] 427
- 2005. 12. 22. 선고 2004헌마66

| 청구기간 |

018. 어린이통학버스 동승보호자 사건 [기각, 각하] 430
- 2020. 4. 23. 선고 2017헌마479

019. 기소유예처분취소 437
- 2010. 7. 29. 선고 2009헌마205

020. 불기소처분취소 438
- 1996. 3. 28. 선고 95헌마211

제4절 권한쟁의심판 441

021. 법률안 변칙처리사건 [인용(권한침해), 기각] 441
- 1997. 7. 16. 선고 96헌라2

022. 국가인권위원회와 대통령 간의 권한쟁의 사건 [각하] 446
- 2010. 10. 28. 선고 2009헌라6

023. 경상남도 교육감과 경상남도 간의 권한쟁의 사건 [각하] 447
- 2016. 6. 30. 선고 2014헌라1

024. 강남구선관위의 강남구에 대한 지방선거경비 산출 통보행위(강남구 등과 국회 등 간의 권한쟁의) 사건 [기각, 각하] 448
- 2008. 6. 26. 선고 2005헌라7

025. 국회 행안위 제천화재관련평가소위원회 위원장과 국회 행안위 위원장 간의 권한쟁의 사건 [각하] 455
- 2020. 5. 27. 선고 2019헌라4

026. 국회의원과 정부간의 권한쟁의 사건 [각하] 456
- 2007. 7. 26. 선고 2005헌라8

027. 지자체 사회보장사업 정비 관련 권한쟁의 사건 [각하]	459
– 2018. 7. 26. 선고 2015헌라4	
028. 전교조 명단 공개 사건 [각하]	461
– 2010. 7. 29. 선고 2010헌라1	
029. 검사의 수사권 축소 등에 관한 권한쟁의 사건 [각하]	463
– 2023. 3. 23. 선고 2022헌라4	
030. 성남시와 경기도간의 권한쟁의 사건 [인용(무효확인), 인용(권한침해), 각하]	465
– 1999. 7. 22. 선고 98헌라4	
031. 신항 명칭 결정 사건 [각하]	466
– 2008. 3. 27. 선고 2006헌라1	
032. 수도권 소재 사립대학에 대한 학생정원 증원 규제가 지방자치단체의 대학의 설립 및 운영에 관한 자치권한을 침해하는지 여부 [각하]	471
– 2012. 7. 26. 선고 2010헌라3	
033. 강서구와 진해시간의 권한쟁의 사건 [인용(취소), 인용(권한확인), 인용(위헌확인)]	472
– 2006. 8. 31. 선고 2004헌라2	
034. 해상경계획정(홍성군과 태안군 등 간의 권한쟁의) 사건 [인용(권한확인), 인용(무효확인), 기각, 각하]	476
– 2015. 7. 30. 선고 2010헌라2	
035. 경상남도와 전라남도 사이의 해상경계 획정에 관한 사건 [기각]	477
– 2021. 2. 25. 2015헌라7	
036. 공유수면 매립지에 관한 권한쟁의 사건 [각하]	478
– 2020. 7. 16. 선고 2015헌라3	
037. 권한침해확인결정의 기속력 사건 [기각, 기타]	479
– 2010. 11. 25. 선고 2009헌라12	
판례색인	483

CONSTITUTION

제2편
헌법총론

제1장 헌법과 헌법학

제2장 대한민국 헌법총설

제4판
SIGNATURE
헌법 판례 ❷ 헌법총론·통치구조론·헌법재판론

제1장 헌법과 헌법학

| 관습헌법 |

 **행정수도 이전 사건** [위헌]
— 2004. 10. 21. 선고 2004헌마554·566(병합)

판시사항

1. 헌법상 수도의 개념
2. 신행정수도의건설을위한특별조치법(이하 '이 사건 법률'이라 한다)이 수도이전의 의사결정을 포함하는지 여부(적극)
3. 우리 헌법상 관습헌법이 인정될 수 있는지 여부(적극)
4. 관습헌법 인정의 헌법적 근거
5. 관습헌법의 성립요건으로서의 기본적 헌법사항
6. 관습헌법의 일반적 성립요건
7. 수도의 설정과 이전의 헌법적 의의
8. '우리나라의 수도가 서울인 점'이 자명하고 전제된 헌법규범으로서 불문헌법으로 인정될 수 있는지 여부(적극)
9. '우리나라의 수도가 서울인 점'이 관습헌법으로 인정될 수 있는지 여부(적극)
10. '우리나라의 수도가 서울인 점'이 단순한 사실명제가 아니라 규범명제인지 여부(적극)
11. 관습헌법의 폐지와 사멸
12. 관습헌법을 하위 법률의 형식으로 의식적으로 개정할 수 있는지 여부(소극)
13. '우리나라의 수도가 서울인 점'에 대한 관습헌법을 폐지하기 위해서는 헌법개정이 필요한지 여부(적극)
14. 이 사건 법률이 헌법 제130조에 따라 헌법개정절차에 있어 국민이 가지는 국민투표권을 침해하여 위헌인지 여부(적극)

사건의 개요

2002. 9. 30. 새천년민주당의 대통령후보 노무현은 선거공약으로 '수도권 집중 억제와 낙후된 지역경제를 해결하기 위해 청와대와 정부부처를 충청권으로 옮기겠다'는 행정수도 이전계획을 발표하였다. 2002. 12. 19. 실시된 제16대 대통령선거에서 노무현 후보가 당선되었고, … 2003. 10. 정부는 신행정수도의건설을위한특별조치법안을 제안하였고, 2003. 12. 29. 국회 본회의는 이 법안을 투표의원 194인 중 찬성 167인으로 통과시켰으며(반대 13인, 기권 14인), 2004. 1. 16. 신행정수도의건설을위한특별조치법은 법률 제7062호로 공포되었고 부칙 규정에 따라 그로부터 3월 후부터 시행되었다. 위 법은 수도권 집중의 부작용을 시정하고 국가의 균형발전과 국가경쟁력 강화를 목적으로 행정수도를 충청권 지역으로 이전할 것을 규정하면서, 국무총리와 일반인을 공동위원장으로 하는 신행정수도건설추진위원회를 대통령 소속으로 설치하고, 건설교통부장관이 관리·운용하는 특별회계를 신설하며, 난개발과 부동산투기 등을 방지하기 위한 규정 등으로 구성되어 있다.

위 법 시행 후 2004. 5. 21. 신행정수도건설추진위원회가 발족되었으며, 주요 국가기관 중 중앙행정기관 18부 4처 3청(73개 기관)을 신행정수도로 이전하고, 국회 등 헌법기관은 자체적인 이전 요청이 있을 때 국회의 동의를 구하기로 심의·의결하였다. 한편 2004. 8. 11. 위 위원회는 제6차 회의에서 『연기-공주 지역』(충청남도 연기군 남면, 금남면, 동면, 공주시 장기면 일원 약 2,160만평)을 신행정수도 입지로 확정하였다.

청구인들은 서울특별시 소속 공무원, 서울특별시 의회의 의원, 서울특별시에 주소를 둔 시민 혹은 그 밖의 전국 각지에 거주하는 국민들로서, 위 법률이 헌법개정 등의 절차를 거치지 않은 수도이전을 추진하는 것이므로 법률 전부가 헌법에 위반되며 이로 인하여 청구인들의 국민투표권, 납세자의 권리, 청문권, 평등권, 거주이전의 자유, 직업선택의 자유, 공무담임권, 재산권 및 행복추구권을 각 침해받았다는 이유로 같은 해 7. 12. 및 같은 달 15. 위 법률을 대상으로 그 위헌의 확인을 구하는 헌법소원 심판을 각 청구하였다.

심판대상

이 사건 심판의 대상은 신행정수도의건설을위한특별조치법(2004. 1. 16. 제정 법률 제7062호, 이하 '이 사건 법률'이라 한다)이 청구인들의 기본권을 침해하여 헌법에 위반되는지 여부이다.

주문

신행정수도건설을위한특별조치법(2004. 1. 16. 법률 제7062호)은 헌법에 위반된다.

I 적법요건에 관한 판단

1. 기본권 침해의 개연성이 있는지 여부

　이 사건 법률은 수도의 이전을 확정하고 그 이전의 절차를 정하는 내용을 가진 법률이다. 그런데 우리나라의 수도가 서울인 점이 명문의 헌법조항에서 밝혀진 것은 아니라 하더라도 우리 헌법의 해석상 그것이 국가생활의 오랜 전통에 의하여 확립된 기본적 헌법사항으로서 불문의 관습헌법에 속하는 것임이 확인된다면, 수도의 이전을 내용으로 하는 이 사건 법률은 우리 헌법의 내용을 헌법개정의 절차를 거치지 아니한 채 하위 법률의 형식으로 변경하여버린 것이 된다. 비록 헌법전에 명문이 없는 경우라고 하더라도 그것이 관습헌법사항이라면 이는 의연히 헌법의 일부이므로 헌법개정의 절차에 의하여만 변경될 수 있는 것이다. 그런데 헌법 제130조는 헌법의 개정을 위해서는 국회 재적의원 과반수 또는 대통령에 의하여 발의되고, 재적의원 3분의 2 이상의 찬성으로 국회의 의결을 거친 후 반드시 국민투표에 붙여 국회의원 선거권자 과반수의 투표와 투표자 과반수의 찬성을 얻어야 하도록 되어 있다. 따라서 이 사건 법률은 본안에 관한 판단에서 수도가 서울인 점에 대한 관습헌법성이 확인된다면 헌법개정에 의하여 규율되어야 할 사항을 단순 법률의 형태로 규율하여 헌법개정에 필수적으로 요구되는 국민투표를 배제한 것이 되므로 국민들의 위 투표권이 침해될 수 있다. 그렇다면 이 사건 법률은 헌법개정에 있어서 청구인들이 갖는 참정권적 기본권인 국민투표권을 침해할 소지가 있으므로 그 권리침해의 개연성이 인정된다.

2. 기본권 침해의 자기관련성·직접성·현재성이 있는지 여부

　여기서 침해되는 기본권은 국민으로서 가지는 참정권의 하나인 헌법개정의 국민투표권인바, 이 권리는 대한민국 국민인 청구인들 각 개인이 갖는 기본권이므로 청구인들이 이 사건 법률에 대하여 권리 침해의 자기관련성이 있음은 명백하다. 또 이 사건 법률은 수도 이전을 당연한 전제로 하여 이를 구체적으로 추진하는 것을 내용으로 하고 있으므로 '수도 이전' 자체에 관하여는 더 이상 어떠한 절차나 결정을 필요로 하고 있지 아니하다. 따라서 헌법개정에 관하여 국민이 갖는 국민투표권이라는 기본권이 이 사건 법률에 의하여 직접 배제되므로 직접성도 인정된다. 또한 이 사건 법률의 공포·시행에 의하여 수도의 이전은 법률적으로 확정되고 따라서 청구인들의 위 국민투표권은 이미 배제되었으므로 위 권리의 침해는 현실화되어 현재에도 계속되고 있어 침해의 현재성도 인정된다. 그렇다면 청구인들은 수도의 이전을 결정하고 그 절차를 정하는 내용의 이 사건 법률에 대하여 권리침해의 자기관련성을 가지고 있으며, 이 사건 법률에 의한 청구인들의 권리침해의 직접성과 현재성도 모두 인정된다.

3. 고도의 정치적 행위이어서 사법심사의 대상이 되지 않는 것인지 여부

　국가긴급권의 발동, 국군의 해외파견 등과 같이 대통령이나 국회에 의한 고도의 정치적 결단이 요구되고, 이러한 결단은 가급적 존중되어야 한다는 요청에서 사법심사를 자제할 필요가 있는 국가작용이 우리 헌법상 존재하는 것은 이를 인정할 수 있다. 그러나 우리 헌법의 기본원리인 법치주의의 원리상 대통령, 국회 기타 어떠한 공권력도 법의 지배를 받아야 하고, 모든 국가작용은 국민의 기본권적 가치를 실현하기 위한 수단이라는 데에서 나오는 한계를 반드시 지켜야 하는 것이며, 헌법재판소는 헌법의 수호와 국민의 기본권보장을 사명으로 하는 국가기관이므로, 비록 고도의 정치적 결단에 의하여 행해지는 국가작용이라고 할지라도 그것이 국민의 기본권침해와 직접 관련되는 경우에는 당연히 헌법재판소의 심판대상이 될 수 있다.

신행정수도건설이나 수도이전의 문제가 정치적 성격을 가지고 있는 것은 인정할 수 있지만, 그 자체로 고도의 정치적 결단을 요하여 사법심사의 대상으로 하기에는 부적절한 문제라고까지는 할 수 없다. 더구나 이 사건 심판의 대상은 이 사건 법률의 위헌여부이고 대통령의 행위의 위헌여부가 아닌바, 법률의 위헌여부가 헌법재판의 대상으로 된 경우 당해법률이 정치적인 문제를 포함한다는 이유만으로 사법심사의 대상에서 제외된다고 할 수는 없다.

다만, 이 사건 법률의 위헌여부를 판단하기 위한 선결문제로서 신행정수도건설이나 수도이전의 문제를 국민투표에 붙일지 여부에 관한 대통령의 의사결정이 사법심사의 대상이 될 경우 위 의사결정은 고도의 정치적 결단을 요하는 문제여서 사법심사를 자제함이 바람직하다고는 할 수 있고, 이에 따라 그 의사결정에 관련된 흠을 들어 위헌성이 주장되는 법률에 대한 사법심사 또한 자제함이 바람직하다고는 할 수 있다. 그러나 대통령의 위 의사결정이 국민의 기본권침해와 직접 관련되는 경우에는 헌법재판소의 심판대상이 될 수 있고, 이에 따라 위 의사결정과 관련된 법률도 헌법재판소의 심판대상이 될 수 있다.

우리 헌법은 선거권(헌법 제24조)과 같은 간접적인 참정권과 함께 직접적인 참정권으로서 국민투표권(헌법 제72조, 제130조)을 규정하고 있으므로 국민투표권은 헌법상 보장되는 기본권의 하나이다. 그러므로 대통령의 의사결정이 국민의 국민투표권을 침해한다면, 가사 위 의사결정이 고도의 정치적 결단을 요하는 행위라고 하더라도 이는 국민의 기본권침해와 직접 관련되는 것으로서 헌법재판소의 심판대상이 될 수 있고, 따라서 이 사건 법률의 위헌성이 대통령의 의사결정과 관련하여 문제되는 경우라도 헌법소원의 대상이 될 수 있다.

그렇다면 이 사건 법률의 위헌성을 판단하기 위한 선결문제로서 국민투표권에 관한 대통령의 의사결정의 위헌성여부를 판단하는 경우라도 청구인들의 국민투표권이 침해되었는지 여부에 관한 판단을 위한 한도에서는 이 사건 법률이 헌법재판소의 심판대상이 될 수 있고, 따라서 이에 대한 헌법소원이 가능하다. 그러므로 이 사건 헌법소원심판청구가 헌법소원의 대상이 되지 아니하는 것을 대상으로 한 것이어서 부적법하다고는 할 수 없다.

II 본안에 관한 판단

1. 헌법상 수도의 개념

일반적으로 한 나라의 수도는 국가권력의 핵심적 사항을 수행하는 국가기관들이 집중 소재하여 정치·행정의 중추적 기능을 실현하고 대외적으로 그 국가를 상징하는 곳을 의미한다. 헌법기관들 중에서 국민의 대표기관으로서 국민의 정치적 의사를 결정하는 국회와 행정을 통할하며 국가를 대표하는 대통령의 소재지가 어디인가 하는 것은 수도를 결정하는데 있어서 특히 결정적인 요소가 된다. 대통령은 국가원수로서 국가를 상징하고 정부의 수반으로서 국가운용의 최고 통치권자이며 의회는 주권자인 국민이 선출한 대표들로 구성된 대의기관으로서 오늘날의 간접민주주의 통치구조 하에서 주권자의 의사를 대변하고 중요한 국가의사를 결정하는 중추적 역할을 담당하므로 이들 두 개의 국가기관은 국가권력의 중심에 있고 국가의 존재와 특성을 외부적으로 표현하는 중심이 되기 때문이다.

2. 이 사건 법률이 수도이전에 관한 의사결정을 포함하는지 여부

이 사건 법률은 신행정수도를 "국가 정치·행정의 중추기능을 가지는 수도로 새로 건설되는 지역으로서 …… 법률로 정하여지는 지역"이라고 하고(제2조 제1호), 신행정수도의 예정지역을 "주요 헌법기관과 중앙행정기관 등의 이전을 위하여 …… 지정·고시하는 지역"이라고 규정하여(같은 조 제2호), 결국 신행정수도는 주요 헌법기관과 중앙 행정기관들이 소재하여 국가의 정치·행정의 중추기능을 가지는 수도가 되어야 함을 명확히 하고 있다. 따라서 이 사건 법률은 비록 이전되는 주요 국가기관의 범위를 개별적으로 확정하고 있지는 아니하지만, 그 이전의 범위는 신행정수도가 국가의 정치·행정의 중추기능을 담당하기에 충분한 정도가 되어야 함을 요구하고 있다. 그렇다면 이 사건 법률은 국가의 정치·행정의 중추적 기능을 수행하는 국가기관의 소재지로서 헌법상의 수도개념에 포함되는 국가의 수도를 이전하는 내용을 가지는 것이며, 이 사건 법률에 의한 신행정수도의 이전은 곧 우리나라의 수도의 이전을 의미한다.

3. 수도가 서울인 점이 우리나라의 관습헌법인지 여부

가. 우리 헌법상 관습헌법이 인정될 수 있는지 여부

우리나라는 성문헌법을 가진 나라로서 기본적으로 우리 헌법전이 헌법의 법원이 된다. 그러나 성문헌법이라고 하여도 그 속에 모든 헌법사항을 빠짐없이 완전히 규율하는 것은 불가능하고 또한 헌법은 국가의 기본법으로서 간결성과 함축성을 추구하기 때문에 형식적 헌법전에는 기재되지 아니한 사항이라도 이를 불문헌법 내지 관습헌법으로 인정할 소지가 있다. 특히 헌법제정 당시 자명하거나 전제된 사항 및 보편적 헌법원리와 같은 것은 반드시 명문의 규정을 두지 아니하는 경우도 있다. 그렇다고 해서 헌법사항에 관하여 형성되는 관행 내지 관례가 전부 관습헌법이 되는 것은 아니고 강제력이 있는 헌법규범으로서 인정되려면 엄격한 요건들이 충족되어야만 하며, 이러한 요건이 충족된 관습만이 관습헌법으로서 성문의 헌법과 동일한 법적 효력을 가진다.

나. 관습헌법 인정의 헌법적 근거

헌법 제1조 제2항은 '대한민국의 주권은 국민에게 있고, 모든 권력은 국민으로부터 나온다.'고 규정한다. 이와 같이 국민이 대한민국의 주권자이며, 국민은 최고의 헌법제정권력이기 때문에 성문헌법의 제·개정에 참여할 뿐만 아니라 헌법전에 포함되지 아니한 헌법사항을 필요에 따라 관습의 형태로 직접 형성할 수 있다. 그렇다면 관습헌법도 성문헌법과 마찬가지로 주권자인 국민의 헌법적 결단의 의사의 표현이며 성문헌법과 동등한 효력을 가진다고 보아야 한다. 국민주권주의는 성문이든 관습이든 실정법 전체의 정립에의 국민의 참여를 요구한다고 할 것이며, 국민에 의하여 정립된 관습헌법은 입법권자를 구속하며 헌법으로서의 효력을 가진다.

다. 관습헌법의 성립요건으로서의 기본적 헌법사항

관습헌법이 성립하기 위하여서는 관습이 성립하는 사항이 단지 법률로 정할 사항이 아니라 반드시 헌법에 의하여 규율되어 법률에 대하여 효력상 우위를 가져야 할 만큼 헌법적으로 중요한 기본적 사항이 되어야 한다. 일반적으로 실질적인 헌법사항이라고 함은 널리 국가의 조직에 관한 사항이나 국가기관의 권한 구성에 관한 사항 혹은 개인의 국가권력에 대한 지위를 포함하여 말하는 것이지만, 관습헌법은 이와 같은 일반적인 헌법사항에 해당하는 내용 중에서도 특히 국가의 기본적이고 핵심적인 사항으로서 법률에 의하여 규율하는 것이 적합하지 아니한 사항을 대상으로 한다. 일반적인 헌법사항 중 과연 어디까지가 이러한 기본적이고 핵심적인 헌법사항에 해당하는지 여부는 일반추상적인 기준을 설정하여 재단할 수는 없고, 개별적 문제사항에서 헌법적 원칙성과 중요성 및 헌법원리를 통하여 평가하는 구체적 판단에 의하여 확정하여야 한다.

라. 관습헌법의 일반적 성립요건

관습헌법이 성립하기 위하여서는 관습법의 성립에서 요구되는 일반적 성립 요건이 충족되어야 한다. 첫째, 기본적 헌법사항에 관하여 어떠한 관행 내지 관례가 존재하고, 둘째, 그 관행은 국민이 그 존재를 인식하고 사라지지 않을 관행이라고 인정할 만큼 충분한 기간 동안 반복 내지 계속되어야 하며(반복·계속성), 셋째, 관행은 지속성을 가져야 하는 것으로서 그 중간에 반대되는 관행이 이루어져서는 아니 되고(항상성), 넷째, 관행은 여러 가지 해석이 가능할 정도로 모호한 것이 아닌 명확한 내용을 가진 것이어야 한다(명료성). 또한 다섯째, 이러한 관행이 헌법관습으로서 국민들의 승인 내지 확신 또는 폭넓은 컨센서스를 얻어 국민이 강제력을 가진다고 믿고 있어야 한다(국민적 합의).

마. 수도의 설정과 이전의 헌법적 의의

헌법기관의 소재지, 특히 국가를 대표하는 대통령과 민주주의적 통치원리에 핵심적 역할을 하는 의회의 소재지를 정하는 문제는 국가의 정체성을 표현하는 실질적 헌법사항의 하나이다. 여기서 국가의 정체성이란 국가의 정서적 통일의 원천으로서 그 국민의 역사와 경험, 문화와 정치 및 경제, 그 권력구조나 정신적 상징 등이 종합적으로 표출됨으로써 형성되는 국가적 특성이라 할 수 있다. 수도를 설정하는 것 이외에도 국명을 정하는 것, 우리말을 국어로 하고 우리글을 한글로 하는 것, 영토를 획정하고 국가주권의 소재를 밝히는 것 등이 국가의 정체성에 관한 기본적 헌법사항이 된다고 할 것이다. 수도를 설정하거나 이전하는 것은 국회와 대통령 등 최고 헌법기관들의 위치를 설정하여 국가조직의 근간을 장소적으로 배치하는 것으로서, 국가생활에 관한 국민의 근본적 결단임과 동시에 국가를 구성하는 기반이 되는 핵심적 헌법사항에 속한다.

바. 우리나라의 수도가 서울인 점이 자명하고 전제된 헌법규범으로서 불문헌법으로 인정될 수 있는지 여부(적극)

우리 헌법전상으로는 '수도가 서울'이라는 명문의 조항이 존재하지 아니한다. 그러나 현재의 서울 지역이 수도인 것은 그 명칭상으로도 자명한 것으로서, 대한민국의 성립 이전부터 국민들이 이미 역사적, 전통적 사실로 의식적 혹은 무의식적으로 인식하고 있었으며, 대한민국의 건국에 즈음하여서도 국가의 기본구성에 관한 당연한 전제사실 내지 자명한 사실로서 아무런 의문도 제기될 수 없는 것이었다. 따라서 제헌헌법등 우리 헌법제정의 시초부터 '서울에 수도(서울)를 둔다.'는 등의 동어반복적인 당연한 사실을 확인하는 헌법조항을 설치하는 것은 무의미하고 불필요한 것이었다. 서울이 바로 수도인 것은 국가생활의 오랜 전통과 관습에서 확고하게 형성된 자명한 사실 또는 전제된 사실로서 모든 국민이 우리나라의 국가구성에 관한 강제력 있는 법규범으로 인식하고 있는 것이다.

사. 우리나라의 수도가 서울인 점이 관습헌법으로 인정될 수 있는지 여부(적극)

서울이 우리나라의 수도인 것은 조선시대 이래 600여 년 간 우리나라의 국가생활에 관한 당연한 규범적 사실이 되어 왔으므로 우리나라의 국가생활에 있어서 전통적으로 형성되어있는 계속적 관행이라고 평가할 수 있고(계속성), 이러한 관행은 변함없이 오랜 기간 실효적으로 지속되어 중간에 깨어진 일이 없으며(항상성), 서울이 수도라는 사실은 우리나라의 국민이라면 개인적 견해 차이를 보일 수 없는 명확한 내용을 가진 것이며(명료성), 나아가 이러한 관행은 오랜 세월간 굳어져 와서 국민들의 승인과 폭넓은 컨센서스를 이미 얻어(국민적 합의) 국민이 실효성과 강제력을 가진다고 믿고 있는 국가생활의 기본사항이라고 할 것이다. 따라서 서울이 수도라는 점은 우리의 제정헌법이 있기 전부터 전통적으로 존재하여온 헌법적 관습이며 우리 헌법조항에서 명문으로 밝힌 것은 아니지만 자명하고 헌법에 전제된 규범으로서, 관습헌법으로 성립된 불문헌법에 해당한다.

아. 우리나라의 수도가 서울인 점이 단순한 사실명제가 아니라 규범명제인지 여부(적극)

관습헌법의 제 요건을 갖추고 있는 '서울이 수도인 사실'은 단순한 사실명제가 아니고 헌법적 효력을 가지는 불문의 헌법규범으로 승화된 것이며, 사실명제로부터 당위명제를 도출해 낸 것이 아니라 그 규범력에 대한 다툼이 없이 이어져 오면서 그 규범성이 사실명제의 뒤에 잠재되어 왔을 뿐이다.

자. 관습헌법의 폐지와 사멸

어느 법규범이 관습헌법으로 인정된다면 그 개정가능성을 가지게 된다. 관습헌법도 헌법의 일부로서 성문헌법의 경우와 동일한 효력을 가지기 때문에 그 법규범은 최소한 헌법 제130조에 의거한 헌법개정의 방법에 의하여만 개정될 수 있다. 따라서 재적의원 3분의 2 이상의 찬성에 의한 국회의 의결을 얻은 다음(헌법 제130조 제1항) 국민투표에 붙여 국회의원 선거권자 과반수의 투표와 투표자 과반수의 찬성을 얻어야 한다(헌법 제130조 제3항). 다만 이 경우 관습헌법규범은 헌법전에 그에 상반하는 법규범을 첨가함에 의하여 폐지하게 되는 점에서, 헌법전으로부터 관계되는 헌법조항을 삭제함으로써 폐지되는 성문헌법규범과는 구분된다. 한편 이러한 형식적인 헌법개정 외에도, 관습헌법은 그것을 지탱하고 있는 국민적 합의성을 상실함에 의하여 법적 효력을 상실할 수 있다. 관습헌법은 주권자인 국민에 의하여 유효한 헌법규범으로 인정되는 동안에만 존속하는 것이며, 관습법의 존속요건의 하나인 국민적 합의성이 소멸되면 관습헌법으로서의 법적 효력도 상실하게 된다. 관습헌법의 요건들은 그 성립의 요건일 뿐만 아니라 효력 유지의 요건이다.

차. 관습헌법을 하위 법률의 형식으로 의식적으로 개정할 수 있는지 여부(소극)

우리나라와 같은 성문의 경성헌법 체제에서 인정되는 관습헌법사항은 하위규범형식인 법률에 의하여 개정될 수 없다. 영국과 같이 불문의 연성헌법 체제에서는 법률에 대하여 우위를 가지는 헌법전이라는 규범형식이 존재하지 아니하므로 헌법사항의 개정은 일반적으로 법률개정의 방법에 의할 수밖에 없을 것이다. 그러나 우리 헌법의 경우 헌법 제10장 제128조 내지 제130조는 일반법률의 개정절차와는 다른 엄격한 헌법개정절차를 정하고 있으며, 동 헌법개정절차의 대상을 단지 '헌법'이라고만 하고 있다. 따라서 관습헌법도 헌법에 해당하는 이상 여기서 말하는 헌법개정의 대상인 헌법에 포함된다고 보아야 한다. 이와 같이 헌법의 개정절차와 법률의 개정절차를 준별하고 헌법의 개정절차를 엄격히 한 우리 헌법의 체제 내에서 만약 관습헌법을 법률에 의하여 개정할 수 있다고 한다면 이는 관습헌법을 더 이상 '헌법'으로 인정한 것이 아니고 단지 관습'법률'로 인정하는 것이며, 결국 관습헌법의 존재를 부정하는 것이 된다. 이러한 결과는 성문헌법체제하에서도 관습헌법을 인정하는 대전제와 논리적으로 모순된 것이므로 우리 헌법체제상 수용될 수 없다.

카. 우리나라의 수도가 서울인 점에 대한 관습헌법을 폐지하기 위해서는 헌법개정이 필요한지 여부(적극)

우리나라의 수도가 서울이라는 점에 대한 관습헌법을 폐지하기 위해서는 헌법이 정한 절차에 따른 헌법개정이 이루어져야 한다. 이 경우 성문의 조항과 다른 것은 성문의 수도조항이 존재한다면 이를 삭제하는 내용의 개정이 필요하겠지만 관습헌법은 이에 반하는 내용의 새로운 수도설정조항을 헌법에 넣는 것만으로 그 폐지가 이루어지는 점에 있다. 다만 헌법규범으로 정립된 관습이라고 하더라도 세월의 흐름과 헌법적 상황의 변화에 따라 이에 대한 침범이 발생하고 나아가 그 위반이 일반화되어 그 법적 효력에 대한 국민적 합의가 상실되기에 이른 경우에는 관습헌법은 자연히 사멸하게 된다. 이와 같은 사멸을 인정하기 위하여서는 국민에 대한 종합적 의사의 확인으로서 국민투표등 모두가 신뢰할 수 있는 방법이 고려될 여지도 있을 것이다. 그러나 이 사건의 경우에 이러한 사멸의 사정은 확인되지 않는다. 따라서 우리나라의 수도가 서울인 것은 우리 헌법상 관습헌법으로 정립된 사항이며 여기에는 아무런 사정의 변화도 없다고 할 것이므로 이를 폐지하기 위해서는 반드시 헌법개정의 절차에 의하여야 한다.

4. 이 사건 법률이 헌법 제130조에 따라 헌법개정절차에 있어 국민이 가지는 국민투표권을 침해하여 위헌인지 여부(적극)

서울이 우리나라의 수도인 점은 불문의 관습헌법이므로 헌법개정절차에 의하여 새로운 수도 설정의 헌법조항을 신설함으로써 실효되지 아니하는 한 헌법으로서의 효력을 가진다. 따라서 헌법개정의 절차를 거치지 아니한 채 수도를 충청권의 일부지역으로 이전하는 것을 내용으로 한 이 사건 법률을 제정하는 것은 헌법개정사항을 헌법보다 하위의 일반 법률에 의하여 개정하는 것이 된다. 한편 헌법 제130조에 의하면 헌법의 개정은 반드시 국민투표를 거쳐야만 하므로 국민은 헌법개정에 관하여 찬반투표를 통하여 그 의견을 표명할 권리를 가진다. 그런데 이 사건 법률은 헌법개정사항인 수도의 이전을 헌법개정의 절차를 밟지 아니하고 단지 단순법률의 형태로 실현시킨 것으로서 결국 헌법 제130조에 따라 헌법개정에 있어서 국민이 가지는 참정권적 기본권인 국민투표권의 행사를 배제한 것이므로 동 권리를 침해하여 헌법에 위반된다.

5. 소 결

그렇다면, 청구인들이 제기한 다른 쟁점들에 대하여 더 나아가 판단할 필요도 없이, 수도의 이전을 확정함과 아울러 그 이전절차를 정하는 이 사건 법률은 우리나라의 수도가 서울이라는 불문의 관습헌법사항을 헌법개정절차를 이행하지 않은 채 법률의 방식으로 변경한 것이어서 그 법률 전체가 청구인들을 포함한 국민의 헌법개정국민투표권을 침해하였으므로 헌법에 위반된다.

002 신행정수도 후속대책을 위한 연기·공주지역 행정중심복합도시 건설을 위한 특별법 위헌확인 [각하]
- 2005. 11. 24. 선고 2005헌마579,763

판시사항 및 결정요지

1. **신행정수도 후속대책을 위해 신행정수도 후속대책을 위한 연기·공주지역 행정중심복합도시 건설을 위한 특별법**(2005. 3. 18. 법률 제7391호, 이하 '이 사건 법률'이라 한다. 2005. 7. 21. 법률 제7604호로 일부 개정되었으나 2006. 1. 22. 시행된다)**에 의하여 연기·공주지역에 건설되는 행정중심복합도시가 수도로서의 지위를 획득하는지 여부(소극)**

행정중심복합도시로 이전하는 기관은 국무총리를 비롯한 총 49개 기관이며 이들을 수평적인 권한배분면에서 보면 이전기관들의 직무범위가 대부분 경제, 복지, 문화 분야에 한정되어 있고 경제의 주요부문인 금융정책을 결정하는 기관들은 제외되어 있다. 수직적인 면에서 보아도 여전히 정부의 주요정책은 국무회의의 심의를 거쳐 대통령이 최종적으로 결정하며, 국무총리는 헌법상 대통령의 보좌기관으로서 그 명을 받아 행정각부를 통할하고 각부의 장은 정해진 정책을 구체적으로 실현할 뿐이다. 특히 정보통신기술이 발달한 현대사회에서는 서로 장소적으로 떨어진 곳에 위치하더라도 대통령과 행정각부간의 원활한 의사소통수단이 확보되기만 하면 대통령이 의사결정을 통한 통제력을 확보하는 것은 어렵지 않다. 따라서 행정중심복합도시에 소재하는 기관들이 국가정책에 대한 통제력을 의미하는 정치·행정의 중추기능을 담당하는 것으로 볼 수 없다.

또한 행정중심복합도시는 대내적으로 국가의 중요정책이 최종적으로 결정되는 곳이 아니며 각국 외교사절들이 소재하여 주요 국제관계가 형성되는 장소도 아니다. 특히 국가상징으로서의 기능은 오랜 세월에 걸쳐 역사와 문화적인 요소가 결합되어 형성되는 것으로 짧은 기간에 인위적으로 만들어낼 수 있는 것이 아니다. 따라서 행정중심복합도시가 건설된다고 하더라도 이러한 요소가 충족되지 않은 상황에서 국가상징으로서의 기능을 수행할 것이라고 예상하기 어렵다.

이와 같이 이 사건 법률에 의하여 건설되는 행정중심복합도시는 수도로서의 지위를 획득하는 것으로 평가할 수는 없고, 이 사건 법률에 의하여 수도가 행정중심복합도시로 이전한다거나 수도가 서울과 행정중심복합도시로 분할되는 것으로 볼 수 없다.

2. **행정중심복합도시의 건설로 서울의 수도로서의 지위가 해체되는지 여부(소극)**

이 사건 법률에 의하면 행정중심복합도시가 건설된다고 하더라도 국회와 대통령은 여전히 서울에 소재한다. 국회는 국민의 대의기관으로서 입법기능을 담당하며 모든 국가작용은 헌법상의 법치국가원칙에 따라 법률에 기속되며, 대통령은 행정권이 속한 정부의 수반으로서 정부를 조직하고 통할하는 행정에 관한 최고책임자로서 행정과 법집행에 관한 최종적인 결정을 하고 정부의 구성원에 대하여 최고의 지휘·감독권을 행사한다. 따라서 서울은 여전히 정치·행정의 중추기능을 수행하는 곳이라 할 수 있다. 또한 대외관계의 형성과 발전은 서울에서 이루어지고 여전히 서울은 국내 제1의 거대도시로서 경제·문화의 중심지의 지위를 유지할 것이며 대법원과 헌법재판소 등 사법기능의 핵심 역시 이곳에서 이루어진다. 따라서 서울은 국가의 상징기능을 여전히 수행할 수 있다.

이와 같이 서울은 이 사건 법률에 의한 행정중심복합도시의 건설에도 불구하고 계속하여 정치·행정의 중추기능과 국가의 상징기능을 수행하는 장소로 인정할 수 있으므로 이 사건 법률에 의하여 수도로서의 기능이 해체된다고 볼 수 없다.

3. 행정중심복합도시의 건설로 권력구조 및 국무총리의 지위가 변경되는지 여부(소극)

이 사건 법률은 행정중심복합도시의 건설과 중앙행정기관의 이전 및 그 절차를 규정한 것으로서 이로 인하여 대통령을 중심으로 국무총리와 국무위원 그리고 각부 장관 등으로 구성되는 행정부의 기본적인 구조에 어떠한 변화가 발생하지 않는다. 또한 국무총리의 권한과 위상은 기본적으로 지리적인 소재지와는 직접적으로 관련이 있다고 할 수 없다. 나아가 청구인들은 대통령과 국무총리가 서울이라는 하나의 도시에 소재하고 있어야 한다는 관습헌법의 존재를 주장하나 이러한 관습헌법의 존재를 인정할 수 없다.

4. 행정중심복합도시의 건설이 헌법 제72조의 국민투표권을 침해할 가능성이 있는지 여부(소극)

헌법 제72조는 국민투표에 부쳐질 중요정책인지 여부를 대통령이 재량에 의하여 결정하도록 명문으로 규정하고 있고 헌법재판소 역시 위 규정은 대통령에게 국민투표의 실시 여부, 시기, 구체적 부의사항, 설문내용 등을 결정할 수 있는 임의적인 국민투표발의권을 독점적으로 부여하였다고 하여 이를 확인하고 있다. 따라서 특정의 국가정책에 대하여 다수의 국민들이 국민투표를 원하고 있음에도 불구하고 대통령이 이러한 희망과는 달리 국민투표에 회부하지 아니한다고 하여도 이를 헌법에 위반된다고 할 수 없고 국민에게 특정의 국가정책에 관하여 국민투표에 회부할 것을 요구할 권리가 인정된다고 할 수도 없다. 이 사건 법률이 신행정수도법 위헌결정의 후속법률로서 그 대체입법성 여부를 놓고 적지않게 논란이 빚어지고 있는 만큼 대통령이 전체 국민의 의사를 물음으로써 이를 종식시키는 것이 국론통합의 측면에서 보다 바람직스럽지 않느냐 하는 것은 이와는 별개의 문제이다. 결국 헌법 제72조의 국민투표권은 대통령이 어떠한 정책을 국민투표에 부의한 경우에 비로소 행사가 가능한 기본권이라 할 수 있다.

따라서 이 사건 법률이 설사 수도를 분할하는 국가정책을 집행하는 내용을 가지고 있고 대통령이 이를 추진하고 집행하기 이전에 그에 관한 국민투표를 실시하지 아니하였다고 하더라도 국민투표권이 행사될 수 있는 계기인 대통령의 중요정책 국민투표 부의가 행해지지 않은 이상 청구인들의 국민투표권이 행사될 수 있을 정도로 구체화되었다고 할 수 없으므로 그 침해의 가능성은 인정되지 않는다.

5. 그 외의 주장

가. 청문권

청구인들은 행정중심복합도시의 건설은 국민 모두에게 이해관계가 있는 것으로서 법률제정과정에서 의견을 충분히 청취하여 반영할 필요성이 큼에도 불구하고 국민의 의견청취절차를 생략하여 청구인들의 적법절차의 원칙에서 파생되는 청문권을 침해하였다고 주장한다.

그러나 국민들이 선출한 국회의원들이 의회에서 공개적인 토론과 타협을 통하여 적법한 절차를 거쳐 제정하는 법률에 대하여, 그 내용이 기본권을 제약하는 법률이라는 이유로 국민들에게 사전 청문절차를 보장하지 않았다고 다투는 것은 대표를 통하여 국민의 의사를 국가정책에 반영하는 의회주의와 대의민주주의의 기본취지에 부합되지 않는다. 그 경우 국민들은 입법절차라는 절차적 적법절차를 이미 받은 것으로 볼 수 있다. 따라서 적법절차원칙에 의하여 해석상 도출되는 청문절차에 대한 요구에 의하여 헌법이 명문으로 인정한 국회의 입법권을 제약하는 것은 헌법체계적으로도 적절한 것으로 볼 수 없다.

또한 국회는 자율적 판단에 따라 공청회나 청문회를 개최할 수 있고(국회법 제58조, 제64조), 국민은 청원권을 통하여 정부나 국회에 입법에 관한 건의를 할 수 있으며, 헌법소원과 위헌법률심판제도를 통하여 위헌적인 법률을 다툴 수 있으므로 법률의 공정성과 타당성을 보장하고 국민의 권리보장을 위해 국민들의 의견을 반영하기 위한 절차가 일정부분 마련되어 있다고 볼 수 있다. 게다가 해석을 통해 입법절차에서의 국민의 직접참여권 보장을 내용으로 하는 청문권을 인정할 현실적인 필요성도 크지 않다.

따라서 국회입법에 대하여는 원칙적으로 일반 국민의 지위에서 적법절차에서 파생되는 청문권은 인정되지 아니하므로 청구인들의 경우 이 사건 법률에 의하여 그러한 기본권을 침해받을 가능성은 없다.

나. 청구인들의 기타 기본권 침해 주장에 대한 판단

1) 청구인이 주장하는 재정사용의 합법성과 타당성을 감시하는 납세자의 권리를 헌법에 열거되지 않은 기본권으로 볼 수 없으므로 그에 대한 침해의 가능성 역시 인정될 수 없다.
2) 청구인들은 이 사건 법률에 의하면 과다한 재정지출이 발생하고 그 재원조달을 위해 조세부담이 과도해짐에 따라 재산이 감소하는 손실을 감수해야 하므로 재산권이 침해된다고 주장하나, 조세의 부과징수는 국민의 납세의무에 기초하는 것으로서 원칙적으로 재산권의 침해가 되지 않고 다만 그로 인해 납세의무자의 사유재산에 관한 이용, 수익, 처분권이 중대한 제한을 받게 되는 경우에만 재산권의 침해가 될 수 있다. 이 사건 법률이 청구인들의 재산권을 직접 제한하는 것이 아닌 이상 행정중심복합도시의 건설로 세부담이 증가할 수 있다는 막연한 가능성만으로 재산권침해의 가능성을 인정할 수는 없다.
3) 청구인들은 이 사건 법률로 말미암아 수도권에서 활동하는 개인과 기업은 경제적으로 유·무형의 타격을 입게 되었고 안보상의 불안이 커졌으며 중앙정부에 출입하려는 국민들은 충청권으로 가야하는 불이익을 입게 되어 행복추구권을 침해받는다고 주장하나, 개인이나 기업의 단순한 이윤추구의 기회나 유리한 상황이 지속되리라는 기대나 희망 자체는 재산권 기타 기본권으로 보호되는 것으로 볼 수 없고, 안보상황에 대한 확신이나 중앙정부에 출입하는 수도권 주민이 가졌던 지리적 이점 역시 사실상의 이익에 불과하여 기본권으로 보장된다고 보기 어렵다. 따라서 청구인들이 이 사건 법률에 의하여 행복추구권을 침해받을 가능성이 있다고 볼 수 없다.

합헌적 법률해석

003. 국가보안법상 찬양·고무·동조 등 죄에 관한 사건 [한정합헌]
― 1990. 4. 2. 선고 89헌가113

판시사항 및 결정요지

1. 다의적이고 광범성이 인정되는 법률과 죄형법정주의

위헌법률심판의 대상에 있어서 법문의 내용이 다의적이고 그 적용범위에 있어서 과도한 광범성이 인정된다면 법치주의와 죄형법정주의에 위배되어 위헌의 소지가 있다.

2. 합헌적 해석의 요건

어떤 법률의 개념이 다의적이고 그 어의의 테두리안에서 여러가지 해석이 가능할 때, 헌법을 최고법규로 하는 통일적인 법질서의 형성을 위하여 헌법에 합치되는 해석 즉 합헌적인 해석을 택하여야 하며, 이에 의하여 위헌적인 결과가 될 해석은 배제하면서 합헌적이고 긍적정적인 면은 살려야 한다는 것이 헌법의 일반법리이다.

3. 반국가단체나 그 구성원 또는 그 지령을 받은 자의 활동을 찬양·고무 또는 이에 동조하거나 기타의 방법으로 반국가단체를 이롭게 한 자를 처벌하는 국가보안법 제7조 제1항 및 제5항의 위헌여부

국가보안법 제7조 제1항 및 제5항의 규정은 각 그 소정의 행위가 국가의 존립·안전을 위태롭게 하거나 자유민주적 기본질서에 위해를 줄 명백한 위험이 있을 경우에만 축소적용되는 것으로 해석한다면 헌법에 위반되지 아니한다.

4. 국가의 존립·안전을 위태롭게 한다는 것의 의미

국가의 존립·안전을 위태롭게 한다 함은 대한민국의 독립을 위협·침해하고 영토를 침략하며 헌법과 법률의 기능 및 헌법기관을 파괴·마비시키는 것으로 외형적인 적화공작 등을 일컫는다.

5. 자유민주적 기본질서에 위해를 준다는 것의 의미

자유민주적 기본질서에 위해를 준다 함은 모든 폭력적 지배와 자의적 지배 즉 반국가단체의 일인독재내지 일당독재를 배제하고 다수의 의사에 의한 국민의 자치, 자유·평등의 기본원칙에 의한 법치주의적 통치질서의 유지를 어렵게 만드는 것으로서 구체적으로는 기본적 인권의 존중, 권력분립, 의회제도, 복수정당제도, 선거제도, 사유재산과 시장경제를 골간으로 한 경제질서 및 사법권의 독립 등 우리의 내부체재를 파괴·변혁시키려는 것이다.

| 저항권 |

 **입법과정의 하자가 저항권행사의 대상이 되는지 여부 사건** [각하]
― 1997. 9. 25. 선고 97헌가4

판시사항 및 결정요지

1. 법률의 위헌여부가 재판의 전제가 되는지 여부에 관하여 헌법재판소가 제청법원의 견해와 다른 견해를 취할 수 있는지 여부(적극)

  법률이 재판의 전제가 되는 요건을 갖추고 있는지의 여부는 제청법원의 견해를 존중하는 것이 원칙이나, 재판의 전제와 관련된 법률적 견해가 유지될 수 없는 것으로 보이면 헌법재판소가 직권으로 조사할 수도 있다.

2. 불법쟁의임을 이유로 쟁의행위의 금지를 구하는 가처분신청사건에서, 시행된 바 없이 폐지된 법률로서, 쟁의행위의 계기가 된 법률이 재판의 전제가 되는지 여부(소극)

  법률의 위헌여부심판의 제청대상 법률은 특별한 사정이 없는 한 현재 시행중이거나 과거에 시행되었던 것이어야 하기 때문에, 제청 당시에 공포는 되었으나 시행되지 않았고 이 결정 당시에는 이미 폐지되어 효력이 상실된 법률은 위헌여부 심판의 대상법률에서 제외되는 것으로 해석함이 상당하다.

3. 국회법 소정의 협의 없는 개의시간의 변경과 회의일시를 통지하지 아니한 입법과정의 하자가 저항권행사의 대상이 되는지 여부(소극)

  저항권은 국가권력에 의하여 헌법의 기본원리에 대한 중대한 침해가 행하여지고 그 침해가 헌법의 존재 자체를 부인하는 것으로서 다른 합법적인 구제수단으로는 목적을 달성할 수 없을 때에 국민이 자기의 권리·자유를 지키기 위하여 실력으로 저항하는 권리이므로, 국회법 소정의 협의 없는 개의시간의 변경과 회의일시를 통지하지 아니한 입법과정의 하자는 저항권 행사의 대상이 되지 아니한다.

4. 헌법재판소에 의한 법률의 위헌여부 판단과는 관계없이, 법원이 입법과정의 하자를 이유로 한 쟁의행위의 정당성 여부를 판단할 수 있는지 여부(적극)

  피신청인들의 쟁의행위가 근로기본권인 단체행동권에 해당되는지 여부, 이와 관련된 사실인정 및 평가, 관계법률의 해석과 개별사례에서의 적용에 관한 문제는 일반적인 권한을 갖고 있는 법원의 임무에 속하는 것이며, 피신청인들이 쟁의행위를 할 당시 개정법률의 국회통과절차가 다른 합법적인 구제수단으로는 목적을 달성할 수 없는 국가권력에 의한 헌법의 기본원리에 대한 중대한 침해였고, 이 침해행위에 대한 구제수단으로 실력에 의한 쟁의행위를 선택한 것이 권리 자유를 지키기 위한 불가피한 유일한 수단으로 인정할 수 있는지 그밖에 제청법원이 주장하는 저항권의 행사로 정당화할 수 있는 다른 사정이 존재하는지 여부 또한 법원이 판단할 문제이다.

제2장 대한민국 헌법총설

제1절 대한민국 헌정사

제2절 대한민국 국가형태

제3절 헌법의 적용범위

| 국적 |

부계혈통주의 규정 및 부모양계혈통주의를 10년간만 소급하는 부칙규정 사건 [헌법불합치, 각하]
- 2000. 8. 31. 선고 97헌가12

판시사항 및 결정요지

1. 국적의 성격

국적은 국가와 그의 구성원 간의 법적유대이고 보호와 복종관계를 뜻하므로 이를 분리하여 생각할 수 없다. 즉 국적은 국가의 생성과 더불어 발생하고 국가의 소멸은 바로 국적의 상실 사유인 것이다. 국적은 성문의 법령을 통해서가 아니라 국가의 생성과 더불어 존재하는 것이므로, 헌법의 위임에 따라 국적법이 제정되나 그 내용은 국가의 구성요소인 국민의 범위를 구체화, 현실화하는 헌법사항을 규율하고 있는 것이다.

2. 심판계속 중 제청대상 법률조항이 개정되어 재판의 전제성이 상실되었다고 본 사례

법원이 이 사건 위헌여부심판을 제청할 당시, 제청대상 법률조항(구법조항)이 위헌이라면 대한민국 국민을 모로 하여 출생한 제청신청인은 대한민국 국적을 취득할 수 있기 때문에 제청신청인이 외국인임을 전제로 한 강제퇴거명령은 이를 집행할 수 없게 되므로, 구법조항의 위헌 여부는 당해사건의 재판에 전제성이 있었다. 그러나 신법에서는 부모양계혈통주의로 개정되었고(제2조 제1항 제1호), 당해사건에서도 1998. 6. 14.부터는 신법을 적용하여야 하므로(부칙 제1조), 구법조항은 이 심판 계속 중 재판의 전제성을 상실하여 부적법하다.

3. 출생에 의한 국적취득에 있어 부계혈통주의를 규정한 구 국적법(1948. 12. 20. 법률 제16호로 제정되고, 1997. 12. 13. 법률 제5431호로 전문개정되기 전의 것. 이하 "구법"이라 한다) 제2조 제1항 제1호(이하 "구법조항"이라 한다)가 헌법상 평등의 원칙에 위배되는지 여부(적극)

구법상 부가 외국인이기 때문에 대한민국 국적을 취득할 수 없었던 한국인 모의 자녀 중 신법이 경과규정에서 신법 시행 전 10년 동안에 태어난 자에게만 대한민국 국적을 취득하도록 규정한 것이 헌법에 위반되는지 여부를 판단하기 위하여는 출생에 의한 국적취득에 있어 부계혈통주의를 규정한 구법조항의 위헌 여부에 대한 판단이 전제가 된다.

부계혈통주의 원칙을 채택한 구법조항은 출생한 당시의 자녀의 국적을 부의 국적에만 맞추고 모의 국적은 단지 보충적인 의미만을 부여하는 차별을 하고 있다. 이렇게 한국인 부와 외국인 모 사이의 자녀와 한국인 모와 외국인 부 사이의 자녀를 차별취급하는 것은, 모가 한국인인 자녀와 그 모에게 불리한 영향을 끼치므로 헌법 제11조 제1항의 남녀평등원칙에 어긋난다.

한국인과 외국인 간의 혼인에서 배우자의 한쪽이 한국인 부인 경우와 한국인 모인 경우 사이에 성별에 따른 특별한 차이가 있는 것도 아니고, 양쪽 모두 그 자녀는 한국의 법질서와 문화에 적응하고 공동체에서 흠없이 생활해 나갈 수 있는 동등한 능력과 자질을 갖추었는데도 불구하고 전체 가족의 국적을 가부에만 연결시키고 있는 구법조항은 헌법 제36조 제1항이 규정한 "가족생활에 있어서의 양성의 평등원칙"에 위배된다.

모가 한국인인 자녀들은 외국인이므로 원칙적으로 대한민국의 공무원이 될 수 없고, 거주·이전의 자유, 직업선택의 자유, 재산권, 선거권 및 피선거권, 국가배상청구권 및 사회적 기본권 등을 누릴 수 없거나 제한적으로밖에 향유하지 못하게 된다. 그러므로 구법조항은 자녀의 입장에서 볼 때에도 한국인 모의 자녀를 한국인 부의 자녀에 비교하여 현저하게 차별취급을 하고 있으므로 헌법상의 평등원칙에 위배된다.

4. 구법상 부가 외국인이기 때문에 대한민국 국적을 취득할 수 없었던 한국인 모의 자녀 중에서 신법 시행 전 10년 동안에 태어난 자에게만 대한민국 국적을 취득하도록 하는 경과규정인 신 국적법(1997. 12. 13. 법률 제5431호로 국적법을 전문개정된 것. 이하 "신법"이라 한다) 부칙 제7조 제1항(이하 "부칙조항"이라 한다)의 헌법불합치 및 잠정적용명령

부칙조항은 신법이 구법상의 부계혈통주의를 부모양계혈통주의로 개정하면서 구법상 부가 외국인이기 때문에 대한민국 국적을 취득할 수 없었던 한국인 모의 자녀 중에서 신법 시행 전 10년 동안에 태어난 자에게 신고 등 일정한 절차를 거쳐 대한민국 국적을 취득하도록 하는 경과규정으로서, 구법조항의 위헌적인 차별로 인하여 불이익을 받은 자를 구제하는 데 신법 시행 당시의 연령이 10세가 되는지 여부는 헌법상 적정한 기준이 아닌 또 다른 차별취급이므로, 부칙조항은 헌법 제11조 제1항의 평등원칙에 위배된다.

그러나 헌법재판소가 위헌결정 또는 단순한 헌법불합치결정만을 선고할 경우 부칙조항은 헌법재판소가 결정을 선고한 때부터 더 이상 적용할 수 없게 되고, 이 경우 그나마 신법 시행 전 10년 동안에 태어난, 모가 한국인인 자녀에게 국적취득의 길을 열어 놓고 있는 근거규정(부칙조항)이 효력을 잃게 됨으로써 법치국가적으로 용인하기 어려운 법적 공백이 생기게 된다. 따라서 부칙조항은 헌법에 합치하지 아니하나 입법자가 새로운 입법을 할 때까지 이를 잠정적으로 적용하도록 명하는 것이다.

006 병역준비역에 편입된 복수국적자 국적이탈 제한 사건 [헌법불합치, 기각]
― 2020. 9. 24. 선고 2016헌마889

판시사항

1. 국적법 제12조 제2항 본문, 국적법 제14조 제1항 단서 중 제12조 제2항 본문에 관한 부분(이하 이들 조항을 합하여 '심판대상 법률조항'이라 한다)이 청구인의 국적이탈의 자유를 침해하는지 여부(적극)
2. 국적법 시행규칙 제12조 제2항 제1호(이하 '심판대상 시행규칙조항'이라 하고, 위 심판대상 법률조항과 이를 합하여 '심판대상조항'이라 한다)가 명확성원칙에 위배되는지 여부(소극) 및 청구인의 국적이탈의 자유를 침해하는지 여부(소극)
3. 심판대상 법률조항에 대하여 헌법불합치 결정을 선고한 사례
4. 심판대상 법률조항과 동일한 내용의 국적법 조항들이 헌법에 위반되지 않는다는 취지로 판시한 선례를 변경한 사례

사건의 개요

청구인은 1999. 5. 15. 미합중국(이하 '미국'이라 한다)에서 미국 국적의 부와 대한민국 국적의 모 사이에서 출생하였다. 청구인은 국적법 제2조 제1항 제1호의 '출생한 당시에 모가 대한민국의 국민인 자'로서 출생과 동시에 대한민국 국적을 취득하고, 미국 영토 내에서 태어나 출생과 동시에 미국 국적도 취득하여, 출생 시부터 대한민국과 미국의 국적을 모두 가진 복수국적자이다.

국적법 제12조 제2항 본문은 '병역법 제8조에 따라 병역준비역에 편입된 자는 편입된 때부터 3개월 이내에 하나의 국적을 선택하거나 제3항 각 호의 어느 하나에 해당하는 때부터 2년 이내에 하나의 국적을 선택하여야 한다.'라고 규정하여, 병역준비역에 편입된 자의 국적선택 기간을 제한하고 있다. 또한, 국적법 제14조 제1항 단서에 의하면, 제12조 제2항 본문에 해당하는 사람의 경우 위 국적을 선택할 수 있는 기간 이내에 법무부장관에게 대한민국 국적으로부터 이탈한다는 뜻을 신고할 수 있고, 그 기간을 경과하면 병역의무가 해소되기 전에는 국적이탈 신고를 할 수 없다. 청구인은 대한민국 국민인 남성으로서 병역법상 만 18세가 되는 해인 2017. 1. 1.로부터 3개월 이내인 2017. 3. 31.까지 원칙적으로 어느 하나의 국적을 선택할 의무가 있고, 이 기간이 지나면 병역의무가 해소되기 전에는 국적이탈 신고를 할 수 없다.

한편, 국적법 시행규칙 제12조 제2항 제1호는 국적이탈 신고자가 '국적이탈 신고서'를 제출하면서 '가족관계기록사항에 관한 증명서'를 첨부하도록 규정한다. 이와 관련하여 실무상 법무부장관은 '가족관계의 등록 등에 관한 법률'에 따른 신고자 본인의 기본증명서와 가족관계증명서, 부와 모의 기본증명서 등을 제출하도록 하고 있다. 이들 서류는 출생신고 등을 통하여 가족관계등록부가 작성된 사람에 대하여 발급될 수 있으므로, 국적이탈 신고를 하려면 그에 앞서 출생신고 등을 하여 가족관계등록부가 작성되어 있어야 한다. 청구인의 경우 출생과 동시에 대한민국 국적을 취득하였으나 대한민국에 출생신고조차 되어 있지 않다.

청구인은 대한민국 국적에서 이탈하려 하는데, 위 국적법 시행규칙조항에 의하여 국적이탈 신고를 하기 위해서는 우선 출생신고를 하여야 하고, 위 국적법 조항들에 의하여 2017. 3. 31.이 지나면 병역의무가 해소되지 않는 이상 국적이탈이 제한되는바, 이들 규정이 자신의 기본권을 침해한다고 주장하면서, 2016. 10. 13. 이 사건 헌법소원심판을 청구하였다.

심판대상조항 및 관련조항

국적법(2016. 5. 29. 법률 제14183호로 개정된 것)

제12조(복수국적자의 국적선택의무) ① 만 20세가 되기 전에 복수국적자가 된 자는 만 22세가 되기 전까지, 만 20세가 된 후에 복수국적자가 된 자는 그 때부터 2년 내에 제13조와 제14조에 따라 하나의 국적을 선택하여야 한다. 다만, 제10조 제2항에 따라 법무부장관에게 대한민국에서 외국 국적을 행사하지 아니하겠다는 뜻을 서약한 복수국적자는 제외한다.
② 제1항 본문에도 불구하고 병역법 제8조에 따라 병역준비역에 편입된 자는 편입된 때부터 3개월 이내에 하나의 국적을 선택하거나 제3항 각 호의 어느 하나에 해당하는 때부터 2년 이내에 하나의 국적을 선택하여야 한다. (단서 생략)

국적법(2010. 5. 4. 법률 제10275호로 개정된 것)

제14조(대한민국 국적의 이탈 요건 및 절차) ① 복수국적자로서 외국 국적을 선택하려는 자는 외국에 주소가 있는 경우에만 주소지 관할 재외공관의 장을 거쳐 법무부장관에게 대한민국 국적을 이탈한다는 뜻을 신고할 수 있다. 다만, 제12조 제2항 본문 또는 같은 조 제3항에 해당하는 자는 그 기간 이내에 또는 해당 사유가 발생한 때부터만 신고할 수 있다.

국적법 시행규칙(2014. 6. 18. 법무부령 제817호로 개정된 것)

제12조(국적이탈 신고서의 서식 및 첨부서류) ② 제1항의 국적이탈 신고서에 첨부하여야 하는 서류는 다음 각 호와 같다.
 1. 가족관계기록사항에 관한 증명서

병역법(2016. 5. 29. 법률 제14183호로 개정된 것)

제8조(병역준비역 편입) 대한민국 국민인 남성은 18세부터 병역준비역에 편입된다.

주문

1. 국적법(2016. 5. 29. 법률 제14183호로 개정된 것) 제12조 제2항 본문 및 국적법(2010. 5. 4. 법률 제10275호로 개정된 것) 제14조 제1항 단서 중 제12조 제2항 본문에 관한 부분은 헌법에 합치되지 아니한다. 위 법률조항은 2022. 9. 30.을 시한으로 개정될 때까지 계속 적용된다.
2. 청구인의 나머지 심판청구를 기각한다.

I 판 단

1. 제한되는 기본권 및 쟁점의 정리

가. 심판대상 법률조항 부분

심판대상 법률조항은 대한민국 남성인 복수국적자에 대하여 국적선택 의무를 부과하면서 그 기간을 제한하여 대한민국 국적으로부터 자유롭게 벗어날 수 있는 '국적이탈의 자유'를 제한하고 있다. 따라서 심판대상 법률조항이 과잉금지원칙에 위배되어 국적이탈의 자유를 침해하는지 여부를 살펴본다.

청구인은 심판대상 법률조항이 국적이탈의 자유 외에 국적선택에 관한 자기결정권, 직업의 자유 등을 침해한다고 주장한다. 그러나 '국적이탈의 자유'의 개념에는 '국적선택에 대한 자기결정권'이 전제되어 있으므로 '국적선택에 대한 자기결정권'을 분리하여 따로 살펴볼 실익은 없고, 특정 직업의 선택이 제한될 여지가 있다는 점은 청구인의 주장에 따르더라도 심판대상 법률조항이 직접적으로 초래하는 불이익이 아니므로, 직업선택의 자유를 침해하는지 여부에 대해서는 살펴보지 않는다.

나. 심판대상 시행규칙조항 부분

심판대상 시행규칙조항에서는 국적이탈 신고 시 첨부하여야 할 서류로 '가족관계기록사항에 관한 증명서'라고만 규정하는바, 이것이 어떠한 서류를 지칭하는지와 관련하여 명확성원칙 위배 여부가 문제된다.

심판대상 시행규칙조항은 실무상 가족관계등록부 등의 기록사항에 기초한 서류의 제출을 요구함으로써, 가족관계등록부가 작성되어 있지 않은 사람에 대해서는 국적이탈 신고 이전에 우선 출생신고 등을 통하여 '가족관계의 등록 등에 관한 법률'(이하 '가족관계등록법'이라 한다)에 따른 가족관계등록부가 작성되도록 할 것을 간접적으로 요구하는바, 이것이 국적이탈의 자유에 대한 제한으로서 과잉금지원칙에 위배되는지 여부가 문제된다.

청구인은 심판대상 시행규칙조항으로 인하여 출생과 동시에 복수국적이 된 사람이 출생 이후 복수국적이 된 사람에 비하여 더 번거로운 국적이탈 절차를 거쳐야 하는바, 위 조항이 자신의 평등권을 침해한다고 주장하나, 양자를 평등이 문제되는 비교집단으로 설정할 수 없고, 청구인이 지적하는 출생과 동시에 복수국적자가 된 사람의 절차상 어려움에 대해서는 과잉금지원칙 위배 여부 판단에서 살펴볼 수 있으므로, 이에 대해서는 별도로 판단하지 않는다.

2. 심판대상 법률조항의 과잉금지원칙 위배 여부

가. 과잉금지원칙 위반여부

심판대상 법률조항의 입법목적은 병역준비역에 편입된 사람이 병역의무를 면탈하기 위한 수단으로 국적을 이탈하는 것을 제한하여 병역의무 이행의 공평을 확보하려는 것이다.

복수국적자의 주된 생활근거지나 대한민국에서의 체류 또는 거주 경험 등 구체적 사정에 따라서는 사회통념상 심판대상 법률조항이 정하는 기간 내에 국적이탈 신고를 할 것으로 기대하기 어려운 사유가 인정될 여지가 있다. 주무관청이 구체적 심사를 통하여, 주된 생활근거를 국내에 두고 상당한 기간 대한민국 국적자로서의 혜택을 누리다가 병역의무를 이행하여야 할 시기에 근접하여 국적을 이탈하려는 복수국적자를 배제하고 병역의무 이행의 공평성이 훼손되지 않는다고 볼 수 있는 경우에만 예외적으로 국적선택 기간이 경과한 후에도 국적이탈을 허가하는 방식으로 제도를 운용한다면, 병역의무 이행의 공평성이 훼손될 수 있다는 우려는 불식될 수 있다.

병역준비역에 편입된 복수국적자의 국적선택 기간이 지났다고 하더라도, 그 기간 내에 국적이탈 신고를 하지 못한 데 대하여 사회통념상 그에게 책임을 묻기 어려운 사정 즉, 정당한 사유가 존재하고, 병역의무 이행의 공평성 확보라는 입법목적을 훼손하지 않음이 객관적으로 인정되는 경우라면, 병역준비역에 편입된 복수국적자에게 국적선택 기간이 경과하였다고 하여 일률적으로 국적이탈을 할 수 없다고 할 것이 아니라, 예외적으로 국적이탈을 허가하는 방안을 마련할 여지가 있다.

심판대상 법률조항의 존재로 인하여 복수국적을 유지하게 됨으로써 대상자가 겪어야 하는 실질적 불이익은 구체적 사정에 따라 상당히 클 수 있다. 국가에 따라서는 복수국적자가 공직 또는 국가안보와 직결되는 업무나 다른 국적국과 이익충돌 여지가 있는 업무를 담당하는 것이 제한될 가능성이 있다. 현실적으로 이러한 제한이 존재하는 경우, 특정 직업의 선택이나 업무 담당이 제한되는 데 따르는 사익 침해를 가볍게 볼 수 없다.

심판대상 법률조항은 과잉금지원칙에 위배되어 청구인의 국적이탈의 자유를 침해한다.

3. 심판대상 시행규칙조항에 대한 판단

가. 명확성원칙 위배 여부

심판대상 시행규칙조항은 국적이탈 신고자에게 신고서에 '가족관계기록사항에 관한 증명서'를 첨부하여 제출하도록 규정하는바, 실무상 국적이탈 신고자는 가족관계등록법에 따른 국적이탈자 본인의 기본증명서와 가족관계증명서, 부와 모의 기본증명서, 대한민국 국적의 부와 외국국적의 모 사이에서 출생한 경우에는 부의 혼인관계증명서 등(이하 '기본증명서 등'이라 한다)을 제출해야 한다.

국적이탈 신고자의 대한민국 국적 및 다른 국적 취득 경위, 성별, 부모의 국적 등 그 신고 당시의 구체적 사정이 다양하므로 시행규칙에서 첨부서류의 명칭을 직접 규정하는 것이 적절하지 않을 수 있고, 첨부할 서류의 내용이나 증명 취지를 고려하여 지금과 같이 표현하는 것 외에 다른 방법을 상정하기 어려우므로, 심판대상 시행규칙조항은 명확성원칙에 위배되지 않는다.

나. 과잉금지원칙 위배 여부

심판대상 시행규칙조항은 법무부장관이 국적이탈 신고 수리 업무를 적정하게 처리할 수 있도록 신고자에게 필요한 서류를 첨부하여 제출하게 하는 것으로서, 그 목적의 정당성이 인정된다. 법무부장관은 이를 통해 국적이탈 신고자가 그 요건을 갖추었는지 여부를 판단하는 데 필요한 정보를 얻을 수 있으므로 수단의 적합성도 인정된다.

법무부장관이 국적이탈 신고를 수리하기 위해서는 신고자 본인을 정확히 특정하고 국적이탈의 전제로서 그의 대한민국 국적 취득 및 보유 사실을 확인할 필요가 있다. 국적이탈 신고자의 거주지, 출생지와 출생일, 연령, 성별, 대한민국 국적 취득 경위, 부 또는 모의 국적 취득 및 상실 여부 등 국적이탈 신고를 둘러싼 사정이 다양하므로, 법무부장관으로서는 국적이탈 요건 충족 여부를 정확히 판단하기 위하여 신고자에게 정형화되고 신뢰성이 높은 문서를 제출하도록 할 수밖에 없다. 가족관계등록법상 기본증명서 등은 그러한 정보가 기재된 대한민국의 공문서인바, 법무부장관이 요건 충족 여부를 판단하는 데 필요한 정보를 충분히 담고 있으면서 또한 신뢰성이 확보되는 다른 유형의 서류를 상정하기 어렵다.

청구인은 심판대상 시행규칙조항으로 인하여 출생신고를 하지 않은 복수국적자의 경우 기본증명서 등을 발급받기 위하여 우선 출생신고부터 하여야 하는 문제점이 있다고 주장한다. 물론 출생신고가 선행되어야 국적이탈 신고에 필요한 첨부서류를 발급받을 수 있는 것이 사실이나, 출생신고는 출생자의 부 또는 모가 부담하는 가족관계등록법상 의무이며, 국적이탈 신고 시에 비로소 출생신고를 하여야 하는 부담은 청구인의 부 또는 모가 가족관계등록법에 따른 출생신고 의무를 이행하지 않았기 때문에 발생하는 문제일 뿐, 심판대상 시행규칙조항이 직접 출생신고 의무를 부과하고 있는 것은 아니다. 그렇다면 심판대상 시행규칙조항이 피해의 최소성 및 법익의 균형성 원칙에 위배된다고 할 수 없다.

심판대상 시행규칙조항은 과잉금지원칙에 위배되어 청구인의 국적이탈의 자유를 침해하지 않는다.

4. 심판대상 법률조항에 대한 헌법불합치결정과 잠정적용 명령

헌법재판소가 심판대상 법률조항에 대한 단순위헌결정을 하여 효력이 즉시 상실되면, 국적선택이나 국적이탈에 대한 기간 제한이 정당한 경우에도 그 제한이 즉시 사라지게 되어 병역의무의 공평성 확보에 어려움이 발생할 수 있으므로, 심판대상 법률조항에 대하여 헌법불합치결정을 선고하되, 입법자의 개선입법이 있을 때까지 잠정적용을 명하기로 한다.

Ⅱ 결론

이 사건 심판 청구 중 심판대상 법률조항에 대해서는 헌법불합치 결정을 선고하되, 2022. 9. 30.을 시한으로 개선입법이 이루어질 때까지 잠정적으로 적용하기로 하고, 나머지 심판청구는 이를 기각하기로 하여 주문과 같이 결정한다. 종래 이와 견해를 달리하여 심판대상 법률조항과 동일한 내용의 국적법 조항들이 헌법에 위반되지 아니한다고 판시하였던 헌재 2006. 11. 30. 2005헌마739 결정 및 헌재 2015. 11. 26. 2013헌마805, 2014헌마788(병합) 결정은 이 결정 취지와 저촉되는 범위 안에서 이를 변경하기로 한다.

재외동포법 적용대상에서 정부수립이전 이주동포를 제외한 사건
[헌법불합치]
― 2001. 11. 29. 선고 99헌마494

판시사항 및 결정요지

1. 법률규정과 밀접불가분한 시행령규정까지 심판대상의 확장이 인정된 사례

청구인들은 재외동포법 제2조 제2호만을 심판대상으로 적시하였으나, 재외동포법시행령 제3조는 재외동포법 제2조 제2호의 규정을 구체화하는 것으로서 양자가 일체를 이루어 동일한 법률관계를 규율대상으로 하고 있고, 시행령규정은 모법규정을 떠나 존재할 수 없으므로 이 사건의 심판대상을 동 시행령규정에까지 확장함이 상당하고, 정부수립이전이주동포를 적용대상에서 결정적으로 제외하는 재외동포법시행령 제3조 제2호가 포함되어야 함은 물론이고, 청구인들은 재외동포법이 외국국적동포들에게 혜택을 부여하는 입법을 하였음에도 자신들에게 혜택을 부여하지 아니한 부진정입법부작위를 평등원칙에 근거하여 다투는 것임에 비추어, 재외동포법시행령 제3조 제1호도 포함하여야 한다.

2. 공포 전 법률에 대한 헌법소원의 적법 여부(적극)

법률안이 거부권 행사에 의하여 최종적으로 폐기되었다면 모르되, 그렇지 아니하고 공포되었다면 법률안은 그 동일성을 유지하여 법률로 확정되는 것이라고 보아야 하므로 이에 대한 헌법소원은 적법하다.

3. 수혜적 법률도 기본권 침해성이 인정될 수 있는지 여부(적극)

'수혜적 법률'의 경우에는 수혜범위에서 제외된 자가 그 법률에 의하여 평등권이 침해되었다고 주장하는 당사자에 해당되고, 당해 법률에 대한 위헌 또는 헌법불합치 결정에 따라 수혜집단과의 관계에서 평등권침해 상태가 회복될 가능성이 있다면 기본권 침해성이 인정된다.

4. 외국인의 기본권 주체성이 인정되는지 여부(적극)

'외국인'은 '국민'과 유사한 지위에 있으므로 원칙적으로 기본권 주체성이 인정된다.

5. 재외동포법의 적용대상에서 정부수립이전이주동포, 즉 대부분의 중국동포와 구 소련동포 등을 제외한 것이 평등원칙에 위반되는 것인지 여부(적극)

이 사건 심판대상규정은 재외동포, 특히 외국국적동포에 대하여 아무런 규정을 두지 아니한 것이 아니라 그 중 일부에 대한 혜택을 주도록 규정하면서도 정부수립이전이주동포를 제외시켜 불완전·불충분하게 규율하고 있는 부진정입법부작위에 해당하고, 따라서 이 헌법소원은 이 사건 심판대상규정이 평등원칙에 위배되는가 여부에 관한 것이므로 적법하다고 할 것이다.

재외동포법은 외국국적동포등에게 광범한 혜택을 부여하고 있는바, 이 사건 심판대상규정은 대한민국 정부수립 이전에 국외로 이주한 동포와 그 이후 국외로 이주한 동포를 구분하여 후자에게는 위와 같은 혜택을 부여하고 있고, 전자는 그 적용대상에서 제외하고 있다.

그런데, 정부수립이후이주동포와 정부수립이전이주동포는 이미 대한민국을 떠나 그들이 거주하고 있는 외국의 국적을 취득한 우리의 동포라는 점에서 같고, 국외로 이주한 시기가 대한민국 정부수립 이전인가 이후인가는 결정적인 기준이 될 수 없는데도, 정부수립이후이주동포(주로 재미동포, 그 중에서도 시민권을 취득한 재미동포 1세)의 요망사항은 재외동포법에 의하여 거의 완전히 해결된 반면, 정부수립이전이주동포(주로 중국동포 및 구 소련동포)는 재외동포법의 적용대상에서 제외됨으로써 그들이 절실히 필요로 하는 출입국기회와 대한민국 내에서의 취업기회를 차단당하였고, 사회경제적 또는 안보적 이유로 거론하는 우려도, 당초 재외동포법의 적용범위에 정부수립이전이주동포도 포함시키려 하였다가 제외시킨 입법과정에 비추어 보면 엄밀한 검증을 거친 것이라고 볼 수 없으며, 또한 재외동포법상 외국국적동포에 대한 정의규정에는 일응 중립적인 과거국적주의를 표방하고, 시행령으로 일제시대 독립운동을 위하여 또는 일제의 강제징용이나 수탈을 피하기 위해 조국을 떠날 수밖에 없었던 중국동포나 구 소련동포가 대부분인 대한민국 정부수립 이전에 이주한 자들에게 외국국적 취득 이전에 대한민국의 국적을 명시적으로 확인받은 사실을 입증하도록 요구함으로써 이들을 재외동포법의 수혜대상에서 제외한 것은 정당성을 인정받기 어렵다.

요컨대, 이 사건 심판대상규정이 청구인들과 같은 정부수립이전이주동포를 재외동포법의 적용대상에서 제외한 것은 합리적 이유없이 정부수립이전이주동포를 차별하는 자의적인 입법이어서 헌법 제11조의 평등원칙에 위배된다.

6. 헌법불합치를 선언하고 잠정적용을 명한 사례

법률이 평등원칙에 위반된다고 판단되는 경우에도 그 위헌적 상태를 제거하여 평등원칙에 합치되는 상태를 실현하는 선택의 문제는 입법자에게 맡겨진 일이고, 이 사건 심판대상규정에 대하여 단순위헌결정을 선고하면 외국국적동포의 경우는 재외동포법이 부여하는 지위가 그 순간부터 상실되어 법치국가적으로 용인하기 어려운 법적 공백과 그로 인한 혼란을 야기할 수 있으므로 헌법불합치를 선고하고, 입법자가 합헌적인 방향으로 법률을 개선할 때까지 2003. 12. 31.을 한도로 잠정적으로 적용하게 한다.

7. 정의규정에 대한 위헌성의 확인이 관련규정에 대한 위헌성의 확인을 수반하는 사례

이 사건 심판대상규정은 '정의규정'이므로 이에 대한 위헌성의 확인은 재외동포법 중 외국국적동포에 관련되는 조문에 대한 위헌성의 확인을 수반하게 되고, 이와 같은 사정은 하위법규인 시행령과 시행규칙의 경우에도 같으므로, 입법자가 2003. 12. 31.까지 입법개선의무를 이행하지 않는다면 2004. 1. 1.부터는 재외동포법의 관련규정뿐만 아니라 하위법규인 시행령과 시행규칙도 그 관련 부분은 효력을 상실한다.

| 영토 |

008 대한민국과 일본국 간의 어업에 관한 협정 사건 [각하, 기각]
― 2001. 3. 21. 선고 99헌마139·142·156·160(병합)

판시사항

1. 가. 대한민국과일본국간의어업에관한협정이 '공권력의 행사'에 해당하는지 여부(적극)
   나. "헌법전문에 기재된 3.1정신"이 헌법소원의 대상인 "헌법상 보장된 기본권"에 해당하는지 여부(소극)
   다. 영토권이 헌법소원의 대상인 기본권에 해당하는지 여부(적극)
   라. 어업 또는 어업관련업무에 종사하지 않는 자가 청구인적격이 있는지 여부(소극)
   마. 이 사건 협정으로 인하여 어업 또는 어업관련업무에 종사하는 자의 기본권이 직접 침해되었다고 볼 수 있는지 여부(적극)
2. 국회 본회의에서의 동의 의결절차가 헌법 제49조에 위반되어 국회의 의결권과 국민 개개인의 정치적 평등권을 침해하였는지 여부(소극)
3. 합의의사록을 국회에 상정하지 아니한 것이 국회의 의결권과 국민의 정치적 평등권을 침해하였는지 여부(소극)
4. 독도 등을 중간수역으로 정한 것이 영해 및 배타적경제수역에 대한 국민의 주권 및 영토권을 침해하였는지 여부(소극)
5. 65년협정에 비하여 조업수역이 극히 제한됨으로써 어획량감소로 인해 우리 어민들에게 엄청난 불이익을 초래하여 행복추구권, 직업선택의 자유, 재산권, 평등권, 보건권 등을 침해하였는지 여부(소극)

사건의 개요

청구인은 어선 한백호의 선주로서 우리나라와 일본 사이의 해역에서 활오징어 채낚이조업을 하는 자이며 어민들의 권익 수호를 위하여 전국적으로 조직된 전국어민 총연합회 회장이다. 그런데 청구인은 1998. 11. 28. 일본국 가고시마에서 서명되고 1999. 1. 6. 제199회 임시국회의 제6차 본회의에서 비준동의안이 가결되고 1999. 1. 22. 발효된 대한민국과일본국간의어업에관한협정(조약 제1477호)과 그 합의의사록이 헌법상 보장된 국민의 영토권, 평등권, 행복추구권, 직업선택의 자유 및 재산권 등 청구인의 기본권을 침해하여 헌법에 위반된다고 주장하면서 1999. 3. 16. 이 사건 헌법소원심판을 청구하였다.

I. 판 단

1. 적법성 요건에 관한 판단

가. 공권력의 행사 또는 불행사

헌법소원심판의 대상이 되는 것은 헌법에 위반된 "공권력의 행사 또는 불행사"이다. 여기서 '공권력'이란 입법권·행정권·사법권을 행사하는 모든 국가기관·공공단체등의 고권적 작용이라고 할 수 있는바, 이 사건 협정은 우리나라 정부가 일본 정부와의 사이에서 어업에 관해 체결·공포한 조약(조약 제1477호)으로서 헌법 제6조 제1항에 의하여 국내법과 같은 효력을 가지므로, 그 체결행위는 고권적 행위로서 '공권력의 행사'에 해당한다.

나. 헌법상 보장된 기본권의 침해

1) 헌법소원심판을 청구할 수 있기 위하여는 청구인의 "헌법상 보장된 기본권"이 침해되어야 한다. 여기서 헌법상 보장된 기본권이 구체적으로 무엇을 의미하는지는 반드시 명확하지는 않다. 우리 헌법 제2장 국민의 권리와 의무(제10조 내지 제39조) 가운데에서 의무를 제외한 부분이 원칙적으로 기본권에 해당함은 인정할 수 있으나, 그에 한정할 것인지 또는 헌법상의 위 규정들 이외에서도 기본권성을 인정할 수 있는지, 나아가서 헌법의 명문의 규정이 없다하더라도 인정되는 기본권이 존재하는지, 존재한다면 구체적으로 어떠한 것인지에 대하여는 반드시 명확하다고만은 할 수 없다. 따라서 이 문제는 결국 개별적·구체적인 헌법해석에 의하여 해결하는 수밖에 없으나, 그것에 내재하는 의미를 "헌법에 의하여 직접 보장된 개인의 주관적 공권"이라고 파악할 수 있다.

2) 청구인들이 침해받았다고 주장하는 기본권 가운데 "헌법전문에 기재된 3.1정신"은 우리나라 헌법의 연혁적·이념적 기초로서 헌법이나 법률해석에서의 해석기준으로 작용한다고 할 수 있지만, 그에 기하여 곧바로 국민의 개별적 기본권성을 도출해낼 수는 없다고 할 것이므로, 본안판단의 대상으로부터 제외하기로 한다.

3) 청구인들은, 이 사건 협정에서 독도가 우리나라의 영토인 사실을 망각하고 독도를 중간수역에 포함시킴으로써 영해 및 배타적 경제수역에 대한 대한민국 국민인 청구인들의 영토권을 침해하였다고 주장한다. 헌법 제3조는 "대한민국의 영토는 한반도와 그 부속도서로 한다."고 규정하여, 대한민국의 주권이 미치는 공간적 범위를 명백히 선언하고 있다. 이러한 영토조항의 헌법적 의미가 무엇인가에 대해서는 여러 가지 견해가 존재하지만, 이러한 영토조항이 국민 개개인의 주관적 권리인 기본권을 보장하는 것으로 해석하는 견해는 거의 존재하지 않는 것으로 보인다. 이는 기본권이라는 것이 국민의 국가에 대한 주관적인 헌법상의 권리인데 대하여, 영토조항은 국가 공동체를 구성하는 본질적인 요소에 대한 규정임을 고려하여 볼 때 쉽게 납득할 수 있을 것이다.

그러나, 모든 국가적 권능의 정당성근거인 동시에 국가권력의 목적인 국민의 기본권을 가장 실질적으로 보장해주는 대표적인 헌법재판제도로서의 헌법소원심판의 본질은 개인의 주관적 권리구제 뿐 아니라 객관적인 헌법질서의 보장도 겸하고 있다고 보아야 한다. 국민의 개별적인 주관적 기본권을 실질적으로 보장하기 위해서는 경우에 따라서는 객관적인 헌법질서의 보장이 전제되지 않으면 안되는 상황을 상정해 볼 수 있다. 그 예로서, 헌법 제3조의 영토조항은 우리나라의 공간적인 존립기반을 선언하는 것인바, 영토변경은 우리나라의 공간적인 존립기반에 변동을 가져오고, 또한 국가의 법질서에도 변화를 가져옴으로써, 필연적으로 국민의 주관적 기본권에도 영향을 미치지 않을 수 없는 것이다. 이러한 관점에서 살펴본다면, 국민의 개별적 기본권이 아니라 할지라도 기본권보장의 실질화를 위하여서는, 영토조항만을 근거로 하여 독자적으로는 헌법소원을 청구할 수 없다할지라도, 모든 국가권능의 정당성의 근원인 국민의 기본권 침해에 대한 권리구제를 위하여 그 전제조건으로서 영토에 관한 권리를, 이를테면 영토권이라 구성하여, 이를 헌법소원의 대상인 기본권의 하나로 간주하는 것은 가능한 것으로 판단된다.

2. 본안에 관한 판단

가. 이 사건 협정의 주요내용

1) 이 사건 협정은 원칙적으로 '대한민국'과 '일본국'이라는 두 개의 국가에 대하여 적용된다.
2) 이 사건 협정이 적용되는 범위는 "대한민국의 배타적경제수역과 일본국의 배타적경제수역"(제1조)이다. 이는 이 사건 협정이 배타적경제수역을 바탕으로 어업체제를 수립하는 협정이기 때문이다.
3) 이 사건 협정이 대상으로 하는 것은 '어업에 관한 사항'이다. 이 사건 협정의 제목에 "어업에 관한 협정"이라고 하여 어업문제를 다루는 것으로 명시되어 있고, 이 사건 협정의 본문과 2개의 부속서에 이르기까지 어업에 관한 사항만을 다루고 있다.
4) 이 사건 협정은 비준서를 교환하는 날로부터 발효하여 적용된다. 또한 이 사건 협정은 발효하는 날로부터 3년간 유효하며, 그 이후에는 어느 일방이 종료의사를 통고하는 날로부터 6개월 후 종료한다(제16조 제2항).
5) 배타적경제수역으로 간주하는 수역에서는 연안국이 어업에 관한 주권적 권리를 행사하도록 되어 있다(제7조, 부속서Ⅱ 제1항 참조). 그런데 이를 배타적경제수역이라고 하지 않고 '배타적경제수역으로 간주하는 수역'이라고 하는 이유는 어업협정의 목적상 설정된 것으로서 수역의 범위가 배타적경제수역의 범위와 일치하지 않기 때문이다.
6) 이른바 중간수역에서는 한일 양국이 서로 상대방의 국민과 어선에 대하여는 어업에 관한 자국의 법령을 적용하지 않는다(제8조 참조). 여기서의 법령이란, '어업에 관한' 자국의 법령을 의미하므로, 어업에 관한 법령 이외의 법령이 이 사건 협정에 의하여 제약을 받는 것은 아니다.

나. 합의의사록의 국회에의 불상정이 국회의 의결권과 국민의 정치적 평등권을 침해하였는지 여부

합의의사록이 구체적으로 어떠한 법적 효력을 가지는지에 대해서 국제법상 확립된 원칙은 없는 것으로 보인다. 다만 합의의사록이 '조약'에 해당된다고 하기 위해서는 조약의 법적 성질을 판단하는 기준에 부합하는지가 중요한 단서를 제공한다고 하겠다. 그런데 조약이란 명시적으로 '조약'이라는 명칭을 붙인 것에 한하지 않고, 명칭여하에 관계없이 국제법주체간에 국제법률관계를 설정하기 위하여 체결한 명시적인 합의라고 할 수 있다(조약법에관한비엔나협약 제2조 제1항(a) 참조).

이 사건 협정의 합의의사록은 한일 양국 정부의 어업질서에 관한 양국의 협력과 협의 의향을 선언한 것으로서, 이러한 것들이 곧바로 구체적인 법률관계의 발생을 목적으로 한 것으로는 보기 어렵다할 것이므로, 합의의사록은 조약에 해당하지 아니하고, 이를 국회에 상정하지 아니한 것이 국회의 의결권과 국민의 정치적 평등권을 침해하였다고 볼 수 없다.

다. 영토권의 침해 여부

이 사건 협정은 배타적경제수역을 직접 규정한 것이 아닐 뿐만 아니라 배타적경제수역이 설정된다 하더라도 영해를 제외한 수역을 의미하며, 이러한 점들은 이 사건 협정에서의 이른바 중간수역에 대해서도 동일하다고 할 것이므로 독도가 중간수역에 속해 있다 할지라도 독도의 영유권 문제나 영해문제와는 직접적인 관련을 가지지 아니한 것임은 명백하다 할 것이다.

라. 65년협정에 비하여 조업수역이 극히 제한됨으로써 어획량감소로 인해 우리 어민들에게 엄청난 불이익을 초래하여 행복추구권, 직업선택의 자유, 재산권, 평등권, 보건권 등을 침해하였는지 여부

조업수역의 축소와 어획량의 감축에 따른 어민들의 손실은 이 사건 협정에 의하여 초래되었다기 보다는 UN해양법협약의 성립·발효에 의한 세계해양법질서의 변화에 기인한 것으로서 그와 같은 변화에 따라서 한일 양국이 배타적경제수역체제를 각자 국내실정법으로 규정함으로써 이 사건 협정의 성립 여부와는 관계없이 한일 양국의 연안해역에서 배타적경제수역이 시행되게 되었고, 다만 국제법우위의 원칙에 의해 65년협정이 유효함으로 인하여 그 적용이 되지 않았을 뿐이나, 65년협정이 일본의 일방적인 종료선언으로 인해 1999. 1. 22 종료되게 됨으로써 더 이상 상호간의 배타적경제수역내에서는 어업이 불가능한 상황이 예상되었 다.

또한 한일 양국의 마주보는 수역이 400해리에 미치지 못하여 서로 중첩되는 부분이 생겨나게 되었고, 이로 인해 양국간의 어로활동에 있어서의 충돌은 명약관화한 것이었으므로 이러한 사태는 피하여야 한다는 양국의 공통된 인식에 입각하여 협상이 이루어진 결과 성립된 것이 이 사건 협정이라 할 것이며, 이 사건 협정은 어업에 관한 한일 양국의 이해를 타협·절충함에 있어서 현저히 균형을 잃은 것으로는 보이지 않는다고 일응 평가할 수 있으므로, 청구인들의 헌법상 보장된 행복추구권, 직업선택의 자유, 재산권, 평등권, 보건권은 침해되었다고 볼 수 없다.

II 결 론

따라서 아래의 재판관 하경철, 재판관 김영일의 각하의견 이외에 나머지 재판관 전원의 일치된 의견으로 청구인 임호, 장경우, 조은희, 신중대, 정인봉의 심판청구는 부적법하므로 각하하기로 하고, 나머지 청구인들의 이 심판청구는 기각하기로 하여 주문과 같이 결정한다.

009 북한 주민과의 접촉시 통일부장관의 승인을 얻도록 한 사건 [합헌]
- 2000. 7. 20. 선고 98헌바63

판시사항 및 결정요지

1. 남북교류협력에관한법률이 평화적 통일을 지향하는 헌법의 제반규정에 부합하는지 여부(적극)
2. 남북교류협력에관한법률 제9조 제3항이 평화통일을 선언한 헌법전문, 헌법 제4조, 헌법66조 제3항 및 기타 헌법상의 통일조항에 위배되는지 여부(소극)
3. 위 법률조항이 과잉금지의 원칙에 위배되는지 여부(소극)
4. 헌법상의 여러 통일관련 조항들로부터 국민 개개인의 통일에 대한 기본권이 도출될 수 있는지 여부(소극)
5. 1992. 2. 19. 발효된 남북기본합의서의 법률적 효력 또는 조약으로서의 성격이 있는지 여부(소극)
6. 통일부장관의 승인권에 관한 기준이나 구체적 내용 등을 대통령령 등에 위임하지 아니하는 경우 포괄위임금지의 원칙이 적용될 수 있는지 여부(소극)

사건의 개요

청구인은 북한주민의 기아해결을 돕기 위하여 북한에 쌀 또는 현금을 보내고자 1996. 8. 23. 통일부에 남북교류협력에관한법률 제9조에 따라 북한주민접촉신청을 하였으나, 통일부장관은 같은 해 9. 10. 위 신청이 민간차원의 대북지원에 관한 정부방침에 어긋난다는 이유로 이를 불허하였다.

이에 청구인은 서울고등법원에 위 불허처분의 취소를 구하는 행정소송을 제기한 후, 그 소송계속 중이던 1998. 2. 19. 위 불허처분의 근거법률인 남북교류협력에관한법률 제9조 제3항에 대하여 위헌심판제청신청을 하였다. 그런데 위 법원이 같은 해 7. 16. 위 취소청구 및 위헌심판제청신청을 모두 기각하자, 청구인은 이에 불복하여 같은 해 7. 29. 헌법재판소에 이 사건 헌법소원심판을 청구하는 한편, 같은 해 8. 8. 대법원에 상고를 하였으나 1999. 7. 23. 상고기각되었다.

심판대상조항 및 관련조항

남북교류협력에관한법률(1990. 8. 1. 법률 제4239호로 제정된 것, 이하 '법'이라고 한다)

제9조(남·북한 왕래) ③ 남한의 주민이 북한의 주민등과 회합·통신 기타의 방법으로 접촉하고자 할 때에는 통일부장관의 승인을 얻어야한다.

1. 이 사건 법률조항의 위헌 여부

가. 우리 헌법은 그 전문에서 "……우리 대한국민은……평화적 통일의 사명에 입각하여 정의·인도와 동포애로써 민족의 단결을 공고히 하고……"라고 규정하고 있고, 제4조에서는 "대한민국은 통일을 지향하며, 자유민주적 기본질서에 입각한 평화적 통일정책을 수립하고 이를 추진한다"고 규정하고 있으며, 제66조 제3항에서는 "대통령은 조국의 평화적 통일을 위한 성실한 의무를 진다"고 규정하고 있다.

나. 그런데 이 법은 기본적으로 북한을 평화적 통일을 위한 대화와 협력의 동반자로 인정하면서 남북대결을 지양하고, 자유왕래를 위한 문호개방의 단계로 나아가기 위하여 종전에 원칙적으로 금지되었던 대북한 접촉을 허용하며, 이를 법률적으로 지원하기 위하여 제정된 것으로서, 그 입법목적은 평화적 통일을 지향하는 헌법의 제반규정에 부합하는 것이다. 이 법이 없다면 남북한간의 교류, 협력행위는 국가보안법에 의하여 처벌될 수 있으나, 이 법에서 남북관계에 관한 기본적 용어정리, 통신·왕래·교역·협력사업 등에 관한 포괄적 규정(제9조 내지 제23조)과 타법률에 대한 우선적용(제3조) 등을 규정하고 있는 관계로 그 적용범위 내에서 국가보안법의 적용이 배제된다는 점에서, 이 법은 평화적 통일을 지향하기 위한 기본법으로서의 성격을 갖고 있다고 할 수 있다.

다. 그러나 북한과의 접촉이나 교류가 일정한 원칙이나 제한 없이 방만하게 이루어진다면, 국가의 안전보장과 자유민주적 기본질서의 유지에 어려움을 가져올 수 있을 뿐만 아니라, 평화적 통일을 이루어 나가는 데에 지장을 초래할 수 있으며, 한편으로 북한주민과 접촉·교류하는 개개 당사자들의 목적달성이나 안전에도 장애를 가져올 수 있다. 따라서 정부가 남북한간의 접촉과 대화, 교류·협력의 기본방향을 정하고, 그에 따라 각 분야에서 필요한 민간부문의 교류·협력을 지속적으로 지원하고 보장하기 위하여 북한주민 등과의 접촉에 대하여 일정한 조정과 규제를 하는 것은 헌법상의 평화통일의 원칙과 국가안전보장 및 자유민주주의질서의 유지, 그리고 국민의 기본권보장이라는 원리들을 조화롭게 실현하기 위한 방편이 될 것이다.

라. 이 사건 법률조항은 남한의 주민이 북한의 주민 등과 회합·통신 기타의 방법으로 접촉하고자 할 때에는 통일부장관의 승인을 받도록 하는 것을 그 내용으로 하고 있다.

북한주민 등과의 접촉은 대체로 남북한간의 교류를 촉진시키고 민족의 동질성을 회복하여 평화통일의 길로 나아가는 데에 기여하겠지만, 때로는 접촉과정에서 불필요한 마찰과 오해를 유발하여 긴장이 조성되거나, 무절제한 경쟁적 접촉으로 남북한간의 원만한 협력관계에 나쁜 영향을 미칠 수도 있을 것으로 보인다. 뿐만 아니라 접촉의 시기와 장소, 대상과 목적 등을 정부에서 전혀 파악하지 못하고 있다면 접촉 당사자의 안위에 관계되는 일이 발생하였을 때 시의적절하게 대처하기 힘들고, 또한 북한의 정치적 목적에 이용되거나 국가의 안전보장이나 자유민주적 기본질서에 부정적인 영향을 미치는 통로로 이용될 가능성도 완전히 배제할 수 없다.

따라서 통일부장관이 북한주민 등과의 접촉을 원하는 자로부터 승인신청을 받아 그 접촉의 시기와 장소, 대상과 목적 등 구체적인 내용을 검토하여 승인 여부를 결정하는 절차는 현 단계에서는 불가피하다고 할 것이다.

그렇다면 국가의 안전과 자유민주적 기본질서를 보장하고 국민의 안전을 확보하는 가운데 평화적 통일을 이루기 위한 기반을 조성하기 위하여 북한주민 등과의 접촉에 관하여 남북관계의 전문기관인 통일부장관에게 그 승인권을 준 이 사건 법률조항은 평화통일의 사명을 천명한 헌법 전문이나 평화통일원칙을 규정한 헌법 제4조, 대통령의 평화통일의무에 관하여 규정한 헌법 제66조 제3항의 규정 및 기타 헌법상의 통일관련조항에 위반된다고 볼 수 없다.

또한 이 사건 법률조항은 헌법 제10조에서 유래되는 일반적인 행동의 자유나 제14조에서 규정한 거주·이전의 자유, 제18조에서 규정한 통신의 자유 등을 제한하는 측면이 있으나, 그것은 헌법 제37조 제2항에서 규정하고 있는 국가안전보장을 위하여 필요한 경우의 제한으로서, 앞서 본 입법목적의 정당성, 방법의 적절성, 피해의 최소성, 법익의 균형성 등에 비추어 볼 때 과잉금지의 원칙에 위반된다고 볼 수도 없다.

마. 청구인은 이 사건 법률조항이 국민의 통일에 대한 기본권을 침해하여 헌법상의 통일관련 조항들에 위반된다고 주장하나, 앞서 본 헌법상의 여러 통일관련 조항들은 국가의 통일의무를 선언한 것이기는 하지만, 그로부터 국민 개개인의 통일에 대한 기본권, 특히 국가기관에 대하여 통일과 관련된 구체적인 행위를 요구하거나 일정한 행동을 할 수 있는 권리가 도출된다고 볼 수는 없다.

바. 청구인은 또 이 사건 법률조항이 남북합의서의 자유로운 남북교류협력조항에 반하여 헌법에 위반된다고 주장하고 있으나, 일찍이 헌법재판소는 "남북합의서는 남북관계를 '나라와 나라 사이의 관계가 아닌 통일을 지향하는 과정에서 잠정적으로 형성되는 특수관계'임을 전제로 하여 이루어진 합의문서인바, 이는 한민족공동체 내부의 특수관계를 바탕으로 한 당국간의 합의로서 남북당국의 성의있는 이행을 상호 약속하는 일종의 공동성명 또는 신사협정에 준하는 성격을 가짐에 불과"하다고 판시하였고(92헌바6), 대법원도 "남북합의서는 ······남북한 당국이 각기 정치적인 책임을 지고 상호간에 그 성의 있는 이행을 약속한 것이기는 하나 법적 구속력이 있는 것은 아니어서 이를 국가간의 조약 또는 이에 준하는 것으로 볼 수 없고, 따라서 국내법과 동일한 효력이 인정되는 것도 아니다"고 판시하여(98두14525), 남북합의서가 법률이 아님은 물론 국내법과 동일한 효력이 있는 조약이나 이에 준하는 것으로 볼 수 없다는 것을 명백히 하였다.

따라서 설사 이 사건 법률조항이 남북합의서의 내용과 배치되는 점을 포함하고 있다고 하더라도, 그것은 이 사건 법률조항이 헌법에 위반되는지의 여부를 판단하는 데에 아무런 관련이 없다고 할 것이다.

함께 보는 판례

❶ **북한주민의 지위** (대법원 1996. 11. 12. 선고 96누1221)

조선인을 부친으로 하여 출생한 자는 남조선과도정부법률 제11호 국적에관한임시조례의 규정에 따라 조선국적을 취득하였다가 제헌헌법의 공포와 동시에 대한민국 국적을 취득하였다 할 것이고, 설사 그가 북한법의 규정에 따라 북한국적을 취득하여 중국 주재 북한대사관으로부터 북한의 해외공민증을 발급받은 자라 하더라도 북한지역 역시 대한민국의 영토에 속하는 한반도의 일부를 이루는 것이어서 대한민국의 주권이 미칠 뿐이고, 대한민국의 주권과 부딪치는 어떠한 국가단체나 주권을 법리상 인정할 수 없는 점에 비추어 볼 때, 그러한 사정은 그가 대한민국 국적을 취득하고 이를 유지함에 있어 아무런 영향을 끼칠 수 없다고 한 원심판결을 수긍한 사례.

❷ **북한의 주민이나 단체가 외국환거래법 제15조 제3항에서 말하는 '거주자'나 '비거주자'에 해당하는지에 관한 판단이 헌법 제3조의 영토조항과 관련이 있는 헌법적 문제인지 여부(소극)** (2005. 6. 30. 2003헌바114)

우리 헌법이 "대한민국의 영토는 한반도와 그 부속도서로 한다"는 영토조항(제3조)을 두고 있는 이상 대한민국의 헌법은 북한지역을 포함한 한반도 전체에 그 효력이 미치고 따라서 북한지역은 당연히 대한민국의 영토가 되므로, 북한을 법 소정의 "외국"으로, 북한의 주민 또는 법인 등을 "비거주자"로 바로 인정하기는 어렵지만, 개별 법률의 적용 내지 준용에 있어서는 남북한의 특수관계적 성격을 고려하여 북한지역을 외국에 준하는 지역으로, 북한주민 등을 외국인에 준하는 지위에 있는 자로 규정할 수 있다고 할 것이다.

남한과 북한의 주민(법인, 단체 포함) 사이의 투자 기타 경제에 관한 협력사업 및 이에 수반되는 거래에 대하여는 우선적으로 남북교류법과 동법시행령 및 위 외국환관리지침이 적용되며, 관련 범위 내에서 외국환거래법이 준용된다. 즉, '남한과 북한의 주민'이라는 행위 주체 사이에 '투자 기타 경제에 관한 협력사업'이라는 행위를 할 경우에는 남북교류법이 다른 법률보다 우선적으로 적용되고, 필요한 범위 내에서 외국환거래법 등이 준용되는 것이다.

그 결과 당해 사건과 같이 남한과 북한 주민 사이의 외국환 거래에 대하여는 법 제15조 제3항에 규정되어 있는 "거주자 또는 비거주자" 부분 즉 대한민국 안에 주소를 둔 개인 또는 법인인지 여부가 문제되는 것이 아니라, 남북교류법 제26조 제3항의 "남한과 북한" 즉 군사분계선 이남지역과 그 이북지역의 주민인지 여부가 문제되는 것이다. 즉, 외국환거래의 일방 당사자가 북한의 주민일 경우 그는 이 사건 법률조항의 '거주자' 또는 '비거주자'가 아니라 남북교류법의 '북한의 주민'에 해당하는 것이다. 그러므로, 당해 사건에서 북한의 조선아시아태평양위원회가 법 제15조 제3항에서 말하는 '거주자'나 '비거주자'에 해당하는지 또는 남북교류법상 '북한의 주민'에 해당하는지 여부는 위에서 본 바와 같은 법률해석의 문제에 불과한 것이고, 헌법 제3조의 영토조항과는 관련이 없는 것이다.

❸ **구 국가보안법 제6조 제1항과 남북교류협력에관한법률 제27조 제2항 제1호가 동일한 행위를 대상으로 한 것으로서 형법 제1조 제2항의 적용을 받는 구법과 신법의 관계에 있는지의 여부** (1993. 7. 29. 92헌바48)

국가보안법과 남북교류협력에관한법률(이하"남북교류법"이라 약칭한다)은 상호 그 입법목적과 규제대상을 달리하고 있는 관계로 구 국가보안법 제6조 제1항 소정의 잠입·탈출죄에서의 "잠입·탈출"과 남북교류법 제27조 제2항 제1호 소정의 죄에서의 "왕래"는 그 각 행위의 목적이 다르다고 해석되고, 따라서 두 죄는 각기 그 구성요건을 달리하고 있다

이는 현 단계에 있어서의 북한은 조국의 평화적 통일을 위한 대화와 협력의 동반자임과 동시에 대남적화노선을 고수하면서 우리자유민주체제의 전복을 획책하고 있는 반국가단체라는 성격도 함께 갖고 있음이 엄연한 현실인 점에 비추어, 헌법 제4조가 천명하는 자유민주적 기본질서에 입각한 평

화적 통일정책을 수립하고 이를 추진하는 한편 국가의 안전을 위태롭게 하는 반국가활동을 규제하기 위한 법적 장치로서, 전자를 위하여는 남북교류협력에관한법률 등의 시행으로써 이에 대처하고 후자를 위하여는 국가보안법의 시행으로써 이에 대처하고 있는 것이다.

따라서 위 두 법률조항에 관하여 형법 제1조 제2항의 신법우선의 원칙이 적용될 수 없다.

제4절 한국헌법의 기본원리

제1항 헌법전문
제2항 국민주권 원리
제3항 민주주의 원리

제4항 법치국가 원리

 **친일반민족행위 결정 사건** [합헌]
― 2011. 3. 31. 선고 2008헌바141,2009헌바14,19,36,247,352,2010헌바91(병합)

판시사항

1. '일제강점하 반민족행위 진상규명에 관한 특별법'(이하 '반민규명법'이라 한다) 제2조 제6호 내지 제9호의 행위를 한 자를 재산이 국가에 귀속되는 대상인 친일반민족행위자로 보는 '친일반민족행위자 재산의 국가귀속에 관한 특별법'(이하 '친일재산귀속법'이라 한다) 제2조 제1호 가목(2006. 9. 22. 법률 제7975호로 개정된 것, 이하 '이 사건 정의조항'이라고 한다)이 법률의 명확성원칙에 반하는지 여부(소극)
2. 러·일전쟁 개전시부터 1945년 8월 15일까지 친일반민족행위자가 취득한 재산을 친일행위의 대가로 취득한 재산(이하 '친일재산'이라 한다)으로 추정하는 친일재산귀속법 제2조 제2호 후문(2005. 12. 29. 법률 제7769호로 제정된 것, 이하 '이 사건 추정조항'이라 한다)이 재판청구권을 침해하고 적법절차원칙에 반하는지 여부(소극)
3. 친일재산을 그 취득·증여 등 원인행위시에 국가의 소유로 하도록 규정한 친일재산귀속법 제3조 제1항 본문이 진정소급입법으로서 헌법 제13조 제2항에 반하는지 여부(소극)
4. 이 사건 귀속조항이 재산권을 침해하는지 여부(소극)
5. 이 사건 귀속조항이 평등의 원칙에 반하는지 여부(소극)
6. 이 사건 귀속조항이 연좌제금지원칙에 반하는지 여부(소극)

사건의 개요

망 민○휘(1852. 5. 15. ~ 1935. 12. 31. 이하 '민○휘'라고 한다)는 한일합병에 기여한 공으로 일본국으로부터 1910. 10. 7. 자작 작위를 받았고, 1911. 1. 13. 은사공채 50,000원을 지급받았으며, 1912. 12. 7. 종4위에 서위된 후 1919. 12. 27. 정4위, 1928.경 종3위로 각 승급되었고, 사망 즈음 정3위로 추서되었다.
민○휘는 1918. 6. 20. 식민지 경제정책을 뒷받침하기 위해 설립된 조선식산은행의 설립위원으로 임명되었고, 1923. 5. 21. 황국신민화 교육을 추진하기 위하여 조선총독의 자문기구로 설치된 조선교육회의 부회장으로 선임되었으며, 1920. 3.경 일선(日鮮)융화철저 등을 목적으로 조선실업구락부를 창립한 후 고문으로 활동하였고, 1921. 1.경부터 일선융화단체인 대정친목회의 고문으로 활동하였다.

민○휘는 위와 같이 식민통치에 협력한 공으로 1928. 11. 16. 쇼와대례기념장을, 1928. 11. 22. 은배 1개를, 1935. 10. 1. 은배 1조를, 사망 즈음 금배 1개를 각 수여받았다.

민○휘가 사정받은 토지들은 토지 취득경위 및 소유권 변동 경위를 거쳐 청구인 민○기 외 19명에게 소유권이전등기가 경료되었다.

친일반민족행위자재산조사위원회(이하 '이 사건 조사위원회'라고 한다)는 위 토지들이 '친일반민족행위자 재산의 국가귀속에 관한 특별법'(이하 '친일재산귀속법'이라 한다) 제2조 제1호에서 정한 친일반민족행위자의 재산(이하 '친일재산'이라고 한다)인지 여부에 관한 조사를 거쳐, 2007. 11. 22. 민○휘가 친일재산귀속법 제2조 제1호 가목에서 정한 "재산이 국가에 귀속되는 대상인 친일반민족행위자"(이하 '친일반민족행위자'라고 한다)에 해당하고, 위 토지들은 같은 조 제2호에서 정한 친일재산으로 인정된다는 이유로, 친일재산귀속법 제3조 제1항에 의해 그 법 시행일인 2005. 12. 29.자로 취득원인행위시에 소급하여 위 토지들이 국가로 귀속된다는 결정을 하였다.

이에 위 청구인들은 이 사건 조사위원회를 상대로 위 국가귀속결정의 취소를 구하는 소를 제기하였으며, 위 소송계속중 친일재산귀속법 제2조 내지 제5조가 소급입법으로서 헌법 제13조 제3항, 제23조 제1항에 위반되는 등 위헌적인 법률이라는 이유로 위헌법률심판제청신청을 하였으나, 2008. 10. 14. 기각되자, 같은 해 11. 19. 이 사건 헌법소원심판을 청구하였다. (그 외 사건 생략)

심판대상조항 및 관련조항

따라서 위 친일재산귀속법 사건들의 심판대상은 '친일반민족행위자 재산의 국가귀속에 관한 특별법' 제2조 제1호 가목(이하 '이 사건 정의조항'이라고 한다), 제2호 후문(이하 '이 사건 추정조항'이라고 한다), 제3조 제1항 본문(이하 '이 사건 귀속조항'이라고 하고, 이하 위 조항들을 모두 '이 사건 법률조항들'이라고 한다)의 위헌 여부이고, 그 심판대상조항 및 관련조항의 내용은 다음과 같다.

【심판대상조항】
친일반민족행위자 재산의 국가귀속에 관한 특별법(2006. 9. 22. 법률 제7975호로 개정된 것)
제2조(정의) 이 법에서 사용하는 용어의 정의는 다음과 같다.
1. "재산이 국가에 귀속되는 대상인 친일반민족행위자(이하 "친일반민족행위자"라 한다)"라 함은 다음 각 목의 어느 하나에 해당하는 자를 말한다.
   가. 「일제강점하 반민족행위 진상규명에 관한 특별법」 제2조 제6호 내지 제9호의 행위를 한 자(제9호에 규정된 참의에는 찬의와 부찬의를 포함한다). 다만, 이에 해당하는 자라 하더라도 작위(작위)를 거부·반납하거나 후에 독립운동에 적극 참여한 자 등으로 제4조의 규정에 따른 친일반민족행위자재산조사위원회가 결정한 자는 예외로 한다.

친일반민족행위자 재산의 국가귀속에 관한 특별법(2005. 12. 29. 법률 제7769호로 제정된 것)
제2조(정의) 이 법에서 사용하는 용어의 정의는 다음과 같다.
2. "친일반민족행위자의 재산(이하 "친일재산"이라 한다)"이라 함은 친일반민족행위자가 국권침탈

이 시작된 러·일전쟁 개전시부터 1945년 8월 15일까지 일본제국주의에 협력한 대가로 취득하거나 이를 상속받은 재산 또는 친일재산임을 알면서 유증·증여를 받은 재산을 말한다. 이 경우 러·일전쟁 개전시부터 1945년 8월 15일까지 친일반민족행위자가 취득한 재산은 친일행위의 대가로 취득한 재산으로 추정한다.

제3조(친일재산의 국가귀속 등) ① 친일재산(국제협약 또는 협정 등에 의하여 외국 대사관이나 군대가 사용·점유 또는 관리하고 있는 친일재산 및 친일재산 중 국가가 사용하거나 점유 또는 관리하고 있는 재산도 포함한다)은 그 취득·증여 등 원인행위시에 이를 국가의 소유로 한다. 그러나 제3자가 선의로 취득하거나 정당한 대가를 지급하고 취득한 권리를 해하지 못한다.

주문

'친일반민족행위자 재산의 국가귀속에 관한 특별법' 제2조 제1호 가목(2006. 9. 22. 법률 제7975호로 개정된 것), 제2호 후문, 제3조 제1항 본문(각 2005. 12. 29. 법률 제7769호로 제정된 것)은 헌법에 위반되지 아니한다.

I. 판 단

1. 이 사건 법률조항들에 대한 판단

가. 이 사건 정의조항에 대한 판단

이 사건 정의조항은 "반민규명법 제2조 제6호 내지 제9호의 행위를 한 자(제9호에 규정된 참의에는 찬의와 부찬의를 포함한다)"를 "친일반민족행위자"로 규정하고 있는바 이러한 규정을 불명확하다고 볼 수 없다. 특히 청구인들은 위 네 가지 사유에 해당하더라도 작위를 거부·반납하거나 후에 독립운동에 적극 참여한 자 등으로 이 사건 조사위원회가 결정한 자는 예외로 한다고 규정한 위 정의조항의 단서 중 "독립운동에 적극 참여한 자" 부분이 명확성원칙에 위배된다고 주장하나, 이 부분은 '일제 강점하에서 우리 민족의 독립을 쟁취하려는 운동에 의욕적이고 능동적으로 관여한 자'라는 문언적 의미를 가지는 것으로서 조문구조 및 어의에 비추어 그 의미를 넉넉히 파악할 수 있고, 설령 위 조항에 어느 정도의 애매함이 내포되어 있다 하더라도 이는 다른 규정들과의 체계조화적인 이해 내지 당해 법률의 입법목적과 제정취지에 따른 해석으로 충분히 해소될 수 있으므로, 위 조항의 의미는 명확성의 기준에 어긋난다고 볼 수 없고 적어도 건전한 상식과 통상적인 법감정을 가진 사람으로서는 위 조항의 의미를 대략적으로 예측할 수 있다고 보인다. 따라서 이 사건 정의조항은 법률의 명확성원칙에 위반되지 않는다.

나. 이 사건 추정조항에 대한 판단

친일재산의 국가귀속이 해방 이후 오랜 시간이 경과한 상황에서 이루어지고 있어서 친일재산 여부를 국가측이 일일이 입증하는 것은 곤란한 반면, 일반적으로 재산의 취득자측은 취득내역을 잘 알고 있을 개연성이 높다. 또한 이 사건 추정조항이 친일반민족행위자측에 전적으로 입증책임을 전가한 것도 아니고, 행정소송을 통해 추정을 번복할 수 있는 방도도 마련되어 있으며, 가사 처분청 또는 법원이 이러한 추정의 번복을 쉽게 인정하지 않는다 할지라도 이는 처분청 또는 법원이 추정조항의 취지를 충분히 실현하지 못한 결과이지 추정조항을 활용한 입법적 재량이 일탈·남용되었다고 보기 어렵다. 따라서 이 사건 추정조항이 재판청구권을 침해한다거나 적법절차원칙에 반한다고 할 수 없다.

다. 이 사건 귀속조항에 대한 판단

1) 소급입법금지 원칙 위반 여부

가) 문제의 소재

친일재산이 비록 친일행위의 대가로 취득된 재산이라고 하더라도 이는 그 당시의 재산법 관련법제에 의하여 확정적으로 취득된 재산이라 할 것이다. 따라서 현 시점에서 친일재산을 국가로 귀속시키는 행위는 진정소급입법으로서의 성격을 갖는다. 제헌 헌법은 친일재산의 환수가 헌법적으로 논란이 될 수 있다는 문제의식에 기반하여 소급입법을 통해 친일재산을 환수할 수 있는 헌법적 근거인 부칙 제101조를 마련해 두었다. 그러나 현행 헌법에는 위 부칙조항과 같은 내용의 조문이 존재하지 않는다. 오히려 "모든 국민은 소급입법에 의하여 (……) 재산권을 박탈당하지 아니한다."는 규정을 두고 있다(헌법 제13조 제2항).

그렇다면, 이 사건 귀속조항이 갖는 진정소급입법으로서의 성격이 헌법 제13조 제2항에 위배되는 것은 아닌지 문제된다.

나) 이 사건 귀속조항이 소급입법금지원칙에 반하는지 여부

(1) 소급입법 일반론

소급입법은 새로운 입법으로 이미 종료된 사실관계 또는 법률관계에 작용하도록 하는 진정소급입법과 현재 진행중인 사실관계 또는 법률관계에 작용하도록 하는 부진정소급입법으로 나눌 수 있는바, 부진정소급입법은 원칙적으로 허용되지만 소급효를 요구하는 공익상의 사유와 신뢰보호의 요청 사이의 교량과정에서 신뢰보호의 관점이 입법자의 형성권에 제한을 가하게 되는 데 반하여, 진정소급입법은 개인의 신뢰보호와 법적 안정성을 내용으로 하는 법치국가원리에 의하여 특단의 사정이 없는 한 헌법적으로 허용되지 아니하는 것이 원칙이나 예외적으로 국민이 소급입법을 예상할 수 있었거나, 법적 상태가 불확실하고 혼란스러웠거나 하여 보호할 만한 신뢰의 이익이 적은 경우와 소급입법에 의한 당사자의 손실이 없거나 아주 경미한 경우, 그리고 신뢰보호의 요청에 우선하는 심히 중대한 공익상의 사유가 소급입법을 정당화하는 경우에는 허용될 수 있다.

(2) 구체적 검토

① 현행 헌법 전문(前文)은 '유구한 역사와 전통에 빛나는 우리 대한국민은 3·1운동으로 건립된 대한민국임시정부의 법통을 계승'할 것을 규정하고 있는데, 여기서 '3·1운동'의 정신은 우리나라 헌법의 연혁적·이념적 기초로서 헌법이나 법률해석에서의 해석기준으로 작용하는 것이다.

'대한민국이 3·1운동으로 건립된 대한민국임시정부의 법통을 계승'한다고 선언한 헌법 전문의 의미는, 오늘날의 대한민국이 일제에 항거한 독립운동가의 공헌과 희생을 바탕으로 이룩된 것이라는 점 및 나아가 현행 헌법은 일본제국주의의 식민통치를 배격하고 우리 민족의 자주독립을 추구한 대한민국임시정부의 정신을 헌법의 근간으로 하고 있다는 점을 뜻한다고 볼 수 있다. 그렇다면 일제강점기에 우리 민족을 부정한 친일반민족행위자들의 친일행위에 대하여 그 진상을 규명하고 그러한 친일행위의 대가로 취득한 재산을 공적으로 회수하는 등 일본제국주의의 식민지로서 겪었던 잘못된 과거사를 청산함으로써 민족의 정기를 바로세우고 사회정의를 실현하며 진정한 사회통합을 추구해야 하는 것은 헌법적으로 부여된 임무라고 보아야 한다.

② 친일재산의 취득 경위에 내포된 민족배반적 성격, 대한민국임시정부의 법통 계승을 선언한 헌법 전문 등에 비추어 친일반민족행위자측으로서는 친일재산의 소급적 박탈을 충분히 예상할 수 있었고, 친일재산 환수 문제는 그 시대적 배경에 비추어 역사적으로 매우 이례적인 공동체적 과업이므로 이러한 소급입법의 합헌성을 인정한다고 하더라도 이를 계기로 진정소급입법이 빈번하게 발생할 것이라는 우려는 충분히 불식될 수 있다.

다) 소 결

따라서 이 사건 귀속조항은 진정소급입법에 해당하지만 소급입법을 예상할 수 있었던 예외적인 사안이고 진정소급입법을 통해 침해되는 법적 신뢰는 심각하다고 볼 수 없는 데 반해 이를 통해 달성되는 공익적 중대성은 압도적이라고 할 수 있으므로 진정소급입법이 허용되는 경우에 해당한다. 그러므로 이 사건 귀속조항이 진정소급입법이라는 이유만으로 위헌이라 할 수 없다.

2) 재산권 침해 여부

이 사건 귀속조항은 민족의 정기를 바로 세우고 일본제국주의에 저항한 3·1운동의 헌법이념을 구현하기 위한 것이므로 입법목적이 정당하고, 민법 등 기존의 재산법 체계에 의존하는 방법만으로는 친일재산의 처리에 난항을 겪지 않을 수 없으므로 이 사건 귀속조항은 위 입법목적을 달성하기 위한 적절한 수단이 된다. 위 조항은 반민규명법이 정한 여러 유형의 친일반민족행위 중에서 사안이 중대하고 범위가 명백한 네 가지 행위를 한 자의 친일재산으로 귀속대상을 한정하고 있고, 이에 해당하는 자라 하더라도 후에 독립운동에 적극 참여한 자 등은 예외로 인정될 수 있도록 규정해 두었으며, 친일반민족행위자측은 그 재산이 친일행위의 대가로 취득한 것이 아니라는 점을 입증하여 얼마든지 국가귀속을 막을 수 있고, 선의의 제3자에 대한 보호 규정도 마련되어 있으므로 이 사건 귀속조항은 피해의 최소성원칙에 반하지 않고, 과거사 청산의 정당성과 진정한 사회통합의 가치 등을 고려할 때 법익의 균형성 원칙에도 부합한다. 따라서 이 사건 귀속조항은 재산권을 침해하지 않는다.

3) 평등의 원칙 위반 여부

가) 이 사건 귀속조항이 친일반민족행위자의 후손이라는 사회적 신분에 따라 합리적인 이유 없이 당해 재산의 소유자들을 차별하고 있는지 여부에 관하여 본다.

(1) 평등권침해 여부를 심사함에 있어 엄격한 심사척도에 의할 것인지, 완화된 심사척도에

의할 것인지는 입법자에게 인정되는 입법형성권의 정도에 따라 달라지게 될 것이다. 헌법에서 특별히 평등을 요구하고 있는 경우나 차별적 취급으로 인하여 관련 기본권에 대한 중대한 제한을 초래하게 되는 경우에는 입법형성권은 축소되고, 보다 엄격한 심사척도가 적용되어야 할 것이다.

<u>사회적 신분에 대한 차별금지는 헌법 제11조 제1항 후문에서 예시된 것인데, 헌법 제11조 제1항 후문의 규정은 불합리한 차별의 금지에 초점이 있는 것으로서, 예시한 사유가 있는 경우에 절대적으로 차별을 금지할 것을 요구함으로써 입법자에게 인정되는 입법형성권을 제한하는 것은 아니다.</u> 그렇다면 친일반민족행위자의 후손이라는 점이 헌법 제11조 제1항 후문의 사회적 신분에 해당한다 할지라도 이것만으로는 헌법에서 특별히 평등을 요구하고 있는 경우라고 할 수 없고, 아래와 같이 친일재산의 국가귀속은 연좌제금지원칙이 적용되는 경우라고 볼 수도 없으며 그 외 달리 친일반민족행위자의 후손을 특별히 평등하게 취급하도록 규정한 헌법 규정이 없는 이상, 친일반민족행위자의 후손에 대한 차별은 평등권 침해 여부의 심사에서 엄격한 기준을 적용해야 하는 경우라 볼 수 없다.

또한, 이 사건 귀속조항은 친일반민족행위자의 후손이 가지는 모든 재산을 귀속대상으로 규정한 것이 아니라 그가 선조로부터 상속받은 재산 중 친일행위의 대가인 것만 귀속대상으로 규정하고 있다. 그렇다면 이 사건 귀속조항은 그 차별취급으로 기본권에 대한 중대한 제한을 초래하는 경우라고 할 수 없으므로, 역시 평등권 침해 여부의 심사에서 엄격한 기준을 적용해야 하는 경우에 해당하지 않는다.

<u>따라서 이 사건 귀속조항으로 인한 차별이 청구인들의 평등권을 침해하였는지 여부에 대한 심사는 완화된 기준이 적용되어야 한다.</u>

(2) 앞서 본 바와 같이 이 사건 귀속조항은 사회 정의를 실현하고 민족의 정기를 바로 세우기 위한 것이라는 점, 친일재산은 그 주체가 친일반민족행위자이든 그 후손이든 이를 보유하도록 보장하는 것 자체가 정의 관념에 반하는 점, 국가에 귀속시키는 친일재산의 대상은 반민규명법이 정한 여러 유형의 친일반민족행위 중에서 사안이 중대하고 범위가 명백한 네 가지 행위를 한 자의 친일재산으로 한정되어 있으며, 설혹 이에 해당하는 자라 하더라도 작위를 거부·반납하거나 후에 독립운동에 적극 참여한 자 등은 예외로 인정할 수 있도록 규정하고 있고, 친일재산의 거래로 인하여 선의의 제3자가 발생할 경우 이를 보호하도록 하는 규정도 두고 있는 점 등을 종합적으로 고려할 때, 비록 이 사건 귀속조항이 다른 재산과는 달리 친일재산의 국가귀속을 규정하고 있다 하더라도 그러한 취급에는 수긍할만한 합리적인 이유가 있으므로, 이를 두고 자의적인 차별로서 평등의 원칙에 위배된다고 하기는 어렵다.

나) 한편, 청구인들은 이 사건 귀속조항이 처분적 법률이므로 위헌이라고 주장하나, 우리 헌법은 처분적 법률로서 개인대상법률 또는 개별사건법률의 정의를 따로 두고 있지 않음은 물론, 이러한 처분적 법률의 제정을 금하는 명문의 규정도 두고 있지 않은바, 특정규범이 개인대상 또는 개별사건법률에 해당한다고 하여 그것만으로 바로 헌법에 위반되는 것은 아니

라고 할 것이다. 따라서 처분적 법률이므로 위헌이라는 청구인들의 주장은 주장 자체로 이유 없고, 나아가 이 사건 법률조항들은 친일반민족행위자의 친일재산에 일반적으로 적용되는 것이므로 위 법률조항들을 처분적 법률로 보기도 어렵다. 그러므로 청구인들의 이 부분 주장은 받아들일 수 없다.

4) 연좌제금지원칙 위반 여부

헌법 제13조 제3항은 "모든 국민은 자기의 행위가 아닌 친족의 행위로 인하여 불이익한 처우를 받지 아니한다."고 규정하고 있는바, 이는 '친족의 행위와 본인 간에 실질적으로 의미있는 아무런 관련성을 인정할 수 없음에도 불구하고 오로지 친족이라는 사유 그 자체만으로' 불이익한 처우를 가하는 경우에만 적용된다.

그런데 이 사건 귀속조항에서 국가귀속의 대상으로 규정하고 있는 친일재산은 친일반민족행위자가 일본제국주의에 협력한 대가로 취득하거나 이를 상속받은 재산 또는 친일재산임을 알면서 유증·증여받은 재산을 말한다. 따라서 친일반민족행위자의 후손이 소유한 재산 중에서 그 후손 자신의 경제적 활동으로 취득하게 된 재산이라든가 친일재산 이외의 상속재산 등을 단지 그 선조가 친일행위를 했다는 이유만으로 국가로 귀속시키는 것이 아닌 한, 위와 같은 친일재산에 한정하여 국가로 귀속시키는 것은 '친족의 행위와 본인 간에 실질적으로 의미있는 아무런 관련성을 인정할 수 없음에도 불구하고 오로지 친족이라는 사유 그 자체만으로' 불이익을 입는 경우에 해당하지 않는다. 그렇다면 이 사건 귀속조항이 헌법 제13조 제3항에서 정한 연좌제금지원칙에 반한다고 할 수 없다.

II 결 론

이상과 같은 이유로 이 사건 법률조항들은 헌법에 위반되지 아니하므로 주문과 같이 결정한다.

011 재직중 사유로 금고이상 형을 받은 공무원의 퇴직급여 감액 사건
[헌법불합치]
- 2007. 3. 29. 선고 2005헌바33

판시사항

1. 공무원 또는 공무원이었던 자가 재직중의 사유로 금고 이상의 형을 받은 때에는 대통령령이 정하는 바에 의하여 퇴직급여 및 퇴직수당의 일부를 감액하여 지급하도록 한 공무원연금법 제64조 제1항 제1호(이하 '이 사건 법률조항'이라 한다)가 재산권을 침해하고 평등의 원칙에 위배되는지 여부(적극)
2. 재판관 1인이 '일부 단순위헌, 일부 헌법불합치 의견이고 재판관 5인이 '전부 헌법불합치 의견인 경우 '헌법불합치 주문을 낸 사례

사건의 개요

청구인은 ○○시 지방행정서기보로 임용되어 ○○시청 보건소 지방행정주사보로 근무하던 중, 혈중알콜농도 0.165%의 술에 취한 상태에서 승용차를 운전하다가 도로를 횡단하던 사람을 충격하여 사망에 이르게 하는 교통사고를 냈다. 이로 인하여 청구인은 교통사고처리특례법위반 및 도로교통법위반(음주운전)으로 징역 10월에 집행유예 2년을 선고받았고 판결은 그대로 확정되었다. 청구인은 위와 같이 금고 이상의 형을 선고받아 판결이 확정되자 그 판결확정일인 2003. 10. 24.자로 지방공무원법 제61조, 제31조 제4호에 의해 당연퇴직하였다.

청구인은 2003. 12.경 공무원연금관리공단에 퇴직급여(퇴직연금일시금) 및 퇴직수당을 청구하였으나, 공무원연금관리공단은 2003. 12. 26. 공무원연금법 제64조 제1항 제1호 및 동법 시행령 제55조 제1항에 따라 청구인의 퇴직급여 및 퇴직수당을 합한 총 급여액 47,130,840원의 1/2에 해당하는 금액을 공제하고 남은 23,565,430원만을 지급하는 처분을 하였다.

이에 청구인은 위와 같이 퇴직급여 등이 감액된 것에 불복하여 서울행정법원에 공무원연금관리공단을 상대로 위 처분의 취소를 구하는 소송을 제기하면서, 공무원연금법 제64조 제1항 제1호가 청구인의 재산권을 침해하고 평등원칙에 위배되어 위헌이라는 취지의 위헌법률심판제청신청을 하였으나, 위 법원이 2005. 2. 17. 제청신청을 기각하자 2005. 4. 19. 이 사건 헌법소원심판을 청구하였다.

심판대상조항 및 관련조항

공무원연금법

제64조(형벌 등에 의한 급여의 제한) ① 공무원 또는 공무원이었던 자가 다음 각 호의 1에 해당하는 경우에는 대통령령이 정하는 바에 의하여 퇴직급여 및 퇴직수당의 일부를 감액하여 지급한다. 이 경우 퇴직급여액은 이미 납부한 기여금의 총액에 민법의 규정에 의한 이자를 가산한 금액 이하로 감액할 수 없다.
  1. 재직중의 사유로 금고 이상의 형을 받은 때

2. 탄핵 또는 징계에 의하여 파면된 때
3. 금품 및 향응수수, 공금의 횡령·유용으로 징계 해임된 때

주문

1. 공무원연금법 제64조 제1항 제1호(1995. 12. 29. 법률 제5117호로 개정된 이후의 것)는 헌법에 합치되지 아니한다.
2. 위 법률 조항은 2008년 12월 31일을 시한으로 입법자가 개정할 때까지 그 효력을 지속한다.

I 판 단

1. 재판관 주선회, 재판관 김희옥, 재판관 김종대, 재판관 민형기, 재판관 목영준의 전부 헌법불합치 의견 (법정의견)

가. 공직의 구조 및 사회인식의 변화와 사회국가의 대상으로서의 공직제도

공무원은 국민에 대한 봉사자로서의 지위를 지니는 것이고 공정한 공직수행을 위한 직무상의 높은 수준의 염결성은 여전히 강조되어 마땅하나, 오늘날 공직의 구조 및 공직에 대한 인식의 변화에 따라, 적어도 급여에 관한 한, 공무원도 일반 직장인과 같은 하나의 직업인이라는 공통된 인식이 확산되었다. 다른 한편, 현대민주주의 국가에 이르러 사회국가원리에 입각한 공직제도의 중요성이 특히 강조됨에 따라 사회적 법치국가이념을 추구하는 자유민주국가에서 공직제도란 사회국가의 실현수단일 뿐 아니라, 그 자체가 사회국가의 대상이며 과제라는 점을 중요시하게 되었다. 이는 모든 공무원들에게 보호가치 있는 이익과 권리를 인정해 주고, 공무원에게 자유의 영역이 확대될 수 있도록 공직자의 직무의무를 가능한 선까지 완화하며, 공직자들의 직무환경을 최대한으로 개선해 주고, 공직수행에 상응하는 생활부양을 해 주고, 퇴직 후나 재난, 질병에 대처한 사회보장의 혜택을 마련하는 것 등을 그 내용으로 한다.

나. 이 사건 법률조항의 위헌 여부

1) 재산권의 침해 여부

공무원연금제도는 공무원을 대상으로 퇴직 또는 사망과 공무로 인한 부상·질병·폐질에 대하여 적절한 급여를 실시함으로써 공무원 및 그 유족의 생활안정과 복리향상에 기여하는 데에 그 목적이 있으며, 공무원연금법상의 퇴직급여 등 급여수급권은 재산권의 성격을 갖고 있으므로, 이 사건 법률조항에 의하여 재산권으로서의 급여수급권이 제한된다고 볼 수 있는바, 이 사건 법률조항에 의한 재산권의 제한이 위에서 본 헌법적 한계를 지킨 것인지 살펴본다.

가) 입법목적의 정당성 및 방법의 적정성

이 사건 법률조항이 재직중의 사유로 금고 이상의 형을 선고받은 경우에 퇴직급여 등을 감액하는 것은, 공무원의 퇴직 후 그 재직중의 근무에 대한 보상을 함에 있어 공무원으로서의 직

무상 의무(직무전념의무, 법령준수의무, 명령복종의무, 비밀엄수의무, 품위유지의무 등)를 다하지 못한 공무원과 성실히 근무한 공무원을 동일하게 취급하는 것은 오히려 불합리하다는 측면과 아울러 위와 같이 보상액에 차이를 둠으로써 공무원범죄를 예방하고 공무원이 재직중 성실히 근무하도록 유도하는 효과를 고려한 것이라 할 수 있고, 위와 같은 이 사건 법률조항의 입법목적은 정당하다고 보여진다.

그러나 공무원의 신분이나 직무상 의무와 관련이 없는 범죄의 경우에도 퇴직급여 등을 제한하는 것은, 공무원범죄를 예방하고 공무원이 재직중 성실히 근무하도록 유도하는 입법목적을 달성하는 데 적합한 수단이라고 볼 수 없다. 그리고 특히 과실범의 경우에는 공무원이기 때문에 더 강한 주의의무 내지 결과발생에 대한 가중된 비난가능성이 있다고 보기 어려우므로, 퇴직급여 등의 제한이 공무원으로서의 직무상 의무를 위반하지 않도록 유도 또는 강제하는 수단으로서 작용한다고 보기 어렵다.

나) 침해의 최소성

입법자는 공익실현을 위하여 기본권을 제한하는 경우에도 입법목적을 실현하기에 적합한 여러 수단 중에서 되도록 국민의 기본권을 가장 존중하고 기본권을 최소로 침해하는 수단을 선택해야 한다.

국민전체에 대한 봉사자로서 성실복무의무가 있는 공무원이 범법행위를 했다면 공익실현을 위해 그에 대한 제재와 기본권의 제한은 피할 수 없다. 그러나 그 제재방법은 일차적으로 파면을 포함한 징계가 원칙이고, 더 나아가 그 행위가 범죄행위에까지 이른 경우라면 형사처벌을 받게 하면 되고, 일정한 경우에는 공무원의 지위를 박탈하는 것으로써 그 공익목적을 충분히 달성할 수가 있는 것이다(그밖에 국가에 손해를 끼친 경우에는 국가배상법상 구상제도나 민법상 손해배상청구 등에 의하여 그 손해를 회복함으로써 간접적, 부수적으로 그 목적을 달성할 수도 있다). 그럼에도 불구하고 금고 이상의 죄를 지었다고 하여 위와 같은 제재에 덧붙여 퇴직과 동시에 생활안정을 위해 당연히 지급될 것으로 기대되는(현재 공무원연금관리공단에서는 퇴직 예정일에 맞춰 예상퇴직급여의 구체적 금액을 알려주고 있다) 퇴직급여 등까지도 필요적으로 감액해야 한다면 거기에는 다른 수단으로는 입법목적을 달성할 수 없다는 특별한 사정이 있어야 할 것이다. 그러므로 앞에서 본 바와 같이 이 사건 법률조항의 입법목적은 공무원의 재직중에 그 직무상 의무 준수 및 공무원범죄를 예방하고 공무원이 재직중 성실히 근무하도록 유도하도록 하는 것이므로, 입법자로서는 유죄판결의 확정에 따른 퇴직급여 및 퇴직수당의 감액사유로서 금고 이상의 형의 판결을 받은 모든 범죄를 포괄하여 규정할 것이 아니라, 위와 같은 입법목적을 달성함에 반드시 필요한 범죄의 유형과 내용 등으로 그 범위를 한정하여 규정함이 최소침해성의 원칙에 따른 기본권 제한의 적절한 방식이라고 할 것이다.

다) 법익균형성

이 사건 법률조항이 반국가적 범죄 여부, 직무관련 범죄 여부, 고의 또는 과실범 여부, 파렴치 범죄 여부 등을 묻지 아니하고 일률적으로 퇴직급여 등의 감액 사유로 규정하고 있어 이 중에는 공무원이 재직중 성실히 근무하도록 유도하고자 하는 공익에 기여하는 바는 미미함에도 불구하고 그 침해되는 사익은 중대한 경우가 포함될 수 있다. 따라서 법익의 균형성에도 위반된다.

2) 평등의 원칙 위배 여부

앞서 본 바와 같이 이 사건 법률조항은 비례의 원칙에 위배될 뿐만 아니라, 공무원을 국민연금법상의 사업장가입자 및 근로기준법상의 근로자에 비해 불평등하게 대우하는 불합리한 점도 있다.

이 사건 법률조항은 공무원이 재직중의 사유로 인하여 금고 이상의 형을 받은 때에 퇴직급여 및 퇴직수당의 일부를 감액하여 지급하도록 규정하여, 퇴직급여에 있어서는 국민연금법상의 사업장가입자에 비하여, 퇴직수당에 있어서는 근로기준법상의 근로자에 비하여 각각 차별대우를 하고 있다. 이러한 차별은 공무원의 국민전체에 대한 봉사자로서의 성실근무의 유도라는 입법목적 및 공무원연금제도의 공무원의 성실한 복무에 대한 보상이라는 부수적 성격을 감안한다고 하더라도 일반국민이나 근로자에 대한 지나친 차별을 했다고 판단되고, 그 차별에는 합리적인 근거를 인정하기 어려워 결국 자의적인 차별에 해당한다 할 것이다.

다. 소 결

이상과 같은 이유로 이 사건 법률조항은 헌법에 위반되나, 단순위헌선언으로 그 효력을 즉시 상실시킬 경우에는 여러 가지 혼란과 부작용이 발생할 우려가 있고, 또한 이미 급여를 감액당한 다른 퇴직공무원과의 형평성도 고려하여야 한다. 그러므로 입법자는 죄의 종류와 내용을 묻지 않고 모든 재직중의 사유로 금고 이상의 형을 받은 때에는 퇴직급여 등을 제한한다고 해서는 안 되고 퇴직급여 등까지를 제한해야 할 합리적이고 특별한 필요가 있는 경우로 그 사유를 한정하여 그 경우에만 퇴직급여 등을 제한함으로써 합헌적인 방향으로 법률을 개선하여야 하고 그때까지 일정 기간 동안은 위헌적인 법규정을 존속케 하고 또한 잠정적으로 적용하게 할 필요가 있는 것이다. 그러나 앞에서 본 바와 같은 이 사건 법률조항의 위헌성을 고려할 때 입법자는 되도록 빠른 시일 내에, 늦어도 2008. 12. 31.까지 개선입법을 마련함으로써 이 사건 법률조항의 위헌적 상태를 제거하여야 할 것이다.

II 결 론

그렇다면 이 사건 법률조항에 대한 재판관 조대현의 일부 단순위헌, 일부 헌법불합치 의견에 위 재판관 5인의 전부 헌법불합치 의견을 가산하면 위헌 정족수를 충족하게 된다. 따라서 이 사건 법률조항에 대하여 헌법불합치를 선고하기로 하여 주문과 같이 결정하고 이와 함께 이 사건 법률조항과 동일한 취지를 규정하고 있던 구 공무원연금법 제64조 제1항이 헌법에 위반되지 아니한다고 판시한 1995. 6. 29. 선고 91헌마50 결정과 1995. 7. 21. 선고 94헌바27등 결정은 이 결정의 견해와 저촉되는 한도 내에서 이를 변경하기로 한다.

 공무원연금법 제64조 제1항 제1호 등 위헌소원 사건 [위헌, 합헌]
— 2013. 8. 29 선고 2010헌바354

판시사항

1. 공무원이 '직무와 관련 없는 과실로 인한 경우' 및 '소속상관의 정당한 직무상의 명령에 따르다가 과실로 인한 경우'를 제외하고 재직 중의 사유로 금고 이상의 형을 받은 경우, 퇴직급여 등을 감액하도록 규정한 공무원연금법(2009. 12. 31. 법률 제9905호로 개정된 것) 제64조 제1항 제1호(이하 '이 사건 감액조항'이라 한다)가 헌법불합치결정의 기속력에 반하는지 여부(소극)
2. 이 사건 감액조항이 청구인들의 재산권, 인간다운 생활을 할 권리를 침해하는지 여부(소극)
3. 이 사건 감액조항이 평등원칙에 위배되는지 여부(소극)
4. 2009. 12. 31. 개정된 이 사건 감액조항을 2009. 1. 1. 까지 소급하여 적용하도록 규정한 공무원연금법(2009. 12. 31. 법률 제9905호) 부칙 제1조 단서, 제7조 제1항 단서 후단(이하 이를 합하여 '이 사건 부칙조항'이라 한다)이 소급입법금지원칙에 위배되는지 여부(적극)

사건의 개요

청구인 이○남은 ○○공무원으로 재직하던 중 2001. 11. 7. 서울중앙지방법원에서 직권남용죄로 징역 6월에 집행유예 2년의 유죄판결을 선고받고 위 판결이 확정되어 당연퇴직하였다. 청구인은 퇴직 이후 2008. 12. 31. 까지 구 공무원연금법(1995. 12. 29. 법률 제5117호로 개정되고, 2009. 12. 31. 법률 제9905호로 개정되기 전의 것) 제64조 제1항 제1호(다음부터 '구법조항'이라 한다)에 따라 퇴직연금을 감액하여 지급받아 오던 중 2007. 3. 29. 헌법재판소가 구법조항에 대하여 헌법불합치결정을 하면서(헌재 2007. 3. 29. 2005헌바33 결정) 2008. 12. 31. 까지 입법개선을 촉구하였으나 법이 개정되지 아니하였고, 그에 따라 2009. 1. 1. 부터 구법조항의 효력이 상실되었다. 공무원연금공단은 구법조항의 효력이 상실됨에 따라 2009. 1. 1. 부터 2009. 12. 31. 까지 청구인에게 퇴직연금 전액을 지급하였다.

한편, 공무원연금법은 2009. 12. 31. 개정되었는데, 공무원연금법 제64조 제1항 제1호는 재직 중의 사유로 금고 이상의 형을 받은 경우라도 직무와 관련 없는 과실로 인한 경우 및 소속 상관의 정당한 직무상의 명령에 따르다가 과실로 인한 경우는 퇴직급여 등을 감액하지 아니하도록 개정되었고, 부칙 제1조 및 제7조에서 공무원연금법 제64조의 개정규정은 2009. 1. 1. 부터 적용하도록 규정되었다.

공무원연금공단은 2010. 1. 20. 청구인에게 2010년 1월부터 퇴직연금을 다시 감액하여 지급하고, 이미 지급한 2009년분 퇴직연금액 중 2분의 1 상당액을 환수하는 내용의 처분을 하였다. 이에 청구인은 위 감액처분 및 환수처분의 취소를 구하는 소송을 제기하였고, 그 소송 계속 중 공무원연금법 제64조 제1항 제1호 및 부칙 제1조에 대하여 위헌법률심판제청신청을 하였으나 2010. 7. 16. 기각되자, 2010. 8. 30. 이 사건 헌법소원심판을 청구하였다.

심판대상조항 및 관련조항

이 사건 심판대상은 ① 공무원연금법(2009. 12. 31. 법률 제9905호로 개정된 것) 제64조 제1항 제1호(다음부터 '이 사건 감액조항'이라 한다), ② 공무원연금법(2009. 12. 31. 법률 제9905호) 부칙 제1조 단서 및 제7조 제1항 단서 후단(다음부터 이를 합하여 '이 사건 부칙조항'이라 한다)의 위헌 여부이다.

【심판대상조항】

공무원연금법(2009. 12. 31. 법률 제9905호로 개정된 것)

제64조(형벌 등에 따른 급여의 제한) ① 공무원이거나 공무원이었던 자가 다음 각 호의 어느 하나에 해당하는 경우에는 대통령령으로 정하는 바에 따라 퇴직급여 및 퇴직수당의 일부를 감액하여 지급한다. 이 경우 퇴직급여액은 이미 낸 기여금의 총액에 민법 제379조에 따른 이자를 가산한 금액 이하로 감액할 수 없다.
1. 재직 중의 사유로 금고 이상의 형을 받은 경우(직무와 관련이 없는 과실로 인한 경우 및 소속 상관의 정당한 직무상의 명령에 따르다가 과실로 인한 경우는 제외한다)

공무원연금법(2009. 12. 31. 법률 제9905호) **부칙**

제1조(시행일) 이 법은 공포한 날이 속하는 달의 다음달 1일부터 시행한다. 다만, 제64조의 개정규정은 2009년 1월 1일부터 적용한다.

제7조(급여지급에 관한 경과조치) ① 이 법 시행 전에 지급사유가 발생한 급여의 지급은 종전의 규정에 따른다. 다만, 제47조 제2항의 개정규정은 이 법 시행 전에 급여의 사유가 발생한 자에 대하여도 적용하고, 제64조의 개정규정은 2009년 1월 1일 전의 퇴직연금·조기퇴직연금수급자가 2009년 1월 1일 이후에 받는 퇴직연금·조기퇴직연금 및 2009년 1월 1일 이후에 지급의 사유가 발생한 퇴직급여 및 퇴직수당의 지급에 대하여도 적용한다.

주문

1. 공무원연금법(2009. 12. 31. 법률 제9905호) 부칙 제1조 단서, 제7조 제1항 단서 후단은 헌법에 위반된다.
2. 공무원연금법(2009. 12. 31. 법률 제9905호로 개정된 것) 제64조 제1항 제1호는 헌법에 위반되지 아니한다.

I 이 사건 감액조항에 대한 판단

1. 헌법불합치결정의 기속력 저촉 여부

청구인들은, 헌법재판소가 2005헌바33 사건에서 재직 중 직무와 관련이 없는 범죄로 금고 이상의 형을 받은 경우에도 퇴직급여 등을 감액하도록 하는 것은 퇴직 공무원들의 재산권 및 평등권을 침해한다는 이유로 헌법불합치결정을 하였음에도 불구하고, 국회가 직무와 관련이 없는 범죄 중 과실범만을 퇴직급여 등 감액사유에서 제외하는 것으로 이 사건 감액조항을 개정한 것은 위 헌법불합치결정의 기속력에 저촉된다는 취지로 주장하고 있다.

그러나 위 2005헌바33 사건의 헌법불합치결정의 이유를 살펴보면, 헌법재판소는 공무원의 직무와 관련이 없는 모든 범죄의 경우에 퇴직급여의 감액사유로 삼는 것이 퇴직공무원들의 재산권과 평등권을 침해한다는 것이 아니라, 공무원의 '신분이나 직무상 의무'와 관련이 없는 범죄의 경우에 퇴직급여의 감액사유로 삼는 것이 퇴직공무원들의 기본권을 침해한다고 판시하였음을 알 수 있다(2005헌바33). 공무원은 그 신분이나 직무상 법령준수의무, 성실의무, 명령복종의무, 비밀엄수의무, 청렴의무, 품위유지의무 등(국가공무원법 제56조 내지 제61조, 제63조, 지방공무원법 제48조 내지 제53조, 제55조)을 부담하고 있다. 공무원의 직무와 관련이 없는 범죄라 할지라도 고의범의 경우에는 공무원의 법령준수의무, 청렴의무, 품위유지의무 등을 위반하는 것으로 볼 수 있으므로 이를 퇴직급여의 감액사유에서 제외하지 아니하더라도 위 헌법불합치결정의 취지에 반한다고 볼 수 없다. 따라서 이 사건 감액조항은 위 2005헌바33 헌법불합치결정의 기속력에 저촉된다고 할 수 없다.

2. 이 사건 감액조항의 위헌 여부

이 사건 감액조항은 구법조항에 대한 위 헌법불합치결정의 취지에 따라 재직 중의 사유로 금고 이상의 형을 받은 경우 중 '직무와 관련이 없는 과실로 인한 경우 및 소속 상관의 정당한 직무상의 명령에 따르다가 과실로 인한 경우'는 퇴직급여의 감액사유에서 제외하고 있다. 이러한 개정입법이 여전히 청구인들의 재산권, 인간다운 생활을 할 권리와 평등권을 침해하는지 살펴본다.

가. 재산권 및 인간다운 생활을 할 권리의 침해 여부

1) 제한되는 기본권

공무원연금제도는 공무원을 대상으로 퇴직 또는 사망과 공무로 인한 부상·질병·폐질에 대하여 적절한 급여를 실시함으로써 공무원 및 그 유족의 생활안정과 복리향상에 기여하는 데 그 목적이 있으며, 공무원연금법상의 각종 급여는 기본적으로 모두 사회보장적 급여로서의 성격을 가짐과 동시에 공로보상 내지 후불임금으로서의 성격도 함께 가진다고 할 것이다. 특히 공무원연금법상의 퇴직급여 등 급여수급권은 재산권의 성격을 갖고 있으므로, 이 사건 감액조항에 의하여 청구인들의 재산권 및 인간다운 생활을 할 권리가 제한된다고 볼 수 있다.

2) 입법목적의 정당성 및 방법의 적정성

공무원도 일반 직장인과 같은 하나의 직업인으로서 보호를 받아야 마땅하나, 공직제도에 있어 공무원은 일반 직장인과는 달리 근본적으로 국민에 대한 봉사자로서의 지위를 가지고 그러한 지위에 기하여 재직 중 직무전념의무, 법령준수의무, 명령복종의무, 비밀엄수의무, 품위유지의무 등을 부담한다. 이 사건 감액조항은 재직 중 직무와 관련이 있는 범죄(소속 상관의 정당한 직무상의 명령에 따르다가 과실로 인한 경우는 제외), 직무와 관련이 없는 고의범으로 금고 이상의 형을 선고받은 경우에 공무원의 퇴직급여 등을 감액하고 있다. 그런데 공무원이 퇴직한 뒤 그 재직 중의 근무에 대한 보상을 함에 있어 공무원으로서의 신분이나 직무상 의무를 다하지 못한 공무원과 성실히 근무한 공무원을 동일하게 취급하는 것은 오히려 불합리하다는 측면과 아울러 위와 같이 보상액에 차이를 둠으로써 공무원범죄를 예방하고 공무원이 재직 중 성실히 근무하도록 유도하는 효과를 고려한 것이라 할 수 있으므로, 이 사건 감액조항의 입법목적은 정당하다.
또한, 공무원의 신분이나 직무상 의무와 관련된 범죄로 인하여 금고 이상의 형의 선고를 받은 사람에 대하여 퇴직급여 등을 감액하는 것은 재직 중 공무원으로서의 신분이나 직무상 의무를 이행하도록 유도하는 입법목적의 달성에 상당한 수단이다.

3) 침해의 최소성

공무원은 국민 전체에 대한 봉사자로서 고도의 윤리·도덕성을 갖추어야 할 뿐 아니라 그가 수행하는 직무 그 자체가 공공의 이익을 위한 것이고 원활한 직무수행을 위해서는 공무원 개개인이나 공직에 대한 국민의 신뢰가 기본바탕이 되어야 한다. 그런데 공무원이 범죄행위로 인하여 형사처벌을 받은 경우에는 당해 공무원에 대한 국민의 신뢰가 손상되어 원활한 직무수행에 어려움이 생기고 이는 곧바로 공직 전체에 대한 신뢰를 실추시켜 공공의 이익을 해하는 결과를 초래하게 된다. 비록 공무원의 직무와는 관련이 없는 사유라 하더라도 그에 대한 법률적 혹은 사회적 비난가능성, 공직에 대한 신뢰를 실추시킬 가능성은 직무와 관련이 있는 사유보다 더욱 큰 경우를 충분히 예상할 수 있으므로 지급제한 사유를 직무관련사유로 한정하지 아니하였다는 것만으로 곧바로 비례의 원칙에 반한다고 볼 수 없다.

'공무원의 신분이나 직무와 관련 없는 범죄'의 범주에 어떠한 범죄들은 포함시키고 어떠한 범죄들은 제외할 것인지를 입법적으로 규율하는 데 기술적인 어려움이 있어, 범죄의 유형에 따른 입법을 하는 경우에는 당해 법률조항에 포함된 범죄를 저지른 공무원과 그 유형에 포함되지 아니한 범죄를 저지른 다른 공무원과 사이에 평등원칙이 문제될 수 있다. 따라서 범죄의 유형에 따른 구분만으로는 공무원 범죄에 대한 연금 수급권 조절 문제를 온전히 합리적으로 규율하기 어려운 면이 있다.

공무원연금법상 퇴직급여의 재원은 공무원의 기여금과 국가 또는 지방자치단체의 부담금으로 형성되는데(공무원연금법 제65조), 이 사건 감액조항은 퇴직급여 중 국가 또는 지방자치단체가 부담하는 부분만을 감액하도록 하고, 본인의 기여금 부분은 보장하여 줌으로써 그 침해를 최소화하고 있다.

따라서 이 사건 감액조항은 입법목적의 달성을 위하여 필요한 범위 내에서 감액사유에 해당하는 범죄를 가능한 유형화하여 규정한 것으로 볼 수 있고, 감액의 범위도 국가 또는 지방자치단체의 부담 부분을 넘지 않도록 한 점 등을 고려하면 침해의 최소성도 충족하였다고 볼 수 있다.

4) 법익균형성

청구인들은 퇴직급여의 일부가 감액되는 사익의 침해를 받지만, 이는 공무원 자신이 저지른 범죄에서 비롯된 것인 점, 공무원 개개인이나 공직에 대한 국민의 신뢰를 유지하고자 하는 공익이 결코 적지 않은 점, 특히 이 사건 감액조항은 구법조항보다 감액사유를 더욱 한정하여 침해되는 사익을 최소화하고자 하였다는 점에서 법익의 균형성도 인정된다.

5) 소 결

따라서 이 사건 감액조항은 청구인들의 재산권과 인간다운 생활을 할 권리를 침해하지 아니한다.

나. 평등의 원칙 위배 여부

한편, 청구인들은 국민연금법 및 근로기준법에는 이 사건 감액조항과 같이 재직 중의 사유로 인하여 퇴직급여를 감액하는 조항이 없으므로, 공무원인 청구인들은 국민연금법상의 사업장가입자 및 근로기준법상의 근로자와의 관계에서 평등권을 침해받았다고 주장하고 있다.

공무원연금은 사회적 위험에 대한 보호방법과 급여의 제한에 있어서 국민연금과 상당한 부분 차이가 있다. 즉 국민연금이 근로관계로부터 독립하여 제3자인 보험자로 하여금 피보험자의 생활위험을 보호하도록 함으로써 순수한 사회정책적 차원에서 가입자의 노령보호를 주된 목적으로 하는 데 비하여, 공무원연금은 근무관계의 한 당사자인 국가가 다른 당사자인 공무원의 사회보장을 직접 담당함으로써 피보험자(공무원)에 대한 사회정책적 보호 외에 공무원근무관계의 기능유지라는 측면도 함께 도모하고 있다.

공무원연금제도가 국민연금이나 법정퇴직금과 비교하여 위와 같은 기본적인 차이가 있는 점, 공무원은 일정한 법령준수 및 충실의무 등을 지고 있는 점, 이 사건 감액조항은 구법조항과 달리 공무원 신분이나 직무와 관련 없는 과실범의 경우에는 감액 사유에서 제외하고, 감액의 수준도 국가부담분만큼의 급여에 불과하고, 공무원범죄를 사전에 예방하고 공직사회의 질서를 유지하는 데 목적이 있는 점 등에 비추어 볼 때, 이를 가리켜 공무원을 국민연금법상 사업장가입자나 근로기준법상 근로자에 비하여 합리적 이유 없이 차별적 취급을 하고 있다고 단정할 수 없다.

II 이 사건 부칙조항에 대한 본안판단

1. 이 사건의 쟁점

이 사건 부칙조항에 대한 위헌심사에 있어서는, 청구인들의 재산권이 침해되었는지 여부를 판단하여야 할 것이다. 이 사건 부칙조항은 일정한 범죄를 저지른 사람에게 공무원연금의 일부를 감액하는 내용 자체를 담고 있는 것이 아니고, 단지 그와 같은 실체적 내용을 담고 있는 공무원연금법 제64조 제1항 제1호를 2009. 1. 1. 까지 소급하여 적용하도록 하는 시간적 적용 시점만을 규율하고 있을 뿐이다. 그러므로 이 사건 부칙조항에 대하여는 헌법 제13조 제2항의 소급입법금지원칙을 위반하여 청구인들의 재산권을 침해하는지 여부만이 문제된다.

2. 소급입법금지원칙 위배 여부

가. 헌법 제23조 제1항은 "모든 국민의 재산권은 보장된다. 그 내용과 한계는 법률로 정한다." 고 하는 재산권 보장에 대한 일반적인 원칙을 규정하고 있고, 제13조 제2항은 "모든 국민은 소급입법에 의하여 재산권을 박탈당하지 아니한다."고 규정하여 소급입법에 의한 재산권의 박탈을 금지하고 있다. 기존의 법에 따라 형성되어 이미 굳어진 개인의 법적 지위를 사후입법을 통하여 박탈하는 것 등을 내용으로 하는 소급입법은 개인의 신뢰보호와 법적 안정성을 내용으로 하는 법치국가원리에 의하여 특단의 사정이 없는 한 헌법적으로 허용되지 아니하는 것이 원칙이다. 다만 일반적으로 국민이 소급입법을 예상할 수 있었거나 법적 상태

가 불확실하고 혼란스러워 보호할 만한 신뢰이익이 적은 경우와 소급입법에 따른 당사자의 손실이 없거나 아주 경미한 경우 그리고 신뢰보호의 요청에 우선하는 심히 중대한 공익상의 사유가 소급입법을 정당화하는 경우 등에는 예외적으로 허용된다.

나. 이 사건 부칙조항은 이미 이행기가 도래하여 청구인들이 퇴직연금을 모두 수령한 부분까지 사후적으로 소급하여 적용되는 것으로서 헌법 제13조 제2항에 의하여 원칙적으로 금지되는 이미 완성된 사실·법률관계를 규율하는 소급입법에 해당한다.

다. 그렇다면 이 사건 부칙조항이 예외적으로 허용되는 소급입법에 해당하는지 여부를 살펴본다.
일반적으로 소급입법이 금지되는 주된 이유는 문제된 사안이 발생하기 전에 그 사안을 일반적으로 규율할 수 있는 입법을 통하여 행위시법으로 충분히 처리할 수 있었음에도 불구하고, 권력자에 의해 사후에 제정된 법을 통해 과거의 일들이 자의적으로 규율됨으로써 법적 신뢰가 깨뜨려지고 국민의 권리가 침해되는 것을 방지하기 위함이다. 따라서 소급입법이 예외적으로 허용되기 위해서는 '그럼에도 불구하고 소급입법을 허용할 수밖에 없는 공익상의 이유'가 인정되어야 한다. 이러한 필요성도 없이 단지 소급입법을 예상할 수 있었다는 사유만으로 소급입법을 허용하는 것은 헌법 제13조 제2항의 소급입법금지원칙을 형해화시킬 수 있으므로 예외사유에 해당하는지 여부는 매우 엄격하게 판단하여야 한다.
헌법재판소의 위 헌법불합치결정에 따라 개선입법이 이루어질 것이 미리 예정되어 있기는 하였으나 그 결정이 내려진 2007. 3. 29. 부터 잠정적용시한인 2008. 12. 31. 까지 상당한 시간적 여유가 있었는데도 국회에서 개선입법이 이루어지지 아니하였다. 그에 따라 청구인들이 2009. 1. 1. 부터 2009. 12. 31. 까지 퇴직연금을 전부 지급받았는데 이는 전적으로 또는 상당 부분 국회가 개선입법을 하지 않은 것에 기인한 것이다. 그럼에도 이미 받은 퇴직연금 등을 환수하는 것은 국가기관의 잘못으로 인한 법집행의 책임을 퇴직공무원들에게 전가시키는 것이며, 퇴직급여를 소급적으로 환수당하지 않을 것에 대한 청구인들의 신뢰이익이 적다고 할 수도 없다.
이 사건 부칙조항으로 달성하려는 공무원범죄의 예방, 공무원의 성실 근무 유도, 공무원에 대한 국민의 신뢰 제고, 제재의 실효성 확보 등은 범죄를 저지른 공무원을 당연퇴직시키거나, 장래 지급될 퇴직연금을 감액하는 방법으로 충분히 달성할 수 있고, 이 사건 부칙조항으로 보전되는 공무원연금의 재정규모도 그리 크지 않을 것으로 보이는 반면, 헌법불합치결정에 대한 입법자의 입법개선의무의 준수, 신속한 입법절차를 통한 법률관계의 안정 등은 중요한 공익상의 사유라고 볼 수 있다.

3. 소 결

따라서 이 사건 부칙조항은 헌법 제13조 제2항에서 금지하는 소급입법에 해당하며, 예외적으로 소급입법이 허용되는 경우에도 해당하지 아니하므로, 소급입법금지원칙에 위반하여 청구인들의 재산권을 침해한다.

013 국세관련 경력공무원에 대한 세무사자격 부여제도 폐지 사건
[헌법불합치, 기각]
— 2001. 9. 27. 선고 2000헌마152

판시사항

1. 국세관련 경력공무원에 대하여 세무사자격을 부여하지 않도록 개정된 세무사법 제3조가 직업선택의 자유를 침해하는지 여부(소극)
2. 기존 국세관련 경력공무원 중 일부에게만 구법 규정을 적용하여 세무사자격이 부여되도록 규정한 위 세무사법 부칙 제3항이 신뢰이익을 침해하는 것으로서 헌법에 위반되는지 여부(적극)
3. 위 세무사법 부칙 제3항이 평등의 원칙에 위반되는지 여부(적극)

사건의 개요

청구인들은 국세청 등에서 5급 이상 공무원으로서 국세에 관한 행정사무에 종사하고 있는바, 구 세무사법(1999. 12. 31. 법률 제6080호로 개정되기 전의 것, 이하 "구법"이라 한다) 제3조 제2호에 따르면 국세에 관한 행정사무 종사경력이 10년 이상이고, 일반직 5급 이상 공무원으로서 5년 이상 재직한 경력이 있는 경우(이하 이를 "자격부여요건"이라 한다)에는 당연히 세무사자격이 부여되었다.

그런데 개정된 세무사법(1999. 12. 31. 법률 제6080호로 개정된 것, 이하 "개정법"이라 하고, 구법과 개정법을 특별히 구분하지 않을 때에는 "법"이라 한다) 제3조는 위 제2호를 삭제하였고, 개정법 부칙 제3항은 2000년 12월 31일 현재 종전의 제3조 제2호의 규정에 해당하는 자에 대하여만 구법 규정을 적용하도록 규정하고 있다. 그에 따라 2000. 12. 31. 현재 구법 규정상의 자격부여요건을 갖추지 못한 청구인들의 경우에는 구법 규정이 적용될 수 없어 당연히, 즉 세무사자격시험을 거치지 않고도 세무사자격이 부여되는 지위를 상실하였다.

이에 청구인들은 개정법 제3조 및 부칙 제3항이 세무사로 종사할 수 있는 직업선택의 자유를 침해하였거나 신뢰의 원칙 및 평등의 원칙에 위반된다고 주장하면서 2000. 2. 29. 그 위헌확인을 구하는 이 사건 헌법소원심판을 청구하였다.

심판대상조항 및 관련조항

이 사건 심판의 대상은 개정법 제3조(이하 "이 사건 법률조항"이라 한다. 청구인들은 '세무사법중개정법률 중 제3조 제2호를 삭제한다는 부분'을 심판의 대상으로 삼고 있으나, 청구인들의 주장은 이 사건 법률조항이 세무사자격의 부여대상에 청구인들을 포함시키지 아니한 것이 위헌이라는 것으로서 부진정입법부작위를 다투는 취지이므로, 이 사건 법률조항 자체를 심판대상으로 본다) 및 부칙 제3항(이하 "이 사건 부칙조항"이라 한다)의 위헌 여부이며, 그 내용 및 관련조항의 내용은 다음과 같다.

개정법 제3조(세무사의 자격) 다음 각호의 1에 해당하는 자는 세무사의 자격을 가진다.
  1. 제5조의 규정에 의한 세무사자격시험에 합격한 자

2. 〈삭제 1999. 12. 31〉
3. 공인회계사의 자격이 있는 자
4. 변호사의 자격이 있는 자

개정법 부칙 ③ [세무사자격이 있는 자에 대한 경과조치] 2000년 12월 31일 현재 종전의 제3조 제2호의 규정에 해당하는 자에 대하여는 동조 동항의 개정규정에 불구하고 종전의 규정을 적용한다.

주문

1. 세무사법(1999. 12. 31. 법률 제6080호로 개정된 것) 제3조에 대한 심판청구는 기각한다.
2. 위 세무사법 부칙 제3항은 헌법에 합치되지 아니한다. 다만 이 부칙조항은 입법자가 개정할 때까지 계속 적용한다.

I 판 단

1. 개정법 제3조의 직업선택의 자유 및 행복추구권 침해 여부

개정법 제3조는 구법 제3조 제2호를 삭제함으로써 종전과 달리 청구인들과 같은 국세관련 경력공무원들에게 세무사자격을 당연히 부여하지는 않고 있다. 이것이 청구인들의 직업선택의 자유 내지 행복추구권을 침해하는 것인지 여부를 본다.

헌법 제15조는 "모든 국민은 직업선택의 자유를 가진다"고 규정함으로써 직업선택의 자유를 보장하고 있다. 직업선택의 자유는 자신이 선택한 직업을 자유롭게 수행할 수 있는 직업수행 내지 행사의 자유까지를 포함하는 개념으로서 직업의 자유를 뜻한다. 그러나 이러한 직업선택의 자유도 헌법 제37조 제2항에 따라 국가안전보장, 질서유지 또는 공공복리를 위하여 필요한 경우에는 그 본질적 내용을 침해하지 않는 범위 내에서 법률로써 제한할 수 있다.

무릇 직업선택의 자유는 자신이 원하는 직업 내지 직종을 자유롭게 선택하고, 선택한 직업을 자유롭게 수행할 수 있음을 그 내용으로 하는 것이지, 특정인에게 배타적·우월적인 직업선택권이나 독점적인 직업활동의 자유까지 보장하는 것은 아니다. 따라서 국세관련 경력공무원에 대하여 세무사자격을 부여할 것인지 여부는 정책적 판단에 따라 결정될 입법정책의 과제일 뿐, 직업선택의 자유 등 헌법상 기본권에 관계된 문제라 할 수 없다.

입법부가 어떤 직업분야에 자격제도를 시행함에 있어서 그 업무에 대하여 설정할 자격요건의 구체적인 내용은 업무의 내용과 제반 여건 등을 종합적으로 고려하여 입법자가 결정할 사항이다. 따라서 자격요건의 설정에 대한 판단·선택은 헌법재판소가 가늠하기보다는 입법자에게 맡겨두는 것이 옳으며, 그러한 범위 내에서 입법자에게 입법형성권이 인정된다. 다만 그것이 재량의 범위를 넘어 명백히 불합리한 경우에만 비로소 위헌의 문제가 생길 수 있다.

이 사건 법률조항에 의하여 국세관련 경력공무원에 대한 세무사자격 부여제도를 폐지한 것은 경력공무원에 대한 특혜시비를 완화하면서 아울러 일반응시자들과의 형평을 도모하려는 공익적인 목적을 갖는 것으로서 그 목적의 정당성은 인정된다 할 것이다. 그리고 경력공무원이라 하여 반드시 세무사로서 필요한 전문적 지식이나 자질에 대한 객관적인 검증절차를 거친 것은 아니므로 그들도 일반응시자와 마찬가지로 세무사자격시험을 통한 통상의 검증절차를 거치도록 하고, 다만 그 경력을 감안하여 시험과목의 일부면제제도를 채택한 입법자의 판단이 그 내용이나 방법에 있어서 반드시 합리성을 결여한 것이라고 보기도 어렵다. 그렇다면 이 사건 법률조항이 국세관련 경력공무원에게 세무사자격을 부여하지 않는 것이 반드시 재량의 범위를 넘어 명백히 불합리하다고 할 수는 없으므로, 이 사건 법률조항은 청구인들의 직업선택의 자유를 침해하는 것이 아니다.

나아가 청구인들의 행복추구권 역시 직업선택의 자유와 마찬가지로 청구인들에 대한 세무사자격의 당연부여에까지 미친다고 볼 수는 없으므로, 이 사건 법률조항이 청구인들의 행복추구권을 침해한다고도 할 수 없다.

2. 이 사건 부칙조항의 위헌 여부

가. 신뢰이익의 침해 여부

1) 이 사건 부칙조항은 이 사건 법률조항의 시행일인 2001. 1. 1. 직전인 2000. 12. 31. 현재 구법 규정상의 자격부여요건을 충족한 자들에게만 구법 규정을 적용하도록 규정하여 세무사자격을 부여하고 있다. 따라서 위 기준일 현재 자격부여요건을 충족하지 못한 청구인들에게는 위 부칙규정이 적용되지 아니함으로써 세무사자격이 부여되지 않게 되었다. 그러므로 청구인들에 대한 세무사자격의 부여를 배제하는 이 사건 부칙규정이 청구인들의 신뢰이익을 침해하는 것인지 여부를 살펴본다.

2) 국민이 종전의 법률관계나 제도가 장래에도 지속될 것이라는 합리적인 신뢰를 바탕으로 이에 적응하여 일정한 법적 지위를 형성한 경우, 국가는 법적 안정성을 위하여 권리의무에 관련된 법규·제도의 개폐에 있어서 국민의 기대와 신뢰를 최대한 보호하여야 한다. 물론 이러한 신뢰의 보호는 새로운 입법을 통하여 실현하고자 하는 공익적 목적에 의하여 제한될 수는 있다. 그러나 이 경우에도 기본권제한의 한계인 과잉금지의 원칙이 준수되어야 하므로 결국 신뢰이익과 공공복리의 중요성을 비교형량하여 그 위헌 여부를 결정할 것이다.

3) 먼저 청구인들이 5급 이상의 공무원으로 국세관서에서 근무를 개시할 당시에 시행되던 구법 제3조 제2호는 청구인들의 경우에 일정한 자격부여요건만 충족하면 당연히, 즉 별도의 인·허가나 세무사자격시험을 거치지 않고도 곧바로 세무사자격이 부여되는 것으로 규정하고 있었다. 따라서 청구인들의 세무사자격 부여에 대한 기대는 국가가 제정한 법률의 규정에 의하여 형성된 것으로서, 단순한 가능성이 아닌 확정적인 법률효과에 바탕을 둔 것이다. 국세관련 경력공무원에 대한 세무사자격 부여제도는 앞에서 본 바와 같이 상당한 실무경험을 갖춘 경력공무원들의 경우에는 일응 세무사의 업무를 수행하기에 충분한 고도의 전문적 지식이나 자질을 갖추었다고 볼 수 있다는 측면에 실질적 근거를 둔 것으로서 세무사법의 제정으로 세무사제도가 도입된 이래 약 40여년간 줄곧 시행되어 오면서 제도 자체의 합리성과 합목적성이 폭넓게 인정되어 왔다. 또 청구인들의 입장에서는 이러한 제도가 단시일 내에 폐지 또는 변경되리라고 예상할 만한 별다른 사정도 없었다.

따라서 청구인들의 세무사자격 부여에 대한 신뢰는 위에서 본 여러 사정에 비추어 볼 때 단순한 기대의 수준을 넘어서 강도 높게 보호할 필요성이 있는 합리적이고도 정당한 신뢰라 할 것이고, 청구인들이 급여나 대우 등의 면에서 보다 유리한 직장이나 부서를 마다하고 국세관서에서 5급 이상 공무원으로 장기간 종사하기로 결정한 데에는 이러한 세무사자격 부여에 대한 강한 기대 내지 신뢰가 중요한 바탕이 되었을 것임은 결코 부인할 수 없다.

4) 그런데 그 이후 이 사건 법률조항 등의 개정으로 말미암아 청구인들은 세무사자격시험을 거치지 않는 한 그 자격이 부여되지 않게 되었다. 물론 청구인들의 경우에는 앞에서 본 바와 같이 일정한 요건 아래 제1차시험의 전과목과 제2차시험의 과목 중 일부과목을 면제받게 되어 일반응시자에 비하여 유리한 지위에 서 있기는 하다. 그러나 청구인들이 세무사자격을 취득하기 위해서는 종전과 달리 반드시 세무사자격시험에 합격하여야만 한다는 점에서, 청구인들이 입게 된 불이익의 정도, 즉 신뢰이익의 침해정도는 중대하다고 아니할 수 없고, 그것이 헌법적으로 무시할 수 있을 정도로 가볍다고 볼 수는 없다.

5) 세무사자격의 부여에 대한 청구인들의 신뢰이익을 침해함으로써 달성할 수 있는 공익으로는, 첫째 세무사의 수를 늘려서 자유경쟁을 도모함으로써 대국민 서비스의 질을 향상하고, 둘째 국세관련 경력공무원에 대한 세무사자격 부여에 따른 일반인의 자격취득기회의 제한 문제를 해소하며, 셋째 경력공무원에 대한 특혜를 배제하여 일반응시자와의 형평을 제고한다는 것으로 요약할 수 있다.

그러나 자유경쟁을 촉진하여 대국민 서비스의 질을 향상하는 것이라면 오히려 청구인들에게 세무사자격을 부여하는 것이 보다 옳다는 점에서 위 첫째 주장은 정당성이 없다. 세무사자격시험은 현재 선발인원의 제한 없이 절대평가제로 시행되고 있어 청구인들에게 세무사자격을 부여한다고 하여 반드시 일반응시자의 자격취득 기회를 잠식하는 것은 아니어서 위 둘째 주장 역시 설득력이 부족하다. 다만 청구인들에게 세무사자격을 부여하지 않음으로써 일반응시자와의 형평을 제고할 수는 있다 할 것이므로, 이 사건에서 청구인들의 신뢰이익을 제한할 근거로서 인정되는 공익은 주로 이점에 국한된다.

6) 그런데 일반응시자와의 형평을 제고한다는 공익은 다음과 같은 이유로 청구인들에 대한 신뢰이익 제한을 헌법적으로 정당화할 만한 사유라고 보기는 어렵다. 왜냐하면 국세관련 경력공무원에 대하여 세무사자격을 부여해 온 조치는 그간 오랫동안 존속해 오던 제도로서 청구인들의 신뢰이익을 침해하면서까지 시급하게 폐지하여야 할 긴절하고도 급박한 사정이 없거니와, 선발인원의 제한 없이 절대평가제로 시행되고 있는 현행 세무사자격시험제도 아래에서는 청구인들에게 세무사자격을 부여한다 하여 곧바로 일반응시자에 대한 직접적 불이익을 야기한다고 볼 근거도 없기 때문이다. 그리고 청구인들에게 세무사자격을 부여한다고 하더라도 이는 위와 같은 공익의 실현이 원천적으로 봉쇄되는 것이 아니고, 단지 그 실현을 다소 늦추는 것에 불과할 따름이다.

7) 결론적으로 이 사건 부칙규정은 충분한 공익적 목적이 인정되지 아니함에도 청구인들의 기대가치 내지 신뢰이익을 과도하게 침해한 것으로서 헌법에 위반된다.

나. 평등의 원칙 위반 여부

부칙 제1항 단서는 개정법 제3조의 시행일을 2001. 1. 1.로 규정하고, 이 사건 부칙규정은 위 시행일의 전날인 2000. 12. 31.을 기준일로 설정한 다음, 기준일 현재 구법 규정에 의한 자격부여요건을 충족한 자에게만 구법 규정을 적용하여 세무사자격을 부여함으로써 위 기준일 전에 자격부여요건을 갖추지 못하여 세무사자격이 부여되지 않는 청구인들과 차별적 취급을 하고 있다.

2000. 12. 31. 현재 자격부여요건을 충족한 자와 그렇지 못한 청구인들 사이에는 단지 근무기간에 있어서의 양적인 차이만 존재할 뿐, 본질적인 차이는 없고, 세무사자격 부여제도의 폐지와 관련된 조항의 시행일만을 2001. 1. 1.로 늦추어 1년의 유예기간을 두고 있는 것 자체가 합리적 근거 없는 자의적 조치이므로, <u>위 부칙조항은 합리적인 이유 없이, 자의적으로 설정된 기준을 토대로 위 부칙조항의 적용대상자와 청구인들을 차별취급하는 것으로서 평등의 원칙에도 위반된다.</u>

다. 헌법불합치

위에서 판단한 바와 같이 이 사건 부칙조항은 청구인들의 신뢰이익을 침해하고 나아가 평등의 원칙에 위반된 것으로서 헌법에 위반된다.

다만 이 사건의 경우 헌법재판소가 이 사건 부칙조항에 대하여 단순한 위헌결정을 선고하거나 그 적용중지를 명하는 헌법불합치결정을 선고할 경우 이 사건 부칙조항은 결정을 선고한 때부터 더 이상 적용할 수 없게 된다. 그 결과 그나마 이 사건 부칙조항에 의하여 세무사자격을 취득할 수 있는 자들마저도 그 근거규정의 실효 또는 적용중지로 당장 세무사자격을 취득할 수 없게 되어 법치국가적으로 용인하기 어려운 법적 공백이 초래된다. 따라서 이 사건 부칙조항에 대하여는 입법자가 합헌적인 방향으로 법률을 개선할 때까지 이를 존속하게 하여 적용하게 할 필요가 있다고 판단된다.

그러므로 이 사건 부칙조항에 대하여 헌법불합치를 선고하되, 입법자에게 이 결정에 따라 조속한 시일 내에 헌법에 합치하는 내용으로 이를 개정하도록 하고, 아울러 그 개정시까지 이를 계속 적용함이 상당하다.

입법자가 이 사건 부칙조항을 개정하는 경우에는 개정법의 시행 이전에 이미 국세관서에서 5급 이상의 공무원으로서 재직하고 있어서 통산 근무기간의 요건만 충족하면 세무사자격이 부여될 수 있었던 자들에 대하여는 세무사자격이 부여될 수 있도록 규정함으로써 그들의 신뢰이익을 보호하는 입법적 배려를 하여야 함을 밝힌다.

Ⅱ 결 론

따라서 이 사건 법률조항은 헌법에 위반되지 아니하고, 이 사건 부칙조항은 헌법에 합치하지 아니하나 새로운 입법이 이루어질 때까지 잠정적으로 이를 적용하도록 명하기로 하여 주문과 같이 결정한다. 이 결정의 주문 제1항에 대하여는 재판관 전원의 의견이 일치되었고, 주문 제2항에 대하여는 재판관 김영일, 재판관 김효종의 반대의견이 있는 외에 나머지 재판관 전원의 의견이 일치되었다.

함께 보는 판례

❶ 신뢰보호원칙에 대한 판단 (2002. 11. 28. 선고 2002헌바45)

　　신뢰보호원칙의 위반 여부를 판단하기 위해서는, 한편으로는 침해받은 신뢰이익의 보호가치, 침해의 중한 정도, 신뢰가 손상된 정도, 신뢰침해의 방법 등과 다른 한편으로는 새로운 입법을 통해 실현하고자 하는 공익적 목적을 종합적으로 비교·형량하여 판단하여야 한다. … 한편, 국가가 입법행위를 통하여 개인에게 신뢰의 근거를 제공한 경우, 입법자가 자신의 종전 입법행위에 의하여 어느 정도로 구속을 받는지 여부, 다시 말하면 법률의 존속에 대한 개인의 신뢰가 어느 정도로 보호되는지 여부에 대한 주요한 판단기준으로 다음과 같은 2가지 요소를 거시할 수 있다. … 먼저, 법적 상태의 존속에 대한 개인의 신뢰는 그가 어느 정도로 법적 상태의 변화를 예측할 수 있는지, 혹은 예측하였어야 하는지 여부에 따라 상이한 강도를 가진다. … 다음으로, 개인의 신뢰이익에 대한 보호가치는 ① 법령에 따른 개인의 행위가 국가에 의하여 일정방향으로 유인된 신뢰의 행사인지, ② 아니면 단지 법률이 부여한 기회를 활용한 것으로서 원칙적으로 사적 위험부담의 범위에 속하는 것인지 여부에 따라 달라진다. 만일 법률에 따른 개인의 행위가 단지 법률이 반사적으로 부여하는 기회의 활용을 넘어서 국가에 의하여 일정 방향으로 유인된 것이라면 특별히 보호가치가 있는 신뢰이익이 인정될 수 있고, 원칙적으로 개인의 신뢰보호가 국가의 법률개정이익에 우선된다고 볼 여지가 있다. … 일반적으로 신뢰보호의 구체적 실현수단으로 사용되는 경과규정에는 ① 기존 법률이 적용되던 사람들에게 신법 대신 구법을 적용하도록 하는 방식과, ② 적응보조규정을 두는 방식 등이 있다. … 청구인과 같이 종전 법률의 적용을 받던 개인의 신뢰이익의 보호가치, 그 신뢰이익의 침해정도, 신뢰이익의 보호를 고려한 경과조치의 존재, 법률 개정을 통하여 실현하고자 하는 공익목적의 중요성 등을 종합적으로 고려할 때 이 사건 법률조항은 헌법상의 신뢰보호원칙에 위배된다고 볼 수 없다.

❷ 헌법상의 법치국가원리의 파생원칙인 신뢰보호의 원칙은 국민이 법률적 규율이나 제도가 장래에도 지속할 것이라는 합리적인 신뢰를 바탕으로 이에 적응하여 개인의 법적 지위를 형성해 왔을 때에는 국가로 하여금 그와 같은 국민의 신뢰를 되도록 보호할 것을 요구한다. 따라서 법규나 제도의 존속에 대한 개개인의 신뢰가 그 법규나 제도의 개정으로 침해되는 경우에 상실된 신뢰의 근거 및 종류와 신뢰이익의 상실로 인한 손해의 정도 등과 개정규정이 공헌하는 공공복리의 중요성을 비교교량하여 현존상태의 지속에 대한 신뢰가 우선되어야 한다고 인정될 때에는 규범정립자는 지속적 또는 과도적으로 그 신뢰보호에 필요한 조치를 취하여야 할 의무가 있다. 이 원칙은 법률이나 그 하위법규뿐만 아니라 국가관리의 입시제도와 같이 국·공립대학의 입시전형을 구속하여 국민의 권리에 직접 영향을 미치는 제도운영지침의 개폐에도 적용되는 것이다. … 청구인들이 이른바 특수목적고등학교인 외국어고등학교에 입학하기 위하여 원서를 제출할 당시 시행되었던 종합생활기록부 제도는 처음부터 절대평가와 상대평가를 예정하고 있었고, 대학입학전형에 있어서 학생부를 절대평가 방법으로 활용할 것인가 상대평가방법으로 활용할 것인가 등 그 반영방법도 대학의 자율에 일임되어 있었다. 따라서 그 이후 공표된 이 사건 제도개선보완시행지침은 1999학년도까지 대입전형자료로 절대평가와 상대평가를 병행하도록 하고 다만 종전 종합생활기록부제도의 문제점을 보완하기 위하여 과목별 석차의 기록방법 등 세부적인 사항을 개선, 변경한 데 불과하므로 이로 인하여 청구인들의 헌법상 보호할 가치가 있는 신뢰가 침해되었다고 볼 수 없다. (1997. 7. 16. 선고 97헌마38)

014 산업재해보상보험법상 최고보상제도 사건 [위헌]
― 2009. 5. 28. 선고 2005헌바20,22,2009헌바30(병합)

판시사항

1. 2000. 7. 1.부터 시행되는 최고보상제도[산업재해보상보험법(1999. 12. 31. 법률 제6100호로 개정되고, 2007. 4. 11. 법률 제8373호로 전부 개정되기 전의 것, 이하 '산재법'이라 한다.) 제38조 제6항]를 2000. 7. 1. 전에 장해사유가 발생하여 장해보상연금을 수령하고 있던 수급권자에게도 2년 6월의 유예기간 후 2003. 1. 1.부터 적용하는 산재법 부칙(법률 제6100호, 1999. 12. 31.) 제7조 중 "2002. 12. 31.까지는"부분(이하 '심판대상조항'이라 한다)이 소급입법금지원칙에 위배하여 재산권을 침해하는지 여부(소극)
2. 이 사건 심판대상조항이 신뢰보호원칙에 위배하여 재산권을 침해하는지 여부(적극)

사건의 개요

1. 2005헌바20 사건

청구인 김○경은 외국계 회사인 한국○○ 주식회사의 직원으로 20여 년간 재직하여 오다가 1991. 11. 4. 부사장의 직책으로 위 회사 사무실에서 회의하던 중 쓰러져, 뇌경색의 진단을 받고 6개월간 입원치료하였으나 완치되지 못하고 좌반신 마비의 장해를 입게 되었고, 1993. 5. 23. 근로복지공단(이하 '공단'이라 한다)으로부터 장해등급 제3급을 판정받아 평균임금의 70%에 해당하는 장해급여를 받아 와 2003. 1. 3.경에는 당시 월 평균임금의 70%에 해당하는 월 7,630,670원의 장해보상연금을 수령하고 있었다.

그런데 1999. 12. 31. 법률 제6100호로 산업재해보상보험법이 개정되어 이른바 '최고보상제도'가 시행됨에 따라, 공단은 노동부장관이 고시한 1일 최고보상기준금액인 133,070원을 평균임금으로 산정하여 2003. 2. 3. 및 2003. 3. 3. 위 청구인에게 각 2,140,200원으로 감액한 장해보상연금만을 지급하고 종전 지급액 중 이를 초과하는 부분을 지급하지 아니하였다.

이에 위 청구인은 같은 해 3. 18. 서울행정법원에 공단을 상대로 장해연금감액처분취소의 소를 제기하고 그 소송 계속중 구 산업재해보상보험법 제38조 제6항 및 법 부칙 제7조에 대한 위헌법률심판제청신청을 하였으나, 위 법원이 2005. 2. 16. 위 본안청구를 기각함과 아울러 위 신청도 기각하자, 같은 해 3. 8. 헌법재판소법 제68조 제2항에 따라 이 사건 헌법소원심판을 청구하였다.

2. 2005헌바22 사건

청구인들은 각 '재해발생일'란 기재 일자에 재해를 입어 요양을 종결한 다음, 공단으로부터 장해판정을 받고 2003. 1.경까지 매월 같은 목록 '평균임금'란 기재 금액을 기준으로 산정된 같은 목록 '2002년 12월분 산업재해보상보험급여액'란 기재 금액 상당의 장해보상연금을 수령하고 있었다.

그런데 위에서 본 바와 같이 산업재해보상보험법이 개정되어 '최고보상제도'가 시행됨에 따라, 공단은 같은 목록 '2003년 1월분 산업재해보상보험급여 지급일'란 기재의 각 일자에 노동부장관 고시 1일 최고보상기준금액인 133,070원을 평균임금으로 산정한 같은 목록 '2003년 1월분 산업재해보상보험급여액'란 기재 금액으로 감액한 각 장해보상연금을 위 청구인들에게 지급하고 이를 초과하는 부분은 지급하지 아니하였다.

이에 위 청구인들은 같은 해 3. 20. 및 4. 30. 서울행정법원에 각 장해보상연금지급처분취소의 소를 제기하고 그 소송 계속중 법 제38조 제6항 및 법 부칙 제7조에 대한 위헌법률심판제청신청을 하였으나, 위 법원이 2005. 2. 16. 위 청구인들의 본안청구를 기각함과 아울러 위 신청도 기각하자, 같은 해 3. 14. 헌법재판소법 제68조 제2항에 따라 이 사건 헌법소원심판을 청구하였다.

3. 2009헌바30 사건

청구인 나○환은 ○○건설 주식회사에 다니다가 1992. 2. 14. 추간판 탈출증, 제1요추 압박골절, 외상성 척추전위증 등의 상병을 입고 1997. 9. 30. 치료가 종결된 후 공단으로부터 장해등급 제5급의 판정을 받아 1997. 10. 1.부터 장해급여를 연금형태로 지급받아 오고 있고, 청구인 김○수는 ○○ 주식회사에 근무하다가 1995. 4. 16. 다발성 늑골골절, 뇌좌상 등의 재해를 입고 1996. 6. 26. 치료종결된 후 공단으로부터 장해등급 제3급의 판정을 받아 1996. 7. 1.부터 장해급여를 연금형태로 지급받아 오고 있으며, 청구인 김○근은 ○○개발 주식회사에 근무하다가 1995. 9. 30. 제1요추 압박골절, 양측 종골 골절의 재해를 입고 1996. 8. 29. 치료종결 후 공단으로부터 장해등급 제5급의 판정을 받아 1996. 9. 1.부터 장해보상연금을 지급받아 오고 있다.

위 청구인들은 2002. 12. 31.까지는 개정 전의 산업재해보상보험법 규정에 따라 자신의 평균임금을 기준으로 한 장해보상연금을 지급받아 왔으나, 위에서 본 바와 같이 법률이 개정되고 '최고보상제도'가 시행됨에 따라 2003. 1. 1.부터는 노동부장관이 고시한 1일 최고보상기준금액인 133,070원을 평균임금으로 산정하여 감액된 장해보상연금만 지급받고, 종전 지급액 중 이를 초과하는 부분을 지급받지 못하였다.

이에 위 청구인들은 공단을 상대로 서울행정법원에 기존의 평균임금을 기준으로 지급받아야 할 장해보상연금과 최고보상제도를 적용하여 지급받은 장해보상연금액의 차액에 해당하는 금원의 지급을 구하는 소를 제기하고, 그 소송 계속중 2007. 5. 2. 법 제38조 제6항 및 법 부칙 제7조에 대한 위헌법률심판제청신청을 하였으나, 위 법원이 2009. 2. 3. 위 청구인들의 본안청구를 기각함과 아울러 위 신청도 기각하자, 2009. 2. 20. 헌법재판소법 제68조 제2항에 따라 이 사건 헌법소원심판을 청구하였다.

심판대상조항 및 관련조항

1. 청구인 김○경(2005헌바20)은 헌법소원심판청구서에서 청구취지를 '법 제38조 제6항 본문 부분을 같은 법 시행일 이전에 같은 법 제4조 제1호의 규정에 의한 업무상 재해를 입은 자에게까지 적용하는 것은 헌법에 위반된다.'고 기재하고 있는바, 법 부칙 제7조(최고보상기준금액에 관한 경과조치)에서 "이 법 시행일 이전에 제4조 제1호의 규정에 의한 업무상 재해를 입은 자는 제38조 제6항의 개정규정에 불구하고 2002년 12월 31일까지는 종전의 규정에 의한다."고 규정하고 있고, 위 청구인도 법 제38조 제6항이 규정하고 있는 최고보상제도 자체를 다투는 것은 아니라고 하고 있으며, 당해 사건 법원도 이를 기초로 하여 최고보상제도를 법 시행 이전에 업무상 재해를 입은 자에 대하여도 적용하는 것의 위헌 여부에 대하여만 판단하였다.

청구인 유○성(2005헌바22) 및 청구인 나○환(2009헌바30)는 헌법소원심판청구서에서 청구취지를 '법 제38조 제6항 및 부칙 제7조는 헌법에 위반된다.'고 기재하고 있으나, 청구이유에서는 법 제38조 제6항 본문 부분을 법 시행일 이전에 법 제4조 제1호의 규정에 의한 업무상 재해를 입은 자에게까지 적용하도록 하는 것은 헌법에 위반된다고 다투고 있고, 일부 청구인들은 준비서면에서 법 제38조 제6항이 규정하고 있는 최고보상제도 자체를 다투는 취지가 아니라고 밝히고 있으며, 각 당해 사건 법원도 이러한 위 청구인들의 주장을 기초로 최고보상제도를 법 시행 이전에 업무상 재해를 입은 자에 대하여도 적용하는 것의 위헌 여부에 대하여 판단하였다.

그렇다면 청구인들이 이 사건에서 그 위헌성을 다투고자 하는 것은 법 부칙 제7조 중 법 시행일 이전에 법 제4조 제1호의 규정에 의한 업무상 재해를 입은 자에게까지 2003. 1. 1.부터 법 제38조 제6항 본문 부분을 적용하도록 하는 부분이라 할 것이므로, 이에 맞추어 심판의 대상을 직권으로 변경하기로 한다.

따라서 이 사건 심판의 대상은 산업재해보상보험법 부칙(법률 제6100호, 1999. 12. 31.) 제7조 중 "2002년 12월 31일까지는" 부분의 위헌 여부이며, 그 내용 및 관련조항은 다음과 같다.

【심판대상조항 및 관련조항】

산업재해보상보험법(1999. 12. 31. 법률 제6100호로 개정되고, 2007. 4. 11. 법률 제8373호로 전부 개정되기 전의 것)

제38조(보험급여의 종류와 산정기준 등) ⑥ 보험급여(장의비를 제외한다)의 산정에 있어서 당해 근로자의 평균임금 또는 제3항 내지 제5항의 규정에 의하여 보험급여의 산정기준이 되는 평균임금이 대통령령이 정하는 바에 따라 매년 노동부장관이 고시하는 최고보상기준금액을 초과하거나 최저보상기준금액에 미달하는 경우에는 그 최고보상기준금액 또는 최저보상기준금액을 각각 당해근로자의 평균임금으로 한다. 다만, 최저보상기준금액을 적용함에 있어서 휴업급여 및 상병보상연금의 경우에는 그러하지 아니하다.

산업재해보상보험법 부칙(법률 제6100호, 1999. 12. 31.)

제1조(시행일) 이 법은 2000년 7월 1일부터 시행한다.

제7조(최고보상기준금액에 관한 경과조치) 이 법 시행일 이전에 제4조 제1호의 규정에 의한 업무상 재해를 입은 자는 제38조 제6항의 개정규정에 불구하고 2002년 12월 31일까지는 종전의 규정에 의한다.

노동부고시(2002. 8. 29. 제2002-20호)

산업재해보상보험법 제38조 제6항 및 동법시행령 제26조의2의 규정에 의하여 산재보험급여 산정 시 적용할 최고·최저보상기준금액을 다음과 같이 고시합니다.

 1. 최고보상기준금액 : 133,070원(1일),
   최저보상기준금액 : 33,570원(1일)
 2. 적용시기 : 2002년 9월 1일~2003년 8월 31일

주문

산업재해보상보험법 부칙(법률 제6100호, 1999. 12. 31.) 제7조 중 "2002년 12월 31일까지는" 부분은 헌법에 위반된다.

I 산업재해보상보험법상의 장해급여제도

1. 산업재해보상보험제도의 의의

산업재해보상보험(이하 '산재보험'이라 한다)은 공업화가 진전되면서 급격히 증가하는 산업재해(이하 '산재'라 한다)를 입은 근로자를 보호하기 위하여 1964년에 도입된 우리나라 최초의 사회보험제도이다. 산재보험제도는 근로자에게는 업무상의 재해를 신속·공정하게 보상하여 당해 근로자와 그 가족의 생활을 보장하고, 사업자에게는 산재로 인한 불시의 부담을 분산·경감시켜 주려는 제도이다.

2. 산재보험수급권의 법적 성격

이와 같은 산재보험제도는 주로 보험가입자(사업주)가 납부하는 보험료와 국고부담을 재원으로 하여 근로자에게 발생하는 업무상 재해라는 사회적 위험을 보험방식에 의하여 대처하는 사회보험제도이므로, 이 제도에 따른 산재보험수급권은 이른바 '사회보장수급권'의 하나에 속한다.

그런데 이러한 산재보험수급권은 국가에 대하여 적극적으로 급부를 요구하는 것이므로 헌법규정만으로는 이를 실현할 수 없고 법률에 의한 형성을 필요로 한다. 즉, 산재보험수급권의 구체적 내용인 수급요건·수급권자의 범위·급여금액 등은 법률에 의하여 비로소 확정된다.

법은 제4장에서 업무상의 재해에 대한 보험급여의 내용으로 요양급여, 휴업급여, 장해급여, 간병급여, 유족급여, 상병보상연금, 장의비를 규정하고, 각 지급사유, 수급권자, 산정기준, 지급시기 등을 정하고 있다. 따라서 산재보험수급권은 법률에 의하여 구체적으로 형성되는 권리라고 할 것이다(2002헌바52).

헌법재판소는 "연금수급권은 사회적 기본권의 하나인 사회보장수급권의 성격과 재산권의 성격을 아울러 지니고 있으므로 순수한 재산권이 아니며, 사회보장수급권과 재산권이라는 양 권리의 성격이 불가분적으로 혼재되어 있다."라고 판시하여 사회보험법상의 수급권을 사회적 기본권과 재산권적 요소가 혼합되어 있는 이중적 성격의 권리라고 보고 있다. 이러한 점이 사회보험분야에서의 사회보장수급권의 보장내용과 그 범위를 한정하는 입법지침으로 작용하며, 사회보험법 영역에서 인정되고 있는 폭넓은 입법형성의 자유의 근거 및 이를 제한하는 한계법리로 작용한다.

따라서 사회보험연금의 획득을 위한 전제로서 사회보험연금수급권에 대하여는 사회적 기본권으로서의 성격뿐만 아니라, 재산권으로서의 성격을 인정할 것인가의 문제와, 이를 인정할 경우 어느 정도의 재산권성이 부여되어 있고 보호 범위는 어떻게 산정할 수 있을 것인가의 문제가 제기된다.

3. 산재보험수급권의 재산권성

이와 같이 보상금수급권은 법률에 의하여 비로소 인정되는 권리이지만, 법정요건을 갖춘 후 발생하는 보상금수급권은 구체적인 법적 권리로 보장되고, 그 성질상 경제적·재산적 가치가 있는 공법상의 권리라 할 것이다.

한편, 공법상의 재산적 가치 있는 지위가 헌법상 재산권의 보호를 받기 위하여는, 우선 입법자에 의하여 수급요건, 수급자의 범위, 수급액 등 구체적인 사항이 법률에 규정됨으로써 구체적인 법적 권리로 형성되어 개인의 주관적 공권의 형태를 갖추어야 한다.

공법상의 권리인 사회보험수급권이 재산권적인 성질을 가지기 위해서는, ① 공법상의 권리가 권리주체에게 귀속되어 개인의 이익을 위해 이용 가능해야 하고(사적 유용성), ② 국가의 일방적인 급부에 의한 것이 아니라 권리주체의 노동이나 투자, 특별한 희생에 의하여 획득되어 자신이 행한 급부의 등가물에 해당하는 것이어야 하며(수급자의 상당한 자기기여), ③ 수급자의 생존의 확보에 기여해야 한다(생존보장에 기여).

이러한 기준에 비추어 볼 때, 청구인들은 법 소정의 요건을 갖추어 장해보상연금을 이미 수령하던 자들이므로 청구인들의 장해보상연금청구권은 헌법상 보장되는 재산권의 범주에 속한다고 볼 것이다.

4. 최고보상제도에 대한 합헌결정

헌법재판소는 2004. 11. 25. 선고한 2002헌바52 산업재해보상보험 법 제38조 제6항 등 위헌소원사건에서, 산재보험에 있어서 최고보상제도를 규정한 법 제38조 제6항은 최고보상제도 시행 이후에 산재를 입은 청구인들의 재산권을 침해하지 않으며, 평등원칙이나 포괄위임입법금지원칙에 위배되지 아니하여 헌법에 위반되지 않는다고 결정하였다.

그 이유의 요지는 『산재보험제도는 보험가입자(사업주)가 납부하는 보험료와 국고부담을 재원으로 하여 근로자에게 발생하는 업무상 재해라는 사회적 위험을 보험방식에 의하여 대처하는 사회보험제도이므로 이 제도에 따른 산재보험수급권은 사회보장수급권의 하나에 속한다. 한편, 산업재해보상보험법상의 보험급여가 보험사고로 초래되는 가입자의 재산상의 부담을 전보하여 주는 경제적 유용성을 가진다(산재보험은 보험급여의 지급에 대응하여 사용자의 보상책임을 면제한다)는 점에서 산재보험수급권은, 적어도 이 사건에서와 같이 수급권자의 보험급여를 받을 권리를 대위하여 보험급여의 지급을 구한 청구인에게 있어서는 재산권의 성질을 갖는다고 보아야 할 것이다.

그러나 당해 사건의 재해근로자는 최고보상제도가 시행된 이후에 업무상 재해를 입었으므로 그가 가지는 산재보험수급권은 최고보상기준금액을 한계로 확정된다. 따라서 재해근로자로서는 법 제38조 제6항에 의하여 비로소 최고보상기준금액을 한계로 한 산재보험수급권을 획득하게 되므로 재산권 침해를 주장할 지위에 있지 않으며, 수급권자의 보험급여를 받을 권리를 대위하여 보험급여의 지급을 구한 청구인 역시 재산권의 침해를 주장할 지위에 있지 않다고 보아야 할 것이므로 법 제38조 제6항은 청구인의 재산권을 침해하지 않는다.

고임금 근로자를 고용한 경우 사업주가 보다 높은 보험료를 납부한다고 하더라도 이는 한정된 재원으로 보다 많은 재해근로자와 그 유족들에게 적정한 사회보장적 급여를 실시하고 재해근로자 사이에 보험급여의 형평성을 제고하며 소득재분배의 기능을 수행하기 위한 것으로서 최고보상제도를 도입한 입법자의 결정에는 나름대로 합리적인 이유가 있다고 할 것이므로 법 제38조 제6항은 평등원칙에 위반되지 않는다.』는 것이었다.

II. 심판대상조항의 위헌 여부에 대한 판단

1. 소급입법에 의한 재산권의 침해 여부

헌법 제13조 제2항은 '모든 국민은 소급입법에 의하여 참정권의 제한을 받거나 재산권을 박탈당하지 아니한다.'라고 규정하여 소급입법에 의한 재산권의 박탈을 금지하고 있다.

청구인들은 기존의 장해보상연금 수급자에 대하여도 최고보상제도를 적용하도록 하는 것은 소급입법에 의한 재산권의 침해에 해당하여 헌법에 위반된다고 주장한다.

소급입법은 신법이 이미 종료된 사실관계나 법률관계에 적용되는지, 아니면 현재 진행 중인 사실관계나 법률관계에 적용되는지에 따라 '진정소급입법'과 '부진정소급입법'으로 구분되는데, 전자는 헌법상 원칙적으로 허용되지 않고 특단의 사정이 있는 경우에만 예외적으로 허용되는 반면, 후자는 원칙적으로 허용되지만 소급효를 요구하는 공익상의 사유와 신뢰보호 요청 사이의 교량과정에서 신뢰보호의 관점이 입법자의 입법형성권에 일정한 제한을 가하게 된다는 데 차이가 있다.

심판대상조항은 청구인들과 같은 기존의 장해보상연금 수급권자에 대하여 이미 발생하여 이행기가 도래한 장해연금 수급권의 내용을 변경하지는 아니하고, 산재법 제38조 제6항 시행 이후의 법률관계, 즉 장래 이행기가 도래하는 장해연금 수급권의 내용을 변경하는 것에 불과하므로, 이미 종료된 과거의 사실관계 또는 법률관계에 새로운 법률이 소급적으로 적용되어 과거를 법적으로 새로이 평가하는 진정 소급입법에는 해당하지 아니한다.

2. 신뢰보호의 원칙을 위반하여 재산권을 침해하는지 여부

가. 신뢰보호원칙의 의의 및 심사기준

신뢰보호의 원칙은 헌법상 법치국가 원리로부터 파생되는 것으로, 법률이 개정되는 경우에는 기존 법질서와의 사이에 어느 정도의 이해관계의 상충은 불가피하다고 할 것인바, 이 경우 기존의 법질서에 대한 당사자의 신뢰가 합리적이고 정당한 반면, 법률의 제정이나 개정으로 야기되는 당사자의 손해가 극심하여 새로운 입법으로 달성코자 하는 공익적 목적이 그러한 당사자의 신뢰가 파괴되는 것을 정당화할 수 없는 경우, 그러한 새 입법은 허용될 수 없다는 것이다.

이러한 신뢰보호원칙의 위반 여부는 한편으로는 침해되는 이익의 보호가치, 침해의 정도, 신뢰의 손상 정도, 신뢰 침해의 방법 등과 또 다른 한편으로는 새로운 입법을 통하여 실현하고자 하는 공익적 목적 등을 종합적으로 형량하여야 한다.

따라서 신뢰보호원칙의 위반 여부를 판단함에 있어서는, 첫째, 보호가치 있는 신뢰이익이 존재하는가, 둘째, 과거에 발생한 생활관계를 현재의 법으로 규율함으로써 달성되는 공익이 무엇인가, 셋째, 개인의 신뢰이익과 공익상의 이익을 비교 형량하여 어떠한 법익이 우위를 차지하는가를 살펴보아야 할 것이다.

나. 보호가치 있는 신뢰이익의 존부에 대한 판단

심판대상조항은 실제 평균임금이 노동부장관이 고시하는 한도금액 이상일 경우 그 한도금액을 실제임금으로 의제하는 최고보상제도를 2003. 1. 1.부터 기존 피재근로자인 청구인들에도 적용함으로써, 평균임금에 대한 청구인들의 정당한 법적 신뢰를 심각하고 예상하지 못한 방법으로 제약하여 청구인들에게 불이익을 초래하였다.

다. 심판대상조항으로 달성하려는 공익의 내용

심판대상조항이 달성하려는 공익은 한정된 재원으로 보다 많은 재해근로자와 그 유족들에게 적정한 사회보장적 급여를 실시하고 재해근로자 사이에 보험급여의 형평성을 제고하여 소득재분배의 기능을 수행하는 데 있는 것으로 보인다.

라. 신뢰이익과 공익 간의 비교형량

장해급여제도는 본질적으로 소득재분배를 위한 제도가 아니고, 손해배상 내지 손실보상적 급부인 점에 그 본질이 있는 것으로, 산업재해보상보험이 갖는 두 가지 성격 중 사회보장적 급부로서의 성격은 상대적으로 약하고 재산권적인 보호의 필요성은 보다 강하다고 볼 수 있어 다른 사회보험수급권에 비하여 보다 엄격한 보호가 필요하다.

장해급여제도에 사회보장 수급권으로서의 성격도 있는 이상 소득재분배의 도모나 새로운 산재보상사업의 확대를 위한 자금마련의 목적으로 최고보상제를 도입하는 것 자체는 입법자의 결단으로서 형성적 재량권의 범위 내에 있다고 보더라도, 그러한 입법자의 결단은 최고보상제도 시행 이후에 산재를 입는 근로자들부터 적용될 수 있을 뿐, 제도 시행 이전에 이미 재해를 입고 산재보상수급권이 확정적으로 발생한 청구인들에 대하여 그 수급권의 내용을 일시에 급격히 변경하여 가면서까지 적용할 수 있는 것은 아니라고 보아야 할 것이다.

마. 소 결

따라서, 심판대상조항은 신뢰보호의 원칙에 위배하여 청구인들의 재산권을 침해하는 것으로서 헌법에 위반된다.

III 결 론

그렇다면, 심판대상조항은 신뢰보호의 원칙에 위배하여 청구인들의 재산권을 침해하는 것으로서, 기존의 장해보상 일시금 수급자와의 관계에서 평등권을 침해하는지 여부에 대하여 나아가 판단할 필요 없이 헌법에 위반되므로 주문과 같이 결정한다. 이 결정에는 재판관 이동흡의 별개의견과 재판관 김희옥의 반대의견이 있는 외에는 나머지 관여 재판관들의 의견이 일치되었다.

015 법원조직법 부칙 사건 [한정위헌]
— 2012. 11. 29. 선고 2011헌마786, 2012헌마188(병합)

판시사항 및 결정요지

1. 2013. 1. 1.부터 판사임용자격에 일정 기간 법조경력을 요구하는 법원조직법(2011. 7. 18. 법률 제10861호로 개정된 것) 부칙 제1조 단서 중 제42조 제2항에 관한 부분 및 제2조(이하 '이 사건 심판대상 조항'이라 한다)가 신뢰보호원칙에 반하여 청구인들의 공무담임권을 침해하는지 여부(적극)

    판사임용자격에 관한 법원조직법 규정이 지난 40여 년 동안 유지되어 오면서, 국가는 입법행위를 통하여 사법시험에 합격한 후 사법연수원을 수료한 즉시 판사임용자격을 취득할 수 있다는 신뢰의 근거를 제공하였다고 보아야 하며, 수년간 상당한 노력과 시간을 들인 끝에 사법시험에 합격한 후 사법연수원에 입소하여 사법연수생의 지위까지 획득한 청구인들의 경우 사법연수원 수료로써 판사임용자격을 취득할 수 있으리라는 신뢰이익은 보호가치가 있다고 할 것이다.

    이 사건에서 청구인들의 신뢰이익에 대비되는 공익이 중대하고 장기적 관점에서 필요한 것이라 하더라도, 이 사건 심판대상조항을 이 사건 법원조직법 개정 당시 이미 사법연수원에 입소한 사람들에게도 반드시 시급히 적용해야 할 정도로 긴요하다고는 보기 어렵고, 종전 규정의 적용을 받게 된 사법연수원 2년차들과 개정 규정의 적용을 받게 된 사법연수원 1년차들인 청구인들 사이에 위 공익의 실현 관점에서 이들을 달리 볼 만한 합리적인 이유를 찾기도 어려우므로, 이 사건 심판대상조항이 개정법 제42조 제2항을 법 개정 당시 이미 사법연수원에 입소한 사람들에게 적용되도록 한 것은 신뢰보호원칙에 반한다고 할 것이다.

2. 이 사건 법원조직법 개정 전에 사법연수원에 입소했다는 사실만으로 청구인들에게 영구히 개정법을 적용할 수 없는지 여부(소극)

    다만 청구인들의 종전 규정에 대한 신뢰보호를 어느 범위까지 할 것인지에 대하여 살피건대, 판사임용자격과 같이 일정한 전문분야에 관한 자격제도의 형성에 관해서는 입법부가 형성의 자유를 가지며, 이미 사법연수원을 수료한 사람 중에서 개정법에 따라 일정 기간의 재직연수를 충족하여야만 판사로 임용될 수 있는 사람과의 형평에 비추어 볼 때, 이 사건 법원조직법 개정 전에 사법연수원에 입소했다는 사실만으로 청구인들에게 영구히 개정법을 적용할 수 없다고 볼 수는 없다.

    결국 이 사건 심판대상조항은 이 사건 법원조직법 개정 시점인 2011. 7. 18. 당시에 이미 사법연수원에 입소하여 사법연수생의 신분을 가지고 있었던 자가 사법연수원을 수료하는 해의 판사 임용에 지원하는 경우에 적용되는 한 신뢰보호원칙에 반하여 청구인들의 공무담임권을 침해한다.

제5항 사회국가 원리

 016 저상버스 도입의무 불이행 사건 [각하]
― 2002. 12. 18. 선고 2002헌마52

판시사항

1. 행정권력의 불행사에 대한 헌법소원의 적법성요건
2. 헌법 제34조 제5항의 '신체장애자'에 대한 국가보호의무의 헌법적 의미
3. 장애인을 위한 '저상버스'를 도입해야 할 국가의 구체적 의무가 헌법으로부터 도출되는지의 여부(소극)

심판대상

피청구인인 보건복지부장관이 저상버스를 도입하지 않고 있는 부작위가 청구인의 기본권을 침해하는지의 여부

주문

청구인의 심판청구를 각하한다.

I 판 단

행정권력의 불행사에 대한 헌법소원은 공권력의 주체에게 헌법에서 유래하는 작위의무가 특별히 구체적으로 규정되어 있어 이에 따라 기본권의 주체가 행정행위를 청구할 수 있음에도 공권력의 주체가 그 의무를 해태하는 경우에 비로소 허용된다. 따라서 아래에서는 헌법규범에서 '저상버스의 도입'과 같은 구체적 의무가 나오는가를 살펴보기로 한다.

1. 장애인의 편의증진에 관한 헌법 규정

우리 헌법은 제34조 제1항에서 "모든 국민은 인간다운 생활을 할 권리를 가진다"고 하면서, 제5항에서는 "신체장애자 및 질병·노령 기타의 사유로 생활능력이 없는 국민은 법률이 정하는 바에 의하여 국가의 보호를 받는다"고 하여 특히 신체장애자의 복지향상을 위하여 노력해야 할 국가의 의무를 규정하고 있다.

2. 장애인을 위한 '저상버스'를 도입해야 할 국가의 구체적 의무가 헌법으로부터 도출되는지의 여부

가. 헌법 제34조 제5항의 '신체장애자'에 대한 국가보호의무의 헌법적 의미

1) 헌법은 제34조 제1항에서 모든 국민의 "인간다운 생활을 할 권리"를 사회적 기본권으로 규정하면서, 제2항 내지 제6항에서 특정한 사회적 약자와 관련하여 "인간다운 생활을 할 권리"의 내용을 다양한 국가의 의무를 통하여 구체화하고 있다.

우리 헌법은 사회국가원리를 명문으로 규정하고 있지는 않지만, 헌법의 전문, 사회적 기본권의 보장(헌법 제31조 내지 제36조), 경제 영역에서 적극적으로 계획하고 유도하고 재분배하여야 할 국가의 의무를 규정하는 경제에 관한 조항(헌법 제119조 제2항 이하) 등과 같이 사회국가원리의 구체화된 여러 표현을 통하여 사회국가원리를 수용하였다. 사회국가란 한마디로, 사회정의의 이념을 헌법에 수용한 국가, 사회현상에 대하여 방관적인 국가가 아니라 경제·사회·문화의 모든 영역에서 정의로운 사회질서의 형성을 위하여 사회현상에 관여하고 간섭하고 분배하고 조정하는 국가이며, 궁극적으로는 국민 각자가 실제로 자유를 행사할 수 있는 그 실질적 조건을 마련해 줄 의무가 있는 국가이다.

헌법이 제34조에서 여자(제3항), 노인·청소년(제4항), 신체장애자(제5항) 등 특정 사회적 약자의 보호를 명시적으로 규정한 것은, '장애인과 같은 사회적 약자의 경우에는 개인 스스로가 자유행사의 실질적 조건을 갖추는 데 어려움이 많으므로, 국가가 특히 이들에 대하여 자유를 실질적으로 행사할 수 있는 조건을 형성하고 유지해야 한다'는 점을 강조하고자 하는 것이다.

2) 사회적 기본권(헌법 제31조 내지 제36조)이 국가에게 그의 이행을 어느 정도 강제할 수 있는 의무를 부과하기 위해서는, 국가의 다른 과제보다도 사회적 기본권이 규정하는 과제를 우선적으로 실현하여야 한다는 우위관계가 전제가 되어야 하는데, <u>사회적 기본권에 규정된 국가의 의무가 그렇지 못한 국가의 의무에 대하여 입법과정이나 정책결정과정에서, 무엇보다도 예산책정과정에서 반드시 우선적 이행을 요구할 수가 없다.</u>

사회적 기본권과 경쟁적 상태에 있는 국가의 다른 중요한 헌법적 의무와의 관계에서나 아니면 개별적인 사회적 기본권 규정들 사이에서의 경쟁적 관계에서 보나, 입법자는 사회·경제정책을 시행하는 데 있어서 서로 경쟁하고 충돌하는 여러 국가목표를 균형있게 고려하여 서로 조화시키려고 시도하고, 매 사안마다 그에 적합한 실현의 우선순위를 부여하게 된다. <u>국가는 사회적 기본권에 의하여 제시된 국가의 의무와 과제를 언제나 국가의 현실적인 재정·경제능력의 범위 내에서 다른 국가과제와의 조화와 우선순위결정을 통하여 이행할 수밖에 없다.</u>

그러므로 사회적 기본권은 입법과정이나 정책결정과정에서 사회적 기본권에 규정된 국가목표의 무조건적인 최우선적 배려가 아니라 단지 적절한 고려를 요청하는 것이다. 이러한 의미에서 사회적 기본권은, 국가의 모든 의사결정과정에서 사회적 기본권이 담고 있는 국가목표를 고려하여야 할 국가의 의무를 의미한다.

나. '저상버스'의 도입과 관련하여, 헌법에서 유래하는 행정청의 작위의무가 존재하는지의 여부

1) 사회적 기본권에 관한 이러한 이해를 바탕으로 하여 이 사건을 본다면, 우선, 장애인의 복지를 향상해야 할 국가의 의무가 다른 다양한 국가과제에 대하여 최우선적인 배려를 요청할 수 없을 뿐 아니라, 나아가 헌법의 규범으로부터는 '장애인을 위한 저상버스의 도입'과 같은 구체적인 국가의 행위의무를 도출할 수 없는 것이다. 물론 모든 국가기관은 헌법규범을 실현하고 존중해야 할 의무가 있으므로, 행정청은 그의 행정작용에 있어서 헌법규범의 구속을 받는다. 그러나 국가에게 헌법 제34조에 의하여 장애인의 복지를 위하여 노력을 해야 할 의무가 있다는 것은, 장애인도 인간다운 생활을 누릴 수 있는 정의로운 사회질서를 형성해야 할 국가의 일반적인 의무를 뜻하는 것이지, 장애인을 위하여 저상버스를 도입해야 한다는 구체적 내용의 의무가 헌법으로부터 나오는 것은 아니다.

2) 이 사건 저상버스의 도입에 관하여 보건대, 버스운송사업자가 국가나 지방자치단체가 운영하는 공기업이 아니라 순수한 사기업인 이상, 이들에 대한 국가의 지원대책이 마련되지 않고서는 저상버스의 도입은 불가능하다. 즉 청구인이 요구하는 저상버스를 대중버스노선에 도입하기 위해서는 버스운송사업자에 대한 재정지원이 필수적인 전제조건인 것이다. 따라서 국가가 저상버스의 도입을 추진하는 문제는 재원확보의 문제이고, 결국 제한된 국가재정의 배분과 우선순위결정의 문제이다.

'장애인의 복지를 위하여 노력해야 할 국가의 과제를 언제 어떠한 방법으로 이행할 것인가' 하는 이행의 구체적 방법(예컨대 장애인 생활안정지원, 재활시설운영, 직업생활시설운영, 편의시설설치, 재활서비스운영 등)과 이행시기에 관하여는, 행정청이 다른 여러 과제들과의 우선순위, 재정적 여건 등 다양한 요인들을 감안하여 결정할 사안으로서, 그에 관하여 광범위한 재량권을 가진다고 할 것이다.

3) 국가가 장애인의 복지를 위하여 저상버스를 도입하는 등 국가재정이 허용하는 범위 내에서 사회적 약자를 위하여 최선을 다하는 것은 바람직하지만, 이는 사회국가를 실현하는 일차적 주체인 입법자와 행정청의 과제로서 이를 헌법재판소가 원칙적으로 강제할 수는 없는 것이며, 국가기관간의 권력분립원칙에 비추어 볼 때 다만 헌법이 스스로 국가기관에게 특정한 의무를 부과하는 경우에 한하여, 헌법재판소는 헌법재판의 형태로써 국가기관이 특정한 행위를 하지 않은 부작위의 위헌성을 확인할 수 있을 뿐이다. 이 사건의 경우 저상버스를 도입해야 한다는 구체적인 내용의 국가 의무가 헌법으로부터 도출될 수 없으므로, 이 사건 심판청구는 부적법하다.

II 결 론

이에 이 사건 심판청구를 각하하기로 하여 관여한 재판관 전원의 일치된 의견으로 주문과 같이 결정한다.

함께 보는 판례

승객이 사망하거나 부상한 경우에는 승객이 아닌 자의 경우와는 달리 운행자에게 무과실책임을 지우고 있는 자동차손해배상보장법 제3조 단서 제2호의 위헌여부(소극) (1998. 5. 28. 선고 96헌가4)

가. 자유시장 경제질서에 위반되는지 여부(소극)

헌법 제119조는 제1항에서 대한민국의 경제질서는 개인과 기업의 경제상의 자유와 창의를 존중함을 기본으로 한다고 규정하여 사유재산제도, 사적 자치의 원칙, 과실책임의 원칙을 기초로 하는 자유시장 경제질서를 기본으로 하고 있음을 선언하면서, 한편 그 제2항에서 국가는 …… 경제주체간의 조화를 통한 경제의 민주화를 위하여 경제에 관한 규제와 조정을 할 수 있다고 규정하고, 헌법 제34조는 모든 국민은 인간다운 생활을 할 권리를 가진다(제1항), 신체장애자 및 질병·노령 기타의 사유로 생활능력이 없는 국민은 법률이 정하는 바에 의하여 국가의 보호를 받는다(제5항)고 규정하여 사회국가원리를 수용하고 있다. 결국 <u>우리 헌법은 자유시장 경제질서를 기본으로 하면서 사회국가원리를 수용하여 실질적인 자유와 평등을 아울러 달성하려는 것을 근본이념으로 하고 있는 것이다.</u>

우리 민법은 헌법 제119조 제1항의 자유시장 경제질서에서 파생된 과실책임의 원칙을 일반불법행위에 관한 기본원리로 삼고 있다. 그런데, 현대산업사회에서는 고속교통수단, 광업 및 원자력산업 등의 위험원(危險源)이 발달하고 산업재해 및 환경오염으로 인한 피해가 증가함에 따라, 헌법이념의 하나인 사회국가원리의 실현을 위하여 과실책임의 원리를 수정하여 위험원을 지배하는 자로 하여금 그 위험이 현실화된 경우의 손해를 부담하게 하는 위험책임의 원리가 필요하게 되었다. 위험책임의 원리는 위험원의 지배를 책임의 근거로 하여 위험을 지배하는 자에게 책임을 지우는 원리로서 단순한 결과책임주의와는 다른 것이다. 이 사건 법률조항도 위에서 본 바와 같이 자동차사고의 특수성에 비추어 승객이 사망하거나 부상한 경우에는 과실책임의 원칙에 기한 일반불법행위책임과 달리 위험책임의 원리를 수용하여 운행자에게 무과실책임을 지우고 있는 것이다.

자유시장 경제질서를 기본으로 하면서도 사회국가원리를 수용하고 있는 우리 헌법의 이념에 비추어, <u>일반불법행위책임에 관하여는 과실책임의 원리를 기본원칙으로 하면서</u> 이 사건 법률조항과 같은 특수한 불법행위책임에 관하여 위험책임의 원리를 수용하는 것은 입법정책에 관한 사항으로서 입법자의 재량에 속한다고 할 것이므로, <u>이 사건 법률조항이 위험책임의 원리에 기하여 무과실책임을 지운 것만으로 자유시장 경제질서에 위반된다고 할 수 없다.</u>

나. 재산권 침해여부(소극)

이 사건 법률조항이 자동차의 운행을 지배하고 그 운행이익을 받으면서 승객의 동승에 적어도 추상적·간접적으로 동의하여 승객을 자동차의 위험권 안에 받아들인 운행자로 하여금 그 과실 유무를 묻지 않고 무상·호의동승자를 포함한 모든 승객의 손해를 배상하도록 한 것은 운행자의 재산권의 본질적 내용을 침해한 것으로 볼 수 없고, 사회국가원리를 수용한 헌법이념에 따라 공공복리를 위하여 필요한 최소한도의 합리적인 제한이라 할 것이므로, 이 사건 법률조항은 운행자의 재산권을 침해하는 규정이라고 할 수 없다.

다. 평등의 원칙 위반여부(소극)

승객은 자동차에 동승함으로써 자동차의 위험과 일체화되어 승객이 아닌 자에 비하여 그 위험이 더 크다는 점에서 본질적 차이가 있고, 과실 있는 운행자나 과실 없는 운행자는 다 같이 위험원인 자동차를 지배한다는 점에서는 본질적으로 차이가 없으므로, 이 사건 법률조항이 승객을 승객이 아닌 자와 차별하고 과실 있는 운행자와 과실 없는 운행자에게 다 같이 승객에 대한 무과실책임을 지게 한 데에는 합리적인 이유가 있고, 평등의 원칙에 위반된다고 할 수 없다.

제6항 문화국가 원리

제7항 평화국가 원리

017 일본군 위안부 문제 합의 발표 사건 [각하, 기타]
― 2019. 12. 27. 선고 2016헌마253

판시사항

1. 조약과 비구속적 합의의 구분 기준 및 비구속적 합의가 헌법소원심판의 대상이 되는지 여부(소극)
2. 대한민국 외교부장관과 일본국 외무부대신이 2015. 12. 28. 공동발표한 일본군 위안부 피해자 문제 관련 합의(이하 '이 사건 합의'라 한다)가 헌법소원심판 청구의 대상이 되는지 여부(소극)

사건의 개요

청구인 1 내지 29는 일제에 의하여 강제로 동원되어 성적 학대를 받으며 '위안부'로서의 생활을 강요당한 일본군 '위안부' 피해자이고, 청구인 30, 31은 생존한 일본군 '위안부' 피해자의 자녀이며, 청구인 32 내지 41은 사망한 일본군 '위안부' 피해자의 자녀이다.

청구인들은, 2015. 12. 28. 한일 외교장관회담 공동기자회견을 통해 발표된 합의의 내용이 청구인들의 인간으로서의 존엄과 가치 등을 침해한다고 주장하며, 2016. 3. 27. 위와 같은 합의 발표의 위헌확인을 구하는 이 사건 헌법소원심판을 청구하였다.

I 판 단

1. 이 사건 합의의 성격 및 기본권침해가능성

가. 헌법소원은 공권력의 행사 또는 불행사로 인하여 헌법상 보장된 기본권의 침해를 받은 자가 그 침해를 구제받기 위해 헌법재판소에 심판을 청구하는 제도이다. 그러나 심판대상인 공권력행사가 헌법소원을 청구하고자 하는 자의 법적 지위에 영향을 미치지 않는다면 기본권침해의 가능성이나 위험성이 인정되지 않으므로 이를 대상으로 헌법소원을 청구하는 것은 허용되지 아니한다.

나. 조약의 개념에 관하여 우리 헌법상 명문의 규정은 없다. 다만 헌법 제60조 제1항에서 국회는 상호원조 또는 안전보장에 관한 조약, 중요한 국제조직에 관한 조약, 우호통상항해조약, 주권의 제약에 관한 조약, 강화조약, 국가나 국민에게 중대한 재정적 부담을 지우는 조약 또는 입법사항에 관한 조약의 체결·비준에 대한 동의권을 가진다고 규정하고 있으며, 헌법 제73조는 대통령에게 조약체결권을 부여하고 있고, 헌법 제89조 제3호에서 조약안은 국무회의의 심의를 거치도록 규정하고 있다.

국제법적으로, 조약은 국제법 주체들이 일정한 법률효과를 발생시키기 위하여 체결한 국제법의 규율을 받는 국제적 합의를 말하며 서면에 의한 경우가 대부분이지만 예외적으로 구두합의도 조약의 성격을 가질 수 있다.

국가는 경우에 따라 조약과는 달리 법적 효력 내지 구속력이 없는 합의도 하는데, 이러한 합의는 많은 경우 일정한 공동 목표의 확인이나 원칙의 선언과 같이 구속력을 부여하기에는 너무 추상적이거나 구체성이 없는 내용을 담고 있으며, 대체로 조약체결의 형식적 절차를 거치지 않는다. 이러한 합의도 합의 내용이 상호 준수되리라는 기대 하에 체결되므로 합의를 이행하지 않는 국가에 대해 항의나 비판의 근거가 될 수는 있으나, 이는 법적 구속력과는 구분된다.

조약과 비구속적 합의를 구분함에 있어서는 합의의 명칭, 합의가 서면으로 이루어졌는지 여부, 국내법상 요구되는 절차를 거쳤는지 여부와 같은 형식적 측면 외에도 합의의 과정과 내용·표현에 비추어 법적 구속력을 부여하려는 당사자의 의도가 인정되는지 여부, 법적 효력을 부여할 수 있는 구체적인 권리·의무를 창설하는지 여부 등 실체적 측면을 종합적으로 고려하여야 한다. 이에 따라 비구속적 합의로 인정되는 때에는 그로 인하여 국민의 법적 지위가 영향을 받지 않는다고 할 것이므로, 이를 대상으로 한 헌법소원 심판청구는 허용되지 않는다.

다. 이 사건 합의가 양국 외교장관의 공동 발표와 정상의 추인을 거친 공식적인 약속이라는 점은 이 사건 합의의 경과에 비추어 분명하다. 그러나 이 사건 합의는 서면으로 이루어지지 않았고, 통상적으로 조약에 부여되는 명칭이나 주로 쓰이는 조문 형식을 사용하지 않았으며, 합의의 효력에 관한 양 당사자의 의사가 표시되어 있지 않을 뿐만 아니라, 구체적인 법적 권리·의무를 창설하는 내용을 포함하고 있지 않다.

구체적으로 살펴본다. 우선, 일반적인 조약이 서면의 형식으로 체결되는 것과 달리 이 사건 합의는 구두 형식의 합의이다. 한일 양국의 외교부 홈페이지에 게재된 바에 따르면, 표제로 대한민국은 '기자회견', 일본은 '기자발표(記者發表)'라는 용어를 사용하여 일반적 조약의 표제와는 다른 명칭을 붙였고, 한일 양국이 각자의 입장을 발표하는 형식을 취하면서 ①, ②, ③ 번호를 붙였으나 이는 통상적으로 조약에서 사용되는 조문의 형식은 아니다. 또 합의의 효력과 관련하여 비구속적 의도를 명시하지는 않았으나, 국제법상 구속적 의도를 추단할 수 있을 만한 표현 역시 사용하지 않았으며, 전체적으로 모호하거나 일상적인 언어로 표현되어 있다.

무엇보다 이 사건 합의의 내용상, 한일 양국의 구체적인 권리·의무의 창설 여부가 불분명하다. 이 사건 합의 중 일본 총리대신이 일본군 '위안부' 피해자에 대한 사죄와 반성의 마음을 표시하는 부분의 경우, 일본군 '위안부' 피해자의 권리구제를 목적으로 하는지 여부가 드러나지 않아 법적 의미를 확정하기 어렵다. 또한 이 사건 합의에는 일본군 '위안부' 피해자가 입은 피해의 원인이나 국제법 위반에 관한 국가책임이 적시되어 있지 않고, 일본군의 관여의 강제성이나 불법성 역시 명시되어 있지 않다. 더구나 일본 정부는 이 사건 합의 이후에도 계속하여, 1965년 한일청구권협정으로 일본군 '위안부' 피해자 문제가 해결되었으므로 법적 책임이 존재하지 않는다는 입장을 보이고 있다. 따라서 위와 같은 사죄의 표시가 일본군 '위안부' 피해자의 피해 회복을 위한 법적 조치에 해당한다고 보기 어렵다.

다음으로, 일본군 '위안부' 피해자 지원을 위한 재단설립과 일본 정부의 출연에 관한 부분은 내용의 구체화 여부에 따라 법적 관계의 창설로 이해할 여지가 없는 것은 아니지만, 이 사건 합의로 나타난 것은 '강구한다', '하기로 한다', '협력한다'와 같은 표현에서 드러나는 것처럼 구체적인 계획이나 의무 이행의 시기·방법, 불이행의 책임이 정해지지 않은 추상적·선언적 내용뿐이다. 이 사건 합의에는 '해야 한다'라는 법적 의무를 지시하는 표현이 전혀 사용되지 않았다.

주한 일본 대사관 앞의 소녀상에 관한 대한민국 정부의 견해 표명 부분도, '일본 정부의 우려를 인지하고 관련 단체와의 협의 등을 통해 적절히 해결되도록 노력한다'고만 할 뿐, 관련 단체를 특정하지 않았고, '적절한 해결'의 의미나 방법을 규정하지 않았으며, 해결시기 및 미이행에 따르는 책임도 정하고 있지 않으므로 양국의 권리·의무를 구체화하고 있다고 볼 내용이 없다.

그 밖에, 일본군 '위안부' 피해자 문제의 '최종적·불가역적 해결', '국제사회에서의 비난·비판 자제'에 관한 한일 양국의 언급은, 근본적으로 일본군 '위안부' 피해자 문제가 과연 무엇인가에 대한 공통의 인식이 존재하지 않는다는 점, 앞서 살핀 것처럼 '최종적·불가역적 해결' 및 '비난·비판 자제'의 전제로 언급된 조치의 실시와 관련하여 기자회견에서의 구두발표 내용과 일본 외무성 홈페이지에 게재된 내용의 표현이 일치하지 않음에 따라 그 전제의 의미가 불분명하게 된 점, '국제사회에서의 비난비판'의 의미나 '자제'의 의미, 이에 위반한 경우의 제재나 책임이 명시되지 않은 점 등에서 한일 양국의 법적 관계 창설에 관한 의도가 명백히 존재하였다고 보기 어렵다.

라. 일본군 '위안부' 피해자가 겪은 피해의 심각성 정도 및 피해가 발생한 역사적 맥락에 따라 그에 상응하는 완전하고 효과적인 피해의 회복을 이루기 위해서는 피해자 중심의 접근이 중요함에도 이 사건 합의 과정에 피해자의 의견수렴이 부족하였다는 점 등에 비추어보면, 일본군 '위안부' 피해자들이 이 사건 합의로 인하여 받은 고통이 결코 가볍다 할 수 없을 것이다. 그러나 앞서 살핀 것과 같이 이 사건 합의는 일본군 '위안부' 피해자 문제의 해결을 위한 외교적 협의 과정에서의 정치적 합의이며, 과거사 문제의 해결과 한일 양국 간 협력관계의 지속을 위한 외교정책적 판단으로서 이에 대한 다양한 평가는 정치의 영역에 속한다. <u>이 사건 합의의 절차와 형식에 있어서나, 실질에 있어서 구체적 권리·의무의 창설이 인정되지 않고, 이 사건 합의를 통해 일본군 '위안부' 피해자들의 권리가 처분되었다거나 대한민국 정부의 외교적 보호권한이 소멸하였다고 볼 수 없는 이상 이 사건 합의로 인하여 일본군 '위안부' 피해자들의 법적 지위가 영향을 받는다고 볼 수 없으므로 위 피해자들의 배상청구권 등 기본권을 침해할 가능성이 있다고 보기 어렵다. 따라서 이 사건 합의를 대상으로 한 헌법소원심판청구는 허용되지 않는다.</u>

II 결 론

그렇다면 청구인들의 이 사건 심판청구는 부적법하므로 이를 모두 각하한다.

018 마라케쉬 협정 사건 [합헌]
― 1998. 11. 26. 선고 97헌바65

판시사항 및 결정요지

1. 개정된 신법이 피적용자에게 유리한 경우 입법자에게 시혜적인 소급입법을 할 의무가 있는지 여부(소극)

개정된 신법이 피적용자에게 유리한 경우에 이른바 시혜적인 소급입법을 하여야 한다는 입법자의 의무가 헌법상의 원칙들로부터 도출되지는 아니한다. 따라서 이러한 시혜적 소급입법을 할 것인지의 여부는 입법재량의 문제로서 그 판단은 일차적으로 입법기관에 맡겨져 있는 것이므로 이와 같은 시혜적 조치를 할 것인가를 결정함에 있어서는 국민의 권리를 제한하거나 새로운 의무를 부과하는 경우와는 달리 입법자에게 보다 광범위한 입법형성의 자유가 인정된다.

2. 관세포탈죄에 대하여 법정형을 하향조정한 개정 관세법과 특정범죄가중처벌등에관한법률을 소급하여 적용하지 아니하도록 한 구 관세법 부칙과 특정범죄가중처벌등에관한법률 부칙이 입법자의 합리적 재량의 범위를 벗어난 것인지 여부(소극)

관세법 및 특정범죄가중처벌등에관한법률을 개정함에 있어서 관세포탈범에 대한 법정형을 감경한 법률 개정이유와 개정내용, 밀수입행위에 대한 국민의 법감정 등 제반 사정을 고려한다면, 구 특정범죄가중처벌등에관한법률(1997. 8. 22. 법률 제5341호로 개정되기 이전의 것) 시행 당시에 행한 범죄에 대하여 개정 법률을 적용하도록 하는 시혜적 소급입법을 하지 아니하였다고 하여 입법형성에 관한 합리적 재량의 한계를 벗어난 것이라고 볼 수 없다.

3. 농수산물유통공사의 추천을 받지 아니하고 수입하는 농산물에 대하여 고율의 관세를 부과하는 것이 조세법률주의와 죄형법정주의에 어긋나는지 여부(소극)

마라케쉬협정에 따른 시장접근물량을 할당함에 있어서, 시장접근물량은 국내 총소비량의 5% 미만에 불과한 반면 시장접근물량에 해당하는 농산물의 수입에 관해서는 저율의 관세가 부과되어 그로 인한 이익이 크기 때문에 이를 합리적으로 분배할 필요가 있어 농수산물유통및가격안정에관한법률 제10조의3에 의하여 농림부장관으로 하여금 추천권을 행사하여 수입물량을 배분하도록 하고 그로 인한 수익은 농산물가격안정기금이나 축산발전기금 등으로 환수하여 재투자하고 있다. 따라서 시장접근물량내의 수입참깨와 그 이외의 수입참깨에 대하여 다른 세율의 관세를 적용하는 것은 관세법과 농수산물유통및가격안정에관한법률 및 마라케쉬협정에 따른 것으로서 그 규정내용이 합리적이고 명확하여 죄형법정주의나 조세법률주의에 어긋나는 것이라고 할 수 없다.

4. 관세법이나 특정범죄가중처벌등에관한법률의 개정 없이 조약에 의하여 관세범에 대한 처벌을 가중하는 것이 헌법에 위배되는지 여부(소극)

헌법 제12조 후문 후단은 "누구든지 … 법률과 적법한 절차에 의하지 아니하고는 처벌·보안처분 또는 강제노역을 받지 아니한다"고 규정하여 법률과 적법절차에 의한 형사처벌을 규정하고 있고, 헌법 제13조 제1항 전단은 "모든 국민은 행위시의 법률에 의하여 범죄를 구성하지 아니하는 행위로 소추되지 아니하며"라고 규정하여 행위시의 법률에 의하지 아니한 형사처벌의 금지를 규정하고 있으며, 헌법 제6조 제1항은 "헌법에 의하여 체결·공포된 조약과 일반적으로 승인된 국제법규는 국내법과 같은 효력을 가진다"고 규정하여 적법하게 체결되어 공포된 조약은 국내법과 같은 효력을 가진다고 규정하고 있다.

마라케쉬협정도 적법하게 체결되어 공포된 조약이므로 국내법과 같은 효력을 갖는 것이어서 그로 인하여 새로운 범죄를 구성하거나 범죄자에 대한 처벌이 가중된다고 하더라도 이것은 국내법에 의하여 형사처벌을 가중한 것과 같은 효력을 갖게 되는 것이다. 따라서 마라케쉬협정에 의하여 관세법위반자의 처벌이 가중된다고 하더라도 이를 들어 법률에 의하지 아니한 형사처벌이라거나 행위시의 법률에 의하지 아니한 형사처벌이라고 할 수 없다.

함께 보는 판례

❶ 노동운동 기타 공무 이외의 일을 위한 집단적 행위를 금지하면서, 사실상 노무에 종사하는 공무원 중 대통령령 등이 정하는 자에 한하여 노동3권을 인정하는 국가공무원법 제66조 제1항이 국제법규에 위반되는지 여부(소극) (2007. 8. 30. 선고 2003헌바51)

우리 헌법은 헌법에 의하여 체결·공포된 조약은 물론 일반적으로 승인된 국제법규를 국내법과 마찬가지로 준수하고 성실히 이행함으로써 국제질서를 존중하여 항구적 세계평화와 인류공영에 이바지함을 기본이념의 하나로 하고 있으므로(헌법 전문 및 제6조 제1항 참조), 국제적 협력의 정신을 존중하여 될 수 있는 한 국제법규의 취지를 살릴 수 있도록 노력할 것이 요청됨은 당연하다. 그러나 그 현실적 적용과 관련한 우리 헌법의 해석과 운용에 있어서 우리 사회의 전통과 현실 및 국민의 법감정과 조화를 이루도록 노력을 기울여야 한다는 것 또한 당연한 요청이다.

먼저, "세계인권선언"에 관하여 보면, 이는 그 전문에 나타나 있듯이 "인권 및 기본적 자유의 보편적인 존중과 준수의 촉진을 위하여 …… 사회의 각 개인과 사회 각 기관이 국제연합 가맹국 자신의 국민 사이에 또 가맹국 관할하의 지역에 있는 시민들 사이에 기본적인 인권과 자유의 존중을 지도교육함으로써 촉진하고 또한 그러한 보편적, 효과적인 승인과 준수를 국내적·국제적인 점진적 조치에 따라 확보할 것을 노력하도록, 모든 국민과 모든 나라가 달성하여야할 공통의 기준"으로 선언하는 의미는 있으나 그 선언내용인 각 조항이 바로 보편적인 법적 구속력을 가지거나 국제법적 효력을 갖는 것으로 볼 것은 아니다.

다만 실천적 의미를 갖는 것은 위 선언의 실효성을 뒷받침하기 위하여 마련된 '경제적·사회적 및 문화적 권리에 관한 국제규약', '시민적 및 정치적 권리에 관한 국제규약'이다. '경제적·사회적 및 문화적 권리에 관한 국제규약'은 제4조에서 "…… 국가가 이 규약에 따라 부여하는 권리를 향유함에 있어서, 그러한 권리의 본질과 양립할 수 있는 한도 내에서, 또한 오직 민주사회에서의 공공복리증진의 목적으로 반드시 법률에 의하여 정하여지는 제한에 의해서만, 그러한 권리를 제한할 수 있음을 인정한다."하여 일반적 법률유보조항을 두고 있고, 제8조 제1항 (a)호에서 국가안보 또는 공공질서를 위하여 또는 타인의 권리와 자유를 보호하기 위하여 민주사회에서 필요한 범위 내에서는 법률에 의하여 노동조합을 결성하고 그가 선택한 노동조합에 가입하는 권리의 행사를 제한할 수 있다는 것을 예정하고 있다.

다음으로 '시민적 및 정치적 권리에 관한 국제규약'의 제22조 제1항에도 "모든 사람은 자기의 이익을 보호하기 위하여 노동조합을 결성하고 이에 가입하는 권리를 포함하여 다른 사람과의 결사의 자유에 대한 권리를 갖는다."고 규정하고 있으나 같은 조 제2항은 그와 같은 권리의 행사에 대하여는 법률에 의하여 규정되고, 국가안보 또는 공공의 안전, 공공질서, 공중보건 또는 도덕의 보호 또는 타인의 권리 및 자유의 보호를 위하여 민주사회에서 필요한 범위 내에서는 합법적인 제한을 가하는 것을 용인하는 유보조항을 두고 있을 뿐 아니라, 특히 위 제22조는 우리의 국내법적인 수정의 필요에 따라 가입당시 유보되었기 때문에 직접적으로 국내법적 효력을 가지는 것도 아니다.

따라서 위 규약들도 권리의 본질을 침해하지 아니하는 한 국내의 민주적인 대의절차에 따라 필요한 범위 안에서 노동기본권에 대한 법률에 의한 제한은 용인하고 있는 것으로서 위에서 본 공무원의 노동기본권을 제한하는 위 법률조항과 정면으로 배치되는 것은 아니라고 할 것이다.

청구인이 드는 국제노동기구의 제87호 협약(결사의 자유 및 단결권 보장에 관한 협약), 제98호 협약(단결권 및 단체교섭권에 대한 원칙의 적용에 관한 협약), 제151호 협약(공공부문에서의 단결권 보호 및 고용조건의 결정을 위한 절차에 관한 협약)은 우리나라가 비준한 바가 없고, 헌법 제6조 제1항에서 말하는 일반적으로 승인된 국제법규로서 헌법적 효력을 갖는 것이라고 볼 만한 근거도 없으므로, 이 사건 심판대상규정에 대한 위헌심사의 척도가 될 수 없다.

한편, 국제노동기구의 '결사의 자유위원회'나 국제연합의 '경제적·사회적 및 문화적 권리위원회' 및 경제협력개발기구(OECD)의 '노동조합자문위원회' 등의 국제기구들이 우리나라에 대하여 가능한 한 빨리 모든 영역의 공무원들에게 노동3권을 보장할 것을 권고하고 있다고 하더라도 이를 위 법률조항의 위헌심사 척도로 삼을 수는 없다.

그렇다면, 법 제66조 제1항이 국제법규에 위반됨을 이유로 한 청구인의 주장은 받아들일 수 없다.

❷ 외국국가에 대한 재판권에 관한 국제관습법 및 우리나라 법원의 외국국가에 대한 재판권의 유무 및 그 범위
(대법원 1998. 12. 17. 선고 97다39216)

국제관습법에 의하면 국가의 주권적 행위는 다른 국가의 재판권으로부터 면제되는 것이 원칙이라 할 것이나, 국가의 사법적(私法的) 행위까지 다른 국가의 재판권으로부터 면제된다는 것이 오늘날의 국제법이나 국제관례라고 할 수 없다.

우리 나라의 영토 내에서 행하여진 외국의 사법적 행위가 주권적 활동에 속하는 것이거나 이와 밀접한 관련이 있어서 이에 대한 재판권의 행사가 외국의 주권적 활동에 대한 부당한 간섭이 될 우려가 있다는 등의 특별한 사정이 없는 한, 외국의 사법적(私法的) 행위에 대하여는 당해 국가를 피고로 하여 우리 나라의 법원이 재판권을 행사할 수 있다.

제5절 정당제도

019 경찰청장 퇴직 후 2년내 정당가입 금지 사건 [위헌, 각하]
— 1999. 12. 23. 선고 99헌마135

판시사항

1. 이 사건 법률조항으로 말미암아 침해된 기본권
2. 헌법 제8조의 의미
3. 입법목적의 정당성 여부(적극)
4. 수단의 적합성 여부(소극)
5. 평등의 원칙 위반 여부(적극)

사건의 개요

청구인 김광식은 1999. 1. 11. 치안총감으로 승진하여 경찰청장으로 근무하다가 1999. 11. 15.자로 퇴직하였고, 청구인 이무영은 서울지방경찰청장으로 근무하다가 같은 날 치안총감으로 승진하여 경찰청장에 임명되었으며, 나머지 청구인들은 이 사건 헌법소원심판을 청구할 당시 치안정감으로서 각 경찰청 차장, 경찰대학장으로 근무하고 있던 사람들이다. 청구인들은, 경찰청장은 퇴직일부터 2년 이내에는 정당의 발기인이나 당원이 될 수 없도록 정한 경찰법 제11조 제4항의 규정과 이에 상응하는 내용을 정당법에 신설할 것을 정한 위 법 부칙 제2조의 규정이 청구인들의 기본권을 침해하고 있다며, 1999. 3. 10. 헌법재판소법 제68조 제1항에 의하여 헌법소원심판을 청구하였다.

심판대상조항 및 관련조항

경찰법(1991. 5. 31. 법률 제4369호로 제정되어 1997. 1. 13. 법률 제5260호로 개정된 것, 이하 "법"이라 한다)
제11조(경찰청장) ④ 경찰청장은 퇴직일부터 2년 이내에는 정당의 발기인이 되거나 당원이 될 수 없다.
부칙 제2조(다른 법률의 개정) 정당법중 다음과 같이 개정한다.
제6조에 제5호를 다음과 같이 신설한다.
  5. 경찰법 제11조 제4항의 규정에 의한 경찰청장 퇴직후 2년이내인 자

주문

1. 경찰법(1991. 5. 31. 법률 제4369호로 제정되어 1997. 1. 13. 법률 제5260호로 개정된 것) 제11조 제4항 및 부칙 제2조는 헌법에 위반된다.
2. 청구인 이근명, 이헌만의 심판청구를 모두 각하한다.

Ⅰ 판 단

1. 청구인 이근명, 이헌만의 심판청구 부분

이 사건 헌법소원심판을 청구할 당시, 청구인 이근명, 이헌만은 치안정감으로서 각 경찰청 차장, 경찰대학장으로 근무하고 있었던 사람들이고, 지금도 경찰청장인 사람이 아니다. 1980년 이래 취임한 경찰청장에 취임한 사람은 모두가 예외없이 치안정감 중에서 임명되었다는 점에 비추어 위 청구인들이 차기 경찰청장에 임명될 가능성이 매우 높다 할 것이므로, 이 사건 법률조항에 의하여 위 청구인들의 기본권이 가까운 장래에 침해당하리라는 것이 예상되기는 하나, 치안정감 중에서 누군가가 장래에 경찰청장에 임명될 가능성이 있다는 사정만으로는, 경찰청장의 기본권을 제한하는 이 사건 법률조항에 의하여 현재 치안정감의 직위에 있는 위 청구인들의 기본권이 침해되었다고 볼 수 없다.

따라서 위 청구인들에게는 헌법소원심판을 청구할 당시는 물론 지금도 이 사건 법률조항의 위헌여부를 다툴 수 있는 기본권침해의 자기관련성이 결여되어 있다고 할 것이므로, 위 청구인들의 헌법소원청구부분은 부적법하여 각하하여야 한다.

2. 청구인 김광식, 이무영의 심판청구 부분

가. 정당(설립 및 가입)의 자유의 침해여부

1) 침해된 기본권

경찰청장으로 하여금 퇴직 후 2년간 정당의 설립과 가입을 금지하는 이 사건 법률조항은, '누구나 국가의 간섭을 받지 아니하고 자유롭게 정당을 설립하고 가입할 수 있는 자유'를 국민의 기본권으로서 보장하는 '정당의 자유'(헌법 제8조 제1항 및 제21조 제1항)를 제한하는 규정이다. 정당에 관한 한, 헌법 제8조는 일반결사에 관한 헌법 제21조에 대한 특별규정이므로, 정당의 자유에 관하여는 헌법 제8조 제1항이 우선적으로 적용된다. 그러나 정당의 자유를 규정하는 헌법 제8조 제1항이 기본권의 규정형식을 취하고 있지 아니하고 또한 '국민의 기본권에 관한 장'인 제2장에 위치하고 있지 아니하므로, 이 사건 법률조항으로 말미암아 침해된 기본권은 '정당설립과 가입에 관한 자유'의 근거규정으로서 '정당설립의 자유'를 규정한 헌법 제8조 제1항과 '결사의 자유'를 보장하는 제21조 제1항에 의하여 보장된 기본권이라 할 것이다.

한편, 청구인들은 정당가입을 금지하는 이 사건 법률조항으로 말미암아 결과적으로 퇴직 후 2년간은 정당의 추천이 아닌 무소속으로만 각종 공직선거에 입후보할 수 밖에 없게 되었다. 그러나 이 사건 법률조항이 규율하는 것은 국민 누구나가 공직선거에 입후보하여 당선될 수 있는 피선거권, 즉 선거직 공무원을 포함한 모든 공직에 취임할 수 있는 권리로서 공무담임권이 아니라, 정당의 설립과 가입에 관한 자유이다. 물론 이 사건 법률조항이 규정하는 정당가입의 금지로 인하여 청구인들이 정당의 공천을 받을 수 없다는 결과가 발생하고 이로써 공직선거에 입후보할 수 있는 기회를 사실상 잃게 되는 경우도 있을 수 있을 것이다. 그러나 그렇다고 하여 공직선거에 출마하여 당선될 수 있는 권리 그 자체가 침해받는 것은 아니다. 청구인들이 공무담임권에 대한 제약을 받는 것은 단지 정당공천을 받는 경우에 일반적으로 기대할 수 있는 보다 높은 선출의 가능성일 뿐이다. 따라서 피선거권에 대한 제한은 이 사건 법률조항이 가져오는 간접적이고 부수적인 효과에 지나지 아니하므로 헌법 제25조의 공무담임권(피선거권)은 이 사건 법률조항에 의하여 제한되는 청구인들의 기본권이 아니다.

2) 정당의 기능과 과제

오늘날의 정치현상을 살펴 보면, 개체로서의 국민은 개인의 다양한 이익과 욕구를 집결, 선별하고 조정하는 집단을 통해서 비로소 자신을 정치적으로 실현할 수 있는 가능성이 있기 때문에, 정당은 민주적 의사형성을 위한 불가결한 요소이다. 오늘날의 의회민주주의는 정당의 존재없이는 기능할 수 없다는 점에서, 정당은 국민과 국가를 잇는 연결매체로서 민주적 질서의 중요한 구성부분이다.

정당은 정치권력에 영향을 행사하려는 모든 중요한 세력, 이익, 시도 등을 인식하고 이를 취합·선별하여 내부적으로 조정을 한 다음, 국민이 선택할 수 있는 정책을 형성하는 기능을 한다. 사회의 다양한 견해가 선택가능한 소수의 대안으로 집결되고 선별되는 과정을 거친 뒤에야 비로소 국민에 의한 선거가 가능하다. 바로 이러한 기능을 담당하는 것이 정당이므로, 선거를 준비하는 기관으로서의 정당없이는 선거가 치루어질 수 없다.

정당은 국민의 정치적 의사형성과정에 참여할 뿐이 아니라, 정부와 국회의 주요 핵심 공직을 선출, 임면하는데 결정적인 역할을 하고 의회와 정부 등 정치적 지도기관의 정책과 결정에 영향을 행사함으로써, 국가의사형성에 결정적 영향을 미친다. 다시말하면, 정당은 국가의 의사형성에 참여하는 것이 그 목적이며, 이러한 목적은 오로지 국민의 지지를 통해서만 이루어 질 수 있기 때문에 국민의 정치의사형성에 참여하는 것이다.

3) 헌법상 정당조항(헌법 제8조)의 의미

가) 헌법은 정당을 일반적인 결사의 자유로부터 분리하여 제8조에 독자적으로 규율함으로써 오늘날의 의회민주주의에서 정당이 가지는 중요한 의미와 헌법질서내에서의 정당의 특별한 지위를 강조하고 있다. 헌법 제8조는 제1항에서 "정당의 설립은 자유이며, 복수정당제는 보장된다."고 규정하여 국민 누구나가 원칙적으로 국가의 간섭을 받지 아니하고 정당을 설립할 권리를 국민의 기본권으로서 보장하면서, 아울러 정당설립의 자유를 보장한 것의 당연한 법적 산물인 복수정당제를 제도적으로 보장하고 있다.

헌법 제8조 제1항은 단지 정당설립의 자유만을 명시적으로 규정하고 있지만, 헌법 제21조의 결사의 자유와 마찬가지로 정당설립의 자유만이 아니라 누구나 국가의 간섭을 받지 아니하고 자유롭게 정당에 가입하고 정당으로부터 탈퇴할 수 있는 자유를 함께 보장한다. 정당의 설립만이 보장될 뿐 설립된 정당이 언제든지 다시 금지될 수 있거나 정당의 활동이 임의로 제한될 수 있다면, 정당설립의 자유는 사실상 아무런 의미가 없기 때문이다. 따라서 정당설립의 자유는 당연히 정당의 존속과 정당활동의 자유도 보장한다.

나) 헌법은 제8조 제2항에서 "정당은 그 목적·조직과 활동이 민주적이어야 하며, 국민의 정치적 의사형성에 참여하는 데 필요한 조직을 가져야 한다."고 규정하고 있다. 이로써 헌법은

헌법상 부여된 정당의 과제와 기능을 '국민의 정치적 의사형성에의 참여'로 규정하면서, 입법자에게 정당이 헌법상 부여된 과제를 민주적인 내부질서를 통하여 이행할 수 있도록 그에 필요한 입법을 해야할 의무를 부과하고 있다.

즉, 헌법 제8조 제2항은 정당의 내부질서가 민주적이 아니거나 국민의 정치적 의사형성과정에 참여하기 위하여 갖추어야 할 필수적인 조직을 갖추지 못한 정당은 자유롭게 설립되어서는 아니된다는 요청을 하고 있다. 따라서 헌법 제8조 제1항의 정당설립의 자유와 제2항의 헌법적 요청을 함께 고려하여 볼 때, 입법자가 정당으로 하여금 헌법상 부여된 기능을 이행하도록 하기 위하여 그에 필요한 절차적·형식적 요건을 규정함으로써 정당의 자유를 구체적으로 형성하고 동시에 제한하는 경우를 제외한다면, 정당설립에 대한 국가의 간섭이나 침해는 원칙적으로 허용되지 아니한다. 이는 곧 입법자가 정당설립과 관련하여 형식적 요건을 설정할 수는 있으나(정당법 제16조), 일정한 내용적 요건을 구비해야만 정당을 설립할 수 있다는 소위 '허가절차'는 헌법적으로 허용되지 아니한다는 것을 뜻한다.

또한, 정당의 발기인 및 당원의 자격과 관련해서도, 특정 집단에 대하여 정당설립 및 가입을 금지하는 것은 원칙적으로 정당이 헌법상 부여받은 기능을 이행하기 위하여 필요하다고 판단되는 최소한의 조건에 대한 규율에 그쳐야 한다.

다) 헌법 제8조 제4항은 "정당의 목적이나 활동이 민주적 기본질서에 위배될 때에는 정부는 헌법재판소에 그 해산을 제소할 수 있고, 정당은 헌법재판소의 심판에 의하여 해산된다."고 규정하고 있다. 정당의 해산에 관한 위 헌법규정은 민주주의를 파괴하려는 세력으로부터 민주주의를 보호하려는 소위 '방어적 민주주의'의 한 요소이고, 다른 한편으로는 헌법 스스로가 정당의 정치적 성격을 이유로 하는 정당금지의 요건을 엄격하게 정함으로써 되도록 민주적 정치과정의 개방성을 최대한으로 보장하려는 것이다. 즉, 헌법은 정당의 금지를 민주적 정치과정의 개방성에 대한 중대한 침해로서 이해하여 오로지 제8조 제4항의 엄격한 요건하에서만 정당설립의 자유에 대한 예외를 허용하고 있다. 이에 따라 자유민주적 기본질서를 부정하고 이를 적극적으로 제거하려는 조직도, 국민의 정치적 의사형성에 참여하는 한, '정당의 자유'의 보호를 받는 정당에 해당하며, 오로지 헌법재판소가 그의 위헌성을 확인한 경우에만 정당은 정치생활의 영역으로부터 축출될 수 있다.

라) 그렇다면 민주적 의사형성과정의 개방성을 보장하기 위하여 정당설립의 자유를 최대한으로 보호하려는 헌법의 정신에 비추어, 정당의 설립 및 가입을 금지하는 법률조항은 이를 정당화하는 사유의 중대성에 있어서 적어도 '민주적 기본질서에 대한 위반'에 버금가는 것이어야 한다고 판단된다. 다시 말하면, 오늘날의 의회민주주의가 정당의 존재없이는 기능할 수 없다는 점에서 심지어 '위헌적인 정당을 금지해야 할 공익'도 정당설립의 자유에 대한 입법적 제한을 정당화하지 못하도록 규정한 것이 헌법의 객관적인 의사라면, 입법자가 그외의 공익적 고려에 의하여 정당설립금지조항을 도입하는 것은 원칙적으로 헌법에 위반된다. 따라서 정당설립금지의 규정이 정당의 위헌성이나 정치적 성격때문이 아니라 비록 다른 공익을 실현하기 위하여 도입된다 하더라도, 금지규정이 달성하려는 공익은 매우 중대한 것이어야 한다는 것을 뜻한다.

4) 이 사건 법률조항의 위헌여부

가) 입법목적의 정당성

정당이 국민의 정치적 의사형성에서 차지하는 중요성과 정당에 대한 각별한 보호를 규정한 헌법적 결정에 비추어, 국민의 자유로운 정당설립 및 가입을 제한하는 법률은 그 목적이 헌법상 허용된 것이어야 할 뿐아니라 중대한 것이어야 하고, 그를 넘어서 제한을 정당화하는 공익이나 대처해야 할 위험이 어느 정도 명백하게 현실적으로 존재해야만 비로소 헌법에 위반되지 아니한다.

'경찰청장의 직무의 독립성과 정치적 중립의 확보'라는 입법목적이 입법자가 추구할 수 있는 헌법상 공익이라는 점에서는 의문의 여지가 없고, 이러한 공익은 매우 중요한 것이라고 보아야 하며, 이러한 공익을 실현해야 할 현실적 필요성도 존재하므로 이 사건 법률조항의 입법목적의 정당성은 인정된다.

나) 수단의 적합성

정당설립의 자유를 제한하는 법률의 경우에는 입법수단이 입법목적을 달성할 수 있다는 것을 어느 정도 확실하게 예측될 수 있어야 한다. 그런데 선거직이 아닌 다른 공직에 취임하거나 공기업의 임원 등이 될 수 있는 그외의 다양한 가능성을 그대로 개방한 채 단지 정당의 공천만을 금지한 점, 경찰청장의 경우에는 검찰총장과 달리 임기를 보장하는 조항이나 중임금지조항 등 재임중의 정치적 중립성을 확보하기 위하여 전제되어야 하는 기본적인 규정이 없는 점, 1980년 이래 현재까지 (1999. 11. 1.) 퇴직한 총 18명의 경찰총수 중에서 퇴임후 2년 이내에 정당공천을 통하여 국회의원이나 지방자치단체의 장으로서 선출된 경우가 한번도 없다는 사실, 본질적으로 경찰청장의 정치적 중립성은 그의 직무의 정치적 중립을 존중하려는 집권세력이나 정치권의 노력이 선행되지 않고서는 결코 실현될 수 없다는 사실 등에 비추어 볼 때, 경찰청장이 퇴임후 공직선거에 입후보하는 경우 당적취득금지의 형태로써 정당의 추천을 배제하고자 하는 이 사건 법률조항이 어느 정도로 입법목적인 '경찰청장 직무의 정치적 중립성'을 확보할 수 있을지 그 실효성이 의문시된다. 따라서 이 사건 법률조항은 정당의 자유를 제한함에 있어서 갖추어야 할 적합성의 엄격한 요건을 충족시키지 못한다.

다) 최소침해성의 원칙

'과거에 보유한 공직을 이유로 개인의 정당설립의 자유를 침해하는 방법이 아니라 임기중 경찰청장의 정치적 중립성을 확보하는데 기여할 수 있는 다른 여러 가지의 방법, 예컨대 임기보장조항 및 중임금지조항의 신설 등을 통해서도 위의 입법목적을 달성할 수 있는가' 하는 것을 별론으로 하더라도, 정당공천을 통하여 공직선거에 입후보할 수 있는 가능성을 차단하려는 것이 입법자의 진정한 의도라면, 정당의 설립 및 가입 그 자체를 포괄적으로 금지하지 않고서도 '지구당위원장으로의 임명'이나 '정당추천의 금지' 등 개인의 정당의 자유를 보다 적게 침해하는 방법으로도 충분히 입법목적을 달성할 수 있다고 할 것이다.

따라서 이 사건 법률조항은 위와 같은 이유로 '입법자는 입법목적을 달성하기 위하여 고려되는 여러 가지의 방법 중에서 국민의 기본권을 가장 존중하고 가장 적게 침해하는 수단을 택해야 한다'는 내용의 최소침해성의 원칙에도 위반된다.

라) 법익의 균형성

이 사건 법률조항이 입법목적의 달성에 기여할 수 있다는 일말의 개연성 때문에 국민의 민주적 의사형성에 있어서 중요한 정당설립 및 가입의 자유를 금지하는 것은, 제한을 통하여 얻는 공익적 성과와 제한이 초래하는 부정적인 효과가 합리적인 비례관계를 현저하게 일탈하고 있다고 하겠다.

마) 소결론

결국, 이 사건 법률조항은 정당의 자유에 대한 제한이 국민의 자유로운 의사형성과정에 미치는 불리한 효과와 아울러 당사자에게 발생하는 피해가 매우 큰데 반하여 이 사건 법률조항을 통하여 달성하려는 공익적 효과는 상당히 불확실하다고 판단된다.

한편, 이 사건 법률조항은 검찰총장의 공직취임금지와 당적취득금지를 규정한 검찰청법 제12조 제4항 및 제5항과 함께 경찰청장의 정치적 중립성을 확보하기 위한 방안으로 1997. 1. 13. 신설한 규정인데, 헌법재판소는 이미 1997. 7. 16. 97헌마26 결정에서 검찰청법의 위 법률조항들에 대하여 위 법률조항들이 청구인인 검찰총장의 기본권인 공무담임권과 결사의 자유 등을 과도하게 침해한다는 이유로 위헌임을 선언한 바 있다.

나. 평등권의 위반여부

정당법 제6조 제1호 및 제3호에 열거된 공무원, 특히 직무의 독립성이 강조되는 대법원장 및 대법관, 헌법재판소장 및 헌법재판관과 감사원장 등의 경우에도 경찰청장과 마찬가지로 정치적 중립성이 요구되는 점 등에 비추어 경찰청장의 경우에만 퇴직 후 선거직을 통한 공직진출의 길을 봉쇄함으로써 재직 중 직무의 공정성을 강화해야 할 필요성이 두드러진다고 볼 수 없으므로 다른 공무원과 경찰청장 사이에는 차별을 정당화할 만한 본질적인 차이가 존재하지 아니하므로, 이 사건 법률조항은 평등의 원칙에 위반된다.

II 결 론

그렇다면 이 사건 심판청구 중 청구인 이근명, 이헌만의 심판청구부분은 기본권침해의 자기관련성이 결여되어 부적법하고, 이 사건 법률조항은 청구인 김광식, 이무영의 정당설립 및 가입의 자유를 침해하는 조항이자 평등원칙에도 위반되는 위헌적인 규정이므로, 재판관 전원의 의견일치에 따라 주문과 같이 결정한다.

 정당등록요건으로 "5 이상의 시·도당과 각 시·도당 1,000명 이상의 당원"을 요구하는 정당법 사건 [기각]

— 2006. 3. 30. 선고 2004헌마246

판시사항

1. 정당법상 정당등록요건을 다투는 청구인(정당)이 헌법소원 제기 후 심판대상조항과 다른 이유로 등록취소된 경우에 청구인능력 및 심판청구의 이익이 있는지 여부(적극)
2. 정당법상 정당등록요건을 다투는 정당(청구인)이 청구한 헌법소원 사건에서 침해 여부가 문제되는 기본권
3. 정당설립의 자유의 내용
4. 정당의 등록요건으로 "5 이상의 시·도당과 각 시·도당 1,000명 이상의 당원"을 요구하는 구 정당법 제25조 및 제27조(이하 '이 사건 법률조항'이라 한다)가 청구인의 정당설립의 자유를 침해하여 위헌인지 여부(소극)

심판대상조항 및 관련조항

정당법(2004. 3. 12. 법률 제7190호로 개정되고 2005. 8. 4. 법률 제7683호로 전문개정되기 전의 것)

제25조(법정 시·도당수) 정당은 5 이상의 시·도당을 가져야 한다.

제27조(시·도당의 당원수) 시·도당은 1천 인 이상의 당원을 가져야 한다.

주문

청구인의 심판청구를 기각한다.

I. 적법요건에 대한 판단

청구인(사회당)은 등록이 취소된 이후에도, 취소 전 사회당의 명칭을 사용하면서 대외적인 정치활동을 계속하고 있고, 대내외 조직 구성과 선거에 참여할 것을 전제로 하는 당헌과 대내적 최고 의사결정기구로서 당대회와, 대표단 및 중앙위원회, 지역조직으로 시·도위원회를 두는 등 계속적인 조직을 구비하고 있는 사실 등에 비추어 보면, 청구인은 등록이 취소된 이후에도 '등록정당'에 준하는 '권리능력 없는 사단'으로서의 실질을 유지하고 있다고 볼 수 있으므로 이 사건 헌법소원의 청구인능력을 인정할 수 있다.

또한, 정당설립의 자유는 그 성질상 등록된 정당에게만 인정되는 기본권이 아니라 청구인과 같이 등록정당은 아니지만 권리능력 없는 사단의 실체를 가지고 있는 정당에게도 인정되는 기본권이라고 할 수 있고, 청구인이 등록정당으로서의 지위를 갖추지 못한 것은 결국 이 사건 법률조항 및 같은 내용의 현행 정당법(제17조, 제18조)의 정당등록요건규정 때문이고, 장래에도 이 사건 법률조항

과 같은 내용의 현행 정당법 규정에 따라 기본권제한이 반복될 위험이 있으므로, 심판청구의 이익을 인정할 수 있다.

II. 본안에 대한 판단

1. 침해 여부가 문제되는 기본권

정당설립의 자유는 비록 헌법 제8조 제1항 전단에 규정되어 있지만 국민 개인과 정당의 '기본권'이라 할 수 있고, 당연히 이를 근거로 하여 헌법소원심판을 청구할 수 있다고 보아야 할 것이다. 이 사건에서도 헌법 제21조 제1항 결사의 자유의 특별규정으로서, 헌법 제8조 제1항 전단의 정당설립의 자유의 침해 여부가 문제된다고 할 것이다.

2. 정당설립의 자유의 의의와 내용

가. 정당은 국민과 국가의 중개자로서 정치적 도관(導管)의 기능을 수행하여 주체적·능동적으로 국민의 다원적 정치의사를 유도·통합함으로써 국가정책의 결정에 직접 영향을 미칠 수 있는 규모의 정치적 의사를 형성하고 있다. 이와 같이, 정당은 오늘날 대중민주주의에 있어서 국민의 정치의사형성의 담당자이며 매개자이자 민주주의에 있어서 필수불가결한 요소이기 때문에, 정당의 자유로운 설립과 활동은 민주주의 실현의 전제조건이라고 할 수 있다.

오늘날 민주주의에서 차지하는 정당의 이러한 의의와 기능을 고려하여 우리 헌법은 정당을 일반적인 결사의 자유로부터 분리하여 제8조에 독자적으로 규율함으로써, 정당의 특별한 지위를 강조하고 있다. 헌법 제8조는 제1항에서 "정당의 설립은 자유이며, 복수정당제는 보장된다."고 규정하여 국민 누구나가 원칙적으로 국가의 간섭을 받지 아니하고 정당을 설립할 권리를 국민의 기본권으로 보장하면서, 아울러 정당설립의 자유를 보장한 것의 당연한 법적 산물인 복수정당제를 제도적으로 보장하고 있다.

나. 헌법 제8조 제1항 전단의 정당설립의 자유는 정당설립의 자유만이 아니라 정당활동의 자유를 포함한다. 즉, 헌법 제8조 제1항은 정당설립의 자유만을 명시적으로 규정하고 있지만, 정당설립의 자유만이 아니라 누구나 국가의 간섭을 받지 아니하고 자유롭게 정당에 가입하고 정당으로부터 탈퇴할 수 있는 자유를 함께 보장한다. 정당의 설립만이 보장될 뿐 설립된 정당이 언제든지 다시 금지될 수 있거나 정당의 활동이 임의로 제한될 수 있다면, 정당설립의 자유는 사실상 아무런 의미가 없기 때문이다. 따라서 정당설립의 자유는 당연히 정당의 존속과 정당활동의 자유도 보장하는 것이다.

따라서 정당의 자유의 주체는 정당을 설립하려는 개개인과 이를 통해 조직된 정당 모두에게 인정되는 것이다. 구체적으로 정당의 자유는 개개인의 자유로운 정당설립 및 정당가입의 자유, 조직형식 내지 법형식 선택의 자유를 포함한다. 또한 정당설립의 자유는 설립에 대응하는 정당해산의 자유, 합당의 자유, 분당의 자유도 포함한다. 뿐만 아니라 정당설립의 자유는 개인이 정당 일반 또는 특정 정당에 가입하지 아니할 자유, 가입했던 정당으로부터 탈퇴할 자유 등 소극적 자유도 포함한다.

3. 이 사건 법률조항의 위헌 여부

가. 정당의 개념표지 및 정당등록제도의 의의

1) 헌법은 제8조 제2항에서 "정당은 … 국민의 정치적 의사형성에 참여하는데 필요한 조직을 가져야 한다."고 규정하고 있고, 정당법 제2조는 "이 법에서 정당이라 함은 국민의 이익을 위하여 책임 있는 정치적 주장이나 정책을 추진하고 공직선거의 후보자를 추천 또는 지지함으로써 국민의 정치적 의사형성에 참여함을 목적으로 하는 국민의 자발적 조직을 말한다."고 규정하고 있다.

이와 같은 우리 헌법 및 정당법상 정당의 개념적 징표로서는 ① 국가와 자유민주주의 또는 헌법질서를 긍정할 것, ② 공익의 실현에 노력할 것, ③ 선거에 참여할 것, ④ 정강이나 정책을 가질 것, ⑤ 국민의 정치적 의사형성에 참여할 것, ⑥ 계속적이고 공고한 조직을 구비할 것, ⑦ 구성원들이 당원이 될 수 있는 자격을 구비할 것 등을 들 수 있다. 즉, 정당은 정당법 제2조에 의한 정당의 개념표지 외에 예컨대 독일의 정당법(제2조)이 규정하고 있는 바와 같이 "상당한 기간 또는 계속해서" "상당한 지역에서" 국민의 정치적 의사형성에 참여해야 한다는 개념표지가 요청된다고 할 것이다.

2) 정당법은 제4조 제1항에서 "정당은 중앙당이 중앙선거관리위원회에 등록함으로써 성립한다."고 하여 정당등록을 정당설립의 요건으로 규정하고 있다. 따라서 어떤 정치적 결사가 비록 국민의 정치적 의사형성에 참여하려는 의도를 가지고 정당으로 활동하고자 하더라도, 중앙선거관리위원회에 정당으로 등록되지 않는 한 정당법상의 정당으로 인정받지 못하게 된다.

정당등록제도는 정당임을 자처하는 정치적 결사가 일정한 법률상의 요건을 갖추어 관할 행정기관에 등록을 신청하고, 이 요건이 충족된 경우 정당등록부에 등록하여 비로소 그 결사가 정당임을 법적으로 확인시켜 주는 제도이다. 이러한 정당의 등록제도는 어떤 정치적 결사가 정당에 해당되는지의 여부를 쉽게 확인할 수 있게 해 주며, 이에 따라 정당에게 부여되는 법률상의 권리·의무관계도 비교적 명확하게 판단할 수 있게 해 준다. 이러한 점에서 정당등록제는 법적 안정성과 확실성에 기여한다고 평가할 수 있다.

나. 정당설립의 자유의 침해 여부

1) 심사기준

이와 같이 "상당한 기간 또는 계속해서" "상당한 지역"에서 국민의 정치적 의사형성에 참여해야 한다는 개념표지를 법률규정을 통해 구체화하는 것은 원칙적으로 입법자의 재량영역에 속한 것이라고 할 수 있다. 즉, 입법자는 우리 나라 정당정치의 역사, 현재 정당정치의 시대적 상황 및 지역적 특성, 국민 일반의 가치관 내지 법감정, 그리고 그 규율로 인한 파급효과 등을 종합적으로 고려하여 정당의 시간적 계속성, 조직성 및 지역적 광범위성의 표지를 구체화할 수 있다고 보아야 할 것이다.

그러므로 이 사건 법률조항으로 말미암아 청구인의 정당설립의 자유가 침해되는지 여부를 판단함에 있어 심사기준은 우선 그 입법목적이 헌법상 입법자가 추구할 수 있는 정당한 목적인지 여부에 대한 판단과, 그러한 입법목적의 달성을 위하여 이 사건 법률조항이 취하고 있는 수단이 합리적인 비례관계를 유지하고 있는지 여부라고 할 것이다.

2) 입법목적의 정당성

이 사건 법률조항 중 제25조의 규정은 이른바 "지역정당"을 배제하려는 취지로 볼 수 있고, 제27조의 규정은 이른바 "군소정당"을 배제하려는 취지로 볼 수 있다. 우선 우리 헌법의 대의민주적 기본질서가 제기능을 수행하기 위해서는 의회 내의 안정된 다수세력의 확보를 필요로 한다는 점에서, 군소정당의 배제는 그 목적의 정당성이 인정될 수 있다. 또한 지역적 연고에 지나치게 의존하는 정당정치풍토가 우리의 정치현실에서 자주 문제시되고 있다는 점에서 볼 때, 단지 특정 지역의 정치적 의사만을 반영하려는 지역정당을 배제하려는 취지가 헌법에 어긋난 입법목적이라고 단정하기는 어렵다. 따라서 이 사건 법률조항의 입법목적은 정당한 것이라고 할 것이다.

3) 목적과 수단간의 비례성

이 사건 법률조항은 "5 이상의 시·도당"과 "각 시·도당 1,000명 이상의 당원"이라는 두 가지 상수(常數)를 정당등록의 기준으로 하고 있는바, 이는 앞에서 본 바와 같이 지역정당 및 군소정당을 배제하려는 취지이며, 이와 같은 규정내용은 특정 지역에만 조직이 형성되는 것을 막고, 5개 이상의 시·도에 각 조직이 구성되고 그 조직 내에 일정 수 이상의 당원이 활동할 것을 요구함으로써 선거단체 및 소규모 지역정치단체들이 무분별하게 정당에 편입되는 것을 억제하기에 적합한 수단이라고 할 것이다. 또한, 이 사건 법률조항은 헌법 제8조 제2항이 규정하고 있는 "국민의 정치적 의사형성에 참여하는데 필요한 조직"요건을 구체화함에 있어서 5개 이상의 시·도당 및 각 시·도당마다 1,000명 이상의 당원을 갖추도록 규정하고 있는바, 이와 같이 전국 정당으로서의 기능 및 위상을 충실히 하기 위해서 5개의 시·도당을 구성하는 것이 필요하다고 본 입법자의 판단이 자의적이라고 볼 수 없고, 각 시·도당 내에 1,000명 이상의 당원을 요구하는 것도 우리 나라 전체 및 각 시·도의 인구를 고려해 볼 때, 청구인과 같은 군소정당 또는 신생정당이라 하더라도 과도한 부담이라고 할 수 없다.

따라서 이 사건 법률조항이 비록 정당으로 등록되기에 필요한 요건으로서 5개 이상의 시·도당 및 각 시·도당마다 1,000명 이상의 당원을 갖출 것을 요구하고 있기 때문에 국민의 정당설립의 자유에 어느 정도 제한을 가하는 점이 있는 것은 사실이나, 이러한 제한은 "상당한 기간 또는 계속해서", "상당한 지역에서" 국민의 정치적 의사형성 과정에 참여해야 한다는 헌법상 정당의 개념표지를 구현하기 위한 합리적인 제한이라고 할 것이므로, 그러한 제한은 헌법적으로 정당화된다고 할 것이다.

III 결론

이상 살펴본 바와 같이 이 사건 심판청구는 그 이유 없으므로 이를 기각하기로 하여 재판관 전원의 의견일치에 따라 주문과 같이 결정한다.

021 정당등록취소 및 등록취소된 정당의 명칭사용금지 사건 [위헌]
― 2014. 1. 28. 선고 2012헌마431,2012헌가19(병합)

판시사항

1. 정당설립의 자유의 내용
2. 정당의 헌법적 기능과 기본권 제한의 한계
3. 국회의원선거에 참여하여 의석을 얻지 못하고 유효투표총수의 100분의 2 이상을 득표하지 못한 정당에 대해 그 등록을 취소하도록 한 정당법 제44조 제1항 제3호(이하 '정당등록취소조항'이라 한다)가 정당설립의 자유를 침해하는지 여부(적극)
4. 정당등록취소조항에 의하여 등록취소된 정당의 명칭과 같은 명칭을 등록취소된 날부터 최초로 실시하는 임기만료에 의한 국회의원선거의 선거일까지 정당의 명칭으로 사용할 수 없도록 한 정당법 제41조 제4항 중 제44조 제1항 제3호에 관한 부분(이하 '정당명칭사용금지조항'이라 한다)이 정당설립의 자유를 침해하는지 여부(적극)

사건의 개요

2012헌마431 사건의 청구인들은 모두 2012헌가19 사건의 제청신청인들이다. 청구인 겸 제청신청인(이하 '청구인'이라 한다) 진보신당은 2008. 3. 17. , 청구인 녹색당은 2012. 3. 15. , 청구인 청년당은 2012. 3. 19. 각각 중앙선거관리위원회에 등록되었다가 2012. 4. 12. 등록취소된 정당이고, 청구인 홍세화는 진보신당의 대표, 청구인 이현주는 녹색당의 대표, 청구인 강주희는 청년당의 공동대표였던 사람이다.

청구인 진보신당·녹색당 및 청년당은 2012. 4. 11. 열린 제19대 국회의원선거에 참여하였으나, 의석을 얻지 못하고 유효투표총수의 100분의 2 이상을 득표하지 못하였고(진보신당 1.13%, 녹색당 0.48%, 청년당 0.34%), 중앙선거관리위원회는 2012. 4. 12. 정당법 제44조 제1항 제3호에 따라 위 정당들의 중앙당 등록을 취소하고 이를 공고하였다. 한편, 청구인들은 정당법 제44조 제1항에 의하여 등록취소된 정당의 명칭과 동일한 명칭의 사용을 일정 기간 금지하고 있는 정당법 제41조 제4항에 의하여 '진보신당'·'녹색당' 및 '청년당'을 정당의 명칭으로 사용할 수 없게 되었다.

이에 청구인들은 2012. 5. 3. 정당법 제41조 제4항의 위헌확인을 구하는 헌법소원심판을 청구하고(2012헌마431), 같은 날 서울행정법원에 중앙선거관리위원회를 상대로 각 중앙당등록취소처분의 취소를 구하는 소를 제기한 후, 위 소송 계속 중 정당법 제44조 제1항 제3호에 대한 위헌법률심판제청신청을 하였다. 위 법원은 위 신청을 받아들여 2012. 11. 19. 위헌법률심판을 제청하였다(2012헌가19).

심판대상조항 및 관련조항

정당법(2005. 8. 4. 법률 제7683호로 개정된 것)

제41조(유사명칭 등의 사용금지) ④ 제44조(등록의 취소) 제1항의 규정에 의하여 등록취소된 정당의 명칭과 같은 명칭은 등록취소된 날부터 최초로 실시하는 임기만료에 의한 국회의원선거의 선거일까지 정당의 명칭으로 사용할 수 없다.

제44조(등록의 취소) ① 정당이 다음 각 호의 어느 하나에 해당하는 때에는 당해 선거관리위원회는 그 등록을 취소한다.
    3. 임기만료에 의한 국회의원선거에 참여하여 의석을 얻지 못하고 유효투표총수의 100분의 2 이상을 득표하지 못한 때

주문

정당법(2005. 8. 4. 법률 제7683호로 개정된 것) 제44조 제1항 제3호 및 제41조 제4항 중 제44조 제1항 제3호에 관한 부분은 헌법에 위반된다.

I 판 단

1. 제한되는 기본권

정당설립의 자유는 헌법 제8조 제1항 전단에 규정되어 있지만, 국민 개인과 정당 그리고 '권리능력 없는 사단'의 실체를 가지고 있는 등록취소된 정당에게 인정되는 '기본권'이다. 이 사건 심판대상조항들에 의해 제한되는 기본권은 헌법 제21조 제1항의 '결사의 자유'의 특별규정으로서 헌법 제8조 제1항 전단의 '정당설립의 자유'이다.

헌법 제8조 제1항 전단은 단지 정당설립의 자유만을 명시적으로 규정하고 있지만, 정당의 설립만이 보장될 뿐 설립된 정당이 언제든지 해산될 수 있거나 정당의 활동이 임의로 제한될 수 있다면 정당설립의 자유는 사실상 아무런 의미가 없게 되므로, 정당설립의 자유는 당연히 정당존속의 자유와 정당활동의 자유를 포함하는 것이다. 한편, 정당의 명칭은 그 정당의 정책과 정치적 신념을 나타내는 대표적인 표지에 해당하므로, 정당설립의 자유는 자신들이 원하는 명칭을 사용하여 정당을 설립하거나 정당활동을 할 자유도 포함한다고 할 것이다.

이 사건의 경우, 정당등록취소조항은 국회의원선거에 참여하여 의석을 얻지 못하고 일정 수준의 득표를 하지 못한 정당인 진보신당·녹색당 및 청년당의 등록을 취소함으로써 청구인들의 정당존속 및 정당활동의 자유를 내용으로 하는 정당설립의 자유를 제한하고, 정당명칭사용금지조항은 청구인들이 등록취소된 정당인 진보신당·녹색당 및 청년당의 명칭과 동일한 명칭을 정당의 명칭으로 사용하는 것을 금지함으로써 정당설립의 자유를 제한한다.

2. 정당의 헌법적 기능과 기본권 제한의 한계

가. 헌법 제8조 제2항은 "정당은 그 목적·조직과 활동이 민주적이어야 하며, 국민의 정치적 의사형성에 참여하는데 필요한 조직을 가져야 한다."라고 규정하고, 정당법 제2조는 "이 법에서 정당이라 함은 국민의 이익을 위하여 책임 있는 정치적 주장이나 정책을 추진하고 공직선거의 후보자를 추천 또는 지지함으로써 국민의 정치적 의사형성에 참여함을 목적으로 하는 국민의 자발적 조직을 말한다."라고 규정하고 있다.

정당은 국민과 국가의 중개자로서 정치적 도관(導管)의 기능을 수행하여 주체적·능동적으로 국민의 다원적 정치의사를 유도·통합함으로써 국가정책의 결정에 직접 영향을 미칠 수 있는 규모의 정치적 의사를 형성하고 있다. 정당은 국민의 정치적 의사형성의 담당자이며 매개자이자 민주주의에 있어서 필수불가결한 요소이기 때문에, 정당의 자유로운 설립과 활동은 민주주의 실현의 전제조건이라고 할 수 있다.

나. 오늘날 대의민주주의에서 차지하는 정당의 이러한 의의와 기능을 고려하여, 헌법은 정당설립의 자유를 일반적인 결사의 자유로부터 분리하여 제8조 제1항에 독자적으로 규율함으로써 정당설립의 자유의 특별한 의미를 강조하고 있다. 헌법 제8조 제1항은 "정당의 설립은 자유이며, 복수정당제는 보장된다."라고 규정하여, 국민 누구나가 원칙적으로 국가의 간섭을 받지 아니하고 정당을 설립할 권리를 기본권으로서 보장하면서, 아울러 정당설립의 자유를 보장한 것의 당연한 법적 산물인 복수정당제를 제도적으로 보장하고 있다.

이러한 정당 관련 헌법과 법률의 규정과 정당의 중요성을 참작하여 볼 때, 한편으로 입법자는 정당설립의 자유를 최대한 보장하는 방향으로 입법하여야 하고, 또 다른 한편에서 헌법재판소는 정당설립의 자유를 제한하는 법률의 합헌성을 심사할 때에 헌법 제37조 제2항에 따라 엄격한 비례심사를 하여야 한다. 그러므로 정당설립의 자유를 제한하는 입법은 국가안전보장·질서유지 또는 공공복리를 위하여 필요하고 불가피한 예외적인 경우에만 그 제한이 정당화될 수 있으며, 그 경우에도 정당설립의 자유의 본질적인 내용을 침해할 수 없다.

3. 정당등록취소조항에 대한 판단

가. 목적의 정당성 및 수단의 적합성

헌법 제8조 제1항은 정당설립의 자유와 복수정당제를 명시적으로 규정함으로써 정당 간의 경쟁을 유도하고 정치적 다양성 및 정치과정의 개방성을 보장하고 있으며, 헌법 제8조 제4항은 그 목적이나 활동이 자유민주적 기본질서를 부정하고 이를 적극적으로 제거하려는 정당까지도 국민의 정치적 의사형성에 참여하는 한 '정당설립의 자유'의 보호를 받는 정당으로 보고 오로지 헌법재판소가 그의 위헌성을 확인한 경우에만 정치생활의 영역으로부터 축출될 수 있음을 규정하여 정당설립의 자유를 두텁게 보호하고 있다. 헌법 제8조 제1항의 정당설립의 자유와 헌법 제8조 제4항의 입법취지를 고려하여 볼 때, 입법자가 정당으로 하여금 헌법상 부여된 기능을 이행하도록 하기 위하여 그에 필요한 절차적·형식적 요건을 규정함으로써 정당설립의 자유를 구체적으로 형성하고 동시에 제한하는 경우를 제외한다면 정당설립에 대한 국가의 간섭이나 침해는 원칙적으로 허용되지 않는다. 따라서 단지 국민으로부터 일정 수준의 정치적 지지를 얻지 못한 군소정당이라는 이유만으로 정당을 국민의 정치적 의사형성과정에서 배제하기 위한 입법은 헌법상 허용될 수 없다.

다만 대의민주주의에서 정당의 가장 본질적인 존재의 의의는 '국민의 정치적 의사형성에 참여'하는 것이라고 할 수 있는바, 실질적으로 국민의 정치적 의사형성에 참여할 의사가 없거나 국민의 정치적 의사를 집약·결집하여 국가에 매개할 능력이 없는 정당을 정치적 의사형성과정에서 배제함으로써 정당제 민주주의의 발전에 기여하고자 하는 한도에서 정당등록취소조항의 입법목적의 정당성은 인정될 수 있다. 그리고 국회의원선거에서의 의석 확보 여부 및 득표율은 정당이 실질적으로 국민의 정치적 의사형성에 참여할 진지한 의사와 역량을 갖추었는지를 가늠할 수 있는 하나의 표지가 되므로, 국회의원선거에서 원내 진출 및 일정 수준의 득표에 실패한 정당에 대해 등록을 취소하는 것은 이러한 입법목적 달성에 유효한 수단이 될 수 있다. 따라서 정당등록취소조항은 입법목적의 정당성과 수단의 적합성을 갖추고 있다고 할 것이다.

나. 침해의 최소성 및 법익의 균형성

1) 정당설립의 자유를 법률로써 제한하는 것은 대의민주주의에서 정당의 중요성을 감안할 때 필요최소한에 그쳐야 한다. 특히 정당등록의 취소는 정당의 존속 자체를 박탈함으로써 모든 형태의 정당활동을 불가능하게 하므로, 그에 대한 입법은 필요최소한의 범위에서 엄격한 기준에 따라 이루어져야 한다.

그런데 입법목적 달성에 지장이 없으면서도 정당등록취소조항에서 정한 방법보다 덜 제한적인 방법을 상정할 수 있다. 예컨대 단 한번만의 국회의원선거 결과로 정당을 취소할 것이 아니라 일정기간 동안 국회의원선거 등 공직선거에 참여할 수 있는 기회를 수회 더 부여하고 그 결과에 따라 등록취소 여부를 판단하는 방법을 고려할 수 있다. 또한 신생정당의 경우 처음부터 전국적으로 높은 지지를 받기 어렵다는 점을 감안하여 국회의원선거에서 후보자를 추천한 선거구의 개수와 분포 및 그 선거구에서의 득표율 등을 종합하여 등록취소 여부를 결정하는 방법을 고려할 수 있을 것이다.

이처럼 국민의 정치적 의사형성에 참여할 진지한 의사나 능력을 갖추지 못한 정당을 배제시키면서도 정당으로 하여금 국민의 지지와 신뢰를 획득할 수 있는 정책 개발에 더욱 매진하도록 할 방법이 있음에도 불구하고, 정당등록취소조항이 단 한 번의 국회의원선거에서 의석을 얻지 못하고 일정 수준의 득표를 하지 못하였다는 이유로 정당등록을 취소하는 것은 입법목적 달성을 위해 필요한 최소한의 수단이라고 볼 수 없다.

2) 정당등록취소조항은 단 한 번의 국회의원선거에서 부진한 결과를 얻었다는 이유만으로 즉시 정당등록을 취소하는바, 어느 정당이 대통령선거나 지방자치선거에서 아무리 좋은 성과를 올리더라도 국회의원선거에서 일정 수준의 지지를 얻는 데 실패할 경우 정당등록이 취소될 수밖에 없는 불합리한 결과를 초래한다. 또한 신생·군소정당의 경우 등록취소에 대한 우려로 국회의원선거에의 참여 자체를 포기함으로써 국민의 정치적 의사형성에 지속적으로 참여하고자 하는 의사를 객관적으로 표명하고 자신의 존재와 정책을 효과적으로 알릴 기회

를 상실하게 될 수도 있다. 그 결과 정당등록취소조항은 신생·군소정당이 국민의 정치적 의사형성에 참여할 진지한 의사를 가지고 계속적으로 정당활동을 수행하는 과정에서 국민의 지지를 획득하여 보다 굳건한 정당으로 성장할 수 있는 기회를 박탈함으로써, 소수의견의 정치적 결집을 봉쇄하고 정치적 다양성과 정치과정의 개방성을 훼손할 수 있다. 이와 같이 정당등록취소조항이 헌법 제8조 제1항 후단에서 제도적으로 보장된 복수정당제를 훼손하고 정당제 민주주의의 발전에 걸림돌이 될 여지를 만들어 주는 것은, 위 조항이 입법목적의 실현을 위하여 필요한 범위를 벗어나는 과도한 제한을 가하고 있음으로 인한 결과이다.

3) 따라서 정당등록취소조항이 단 한 번의 국회의원선거에서 의석을 얻지 못하고 일정 수준의 득표를 하지 못하였다는 이유로 정당의 등록을 취소하는 것은 침해의 최소성과 법익의 균형성 요건을 충족시키지 못한다.

다. 소 결

이와 같이 정당등록취소조항은 입법목적의 정당성과 수단의 적합성이 인정될 수 있지만 침해의 최소성과 법익의 균형성이 인정되지 않으므로 과잉금지원칙에 위배되어 청구인들의 정당설립의 자유를 침해한다.

4. 정당명칭사용금지조항에 대한 판단

정당명칭사용금지조항은 정당등록취소조항에 의하여 등록이 취소된 정당의 명칭을 등록취소된 날부터 최초로 실시하는 임기만료에 의한 국회의원선거의 선거일까지 정당의 명칭으로 사용할 수 없게 하는 조항인바, 이는 앞서 본 정당등록취소조항을 전제로 하고 있으므로 같은 이유에서 정당설립의 자유를 침해한다고 할 것이다.

Ⅱ 결 론

정당등록취소조항과 정당명칭사용금지조항은 헌법에 위반되므로, 관여 재판관 전원의 일치된 의견으로 주문과 같이 결정한다.

022 통합진보당 해산 청구 사건 [인용(해산)]
— 2014. 12. 19. 선고 2013헌다1

판시사항

1. 민주노동당의 목적과 활동이 이 사건의 심판대상이 되는지 여부(소극)
2. 대통령의 해외 순방 중 국무총리가 주재한 국무회의에서 이루어진 정당해산심판청구서 제출안에 대한 의결이 위법한지 여부(소극)
3. 정당해산심판절차에 적용되는 법령
4. 정당해산심판제도의 의의
5. 정당해산의 사유
    가. "정당의 목적이나 활동"의 의미
    나. "민주적 기본질서"의 의미
    다. 정당의 목적이나 활동이 민주적 기본질서에 "위배될 때"의 의미
    라. 정당해산의 헌법적 정당화 사유로서 '비례원칙'의 준수
6. 한국사회의 특수성으로서 남북한 대립상황에 대한 고려의 필요성
7. 피청구인의 목적이나 활동이 민주적 기본질서에 위배되는지 여부(적극)
8. 피청구인에 대한 해산결정이 비례원칙에 위배되는지 여부(소극)
9. 정당해산결정이 선고되는 경우 그 정당 소속 국회의원이 의원직을 상실하는지 여부(적극)

사건의 개요

피청구인(대표 이○희)은 2011. 12. 13. 민주노동당, 국민참여당이 진보신당 탈당파 주도 하에 설립된 조직인 '새로운 진보정당 건설을 위한 통합연대(이하 '새진보통합연대'라 한다)'와 함께 신설합당 형식으로 창당한 정당이다. 청구인은 2013. 11. 5. 국무회의의 심의·의결을 거쳐, 피청구인의 목적과 활동이 민주적 기본질서에 위배된다고 주장하면서 피청구인의 해산 및 피청구인 소속 국회의원에 대한 의원직 상실을 구하는 이 사건 심판을 청구하였다.

심판대상

이 사건 심판의 대상은 피청구인의 목적이나 활동이 민주적 기본질서에 위배되는지, 피청구인에 대한 해산결정을 선고할 것인지 및 만약 해산결정을 선고할 경우 피청구인 소속 국회의원에 대한 의원직 상실을 선고할 것인지 여부이다. 민주노동당의 목적과 활동은 피청구인의 목적과 활동과의 관련성이 인정되는 범위에서 이 사건 판단의 자료로 삼을 수는 있겠으나, 민주노동당의 목적이나 활동 그 자체가 이 사건의 판단 대상이 되는 것은 아니다.

주문

1. 피청구인 통합진보당을 해산한다.
2. 피청구인 소속 국회의원 김○희, 김○연, 오○윤, 이○규, 이○기는 의원직을 상실한다.

I. 청구의 적법성

1. 정부는 정당의 목적이나 활동이 민주적 기본질서에 위배될 때 국무회의 심의를 거쳐 헌법재판소에 그 해산을 청구할 수 있다(헌법재판소법 제55조).

정부조직법 제12조에 의하면, 대통령은 국무회의의 의장으로서 회의를 소집하고 이를 주재하지만 대통령이 사고로 직무를 수행할 수 없는 경우에는 국무총리가 그 직무를 대행한다. 대통령이 해외 순방 중인 경우는 일시적으로 직무를 수행할 수 없는 경우로서 '사고'에 해당된다고 할 것이므로(직무대리규정 제2조 제4호 참조), 위 국무회의의 의결이 위법하다고 볼 수 없다.

2. 절차의 진행

피청구인은 이 사건 정당해산심판청구 후인 2014. 1. 7. 정당해산심판절차에 관하여 민사소송에 관한 법령을 준용하도록 한 헌법재판소법 제40조 제1항에 대하여 헌법소원심판을 청구하였고, 이에 대하여 헌법재판소는 같은 해 2. 27. 위 규정이 헌법상 재판을 받을 권리를 침해하지 아니한다고 결정하였다(2014헌마7). 이 결정에서 밝힌 바와 같이 헌법재판소는 헌법재판소법과 헌법재판소 심판규칙, 그리고 헌법재판의 성질에 반하지 않는 한도 내에서 민사소송에 관한 법령을 적용하여 이 사건 심판절차를 진행하였다.

II. 정당해산심판제도의 의의와 정당해산심판의 사유

1. 정당해산심판제도의 의의

가. 입헌적 민주주의 체제

… 요컨대, 다원주의적 가치관을 전제로 개인의 자율적 이성을 존중하고 자율적인 정치적 절차를 보장하는 것이 공동체의 올바른 정치적 의사형성으로 이어진다는 신뢰가 우리 헌법상 민주주의 원리의 근본바탕이 된다. 우리 헌법도 개인의 자율성이 오로지 분열로만 귀착되는 상황을 피하고 궁극적으로 공존과 조화에 이르고자 하는 노력을 중시하고 있다. "자율과 조화를 바탕으로 자유민주적 기본질서를 더욱 확고히" 한다고 규정한 헌법 전문은 우리의 민주주의가 지향하는 방향을 단적으로 보여주는 것이다.

나. 정당의 중요성과 정당해산심판제도

… 정당은 국민과 국가의 중개자로서의 기능을 수행한다. 정당은 국민의 다양한 정치적 의사들

을 대표하고 형성하며, 통상 국민들은 정당에 대한 지지 혹은 선거에서의 투표를 통해서 국가정책의 결정에 참여하거나 그에 대한 영향을 끼칠 수 있게 된다. 이와 같이 국민의 정치의사형성을 매개하는 정당은 오늘날 민주주의에 있어서 필수불가결한 요소이기 때문에, 정당의 자유로운 설립과 활동은 민주주의 실현의 전제조건이라고 할 수 있다.

… 대한민국의 현대사 속에서도 정치적 반대세력을 제거하고자 하는 정부의 일방적인 행정처분에 의해서 유력한 진보적 야당이 등록취소되어 사라지고 말았던 불행한 과거를 알고 있다. 헌법 제8조의 정당에 관한 규정, 특히 그 제4항의 정당해산심판제도는 이러한 우리 현대사에 대한 반성의 산물로서 1960. 6. 15. 제3차 헌법 개정을 통해 헌법에 도입된 것이다.

따라서 우리의 경우 이 제도는 발생사적 측면에서 정당을 보호하기 위한 수단으로서의 성격이 부각된다. 정당해산심판의 제소권자가 정부인 점을 고려하면 피소되는 정당은 사실상 야당이 될 것이므로, 이 제도는 정당 중에서도 특히 정부를 비판하는 역할을 하는 야당을 보호하는 데에 실질적인 의미가 있다. 비록 오늘날 우리 사회의 민주주의가 예전에 비해 성숙한 수준에 이른 것은 사실이라 하더라도, 정치적 입지가 불안한 소수파나 반대파의 우려를 해소해 주는 것이 민주주의 발전에 기초가 된다는 헌법개정 당시의 판단은 지금도 마찬가지로 존중되어야 한다.

다. 제도의 엄격운영 필요성

정당해산심판제도가 비록 정당을 보호하기 위한 취지에서 도입된 것이라 하더라도 다른 한편 이는 정당의 강제적 해산가능성을 헌법상 인정하는 것이므로, 그 자체가 민주주의에 대한 제약이자 위협이 될 수 있음을 또한 깊이 주의해야 한다.

라. 정당 활동의 한계

상대적 세계관에 기초한 오늘날의 민주주의 체제는 국민의 자율적인 의사결정으로 운영되고 그 의사결정 과정에서 정당이 핵심적 역할을 담당하고 있다는 점을 고려해 보면, 어떤 정당의 목적이나 활동에 위헌적인 성격이 있다는 의심이 제기된다 하더라도, 일단 자유롭고 공정한 논쟁 속에서 국민들의 민주적 정치과정을 통해 위헌적인 측면이 진지하게 논박되고 그 결과로 해당 정당의 지지기반이 상실되도록 함으로써 그 정당이 자연스럽게 정치영역에서 고립되거나 배제되는 과정을 거치도록 함이 원칙적으로 타당하다.

그러나 어떤 정당이 앞서 본 민주적이고 자율적인 정치적 과정 자체를 거부하면서 민주주의의 근본적인 이념을 부정하는 등 폭력적이거나 억압적 혹은 자의적인 지배를 통해 전체주의적인 통치를 추구할 경우에는 이러한 정당이 권력을 장악하여 민주주의 체제의 근본토대를 허물어뜨릴 위험이 발생할 수 있다. … 따라서 그들이 이 민주주의 체제를 공격함으로써 이를 폐지하거나 혹은 심각하게 훼손시켜 그것이 유명무실해지도록 만드는 것을 사전에 방지할 제도적 장치로서 정당해산심판제도의 필요성 역시 인정된다.

마. 소 결

이상의 내용을 종합적으로 이해할 때 우리 헌법이 정당에 대하여 취하고 있는 규범적 태도는 다음과 같다. 즉, 모든 정당의 존립과 활동은 최대한 보장되며, 설령 어떤 정당이 민주적 기본질서를 부정하고 이를 적극적으로 공격하는 것으로 보인다 하더라도 국민의 정치적 의사형성에 참여하는 정당으로서 존재하는 한 우리 헌법에 의해 최대한 두텁게 보호되므로, 단순히 행정부의 통상적인 처분에 의해서는 해산될 수 없고, 오직 헌법재판소가 그 정당의 위헌성을 확인하고 해산의 필요성을 인정한 경우에만 정당정치의 영역에서 배제된다는 것이다.

따라서 정당해산심판제도는 정당 존립의 특권, 특히 그 중에서도 정부의 비판자로서 야당의 존립과 활동을 특별히 보장하고자 하는 헌법제정자의 규범적 의지의 산물로 이해되어야 한다. 그러나 한편 이 제도로 인해서, 정당 활동의 자유가 인정된다 하더라도 민주적 기본질서를 침해해서는 안 된다는 헌법적 한계 역시 설정된다 할 것이다.

2. 정당해산심판의 사유

헌법 제8조 제4항은 "정당의 목적이나 활동이 민주적 기본질서에 위배될 때에는 정부는 헌법재판소에 그 해산을 제소할 수 있고, 정당은 헌법재판소의 심판에 의해 해산된다."고 규정하고 있고, 정당해산심판의 사유와 관련하여 이 규정을 구체적으로 어떻게 해석할 것인지 문제된다.

가. "정당의 목적이나 활동"

정당의 목적이란, 어떤 정당이 추구하는 정치적 방향이나 지향점 혹은 현실 속에서 구현하고자 하는 정치적 계획 등을 통칭한다. 이는 주로 정당의 공식적인 강령이나 당헌의 내용을 통해 드러나겠지만, 그밖에 정당대표나 주요 당직자 및 정당관계자(국회의원 등)의 공식적 발언, 정당의 기관지나 선전자료와 같은 간행물, 정당의 의사결정과정에서 일정한 영향력을 가지거나 정당의 이념으로부터 영향을 받은 당원들의 행위 등도 정당의 목적을 파악하는 데에 도움이 될 수 있다. 만약 정당의 진정한 목적이 숨겨진 상태라면 공식 강령은 이른바 허울이나 장식에 불과할 것이고, 이 경우에는 강령 이외의 자료를 통해 진정한 목적을 파악해야 한다.

정당의 활동이란, 정당 기관의 행위나 주요 정당관계자, 당원 등의 행위로서 그 정당에게 귀속시킬 수 있는 활동 일반을 의미한다. 여기에서는 정당에게 귀속시킬 수 있는 활동의 범위, 즉 정당과 관련한 활동 중 어느 범위까지를 그 정당의 활동으로 볼 수 있는지가 문제된다. 구체적으로 살펴보면, 당대표의 활동, 대의기구인 당대회와 중앙위원회의 활동, 집행기구인 최고위원회의 활동, 원내기구인 원내의원총회와 원내대표의 활동 등 정당 기관의 활동은 정당 자신의 활동이므로 원칙적으로 정당의 활동으로 볼 수 있고, 정당의 최고위원 등 주요 당직자의 공개된 정치 활동은 일반적으로 그 지위에 기하여 한 것으로 볼 수 있으므로 원칙적으로 정당에 귀속시킬 수 있을 것으로 보인다. 정당 소속의 국회의원 등은 비록 정당과 밀접한 관련성을 가지지만 헌법상으로는 정당의 대표자가 아닌 국민 전체의 대표자이므로 그들의 행위를 곧바로 정당의 활동으로 귀속시킬 수는 없겠으나, 가령 그들의 활동 중에서도 국민의 대표자의 지위가 아니라 그 정당에 속한 유력한 정치인의 지위에서 행한 활동으로서 정당과 밀접하게 관련되어 있는 행위들은 정당의 활동이 될 수도 있을 것이다.

그 밖의 정당에 속한 개인이나 단체의 활동은 그러한 활동이 이루어진 구체적인 경위를 살펴서 그것을 정당의 활동으로 볼 수 있는 사정이 있는지를 판단해야 한다. 예컨대, 활동을 한 개인이나 단체의 지위 등에 비추어 볼 때 정당이 그러한 활동을 할 권한을 부여하거나 그 활동을 독려하였는지 여부, 설령 그러한 권한의 부여 등이 없었다 하더라도 사후에 그 활동을 적극적으로 옹호하는 등 그 활동을 사실상 정당의 활동으로 추인한 것과 같다고 볼 수 있는 사정이 있는지 여부, 혹은 사전에 그 정당이 그러한 활동의 계획을 알았더라도 이를 정당 차원에서 지원하고 지지했을 것이라고 가정적으로 판단할 수 있는 사정이 있는지 여부 등을 구체적으로 살펴 전체적이고 종합적으로 판단해야 한다. 반면, 정당대표나 주요 관계자의 행위라 하더라도 개인적 차원의 행위에 불과한 것이라면 이러한 행위에 대해서까지 정당해산심판의 심판대상이 되는 활동으로 보기는 어렵다.

한편, 동 조항의 규정형식에 비추어 볼 때, 정당의 목적이나 활동 중 어느 하나라도 민주적 기본질서에 위배된다면 정당해산의 사유가 될 수 있다고 해석된다.

나. "민주적 기본질서"

1) 입헌적 민주주의의 원리, 민주 사회에 있어서의 정당의 기능, 정당해산심판제도의 의의 등을 종합해 볼 때, 우리 헌법 제8조 제4항이 의미하는 민주적 기본질서는, 개인의 자율적 이성을 신뢰하고 모든 정치적 견해들이 각각 상대적 진리성과 합리성을 지닌다고 전제하는 다원적 세계관에 입각한 것으로서, 모든 폭력적·자의적 지배를 배제하고, 다수를 존중하면서도 소수를 배려하는 민주적 의사결정과 자유·평등을 기본원리로 하여 구성되고 운영되는 정치적 질서를 말하며, 구체적으로는 국민주권의 원리, 기본적 인권의 존중, 권력분립제도, 복수정당제도 등이 현행 헌법상 주요한 요소라고 볼 수 있다.

2) 헌법 제8조 제4항의 민주적 기본질서 개념은 정당해산결정의 가능성과 긴밀히 결부되어 있다. 이 민주적 기본질서의 외연이 확장될수록 정당해산결정의 가능성은 확대되고, 이와 동시에 정당 활동의 자유는 축소될 것이다. 민주 사회에서 정당의 자유가 지니는 중대한 함의나 정당해산심판제도의 남용가능성 등을 감안한다면, 헌법 제8조 제4항의 민주적 기본질서는 최대한 엄격하고 협소한 의미로 이해해야 한다.

따라서 민주적 기본질서를 현행 헌법이 채택한 민주주의의 구체적 모습과 동일하게 보아서는 안 된다.

마찬가지로, 민주적 기본질서를 부정하지 않는 한 정당은 각자가 옳다고 믿는 다양한 스펙트럼의 이념적인 지향을 자유롭게 추구할 수 있다. 오늘날 정당은 자유민주주의 이념을 추구하는 정당에서부터 공산주의 이념을 추구하는 정당에 이르기까지 그 이념적 지향점이 매우 다양하므로, 어떤 정당이 특정 이념을 표방한다 하더라도 그 정당의 목적이나 활동이 앞서 본 민주적 기본질서의 내용들을 침해하는 것이 아닌 한 그 특정 이념의 표방 그 자체만으로 곧바로 위헌적인 정당으로 볼 수는 없다. 정당해산 여부를 결정하는 문제는 결국 그 정당이 표방하는 정치적 이념이 무엇인지가 아니라 그 정당의 목적이나 활동이 민주적 기본질서에 위배되는지 여부에 달려있기 때문이다.

다. "위배될 때"

헌법 제8조 제4항은 정당해산심판의 사유를 "정당의 목적이나 활동이 민주적 기본질서에 위배될 때"로 규정하고 있는바, 이 "위배될 때"의 해석 여하에 따라서는 정당의 목적이나 활동이 민주적 기본질서에 단순히 저촉되는 때에도 그 정당이 해산될 수 있다고 볼 수도 있을 것이다. 그러나 이러한 해석에 의하면 극단적인 경우 정당의 목적이나 활동이 민주적 기본질서와 부합하지 않는 부분이 경미하게라도 존재하기만 한다면 해산을 면할 수 없다는 결론도 가능한데, 이는 민주주의 사회에서 정당이 차지하는 중요성에 비추어 볼 때 쉽게 납득하기 어려운 결론이다. 정당에 대한 해산결정은 민주주의 원리와 정당의 존립과 활동에 대한 중대한 제약이라는 점에서, 정당의 목적과 활동에 관련된 모든 사소한 위헌성까지도 문제 삼아 정당을 해산하는 것은 적절하지 않다.

특정 정당을 해산하는 결정은 해산되는 정당의 이념을 우리 사회의 정치적 공론의 장에서 영구적으로 추방시키는 것이므로, 이러한 결정은 오늘날 우리의 민주주의에서 정당이 차지하는 핵심적 역할에 비추어 볼 때 매우 극단적인 조치로 이해되어야 하고, 따라서 매우 제한된 상황 속에서만 활용되어야 한다는 것은 앞서 본 바와 같다.

그렇다면 헌법 제8조 제4항에서 말하는 민주적 기본질서의 위배란, 민주적 기본질서에 대한 단순한 위반이나 저촉을 의미하는 것이 아니라, 민주 사회의 불가결한 요소인 정당의 존립을 제약해야 할 만큼 그 정당의 목적이나 활동이 우리 사회의 민주적 기본질서에 대하여 실질적인 해악을 끼칠 수 있는 구체적 위험성을 초래하는 경우를 가리킨다.

라. 비례원칙

일반적으로 비례원칙은 우리 재판소가 법률이나 기타 공권력 행사의 위헌 여부를 판단할 때 사용하는 위헌심사 척도의 하나이다. 그러나 정당해산심판제도에서는 헌법재판소의 정당해산결정이 정당의 자유를 침해할 수 있는 국가권력에 해당하므로 헌법재판소가 정당해산결정을 내리기 위해서는 그 해산결정이 비례원칙에 부합하는지를 숙고해야 하는바, 이 경우의 비례원칙 준수 여부는 그것이 통상적으로 기능하는 위헌심사의 척도가 아니라 헌법재판소의 정당해산결정이 충족해야 할 일종의 헌법적 요건 혹은 헌법적 정당화 사유에 해당한다. 이와 같이 강제적 정당해산은 우리 헌법상 핵심적인 정치적 기본권인 정당 활동의 자유에 대한 근본적 제한이므로 헌법재판소는 이에 관한 결정을 할 때 헌법 제37조 제2항이 규정하고 있는 비례원칙을 준수해야만 하는 것이다.

따라서 헌법 제37조 제2항의 내용, 침익적 국가권력의 행사에 수반되는 법치국가적 한계, 나아가 정당해산심판제도의 최후수단적 성격이나 보충적 성격을 감안한다면, 헌법 제8조 제4항의 명문규정상 요건이 구비된 경우에도 해당 정당의 위헌적 문제성을 해결할 수 있는 다른 대안적 수단이 없고, 정당해산결정을 통하여 얻을 수 있는 사회적 이익이 정당해산결정으로 인해 초래되는 정당의 정당활동 자유 제한으로 인한 불이익과 민주주의 사회에 대한 중대한 제약이라는 사회적 불이익을 초과할 수 있을 정도로 큰 경우에 한하여 정당해산결정이 헌법적으로 정당화될 수 있다.

Ⅲ 한국사회의 특수성으로서 남북한 대립상황에 대한 고려의 필요성

　대한민국은 북한이라는 현실적인 적으로부터 공격의 대상으로 선포되어 있고, 그로부터 체제 전복의 시도가 상시적으로 존재하는 상황인데, 우리의 민주적 기본질서도 궁극적으로 대한민국과 동일한 운명에 있다. 따라서 남북이 대립되어 있는 현재 한반도의 상황과 무관하지 않은 이 사건에서 우리는 입헌주의의 보편적 원리에 더하여, 우리 사회가 처해 있는 여러 현실적 측면들, 대한민국의 특수한 역사적 상황 그리고 우리 국민들이 공유하는 고유한 인식과 법 감정들의 존재를 동시에 숙고할 수밖에 없다.

Ⅳ 피청구인의 목적이나 활동이 민주적 기본질서에 위배되는지 여부

　… 결국 피청구인의 위와 같은 진정한 목적이나 그에 기초한 활동은 우리 사회의 민주적 기본질서에 대해 실질적 해악을 끼칠 수 있는 구체적 위험성을 초래하였다고 판단되므로, 민주적 기본질서에 위배된다.

1. 비례의 원칙에 위배되는지 여부

가. 정당해산에서의 비례의 원칙

　앞서 우리는 헌법 제8조 제4항의 요건이 구비된 경우에도 정당해산제도의 최후수단적 성격과 보충적 성격을 감안한다면, 해당 정당의 위헌적 문제성을 해결할 수 있는 다른 대안적 수단이 없고 정당해산결정으로 인해 초래되는 정당의 정당활동 자유 제한으로 인한 불이익과 민주주의 사회에 대한 중대한 제약이라는 사회적 불이익을 상쇄하거나 이를 초과할 수 있을 정도로 정당해산결정을 통하여 얻을 수 있는 사회적 이익이 큰 경우에 한하여 정당해산결정이 정당화될 수 있음을 확인하였다.

나. 구체적 검토

　북한식 사회주의를 실현하고자 하는 피청구인의 목적과 활동에 내포된 중대한 위헌성, 대한민국 체제를 파괴하려는 북한과 대치하고 있는 특수한 상황, 피청구인 구성원에 대한 개별적인 형사처벌로는 정당 자체의 위험성이 제거되지 않는 등 해산 결정 외에는 피청구인의 고유한 위험성을 제거할 수 있는 다른 대안이 없는 점, 그리고 민주적 기본질서의 수호와 민주주의의 다원성 보장이라는 사회적 이익이 정당해산결정으로 인한 피청구인의 정당활동의 자유에 대한 근본적 제약이나 다원적 민주주의에 대한 일부 제한이라는 불이익에 비하여 월등히 크고 중요하다는 점을 고려하면, 피청구인에 대한 해산결정은 민주적 기본질서에 가해지는 위험성을 실효적으로 제거하기 위한 부득이한 해법으로서 비례원칙에 위배되지 아니한다.

2. 피청구인의 해산

　위에서 본 바와 같이 피청구인의 목적이나 활동이 민주적 기본질서에 위배되고, 피청구인의 목적과 활동에 내포된 위헌적 성격의 중대성과 대한민국이 처해 있는 특수한 상황 등에 비추어 피청구인의 위헌적 문제성을 해결할 수 있는 다른 대안적 수단이 없으며, 정당해산결정으로 초래되는 불이익보다 이를 통하여 얻을 수 있는 사회적 이익이 월등히 커서 피청구인에 대하여 해산결정을 해야 할 사회적 필요성(법익 형량)도 있다고 인정된다.

따라서 피청구인은 해산되어야 한다.

V. 피청구인 소속 국회의원의 의원직 상실 여부

헌법재판소의 해산결정으로 위헌정당이 해산되는 경우에 그 정당 소속 국회의원이 그 의원직을 유지하는지 상실하는지에 대하여 헌법이나 법률에 명문의 규정이 없다. 하지만 아래에서 보는 바와 같은 이유로 피청구인 소속 국회의원은 모두 그 의원직이 상실되어야 한다.

1. 국회의원의 국민대표성과 정당기속성

국회의원은 어느 누구의 지시나 간섭을 받지 않고 국가이익을 우선하여 자신의 양심에 따라 직무를 행하는 국민 전체의 대표자로서 활동을 하는 한편(헌법 제46조 제2항 참조), 현대 정당민주주의의 발전과 더불어 현실적으로 소속 정당의 공천을 받아 소속 정당의 지원이나 배경 아래 당선되고 당원의 한 사람으로서 사실상 정치의사 형성에 대한 정당의 규율이나 당론 등에 영향을 받아 정당의 이념을 대변하는 지위도 함께 가지게 되었다.

공직선거법 제192조 제4항은 비례대표 국회의원에 대하여 소속 정당의 '해산' 등 이외의 사유로 당적을 이탈하는 경우 퇴직된다고 규정하고 있는데, 이 규정의 의미는 정당이 스스로 해산하는 경우에 비례대표 국회의원은 퇴직되지 않는다는 것으로서, 국회의원의 국민대표성과 정당기속성 사이의 긴장관계를 적절하게 조화시켜 규율하고 있다.

2. 정당해산심판제도의 본질적 효력과 의원직 상실 여부

헌법재판소의 해산결정에 따른 정당의 강제해산의 경우에는 그 정당 소속 국회의원이 그 의원직을 상실하는지 여부에 관하여 헌법이나 법률에 아무런 규정을 두고 있지 않다. 따라서 위헌으로 해산되는 정당 소속 국회의원의 의원직 상실 여부는 위헌정당해산제도의 취지와 그 제도의 본질적 효력에 비추어 판단하여야 한다.

정당해산심판제도의 본질은 그 목적이나 활동이 민주적 기본질서에 위배되는 정당을 국민의 정치적 의사 형성과정에서 미리 배제함으로써 국민을 보호하고 헌법을 수호하기 위한 것이다. 어떠한 정당을 엄격한 요건 아래 위헌정당으로 판단하여 해산을 명하는 것은 헌법을 수호한다는 방어적 민주주의 관점에서 비롯되는 것이고, 이러한 비상상황에서는 국회의원의 국민대표성은 부득이 희생될 수밖에 없다.

국회의원이 국민 전체의 대표자로서의 지위를 가진다는 것과 방어적 민주주의의 정신이 논리필연적으로 충돌하는 것이 아닐 뿐 아니라, 국회의원이 헌법기관으로서 정당기속과 무관하게 국민의 자유위임에 따라 정치활동을 할 수 있는 것은 헌법의 테두리 안에서 우리 헌법이 추구하는 민주적 기본질서를 존중하고 실현하는 경우에만 가능한 것이지, 헌법재판소의 해산결정에도 불구하고 그 정당 소속 국회의원이 위헌적인 정치이념을 실현하기 위한 정치활동을 계속하는 것까지 보호받을 수는 없다.

만일 해산되는 위헌정당 소속 국회의원들이 의원직을 유지한다면 그 정당의 위헌적인 정치이념을 정치적 의사 형성과정에서 대변하고 또 이를 실현하려는 활동을 계속하는 것을 허용함으로써 실질적으로는 그 정당이 계속 존속하여 활동하는 것과 마찬가지의 결과를 가져오게 될 것이다. 따라서 해산정당 소속 국회의원의 의원직을 상실시키지 않는 것은 결국 위헌정당해산제도가 가지는 헌법수호의 기능이나 방어적 민주주의 이념과 원리에 어긋나는 것이고, 나아가 정당해산결정의 실효성을 제대로 확보할 수 없게 된다.

이와 같이 헌법재판소의 해산결정으로 해산되는 정당 소속 국회의원의 의원직 상실은 정당해산심판제도의 본질로부터 인정되는 기본적 효력으로 봄이 상당하므로, 이에 관하여 명문의 규정이 있는지 여부는 고려의 대상이 되지 아니하고, 그 국회의원이 지역구에서 당선되었는지, 비례대표로 당선되었는지에 따라 아무런 차이가 없이, 정당해산결정으로 인하여 신분유지의 헌법적인 정당성을 잃으므로 그 의원직은 상실되어야 한다.

3. 소 결

그러므로 정당해산심판제도의 본질적 효력에 따라, 그리고 정당해산결정의 취지와 목적을 실효적으로 확보하기 위하여, 피청구인 소속 국회의원들에 대하여 모두 그 의원직을 상실시키기로 한다.

Ⅵ 결 론

그렇다면 피청구인의 해산을 명하고, 피청구인 소속 국회의원들 모두의 국회의원직을 상실시키기로 하여 주문과 같이 결정한다. 이 결정은 재판관 김이수의 반대의견과 재판관 안창호, 재판관 조용호의 보충의견이 있는 외에는 나머지 관여 재판관들의 일치된 의견에 의한 것이다.

023 위헌정당 해산결정으로 해산결정을 받은 정당 소속 비례대표지방의회의원이 공직선거법 제192조 제4항에 따라 의원직을 상실하는지가 문제된 사건

1. 헌법재판소의 결정으로 정당이 해산되면 중앙선거관리위원회는 정당법에 따라 그 결정을 집행하여야 하고(헌법재판소법 제60조), 그 밖에도 기존에 존속·활동하였던 정당이 해산됨에 따른 여러 법적 효과가 발생한다.

   구체적 사건에서의 헌법과 법률의 해석·적용은 사법권의 본질적 내용으로서 그 권한은 대법원을 최고법원으로 하는 법원에 있으므로, 법원은 위헌정당 해산결정에 따른 법적 효과와 관련한 헌법과 법률의 해석·적용에 관한 사항을 판단하여야 한다.

2. 원심은, 국회의원으로 구성된 국회의 권한에 관한 헌법 제40조, 제54조, 제59조, 제62조, 제63조, 지방자치단체의 권한에 관한 헌법 제117조, 제118호, 지방자치법 제9조, 제22조의 규정에 비추어, 국회의원이 국민의 정치적 의사형성에 관여하는 역할을 담당하는 반면 지방의회의원은 주로 지방자치단체의 주민의 복리에 관한 사무를 처리하고 재산을 관리하는 행정적 역할을 담당하므로 지방의회의원은 국회의원과 그 역할에 있어 본질적인 차이가 있고, 헌법과 법률이 지위를 보장하는 정도도 다르며, 정당에 대한 기속성의 정도 또한 다르다고 판단하였다.

   이어서 원심은, 다음과 같은 이유를 들어 공직선거법 제192조 제4항(이하 '이 사건 조항'이라고 한다)[1]은 소속정당이 헌법재판소의 정당해산결정에 따라 해산된 경우(이하 '강제해산'이라 한다) 비례대표지방의회의원의 퇴직을 규정하는 조항이라고 할 수 없으므로, 원고가 비례대표 전라북도 의회의원의 지위를 상실하였다고 볼 수 없다고 판단하였다.

   ① 비례대표지방의회의원의 의원직 상실이 헌법재판소의 정당해산결정 취지에서 곧바로 도출된다고 할 수 없고, 이 사건 조항의 '해산'을 자진해산뿐 아니라 정당해산 결정에 의한 해산까지 의미하는 것으로 해석한다 하여 정당해산결정의 헌법적 효력과 정면으로 배치된다고 할 수 없으며, 기본권제한의 법률유보원칙을 포기하면서까지 비례대표지방의회의원의 퇴직사유를 확대하는 것이 합헌적 해석이라고 할 수도 없다.

   ② 이 사건 조항은 비례대표지방의회의원 등의 퇴직사유로 당적이탈 등을 규정하되, 그 당적의 이탈이 소속정당의 합당·해산 또는 제명으로 인한 경우 등에는 그러하지 아니하는 것으로 예외사유를 인정하고 있다. 그중 '해산'은 자진하여 해체하여 없어 진다는 의미와 자신의 의사와 무관하게 타인이 없어지게 한다는 의미를 모두 포함한다. 이 사건 조항이 소속정당의

---

[1] 공직선거법 제192조 ④ 비례대표국회의원 또는 비례대표지방의회의원이 소속정당의 합당·해산 또는 제명외의 사유로 당적을 이탈·변경하거나 2 이상의 당적을 가지고 있는 때에는 「국회법」 제136조(退職) 또는 「지방자치법」 제78조(의원의 퇴직)의 규정에 불구하고 퇴직된다. 다만, 비례대표국회의원이 국회의장으로 당선되어 「국회법」 규정에 의하여 당적을 이탈한 경우에는 그러하지 아니하다.

해산을 소속정당의 합당·제명과 병렬적으로 규정하고 있다는 사정만으로 '해산' 부분을 소속정당이 주체가 되는 자진해산만을 의미한다고 해석할 수 없다.

③ 정당이 자진해산한 경우와 강제해산된 경우를 구별하여 규정하고 있는 정당법(정당법 제41조 제2항, 제47조, 제48조 제1항, 제2항 등)과는 달리, 공직선거법은 자진해산과 강제해산을 구분하여 규정하고 있지 않다(공직선거법 제49조 제6항, 제52조 제1항, 제200조 등). 위 각 법률의 문언, 주된 규율대상, 목적, 체계 등에 비추어 볼 때, 이 사건 조항의 '소속정당의 해산'은 자진해산뿐 아니라 강제해산된 경우까지를 포함하는 것으로 해석하는 것이 합리적이다.

④ 입법연혁을 살펴보더라도, 이 사건 조항은 1992년 제14대 국회 출범 이후 전국구국회의원들의 탈당과 당적변경이 잇따르자 소위 '철새정치인'을 규제하기 위하여 제정된 것으로 알려져 있을 뿐, 정당의 강제해산의 실효성을 확보하거나 방어적 민주주의의 이념을 실현하기 위하여 퇴직의 예외사유로서의 해산에 어떠한 제한을 둔 것으로 보이지 않는다.

3. 관련 법리와 기록에 비추어 살펴보면, 위와 같은 원심판단에 상고이유 주장과 같이 공직선거법 제192조 제4항의 해석에 관한 법리를 오해한 잘못이 없다.

4. 그러므로 상고를 기각하고 상고비용은 패소자가 부담하도록 하여, 관여 대법관의 일치된 의견으로 주문과 같이 판결한다.

024 정당에 대한 후원을 금지한 정치자금법 규정의 위헌 여부 [헌법불합치]
— 2015. 12. 23. 선고 2013헌바168

판시사항 및 결정요지

정당에 대한 재정적 후원을 금지하고 위반 시 형사처벌하는 구 정치자금법 제6조, 정치자금법 제6조 및 제45조 제1항 본문의 '이 법에 정하지 아니한 방법' 중 제6조에 관한 부분(이하 모두 합하여 '이 사건 법률조항'이라 한다)이 정당의 정당활동의 자유와 국민의 정치적 표현의 자유를 침해하는지 여부(적극)

이 사건 법률조항은 정당 후원회를 금지함으로써 불법 정치자금 수수로 인한 정경유착을 막고 정당의 정치자금 조달의 투명성을 확보하여 정당 운영의 투명성과 도덕성을 제고하기 위한 것으로, 입법목적의 정당성은 인정된다.

그러나 정경유착의 문제는 일부 재벌기업과 부패한 정치세력에 국한된 것이고 대다수 유권자들과는 직접적인 관련이 없으므로 일반 국민의 정당에 대한 정치자금 기부를 원천적으로 봉쇄할 필요는 없고, 기부 및 모금한도액의 제한, 기부내역 공개 등의 방법으로 정치자금의 투명성을 충분히 확보할 수 있다.

정치자금 중 당비는 반드시 당원으로 가입해야만 납부할 수 있어 일반 국민으로서 자신이 지지하는 정당에 재정적 후원을 하기 위해 반드시 당원이 되어야 하므로, 정당법상 정당 가입이 금지되는 공무원 등의 경우에는 자신이 지지하는 정당에 재정적 후원을 할 수 있는 방법이 없다. 그리고 현행 기탁금 제도는 중앙선거관리위원회가 국고보조금의 배분비율에 따라 각 정당에 배분·지급하는 일반 기탁금제도로서, 기부자가 자신이 지지하는 특정 정당에 재정적 후원을 하는 것과는 전혀 다른 제도이므로 이로써 정당 후원회를 대체할 수 있다고 보기도 어렵다.

나아가 정당제 민주주의 하에서 정당에 대한 재정적 후원이 전면적으로 금지됨으로써 정당이 스스로 재정을 충당하고자 하는 정당활동의 자유와 국민의 정치적 표현의 자유에 대한 제한이 매우 크다고 할 것이므로, 이 사건 법률조항은 정당의 정당활동의 자유와 국민의 정치적 표현의 자유를 침해한다.

025 단체와 관련된 자금의 정치자금 기부금지 사건 [합헌]
— 2010. 12. 28. 선고 2008헌바89

판시사항 및 결정요지

1. 반복입법 여부의 판단기준과 누구든지 단체와 관련된 자금으로 정치자금을 기부할 수 없도록 한 구 '정치자금에 관한 법률'(2004. 3. 12. 법률 제7191호로 개정되고, 2005. 8. 4. 법률 제7682호로 '정치자금법'으로 전부 개정되기 전의 것) 제12조 제2항(이하 '이 사건 기부금지 조항'이라 한다)이 반복입법인지 여부(소극)

청구인들은, 이 사건 기부금지 조항이 1999. 11. 25. 헌법재판소의 95헌마154 결정으로 위헌선언된 구 '정치자금에 관한 법률'(1980. 12. 31. 법률 제3302호로 개정된 것) 제12조 제5호의 반복입법으로서 위 위헌결정의 기속력에 저촉된다고 주장하는바, 이 사건 기부금지 조항이 노동단체를 포함하는 모든 단체의 정치자금 기부금지 규정에 관한 탈법행위 방지 규정이라는 점에 비추어 보면, 내용상으로는 위헌결정된 법률조항의 내용을 일부분 전제하고 있는 것으로 보일 수 있다. 그러나 위헌결정된 법률조항의 반복입법에 해당하는지 여부는 단지 위헌결정된 법률조항의 내용이 일부라도 내포되어 있는지 여부에 의하여 판단할 것이 아니라, 입법목적이나 입법동기, 입법당시의 시대적 배경 및 관련조항들의 체계 등을 종합하여 실질적 동일성이 있는지 여부에 따라 판단하여야 할 것이다.

살피건대, 이 사건 기부금지 조항은 ① 직접적인 규율영역이 단체의 행위가 아닌 자연인의 행위라는 점에서 종전에 위헌결정된 법률조항과 문언적으로 구별되고, ② 그 전제가 되는 법률조항을 살피더라도, 구 정치자금법 제12조 제1항은 노동단체 이외의 단체의 정치자금 기부까지도 포괄하는 것이라는 점에서 종전에 위헌결정된 법률조항과 전적으로 동일한 경우에 해당하지 않으며, ③ 종전에 위헌결정된 법률조항이 연혁적으로 노동단체의 정치활동을 금지하기 위한 여러 법률들의 규제조치의 일환을 이루고 있었던 것으로서, 다른 법률에 의한 노동단체의 정치활동 금지가 해제된 이후에도 여전히 남아서 다른 단체와 차별적으로 노동단체의 정치자금 기부를 금지하는 것이었던 반면, 이 사건 기부금지 조항이 전제하고 있는 단체의 정치자금 기부금지 규정(구 정치자금법 제12조 제1항)에는 노동단체에 대한 차별적 규제의 의도가 전혀 존재하지 않는다는 점에서 종전의 위헌결정된 법률조항과 실질적으로 동일하거나 본질적으로 유사한 것으로 보기 어렵다.

따라서 이 사건 기부금지 조항이 위 95헌마154 결정에 의하여 위헌선언된 법률조항의 반복입법에 해당한다고 볼 수 없고, 반복입법에 해당하지 않는다고 판단하는 이상 입법자인 국회에 대하여도 헌법재판소의 위헌결정의 기속력이 미치는지 여부 및 결정주문 뿐만 아니라 결정이유에까지 기속력을 인정할지 여부 등에 대하여 더 나아가 살펴볼 필요 없이 이 사건 기부금지조항이 위 95헌마154 결정으로 위헌선언된 구 '정치자금에 관한 법률' 제12조 제5호의 반복입법으로서 위 위헌결정의 기속력에 저촉된다는 주장은 이유없다 할 것이다.

2. 이 사건 기부금지 조항이 죄형법정주의의 명확성원칙에 위반되는지 여부(소극)

이 사건 기부금지 조항의 '단체'란 '공동의 목적 내지 이해관계를 가지고 조직적인 의사형성 및 결정이 가능한 다수인의 지속성 있는 모임'을 말하고, '단체와 관련된 자금'이란 단체의 명의로, 단체의 의사결정에 따라 기부가 가능한 자금으로서 단체의 존립과 활동의 기초를 이루는 자산은 물론이고, 단체가 자신의 이름을 사용하여 주도적으로 모집, 조성한 자금도 포함된다고 할 것인바, 그 의미가 불명확하여 죄형법정주의의 명확성원칙에 위반된다고 할 수 없다.

3. 이 사건 기부금지 조항이 과잉금지원칙에 위반하여 정치활동의 자유 등을 침해하는지 여부(소극)

이 사건 기부금지 조항은 단체의 정치자금 기부금지 규정에 관한 탈법행위를 방지하기 위한 것으로서, 단체의 정치자금 기부를 통한 정치활동이 민주적 의사형성과정을 왜곡하거나, 선거의 공정을 해하는 것을 방지하고, 단체 구성원의 의사에 반하는 정치자금 기부로 인하여 단체 구성원의 정치적 의사표현의 자유가 침해되는 것을 방지하는 것인바, 정당한 입법목적 달성을 위한 적합한 수단에 해당한다.

한편 단체의 정치적 의사표현은 그 방법에 따라 정당·정치인이나 유권자의 선거권 행사에 심대한 영향을 미친다는 점에서 그 방법적 제한의 필요성이 매우 크고, 이 사건 기부금지 조항은 단체의 정치적 의사표현 자체를 금지하거나 그 내용에 따라 규제하도록 한 것이 아니라, 개인과의 관계에서 불균형적으로 주어지기 쉬운 '자금'을 사용한 방법과 관련하여 규제를 하는 것인바, 정치적 표현의 자유의 본질을 침해하는 것이라고 볼 수 없다. 또한, 개인의 정치적 의사형성이 온전하게 이루어질 수 있는 범위에서의 자금모집에 관한 단체의 관여를 일반적·추상적으로 규범화하여 허용하는 것은 입법기술상 곤란할 뿐만 아니라, 개인의 정치적 기본권 보호라는 입법목적 달성에 충분한 수단이라고 보기 어렵고, 달리 덜 제약적 수단이 존재함이 명백하지 않은 이상 이 사건 기부금지 조항이 침해의 최소성원칙에 위반된다고 보기 어렵다. 나아가 이 사건 기부금지 조항에 의한 개인이나 단체의 정치적 표현의 자유 제한은 내용중립적인 방법 제한으로서 수인 불가능할 정도로 큰 것이 아닌 반면, 금권정치와 정경유착의 차단, 단체와의 관계에서 개인의 정치적 기본권 보호 등 이 사건 기부금지 조항에 의하여 달성되는 공익은 대의민주제를 채택하고 있는 민주국가에서 매우 크고 중요하다는 점에서 법익균형성원칙도 충족된다. 따라서 이 사건 기부금지 조항이 과잉금지원칙에 위반하여 정치활동의 자유 등을 침해하는 것이라 볼 수 없다.

사건의 개요

1. 청구인 신○림은 전국언론노동조합 위원장, 청구인 현○윤은 같은 조합 수석부위원장 겸 정치위원장이었던 자인바, 청구인들은 2004. 1. 중순경부터 같은 해 3. 하순경까지 전국언론노동조합 총선투쟁기금 명목으로 조합원으로부터 합계 약 1억 2,400만 원을 모금한 후, 단체와 관련된 자금으로 정치자금을 기부할 수 없도록 한 구 '정치자금에 관한 법률' 제12조 제2항에 위반하여, 17대 국회 창원시 을 선거구 민주노동당 국회의원 후보자 권영길에게, 위 기금 중 3,200만 원을 두 차례에 걸쳐 선거자금 명목으로 기부한 혐의 등으로 기소되었다.

2. 청구인들은 1심 재판{서울중앙지방법원 2007고합1092, 1403(병합)} 계속중 국내·외의 법인 또는 단체와 관련된 자금으로 정치자금을 기부할 수 없도록 한 구 '정치자금에 관한 법률' 제12조 제2항 및 이에 위반한 정치자금 부정수수를 처벌하는 같은 법률 제30조 제2항 제5호에 대하여 위헌법률심판제청신청을 하였다(서울중앙지방법원 2008초기1735). 그러나 법원은 2008. 7. 22. 위 제청신청을 기각하고, 2008. 7. 24. 청구인들에 대하여 유죄판결을 선고하였다.

3. 청구인들은 이에 불복하여 항소하고(서울고등법원 2008노2031), 2008. 8. 19. 구 '정치자금에 관한 법률' 제12조 제2항 및 제30조 제2항 제5호의 위헌확인을 구하는 이 사건 헌법소원심판을 청구하였다.

심판대상조항 및 관련조항

구 '정치자금에 관한 법률'(2004. 3. 12. 법률 제7191호로 개정되고, 2005. 8. 4. 법률 제7682호로 '정치자금법'으로 전부개정되기 전의 것)

제12조(기부의 제한) ② 누구든지 국내·외의 법인 또는 단체와 관련된 자금으로 정치자금을 기부할 수 없다.

제30조(정치자금 부정수수죄) ② 다음 각 호의 1에 해당하는 자는 5년 이하의 징역 또는 1천만 원 이하의 벌금에 처한다.
   5. 제12조(기부의 제한) 또는 제13조(특정행위와 관련한 기부의 제한)의 규정에 위반하여 정치자금을 기부하거나 받은 자

주문

구 '정치자금에 관한 법률'(2004. 3. 12. 법률 제7191호로 개정되고, 2005. 8. 4. 법률 제7682호로 '정치자금법'으로 전부개정되기 전의 것) 제12조 제2항 중 '국내의 단체와 관련된 자금' 부분 및 제30조 제2항 제5호 중 '제12조 제2항 중 국내의 단체와 관련된 자금 부분에 위반하여 정치자금을 기부한 자' 부분은 헌법에 위반되지 아니한다.

정치자금법상 후원회지정권자 사건 [헌법불합치]
— 2019. 12. 27. 선고 2018헌마301·430(병합)

판시사항

1. 특별시장·광역시장·특별자치시장·도지사·특별자치도지사(이하 '광역자치단체장'이라 한다) 선거의 예비후보자를 후원회지정권자에서 제외하고 있는 정치자금법 제6조 제6호 부분(이하 '광역자치단체장선거의 예비후보자에 관한 부분'이라 한다)이 청구인들의 평등권을 침해하는지 여부(적극)
2. 헌법불합치 결정을 선고한 사례
3. 자치구의 지역구의회의원(이하 '자치구의회의원'이라 한다) 선거의 예비후보자를 후원회지정권자에서 제외하고 있는 정치자금법 제6조 제6호 부분(이하 '자치구의회의원선거의 예비후보자에 관한 부분'이라 한다)이 청구인들의 평등권을 침해하는지 여부(소극)

사건의 개요

1. 2018헌마301

청구인 이○○은 2018. 6. 13. 실시된 제7회 전국동시지방선거에서 ○○도지사 후보로 출마하기 위하여 예비후보자로 등록한 사람이고, 청구인 나○○은 청구인 이○○이 후원회를 둘 경우 이에 후원하고자 하는 사람이다.

그런데 정치자금법 제6조에서 광역자치단체의 장 선거의 예비후보자를 후원회지정권자로 하고 있지 않아 청구인 이○○을 위한 후원회를 구성할 수 없게 되자, 위 청구인들은 위 법률조항이 자신들의 기본권을 침해한다고 주장하면서, 2018. 3. 22. 헌법소원심판을 청구하였다.

2. 2018헌마430

2018. 6. 13. 실시된 제7회 전국동시지방선거에 청구인 나□□는 ○○시장 후보로, 청구인 최○○, 강○○, 윤○○, 김○○는 □□ ○○구 지방의회의원 후보로, 청구인 윤□□는 □□ □□구 지방의회의원 후보로, 청구인 유○○, 김□□는 □□ △△구 지방의회의원 후보로 각 출마하기 위하여 예비후보자로 등록한 사람들이고, 청구인 김△△는 □□ ▽▽구에 거주하는 주민으로서 위 예비후보자들이 후원회를 둘 경우 이에 후원하고자 하는 사람이다.

그런데 정치자금법 제6조는 광역자치단체의 장 선거의 예비후보자와 자치구의 지역구의회의원 선거의 예비후보자를 후원회지정권자로 하고 있지 않아 이들 예비후보자들을 위한 후원회를 구성할 수 없게 되자, 위 청구인들은 위 법률조항이 자신들의 기본권을 침해한다고 주장하면서, 2018. 4. 24. 헌법소원심판을 청구하였다.

심판대상조항 및 관련조항

이 사건 심판대상은 특별시장·광역시장·특별자치시장·도지사·특별자치도지사(이하 '광역자치단체장'이라 한다) 선거의 예비후보자를 후원회지정권자에서 제외하고(이하 '광역자치단체장선거의 예비후보자에 관한 부분'이라 한다), 자치구의 지역구의회의원(이하 '자치구의회의원'이라 한다) 선거의 예비후보자를 후원회지정권자에서 제외하고 있는(이하 '자치구의회의원선거의 예비후보자에 관한 부분'이라 한다) 정치자금법(2010. 1. 25. 법률 제9975호로 개정된 것) 제6조 제6호(이하 '심판대상조항'이라 한다)가 청구인들의 기본권을 침해하는지 여부이다.

【심판대상조항】

정치자금법(2010. 1. 25. 법률 제9975호로 개정된 것)

제6조(후원회지정권자) 다음 각 호에 해당하는 자(이하 "후원회지정권자"라 한다)는 각각 하나의 후원회를 지정하여 둘 수 있다.
  6. 지방자치단체의 장 선거의 후보자(이하 "지방자치단체장후보자"라 한다)

【관련조항】

정치자금법(2017. 6. 30. 법률 제14838호로 개정된 것)

제6조(후원회지정권자) 다음 각 호에 해당하는 자(이하 "후원회지정권자"라 한다)는 각각 하나의 후원회를 지정하여 둘 수 있다.
  1. 중앙당(중앙당창당준비위원회를 포함한다)
  2. 국회의원(국회의원선거의 당선인을 포함한다)
  2의2. 대통령선거의 후보자 및 예비후보자(이하 "대통령후보자등"이라 한다)
  3. 정당의 대통령선거후보자 선출을 위한 당내경선후보자(이하 "대통령선거경선후보자"라 한다)
  4. 지역선거구(이하 "지역구"라 한다) 국회의원선거의 후보자 및 예비후보자(이하 "국회의원후보자등"이라 한다). 다만, 후원회를 둔 국회의원의 경우에는 그러하지 아니하다.
  5. 중앙당의 대표자 선출을 위한 당내경선후보자(이하 "당대표경선후보자"라 한다)

주문

1. 정치자금법(2010. 1. 25. 법률 제9975호로 개정된 것) 제6조 제6호 중 '특별시장·광역시장·특별자치시장·도지사·특별자치도지사 선거의 예비후보자'에 관한 부분은 헌법에 합치되지 아니한다. 위 법률조항은 2021. 12. 31.을 시한으로 입법자가 개정할 때까지 계속 적용된다.
2. 정치자금법(2010. 1. 25. 법률 제9975호로 개정된 것) 제6조 제6호 중 '자치구의 지역구의회의원 선거의 예비후보자'에 관한 부분에 대한 심판청구를 모두 기각한다.

1. 제한되는 기본권

정치자금법 제6조 제2호의2, 제4호가 대통령선거의 예비후보자와 지역구국회의원선거의 예비후보자는 후원회지정권자로 규정하여 각각 하나의 후원회를 지정하여 둘 수 있도록 하는 것과 달리, 심판대상조항은 광역자치단체장선거의 예비후보자와 자치구의회의원선거의 예비후보자는 후원회지정권자로 규정하지 아니하여 후원회를 통한 정치자금의 모금을 할 수 없도록 함으로써 양자를 달리 취급하고 있으므로 평등권의 침해 여부가 문제된다.

2. 광역자치단체장선거의 예비후보자에 관한 부분에 대한 판단

가. 평등권 침해 여부에 관한 판단

선거비용제한액 및 실제 지출액, 후원회 모금한도 등을 고려해 볼 때, 광역자치단체장선거의 경우 국회의원선거보다 지출하는 선거비용의 규모가 크고, 후원회를 통해 선거자금을 마련할 필요성 역시 매우 크다. 그럼에도 광역자치단체장선거의 경우 후보자가 후원금을 모금할 수 있는 기간이 불과 20일 미만으로 제한되고 있다. 또한 군소정당이나 신생정당, 무소속 예비후보자의 경우에는 선거비용의 보전을 받기 어려운 경우가 많은 현실을 고려할 때 후원회 제도를 활용하여 선거자금을 마련할 필요성이 더욱 절실하고, 이들이 후원회 제도를 활용하는 것을 제한하는 것은 다양한 신진 정치세력의 진입을 막고 자유로운 경쟁을 통한 정치 발전을 가로막을 우려가 있다.

후원회제도 자체가 광역자치단체장의 직무수행의 염결성을 저해하는 것으로 볼 수는 없고, 광역자치단체장의 직무수행의 염결성은 후원회제도가 정치적 영향력을 부당하게 행사하는 통로로 악용될 소지를 차단하기 위한 정치자금법의 관련규정, 즉 후원인이 후원회에 기부할 수 있는 금액의 제한 규정(제11조), 후원금의 구체적 모금방법에 대한 규정(제14조 내지 제18조), 정치자금법상 후원회에 관한 규정을 위반한 경우의 처벌규정(제45조 제1항, 제2항, 제46조, 제51조) 등을 통한 후원회 제도의 투명한 운영으로 확보될 수 있다.

그동안 정치자금법이 여러 차례 개정되어 후원회지정권자의 범위가 지속적으로 확대되어 왔음에도 불구하고, 국회의원선거의 예비후보자 및 그 예비후보자에게 후원금을 기부하고자 하는 자와 광역자치단체장선거의 예비후보자 및 이들 예비후보자에게 후원금을 기부하고자 하는 자를 계속하여 달리 취급하는 것은, 불합리한 차별에 해당하고 입법재량을 현저히 남용하거나 한계를 일탈한 것이다.

따라서 심판대상조항 중 광역자치단체장선거의 예비후보자에 관한 부분은 청구인들 중 광역자치단체장선거의 예비후보자 및 이들 예비후보자에게 후원금을 기부하고자 하는 자의 평등권을 침해한다.

나. 헌법불합치결정 및 잠정적용명령

심판대상조항 중 광역자치단체장선거의 예비후보자에 관한 부분은 청구인 이○○, 나○○, 나□□, 김△△의 평등권을 침해하여 헌법에 위반되지만, 위 조항에 대하여 단순위헌결정을 하여 당장 그 효력을 상실시킬 경우 지방자치단체의 장 선거의 후보자 역시 후원회를 지정할 수 있는 근거규정이 없어지게 되어 법적 공백상태가 발생한다. 이는 후원회제도 자체를 위헌으로 판단한 것이 아닌데도 제도 자체가 위헌으로 판단된 경우와 동일한 결과가 나타나는 것이다. 이러한 이유로 심판대상조항 중 광역자치단체장선거의 예비후보자에 관한 부분에 대하여 단순위헌결정을 하는 대신 헌법불합치결정을 선고하되, 2021. 12. 31.을 시한으로 입법자가 위 부분의 위헌성을 제거하고 합리적인 내용으로 법률을 개정할 때까지 이를 계속 적용하도록 할 필요가 있다.

3. 자치구의회의원선거의 예비후보자에 관한 부분에 대한 판단

가. 재판관 유남석, 재판관 이선애, 재판관 이종석, 재판관 이미선의 기각의견

자치구의회의원은 대통령, 국회의원과는 그 지위나 성격, 기능, 활동범위, 정치적 역할 등에서 본질적으로 다르다. 자치구의회의원의 활동범위는 해당 자치구의 지역 사무에 국한되고, 그 수행하는 정치활동의 질과 양에서 국회의원과 자치구의회의원 사이에는 근본적인 차이가 있으며, 그에 수반하여 정치자금을 필요로 하는 정도나 소요자금의 양에서도 현격한 차이가 있을 수밖에 없다. 그리고 이러한 차이를 후원회를 둘 수 있는 자의 범위와 관련하여 입법에 어느 정도 반영할 것인가 하는 문제 및 그에 관한 규제의 정도와 내용은 입법자가 결정할 국가의 입법정책에 관한 사항으로서 입법재량 내지 형성의 자유가 인정되는 영역이다.

자치구의회의원선거의 예비후보자는 선거비용 이외에 정치자금의 필요성이 크지 않고, 선거비용 측면에서도 자치구의회의원선거의 경우 예비후보자로서 선거운동을 할 수 있는 기간 역시 대통령선거나 국회의원선거에 비하여 비교적 단기여서 상대적으로 선거비용이 적게 든다. 또한 자치구의회의원선거의 예비후보자의 경우 국회의원선거뿐만 아니라 광역자치단체장선거의 각 예비후보자와 달리 상대적으로 매우 좁은 선거구로 인하여 그 선거구 내의 주민과 훨씬 빈번히 접촉하고 긴밀한 관계를 맺고 있을 가능성이 크다. 나아가 지역 주민들과 접촉을 하며 직무를 수행하여야 하는 자치구의회의원의 지위에 비추어보면 선거과정에서부터 미리 예비후보자나 후보자에 대한 대가성 후원을 통해 당선 이후 정치적 영향력을 행사하고자 하는 사람들의 접근 내지 그 접근 등으로 인한 부작용이 예상되므로 후원회를 통한 정치자금 모금을 제한할 필요가 있다.

이와 같은 여러 가지 사정을 고려해 볼 때, 후원회를 통한 정치자금의 조달을 허용하는 대통령선거의 예비후보자나 국회의원선거의 예비후보자와 달리 자치구의회의원선거의 예비후보자에게 이를 불허하는 것에는 합리적인 이유가 있고, 이를 두고 입법재량을 현저히 남용하거나 한계를 일탈한 것이라고 보기는 어렵다.

나. 재판관 이석태, 재판관 이은애, 재판관 이영진, 재판관 김기영, 재판관 문형배의 인용의견

(생략)

지방의회의원의 후원회지정 금지 사건 [헌법불합치]
— 2022. 11. 24. 선고 2019헌마528

심판대상

정치자금법(2005. 8. 4. 법률 제7682호로 전부개정된 것)

제6조(후원회지정권자) 다음 각 호에 해당하는 자(이하 "후원회지정권자"라 한다)는 각각 하나의 후원회를 지정하여 둘 수 있다.
　　2. 국회의원(국회의원선거의 당선인을 포함한다)

판시사항 및 결정요지

1. 국회의원을 후원회지정권자로 정하면서 지방자치법 제2조 제1항 제1호의 '도'의회의원과 같은 항 제2호의 '시'의회의원(이하 '지방의회의원'이라 한다)을 후원회지정권자에서 제외하고 있는 정치자금법(2005. 8. 4. 법률 제7682호로 전부개정된 것) 제6조 제2호가 지방의회의원인 청구인들의 평등권을 침해하는지 여부(적극)

　　심판대상조항은 국회의원을 후원회지정권자로 규정하여 후원회를 통한 정치자금의 모금을 허용하고 있으나, 지방의회의원은 후원회지정권자로 규정하지 아니하여 후원회를 통한 정치자금의 모금을 할 수 없도록 하고 있다. 심판대상조항은 국회의원과 지방의회의원을 달리 취급하므로, 평등권 침해 여부가 문제된다. 따라서 심판대상조항이 지방의회의원인 청구인들의 평등권을 침해하는지 여부를 살펴본다.

　　후원회 제도는 유권자 스스로 정치인을 후원하도록 함으로써 정치에 대한 신뢰감을 높이고 후원회 활동을 통해 후원회 또는 후원회원이 지향하는 정책적 의지가 보다 효율적으로 구현되도록 하며 정치자금의 투명성을 확보하기 위한 제도이다.

　　1980년 '정치자금에 관한 법률'이 전부개정되면서 후원회 제도가 도입된 이래 후원회지정권자의 범위는 계속 확대되어왔고, 그에 따라 정치자금의 투명성도 크게 제고되었다.

　　또한, 지방의회제도가 발전함에 따라 지방의회의원의 역할도 증대되었는데, 지방의회의원의 전문성을 확보하고 원활한 의정활동을 지원하기 위해서는 지방의회의원들에게도 후원회를 허용하여 정치자금을 합법적으로 확보할 수 있는 방안을 마련해 줄 필요가 있다.

　　지방의회의원은 주민의 대표자이자 지방의회의 구성원으로서 주민들의 다양한 의사와 이해관계를 통합하여 지방자치단체의 의사를 형성하는 역할을 하므로, 이들에게 후원회를 허용하는 것은 후원회 제도의 입법목적과 철학적 기초에 부합한다.

　　정치자금법은 후원회의 투명한 운영을 위한 상세한 규정을 두고 있으므로, 지방의회의원의 염결성은 이러한 규정을 통하여 충분히 달성할 수 있다. 국회의원과 소요되는 정치자금의 차이도 후원 한도를 제한하는 등의 방법으로 규제할 수 있다. 그럼에도 후원회 지정 자체를 금지하는 것은 오히려 지방의회의원의 정치자금 모금을 음성화시킬 우려가 있다.

　　현재 지방자치법에 따라 지방의회의원에게 지급되는 의정활동비 등은 의정활동에 전념하기에 충분하지 않다. 또한, 지방의회는 유능한 신인정치인의 유입 통로가 되므로, 지방의회의원에게 후원회를 지정할 수 없도록 하는 것은 경제력을 갖추지 못한 사람의 정치입문을 저해할 수도 있다.

따라서 이러한 사정들을 종합하여 보면, 심판대상조항이 국회의원과 달리 지방의회의원을 후원회지정권자에서 제외하고 있는 것은 불합리한 차별로서 청구인들의 평등권을 침해한다.

2. 헌법불합치 결정과 잠정적용 명령

심판대상조항에 대하여 단순위헌결정을 하여 그 효력을 상실시키게 되면 국회의원 역시 후원회를 지정할 수 있는 근거규정이 사라지게 되므로, 심판대상조항에 대하여 단순위헌결정을 선고하는 대신 헌법불합치결정을 선고한다. 입법자는 2024. 5. 31.까지 개선입법을 하여야 하고, 이 조항은 입법자의 개선입법이 이루어질 때까지 계속 적용된다.

3. 선례 변경

종전에 헌법재판소가 이 조항과 실질적으로 동일한 내용을 규정하고 있는 개정 전 조항에 대하여 헌법에 위반되지 않는다고 판시한 헌재 2000. 6. 1. 99헌마576 결정은 이 결정 취지와 저촉되는 범위 안에서 변경한다.

제6절 선거제도

 **028 집행유예자 수형자 선거권제한 사건** [위헌, 헌법불합치]
― 2014. 1. 28. 선고 2012헌마409,510,2013헌마167(병합)

판시사항

1. 집행유예기간 중인 자와 수형자의 선거권을 제한하고 있는 공직선거법 제18조 제1항 제2호 중 '유기징역 또는 유기금고의 선고를 받고 그 집행이 종료되지 아니한 자(이하 '수형자'라 한다)'에 관한 부분과 '유기징역 또는 유기금고의 선고를 받고 그 집행유예기간 중인 자(이하 '집행유예자'라 한다)'에 관한 부분 및 형법 제43조 제2항 중 수형자와 집행유예자의 '공법상의 선거권'에 관한 부분(이 조항들을 함께 '심판대상조항'이라 한다)이 헌법 제37조 제2항에 위반하여 청구인들의 선거권을 침해하고, 보통선거원칙에 위반하여 평등원칙에도 어긋나는지 여부(적극)
2. 심판대상조항 중 수형자에 관한 부분에 대하여 헌법불합치결정을 한 사례

사건의 개요

청구인 구○현은 2011. 9. 15. 서울동부지방법원에서 업무방해죄 등으로 징역 4월에 집행유예 2년을 선고받고 2011. 12. 2. 그 판결이 확정되었고, 청구인 홍○석은 2011. 12. 22. 서울중앙지방법원에서 병역법위반죄로 징역 1년 6월을 선고받고 2011. 12. 30. 그 판결이 확정되었으며, 청구인 전○수는 2012. 2. 15. 인천지방법원 부천지원에서 병역법위반죄로 징역 1년 6월을 선고받고 2012. 2. 23. 그 판결이 확정되었다. 청구인들은 2012. 4. 11. 실시된 제19대 국회의원선거 당시 공직선거법 제18조 제1항 제2호의 선거권이 없는 자에 해당한다는 이유로 선거권을 행사하지 못하였다. 이에 청구인들은 공직선거법 제18조 제1항 제2호가 청구인들의 선거권 등을 침해한다고 주장하면서 2012. 4. 25. 이 사건 헌법소원심판을 청구하였다.

심판대상조항 및 관련조항

청구인 구○현은 집행유예를 선고받았다는 이유로 선거권이 제한되었고, 나머지 청구인들은 유기징역의 실형을 선고받았다는 이유로 선거권이 제한되었으므로, 심판대상을 청구인들과 관련된 부분으로 한정한다. 따라서 이 사건 심판대상은 ① 공직선거법(2005. 8. 4. 법률 제7681호로 개정된 것) 제18조 제1항 제2호 중 '유기징역 또는 유기금고의 선고를 받고 그 집행이 종료되지 아니한 자'에 관한 부분(이를 편의상 '수형자'라고 하고, 수형자는 유기징역 또는 유기금고의 형의 집행 중에 있는 사람, 가석방된 사람으로서 잔형기가 경과되지 아니한 사람을 포함한다)과 '유기징역 또는 유기금고의 선고를 받고 그 집행유예기간 중인 자'에 관한 부분(이를 편의상 '집행유예자'라 한다. 다만, 공직선거법 제18조 제1항 제3호에 따라 선거권이 제한되는 집행유예자는 제외한다) 및 ② 형법(1953. 9. 18. 법률 제293호로 제정된 것) 제43조 제2항 중 수형자와

집행유예자의 '공법상의 선거권'에 관한 부분이 청구인들의 기본권을 침해하는지 여부이며, 심판대상조항의 내용은 다음과 같다.

【심판대상조항】

공직선거법(2005. 8. 4. 법률 제7681호로 개정된 것)

제18조(선거권이 없는 자) ① 선거일 현재 다음 각 호의 어느 하나에 해당하는 자는 선거권이 없다.
    2. 금고 이상의 형의 선고를 받고 그 집행이 종료되지 아니하거나 그 집행을 받지 아니하기로 확정되지 아니한 자

형법(1953. 9. 18. 법률 제293호로 제정된 것)

제43조(형의 선고와 자격상실, 자격정지) ② 유기징역 또는 유기금고의 판결을 받은 자는 그 형의 집행이 종료하거나 면제될 때까지 전항 제1호 내지 제3호에 기재된 자격이 정지된다.

【관련조항】

형법 제43조(형의 선고와 자격상실, 자격정지) ① 사형, 무기징역 또는 무기금고의 판결을 받은 자는 다음에 기재한 자격을 상실한다.
    1. 공무원이 되는 자격
    2. 공법상의 선거권과 피선거권
    3. 법률로 요건을 정한 공법상의 업무에 관한 자격
    4. 법인의 이사, 감사 또는 지배인 기타 법인의 업무에 관한 검사역이나 재산관리인이 되는 자격

주문

1. 공직선거법(2005. 8. 4. 법률 제7681호로 개정된 것) 제18조 제1항 제2호 중 '유기징역 또는 유기금고의 선고를 받고 그 집행유예기간 중인 자'에 관한 부분, 형법(1953. 9. 18. 법률 제293호로 제정된 것) 제43조 제2항 중 유기징역 또는 유기금고의 판결을 받아 그 형의 집행유예기간 중인 자의 '공법상의 선거권'에 관한 부분은 헌법에 위반된다.
2. 공직선거법 제18조 제1항 제2호 중 '유기징역 또는 유기금고의 선고를 받고 그 집행이 종료되지 아니한 자'에 관한 부분, 형법(1953. 9. 18. 법률 제293호로 제정된 것) 제43조 제2항 중 유기징역 또는 유기금고의 판결을 받아 그 형의 집행이 종료되지 아니한 자의 '공법상의 선거권'에 관한 부분은 헌법에 합치되지 아니한다.
위 각 법률조항 부분은 2015. 12. 31. 을 시한으로 입법자가 개정할 때까지 계속 적용된다.

I 판 단

1. 선거권 제한의 한계

가. 선거권의 의의와 선거권 제한의 한계

헌법은 제1조 제2항에서 "대한민국의 주권은 국민에게 있고, 모든 권력은 국민으로부터 나온다."고 규정함으로써 국민주권의 원리를 천명하고 있다. 민주국가에서 국민주권의 원리는 무엇보다도 대의기관의 선출을 의미하는 선거와 필요한 경우 국민의 직접적 결정을 의미하는 국민투표에 의하여 실현된다. 선거는 오늘날 대의민주주의에서 국민이 주권을 행사할 수 있는 가장 중요한 방법이다. 국민은 선거를 통하여 선출된 국가기관과 국가권력의 행사에 대하여 민주적 정당성을 부여한다.

민주주의는 참정권의 주체와 국가권력의 지배를 받는 국민이 되도록 일치할 것을 요청한다. 국민의 참정권에 대한 이러한 민주주의적 요청의 결과가 바로 보통선거의 원칙이다. 원칙적으로 모든 국민이 균등하게 선거에 참여할 것을 요청하는 보통·평등선거원칙은 국민의 자기지배를 의미하는 국민주권의 원리에 입각한 민주국가를 실현하기 위한 필수적 요건이다.

헌법 제24조는 모든 국민은 '법률이 정하는 바에 의하여' 선거권을 가진다고 규정함으로써 법률유보의 형식을 취하고 있다. 하지만 이것은 국민의 선거권이 '법률이 정하는 바에 따라서만 인정될 수 있다'는 포괄적인 입법권의 유보 아래 있음을 뜻하는 것이 아니다. 이것은 국민의 기본권을 법률로 구체화하라는 뜻이며, 선거권을 법률을 통해 구체적으로 실현하라는 뜻이다. 그러므로 선거권의 내용과 절차를 법률로 규정하는 경우에도 국민주권을 선언하고 있는 헌법 제1조, 평등권에 관한 헌법 제11조, 국회의원선거와 대통령선거에 있어서 보통·평등·직접·비밀선거를 보장하는 헌법 제41조 및 제67조의 취지에 부합하도록 하여야 한다. 민주주의 국가에서 국민주권과 대의제 민주주의의 실현수단으로서 선거권이 갖는 이 같은 중요성으로 인해 한편으로 입법자는 선거권을 최대한 보장하는 방향으로 입법을 하여야 하며, 또 다른 한편에서 선거권을 제한하는 법률의 합헌성을 심사하는 경우에는 그 심사의 강도도 엄격하여야 한다.

따라서 선거권을 제한하는 입법은 헌법 제24조에 따라 곧바로 정당화될 수는 없고, 헌법 제37조 제2항의 규정에 따라 국가안전보장·질서유지 또는 공공복리를 위하여 필요하고 불가피한 예외적인 경우에만 그 제한이 정당화될 수 있으며, 그 경우에도 선거권의 본질적인 내용을 침해할 수 없다. 더욱이 보통선거의 원칙은 선거권자의 능력, 재산, 사회적 지위 등의 실질적인 요소를 배제하고, 성년자이면 누구라도 당연히 선거권을 갖는 것을 요구하므로, 보통선거의 원칙에 반하는 선거권 제한의 입법을 하기 위해서는 헌법 제37조 제2항의 규정에 따른 한계가 한층 엄격히 지켜져야 한다.

나. 범죄자에 대한 선거권 제한의 한계

선거권을 제한하는 입법은 선거의 결과로 선출된 입법자들이 스스로 자신들을 선출하는 주권자의 범위를 제한하는 것이므로 신중해야 한다. 범죄자에게 형벌의 내용으로 선거권을 제한하는 경우에도 선거권 제한 여부 및 적용범위의 타당성에 관하여 보통선거원칙에 입각한 선거권 보장과 그 제한의 관점에서 헌법 제37조 제2항에 따라 엄격한 비례심사를 하여야 한다.

2. 심판대상조항의 위헌 여부

가. 입법목적의 정당성과 수단의 적합성

심판대상조항은 공동체 구성원으로서 반드시 지켜야 할 기본적 의무를 저버린 범죄자에게까지 그 공동체의 운용을 주도하는 통치조직의 구성에 참여하도록 하는 것은 바람직하지 않다는 기본적 인식과 이러한 반사회적 행위에 대한 사회적 제재의 의미를 가지고 있다. 심판대상조항에 의한 선거권 박탈은 범죄자에 대해 가해지는 형사적 제재의 연장으로서 범죄에 대한 응보적 기능을 갖는다. 나아가 심판대상조항이 집행유예자와 수형자에 대하여 그가 선고받은 자유형과는 별도로 선거권을 박탈하는 것은 집행유예자 또는 수형자 자신을 포함하여 일반국민으로 하여금 시민으로서의 책임성을 함양하고 법치주의에 대한 존중의식을 제고하는 데도 기여할 수 있다. 심판대상조항이 담고 있는 이러한 목적은 정당하다고 볼 수 있고, 집행유예자와 수형자의 선거권 제한은 이를 달성하기 위한 효과적이고 적절한 방법의 하나이다. 따라서 심판대상조항은 입법목적의 정당성과 수단의 적합성은 갖추고 있다고 볼 수 있다.

나. 침해의 최소성

보통선거원칙 및 그에 기초한 선거권을 법률로써 제한하는 것은 필요 최소한에 그쳐야 한다. 집행유예자와 수형자의 선거권 제한은 범죄자가 범죄의 대가로 선고받은 자유형의 본질에서 당연히 도출되는 것이 아니므로, 범죄자의 선거권 제한 역시 보통선거원칙에 기초하여 필요 최소한의 정도에 그쳐야 한다.

그런데 심판대상조항은 집행유예자와 수형자에 대하여 전면적·획일적으로 선거권을 제한하고 있다. 심판대상조항의 적용대상은 상대적으로 가벼운 범죄를 저지른 사람에서부터 매우 심각한 중범죄를 저지른 사람에 이르기까지 아주 다양하고, 과실범과 고의범 등 범죄의 종류를 불문하며, 범죄로 인하여 침해된 법익이 국가적 법익인지, 사회적 법익인지, 개인적 법익인지 그 내용 또한 불문하고 있다.

심판대상조항의 입법목적에 비추어 보더라도, 구체적인 범죄의 종류나 내용 및 불법성의 정도 등과 관계없이 이와 같이 일률적으로 선거권을 제한하여야 할 필요성이 있다고 보기는 어렵다. 보통선거의 원칙과 선거권 보장의 중요성을 감안할 때 선거권의 제한은 필요 최소한의 범위에서 엄격한 기준에 따라 이루어져야 한다. 범죄자의 선거권을 제한할 필요가 있다 하더라도 그가 저지른 범죄의 경중을 전혀 고려하지 않고 수형자와 집행유예자 모두의 선거권을 제한하는 것은 침해의 최소성원칙에 어긋난다.

특히 집행유예자는 3년 이하의 징역 또는 금고의 형을 선고받으면서, 연령·성행·지능과 환경·피해자에 대한 관계·범행의 동기·수단과 결과·범행 후의 정황 등 정상에 참작할 만한 사유가 있어 1년 이상 5년 이하의 기간 그 형의 집행을 유예받아 사회의 구성원으로 생활하고 있는 사람이다. 집행유예 선고가 실효되거나 취소되지 않는 한 집행유예자는 교정시설에 구금되지 않고 일반인과 동일한 사회생활을 하고 있으므로, 그들의 선거권을 제한해야 할 필요성이 크지 않다.

또한 집행유예자는 1년 이상 5년 이하의 기간 형의 집행을 유예받을 수 있어 형벌에 따른 선거권 제한이 범죄에 대한 책임과 비례하지 않을 가능성이 크다. 예를 들어, 징역 4월에 집행유예 2년을 선고받은 청구인 구○현은 징역 1년 6월의 실형을 선고받은 청구인 홍○석이나 청구인 전○수보다 선고형이 가벼운데도 불구하고 더 긴 시간 동안 선거권을 제한받는다.

다. 법익의 균형성

이와 같이 심판대상조항에 의해 집행유예자와 수형자의 선거권을 제한하는 것은 지나치게 광범위할 뿐만 아니라 범죄의 성격과 선거권 제한과의 직접적 연관성을 찾기 어려운 부분도 포함하고 있다. 따라서 이로써 달성하고자 하는 '중대한 범죄자에 대한 제재나 일반 시민의 법치주의에 대한 존중의식 제고' 등의 공익보다 이로 인하여 침해되는 '집행유예자와 수형자 개인의 사익 또는 민주적 선거제도의 공익적 가치'가 더 크다.

라. 소 결

이와 같이 심판대상조항은 입법목적의 정당성과 수단의 적합성은 인정할 수 있지만 침해의 최소성과 법익의 균형성이 인정되지 않으므로, 헌법 제37조 제2항에 위반하여 청구인들의 선거권을 침해한 것이다. 그렇다면 심판대상조항은 헌법 제41조 제1항 및 제67조 제1항이 규정한 보통선거 원칙에 위반하여 집행유예자와 수형자를 차별 취급하는 것이므로 평등의 원칙에도 어긋난다.

3. 심판대상조항의 일부에 대한 헌법불합치결정과 잠정적용명령

심판대상조항은 집행유예자와 수형자의 선거권을 침해하는 조항으로 헌법에 위반된다. 심판대상조항 중 집행유예자에 관한 부분은 위헌선언을 통하여 선거권에 대한 침해를 제거함으로써 합헌성이 회복될 수 있다.

하지만 심판대상조항 중 수형자에 관한 부분의 위헌성은 지나치게 전면적·획일적으로 수형자의 선거권을 제한한다는 데 있다. 그런데 그 위헌성을 제거하고 수형자에게 헌법합치적으로 선거권을 부여하는 것은 입법자의 형성재량에 속한다. 다만 선거권이 제한되는 수형자의 범위를 범죄의 종류나 침해된 법익을 기준으로 일반적으로 정하는 것은 실질적으로 곤란하다. 공직선거법이 선거범의 경우 선거권 제한을 구체적·개별적으로 정하고 있는 것과 같이, 개별적인 범죄 유형별로 선거권을 제한하는 것은 해당 법률에서 별도로 마련하는 방법이 현실적이다.

일반적으로 선거권이 제한되는 수형자의 범위를 정함에 있어서는, 선고형이 중대한 범죄를 나누는 합리적인 기준이 될 수 있다. 선고형에는 범인의 연령, 성행, 지능과 환경, 피해자에 대한 관계, 범행의 동기, 수단과 결과, 범행 후의 정황 등의 양형조건이 참작된다. 또한 단기 자유형을 선고받은 사람을 선거권 제한 범위에서 제외하면, 불법성의 정도가 약한 가벼운 범죄를 저지른 사람들은 선거권을 행사할 수 있게 될 것이다. 따라서 입법자는 범죄의 중대성과 선고형의 관계, 선거의 주기 등을 종합적으로 고려하여 선거권 제한의 기준이 되는 선고형을 정하고, 일정한 형기 이상의 실형을 선고받아 그 형의 집행 중에 있는 수형자의 경우에만 선거권을 제한하는 방식으로 입법하는 것이 바람직하다. 이와 같이 수형자에게 선거권을 부여하는 구체적인 방안은 입법자의 입법형성의 범위 내에 있으므로, 헌법불합치 결정을 선고한다.

029 수형자 선거권 제한 사건 [기각]
— 2017. 5. 25. 선고 2016헌마292·568(병합)

판시사항 및 결정요지

1년 이상의 징역의 형의 선고를 받고 그 집행이 종료되지 아니한 사람의 선거권을 제한하는 공직선거법(2015. 8. 13. 법률 제13497호로 개정된 것) 제18조 제1항 제2호 본문 중 "1년 이상의 징역의 형의 선고를 받고 그 집행이 종료되지 아니한 사람"에 관한 부분(이하 '심판대상조항'이라 한다)이 청구인들의 선거권을 침해하는지 여부(소극)

심판대상조항은 공동체 구성원으로서 기본적 의무를 저버린 수형자에 대하여 사회적·형사적 제재를 부과하고, 수형자와 일반국민의 준법의식을 제고하기 위한 것이다. 법원의 양형관행을 고려할 때 1년 이상의 징역형을 선고받은 사람은 공동체에 상당한 위해를 가하였다는 점이 재판 과정에서 인정된 자이므로, 이들에 한해서는 사회적·형사적 제재를 가하고 준법의식을 제고할 필요가 있다. 심판대상조항에 따른 선거권 제한 기간은 각 수형자의 형의 집행이 종료될 때까지이므로, 형사책임의 경중과 선거권 제한 기간은 비례하게 된다. 심판대상조항이 과실범, 고의범 등 범죄의 종류를 불문하고, 침해된 법익의 내용을 불문하며, 형 집행 중에 이뤄지는 재량적 행정처분인 가석방 여부를 고려하지 않고 선거권을 제한한다고 하여 불필요한 제한을 부과한다고 할 수 없다. 1년 이상의 징역형을 선고받은 사람의 선거권을 제한함으로써 형사적·사회적 제재를 부과하고 준법의식을 강화한다는 공익이, 형 집행기간 동안 선거권을 행사하지 못하는 수형자 개인의 불이익보다 작다고 할 수 없다. 따라서 심판대상조항은 과잉금지원칙을 위반하여 청구인의 선거권을 침해하지 아니한다.

030 주민등록을 요건으로 재외국민의 선거권 등 제한 규정 사건 [헌법불합치]
— 2007. 6. 28. 선고 2004헌마644,2005헌마360(병합)

판시사항

1. 구법 조항들을 대상으로 한 심판청구였음에도 불구하고 선거의 속성 등을 고려하여 장래의 기본권침해를 다투는 것으로 본 사례
2. 선거권의 의의와 선거권 제한의 한계
3. 공직선거법(2005. 8. 4. 법률 제7681호로 개정된 것. 이하 '법'이라 한다) 제37조 제1항의 주민등록을 요건으로 재외국민의 국정선거권을 제한하는 것이 재외국민의 선거권, 평등권을 침해하고 보통선거원칙을 위반하는지 여부(적극)
4. 법 제38조 제1항의 국내거주자에게만 부재자신고를 허용하는 것이 국외거주자의 선거권·평등권을 침해하고 보통선거원칙을 위반하는지 여부(적극)
5. 법 제15조 제2항 제1호, 제37조 제1항의 주민등록을 요건으로 국내거주 재외국민의 지방선거 선거권을 제한하는 것이 국내거주 재외국민의 평등권과 지방의회의원선거권을 침해하는지 여부(적극)
6. 법 제16조 제3항의 주민등록을 요건으로 국내거주 재외국민의 지방선거 피선거권을 제한하는 것이 국내거주 재외국민의 공무담임권을 침해하는지 여부(적극)
7. 주민등록을 요건으로 재외국민의 국민투표권을 제한하는 국민투표법 제14조 제1항이 청구인들의 국민투표권을 침해하는지 여부(적극)
8. 헌법불합치결정을 하되 계속 적용을 명한 사례
9. 명시적으로 종전 결정을 변경한 사례

I 적법요건에 관한 판단

1. 공직선거법 조항들에 대한 청구

 이 사건 심판청구는 2005. 8. 4. 개정되기 전의 구 '공직선거 및 선거부정방지법' 조항들에 대해 제기되었으나, 주기적으로 반복되는 선거의 경우 매번 새로운 후보자들이 입후보하고 매번 새로운 범위의 선거권자들에 의해 투표가 행해질 뿐만 아니라 선거의 효과도 차기 선거에 의한 효과가 발생할 때까지로 한정되므로, 매선거는 새로운 선거에 해당한다는 점, 청구인들의 진정한 취지는 장래 실시될 선거에서 발생할 수 있는 기본권침해를 문제 삼고 있는 것으로 볼 수 있다.
 결국 이 같은 선거의 속성과 청구인들의 주장 취지를 종합적으로 고려하면, 이 사건 심판청구는 향후 실시될 각종 선거에서 청구인들이 선거에 참여하지 못함으로써 입게 되는 기본권침해, 즉 장래 그 도래가 확실히 예측되는 기본권침해를 미리 앞당겨 다투는 것으로 볼 수 있다. 그렇다면 기

본권침해의 사유가 이미 발생한 사실을 전제로 한 청구기간 도과의 문제는 발생할 여지가 없다.

2. 이 사건 국민투표법 조항에 대한 청구

국민투표법은 1994. 12. 22. 법률 제4796호로 개정되었는데, 그 후 헌법 제72조에 의한 중요정책에 대한 국민투표나 헌법 제130조에 따른 헌법개정안에 대한 국민투표는 아직 한 번도 실시된 바 없어 국민투표법 제14조에 의한 기본권침해는 아직 발생하지 않았다. 하지만 국민투표는 그 속성상 불측의 시점에 실시되는 것이어서 국민투표가 실시될 때 즈음하여 비로소 헌법소원을 청구할 수 있다고 한다면 기본권구제의 실효성을 기대하기 어렵다. 그렇다면 이 부분 심판청구는 장래 국민투표가 실시될 경우에 틀림없이 발생하게 될 기본권침해를 미리 다투는 것으로 보아야 하므로, 위 공직선거법 조항들의 경우와 마찬가지로 청구기간 도과의 문제는 발생하지 아니한다.

Ⅱ 본안에 관한 판단

1. 대통령·국회의원선거에 대한 선거권의 경우

가. 선거권의 법적 의의와 선거권 제한의 한계

헌법 제1조는 "대한민국은 민주공화국이다.", "대한민국의 주권은 국민에게 있고 모든 권력은 국민으로부터 나온다."라고 규정하여 국민주권의 원리를 천명하고 있다. 그 중요한 의미는 국민의 합의로 국가권력을 조직한다는 것이다. 이를 위해서는 주권자인 국민이 정치과정에 참여하는 기회가 되도록 폭넓게 보장될 것이 요구된다. 대의민주주의를 원칙으로 하는 오늘날의 민주정치 아래에서 국민의 참여는 기본적으로 선거를 통하여 이루어진다. 따라서, 선거는 주권자인 국민이 그 주권을 행사하는 통로인 것이다.

그러한 국민주권의 원리와 선거를 통한 국민의 참여를 위하여 헌법 제24조는 모든 국민에게 법률이 정하는 바에 의하여 선거권을 보장하고 있고, 헌법 제11조는 정치적 생활영역에서의 평등권을 규정하고 있으며, 또한 헌법 제41조 제1항 및 제67조 제1항은 국회의원선거와 대통령선거에 있어서 보통·평등·직접·비밀선거의 원칙을 보장하고 있다. 헌법이 선거권과 선거원칙을 이같이 명문으로 보장하고 있는 것은 국민주권주의와 대의민주주의 하에서는 국민의 선거권 행사를 통해서만 국가와 국가권력의 구성과 창설이 비로소 가능해지고 국가와 국가권력의 민주적 정당성이 마련되기 때문이다.

이러한 국민의 선거권 행사는 국민주권의 현실적 행사수단으로서 한편으로는 국민의 의사를 국정에 반영할 수 있는 중요한 통로로서 기능하며, 다른 한편으로는 주기적 선거를 통하여 국가권력을 통제하는 수단으로서의 기능도 수행한다. 국회의원과 대통령에 대한 선거권(이하 이를 편의상 '국정선거권'이라 한다)을 비롯한 국민의 참정권이 국민주권의 원칙을 실현하기 위한 가장 기본적이고 필수적인 권리로서 다른 기본권에 대하여 우월한 지위를 갖는 것으로 평가되는 것도 바로 그러한 이유 때문이다.

헌법 제24조의 법률유보는 선거권을 실현하고 보장하기 위한 것이지 제한하기 위한 것이 아니므로, 선거권의 내용과 절차를 법률로 규정하는 경우에도 국민주권을 선언하고 있는 헌법 제1조,

평등권에 관한 헌법 제11조, 국회의원선거와 대통령선거에 있어서 보통·평등·직접·비밀선거를 보장하는 헌법 제41조 및 제67조의 취지에 부합하도록 하여야 한다. 그리고 민주주의 국가에서 국민주권과 대의제 민주주의의 실현수단으로서 선거권이 갖는 이 같은 중요성으로 인해 한편으로 입법자는 선거권을 최대한 보장하는 방향으로 입법을 하여야 하며, 또 다른 한편에서 선거권을 제한하는 법률의 합헌성을 심사하는 경우에는 그 심사의 강도도 엄격하여야 하는 것이다.

더욱이 보통선거의 원칙은 선거권자의 능력, 재산, 사회적 지위 등의 실질적인 요소를 배제하고 성년자이면 누구라도 당연히 선거권을 갖는 것을 요구하므로 보통선거의 원칙에 반하는 선거권 제한의 입법을 하기 위해서는 헌법 제37조 제2항의 규정에 따른 한계가 한층 엄격히 지켜져야 한다.

나. 법 제37조 제1항의 주민등록을 요건으로 재외국민의 국정선거권을 제한하는 것이 재외국민의 선거권, 평등권을 침해하고 보통선거원칙을 위반하는지 여부(적극)

국민이면 누구나 그가 어디에 거주하든지 간에 주권자로서 평등한 선거권을 향유하여야 하고, 국가는 국민의 이러한 평등한 선거권의 실현을 위해 최대한의 노력을 기울여야 할 의무를 진다는 것은 국민주권과 민주주의의 원리에 따른 헌법적 요청이다. 입법자는 국민의 선거권 행사를 제한함에 있어서 주권자로서의 국민이 갖는 선거권의 의의를 최대한 존중하여야만 하고, 선거권 행사를 제한하는 법률이 헌법 제37조 제2항의 과잉금지원칙을 준수하고 있는지 여부를 심사함에 있어서는 특별히 엄격한 심사가 행해져야 한다.

따라서 선거권의 제한은 그 제한을 불가피하게 요청하는 개별적, 구체적 사유가 존재함이 명백할 경우에만 정당화될 수 있으며, 막연하고 추상적 위험이라든지 국가의 노력에 의해 극복될 수 있는 기술상의 어려움이나 장애 등의 사유로는 그 제한이 정당화될 수 없다.

그런데 법 제37조 제1항은 단지 주민등록이 되어 있는지 여부에 따라 선거인명부에 오를 자격을 결정하여 그에 따라 선거권 행사 여부가 결정되도록 함으로써, 엄연히 대한민국의 국민임에도 불구하고 주민등록법상 주민등록을 할 수 없는 재외국민의 선거권 행사를 전면적으로 부정하고 있는바, 그와 같은 재외국민의 선거권 행사에 대한 전면적인 부정에 관해서는 어떠한 정당한 목적도 찾기 어렵다.

그러므로 법 제37조 제1항은 헌법 제37조 제2항에 위반하여 재외국민의 선거권과 평등권을 침해하고 헌법 제41조 제1항 및 제67조 제1항이 규정한 보통선거원칙에도 위반된다.

다. 법 제38조 제1항의 국내거주자에게만 부재자신고를 허용하는 것이 국외거주자의 선거권·평등권을 침해하고 보통선거원칙을 위반하는지 여부(적극)

법 제38조 제1항은 선거인명부에 오를 자격이 있는 국내거주자에 대해서만 부재자신고를 허용하고 있다. 따라서 법 제37조 제1항이 위헌으로 선언됨으로써 이 사건 청구인들이 선거인명부에 오를 자격을 갖추게 되더라도 법 제38조 제1항으로 인해 이 사건 청구인들 중 국외거주자에 해당하는 경우에는 부재자신고를 할 수 없어 여전히 국정선거권을 행사할 수 없게 된다. 즉 법 제37조 제1항은 주민등록을 할 수 없는 재외국민에 대해 선거인명부에 오를 수 있는 자격 자체를 박탈하고 있는 것임에 비해, 법 제38조 제1항은 선거권 행사를 위한 요건으로서 국내거주 요건을 추가함으로써 실질적으로는 국외거주자의 선거권 행사를 불가능하게 하는 규정이다. 따라서 법 제38조 제1항은 법 제37조 제1항과 결합하여 중첩적으로 국외거주 재외국민의 선거권 행사를 부인하는 규정이다.

직업이나 학문 등의 사유로 자진 출국한 자들이 선거권을 행사하려고 하면 반드시 귀국해야 하고 귀국하지 않으면 선거권 행사를 못하도록 하는 것은 헌법이 보장하는 해외체류자의 국외 거주·이전의 자유, 직업의 자유, 공무담임권, 학문의 자유 등의 기본권을 희생하도록 강요한다는 점에서 부적절하며, 가속화되고 있는 국제화시대에 해외로 이주하여 살 가능성이 높아지고 있는 상황에서, 그것이 자발적 계기에 의해 이루어졌다는 이유만으로 국민이면 누구나 향유해야 할 가장 기본적인 권리인 선거권의 행사가 부인되는 것은 타당성을 갖기 어렵다는 점에 비추어 볼 때, 선거인명부에 오를 자격이 있는 국내거주자에 대해서만 부재자신고를 허용함으로써 재외국민과 단기해외체류자 등 국외거주자 전부의 국정선거권을 부인하고 있는 법 제38조 제1항은 정당한 입법목적을 갖추지 못한 것으로 헌법 제37조 제2항에 위반하여 국외거주자의 선거권과 평등권을 침해하고 보통선거원칙에도 위반된다.

2. 지방선거 참여권(선거권 및 피선거권)의 경우

가. 지방선거 참여권의 제한이 헌법상 기본권에 대한 제한인지 여부

1) 법 제15조 제2항 제1호, 제37조 제1항의 주민등록을 요건으로 국내거주 재외국민의 지방선거 선거권을 제한하는 것이 국내거주 재외국민의 평등권과 지방의회의원선거권을 침해하는지 여부(적극)

지방자치법 제13조 제2항에 따를 경우 '국민인 주민'에게는 지방선거 선거권이 인정되므로, '국민'이라는 요건과 당해 지방자치단체의 '주민'이라는 요건이 동시에 충족되면 원칙적으로 선거권이 인정된다.

국외에 거주하는 재외국민의 경우 '주민' 요건이 충족되지 못하므로 선거권이 인정될 수 없음은 물론이나, 국내에 거주하는 재외국민의 경우에는 위 두 요건을 동시에 갖춘 경우가 얼마든지 있을 수 있다. 특히 국내에 주소를 두고 있는 재외국민은 형식적으로 주민등록법에 의한 주민등록을 할 수 없을 뿐이지, '국민인 주민'이라는 점에서는 '주민등록이 되어 있는 국민인 주민'과 실질적으로 동일하다. 즉 이들은 그가 속한 자치단체 구역 내의 동질적 환경 속에서 동등한 책임을 부담하고 권리를 향유할 자격이 있는 것이다. '주민등록이 되어 있는 국민인 주민'과 '주민등록을 하지 못하는 재외국민인 주민'은 주민등록이 되어 있는지 여부에 대한 차이만 존재할 뿐, 국민의 신분을 가지고 있는 지방자치단체의 주민이라는 점에서는 양자 사이에 아무런 차이가 없다. 따라서 지방선거 선거권 부여에 있어 양자에 대한 차별을 정당화할 어떠한 사유도 존재하지 않는다.

또한 헌법상의 권리인 국내거주 재외국민의 선거권이 법률상의 권리에 불과한 '영주의 체류자격 취득일로부터 3년이 경과한 19세 이상의 외국인'의 지방선거 선거권에 못 미치는 부당한 결과가 초래되고 있다는 점에서, 국내거주 재외국민에 대해 그 체류기간을 불문하고 지방선거 선거권을 전면적·획일적으로 박탈하는 법 제15조 제2항 제1호, 제37조 제1항은 국내거주 재외국민의 평등권과 지방의회 의원선거권을 침해한다.

 2) 법 제16조 제3항의 주민등록을 요건으로 국내거주 재외국민의 지방선거 피선거권을 제한하는 것이 국내거주 재외국민의 공무담임권을 침해하는지 여부(적극)

법 제16조 제3항은 지방선거에서의 피선거권자의 범위를 '선거일 현재 계속하여 60일 이상 당해 지방자치단체의 관할 구역 안에 주민등록이 되어 있는 주민으로서 25세 이상의 국민'으로 한정함으로써 주민등록이 불가능한 국내거주 재외국민의 피선거권을 박탈하고 있다.

지방선거에 관한 입법에 있어서는 지방자치제도가 가지는 특성을 고려할 필요가 있고 지방선거 피선거권의 자격요건을 어떻게 규정할 것인지는 지방자치제도의 구체적 내용에 관한 입법형성권을 가지고 있는 입법권자에게 비교적 넓은 입법재량이 인정된다고 볼 수 있다. 그러나 지방선거 피선거권의 자격을 제한하는 것은 곧 헌법상 기본권인 공무담임권을 제한하는 것이므로 그 제한에는 여전히 헌법 제37조 제2항에 의한 한계가 지켜져야 한다.

그런데 '외국의 영주권을 취득한 재외국민'과 같이 주민등록을 하는 것이 법령의 규정상 아예 불가능한 자들이라도 지방자치단체의 주민으로서 오랜 기간 생활해 오면서 그 지방자치단체의 사무와 얼마든지 밀접한 이해관계를 형성할 수 있고, 주민등록이 아니더라도 그와 같은 거주 사실을 공적으로 확인할 수 있는 방법은 존재한다는 점, 나아가 법 제16조 제2항이 국회의원 선거에 있어서는 주민등록 여부와 관계없이 25세 이상의 국민이라면 누구든지 피선거권을 가지는 것으로 규정함으로써 국내거주 여부를 불문하고 재외국민도 국회의원 선거의 피선거권을 가진다는 사실에 비추어, 주민등록만을 기준으로 함으로써 주민등록이 불가능한 재외국민인 주민의 지방선거 피선거권을 부인하는 법 제16조 제3항은 헌법 제37조 제2항에 위반하여 국내거주 재외국민의 공무담임권을 침해한다.

3. 국민투표권의 경우

가. 국민투표권의 의의와 유형

국민투표권이란 국가의 특정 사안에 대해 국민투표라는 형식을 통해 국민이 직접 결정권을 행사하는 권리로서, 각종 선거에서의 선거권 및 피선거권과 더불어 국민의 참정권의 한 내용을 이루는 헌법상 기본권이다. 헌법은 외교·국방·통일 기타 국가안위에 관한 중요정책을 결정하는 경우(제72조)와 헌법개정안을 확정하는 경우(제130조 제2항)에 국민투표권을 인정하고 있다.

헌법 제72조에 의한 중요정책에 관한 국민투표는 국가안위에 관계되는 사항에 관하여 대통령이 제시한 구체적인 정책에 대한 주권자인 국민의 승인절차라 할 수 있고, 헌법 제130조 제2항에 의한 헌법개정에 관한 국민투표는 대통령 또는 국회가 제안하고 국회의 의결을 거쳐 확정된 헌법개정안에 대하여 주권자인 국민이 최종적으로 그 승인 여부를 결정하는 절차이다.

나. 이 사건 국민투표법 조항의 위헌 여부

국민투표권을 구체화하는 법률로 국민투표법이 제정되어 있으며 국민투표법 제7조는 일정 연령 이상의 국민에게 원칙적으로 국민투표권을 부여하고 있다. 그런데 이 사건 국민투표법 조항은 투표인명부 작성의무자로 하여금 국민투표일공고일 현재 그 관할 구역 안에 주민등록이 된 투표권자만을 투표인명부에 등재하도록 하고 있어, 청구인들과 같이 주민등록을 할 수 없는 재외국민들은 국민투표권을 전혀 행사할 수 없도록 하고 있다.

국민투표는 위에서 본 바와 같이 국가의 중요정책이나 헌법개정안에 대해 주권자로서의 국민이 그 승인 여부를 결정하는 절차인데, 주권자인 국민의 지위에 아무런 영향을 미칠 수 없는 주민등록 여부만을 기준으로 하여, 주민등록을 할 수 없는 재외국민의 국민투표권 행사를 전면적으로 배제하고 있는 이 사건 국민투표법 조항은 앞서 본 국정선거권의 제한에 대한 판단에서와 동일한 이유에서 청구인들의 국민투표권을 침해한다고 할 것이다.

III 헌법불합치결정과 잠정적용명령

만약 이 사건 법률조항들이 위헌으로 선언되어 즉시 효력을 상실하면 다가올 제17대 대통령 선거와 제18대 국회의원 선거 등을 제대로 실시할 수 없게 되는 법적 혼란상태를 초래할 가능성이 명백해 보인다. 또한 재외국민에 대해 원칙적으로 선거권을 부여하는 것이 헌법적 요청이라 하더라도, 선거기술적인 측면과 선거의 공정성 확보 측면에서 해결되어야 할 많은 문제들이 존재한다. 예컨대 해외체류자를 포함하여 국외거주 재외국민에게 국정선거권과 국민투표권을 행사하도록 할 경우 선거관리를 담당할 기구와 투표소의 설치, 재외국민 등에 대한 신분확인절차, 투표의 방식, 선거운동방법, 나아가 기타 공정선거를 위한 구체적 방안 등에 대해 충분히 검토하고 준비할 시간이 필요하다. 그리고 국내거주 재외국민에 대해 지방선거 참여권을 부여하는 경우에, 거주요건을 부과할 것인지, 부과한다면 그 기간을 어느 정도로 할 것인지 등에 대한 검토도 필요하다. 그런데 이와 같은 문제들은 궁극적으로 입법자가 충분한 논의와 사회적 합의를 거쳐 결정해야 할 사항에 속한다.

그러므로 이 사건 법률조항들에 대하여 헌법불합치결정을 선고하되, 다만 입법자의 개선입법이 있을 때까지 계속적용을 명하기로 한다. 입법자는 늦어도 2008. 12. 31.까지 개선입법을 하여야 하며, 그때까지 개선입법이 이루어지지 않으면 이 사건 법률조항들은 2009. 1. 1.부터 그 효력을 상실한다.

IV 결 론

따라서 이 사건 법률조항들은 헌법에 합치하지 아니하나 2008. 12. 31.을 시한으로 입법자의 개선입법이 이루어질 때까지 잠정적으로 적용하도록 하기로 하여 주문과 같이 결정한다.

아울러 이와는 달리 종전에 헌법재판소가 이 결정과 견해를 달리해, 헌법에 위반되지 않는다고 판시한 96헌마200 결정, 97헌마253등 결정, 97헌마99 결정은 이 결정과 저촉되는 범위 내에서 이를 각 변경하기로 한다.

031 재외선거인 선거권 및 국민투표권 제한 사건 [헌법불합치, 기각, 각하]
― 2014. 07. 24. 선고 2009헌마256, 2010헌마394(병합)

판시사항 및 결정요지

1. 주민등록이 되어 있지 않고 국내거소신고도 하지 않은 재외국민(이하 '재외선거인'이라고 한다)에게 임기만료 지역구 국회의원선거권을 인정하지 않은 공직선거법(2014. 1. 17. 법률 제12267호로 개정된 것) 제15조 제1항 단서 부분(이하 '선거권조항'이라 한다) 및 공직선거법(2012. 10. 2. 법률 제11485호로 개정된 것) 제218조의5 제1항 중 '임기만료에 따른 비례대표국회의원선거를 실시하는 때마다 재외선거인 등록신청을 하여야 한다' 부분(이하 '재외선거인 등록신청조항'이라 한다)이 재외선거인의 선거권을 침해하거나 보통선거원칙에 위배되는지 여부(소극)

지역구국회의원은 국민의 대표임과 동시에 소속지역구의 이해관계를 대변하는 역할을 하고 있다. 전국을 단위로 선거를 실시하는 대통령선거와 비례대표국회의원선거에 투표하기 위해서는 국민이라는 자격만으로 충분한 데 반해, 특정한 지역구의 국회의원선거에 투표하기 위해서는 '해당 지역과의 관련성'이 인정되어야 한다. 주민등록과 국내거소신고를 기준으로 지역구국회의원선거권을 인정하는 것은 해당 국민의 지역적 관련성을 확인하는 합리적인 방법이다. 따라서 선거권조항과 재외선거인 등록신청조항이 재외선거인의 임기만료 지역구 국회의원 선거권을 인정하지 않은 것이 재외선거인의 선거권을 침해하거나 보통선거원칙에 위배된다고 볼 수 없다.

2. 재외선거인에게 국회의원 재·보궐선거의 선거권을 인정하지 않은 재외선거인 등록신청조항이 재외선거인의 선거권을 침해하거나 보통선거원칙에 위배되는지 여부(소극)

입법자는 재외선거제도를 형성하면서, 잦은 재·보궐선거는 재외국민으로 하여금 상시적인 선거체제에 직면하게 하는 점, 재외 재·보궐선거의 투표율이 높지 않을 것으로 예상되는 점, 재·보궐선거 사유가 확정될 때마다 전 세계 해외 공관을 가동하여야 하는 등 많은 비용과 시간이 소요된다는 점을 종합적으로 고려하여 재외선거인에게 국회의원의 재·보궐선거권을 부여하지 않았다고 할 것이고, 이와 같은 선거제도의 형성이 현저히 불합리하거나 불공정하다고 볼 수 없다. 따라서 재외선거인 등록신청조항은 재외선거인의 선거권을 침해하거나 보통선거원칙에 위배된다고 볼 수 없다.

3. 재외선거인으로 하여금 선거를 실시할 때마다 재외선거인 등록신청을 하도록 한 재외선거인 등록신청조항이 재외선거인의 선거권을 침해하는지 여부(소극)

재외선거인의 등록신청서에 따라 재외선거인명부를 작성하는 방법은 해당 선거에서 투표할 권리가 있는지 확인함으로써 투표의 혼란을 막고, 선거권이 있는 재외선거인을 재외선거인명부에 등록하기 위한 합리적인 방법이다. 따라서 재외선거인 등록신청조항이 재외선거권자로 하여금 선거를 실시할 때마다 재외선거인 등록신청을 하도록 규정한 것이 재외선거인의 선거권을 침해한다고 볼 수 없다.

4. 인터넷투표방법이나 우편투표방법을 채택하지 아니하고 원칙적으로 공관에 설치된 재외투표소에 직접 방문하여 투표하는 방법을 채택한 공직선거법(2012. 10. 2. 법률 제11485호로 개정된 것) 제218조의19 제1항 및 제2항 중 재외선거인이 재외투표소에 직접 방문하여 투표하도록 한 부분(이하 '재외선거 투표절차조항'이라 한다)이 재외선거인의 선거권을 침해하는지 여부(소극)

입법자가 선거 공정성 확보의 측면, 투표용지 배송 등 선거기술적인 측면, 비용 대비 효율성의 측면을 종합적으로 고려하여, 인터넷투표방법이나 우편투표방법을 채택하지 아니하고 원칙적으로 공관에 설치된 재외투표소에 직접 방문하여 투표하는 방법을 채택한 것이 현저히 불공정하고 불합리하다고 볼 수는 없으므로, 재외선거 투표절차조항은 재외선거인의 선거권을 침해하지 아니한다.

5. 재외선거인의 국민투표권을 제한한 국민투표법(2009. 2. 12. 법률 제9467호로 개정된 것) 제14조 제1항 중 '그 관할 구역 안에 주민등록이 되어 있는 투표권자 및 「재외동포의 출입국과 법적 지위에 관한 법률」 제2조에 따른 재외국민으로서 같은 법 제6조에 따른 국내거소신고가 되어 있는 투표권자' 부분(이하 '국민투표법조항'이라 한다)이 재외선거인의 국민투표권을 침해하는지 여부(적극)

헌법 제72조의 중요정책 국민투표와 헌법 제130조의 헌법개정안 국민투표는 대의기관인 국회와 대통령의 의사결정에 대한 국민의 승인절차에 해당한다. 대의기관의 선출주체가 곧 대의기관의 의사결정에 대한 승인주체가 되는 것은 당연한 논리적 귀결이다. 재외선거인은 대의기관을 선출할 권리가 있는 국민으로서 대의기관의 의사결정에 대해 승인할 권리가 있으므로, 국민투표권자에는 재외선거인이 포함된다고 보아야 한다. 또한, 국민투표는 선거와 달리 국민이 직접 국가의 정치에 참여하는 절차이므로, 국민투표권은 대한민국 국민의 자격이 있는 사람에게 반드시 인정되어야 하는 권리이다. 이처럼 국민의 본질적 지위에서 도출되는 국민투표권을 추상적 위험 내지 선거기술상의 사유로 배제하는 것은 헌법이 부여한 참정권을 사실상 박탈한 것과 다름없다. 따라서 국민투표법조항은 재외선거인의 국민투표권을 침해한다.

6. 국민투표법조항에 대하여 헌법불합치결정을 한 사례

국민투표법조항이 위헌으로 선언되어 즉시 효력을 상실하면 국민투표를 실시하고자 하여도 투표인명부를 작성할 수 없게 되므로, 입법자가 국민투표법조항을 개선할 때까지 일정 기간 국민투표법조항을 잠정적으로 적용할 필요가 있다. 또한 국민투표의 절차상 기술적인 측면과 국민투표의 공정성 확보의 측면에서 해결되어야 할 많은 문제들이 존재한다. 그러므로 국민투표권조항에 대하여 헌법불합치결정을 선고하되, 다만 입법자의 개선입법이 있을 때까지 계속적용을 명하기로 한다.

 국회의원선거시 ① 2천만원 기탁금 ② 20% 반환기준 ③ 1인1표제 ④ 저지조항 사건 [한정위헌]
― 2001. 7. 19. 선고 2000헌마91·112·134(병합)

판시사항

1. 국회의원 후보자등록시 2천만원의 기탁금을 납부토록 한 공직선거및선거부정방지법(이하 "공선법") 제56조 제1항 제2호의 위헌여부(적극)
2. 위 기탁금의 반환 및 국고귀속의 기준을 정한 공선법 제57조 제1항, 제2항의 위헌여부(적극)
3. 비례대표국회의원의석의 배분방식 및 1인1표제의 위헌여부(적극)
4. 심판대상에 부수되는 관련조항에 대하여도 위헌선언을 한 사례

1. 기탁금조항의 위헌여부

가. 기탁금의 헌법적 한계

국민이 국회의원선거에 입후보할 자유는 헌법이 피선거권(공무담임권)으로 보장하는 기본권으로서 민주주의의 실현을 위한 가장 중요한 자유와 권리이지, 규제 받고 관리 받아야 할 행위가 아닙니다. 피선거권에 대한 제한은 당해 공직의 수행에 필요한 기본적인 능력 또는 자격의 요구나 선거의 공정성이라는 목적을 위하여 필요한 경우에 한하여만 행하여 질 수 있다. 공선법에서 국회의원 입후보에 연령제한을 하고 있는 것(제16조 제2항), 피선거권의 결격사유를 규정하고 있는 것(제19조)이나 공무원 등의 입후보를 제한하는 것(제53조)은 모두 이러한 제한법리에 의한 것이다.

그런데 현행 공선법상 국회의원입후보 기탁금의 목적은 후보자 난립의 저지를 통하여 선거관리의 효율성을 꾀하는 한편, 불법행위에 대한 제재금의 사전확보에 있는바, 이러한 목적은 선거관리의 차원에서 나오는 것으로서 순수히 행정적인 공익임에 반하여 이로 인하여 제한되는 국민의 권익은 피선거권이라는 대단히 중요한 기본권임에 비추어, 기탁금제도 자체가 합헌일지라도 그 액수는 그야말로 불성실한 입후보를 차단하는데 필요한 최소한에 그치고 진지한 자세로 입후보하려는 국민의 피선거권을 제한하는 정도여서는 아니된다.

적정 후보자의 수는 몇 명이며, 후보자가 몇 명 이상일 때 '후보자 난립'이라고 할 수 있는지에 관하여 분명한 기준을 제시하기 어렵고, 기탁금제도에 후보자난립 방지의 효과가 얼마나 있는지에 관하여 확실한 대답을 하기 어려운 만큼 기탁금제도의 운용, 기탁금액의 설정은 신중을 기하여야 한다. 그러므로 가능하면 피선거권의 행사를 위축시키지 않을 정도의 상징적인 금액에 머무르는 것이 상당하다.

나. 기탁금액의 위헌성

1) 우리재판소는 일찍이 국회의원 지역구후보자등록신청에 2천만원(정당추천의 경우 1천만원)을 기탁하도록 하였던 구 국회의원선거법 제33조에 대하여 헌법불합치결정을 선고한 바 있는

데(88헌가6), 그 결정의 요지는 2천만원 내지 1천만원의 기탁금액은 서민계층이나 20대, 30대 젊은 세대의 입후보를 제한하고 재력있는 사람만이 입후보할 수 있도록 함으로써 민주주의의 기본원리에 반하여 국민의 참정권을 침해한다는 것이다.

2) 공선법 제56조 제1항 제2호는 국회의원 후보자등록을 신청하는 후보자로 하여금 2천만원을 기탁금으로 납부하도록 하고 있는데, 이 금액은 평균적인 일반국민의 경제력으로는 피선거권 행사를 위하여 손쉽게 조달할 수 있는 금액이라고 할 수 없으며, 이와 같이 과도한 기탁금은 기탁금을 마련할 자력이 없으면 아무리 훌륭한 자질을 지니고 있다 할지라도 국회의원 입후보를 사실상 봉쇄당하게 하며, 그로 말미암아 서민층과 젊은 세대를 대표할 자가 국민의 대표기관인 국회에 진출하지 못하게 하는 반면, 재력이 풍부하여 그 정도의 돈을 쉽게 조달·활용할 수 있는 사람들에게는 아무런 입후보 난립방지의 효과를 갖지 못하여 결국 후보자의 난립 방지라는 목적을 공평하고 적절히 달성하지도 못하면서, 진실된 입후보의 의사를 가진 많은 국민들로 하여금 입후보 등록을 포기하지 않을 수 없게 하고 있으므로 이들의 평등권과 피선거권, 이들을 뽑으려는 유권자들의 선택의 자유를 침해하는 것이다.

2. 기탁금 반환조항(공선법 제57조 제1항, 제2항)의 위헌 여부

선거는 그 과정을 통하여 국민의 다양한 정치적 의사가 표출되는 장으로서 낙선한 후보자라고 하여 결과적으로 '난립후보'라고 보아 제재를 가하여서는 아니되므로 기탁금 반환의 기준으로 득표율을 사용하고자 한다면 그 기준득표율은 유효투표총수의 미미한 수준에 머물러야 할 것인바, 공선법 제57조 제1항, 제2항은 지역구국회의원선거에 있어 후보자의 득표수가 유효투표총수를 후보자수로 나눈 수 이상이거나 유효투표총수의 100분의 20이상인 때에 해당하지 않으면 기탁금을 반환하지 아니하고 국고에 귀속시키도록 하고 있는데, 이러한 기준은 과도하게 높아 진지한 입후보희망자의 입후보를 가로막고 있으며, 또한 일단 입후보한 자로서 진지하게 당선을 위한 노력을 다한 입후보자에게 선거결과에 따라 부당한 제재를 가하는 것이 되고, 특히 2, 3개의 거대정당이 존재하는 경우 군소정당이나 신생정당 후보자로서는 위 기준을 충족하기가 힘들게 될 것이므로 결국 이들의 정치참여 기회를 제약하는 효과를 낳게 된다 할 것이므로 위 조항은 국민의 피선거권을 침해하는 것이다.

3. 비례대표국회의원 의석배분방식 및 1인 1표제의 위헌여부

가. 문제의 소재

1) 공선법은 국회의원선거에 관하여 비례대표제를 도입하고 있다. 비례대표제의 선거구는 전국구이며(제20조), 정당명부식 그 중에서도 이른바 고정명부식(명부상의 후보자와 그 순위가 처음부터 정당에 의하여 고정적으로 결정되어 있는 방식) 비례대표제를 택하고 있고, 지역구 다수대표제와 비례대표제를 병행하고 있다. 그러나 이른바 1인 1표제를 채택하여(제146조 제2항) 지역구선거에서 투표를 시행하며 별도의 정당투표는 하지 않고, 정당이 지역구선거에서 얻은 득

표비율에 따라 비례대표국회의원의 의석을 배분하도록 하고 있다(제189조 제1항).

공선법 제146조 제2항은 제189조 제1항과 밀접한 연관관계에 있으며, 이 두 조항이 서로 결합함에 따라 유권자들은 지역구국회의원 후보자에 대하여 1표의 투표를 행사할 수 있을 뿐 별도의 정당투표를 할 수 없게 되고, 그와 같이 지역구선거에서 표출된 유권자의 의사를 그대로 정당에 대한 지지의사로 의제하여 비례대표의석을 배분하게 되는바, 이러한 효과를 불러일으키는 위 두 조항이 과연 민주주의원리, 직접선거의 원칙 및 평등선거의 원칙에 위반되는 것이 아닌지, 그리하여 유권자들의 선거와 관련된 기본권을 침해하는 것이 아닌지가 문제된다.

2) 비례대표선거제란 정당이나 후보자에 대한 선거권자의 지지에 비례하여 의석을 배분하는 선거제도를 말한다. 비례대표제는 거대정당에게 일방적으로 유리하고, 다양해진 국민의 목소리를 제대로 대표하지 못하며 사표를 양산하는 다수대표제의 문제점에 대한 보완책으로 고안·시행되는 것이다. 비례대표제는 그것이 적절히 운용될 경우 사회세력에 상응한 대표를 형성하고, 정당정치를 활성화하며, 정당간의 경쟁을 촉진하여 정치적 독점을 배제하는 장점을 가질 수 있다.

3) 헌법 제41조 제3항은 "국회의원의 선거구와 비례대표제 기타 선거에 관한 사항은 법률로 정한다"고 규정하고 있으므로 비례대표제를 실시할 경우 구체적으로 어떤 형태로 구현할지는 일차적으로 입법자의 형성에 맡겨져 있다고 할 것이다. 그러나 비례대표제는 국회를 구성하는 방식에 관한 문제이므로 통치구조의 헌법원리인 민주주의원리에 저촉되지 않아야 함은 물론이고, "국회는 국민의 보통·평등·직접·비밀선거에 의하여 선출된 국회의원으로 구성한다"고 규정하고 있는 헌법 제41조 제1항을 준수하여야 한다.

나. 민주주의원리의 위반여부

선거는 주권자인 국민이 그 주권을 행사하는 통로이므로 선거제도는 첫째, 국민의 의사를 제대로 반영하고, 둘째, 국민의 자유로운 선택을 보장하여야 하고, 셋째, 정당의 공직선거 후보자의 결정과정이 민주적이어야 하며, 그렇지 않으면 민주주의원리 나아가 국민주권의 원리에 부합한다고 볼 수 없다.

1) 국회의원선거에 있어 다수대표제만을 택하고 비례대표제를 택하지 않을 경우 지역구의 개별후보자에 대한 국민의 지지만을 정확하게 반영하여도 민주주의원리에 반하는 것은 아닐 것이다. 그러나 정당명부식 비례대표제를 병행하는 한 정당에 대한 국민의 지지의사를 충실히 반영할 것까지 요구되며, 그 결과 정당에 대한 의석배분도 국민의 지지 및 선호와 일치되어야 한다. 그런데 현행의 1인 1표제를 전제로 한 공선법 제189조 제1항에 의한 비례대표 의석배분방식은 오히려 정당에 대한 국민의 지지의사를 적극적으로 왜곡한다.

2) 현행제도는 별도의 정당투표를 인정하지 않고 1인 1표의 행사에 따른 지역구후보자에 대한 득표를 정당에 대한 지지로 계산하기 때문에, 유권자로서는 1회의 투표를 통하여 후보자에 대한 개인적 선호와 정당에 대한 지지 또는 반대의 의사표시를 한꺼번에 나타낼 수 밖에 없다. 그러나 지역구후보자에 대한 지지와 정당에 대한 지지가 다를 경우 유권자는 개별 후보

자를 선택할 것인지, 정당을 선택할 것인지, 혹은 어떻게 하면 이 둘을 조화시켜 자신의 1표의 정치적 효용을 극대화할 것인지 매우 곤혹스러운 지경에 처하게 된다. 또한 자신의 지역구에 자신이 지지하는 정당소속 후보자가 출마하지 않은 경우에 그 유권자에게는 그 정당에 대한 자신의 지지를 나타낼 방법이 원초적으로 결여되어 있다. 결국 유권자로서는 후보자든, 정당이든 절반의 선택권을 박탈당할 수 밖에 없다. 이러한 난처함은 오늘날 우리 사회에 만연한 정치불신의 풍조와 맞물려 유권자로 하여금 아예 투표권의 행사 자체를 포기하게끔 하는 부작용을 초래하기도 한다.

3) 현행 공선법은 그러한 제도적·절차적 규율을 충분히 하고 있지 않다. 공선법 제47조 제2항은 정당이 선거에 있어 후보자를 추천함에 있어서는 정당법 제31조에 따라 민주적인 절차에 의하여야 한다고 천명하고 있으나, 정당법 제31조는 "정당의 공직선거후보자는 후보자를 추천할 공직선거의 선거구를 관할하는 해당 당부 대의기관의 의사가 반영되도록 하여야 하며, 그 구체적 절차는 당헌으로 정한다"고 규정하고 있을 뿐이다. 이와 같이 '대의기관의 의사를 반영'할 구체적 절차를 당헌에 일임해서는 민주적 절차에 의한 비례대표후보자의 결정이라는 헌법적 요청이 충족되리라고 기대하기 어려운 점이 있다. 비례대표후보자가 민주적 절차에 따라 결정되지 않고 당지도부의 영향력에 따라 일방적으로 결정된다면 그러한 비례대표국회의원의 민주적 정당성은 대단히 취약할 수 밖에 없다.

다. 직접선거의 원칙 위반여부

1) 직접선거의 원칙은 선거결과가 선거권자의 투표에 의하여 직접 결정될 것을 요구하는 원칙이다. 국회의원선거와 관련하여 보면, 국회의원의 선출이나 정당의 의석획득이 중간선거인이나 정당 등에 의하여 이루어지지 않고 선거권자의 의사에 따라 직접 이루어져야 함을 의미한다.

역사적으로 직접선거의 원칙은 중간선거인의 부정을 의미하였고, 다수대표제하에서는 이러한 의미만으로도 충분하다고 할 수 있다. 그러나 비례대표제하에서 선거결과의 결정에는 정당의 의석배분이 필수적인 요소를 이룬다. 그러므로 비례대표제를 채택하는 한 직접선거의 원칙은 의원의 선출 뿐만 아니라 정당의 비례적인 의석확보도 선거권자의 투표에 의하여 직접 결정될 것을 요구하는 것이다.

2) 현행 공선법과 관련하여서는 먼저, 비례대표 후보자를 유권자들이 직접 선택할 수 있는 이른바 자유명부식이나 가변명부식과 달리 고정명부식에서는 후보자와 그 순위가 전적으로 정당에 의하여 결정되므로 직접선거의 원칙에 위반되는 것이 아닌지가 문제될 수 있다. 그러나 비례대표후보자명단과 그 순위, 의석배분방식은 선거시에 이미 확정되어 있고, 투표 후 후보자명부의 순위를 변경하는 것과 같은 사후개입은 허용되지 않는다. 그러므로 비록 후보자 각자에 대한 것은 아니지만 선거권자가 종국적인 결정권을 가지고 있으며, 선거결과가 선거행위로 표출된 선거권자의 의사표시에만 달려 있다고 할 수 있다. 따라서 고정명부식을 채택한 것 자체가 직접선거원칙에 위반된다고는 할 수 없다.

3) 그러나 1인 1표제 하에서의 비례대표후보자명부에 대한 별도의 투표 없이 지역구후보자에

대한 투표를 정당에 대한 투표로 의제하여 비례대표의석을 배분하는 것은 직접선거의 원칙에 반한다고 하지 않을 수 없다.

비례대표의원의 선거는 지역구의원의 선거와는 별도의 선거이므로 이에 관한 유권자의 별도의 의사표시, 즉 정당명부에 대한 별도의 투표가 있어야 한다. 확정된 정당명부를 보고 유권자들이 그 선호에 따라 투표할 수 있는 한 '선거권자의 투표로 최종적으로 결정한다'는 직접선거의 최소한의 요구는 충족된다.

그러나 현행제도는 정당명부에 대한 투표가 따로 없으므로 유권자들에게 비례대표의원에 대한 직접적인 결정권이 전혀 없는 것이나 마찬가지이다. 지역구후보자에 대한 투표를 통하여 간접적으로 또 - 지역구후보자에 대한 지지와 정당에 대한 지지가 일치할 경우에 한하여 - 우연적으로만 비례대표의원의 선출에 간여할 수 있을 뿐이다. 정당명부에 대한 직접적인 투표가 인정되지 않기 때문에 비례대표의원의 선출에 있어서는 유권자의 투표행위가 아니라 정당의 명부작성행위가 최종적·결정적인 의의를 지니게 된다.

여기서 지역구후보자에 대한 투표에 정당투표의 성격이 포함되어 있다고 볼 것인지, 포함되어 있다면 그 의미를 어느 정도까지 평가할 것인지가 문제된다. 그러나 지역구선거는 본질적으로 '인물선거'이지, '정당선거'는 아니라고 할 것이다. 지역구선거는 입후보자의 자질, 지역적 관심사항, 지역적 연고, 후보자의 지역구관리 등에 보다 많은 관심이 쏠리게 마련이지만, 정당선거는 국가적 사안, 사회적·경제적 이슈, 정당의 이념·정책 등을 기준으로 한 선거인 것이다. 오늘날 지역구선거에 후보자가 속한 정당에 대한 지지라는 2중적 의미가 포함되어 있음을 전적으로 부인할 수는 없다 하더라도 이는 어디까지나 부차적이고 보충적인 의미에 그친다. 특히 우리나라와 같이 정당간에 이념·정책·정체성의 면에서 별다른 차별성이 없고, 뚜렷이 지지하는 정당이 없다는 유권자들이 많은 상황에서는 지역구후보자에 대한 투표에 정당투표적 성격을 부여하는 데에는 한계가 있을 수 밖에 없다.

4) 결론적으로 현행 비례대표의석배분방식은 선거권자들의 투표행위로써 정당의 의석배분, 즉 비례대표국회의원의 선출을 직접, 결정적으로 좌우할 수 없으므로 직접선거의 원칙에 위배된다고 할 것이다.

라. 평등선거의 원칙 위반여부

1) 헌법 제41조 제1항에서 천명하고 있는 평등선거의 원칙은 평등의 원칙이 선거제도에 적용된 것으로서 투표의 수적인 평등을 의미할 뿐만 아니라 투표의 성과가치의 평등, 즉 1표의 투표가치가 대표자선정이라는 선거의 결과에 대하여 기여한 정도에 있어서도 평등하여야 함을 의미한다.

2) 현행 비례대표의석배분방식에서, 어떤 선거권자의 지역구후보자에 대한 투표는 지역구의원의 선출에 기여함과 아울러 그가 속한 정당의 비례대표의원의 선출에도 기여하는 2중의 가치를 지니게 되는데 반하여, 어떤 선거권자가 무소속 지역구후보자를 지지하여 그에 대하여 투표하는 경우 그 투표는 그 무소속후보자의 선출에만 기여할 뿐 비례대표의원의 선출에는 전혀 기여하지 못하므로 투표가치의 불평등이 발생한다. 이것이 선거권자의 자발적 선택의 결

과라면 -예컨대 선거권자중에는 1인 2표제 하에서도 무소속후보자에게만 투표하고 정당투표를 포기할 사람이 있을 것이다- 그러한 투표가치의 불평등은 감수되어야 할 것이다. 그러나 자신이 지지하는 정당이 자신의 지역구에 후보자를 추천하지 않아 어쩔 수 없이 무소속후보자에게 투표하는 유권자들로서는 자신의 의사에 반하여 투표가치의 불평등을 강요당하게 된다(이들은 1인 2표제 하에서라면 별도의 정당투표를 통하여 투표가치의 평등을 누릴 수 있게 된다).

이런 점에서 <u>현행 방식은 합리적 이유 없이 정당소속 후보자에게 투표하는 유권자와 무소속 후보자에게 투표하는 유권자를 차별하는 것이라 할 것이므로 평등선거의 원칙에 위배된다.</u>

3) 공선법 제189조 제1항은 지역구국회의원선거에서 5석 이상의 의석을 차지하였거나 유효투표총수의 100분의 5 이상을 득표한 정당에 한하여 지역구선거에서 얻은 득표비율에 따라 비례대표의석을 배분하고, 지역구선거에서 유효투표총수의 100분의 3 이상 100분의 5 미만을 득표한 정당에 대하여는 비례대표의석 1석을 배분하도록 하고 있다. 이와 같이 득표율이나 직선의석수 등을 기준으로 비례대표의석배분에 일정한 제한을 가하는 조항을 저지조항(沮止條項)이라 한다. 일반적으로 저지조항에 관하여는 비례대표의석배분에서 정당을 차별하고, 저지선을 넘지 못한 정당에 대한 투표의 성과가치를 차별하게 되므로 평등선거의 원칙에 대한 위반여부가 문제된다.

저지조항의 인정여부, 그 정당성여부는 각 나라의 전체 헌정상황에 비추어 의석배분에서의 정당간 차별이 불가피한가에 따라 판단되어야 하는바, 현행 저지조항에서 설정하고 있는 기준이 지나치게 과도한 것인지의 판단은 별론으로 하더라도, 현행 저지조항은 지역구의원선거의 유효투표총수를 기준으로 한다는 점에서 현행 의석배분방식이 지닌 문제점을 공유하고 있다.

일정한 저지선을 두고 이를 하회하는 정당에게 의회참여의 기회를 제한하겠다는 제도는 본질적으로 정당에 대한 국민의 지지도를 정확하게 반영할 것을 전제로 한다. 그런데 현행 1인 1표제 하에서의 비례대표제 의석배분방식은 위에서 본 바와 같이 국민의 정당에 대한 지지도를 정확하게 반영하지 못하며 오히려 적극적으로 이를 왜곡하고 있다. 지역구후보자에 대한 지지는 정당에 대한 지지로 의제할 수 없는데도 이를 의제하는 것이기 때문이다. 지역구선거의 유효투표총수의 100분의 5 이상을 득표한 정당이 그 만큼의 국민의 지지를 받는 정당이라는 등식은 도저히 성립하지 않는다. 그리하여 실제로는 5% 이상의 지지를 받는 정당이 비례대표의석을 배분받지 못하는 수도 있고, 그 역의 현상도 얼마든지 가능한 것이다. 이와 같이 국민의 정당지지의 정도를 계산함에 있어 불합리한 잣대를 사용하는 한 현행의 저지조항은 그 저지선을 어느 선에서 설정하건간에 평등원칙에 위반될 수 밖에 없다.

마. 소 결

1) 공선법 제189조 제1항은 민주주의원리, 직접선거의 원칙, 평등선거의 원칙에 위배된다. 한편, 공선법 제146조 제2항 중 "1인 1표로 한다"부분은 비례대표제를 실시하지 않고 단순히 지역구 다수대표제 선거방식만을 채택한다면 그 자체 아무런 위헌성이 없으나, 그것과 병행하여 비례대표제를 실시할 경우에는 공선법 제189조 제1항과 결합하여 위에서 본 바와 같은 여러 위헌적 효과를 불러 일으킨다. 따라서 공선법 제146조 제2항 중 "1인 1표로 한다"부분

은 국회의원선거에 있어 지역구국회의원선거와 병행하여 정당명부식 비례대표제를 실시하면서도 별도의 정당투표를 허용하지 않는 범위에서 헌법에 위반된다.

2) 위 조항들의 위헌성으로 인하여, 첫째, 유권자인 국민들의 선거권이 침해된다. 비례대표제를 실시하지 않으면 모르되 비례대표제를 실시하는 이상 국민들에게는 비례대표국회의원에 대한 선출권이 보장되어야 한다. 그런데 현행 비례대표의원선출방식은 비례대표의원에 대한 국민들의 직접적이고 자유로운 선출권을 그 최소한마저 보장하고 있지 않으므로 비례대표국회의원에 관한 한 국민의 선거권을 박탈하고 있다 할 것이다. 그리고 그 결과 간접적으로는 입후보자의 피선거권도 침해되게 된다.

둘째, 무소속후보자에 대하여 투표하는 유권자들의 평등권이 침해된다.

셋째, 불합리한 저지선을 넘지 못하였다 하여 비례대표의석배분에서 제외되는 정당 및 이들에게 투표한 유권자들의 평등권이 침해된다.

바. 부수적 위헌선언

헌법심판의 대상이 된 법률조항 중 일정한 법률조항이 위헌선언되는 경우 같은 법률의 그렇지 아니한 다른 법률조항들은 효력을 그대로 유지하는 것이 원칙이나, 합헌으로 남아 있는 어떤 법률조항이 위헌선언되는 법률조항과 밀접한 관계에 있어 그 조항만으로는 법적으로 독립된 의미를 가지지 못하는 경우에는 예외적으로 그 법률조항에 대하여 위헌선언을 할 수 있다.

비례대표국회의원선거의 근간이 되는 공선법 제189조 제1항이 위헌이라면 그에 부수되는 동조 제2항 내지 제7항은 독자적인 규범적 존재로서의 의미를 잃게 되는바, 그렇다면 이 조항들이 비록 심판대상이 아니지만 함께 위헌선언을 함으로써 법적 명확성을 기하는 것이 상당하므로 그에 대하여도 아울러 위헌선언을 한다.

> **함께 보는 판례**
>
> 지역구국회의원선거에서 유효투표총수의 100분의 15 이상인 때에는 후보자가 지출한 선거비용의 전액을, 100분의 10 이상 100분의 15 미만인 때에는 후보자가 지출한 선거비용의 반액을 각 보전하도록 규정하고 있는 공직선거법 제122조의2 제1항 제1호 중 "지역구국회의원선거"부분(이하 '이 사건 법률조항'이라 한다)이 청구인의 평등권을 침해하는지 여부(소극) (2010. 5. 27. 선고 2008헌마491)
>
> 국가예산의 효율적 집행을 도모하고 후보자 난립 등으로 인한 부작용을 방지하기 위하여 일정 득표율을 기준으로 일정 선거비용만을 보전하여 주도록 하는 것은 그 목적이 정당하고 수단 역시 적정하다고 할 것이다. 또한, 득표율을 기준으로 보전 여부를 결정하는 것이 가장 합리적이고, 득표율이 10% 미만인 자는 당선가능성이 거의 없는 자이며, 지난 18대 지역구국회의원 선거에서 절반에 이르는 후보자가 선거비용을 보전 받았을 뿐 아니라 국가가 후보자들이 개인적으로 부담하는 선거비용 외에도 상당한 부분의 선거비용을 부담하고 있는 점 등을 고려하면, 이 사건 법률조항이 입법재량권의 한계를 일탈하여 자의적으로 청구인의 평등권을 침해한다고 할 수 없다.

033 비례대표 기탁금 1500만원 사건 [헌법불합치, 기각]
― 2016. 12. 29. 선고 2015헌마509, 2015헌마1160(병합)

판시사항 및 결정요지

1. 공직선거법 제56조 제1항 제2호 중 '지역구국회의원선거'에 관한 부분(이하 '지역구 기탁금조항'이라 한다) **및 같은 법 제57조 제1항 제1호 '지역구국회의원선거'에 관한 부분 중 가목 가운데 '유효투표총수의 100분의 15 이상을 득표한 경우'에 관한 부분 및 나목**(이하 '지역구 기탁금반환조항'이라 한다)**이 공무담임권 등을 침해하는지 여부(소극)**

지역구 기탁금조항 및 지역구 기탁금반환조항은 선거의 신뢰성 및 후보자의 진지성을 담보하고, 선거과정에서 발생한 불법행위에 대한 과태료 등을 사전 확보하기 위한 것으로, 그 목적의 정당성 및 수단의 적합성이 인정된다. 대의민주주의에서 선거의 기능과 기탁금제도의 목적, 우리의 정치문화와 선거풍토에서의 현실적 필요성, 선거구당 후보자 수의 변동추이, 근로자 월평균 소득 등에 비추어 보면, 기탁금제도보다 덜 침해적인 수단을 상정하기 어렵고, 그 금액이 지나치게 과다하다고 할 수 없으며, 그 반환 요건 또한 불가피한 최소한의 제한으로서 입법재량권의 범위와 한계 내에 있다 할 것이다. 따라서 지역구 기탁금조항 및 지역구 기탁금반환조항은 공무담임권 등을 침해하지 아니한다.

2. 공직선거법 제56조 제1항 제2호 중 '비례대표국회의원선거'에 관한 부분(이하 '비례대표 기탁금조항'이라 한다) **이 정당활동의 자유 등을 침해하는지 여부(적극)**

비례대표 기탁금조항은 정당이 후보자 등록신청을 함에 있어서의 진지성을 확보하여 선거관리업무 및 비용의 증가를 방지하고, 선거과정에서 발생하는 불법행위에 대한 과태료 및 행정대집행비용을 사전 확보하기 위한 것으로서, 그 목적의 정당성 및 수단의 적합성이 인정된다. 그런데 정당에 대한 선거로서의 성격을 가지는 비례대표국회의원선거는 인물에 대한 선거로서의 성격을 가지는 지역구국회의원선거와 근본적으로 그 성격이 다르고, 공직선거법상 허용된 선거운동을 통하여 선거의 혼탁이나 과열을 초래할 여지가 지역구국회의원선거보다 훨씬 적다고 볼 수 있다. 또한 비례대표국회의원선거에서 실제 정당에게 부과된 전체 과태료 및 행정대집행비용의 액수는 후보자 1명에 대한 기탁금액인 1,500만 원에도 현저히 미치지 못하는데, 후보자 수에 비례하여 기탁금을 증액하는 것은 지나치게 과다한 기탁금을 요구하는 것이다. 나아가 이러한 고액의 기탁금은 거대정당에게 일방적으로 유리하고, 다양해진 국민의 목소리를 제대로 대표하지 못하여 사표를 양산하는 다수대표제의 단점을 보완하기 위하여 도입된 비례대표제의 취지에도 반하는 것이다. 따라서 비례대표 기탁금조항은 침해의 최소성 원칙에 위반되며, 위 조항을 통해 달성하고자 하는 공익보다 제한되는 정당활동의 자유 등의 불이익이 크므로 법익의 균형성 원칙에도 위반된다. 그러므로 비례대표 기탁금조항은 과잉금지원칙을 위반하여 정당활동의 자유 등을 침해한다.

3. 공직선거법 제79조 제1항 중 '비례대표국회의원후보자'에 관한 부분(이하 '연설 등 금지조항'이라 한다)이 선거운동의 자유 등을 침해하는지 여부(소극)

비례대표국회의원선거에 더 적합한 선거운동 방법을 공직선거법이 정당에 허용하고 있으므로, 비례대표국회의원후보자가 공개장소에서 연설·대담하는 것을 허용하지 아니한 연설 등 금지조항은 선거운동의 자유 등을 침해하지 아니한다.

4. 공직선거법 제93조 제1항 본문 중 '문서' 및 '인쇄물'에 관한 부분(이하 '문서·인쇄물금지조항'이라 한다)이 선거운동의 자유 등을 침해하는지 여부(소극)

공직선거법에서 허용된 방법 이외의 선거운동을 위한 문서·인쇄물의 배부·게시행위를 금지하는 것은 부당한 경쟁 및 후보자들 간의 경제력 차이에 따른 불균형이라는 폐해를 막고, 선거의 자유와 공정을 달성하기 위한 것이어서 선거운동의 자유 등을 침해하지 아니한다.

5. 공직선거법 제106조 제1항 및 제3항 중 '국회의원선거'에 관한 부분(이하 '호별방문금지조항'이라 한다)이 선거운동의 자유 등을 침해하는지 여부(소극)

호별방문금지조항은 선거의 공정 및 유권자의 사생활의 평온 등을 보장하기 위한 것으로서, 불법선거, 금권선거 등이 잔존하는 선거역사 및 정치현실, 호별방문 방법 자체에 내재된 선거 공정을 깨뜨릴 우려, 선거 특성에 적합한 다른 선거운동방법의 존재 등을 고려할 때 이를 지나친 제한이라 할 수 없고, 선거의 공정과 사생활의 평온이라는 공익보다 선거운동의 자유 등 제한되는 사익이 크다고 할 수 없다. 따라서 호별방문금지조항은 선거운동의 자유 등을 침해하지 아니한다.

6. 비례대표 기탁금조항에 대하여 헌법불합치결정을 하면서 그 적용 중지를 명한 사례

비례대표 기탁금조항은 기탁금 액수가 지나치게 과다하여 정당활동의 자유 등을 침해하여 위헌이나, 그 적정한 액수는 비례대표국회의원선거의 성격, 방식, 이에 관한 선거관리업무와 비용의 정도 등을 종합적으로 고려하여 입법자가 정책적으로 정함이 바람직하므로 위 조항에 대하여 헌법불합치결정을 하고 그 적용을 중지한다.

034 예비후보자 기탁금 반환조항 위헌확인 사건 [헌법불합치]
― 2018. 1. 25. 선고 2016헌마541

판시사항 및 결정요지

1. 지역구국회의원선거 예비후보자의 기탁금 반환 사유로 예비후보자가 당의 공천심사에서 탈락하고 후보자등록을 하지 않았을 경우를 규정하지 않은 공직선거법(2010. 1. 25. 법률 제9974호로 개정된 것) 제57조 제1항 제1호 다목 중 지역구국회의원선거와 관련된 부분(이하 '심판대상조항'이라 한다)이 청구인의 재산권을 침해하는지 여부(적극)

　심판대상조항은 예비후보자가 후보자로 등록하지 않는 경우 납부한 기탁금을 국가 또는 지방자치단체에 귀속도록 하여, 예비후보자의 무분별한 난립으로 인한 폐단을 방지하고 그 성실성을 담보하기 위한 것으로서, 그 입법목적이 정당하고, 방법의 적정성 또한 인정된다.

　정당의 추천을 받고자 공천신청을 하였음에도 정당의 후보자로 추천받지 못한 예비후보자는 소속 정당에 대한 신뢰·소속감 또는 당선가능성 때문에 본선거의 후보자로 등록을 하지 아니할 수 있다. 이를 두고 예비후보자가 처음부터 진정성이 없이 예비후보자 등록을 하였다거나 예비후보자로서 선거운동에서 불성실하다고 단정할 수 없다. 심판대상조항으로 인해 정당 공천관리위원회의 심사에서 탈락한 예비후보자가 소속 정당을 탈당하고 본선거의 후보자로 등록한다면 오히려 무분별한 후보자 난립의 결과가 발생할 수도 있다. 예비후보자가 본선거에서 정당후보자로 등록하려 하였으나 자신의 의사와 관계없이 정당 공천관리위원회의 심사에서 탈락하여 본선거의 후보자로 등록하지 아니한 것은 후보자 등록을 하지 못할 정도에 이르는 객관적이고 예외적인 사유에 해당한다. 따라서 이러한 사정이 있는 예비후보자가 납부한 기탁금은 반환되어야 함에도 불구하고, 심판대상조항이 이에 관한 규정을 두지 아니한 것은 입법 형성권의 범위를 벗어난 과도한 제한이라고 할 수 있다.

　이러한 예비후보자에게 그가 납부한 기탁금을 반환한다고 하여 예비후보자의 성실성과 책임성을 담보하는 공익이 크게 훼손된다고 할 수 없으므로, 그 공익은 심판대상조항이 이러한 예비후보자에게 기탁금을 반환하지 아니하도록 함으로써 그가 입게 되는 기본권 침해의 불이익보다 크다고 단정할 수 없다.

　그러므로 심판대상조항은 과잉금지원칙에 반하여 청구인의 재산권을 침해한다.

2. 헌법불합치결정을 하되 계속 적용을 명한 사례

　심판대상조항이 정한 기탁금 반환 대상이 불완전·불충분하여 예비후보자가 정당 공천관리위원회의 심사에서 탈락하여 본선거의 후보자로 등록하지 아니한 경우 그가 납부한 기탁금 전액을 반환하지 아니하도록 한 것이 헌법에 위반된다는 것이다. 그러나 심판대상조항에 대하여 단순위헌결정을 하여 즉시 효력을 상실시킨다면, 지역구국회의원선거의 예비후보자 기탁금납입조항(공직선거법 제60조의2 제2항 후문)은 효력을 유지한 채 그 반환의 근거규정이 사라지게 되어 법적 공백상태와 혼란이 발생할 우려가 있다. 그러므로 심판대상조항에 대하여 잠정적용 헌법불합치결정을 선고하되, 입법자는 늦어도 2019. 6. 30.까지 개선입법을 하여야 한다.

사건의 개요

청구인은 2016. 2. 1. 제20대 국회의원선거에서 예비후보자로 등록하면서, 공직선거법 제60조의2 제2항에 따라 국회의원선거 기탁금의 100분의 20에 해당하는 예비후보자 기탁금 300만 원을 천안시 선거관리위원회에 납부하였다. 청구인은 ○○당의 후보자가 되기 위하여 공천신청을 하였으나, 같은 당 공천관리위원회가 청구인을 경선후보 대상자에서 제외하여 당내경선의 후보자로 참여할 수 없었다. 청구인은 위 국회의원선거에서 후보자로 등록하지 않았다.

그런데 이와 같은 경우는 공직선거법 제57조 제1항 제1호 다목에서 정한 예비후보자 기탁금 반환 사유에 해당하지 아니한다는 이유로, 청구인은 위 선거관리위원회로부터 납부한 기탁금이 국가에 귀속된다는 통지를 받았다. 이에 청구인은 공직선거법 제57조 제1항 제1호 다목이 청구인의 재산권과 평등권을 침해한다고 주장하면서 2016. 6. 30. 이 사건 헌법소원심판을 청구하였다.

심판대상조항 및 관련조항

공직선거법(2010. 1. 25. 법률 제9974호로 개정된 것)

제57조(기탁금의 반환 등) ① 관할선거구선거관리위원회는 다음 각 호의 구분에 따른 금액을 선거일 후 30일 이내에 기탁자에게 반환한다. 이 경우 반환하지 아니하는 기탁금은 국가 또는 지방자치단체에 귀속한다.
   1. 대통령선거, 지역구국회의원선거, 지역구지방의회의원선거 및 지방자치단체의 장선거
      다. 예비후보자가 사망하거나 제57조의2 제2항 본문에 따라 후보자로 등록될 수 없는 경우에는 제60조의2 제2항에 따라 납부한 기탁금 전액

주문

1. 공직선거법(2010. 1. 25. 법률 제9974호로 개정된 것) 제57조 제1항 제1호 다목 중 지역구국회의원선거와 관련된 부분은 헌법에 합치되지 아니한다.
2. 위 법률조항은 2019. 6. 30.을 시한으로 개정될 때까지 계속 적용한다.

035 선거권 연령 제한 사건 [기각]
— 2013. 7. 25. 선고 2012헌마174

판시사항 및 결정요지

선거권 행사 연령을 19세 이상으로 정하고 있는 공직선거법(2011. 11. 7. 법률 제11071호로 개정된 것) **제15조 제1항**(이하 '이 사건 법률조항'이라 한다)이 19세 미만인 사람의 선거권 및 평등권을 침해하는지 여부(소극)

가. 헌법재판소 선례

헌법재판소는 선거권 연령을 '20세 이상'으로 규정한 구 '공직선거 및 선거부정방지법' 제15조에 대하여 여러 차례 헌법 제11조 제1항의 평등권이나 제24조의 선거권을 침해하지 아니한다는 결정을 내린 바 있다(96헌마89, 2002헌마787등).

위 96헌마89 결정 등의 요지는, 선거권과 공무담임권의 연령을 어떻게 규정할 것인가는 입법자가 입법목적 달성을 위한 선택의 문제이고 입법자가 선택한 수단이 현저하게 불합리하고 불공정한 것이 아닌 한 재량에 속하는 것인데, 선거권 연령을 20세로 규정한 것은 여러 사정을 감안하더라도 입법부에 주어진 합리적인 재량의 범위를 벗어난 것으로 볼 수 없다는 것이다.

나. 이 사건 법률조항의 선거권 및 평등권 침해 여부

1) 보통선거원칙과 심사기준

보통선거의 원칙은 선거권자의 능력, 재산, 사회적 지위 등의 실질적인 요소를 배제하고 일정한 연령에 도달한 사람이라면 누구라도 당연히 선거권을 갖는 것을 요구하는데, 그 전제로서 일정한 연령에 이르지 못한 국민에 대하여는 선거권을 제한하는바, 연령에 의하여 선거권을 제한하는 것은 국정참여 수단으로서 선거권 행사는 일정한 수준의 정치적인 판단능력이 전제되어야 하기 때문이다.

그런데 헌법 제24조는 모든 국민은 '법률이 정하는 바'에 의하여 선거권을 가진다고만 규정함으로써 선거권이 인정되는 연령을 어떻게 정할 것인지에 관하여는 입법자에게 위임하고 있다.

이에 따라 입법자는 선거권 연령을 정함에 있어서 우리나라의 역사, 전통과 문화, 국민의 의식수준, 교육적 요소, 신체적·정신적 자율성의 인정 여부, 정치적·사회적 영향 등 여러 가지 사항을 종합하여 재량에 따라 결정할 수 있으나, 국민의 기본권을 보장하여야 한다는 헌법의 기본이념과 연령에 의한 선거권제한을 인정하는 보통선거제도의 취지에 따라 합리적인 이유에 근거하여 이루어져야 할 것이며, 그렇지 아니한 자의적 입법은 헌법상 허용될 수 없다.

2) 판 단

19세 이상의 국민에게만 대통령 및 국회의원의 선거권을 인정한 이 사건 법률조항이 합리적 이유 없는 자의적인 입법으로서 19세 미만인 국민의 선거권 등을 침해하는지 여부를 살펴본다.

선거권 연령을 정함에 있어서 민법상 행위능력이 있는 성년 연령과 반드시 일치시킬 필요는 없지만 국민이 정치적인 판단을 할 수 있는 능력이 있는지 여부를 판단할 때 민법상 행위능력의 유무도 중요한 기준이 될 수 있다.

19세 미만으로서 아직 고등학교를 졸업하지 못한 학생들은 개인적인 차이를 감안하더라도 아직 정치적·사회적 시각을 형성하는 과정에 있거나 일상생활에 있어서도 현실적으로 부모나 교사 등 보호자에게 어느 정도 의존할 수밖에 없는 상황이므로, 이들의 정치적 의사표현이 민주시민으로서의 독자적인 판단에 의한 것인지 의문이 있을 수 있고, 그러한 의존성으로 말미암아 정치적 판단이나 의사표현이 왜곡될 우려도 있다.

물론 오늘날 미성년자라도 신체적으로는 성년자 못지않게 발달하였고, 각종 문화 및 정보매체의 발달로 인하여 다양한 지식을 습득함으로써 지적 수준이 많이 향상된 것은 사실이다. 하지만 이러한 정신적·신체적 수준의 발달에도 불구하고 현실적으로는 19세 미만인 미성년자의 경우 부모나 보호자로부터 물질적이나 정신적인 면에서 충분히 자유롭지 못하여 아직 자기정체성이 확립되어 있지 않은 경우가 많고, 경험이나 적응능력의 부족 등으로 인하여 중요한 판단을 그르칠 가능성도 크기 때문에 19세 미만인 미성년자는 아직 정신적·신체적 자율성이 충분하지 않은 것으로 볼 수 있다.

입법자는 위와 같이 미성년자의 정신적·신체적 자율성의 불충분 외에도 교육적인 측면에서 예견되는 부작용과 일상생활 여건상 독자적으로 정치적인 판단을 할 수 있는 능력에 대한 의문 등을 종합적으로 고려하여 중등교육을 마칠 정도의 연령인 19세 이상의 국민에게만 선거권을 인정하기로 한 것이다.

한편, 외국의 많은 국가에서는 18세 이상을 선거권 연령으로 규정하고 있지만, 선거권 연령을 정하는 문제는 입법자가 우리나라의 역사, 전통과 문화, 국민의 의식수준, 교육적 요소, 신체적·정신적 자율성의 인정 여부, 정치적·사회적 영향 등 여러 가지 사항을 종합하여 독자적으로 입법재량에 따라 결정해야 할 문제이므로, 다른 나라의 선거권 연령과 단순하게 비교하여서는 아니 되고, 우리 입법자가 19세 이상으로 선거권 연령을 정한 것이 현저하게 불합리하거나 자의적이어서 입법형성권의 재량의 범위를 일탈한 것이라고는 볼 수 없다.

또한 민주주의 사회를 구성하는 선거에 있어서 선거권 행사능력, 생활을 영위하는 수단으로서의 근로능력, 비교적 단순한 형태의 공무를 처리할 능력, 군 복무능력 등이 동일한 연령 기준에 따라 판단될 수는 없고, 각 법령들의 입법취지와 각각의 영역에서 고려하여야 할 제반사정, 그리고 대립되는 관련 이익들을 서로 교량하여 입법자가 각 영역마다 그에 상응하는 연령기준을 정하여야 하는 것이므로 다른 법령들이 그 입법취지에 따라 19세 미만인 사람에게도 일정한 능력을 인정하고 있다고 하여 선거권 연령을 19세 이상으로 정한 것이 반드시 불합리하다고 볼 수 없다.

위와 같은 점들을 종합해 볼 때 선거권 연령을 19세 이상으로 정한 이 사건 법률조항이 입법부에 주어진 합리적인 입법재량의 범위를 벗어난 것으로 볼 수 없으므로, 19세 미만인 사람들의 선거권이나 평등권을 침해하였다고 볼 수 없다.

036 국회의원선거 선거구를 획정함에 있어 허용되는 인구편차 기준에 관한 사건
[헌법불합치]

판시사항

1. 공직선거법 제25조 제1항 본문 중 "자치구" 부분(이하 '이 사건 분할금지조항'이라 한다)이 직접성 요건을 갖추고 있는지 여부(소극)
2. 공직선거법 제25조 제2항 별표 1 국회의원지역선거구구역표 중 "대전광역시 동구 선거구" 부분, "경기도 수원시 병선거구" 부분, "경기도 용인시 갑선거구" 부분, "경기도 용인시 을선거구" 부분, "충청남도 천안시 갑선거구" 부분, "충청남도 천안시 을선거구" 부분, "충청북도 청주시 상당구 선거구" 부분, "서울특별시 강남구 갑선거구" 부분, "서울특별시 강서구 갑선거구" 부분, "인천광역시 남동구 갑선거구" 부분(이하 공직선거법 제25조 제2항 별표 1 국회의원지역선거구구역표 전체는 '이 사건 선거구구역표 전체', 심판대상이 되는 국회의원지역선거구구역표 부분은 '심판대상 선거구구역표'라 한다)이 국회의원 지역선거구들 사이에 허용되는 인구편차의 범위를 벗어나서 청구인들의 선거권 및 평등권을 침해하는지 여부(일부 적극)
3. 국회가 심판대상 선거구구역표 중 "경기도 수원시 병선거구", "경기도 용인시 갑선거구", "경기도 용인시 을선거구", "충청남도 천안시 갑선거구" 부분(이하 '문제된 4개 선거구'라 한다)을 획정함에 있어 행정구의 일부를 분할하여 다른 구와 통합하여 선거구를 획정한 것이 입법재량의 범위를 일탈한 자의적인 선거구 획정인지 여부(소극)
4. 선거구구역표의 일부에 위헌적 요소가 있는 경우 선거구구역표 전체를 위헌이라고 할 수 있는지 여부(적극)
5. 헌법불합치결정을 하면서 잠정적용을 명한 사례

사건의 개요

2012헌마190 : 청구인 윤○만은 대전광역시 동구에 주민등록을 마친 선거권자로, 2012. 2. 당시 '○○당 대전시당 선거구 증설 추진 특별위원회'의 위원장을 맡고 있었던 사람이다. 청구인은 공직선거법 제25조 제2항 별표 1 국회의원지역선거구구역표(이하 '이 사건 선거구구역표'라 한다) 중 "대전광역시 동구 선거구"의 인구수가 251,875명으로, 울산광역시나 광주광역시에 속한 다른 선거구들에 비해 인구수가 많아 투표가치의 불평등이 발생하여 청구인의 선거권, 평등권 및 정당활동의 자유를 침해한다며, 2012. 2. 29. 이 사건 선거구구역표의 위헌확인을 구하는 이 사건 헌법소원심판을 청구하였다. (이하 사건 생략)

심판대상조항 및 관련조항

이 사건 심판대상은 공직선거법(2012. 2. 29. 법률 제11374호로 개정된 것) 제25조 제1항 본문 중 "자치구" 부분(이하 '이 사건 분할금지조항'이라 한다) 및 제25조 제2항 별표 1 국회의원지역선거구구역표 중 "대전광역시 동구 선거구" 부분(2012헌마190), "경기도 수원시 병선거구" 부분(2012헌마192), "경기도 용인시 갑선거구" 및 "경기도 용인시 을선거구" 부분(2012헌마211), "충청남도 천안시 갑선거구" 및 "충청남도 천안시 을선거구" 부분(2012헌마262, 2012헌마325), "충청북도 청주시 상당구 선거구" 부분(2013헌마781), "서울특별시 강남구 갑선거구", "서울특별시 강서구 갑선거구" 및 "인천광역시 남동구 갑선거구" 부분(2014헌마53)(이하 공직선거법 제25조 제2항 별표 1 국회의원지역선거구구역표 전체는 '이 사건 선거구구역표 전체', 심판대상이 되는 국회의원지역선거구구역표 부분은 '심판대상 선거구구역표'라 한다)이 청구인들의 기본권을 침해하는지 여부이다. 심판대상조항의 내용은 다음과 같고, 관련조항은 별지 2 기재와 같다.

【심판대상조항】

공직선거법(2012. 2. 29. 법률 제11374호로 개정된 것)

제25조(국회의원지역구의 획정) ① 국회의원지역선거구(이하 "국회의원지역구"라 한다)는 시·도의 관할구역 안에서 인구·행정구역·지세·교통 기타 조건을 고려하여 이를 획정하되, 자치구·시·군의 일부를 분할하여 다른 국회의원지역구에 속하게 하지 못한다. (단서 생략)
② 국회의원지역구의 명칭과 그 구역은 별표 1과 같이 한다.

[별표 1] 국회의원지역선거구구역표(지역구: 246)

선거구명	선거구역
서울특별시(지역구: 48)	
강서구갑선거구	등촌제2동, 화곡본동, 화곡제1동, 화곡제2동, 화곡제3동, 화곡제4동, 화곡제6동, 화곡제8동, 우장산동, 발산제1동
강남구갑선거구	신사동, 논현1동, 논현2동, 압구정동, 청담동, 삼성1동, 삼성2동, 역삼1동, 역삼2동, 도곡1동, 도곡2동
인천광역시(지역구: 12)	
남동구갑선거구	구월1동, 구월2동, 구월3동, 구월4동, 간석1동, 간석2동, 간석4동, 남촌도림동, 논현1동, 논현2동, 논현고잔동
대전광역시(지역구:6)	
동구선거구	동구 일원
경기도(지역구:52)	
수원시병선거구	행궁동, 지동, 우만1동, 우만2동, 인계동, 매교동, 매산동, 고등동, 화서1동, 화서2동, 서둔동
용인시갑선거구	포곡읍, 모현면, 남사면, 이동면, 원삼면, 백암면, 양지면, 중앙동, 역삼동, 유림동, 동부동, 마북동, 동백동
용인시을선거구	신갈동, 영덕동, 구갈동, 상갈동, 기흥동, 서농동, 구성동, 상하동, 보정동, 상현2동
충청북도(지역구:8)	
청주시상당구 선거구	청주시 상당구 일원
충청남도(지역구: 10)	
천안시갑선거구	목천읍, 풍세면, 광덕면, 북면, 성남면, 수신면, 병천면, 동면, 중앙동, 문성동, 원성1동, 원성2동, 봉명동, 일봉동, 신방동, 청룡동, 신안동, 쌍용2동
천안시을선거구	성환읍, 성거읍, 직산읍, 입장면, 성정1동, 성정2동, 쌍용1동, 쌍용3동, 백석동, 부성동

주문

1. 공직선거법(2012. 2. 29. 법률 제11374호로 개정된 것) 제25조 제1항 본문 중 "자치구" 부분에 대한 심판청구를 각하한다.
2. 공직선거법(2012. 2. 29. 법률 제11374호로 개정된 것) 제25조 제2항 별표 1 국회의원지역선거구구역표는 헌법에 합치되지 아니한다.
3. 공직선거법(2012. 2. 29. 법률 제11374호로 개정된 것) 제25조 제2항 별표 1 국회의원지역선거구구역표는 2015. 12. 31. 을 시한으로 입법자가 개정할 때까지 계속 적용된다.

I 이 사건 분할금지조항에 대한 청구에 관한 판단

이 사건 분할금지조항은 국회가 국회의원지역선거구를 획정할 때 행정구역 단위 중 자치구를 분할하여 다른 선거구로 편입하는 것만을 명시적으로 금지함으로써, 행정구의 분구 및 통합 가능성을 열어놓고 있을 뿐이다. 따라서 법률 조항 자체만으로는 어떠한 행정구가 분할되어 다른 선거구로 편입될 것인지를 전혀 예측할 수 없고, 국회가 위 조항에 근거하여 이 사건 선거구구역표를 편성한 이후에야 비로소 2012헌마262 사건의 청구인들이 주민등록을 두고 있는 천안시 서북구가 분할되어 다른 선거구와 통합될 것인지 여부가 결정되는 것이다. 이처럼 위 청구인들이 주장하는 기본권 침해가 이 사건 분할금지조항이 아니라 심판대상 선거구구역표에 의하여 비로소 발생하게 되는 이상, 이 사건 분할금지조항에 대하여 기본권침해의 직접성을 인정할 수 없으므로, 이 사건 분할금지조항에 대한 심판청구는 부적법하다.

II 심판대상 선거구구역표에 대한 청구에 관한 판단

1. 쟁 점

이 사건에서는 첫째, 헌법재판소가 2000헌마92 등 결정에서 국회의원지역선거구 획정에 있어 기준으로 삼았던 인구편차 상하 50%, 인구비례 3:1의 기준이 현재의 시점에서도 투표가치의 평등을 실현하기 위한 적절한 기준이 될 수 있는지 여부, 둘째, 심판대상 선거구구역표 중 "경기도 수원시 병선거구", "경기도 용인시 갑선거구", "경기도 용인시 을선거구", "충청남도 천안시 갑선거구" 부분(이하 '문제된 4개 선거구'라 한다)이 행정구의 일부를 분리하여 다른 선거구에 편입시키고 있는 것이 입법재량의 범위를 벗어난 자의적인 선거구획정인지 여부가 문제된다.

2012헌마190 사건의 청구인 윤○만은 인구편차 상하 50%를 기준으로 자의적으로 편성된 심판대상 선거구구역표로 인하여 정당원으로 활동하고 있는 자신의 정당활동의 자유가 침해되었다고 주장하나, 심판대상 선거구구역표는 단순히 국회의원지역선거구를 획정한 것으로 후보자 선택을 제한하거나 특정 정당 후보자의 당선기회를 보장하거나 봉쇄한 것이 아니며, 가사 심판대상 선거구구역표로 인해 지역별로 선거구의 수가 달리 정해지고 이로 인해 정당별로 사실상 유리하거나 불리한 결과가 나타난다고 할지라도, 이는 간접적이고 사실적인 효과에 불과하므로, 심판대상 선거구구역표는 정당에 소속되어 활동하고자 하는 위 청구인의 정당활동의 자유를 제한하지 아니한다.

또한, 2012헌마325 사건의 청구인들 중 박○돈과 2013헌마781 사건의 청구인 정○택은 심판대상 선거구구역표가 국회의원선거에 출마하고자 하는 위 청구인들의 공무담임권을 제한한다고 주장하나, 심판대상 선거구구역표의 획정으로 인하여 다른 선거구에 속하게 된 특정 지역의 주민들로부터 국회의원선거 후보자로서 지지를 받지 못하게 되었다거나 본인이 국회의원선거 후보자로 출마하고자 하는 특정 선거구의 투표가치가 다른 선거구에 비하여 낮아지게 되었다고 할지라도, 이로 인해 위 청구인들의 공무담임권이 제한되는 것은 아니다.

따라서 정당활동의 자유 및 공무담임권 침해 여부에 대해서는 별도로 판단하지 아니한다.

2. 심판대상 선거구구역표가 투표가치의 평등을 침해하는지 여부

가. 인구편차의 허용기준

1) 우선 인구편차의 허용기준을 제시함에 있어 최소선거구의 인구수를 기준으로 할 것인가, 아니면 전국 선거구의 평균인구수를 기준으로 할 것인가의 문제가 있으나, 우리 재판소는 이미 국회의원지역선거구와 관련하여 전국 선거구의 평균인구수를 기준으로 하여 인구편차의 허용기준을 제시한 바 있으므로, 전국 선거구의 평균인구수를 기준으로 하여 인구편차의 허용기준을 검토하기로 한다.

2) 국회의원지역선거구를 획정함에 있어 투표가치의 평등을 완벽하게 실현할 수 있는 가장 이상적인 방안이 인구편차 상하 0%, 인구비례 1:1을 기준으로 하는 것임은 자명하다. 그러나 위 기준을 실현하는 것은 현실적으로 불가능하므로, 입법자로서는 여러 가지 정책적·기술적 요소를 고려하여 현실적인 인구편차의 허용기준을 정할 수 있으며, 이러한 기준은 정치적, 사회적 상황의 변화에 따라 달라질 수 있다. 입법자로서는 인구편차의 허용한계를 최대한 엄격하게 설정함으로써 투표가치의 평등을 관철하기 위한 최대한의 노력을 기울여야 하며, 시대적 상황, 정치적 의식의 변화 등을 고려하지 아니한 채 만연히 과거의 기준을 고수하여 국민 개개인의 투표가치를 합리적 범위를 넘어 제한하는 결과를 야기한다면, 이는 헌법상 허용한계를 일탈한 것이다.

선거를 통해 선출된 국회의원은 국민의 대표로서 국정에 임하게 되고 국회의원으로서 국정을 수행함에 있어 득표수와 관계없이 동일한 권한을 수행하게 된다. 만일 한 명의 국회의원을 선출하는 선거권자의 수가 차이나게 되면 선거권자가 많은 선거구에 거주하는 선거권자의 투표가치는 그만큼 줄어들게 되므로 가급적 그 편차를 줄이는 것이 헌법적 요청에 부합한다. 국회의원이 지역구에서 선출되더라도 추구하는 목표는 지역구의 이익이 아닌 국가 전체의 이익이어야 한다는 원리는 이미 논쟁의 단계를 넘어선 확립된 원칙으로 자리 잡고 있으며, 이러한 원칙은 양원제가 아닌 단원제를 채택하고 있는 우리 헌법 하에서도 동일하게 적용된다. 따라서 국회를 구성함에 있어 국회의원의 지역대표성이 고려되어야 한다고 할지라도 이것이 국민주권주의의 출발점인 투표가치의 평등보다 우선시 될 수는 없다.

더구나, 지금은 지방자치제도가 정착되어 지역대표성을 이유로 헌법상 원칙인 투표가치의 평등을 현저히 완화할 필요성 또한 예전에 비해 크지 않다. 국회의원의 지역대표성은 지방자치단체의 장이나 지방의회의원이 가지는 지역대표성으로 상당부분 대체되었다고 할 수 있다. 특히 현 시점에서 중대한 당면과제로 대두하고 있는 빈곤층 보호를 위한 안전망 구축, 전체적인 소득 불균형의 해소, 노년층의 증가에 따른 대응책 마련과 같은 국가적 차원의 문제는 국회의원들만이 해결할 수 있는 것임에 반해, 특정 지역 내에서의 편의시설 마련이나 인프라 구축 등과 같은 문제는 지방자치제도가 정착된 상황에서는 지방자치단체의 장이나 지방의회가 주도적으로 해결할 수 있으므로, 국회의원의 지역대표성을 이유로 민주주의의 근간을 이루는 선거권의 평등을 희생하기 보다는 투표가치의 평등을 실현하여 민주주의의 발전을 위한 토양을 마련하는 것이 보다 중요하다고 할 것이다.

현행 공직선거법에 의하면 복수의 시·도의 관할구역에 걸쳐 지역구를 획정할 수 없기 때문에, 인구편차의 허용기준을 완화하면 할수록 시·도별 지역구 의석수와 시·도별 인구가 비례하지 아니할 가능성이 높아져 상대적으로 과대대표되는 지역과 과소대표되는 지역이 생길 수밖에 없다.

이러한 사정을 종합하여 보면, 현재의 시점에서 헌법이 허용하는 인구편차의 기준을 인구편차 상하33⅓%, 인구비례 2:1을 넘어서지 않는 것으로 변경하는 것이 타당하다.

나. 심판대상 선거구구역표의 위헌여부

심판대상 선거구구역표 중 인구편차 상하 33⅓%를 넘어서지 않는 부분은 입법재량의 범위 내에 있는 것으로 청구인들의 선거권 및 평등권을 침해하지 아니하나, 그 기준을 넘어선 부분은 헌법이 허용하는 인구편차의 범위를 벗어난 것으로 해당 선거구가 속한 지역에 거주하는 청구인들의 선거권 및 평등권을 침해한다.

3. 문제된 4개 선거구가 자의적인 선거구획정에 해당하는지 여부

가. 이 사건 선거구구역표 전체의 제정경위

국회가 '문제된 4개 선거구'를 획정함에 있어 행정구의 일부를 분할하여 다른 구와 합구한 주된 이유는 선거구 간의 인구편차를 줄일 수 있는 다른 방법을 찾기 어려웠기 때문으로, 여기에는 합리적인 이유가 있다. 또한, 분구된 지역은 행정구역도상으로 합구된 지역에 인접해 있어 양 지역 사이에 생활환경이나 교통, 교육환경에 큰 차이가 없고, 달리 국회가 특정 지역에 주소지를 두고 있는 선거인을 차별하고자 하는 의도를 가지고 있었다거나 이러한 선거구획정으로 인해 선거인들에 대한 실질적인 차별효과가 명백하게 드러났다고 볼 수도 없다. 뿐만 아니라, 국회가 국회의원선거구획정위원회의 선거구획정안의 내용과 달리 선거구를 획정했다거나, 선거구획정 과정에서 국회의원지역선거구구역표와 지방의회의원지역선거구구역표 사이에 불일치가 발생하였다는 사정만으로 이것이 입법재량을 일탈한 것이라고 볼 수도 없다.

따라서 '문제된 4개 선거구'의 획정은 입법재량의 범위를 벗어난 자의적인 선거구획정이 아니다.

4. 선거구구역표의 불가분성과 위헌선언의 범위

선거구구역표는 각 선거구가 서로 유기적으로 관련을 가짐으로써 한 부분에서의 변동은 다른 부분에서도 연쇄적으로 영향을 미치는 성질을 가진다. 이러한 의미에서 선거구구역표는 전체가 불가분의 일체를 이루는 것으로서 어느 한 부분에 위헌적인 요소가 있다면, 선거구구역표 전체가 위헌의 하자를 갖는 것이라고 보아야 할 뿐만 아니라, 당해 선거구에 대하여만 인구과다를 이유로 위헌선언을 할 경우에는 헌법소원의 청구기간의 적용 때문에 당해 선거구보다 인구의 불균형이 더 심한 선거구의 선거구획정이 그대로 효력을 유지하게 되는 불공평한 결과를 초래할 수도 있으므로, 일부 선거구의 선거구획정에 위헌성이 있다면, 선거구구역표의 전부에 관하여 위헌선언을 하는 것이 상당하다.

5. 헌법불합치 결정의 필요성

원칙적으로 이 사건 선거구구역표 전체에 대하여 위헌결정을 하여야 할 것이나, 이미 이 사건 선거구구역표 전체에 기한 국회의원선거가 실시된 상황에서 단순위헌의 결정을 하게 되면, 정치세력간의 이해관계가 첨예하게 대립하고 수많은 고려요소를 조정하여야 하는 선거구구역표의 성격상 그 개정입법이 빠른 시일 내에 이루어지기 어려워, 추후 재선거 또는 보궐선거가 실시될 경우 국회의원지역선거구 구역표가 존재하지 아니하게 되는 법의 공백이 생기게 될 우려가 큰 점 및 국회의 동질성 유지나 선거구구역표의 변경으로 인한 혼란을 방지하기 위하여도 재선거, 보궐선거가 치러지는 경우에는 이 사건 선거구구역표 전체에 의하여 이를 시행하는 것이 바람직한 점 등에 비추어, 입법자가 2015. 12. 31.을 시한으로 이 사건 선거구구역표 전체를 개정할 때까지 이 사건 선거구구역표 전체의 잠정적 적용을 명하는 헌법불합치결정을 하기로 한다.

III 결 론

그렇다면 이 사건 분할금지조항에 대한 심판청구는 부적법하므로 이를 각하하고, 심판대상 선거구구역표 중 "경기도 용인시 갑선거구", "경기도 용인시 을선거구", "충청남도 천안시 갑선거구", "충청남도 천안시 을선거구", "서울특별시 강남구 갑선거구", "인천광역시 남동구 갑선거구" 부분은 청구인들의 선거권 및 평등권을 침해하여 헌법에 위반되므로, 이 부분 심판청구는 이유 있어 이를 인용하기로 하는바, 위에서 설시한 불가분성에 따라 이 사건 선거구구역표 전체에 대하여 위헌선언을 하되, 2015. 12. 31.을 시한으로 입법자가 개정할 때까지 이를 계속적용하기로 하는 내용의 헌법불합치결정을 하기로 하여 주문과 같이 결정한다.

037 시·도의원선거 선거구를 획정함에 있어 허용되는 인구편차 기준에 관한 사건 [기각]
― 2018. 6. 28. 선고 2014헌마189

판시사항

구 공직선거법 [별표 2] 「시·도의회의원지역선거구구역표」 중 "서울특별시 송파구 제3선거구", "서울특별시 송파구 제4선거구" 부분(이하 '심판대상 선거구구역표'라 한다)이 청구인들의 선거권 및 평등권을 침해하는지 여부(소극)

1. 선 례

헌법재판소는 2007. 3. 29. 시·도의원지역구 획정에서 요구되는 인구편차의 헌법상 허용한계에 대하여 판단하였다(헌재 2007. 3. 29. 2005헌마985등 참조).

당시 법정의견은 시·도의원지역구 획정에 있어서 투표가치의 평등으로서 가장 중요한 요소인 인구비례의 원칙 이외에 시·도의회의원(이하 '시·도의원'이라 한다)의 지역대표성 및 인구의 도시집중으로 인한 도시와 농어촌 간의 극심한 인구편차와 각 분야에 있어서의 개발불균형 등 우리나라의 특수한 사정을 합리적으로 참작하여야 하므로, 현시점에서는 인구편차 상하 60%(인구비례 4:1)의 기준을 시·도의원지역구 획정에서 헌법상 허용되는 인구편차 기준으로 삼는 것이 가장 적절하다고 보았다.

2. 인구편차의 허용기준

가. 우선 인구편차의 허용기준에 관하여, 최소선거구의 인구수를 기준으로 할 것인가 아니면 시·도 선거구의 평균인구수를 기준으로 할 것인가가 문제된다. 우리 재판소는 이미 시·도의원지역구와 관련하여 시·도 선거구의 평균인구수를 기준으로 하여 인구편차의 허용기준을 제시하였으므로, 시·도 선거구의 평균인구수를 기준으로 하여 인구편차의 허용기준을 검토하기로 한다.

나. 다음으로 청구인들은 서울특별시의 경우 도농 간의 격차가 없으므로 도시와 농어촌이 병존하는 선거구들과 다른 기준을 적용하여야 한다고 주장하는바, 해당 선거구에 도농 간의 격차가 있는지에 따라 다른 기준을 적용할 것인지가 문제된다.

살피건대, 도시와 농어촌을 구분하는 기준이 명확하지 아니하여 도시와 농어촌의 혼합 비율에 따라 인구편차의 허용기준을 달리 정하는 것은 현실적으로 불가능하고, 같은 도시 유형 지역구나 농어촌 유형 지역구 사이에서도 역사적·문화적·경제적 측면에서 다른 고려요소가 서로 같지 아니한 사정 등을 감안한다면, 이러한 유형화는 부적절하거나 불필요한 것이라고 할 수 있으므로, 이하에서는 해당 선거구에 도농 간의 격차가 있는지에 따라 다른 기준을 적용하지 아니하기로 한다.

다. 구체적으로 선거구 획정에 있어 입법재량의 한계, 즉 헌법상 용인되는 각 선거구 사이의 인구편차의 한계를 어디까지 용인할 것인가는 인구비례의 원칙 이외에 고려되어야 할 2차적 요소들을 얼마나 고려하여 선거구 사이의 인구비례에 의한 투표가치 평등의 원칙을 완화할 것이냐의 문제이다.
 1) 선거구 획정에 있어서 인구비례의 원칙에 의한 투표가치의 평등은 헌법적 요청으로서 다른 요소에 비하여 기본적이고 일차적인 기준이므로, 입법자로서는 인구편차의 허용한계를 최대한 엄격하게 설정함으로써 투표가치의 평등을 관철하기 위한 최대한의 노력을 기울여야 한다. 그런데 위 2005헌마985등 결정에서 인구편차의 허용기준으로 삼은 인구편차 상하 60%의 기준을 적용하게 되면 1인의 투표가치가 다른 1인의 투표가치에 비하여 네 배의 가치를 가지는 경우도 발생하게 되어 투표가치의 불평등이 지나치고, 1차적 고려요소인 인구비례의 원칙보다 2차적 고려요소를 더 중시한 것으로 볼 수 있는 점, 위 기준을 채택한지 11년이 지났고, 이 사건 결정에서 제시하는 기준은 2022년에 실시되는 시·도의회의원선거에 적용될 지역선거구구역표의 개정지침이 될 것인 점 등을 고려하면, 현시점에서 인구편차의 허용한계를 보다 엄격하게 설정할 필요가 있다.
   따라서 현시점에서 선택 가능한 방안으로 인구편차 상하 33⅓%(인구비례 2:1)를 기준으로 하는 방안 또는 인구편차 상하 50%(인구비례 3:1)를 기준으로 하는 방안이 고려될 수 있다.
 2) 시·도의원은 지방 주민 전체의 대표이기는 하나, 지방자치단체의 구역, 주민의 복지증진, 지역개발과 주민의 생활환경시설의 설치·관리 등 주로 지역적 사안을 다루는 지방의회의 특성상 지역대표성도 겸하고 있다(헌법 제117조 제1항, 지방자치법 제9조 제2항 참조). 뿐만 아니라 우리나라는 급격한 산업화·도시화의 과정에서 인구의 도시집중으로 인하여 도시와 농어촌 간의 인구격차가 크고 각 분야에 있어서의 개발불균형이 현저하다는 특수한 사정이 존재한다. 따라서 시·도의원지역구 획정에 있어서는 행정구역 내지 지역대표성 등 2차적 요소도 인구비례의 원칙에 못지않게 함께 고려해야 할 필요성이 크다.
   위 두 가지 기준 중 인구편차 상하 33⅓%의 기준이 선거권 평등의 이상에 보다 접근하는 안이지만, 위 기준을 적용할 경우 각 자치구·시·군이 가지는 역사적·문화적·경제적인 측면에서의 지역대표성과 도시와 농어촌 간의 인구격차를 비롯한 각 분야에 있어서의 지역 간 불균형 등 2차적 요소를 충분히 고려하기 어렵다. 반면 인구편차 상하 50%를 기준으로 하는 방안은 최다인구선거구와 최소인구선거구의 투표가치의 비율이 1차적 고려사항인 인구비례를 기준으로 볼 때의 등가의 한계인 2:1의 비율에 그 50%를 가산한 3:1 미만이 되어야 한다는 것으로서 인구편차 상하 33⅓%를 기준으로 하는 방안보다 2차적 요소를 폭넓게 고려할 수 있다.
 3) 그렇다면 현재의 시점에서 시·도의원지역구 획정과 관련하여 헌법이 허용하는 인구편차의 기준을 인구편차 상하 50%(인구비례 3:1)로 변경하는 것이 타당하다.

3. 심판대상 선거구구역표의 기본권 침해 여부(소극) (생략)

038 자치구·시·군 의회의원 선거구 획정에서 인구편차 허용기준 사건 [기각]
― 2018. 6. 28. 선고 2014헌마166

판시사항 및 결정요지

1. 자치구·시·군의회의원선거구획정에서 헌법상 허용되는 인구편차의 기준

가. 인구편차 비교집단

우선 비교집단 설정에 있어서 해당 자치구·시·군 내의 선거구들만을 비교할 것인지, 아니면 해당 자치구·시·군이 속한 특별시, 광역시, 도 내의 모든 선거구를 비교할 것인지, 아니면 전국의 자치구·시·군의원 선거구 모두를 비교할 것인지가 문제된다. 우리 재판소는 이미 자치구·시·군의원 선거구와 관련하여 해당 자치구·시·군 내의 선거구들만을 비교집단으로 설정하여 인구편차를 비교하였으므로, 이 사건에서도 성남시 내의 선거구들만을 비교하여 판단하기로 한다.

나. 인구편차 비교방식 및 비교기준

다음으로 인구편차의 비교방식 및 비교기준에 관하여 본다. 공직선거법은 자치구·시·군의원 선거에 관하여 하나의 선거구에서 2인 이상 4인 이하의 의원을 선출하는 중선거구제를 채택하였으므로(제26조 제2항), 서로 다른 자치구·시·군의원 선거구의 인구편차를 비교하기 위해서는 각 선거구의 의원 1인당 인구수(해당 선거구의 인구수 ÷ 의원수)를 산출하여 비교하여야 한다.

인구편차의 비교기준에 관하여, 최소선거구의 의원 1인당 인구수를 기준으로 할 것인가 아니면 해당 선거구가 속한 자치구·시·군의 의원 1인당 평균인구수(자치구·시·군의 인구수 ÷ 의원수)를 기준으로 할 것인가가 문제된다. 우리 재판소는 이미 자치구·시·군의원 선거구와 관련하여 해당 선거구가 속한 자치구·시·군의 의원 1인당 평균인구수를 기준으로 하여 인구편차의 허용기준을 제시하였으므로, 이 사건에서도 성남시의 의원 1인당 평균인구수를 기준으로 하여 인구편차의 허용한계를 검토하기로 한다.

다. 인구편차 허용한계

헌재 2009. 3. 26. 2006헌마14 결정은 인구편차 상하 60%의 기준을 자치구·시·군의원 선거구 획정에서 허용되는 인구편차 기준으로 보았다. 그런데 위 기준에 의하면 투표가치의 불평등이 지나치고, 위 기준을 채택한지 9년이 지났으며, 자치구·시·군의원 선거는 중선거구제로서 선거구 간 인구편차의 조정이 상대적으로 용이한 점 등을 고려하면, 현시점에서 인구편차의 허용한계를 보다 엄격하게 설정할 필요가 있다.

자치구·시·군의원은 주로 지역적 사안을 다루는 지방의회의 특성상 지역대표성도 겸하고 있고, 우리나라는 도시와 농어촌 간의 인구격차가 크고 각 분야에 있어서의 개발불균형이 현저하므로, 자치구·시·군의원 선거구 획정에 있어서는 행정구역, 지역대표성 등 2차적 요소도 인구비례의 원칙 못지않게 함께 고려해야 할 필요성이 크다.

인구편차 상하 33⅓%(인구비례 2 : 1)의 기준을 적용할 경우 자치구·시·군의원의 지역대표성과 각 분야에 있어서의 지역 간 불균형 등 2차적 요소를 충분히 고려하기 어려운 반면, 인구편차 상하

50%(인구비례 3 : 1)를 기준으로 하는 방안은 2차적 요소를 보다 폭넓게 고려할 수 있다. 인구편차 상하 60%의 기준에서 곧바로 인구편차 상하 33⅓%의 기준을 채택하는 경우 선거구를 조정하는 과정에서 예기치 않은 어려움에 봉착할 가능성이 크므로, 현재의 시점에서 자치구·시·군의원 선거구 획정과 관련하여 헌법이 허용하는 인구편차의 기준을 인구편차 상하 50%(인구비례 3 : 1)로 변경하는 것이 타당하다.

2. 성남시 지역구 시의원 선거구의 명칭, 의원정수 및 선거구역을 규정한 구 '경기도 시군의회 의원정수와 지역구 시군의원 선거구에 관한 조례'(2014. 2. 28. 경기도 조례 제4707호로 전부개정되고, 2018. 3. 21. 경기도 조례 제5879호로 개정되기 전의 것) 제3조 [별표 2] 중 "성남시 사선거구" 부분(이하 '이 사건 선거구란'이라 한다)이 헌법상 허용되는 인구편차의 허용한계를 일탈하여 청구인들의 평등권, 선거권을 침해하는지 여부(소극)

이 사건 선거구란의 의원 1인당 인구수는 성남시의회의원 1인당 평균인구수로부터 상하 50% 이내의 인구편차를 보이고 있으므로, 이 사건 선거구란에 의한 선거구 획정이 헌법상 허용되는 인구편차의 허용한계를 일탈하여 청구인들의 선거권 및 평등권을 침해한다고 볼 수 없다.

3. 이 사건 선거구란이 자의적인 선거구 획정으로서 청구인들의 선거권 등 기본권을 침해하는지 여부(소극)

이 사건 선거구란은 선거권자의 후보자 선택을 제한하거나 특정 정당 후보자의 당선기회를 봉쇄하는 것이 아니며, 단지 하나의 선거구에서 선출할 의원정수와 선거구역을 정하고 있을 뿐이므로, 이 사건 선거구란이 자의적인 선거구 획정으로서 청구인들의 선거권 등 기본권을 침해한다고 볼 수 없다.

후보자의 명함교부 주체 관련조항 사건 [위헌, 기각]
― 2016. 9. 29. 선고 2016헌마287

판시사항

1. 후보자의 선거운동에서 독자적으로 후보자의 명함을 교부할 수 있는 주체를 후보자의 배우자와 직계존비속으로 제한한 공직선거법 제93조 제1항 제1호 중 제60조의3 제2항 제1호에 관한 부분(이하 '1호 관련조항'이라 한다)이 선거운동의 자유를 침해하는지 여부(소극)
2. 1호 관련조항이 평등권을 침해하는지 여부(소극)
3. 후보자의 배우자가 그와 함께 다니는 사람 중에서 지정한 1명도 명함교부를 할 수 있도록 한 공직선거법 제93조 제1항 제1호 중 제60조의3 제2항 제3호 가운데 '후보자의 배우자가 그와 함께 다니는 사람 중에서 지정한 1명' 부분(이하 '3호 관련조항'이라 한다)이 평등권을 침해하는지 여부(적극)

사건의 개요

청구인은 2016. 4. 13. 제20대 국회의원 선거(서울 ○○구을)에 출마한 후보자이다. 청구인은 2016. 3. 31.부터 선거운동을 하던 중, 공직선거법 제93조 제1항 제1호가 후보자의 선거운동에서 명함을 직접 줄 수 있는 주체를 후보자의 배우자와 직계비속, 후보자의 배우자가 그와 함께 다니는 사람 중에서 지정한 1명 등으로 제한하여, 선거운동을 할 수 있는 배우자와 직계비속이 없는 청구인의 선거운동의 자유, 평등권 등을 침해한다고 주장하면서 2016. 4. 5. 이 사건 헌법소원심판을 청구하였다.

심판대상조항 및 관련조항

【심판대상조항】
공직선거법(2010. 1. 25. 법률 제9974호로 개정된 것)
제93조(탈법방법에 의한 문서·도화의 배부·게시 등 금지) ① 누구든지 선거일전 180일(보궐선거 등에 있어서는 그 선거의 실시사유가 확정된 때)부터 선거일까지 선거에 영향을 미치게 하기 위하여 이 법의 규정에 의하지 아니하고는 정당(창당준비위원회와 정당의 정강·정책을 포함한다. 이하 이 조에서 같다) 또는 후보자(후보자가 되고자 하는 자를 포함한다. 이하 이 조에서 같다)를 지지·추천하거나 반대하는 내용이 포함되어 있거나 정당의 명칭 또는 후보자의 성명을 나타내는 광고, 인사장, 벽보, 사진, 문서·도화, 인쇄물이나 녹음·녹화테이프 그 밖에 이와 유사한 것을 배부·첩부·살포·상영 또는 게시할 수 없다. 다만, 다음 각 호의 어느 하나에 해당하는 행위는 그러하지 아니하다.
  1. 선거운동기간 중 후보자, 제60조의3 제2항 각 호의 어느 하나에 해당하는 사람(같은 항 제2호의 경우 선거연락소장을 포함하며, 이 경우 "예비후보자"는 "후보자"로 본다)이 제60조의3 제1항 제2호에 따른 후보자의 명함을 직접 주는 행위

【관련조항】

공직선거법(2010. 1. 25. 법률 제9974호로 개정된 것)

제60조의3(예비후보자 등의 선거운동) ① 예비후보자는 다음 각 호의 어느 하나에 해당하는 방법으로 선거운동을 할 수 있다.
    2. 자신의 성명·사진·전화번호·학력(정규학력과 이에 준하는 외국의 교육과정을 이수한 학력을 말한다. 이하 제4호에서 같다)·경력, 그 밖에 홍보에 필요한 사항을 게재한 길이 9센티미터 너비 5센티미터 이내의 명함을 직접 주거나 지지를 호소하는 행위. 다만, 지하철역구내 그 밖에 중앙선거관리위원회규칙으로 정하는 다수인이 왕래하거나 집합하는 공개된 장소에서 주거나 지지를 호소하는 행위는 그러하지 아니하다.

② 다음 각 호의 어느 하나에 해당하는 사람은 예비후보자의 선거운동을 위하여 제1항 제2호에 따른 예비후보자의 명함을 직접 주거나 예비후보자에 대한 지지를 호소할 수 있다.
    1. 예비후보자의 배우자와 직계존비속
    2. 예비후보자와 함께 다니는 선거사무장·선거사무원 및 제62조 제4항에 따른 활동보조인
    3. 예비후보자 또는 그의 배우자가 그와 함께 다니는 사람 중에서 지정한 각 1명

【주문】

1. 공직선거법(2010. 1. 25. 법률 제9974호로 개정된 것) 제93조 제1항 제1호 중 제60조의3 제2항 제3호 가운데 '후보자의 배우자가 그와 함께 다니는 사람 중에서 지정한 1명' 부분은 헌법에 위반된다.
2. 청구인의 나머지 심판청구를 기각한다.

I. 판 단

1. 1호 관련조항에 대한 판단

가. 선거운동의 자유 침해 여부

1) 목적의 정당성 및 수단의 적합성

명함은 상대방을 만난 자리에서 자신을 소개하고 근황을 전하기 위하여 직접 주는 것이 통례이고, 명함을 교부할 수 있는 주체를 지나치게 확대할 경우 선거의 과열 및 후보자 간의 정치·경제력 차이에 따른 불균등을 초래할 위험이 큰 점 등을 감안하여, 1호 관련조항은 후보자와 동일시할 수 있는 배우자와 직계존비속이 명함을 직접 교부할 수 있도록 하고 있다.

따라서 1호 관련조항은 명함의 본래의 기능에 충실한 방법으로 명함을 교부하는 선거운동의 자유를 보장하면서도, 선거의 과열을 예방하고 후보자 간의 정치·경제력 차이에 따른 기회불균등을 방지하기 위한 것으로 그 입법목적이 정당하고, 그와 같이 후보자와 동행하지 않고 단독으로 명함교부를 할 수 있는 자를 후보자와 동일시 할 수 있는 배우자와 직계존비속에 한정하는 것은 입법목적 달성에 기여하는 적합한 수단이 된다.

2) 침해의 최소성

만일 후보자와 함께 하지 않은 상태에서 독자적으로 명함을 교부할 수 있는 자의 범위를 제한하지 않는다면, 선거의 과열 및 후보자 간의 정치·경제력 차이에 따른 기회불균등 방지라는 입법목적을 달성하기 어려울 것이고, 배우자와 직계존비속으로 한정하지 아니하고 숫자만을 제한하여 후보자가 자유롭게 지정할 수 있게 한다면, 후보자들 사이에서 영입능력에 차이가 있는 때에는 기회불균등이 심화되는 결과를 초래할 수 있게 되어 적절한 대체수단이 된다고 하기 어려우므로, 위와 같은 입법목적의 달성을 위하여 1호 관련조항보다 후보자의 선거운동의 자유를 덜 제한하는 합리적 방안이 있다고 보이지 않는다. 따라서 1호 관련조항은 침해의 최소성 원칙에 위반되지 아니한다.

3) 법익의 균형성

1호 관련조항에 의하여 명함을 교부하는 선거운동 자체가 금지되는 것도 아니고, 후보자와 독자적으로 이를 행할 주체가 일정한 범위로 제한되는 것일 뿐이며, 명함을 교부하는 방법 외에도 후보자는 자신을 알리기 위하여 다른 선거운동방법을 이용할 수 있는 점 등에 비추어 보면, 후보자가 1호 관련조항으로 인하여 명함을 교부하는 선거운동의 자유를 제한받아 자신의 정보를 제대로 전달하지 못하고 홍보를 충분히 하지 못하게 되는 불이익이 어느 정도 있다 하더라도, 선거의 과열을 예방하고 공정성을 확보한다는 공익보다 더 크다고 보기 어려우므로, 법익의 균형성 원칙에도 반하지 아니한다.

4) 소 결

결국 1호 관련조항은 과잉금지원칙을 위배하여 청구인의 선거운동의 자유를 침해한다고 할 수 없다(2010헌마259).

나. 평등권 침해 여부

1호 관련조항이 배우자나 직계존비속이 있는 후보자와 그렇지 않은 후보자를 달리 취급하고 있다고 할 수 있으나, 위에서 본 입법목적 및 명함은 통상 상대방을 만난 자리에서 자신의 소개와 근황을 전하기 위하여 직접 주는 것이라는 속성 등을 고려하면, 1호 관련조항에서 후보자의 정치력, 경제력과는 무관하게 존재가능하고 후보자와 동일시할 수 있는 배우자나 직계존비속에 한정하여 명함을 교부할 수 있도록 한 것에는 합리적 이유가 있다 할 것이므로, 선거운동을 할 배우자나 직계존비속이 없는 예외적인 경우까지 고려하지 않았다고 하여 청구인의 평등권을 침해한 것이라고 볼 수는 없다(2010헌마259).

2. 3호 관련조항에 대한 판단

앞서 본 바와 같이 1호 관련조항이 위헌이 아니라고 하더라도, 이 조항에 의하여 배우자 없는 후보자로서는 배우자 있는 후보자에 비하여 불리한 상황에서 선거운동을 할 수밖에 없는데, 3호 관련조항은 이에 더하여 배우자가 그와 함께 다니는 사람 중에서 지정한 1명까지 보태어 명함을 교부할 수 있도록 함으로써 배우자 유무에 따른 차별효과를 더욱 커지게 하고 있다. 더욱이 3호 관련조항에서 배우자가 그와 함께 다니는 1명을 지정함에 있어 아무런 범위의 제한을 두지 아니하고 있는바, 이는 상대방을 만난 자리에서 자신을 소개하고 근황을 전하기 위해 직접 주는 명함 본래의 기능에 부합하지 아니하고, 이러한 명함 고유의 특성이나 가족관계의 특수성을 반영하여 명함교부의 주체를 배우자나 직계존비속 본인에게만 한정하고 있는 1호 관련조항의 입법취지에도 맞지 않는다. 그뿐만 아니라 후보자들 사이에 선거운동원을 영입함에 있어 경제력이나 정치적 영향력의 차이에 따른 불균형을 심화시킬 수도 있다.

또한, 3호 관련조항에서 배우자가 아무런 범위의 제한 없이 함께 다닐 수 있는 사람을 지정할 수 있도록 함으로써, 결과적으로 배우자가 있는 후보자는 배우자 없는 후보자에 비하여 선거운동을 할 수 있는 선거운동원 1명을 추가로 지정하는 효과를 누릴 수 있게 되는바, 이는 헌법 제116조 제1항의 선거운동의 기회균등 원칙에도 반한다.

그러므로 3호 관련조항은 후보자의 선거운동의 강화에만 치우친 나머지, 배우자의 유무라는 우연적인 사정에 근거하여 합리적 이유 없이 배우자 없는 후보자와 배우자 있는 후보자를 차별 취급함으로써 배우자 없는 청구인의 평등권을 침해한다(2011헌마267).

Ⅱ 결 론

그렇다면 3호 관련조항은 헌법에 위반되고, 1호 관련조항에 대한 심판청구는 이유 없으므로 기각하기로 하여 주문과 같이 결정한다.

040 대통령선거경선후보자가 경선과정에서 탈퇴시 후원금 전액을 국고에 귀속하도록 한 정치자금법 사건 [위헌]
— 2009. 12. 29. 선고 2007헌마1412

판시사항

1. 대통령선거경선후보자가 당내경선 과정에서 탈퇴함으로써 후원회를 둘 수 있는 자격을 상실한 때에는 후원회로부터 후원받은 후원금 전액을 국고에 귀속하도록 하고 있는 구 정치자금법 제21조 제3항 제2호의 '대통령선거경선후보자'에 관한 부분(이하 '이 사건 법률조항'이라고 한다)이 청구인의 평등권을 침해하는 것인지 여부(적극)
2. 이 사건 법률조항이 선거운동의 자유 및 공직선거에 입후보하지 아니할 자유(공직선거과정에서 이탈할 자유) 등 선거의 자유를 침해하는 것인지 여부(적극)

사건의 개요

청구인은 2007. 8. 21. 대통합민주신당의 제17대 대통령선거후보자 선출을 위한 당내 경선 후보로 등록하였다(이하 '정당의 대통령선거후보자 선출을 위한 당내경선후보자'를 '대통령선거경선후보자'라 한다). 청구인은 대통령선거경선후보자 등록 이후인 같은 달 27. 청구인의 후원회를 지정하였고, 동 지정에 따라 대통합민주신당 대통령경선후보자 유시민 후원회가 설립되어 활동하였다. 청구인의 위 후원회는 같은 달 28.부터 같은 해 9. 15.까지 총 294,518,594원을 모금하여 청구인에게 275,000,000원을 기부하였다.

그런데 청구인은 당시 청구인 소속 정당의 대통령선거경선후보자 단일화 여론에 따라 같은 해 9. 16. 대통령선거경선후보자의 지위에서 사퇴하였다. 따라서 같은 날 후원회를 둘 수 있는 자격을 상실하였고, 청구인의 후원회는 해산되었다. 청구인은 같은 해 관할 선거관리위원회로부터 위 후원회로부터 기부받은 후원금 총액을 납부할 것을 통지받았다.

이에 청구인은 대통령선거경선후보자가 후원회를 둘 수 있는 자격을 상실한 때에는 후원회로부터 기부받은 후원금 총액을 국고에 귀속시키도록 하고 있는 구 정치자금법 제21조 제3항 제2호는 청구인의 헌법상 보장되는 기본권인 평등권, 공무담임권 등을 침해하는 것이라고 주장하면서 2007. 12. 13. 이 사건 헌법소원심판을 청구하였다.

심판대상조항 및 관련조항

구 정치자금법(2008. 2. 29. 법률 제8880호로 개정되기 전의 것)

제21조(후원회가 해산한 경우의 잔여재산 처분 등) ① 제19조(후원회의 해산 등) 제1항 본문의 규정에 의하여 후원회가 해산된 경우 잔여재산은 다음 각 호에서 정한 바에 따라 제40조(회계보고)의 규정에 의한 회계보고 전까지 처분하여야 한다. (각 호 생략)
② 후원회지정권자(정당을 제외한다)가 후원회를 둘 수 있는 자격을 상실한 경우 후원회로부터 기부받아 사용하고 남은 잔여재산(국회의원후보자등과 시·도지사후보자에 있어서는 후원회등록 전에 지출원

인행위를 한 것에 대하여 지출한 비용을 포함한다)은 제40조의 규정에 의한 회계보고 전까지 제1항 각 호의 규정에 준하여 처분하여야 한다. 이 경우 후원회를 둔 중앙당창당준비위원회가 중앙당으로 존속하지 아니하고 해산된 경우에는 후원회로부터 기부받아 사용하고 남은 잔여재산은 제1항 제2호에 준하여 처분하여야 한다.

③ 제1항 및 제2항의 규정에 불구하고 대통령선거경선후보자·당대표경선후보자 및 국회의원선거의 예비후보자가 후원회를 둘 수 있는 자격을 상실한 때(정당의 공직선거 후보자선출을 위한 당내경선 또는 당대표경선에 참여하여 낙선한 때를 제외한다)에는 다음 각 호에 해당하는 잔여재산은 제40조의 규정에 의한 회계보고 전까지 국고에 귀속시켜야 한다.

1. 후원회
    후원금 모금에 직접 소요된 비용, 사무실 임대료 및 유급사무직원의 인건비 등 해산 당시까지의 후원회의 운영경비를 공제한 잔여재산
2. 후원회지정권자
    후원회로부터 기부받은 후원금 총액(사망한 경우에는 사망 당시까지 지출하고 남은 잔액을 말한다)

주문

구 정치자금법(2008. 2. 29. 법률 제8880호로 개정되기 전의 것) 제21조 제3항 제2호 중 "대통령선거경선후보자가 후원회를 둘 수 있는 자격을 상실한 때(정당의 공직선거 후보자선출을 위한 당내경선에 참여하여 낙선한 때를 제외한다)"에 관한 부분은 헌법에 위반된다.

1. 이 사건 법률조항과 제한되는 기본권 및 입법재량

가. 이 사건 법률조항과 제한되는 기본권

1) 이 사건 법률조항은 대통령선거경선후보자가 후원회를 둘 수 있는 자격을 상실한 경우에 후원회로부터 기부받은 재산의 귀속을 정한 법률조항인데, 정당의 후보자 선출을 위한 당내경선에 참여하여 낙선한 자와 그와 같은 당내경선에 참가하지 아니하였던 자를 차별하고 있으므로, 그러한 차별취급이 청구인의 평등권을 침해하는지 여부가 문제된다.

2) 이 사건 법률조항은 대통령선거경선후보자가 자신의 후원회로부터 기부받은 후원금을 정당하게 선거운동의 비용으로 사용한 경우에도 후원회로부터 기부받은 총액을 국고에 귀속시키도록 규정하고 있으므로, 대통령선거경선후보자가 후원회의 후원을 받는 것을 꺼리거나 후원금의 사용을 주저하게 함으로써 선거운동의 자유를 제한한다고 할 수 있다.

3) 대통령선거경선후보자가 당내경선에 참여하지 아니하고 사퇴하면 이 사건 법률조항에 따라서 이미 선거비용으로 사용한 후원금을 국고에 귀속시켜야 하므로, 이 사건 법률조항은 대통령선거경선후보자들이 당내경선과정에서 중도에 사퇴하지 못하도록 강제하게 된다. 따라서 이 사건 법률조항은 대통령선거경선후보자의 사퇴할 자유를 제한한다고 할 수 있다.

나. 이 사건 법률조항과 입법재량

정치인의 후원회 제도는 각 나라 및 시대의 역사정치풍토 내지 정치문화에 따라 달리 형성될 수 있는 것이므로, 정치 후원회 및 후원금에 대한 구체적인 제도의 내용과 규제의 정도는 원칙적으로 입법정책의 문제로서 입법자의 입법형성의 자유에 속하는 사항이라고 할 것이다. 따라서 후원회 제도의 구체적 규율은 그것이 명백히 재량권의 한계를 벗어난 입법이 아닌 한 입법형성의 자유를 존중하여야 할 것이다.

한편, 선거운동에는 선거비용이 불가피하게 소요되기 때문에 후원금의 사용을 규제하는 것은 바로 후원회의 정치활동과 해당 후보자의 선거운동을 제한하는 의미를 가진다고 볼 수 있는 점, 후원회지정권자가 후원회로부터 받은 후원금은 후원회가 해당 후보자의 입후보와 선거운동을 지원하기 위하여 조성되고 교부된 것이므로, 이를 선거운동을 위하여 사용하는 것은 본래의 목적에 부합되는 점 등을 종합하여 보면, 후원금의 사용을 규제하거나 후원금을 국고에 귀속하도록 하는 입법은 그 형성재량의 한계가 있다고 할 것이다.

2. 평등권 침해 여부

가. 평등원칙의 심사기준과 이 사건 법률조항

헌법 제11조 제1항이 규정하고 있는 평등의 원칙의 위반여부를 심사함에 있어 엄격한 심사척도에 의할 것인지, 완화된 심사척도에 의할 것인지는 입법자에게 인정되는 입법형성권의 정도에 따라 달라지게 될 것이다.

앞서 본 바와 같이 이 사건 법률조항이 규율하는 사항에 관하여는 입법자에게 비교적 넓은 입법형성권이 인정된다고 할 것이고, 따라서 동 조항이 갖고 있는 차별취급의 문제가 평등원칙에 위반되는지 여부를 심사함에 있어서는 완화된 심사척도에 의하는 것이 적절하다고 할 것이다. 다만, 이 사건 법률조항의 규율사항은 후원금을 기부한 유권자들의 선거과정에서의 의사실현과도 밀접한 관련이 있으므로 입법재량에는 일정한 한계가 있다고 할 것이고, 이 사건 법률조항에 의한 차별취급이 재량권의 한계를 벗어나는 것인지 여부에 관한 위헌 여부의 심사는 이 점을 충분히 고려한 심사가 되어야 할 것이다.

나. 이 사건 법률조항과 평등원칙 침해 여부

이 사건 법률조항은 대통령선거경선후보자로서 후원회를 둘 수 있는 자격을 상실한 경우 중 당내경선에 참여하고 낙선한 자(사용 후 잔액의 소속정당 등에 인계)와 당내경선에 참여하지 아니한 자(기부받은 총액의 국고귀속)의 차별 문제가 있다.

대통령선거경선후보자가 후보자가 될 의사를 갖고 당내경선 후보자로 등록을 하고 선거운동을 한 경우라고 한다면, 비록 경선에 참여하지 아니하고 포기하였다고 하여도 대의민주주의의 실현에 중요한 의미를 가지는 정치과정이라는 점을 부인할 수 없다. 따라서 경선을 포기한 대통령선거경선후보자에 대하여도 정치자금의 적정한 제공이라는 입법목적을 실현할 필요가 있는 것이며, 이들에 대하여 후원회로부터 지원받은 후원금 총액을 회수함으로써 경선에 참여한 대통령선거경선후보자와 차별하는 이 사건 법률조항의 차별은 합리적인 이유가 있는 차별이라고 하기 어렵다.

　대통령선거경선후보자로서는 여론의 동향, 정치지형의 변화, 경제 여건의 변화 등 다양한 상황변화를 이유로 하여 후보자가 되는 것을 포기할 수 있는 것이며, 그와 같은 불가피한 상황변화에도 반드시 경선에 참여할 것을 요구하거나, 애초에 반드시 경선에 참여할 사람의 경우에만 대통령선거경선후보자가 되어야 한다고 요구하기는 어렵다.

　이 사건 법률조항은 대통령선거경선후보자로서 정당의 경선에 참여하여 낙선한 사람과 그렇지 않은 사람을 구별하여 이미 사용한 후원금의 반환 여부에 관하여 차별취급하고 있는바, 그와 같은 차별에 합리적인 이유가 있다고 보기 어려우므로 청구인의 평등권을 침해한다.

3. 선거의 자유에 대한 침해 여부

가. 선거의 자유

1) 의의 및 내용

　선거의 자유 또는 자유선거의 원칙은 민주국가의 선거제도에 내재하는 법 원리로서, 국민주권의 원리, 의회민주주의의 원리 및 참정권에 관한 규정에서 그 근거를 찾을 수 있다. 이러한 선거의 자유는 구체적으로는 입후보의 자유, 선거운동의 자유, 선거권자의 의사형성의 자유와 의사실현의 자유 및 투표의 자유를 의미한다.

2) 선거운동의 자유

　선거운동의 자유는 선거에 관하여 자유로이 의사를 표현할 자유를 말하고 정치적 표현의 자유로서 헌법 제21조(언론·출판·집회·결사의 자유)에 의하여 보장된다. 또한 모든 국민은 법률이 정하는 바에 따라 선거권을 가지는데(헌법 제24조), 선거권을 제대로 행사하려면 후보자에 대한 정보의 자유교환이 필수적으로 요청되므로, 선거운동의 자유는 선거권 행사의 전제 내지 선거권의 중요한 내용을 이룬다고 할 수 있고, 선거운동의 제한은 선거권의 제한으로도 파악될 수 있다.

　선거운동에는 선거비용이 필수적으로 수반되는 것이므로, 선거운동비용의 사용을 제한하는 것은 선거운동을 제한하는 결과로 된다. 이 사건 법률조항은 대통령선거경선후보자가 적법하게 조직된 후원회로부터 기부받은 후원금을 적법하게 사용한 경우에, 당내경선에 참여하지 않았다는 사유로 이미 적법하게 사용한 선거운동비용까지 포함하여 후원금의 총액을 국고에 귀속하게 하는 것이므로 선거운동비용의 사용을 제한함으로써 선거운동의 자유를 제한하고 있는 것이다.

3) 입후보의 자유 및 입후보하지 아니할 자유

　선거의 자유에는 입후보의 자유가 포함되는바, 입후보의 자유란 공직선거의 입후보에 관한 사항은 개인의 주관적인 판단에 기초하여 자유로이 결정하여야 할 사항으로서 직접적 내지 간접적인 법적 강제가 개입되어서는 아니된다고 하는 의미를 갖는다. 한편, 입후보의 자유는 선거의 전 과정에서 입후보와 관련한 의사형성 및 의사실현의 자유를 의미하는 것인바, 이에는 공직선거에 입후보할 자유 뿐 아니라 입후보하였던 자가 참여하였던 선거과정으로부터 이탈할 자유도 포함된다.

이 사건 법률조항은 공직선거과정에 대통령선거경선후보자로서 참여하였다가 이탈하는 경우 이미 적법하게 지출한 선거비용까지 모두 국고에 귀속하도록 하고 있는바, 이로써 대통령선거경선후보자들은 중도에서 사퇴하지 못하고 당내경선에 이르기까지 그 지위를 계속 유지할 것이 사실상 강제된다. 따라서 이 사건 법률조항은 대통령선거경선후보자들이 공직선거에 입후보하지 아니할 자유 내지 공직선거과정에서 탈퇴할 자유를 제한하고 있다.

나. 이 사건 법률조항이 선거의 자유를 침해하는지 여부

이 사건 법률조항의 입법목적은 정치자금 후원회 제도를 이용하여 대통령 후보 당내경선에 참여한다는 명목으로 후원금을 기부받고도 당내경선에 참여하지 아니하는 경우에는 후원금의 이익을 박탈함으로써 정치자금 후원제도에 관한 공공의 신뢰를 보호하기 위한 것이라고 할 것인바, 이는 정당한 입법목적이라고 할 것이다.

후원회를 통하여 당내경선을 위한 후원금을 기부받고 선거비용 이외의 용도로 사용하는 경우 또는 선거비용으로 사용하지 아니한 잔액이 있는 경우, 그 후원금의 이익을 박탈하는 것은 위와 같은 입법목적을 달성하기 위하여 필요하고 적절한 수단이라고 할 수 있을 것이다.

그러나 대통령선거경선후보자가 적법하게 후원회를 지정하고 후원금을 기부받아 선거운동의 비용으로 사용하였음에도 사후에 경선에 참여하지 않았다고 하여 후원금 총액의 국고귀속을 요구하는 것은 선거운동의 자유에 대한 중대한 제한이라고 할 것이다. 대통령선거경선후보자는 입후보에 대비하여 선거운동을 하다가 당선가능성이 적다고 판단하거나, 정치적·경제적 사유, 건강 등 일신상의 상황변화를 이유로 하여 대통령선거경선후보자로서의 지위를 사퇴할 자유를 가진다. 그런데 대통령선거경선후보자로서 선거과정에 참여한 이들은 이 사건 법률조항으로 인하여 대통령선거경선후보자로서의 자격을 중도에서 포기할 자유에 중대한 제약을 받게 된다. 대통령선거경선후보자의 정치적 의사결정에 이와 같은 제약을 가하는 것은 법상의 대통령선거경선후보자 제도 및 후원회 제도의 목적과도 조화되기 어려운 제약으로서, 자유로운 민주정치의 건전한 발전을 방해하는 것이라고 할 것이다.

다. 소 결

그렇다면, 이 사건 법률조항이 청구인과 같이 대통령선거경선후보자로서 후원회의 후원금을 받고 당내경선에 참여하지 아니한 경우에 이미 대통령선거경선후보자의 선거운동비용으로 사용한 금액까지 합쳐서 후원금의 총액을 국고에 귀속하게 하는 것은 정당한 사유도 없이 후원금을 선거운동비용으로 사용하는 것을 제한하는 것이고, 그로 인하여 선거운동의 자유 및 선거과정에서 탈퇴할 자유와 같은 선거의 자유 등 기본권을 침해하는 것이라고 보지 않을 수 없다.

041 언론인의 선거운동 금지 사건 [위헌]
— 2016. 6. 30. 선고 2013헌가1

판시사항

1. 언론인의 선거운동을 금지한 구 공직선거법 제60조 제1항 제5호 중 '제53조 제1항 제8호에 해당하는 자' 부분(이하 '금지조항'이라 한다)이 포괄위임금지원칙을 위반하는지 여부(적극)
2. 금지조항 및 그 위반 시 처벌하도록 규정한 구 공직선거법 제255조 제1항 제2호 가운데 제60조 제1항 제5호 중 '제53조 제1항 제8호에 해당하는 자' 부분(이하 '처벌조항'이라 하고, 위 두 조항을 합하여 '심판대상조항들'이라 한다)이 선거운동의 자유를 침해하는지 여부(적극)

사건의 개요

제청신청인 김○준은 인터넷신문 ○○일보의 발행인이고, 제청신청인 주○우는 일반주간신문 □□ 사회팀장으로서 언론인은 선거에서 특정 정당 및 후보자를 당선되게 하거나 또는 당선되지 못하게 하기 위한 선거운동을 할 수 없음에도, 제청신청인들은 공모하거나 또는 단독으로 수차례에 걸쳐 제19대 국회의원 선거에 출마한 정○영, 김○민 등이 당선되게 하기 위하여 선거운동을 하였다는 이유로 기소되었다.

제청신청인들은 위 재판 계속 중 언론인의 선거운동을 금지하는 구 공직선거법 제60조 제1항 제5호 중 제53조 제1항 제8호 부분이 위헌이라고 주장하며 위헌법률심판제청신청(서울중앙지방법원 2012초기4037)을 하였고, 제청법원은 2012. 12. 13. 위 제청신청을 받아들여 이 사건 위헌법률심판을 제청하였다.

심판대상조항 및 관련조항

제청법원은 금지조항에 해당하는 구 공직선거법 제60조 제1항 제5호 중 제53조 제1항 제8호 부분을 위헌제청하였는바, 당해사건이 형사재판이므로 재판에 직접 적용되는 처벌조항도 금지조항과 함께 심판대상으로 삼는 것이 타당하다.

따라서 이 사건 심판대상은 구 공직선거법(2010. 1. 25. 법률 제9974호로 개정되고, 2015. 12. 24. 법률 제13617호로 개정되기 전의 것) 제60조 제1항 제5호 중 '제53조 제1항 제8호에 해당하는 자' 부분(이하 '금지조항'이라 한다), 제255조 제1항 제2호 가운데 제60조 제1항 제5호 중 '제53조 제1항 제8호에 해당하는 자' 부분[이하 '처벌조항'이라 하고, 위 조항들을 합하여 '심판대상조항들'이라 하며, 구 공직선거법(2015. 12. 24. 법률 제13617호로 개정되기 전의 것)을 '법'이라 한다]이 헌법에 위반되는지 여부이다. 심판대상조항 및 관련조항의 내용은 다음과 같다.

【심판대상조항】

구 공직선거법(2010. 1. 25. 법률 제9974호로 개정되고, 2015. 12. 24. 법률 제13617호로 개정되기 전의 것)

제60조(선거운동을 할 수 없는 자) ① 다음 각 호의 어느 하나에 해당하는 사람은 선거운동을 할 수 없다. 다만, 제1호에 해당하는 사람이 예비후보자·후보자의 배우자인 경우와 제4호부터 제8호까지의 규정에 해당하는 사람이 예비후보자·후보자의 배우자이거나 후보자의 직계존비속인 경우에는 그러하지 아니하다.

 5. 제53조(공무원 등의 입후보) 제1항 제2호 내지 제8호에 해당하는 자(제4호 내지 제6호의 경우에는 그 상근직원을 포함한다)

제255조(부정선거운동죄) ① 다음 각 호의 어느 하나에 해당하는 자는 3년 이하의 징역 또는 600만 원 이하의 벌금에 처한다.

 2. 제60조(선거운동을 할 수 없는 자) 제1항의 규정에 위반하여 선거운동을 하거나 하게 한 자 또는 같은 조 제2항이나 제205조(선거운동기구의 설치 및 선거사무관계자의 선임에 관한 특례) 제4항의 규정에 위반하여 선거사무장 등으로 되거나 되게 한 자

【관련조항】

구 공직선거법(2010. 1. 25. 법률 제9974호로 개정되고, 2015. 12. 24. 법률 제13617호로 개정되기 전의 것)

제53조(공무원 등의 입후보) ① 다음 각 호의 어느 하나에 해당하는 사람으로서 후보자가 되려는 사람은 선거일 전 90일까지 그 직을 그만두어야 한다. 다만, 대통령선거와 국회의원선거에 있어서 국회의원이 그 직을 가지고 입후보하는 경우와 지방의회의원선거와 지방자치단체의 장의 선거에 있어서 당해 지방자치단체의 의회의원이나 장이 그 직을 가지고 입후보하는 경우에는 그러하지 아니하다.

 8. 대통령령으로 정하는 언론인

주문

구 공직선거법(2010. 1. 25. 법률 제9974호로 개정되고, 2015. 12. 24. 법률 제13617호로 개정되기 전의 것) 제60조 제1항 제5호 중 '제53조 제1항 제8호에 해당하는 자' 부분, 제255조 제1항 제2호 가운데 제60조 제1항 제5호 중 '제53조 제1항 제8호에 해당하는 자' 부분은 헌법에 위반된다.

1. 쟁점의 정리

제청법원은 금지조항에 대하여 죄형법정주의의 명확성원칙에 위반된다고도 주장하나, 그 불명확성은 처벌조항의 구성요건을 대통령령에 위임하고 있기 때문에 발생하는 것으로서, 그 위헌성을 판단함에 있어 죄형법정주의의 명확성원칙과 포괄위임금지원칙을 병렬적으로 판단할 필요 없이 금지조항이 포괄위임금지원칙에 위반되는지 여부에 대한 심사를 통해 그 위헌성을 판단하되, 금지조항이 처벌조항의 구성요건이 되므로 헌법상 죄형법정주의원칙을 고려하여 위임의 필요성과 예측가능성 기준을 보다 엄격하게 해석·적용하도록 한다.

2. 포괄위임금지원칙 위반 여부(금지조항 부분)

헌법 제75조는 "대통령은 법률에서 구체적으로 범위를 정하여 위임받은 사항과 법률을 집행하기 위하여 필요한 사항에 관하여 대통령령을 발할 수 있다."라고 규정하고 있다. 여기서 '법률에서 구체적으로 범위를 정하여 위임받은 사항'이란 법률에 이미 대통령령으로 규정될 내용 및 범위의 기본사항이 구체적이고도 명확하게 규정되어 있어서 누구라도 당해 법률로부터 대통령령에 규정될 내용의 대강을 예측할 수 있어야 함을 의미한다. 그리고 이러한 위임의 구체성·명확성 내지 예측가능성의 유무는 당해조항 하나만을 가지고 판단할 것이 아니라 관련조항 전체를 유기적·체계적으로 종합하여 판단하여야 한다.

금지조항은 '대통령령으로 정하는 언론인'이라고만 하여 '언론인'이라는 단어 외에 대통령령에서 정할 내용의 한계를 설정해 주는 다른 수식어가 없다. … 다수의 조항에서 언론기관의 범위를 규정하고 있다. '방송·신문·통신·잡지 기타의 간행물', '인터넷언론사', '정기간행물 등', '방송사', '언론사', '언론기관', '언론매체'와 같은 용어들이 그것이다. 그런데 위와 같은 조항들을 종합하여 보아도 금지조항의 하위 법령에 규정될 언론기관이 구체적으로 어떨지 예측하기는 어렵다. 다양한 언론매체(방송, 신문, 뉴스통신, 잡지 등 정기간행물, 인터넷언론사 등) 중에서 어느 범위로 한정될지, 같은 언론매체 내에서는 어느 기준으로 설정될지, 외형적인 사항과 매체의 실질적인 컨텐츠 중에서 무엇이 고려될지, 선거의 공정성을 훼손할 가능성이 거의 없는 매체는 무엇으로 판단할 것인지 등에 대하여 대강이라도 예측할 수 있는 기준 자체가 없기 때문이다.

다음으로 인적 범위 내지 업무 범위의 측면을 보아도 마찬가지이다. 관련 법조항에서는 '경영·관리하거나 편집·취재·집필·보도하는 자' 또는 '경영·관리하거나 편집·취재·집필·보도하는 자 또는 그 보조자' 등으로 표현되어 있다. 위와 같은 표현에 더하여 법의 입법목적을 종합 판단하면 경영 기타 편집, 취재, 집필과 같이 언론기관의 핵심적인 업무가 어느 정도 포함될 것이라는 점은 일단 예측할 수 있다. 그러나 더 나아가 그와 같은 업무에 어느 정도 관여하는 자까지 언론인에 포함될 것인지, 언론매체의 특성에 따라 업무 범위는 어떻게 달라질 것인지, 객원기자와 같은 경우에도 이에 해당할 것인지 등에 관하여 구체적으로 판단할 자료가 존재하지 아니한다.

결국 금지조항은 선거운동이 전면 금지되는 언론인에 관하여 구체적으로 범위를 정하지 아니한 채 포괄적으로 대통령령에 입법을 위임하고 있으므로 포괄위임금지원칙에 위반된다.

3. 선거운동의 자유 침해 여부

가. 심사기준

선거운동의 자유는 널리 선거과정에서 자유로이 의사를 표현할 자유의 일환이므로 표현의 자유의 한 태양이기도 한데, 이러한 정치적 표현의 자유는 선거과정에서의 선거운동을 통하여 국민이 정치적 의견을 자유로이 발표, 교환함으로써 비로소 그 기능을 다하게 된다 할 것이므로 선거운동의 자유는 헌법이 정한 언론·출판·집회·결사의 자유의 보장규정에 의한 보호를 받는다.

하지만 선거운동의 자유도 무제한일 수는 없는 것이고, 선거의 공정성이라는 또 다른 가치를 위하여 어느 정도 선거운동의 주체, 기간, 방법 등에 대한 규제가 행하여질 수 있다. 다만 선거운동은 국민주권 행사의 일환일 뿐 아니라 정치적 표현의 자유의 한 형태로서 민주사회를 구성하고 움직이게 하는 요소이므로 그 제한입법의 위헌여부에 대하여는 엄격한 심사기준이 적용되어야 한다.

나. 과잉금지원칙 위반 여부

1) 심판대상조항들은 언론이 공직선거에 미치는 영향력과 언론인이 가져야 할 고도의 공익성과 사회적 책임성에 근거하여 언론인의 선거 개입 내지 편향된 영향력 행사를 금지하여, 궁극적으로 선거의 공정성·형평성을 확보하기 위한 것으로 목적의 정당성을 인정할 수 있다. 그리고 일정 범위의 언론인에 대하여 일괄적으로 선거운동을 금지하는 것은 위와 같은 목적 달성에 적합한 수단이다.

2) 심판대상조항들은 언론인의 선거 개입으로 인한 부작용과 폐해를 방지하기 위한 것인데, 그와 같은 문제는 언론매체를 통한 활동의 측면에서 즉, 언론인으로서의 지위를 이용하거나 그 지위에 기초한 활동으로 인해 발생 가능한 것이다. 반면, 정치적 중립성이 요구되지 아니하고 정당 가입이 전면 허용되는 언론인에게, 언론매체를 이용하지 아니하고 업무 외적으로 개인적인 판단에 따라 선거운동을 하는 것까지 전면적으로 금지할 필요는 없다.

언론인의 선거 개입 내지 편향된 영향력 행사를 금지하여 선거의 공정성·형평성을 확보하고자 한다면, 일정 범위의 언론인을 대상으로 언론매체를 통한 활동의 측면에서 발생 가능한 문제점을 규제하는 것으로써 충분히 그 목적을 달성할 수 있다. 그런데 심판대상조항들은 해당 언론인의 범위가 지나치게 광범위하고, 이미 법에서 그러한 측면에서 발생할 수 있는 폐해를 시정하기 위한 조항들을 충분히 규정하고 있어 침해의 최소성 원칙에 위반된다.

언론기관의 공정보도의무를 부과하고, 언론매체를 통한 활동의 측면에서 선거의 공정성을 해할 수 있는 행위에 대하여는 언론매체를 이용한 보도·논평, 언론 내부 구성원에 대한 행위, 외부의 특정후보자에 대한 행위 등 다양한 관점에서 이미 충분히 규제하고 있으므로 그와 별도로 심판대상조항들을 두어 언론인으로 하여금 선거운동의 기간과 방법, 태양을 불문하고 일체의 선거운동을 금지하고 이에 따라 언론인이 언론매체를 이용하지 아니하고 업무 외적으로 개인적인 판단에 따른 선거운동조차 할 수 없도록 하는 것은 침해의 최소성 원칙에 위반된다.

3) 언론인의 선거 개입 내지 편향된 영향력 행사를 배제하여 선거의 공정성을 확보한다는 공익은 법의 다른 규정들로도 충분히 확보될 수 있으므로 심판대상조항들에 해당하는 모든 언론인에 대하여 언론매체를 이용하지 아니하고 순전히 개인적으로 하는 선거운동까지 일절 금지하는 것은 선거운동의 자유라는 개인의 기본권을 중대하게 제한하는 것이며, 한편 그러한 금지가 선거의 공정성이라는 공익의 확보에 추가적으로 기여하는 바는 매우 미미하다는 점에서 심판대상조항들은 법익의 균형성을 충족하지 못한다.

심판대상조항들은 과잉금지원칙에 위반되어 언론인인 청구인들의 선거운동의 자유를 침해한다.

042 한국철도공사 상근직원 선거운동 금지 사건 [위헌]
— 2018. 2. 22. 선고 2015헌바124

판시사항 및 결정요지

한국철도공사의 상근직원에 대하여 선거운동을 금지하고 이를 위반한 경우 처벌하도록 규정한 공직선거법(2010. 1. 25. 법률 제9974호로 개정된 것) 제60조 제1항 제5호 중 제53조 제1항 제4호 가운데 '한국철도공사의 상근직원 부분'(이하 '이 사건 금지조항'이라 한다) 및 같은 법 제255조 제1항 제2호 중 위 해당부분(이하 '이 사건 처벌조항'이라 하고, 이들을 합하여 '심판대상조항'이라 한다)이 선거운동의 자유를 침해하는지 여부(적극)

선거운동의 자유는 널리 선거과정에서 자유로이 의사를 표현할 자유의 일환이므로 표현의 자유의 한 태양이기도 한데, 이러한 정치적 표현의 자유는 선거과정에서의 선거운동을 통하여 국민이 정치적 의견을 자유로이 발표, 교환함으로써 비로소 그 기능을 다하게 된다 할 것이므로 선거운동의 자유는 헌법이 정한 언론·출판·집회·결사의 자유 및 보장규정에 의한 보호를 받는다. 또한 우리 헌법은 참정권의 내용으로서 모든 국민에게 법률이 정하는 바에 따라 선거권을 부여하고 있는데, 선거권이 제대로 행사되기 위하여는 후보자에 대한 정보의 자유교환이 필연적으로 요청된다 할 것이므로, 선거운동의 자유는 선거권 행사의 전제 내지 선거권의 중요한 내용을 이룬다고 할 수 있고, 따라서 선거운동의 제한은 선거권의 제한으로도 파악될 수 있을 것이다.

그러나 선거운동의 자유도 무제한일 수는 없는 것이고, 선거의 공정성이라는 또 다른 가치를 위하여 어느 정도 선거운동의 주체, 기간, 방법 등에 대한 규제가 행하여지지 않을 수 없다. 다만 선거운동은 국민주권 행사의 일환일 뿐 아니라 정치적 표현의 자유의 한 형태로서 민주사회를 구성하고 움직이게 하는 요소이므로 그 제한입법의 위헌여부에 대하여는 엄격한 심사기준이 적용되어야 할 것이다

심판대상조항은 한국철도공사에서 상근직원으로 근무하는 자가 선거에 직·간접적으로 영향력을 행사하는 행위를 금지하여 선거의 형평성과 공정성을 확보하기 위한 것이므로 입법목적의 정당성을 인정할 수 있고, 한국철도공사의 상근직원에 대하여 선거운동을 금지하고 이를 위반한 경우 처벌하는 것은 위와 같은 목적의 달성에 적합한 수단으로 인정된다.

그러나 한국철도공사 상근직원의 지위와 권한에 비추어볼 때, 특정 개인이나 정당을 위한 선거운동을 한다고 하여 그로 인한 부작용과 폐해가 일반 사기업 직원의 경우보다 크다고 보기 어려우므로, 직급이나 직무의 성격에 대한 검토 없이 일률적으로 모든 상근직원에게 선거운동을 전면적으로 금지하고 이에 위반한 경우 처벌하는 것은 선거운동의 자유를 지나치게 제한하는 것이다. 또한, 한국철도공사의 상근직원은 공직선거법의 다른 조항에 의하여 직무상 행위를 이용하여 선거운동을 하거나 하도록 하는 행위를 할 수 없고, 선거에 영향을 미치는 전형적인 행위도 할 수 없다. 더욱이 그 직을 유지한 채 공직선거에 입후보할 수 없는 상근임원과 달리, 한국철도공사의 상근직원은 그 직을 유지한 채 공직선거에 입후보하여 자신을 위한 선거운동을 할 수 있음에도 타인을 위한 선거운동을 전면적으로 금지하는 것은 과도한 제한이다. 따라서 심판대상조항은 선거운동의 자유를 침해한다.

043 탈법행위에 의한 문서·도화의 배부·게시 등 금지조항에 인터넷이 포함되는 것으로 해석하는 것의 위헌 여부 사건 [한정위헌]
— 2011. 12. 29. 선고 2007헌마1001,2010헌바88,2010헌마173,191(병합)

판시사항

선거일전 180일부터 선거일까지 선거에 영향을 미치게 하기 위하여 정당 또는 후보자를 지지·추천하거나 반대하는 내용이 포함되어 있거나 정당의 명칭 또는 후보자의 성명을 나타내는 문서·도화의 배부·게시 등을 금지하고 처벌하는 공직선거법 제93조 제1항 및 제255조 제2항 제5호 중 제93조 제1항(이하 합하여 '이 사건 법률조항'이라 한다)의 각 '기타 이와 유사한 것' 부분에 '정보통신망을 이용하여 인터넷 홈페이지 또는 그 게시판·대화방 등에 글이나 동영상 등 정보를 게시하거나 전자우편을 전송하는 방법'(이하 '인터넷'이라고만 한다)이 포함된다고 해석한다면, 과잉금지원칙에 위배하여 정치적 표현의 자유 내지 선거운동의 자유를 침해하는지 여부(적극)

사건의 개요

청구인들은 2007. 12. 19. 실시된 대통령 선거와 관련하여 자신들이 지지하거나 반대하는 후보자 또는 정당에 대해 이른바 UCC(User-Created Contents, 이용자제작콘텐츠)에 지지·추천·반대 등의 내용을 담아 이를 각종 포털사이트 또는 미니 홈페이지, 블로그 등 인터넷상에 게시하고자 한 사람들이다.

중앙선거관리위원회는 2007. 1. 26. '선거 UCC물에 대한 운용기준'을 발표하여, 대통령 선거일전 180일부터 선거일까지 후보자 또는 정당에 대한 지지·추천·반대의 내용을 담거나 정당의 명칭이나 후보자의 성명을 나타내는 UCC를 인터넷에 올리는 경우, 그것이 단순한 의견 개진의 정도를 넘어 선거에 영향을 미칠 수 있는 것으로 인정된다면, 구 공직선거법 제93조 제1항 및 공직선거법 제255조 제2항 제5호의 규제대상이 된다고 하였다.

이에, 청구인들은 위 법률조항들이 명확성의 원칙에 위배되고 자신들의 정치적 의사 표현의 자유를 침해하는 것이라는 이유로, 2007. 9. 5. 그 위헌확인을 구하는 이 사건 헌법소원심판을 청구하였다.

심판대상조항 및 관련조항

공직선거법(2010. 1. 25. 법률 제9974호로 개정된 것)

제93조(탈법방법에 의한 문서·도화의 배부·게시 등 금지) ① 누구든지 선거일전 180일(보궐선거 등에 있어서는 그 선거의 실시사유가 확정된 때)부터 선거일까지 선거에 영향을 미치게 하기 위하여 이 법의 규정에 의하지 아니하고는 정당(창당준비위원회와 정당의 정강·정책을 포함한다. 이하 이 조에서 같다) 또는 후보자(후보자가 되고자 하는 자를 포함한다. 이하 이 조에서 같다)를 지지·추천하거나 반대하는 내용이 포함되어 있거나 정당의 명칭 또는 후보자의 성명을 나타내는 광고, 인사장, 벽보, 사진, 문서·도화, 인쇄물이나 녹음·녹화테이프 그 밖에 <u>이와 유사한 것</u>을 배부·첩부·살포·상영 또는 게시할 수 없다. (단서 생략)

공직선거법(2005. 8. 4. 법률 제7681호로 개정된 것)

제255조(부정선거운동죄) ② 다음 각 호의 어느 하나에 해당하는 자는 2년 이하의 징역 또는 400만원 이하의 벌금에 처한다.
    5. 제93조(탈법방법에 의한 문서·도화의 배부·게시 등 금지) 제1항의 규정에 위반하여 문서·도화 등을 배부·첩부·살포·게시·상영하거나 하게 한 자, 같은 조 제2항의 규정에 위반하여 광고 또는 출연을 하거나 하게 한 자 또는 제3항의 규정에 위반하여 신분증명서·문서 기타 인쇄물을 발급·배부 또는 징구하거나 하게 한 자

주문

구 공직선거법(2005. 8. 4. 법률 제7681호로 개정되고 2010. 1. 25. 법률 제9974호로 개정되기 전의 것) 제93조 제1항 및 공직선거법(2005. 8. 4. 법률 제7681호로 개정된 것) 제255조 제2항 제5호 중 제93조 제1항의 각 '기타 이와 유사한 것'과 공직선거법(2010. 1. 25. 법률 제9974호로 개정된 것) 제93조 제1항 및 공직선거법(2005. 8. 4. 법률 제7681호로 개정된 것) 제255조 제2항 제5호 중 제93조 제1항의 각 '그 밖에 이와 유사한 것'에, '정보통신망을 이용하여 인터넷 홈페이지 또는 그 게시판·대화방 등에 글이나 동영상 등 정보를 게시하거나 전자우편을 전송하는 방법'이 포함되는 것으로 해석하는 한 헌법에 위반된다.

I 판 단

1. 표현의 자유, 선거운동 자유의 원칙과 그 제한의 한계

헌법 제21조 제1항에서 규정하고 있는 언론·출판의 자유는 자유로운 인격발현의 수단임과 동시에 합리적이고 건설적인 의사형성 및 진리발견의 수단이며, 민주주의 국가의 존립과 발전에 필수불가결한 기본권이다.

또한, 대의민주주의를 원칙으로 하는 오늘날 민주정치 아래에서의 선거는 국민의 참여가 필수적이고, 정치적 표현의 자유는 국민이 선거과정에서 정치적 의견을 자유로이 발표·교환함으로써 비로소 그 기능을 다하게 된다 할 것이므로, 선거운동의 자유는 헌법에 정한 언론·출판·집회·결사의 자유 보장 규정에 의한 보호를 받는다.

이와 같은 정치적 표현의 자유의 헌법상 지위, 선거운동의 자유의 성격과 중요성에 비추어 볼 때, 정치적 표현 및 선거운동에 대하여는 '자유를 원칙으로, 금지를 예외로' 하여야 하고, '금지를 원칙으로, 허용을 예외로' 해서는 안 된다는 점은 자명하다.

따라서, 입법자는 선거의 공정성을 보장하고 탈법·금권적 혼탁선거를 방지하기 위하여 부득이하게 선거 국면에서의 정치적 표현 자유와 선거운동의 자유를 제한하는 경우에도, 입법목적 달성과의 관련성이 구체적이고 명백한 범위 내에서 가장 최소한의 제한에 그치는 수단을 선택하지 않으면 안 된다 할 것이다.

2. 과잉금지원칙 위배 여부

가. 제한되는 기본권 및 심사기준

이 사건 법률조항에서 금지하고 있는 행위는 "선거에 영향을 미치게 하기 위하여 정당 또는 후보자를 지지·추천하거나 반대하는 내용이 포함되어 있는 문서, 도화 등의 배부, 게시 등"을 하는 행위로서 정치적 의사표현의 영역에 속함이 분명하고, 청구인들은 선거에서의 후보자 또는 후보자가 되려고 하는 경우뿐만 아니라 일반국민 또는 일반유권자로서 누려야 할 정치적 표현의 자유를 침해 받았다고 주장하고 있다. 따라서 이 사건에서 문제되는 기본권은 선거운동의 자유를 포함한 정치적 표현의 자유라 할 것이다.

오늘날 정치적 표현의 자유는 자유민주적 기본질서의 구성요소로서 다른 기본권에 비하여 우월한 효력을 가진다고 볼 수 있고, 정치적 표현의 자유가 억압당하는 경우에는 국민주권과 민주주의 정치원리는 공허한 메아리에 지나지 않게 될 것이므로, 이를 제한하는 입법에 대하여는 엄격한 심사기준을 적용하여야 할 것이다.

나. 목적의 정당성

이 사건 금지조항을 포함한 이 사건 법률조항은 헌법 제116조 제1항의 선거운동 기회균등 보장의 원칙에 입각하여 선거운동의 부당한 경쟁 및 후보자들 간의 경제력 차이에 따른 불균형이라는 폐해를 막고, 선거의 평온과 공정을 해하는 결과의 발생을 방지함으로써 선거의 자유와 공정의 보장을 도모하여 선거관계자를 포함한 선거구민 내지는 국민 전체의 공동이익을 달성하고자 하는 것으로 그 입법목적이 정당하다.

다. 수단의 적절성

인터넷은 누구나 손쉽게 접근 가능한 매체이고, 이를 이용하는 비용이 거의 발생하지 아니하거나 또는 적어도 상대적으로 매우 저렴하여 선거운동비용을 획기적으로 낮출 수 있는 정치공간으로 평가받고 있고, 오히려 매체의 특성 자체가 '기회의 균형성·투명성·저비용성의 제고'라는 공직선거법의 목적에 부합하는 것이라고도 볼 수 있는 점, 후보자에 대한 인신공격적 비난이나 허위사실 적시를 통한 비방 등을 직접적으로 금지하고 처벌하는 법률규정은 이미 도입되어 있고 모두 이 사건 법률조항보다 법정형이 높으므로, 결국 허위사실, 비방 등이 포함되지 아니한 정치적 표현만 이 사건 법률조항에 의하여 처벌되는 점, 인터넷의 경우에는 정보를 접하는 수용자 또는 수신자가 그 의사에 반하여 이를 수용하게 되는 것이 아니고 자발적·적극적으로 이를 선택(클릭)한 경우에 정보를 수용하게 되며, 선거과정에서 발생하는 정치적 관심과 열정의 표출을 반드시 부정적으로 볼 것은 아니라는 점 등을 고려하면, 이 사건 법률조항에서 선거일전 180일부터 선거일까지 인터넷상 선거와 관련한 정치적 표현 및 선거운동을 금지하고 처벌하는 것은 후보자 간 경제력 차이에 따른 불균형 및 흑색선전을 통한 부당한 경쟁을 막고, 선거의 평온과 공정을 해하는 결과를 방지한다는 입법목적 달성을 위하여 적합한 수단이라고 할 수 없다.

라. 침해의 최소성

대통령 선거, 국회의원 선거, 지방선거가 순차적으로 맞물려 돌아가는 현실에 비추어 보면, 기본권 제한의 기간이 지나치게 길고, 그 기간 '통상적 정당활동'은 선거운동에서 제외됨으로써 정당의 정보제공 및 홍보는 계속되는 가운데, 정당의 정강·정책 등에 대한 지지, 반대 등 의사표현을 금지하는 것은 일반국민의 정당이나 정부의 정책에 대한 비판을 봉쇄하여 정당정치나 책임정치의 구현이라는 대의제도의 이념적 기반을 약화시킬 우려가 있다는 점, 사이버선거부정감시단의 상시적 운영, 선거관리위원회의 공직선거법 위반 정보 삭제요청 등 인터넷 상에서 선거운동을 할 수 없는 자의 선거운동, 비방이나 허위사실 공표의 확산을 막기 위한 사전적 조치는 이미 별도로 입법화되어 있고, 선거관리의 주체인 중앙선거관리위원회도 인터넷 상 선거운동의 상시화 방안을 지속적으로 제시해오고 있는 점, 일정한 정치적 표현 내지 선거운동 속에 비방·흑색선전 등의 부정적 요소가 개입될 여지가 있다 하여 일정한 기간 이를 일률적·전면적으로 금지하고 처벌하는 것은 과도하다고 볼 수 밖에 없는 점 등을 감안하면, 최소침해성의 요건도 충족하지 못한다.

마. 법익균형성

이 사건 법률조항에 대한 법익균형성 판단에는 국민의 선거참여를 통한 민주주의의 발전 및 민주적 정당성의 제고라는 공익 또한 감안하여야 할 것인데, 인터넷 상 정치적 표현 내지 선거운동을 금지함으로써 얻어지는 선거의 공정성은 명백하거나 구체적이지 못한 반면, 인터넷을 이용한 의사소통이 보편화되고 각종 선거가 빈번한 현실에서 선거일 전 180일부터 선거일까지 장기간 동안 인터넷 상 정치적 표현의 자유 내지 선거운동의 자유를 전면적으로 제한함으로써 생기는 불이익 내지 피해는 매우 크다 할 것이므로, 이 사건 법률조항은 법익균형성의 요건도 갖추지 못하였다고 할 것이다.

바. 소 결

따라서, 이 사건 법률조항 중 '기타 이와 유사한 것'에 '정보통신망을 이용하여 인터넷 홈페이지 또는 그 게시판·대화방 등에 글이나 동영상 등 정보를 게시하거나 전자우편을 전송하는 방법'이 포함되는 것으로 해석하여 이를 금지하고 처벌하는 것은 과잉금지원칙에 위배하여 청구인들의 선거운동의 자유 내지 정치적 표현의 자유를 침해한다 할 것이다.

Ⅱ 결 론

그렇다면, 이 사건 법률조항 중 '기타 이와 유사한 것'에 '정보통신망을 이용하여 인터넷 홈페이지 또는 그 게시판·대화방 등에 글이나 동영상 등 정보를 게시하거나 전자우편을 전송하는 방법'이 포함되는 것으로 해석하는 한 이는 헌법에 위반되므로, 주문과 같이 결정한다.

종전에 헌법재판소가 이와 견해를 달리하여 공직선거법(2005. 8. 4. 법률 제7681호로 개정된 것) 제93조 제1항 중 '기타 이와 유사한 것' 부분은 헌법에 위반되지 아니한다고 판시한 헌법재판소 2009. 7. 30. 2007헌마718 결정은 이 결정과 저촉되는 범위 내에서 변경하기로 한다.

2 헌법총론·통치구조론·헌법재판론

044 현수막, 그 밖의 광고물 설치·게시, 그 밖의 표시물 착용, 벽보 게시, 인쇄물 배부·게시, 확성장치사용을 금지하는 공직선거법 조항 사건 [헌법불합치,합헌]
― 2022. 7. 21. 선고 2017헌바100

심판대상

공직선거법

제90조(시설물설치 등의 금지) ① 누구든지 선거일 전 180일(보궐선거등에서는 그 선거의 실시사유가 확정된 때)부터 선거일까지 선거에 영향을 미치게 하기 위하여 이 법의 규정에 의한 것을 제외하고는 다음 각 호의 어느 하나에 해당하는 행위를 할 수 없다. 이 경우 정당(창당준비위원회를 포함한다)의 명칭이나 후보자(후보자가 되려는 사람을 포함한다. 이하 이 조에서 같다)의 성명·사진 또는 그 명칭·성명을 유추할 수 있는 내용을 명시한 것은 선거에 영향을 미치게 하기 위한 것으로 본다.
  1. 화환·풍선·간판·현수막·애드벌룬·기구류 또는 선전탑, 그 밖의 광고물이나 광고시설을 설치·진열·게시·배부하는 행위
  2. 표찰이나 그 밖의 표시물을 착용 또는 배부하는 행위

제93조(탈법방법에 의한 문서·도화의 배부·게시 등 금지) ① 누구든지 선거일 전 180일(보궐선거 등에 있어서는 그 선거의 실시사유가 확정된 때)부터 선거일까지 선거에 영향을 미치게 하기 위하여 이 법의 규정에 의하지 아니하고는 정당(창당준비위원회와 정당의 정강·정책을 포함한다. 이하 이 조에서 같다) 또는 후보자(후보자가 되고자 하는 자를 포함한다. 이하 이 조에서 같다)를 지지·추천하거나 반대하는 내용이 포함되어 있거나 정당의 명칭 또는 후보자의 성명을 나타내는 광고, 인사장, 벽보, 사진, 문서·도화, 인쇄물이나 녹음·녹화테이프 그 밖에 이와 유사한 것을 배부·첩부·살포·상영 또는 게시할 수 없다.

제91조(확성장치와 자동차 등의 사용제한) ① 누구든지 이 법의 규정에 의한 공개장소에서의 연설·대담장소 또는 대담·토론회장에서 연설·대담·토론용으로 사용하는 경우를 제외하고는 선거운동을 위하여 확성장치를 사용할 수 없다.

판시사항 및 결정요지

1. 일정기간 동안 선거에 영향을 미치게 하기 위한 현수막, 광고물의 설치·게시나 표시물의 착용을 금지하는 공직선거법 제90조 제1항 제1호 중 '현수막, 그 밖의 광고물 설치·게시'에 관한 부분, 같은 항 제2호 중 '그 밖의 표시물 착용'에 관한 부분 및 이에 위반한 경우 처벌하는 공직선거법 제256조 제3항 제1호 아목 중 '제90조 제1항 제1호의 현수막, 그 밖의 광고물 설치·게시, 같은 항 제2호의 그 밖의 표시물 착용'에 관한 부분(이하 '시설물설치 등 금지조항'이라 한다)이 정치적 표현의 자유를 침해하는지 여부(적극)

가. 정치적 표현의 자유에 대한 제한과 심사기준

정치적 표현의 자유는 단순히 개인의 자유에 그치는 것이 아니고 통치권자를 비판함으로써 피치자가 스스로 지배기구에 참가하는 자치정체(自治政體)의 이념을 근간으로 한다. 정치적 표현의 자유는 자유민주적 기본질서의 구성요소로서 현대 자유민주주의의 존립과 발전에 필수불가결한 기본권이므로 정치적 표현의 자유가 억압당하는 경우 국민주권과 민주주의 정치원리는 공허한 메아리에 지나지 않게 될 것이다.

제6절 선거제도 167

국민이 선거와 관련하여 정당 또는 후보자에 대한 지지·반대의 의사를 표시하는 것은 이 같은 정치적 표현의 자유의 한 형태로서 국민주권 행사의 일환이자 민주사회를 구성하고 움직이게 하는 중요한 요소이다. 선거의 궁극적인 목적은 국민의 정치적 의사를 대의기관의 구성에 정확하게 반영하는 데에 있고, 이를 위해서는 자유롭게 의견과 정보를 주고받는 과정에서 비판과 토론을 통해 정치적 의사를 형성해 나가는 것이 필수적이다. 선거에서 정치적 표현의 자유를 과도하게 제한하여 한정된 의견과 정보만이 소통되도록 한다면 진정으로 선거인에게 자유로운 선택권을 보장한다고 할 수 없다.

선거의 공정성은 국민의 정치적 의사를 정확하게 반영하는 선거를 실현하기 위한 수단적 가치이고, 그 자체가 헌법적 목표는 아니다. 그러므로 선거의 공정성은 정치적 표현의 자유에 대한 전면적·포괄적 제한을 정당화할 수 있는 공익이라고 볼 수 없고, 선거의 공정성이 정치적 표현의 자유를 보장하는 전제 조건이 되는 것도 아니므로 이를 이유로 선거에서 표현의 자유가 과도하게 제한되어서는 안 된다. 선거에 있어 자유와 공정은 반드시 상충관계에 있는 것만이 아니라 서로 보완하는 기능도 함께 가지고 있다. 예컨대, 정치적 표현의 자유에 대한 과도한 제한은 정치적 기득권자에게 유리한 반면, 도전자에게 불리하게 작용하여 정치적 신인의 등장을 제약하게 된다. 기존의 정치인이나 대형 정당의 경우 이미 유권자들에게 잘 알려져 있는 반면, 정치 신인이나 신생 정당은 그렇지 않으므로, 선거의 공정성을 이유로 정치적 표현의 자유를 과도하게 제한하면 정치 신인이나 신생 정당이 자신들을 알릴 기회를 충분히 갖지 못하게 되어 오히려 선거의 공정성이 저해되는 결과가 나타날 수 있는 것이다.

이와 같은 정치적 표현의 자유의 헌법상 지위와 성격, 선거의 공정성과의 관계 등에 비추어 볼 때, 입법자는 선거의 공정성을 보장하기 위해서 부득이하게 선거 국면에서의 정치적 표현의 자유를 제한하더라도, 입법목적 달성과의 관련성이 구체적이고 명백한 범위 내에서 가장 최소한의 제한에 그치는 수단을 선택하지 않으면 안 된다. 정치적 표현에 대하여는 '자유를 원칙으로, 금지를 예외로' 하여야 하고, '금지를 원칙으로, 허용을 예외로' 해서는 안 된다는 점은 자명하다. 따라서 선거운동 등에 대한 제한이 정치적 표현의 자유를 침해하는지 여부를 판단함에 있어서는 표현의 자유의 규제에 관한 판단기준으로서 엄격한 심사기준을 적용하여야 한다.

나. 시설물설치 등 금지조항에 대한 판단

시설물설치 등 금지조항은 선거에서의 균등한 기회를 보장하고 선거의 공정성을 확보하기 위한 것으로서 입법목적의 정당성 및 수단의 적합성이 인정된다. 그러나 선거비용을 제한·보전하거나 일반 유권자가 과도한 비용을 들여 현수막, 그 밖의 광고물을 설치·게시하거나 그 밖의 표시물을 착용하는 행위를 제한하는 수단을 통해서 선거에서의 기회 균등이라는 심판대상조항의 입법목적의 달성이 가능하고, 공직선거법상 후보자 비방 금지 규정 등을 통해 무분별한 흑색선전 등의 방지도 가능한 점을 종합하면, 시설물설치 등 금지조항은 목적 달성에 필요한 범위를 넘어 장기간 동안 선거에 영향을 미치게 하기 위한 현수막, 그 밖의 광고물의 설치·게시나 그 밖의 표시물의 착용을 금지·처벌하는 것으로서 침해의 최소성에 반한다. 또한 시설물설치 등 금지조항으로 인하여 일반 유권자나 후보자가 받는 정치적 표현의 자유에 대한 제약이 위 조항을 통해 달성되는 공익보다 중대하므로 시설물설치 등 금지조항은 법익의 균형성에도 위배된다. 따라서 시설물설치 등 금지조항은 과잉금지원칙에 반하여 정치적 표현의 자유를 침해한다.

2. 일정기간 동안 선거에 영향을 미치게 하기 위한 벽보 게시, 인쇄물 배부·게시를 금지하는 공직선거법 제93조 제1항 본문 중 '벽보 게시, 인쇄물 배부·게시'에 관한 부분 및 이에 위반한 경우 처벌하는 공직선거법 제255조 제2항 제5호 중 '제93조 제1항 본문의 벽보 게시, 인쇄물 배부·게시'에 관한 부분(이하 '인쇄물배부 등 금지조항'이라 한다)이 정치적 표현의 자유를 침해하는지 여부(적극)

인쇄물배부 등 금지조항은 선거에서의 균등한 기회를 보장하고 선거의 공정성을 확보하기 위한 것으로서 입법목적의 정당성 및 수단의 적합성이 인정된다. 그러나 벽보·인쇄물은 시설물 등과 비교하여 보더라도 투입되는 비용이 상대적으로 적어 경제력 차이로 인한 선거 기회 불균형의 문제가 크지 않고, 그러한 우려도 선거비용을 규제하거나 벽보·인쇄물의 종류나 금액 등을 제한하는 수단을 통해서 방지할 수 있다. 또한 공직선거법상 후보자 비방 금지 규정 등을 통해 무분별한 흑색선전 등의 방지도 가능한 점을 종합하면, 인쇄물배부 등 금지조항은 목적 달성에 필요한 범위를 넘어 장기간 동안 벽보 게시, 인쇄물 배부·게시를 금지·처벌하는 것으로서 침해의 최소성에 반한다. 또한 인쇄물배부 등 금지조항으로 인하여 일반 유권자나 후보자가 받는 정치적 표현의 자유에 대한 제약이 위 조항을 통하여 달성되는 공익보다 중대하므로 인쇄물배부 등 금지조항은 법익의 균형성에도 위배된다. 따라서 인쇄물배부 등 금지조항은 과잉금지원칙에 반하여 정치적 표현의 자유를 침해한다.

3. 공개장소에서의 연설·대담장소 또는 대담·토론회장에서 연설·대담·토론용으로 사용하는 경우를 제외하고는 선거운동을 위하여 확성장치를 사용할 수 없도록 한 공직선거법 제91조 제1항 및 이에 위반한 경우 처벌하는 구 공직선거법 제255조 제2항 제4호 중 '제91조 제1항의 규정에 위반하여 확성장치를 사용하여 선거운동을 한 자' 부분(이하 '확성장치사용 금지조항'이라 한다)이 정치적 표현의 자유를 침해하는지 여부(소극)

확성장치사용 금지조항은 선거운동 과정에서 확성장치 사용으로 인한 소음을 규제하여 국민의 건강하고 쾌적한 환경에서 생활할 권리를 보장하고자 한 것으로, 목적의 정당성 및 수단의 적합성이 인정된다. 확성장치에 의해 기계적으로 유발되는 소음은 자연적으로 발생하는 생활소음에 비하여 상대적으로 큰 피해를 유발할 가능성이 높고, 또한 일반 국민의 생업에 지장을 초래할 수도 있는 점, 모든 종류의 공직선거 때마다 확성장치로 인한 소음을 감내할 것을 요구하기 어려운 점, 선거운동에서 다소 전통적인 수단이라고 할 수 있는 확성장치의 사용을 규제한다고 하더라도 후보자로서는 보다 접근이 용이한 다른 선거운동방법을 활용할 수 있는 점, 확성장치의 출력수나 사용시간을 규제하는 입법이 확성장치사용 자체를 제한하는 방안과 동등하거나 유사한 효과를 불러온다고 보기 어려운 점 등을 종합하면, 확성장치사용 금지조항은 침해의 최소성에 어긋나지 않는다. 나아가 확성장치사용 금지조항이 달성하고자 하는 공익이 그로써 제한되는 정치적 표현의 자유보다 작다고 할 수 없으므로, 위 조항은 법익의 균형성에도 어긋나지 않는다. 따라서 확성장치사용 금지조항은 과잉금지원칙에 반하여 정치적 표현의 자유를 침해하지 않는다.

4. 헌법불합치 결정을 선고하면서 계속 적용을 명한 사례

045 기초의회의원선거 후보자의 정당표방 금지 사건 [위헌, 각하]
— 2003. 1. 30. 선고 2001헌가4

판시사항 및 결정요지

1. 기초의회의원선거 후보자가 공직선거및선거부정방지법 제84조를 위반하여 특정 정당으로부터의 지지·추천받음을 표방하였다는 이유로 공소제기된 사건에서, 기초의회의원선거의 경우 정당이 후보자를 추천할 수 없도록 한 같은 법 제47조 제1항이 재판의 전제성이 있는지 여부(소극)

기초의회의원선거 후보자가 공직선거및선거부정방지법(이하 '법'이라 한다) 제84조를 위반하여 특정 정당으로부터의 지지·추천 받음을 표방하였다는 이유로 공소제기된 사건에서, 기초의회의원선거의 경우 정당이 후보자를 추천할 수 없도록 한 법 제47조 제1항은 당해사건에 적용될 법률조항이 아니고, 나아가, 법 제84조와 법 제47조 제1항은 각 그 수범자와 규율내용을 서로 달리하여 법 제47조 제1항의 위헌 여부가 법 제84조의 위헌 여부와 체계적으로 밀접불가분한 관계에 있다고 보기도 어려우므로, 법 제47조 제1항에 관한 위헌심판제청 부분은 재판의 전제성이 없어 부적법하다.

2. 기초의회의원선거 후보자로 하여금 특정 정당으로부터의 지지 또는 추천 받음을 표방할 수 없도록 한 공직선거및선거부정방지법 제84조 중 "자치구시·군의회의원선거의 후보자" 부분이 정치적 표현의 자유를 침해하는지 여부(적극)

선거에 당하여 정당이냐 아니면 인물이냐에 대한 선택은 궁극적으로 주권자인 국민의 몫이고, 입법자가 후견인적 시각에서 입법을 통하여 그러한 국민의 선택을 대신하거나 간섭하는 것은 민주주의 이념에 비추어 바람직하지 않기 때문에, 기초의회의원선거에서 정당의 영향을 배제하고 인물 본위의 투표가 이루어지도록 하겠다는 구체적 입법의도는 그 정당성이 의심스럽다.

그리고 후보자가 정당의 지지·추천을 받았는지 여부를 유권자들이 알았다고 하여 이것이 곧 지방분권 및 지방의 자율성 저해를 가져올 것이라고 보기에는 그 인과관계가 지나치게 막연하므로, 법 제84조의 규율내용이 과연 지방분권 및 지방의 자율성 확보라는 목적의 달성에 실효성이 있는지도 매우 의심스럽다.

나아가, 법 제84조가 지방자치 본래의 취지 구현이라는 입법목적의 달성에 기여하는 효과가 매우 불확실하거나 미미한 반면에, 이 조항으로 인해 기본권이 제한되는 정도는 현저하다. 즉, 후보자로서는 심지어 정당의 지지·추천 여부를 물어오는 유권자들에 대해서도 침묵하지 않으면 안 되는 바, 이는 정당을 통해 정계에 입문하려는 기초의회의원 후보자에게 지나치게 가혹하다. 또한, 지방의회의원 선거의 선거기간이 14일로 규정되어 있고 사전선거운동이 금지되는 등 선거의 공정성을 담보하는 각종의 규제들이 마련되어 있어서 실제로 유권자들이 기초의회의원 후보자와 접촉할 수 있는 기회는 그리 많지 않은 데다가 이른바 4대 지방선거가 동시에 실시되고 있는 탓으로 유권자들이 후보자들 개개인의 자질과 능력을 일일이 분석·평가하기란 매우 힘든 실정이므로 현실적으로 후보자에 대한 정당의 지지·추천 여부는 유권자들이 선거권을 행사함에 있어서 중요한 참고사항이 될 수밖에 없는데도 불구하고, 무리하게 후보자의 정당표방을 금지하는 경우에는 유권자들은 누가 누구이고 어느 후보가 어떠한 정치적 성향을 가졌는지도 모르는 상태에서 투표를 하거나 아니면 선거에 무관심하게 되어 아예 투표 자체를 포기할 수도 있다. 이러한 점들을 종합할 때, 정당표방을 금지함으로써 얻는 공익적 성과와 그로부터 초래되는 부정적인 효과 사이에 합리적인 비례관계를 인정하기 어려워, 법익의 균형성을 현저히 잃고 있다고 판단된다.

이에 덧붙여, 법 제84조 단서에서는 후보자의 당원경력의 표시를 허용하고 있는데, 이러한 당원경력의 표시는 사실상 정당표방의 일환으로 행해지는 것이 통상적이어서 법 제84조 본문과 단서는 서로 중첩되는 규율영역을 가지게 되는바, 이로 말미암아 법 제84조는 기초의회의원 후보자로 하여금 선거운동 과정에서 소속 정당에 관한 정보를 어느 만큼 표방해도 좋은지 예측하기 힘들게 하고 국가형벌권의 자의적 행사의 빌미마저 제공하고 있으므로 명확성원칙에 위배되는 측면이 있다.

그렇다면, 법 제84조는 불확실한 입법목적을 실현하기 위하여 그다지 실효성도 없고 불분명한 방법으로 과잉금지원칙에 위배하여 후보자의 정치적 표현의 자유를 과도하게 침해하고 있다고 할 것이다.

3. 다른 지방선거 후보자와는 달리 기초의회의원선거의 후보자에 대해서만 정당표방을 금지한 것이 평등원칙에 위배되는지 여부(적극)

법 제84조의 의미와 목적이 정당의 영향을 배제하고 인물 본위의 선거가 이루어지도록 하여 지방분권 및 지방의 자율성을 확립시키겠다는 것이라면, 이는 기초의회의원선거뿐만 아니라 광역의회의원선거, 광역자치단체장선거 및 기초자치단체장선거에서도 함께 통용될 수 있다. 그러나, 기초의회의원선거를 그 외의 지방선거와 다르게 취급을 할 만한 본질적인 차이점이 있는가를 볼 때 그러한 차별성을 발견할 수 없다. 그렇다면, 위 조항은 아무런 합리적 이유 없이 유독 기초의회의원 후보자만을 다른 지방선거의 후보자에 비해 불리하게 차별하고 있으므로 평등원칙에 위배된다.

심판대상조항 및 관련조항

공직선거및선거부정방지법(1995. 4. 1. 법률 제4947호로 개정되고, 2000. 2. 16. 법률 제6265호로 개정되기 전의 것)

제47조(정당의 후보자추천) ① 정당은 선거(자치구·시·군의회의원선거를 제외한다)에 있어 선거구별로 선거할 정수범위 안에서 그 소속당원을 후보자(이하 "정당추천후보자"라 한다)로 추천할 수 있다.

제84조(무소속후보자등의 정당표방금지) 자치구·시·군의회의원선거의 후보자와 무소속후보자는 특정 정당으로부터의 지지 또는 추천 받음을 표방할 수 없다. 다만, 정당의 당원경력의 표시는 그러하지 아니하다.

주문

1. 공직선거및선거부정방지법(1995. 4. 1. 법률 제4947호로 개정되고, 2000. 2. 16. 법률 제6265호로 개정되기 전의 것) 제84조 중 "자치구·시·군의회의원선거의 후보자" 부분은 헌법에 위반된다.
2. 나머지 위헌여부심판제청을 각하한다.

046 공직선거법상 부재자투표시간 제한 사건 [헌법불합치, 기각, 각하]
— 2012. 2. 23. 선고 2010헌마601

판시사항 및 결정요지

1. 부재자투표시간을 오전 10시부터 오후 4시까지로 정하고 있는 공직선거법(1994. 3. 16. 법률 제4739호로 제정된 것) **제155조 제2항 본문**(이하 '이 사건 투표시간조항'이라 하며, 그 중 "오전 10시에 열고" 부분은 '투표개시시간 부분', "오후 4시에 닫는다" 부분은 '투표종료시간 부분' 이라 한다) **중 투표종료시간 부분이 청구인의 선거권과 평등권을 침해하는지 여부(소극)**

이 사건 투표시간조항이 투표종료시간을 오후 4시까지로 정한 것은 투표당일 부재자투표의 인계·발송 절차를 밟을 수 있도록 함으로써 부재자투표의 인계·발송절차가 지연되는 것을 막고 투표관리의 효율성을 제고하고 투표함의 관리위험을 경감하기 위한 것이고, 이 사건 투표시간조항이 투표종료시간을 오후 4시까지로 정한다고 하더라도 투표개시시간을 일과시간 이전으로 변경한다면, 부재자투표의 인계·발송절차가 지연될 위험 등이 발생하지 않으면서도 일과시간에 학업·직장업무를 하여야 하는 부재자투표자가 현실적으로 선거권을 행사하는 데 큰 어려움이 발생하지 않을 것이다. 따라서 이 사건 투표시간조항 중 투표종료시간 부분은 수단의 적정성, 법익균형성을 갖추고 있으므로 청구인의 선거권이나 평등권을 침해하지 않는다.

2. 이 사건 투표시간조항 중 투표개시시간 부분이 청구인의 선거권과 평등권을 침해하는지 여부(적극)

이 사건 투표시간조항이 투표개시시간을 일과시간 이내인 오전 10시부터로 정한 것은 투표시간을 줄인 만큼 투표관리의 효율성을 도모하고 행정부담을 줄이는 데 있고, 그 밖에 부재자투표의 인계·발송절차의 지연위험 등과는 관련이 없다. 이에 반해 일과시간에 학업이나 직장업무를 하여야 하는 부재자투표자는 이 사건 투표시간조항 중 투표개시시간 부분으로 인하여 일과시간 이전에 투표소에 가서 투표할 수 없게 되어 사실상 선거권을 행사할 수 없게 되는 중대한 제한을 받는다. 따라서 이 사건 투표시간조항 중 투표개시시간 부분은 수단의 적정성, 법익균형성을 갖추지 못하므로 과잉금지원칙에 위배하여 청구인의 선거권과 평등권을 침해하는 것이다.

3. 이 사건 투표시간조항 중 투표개시시간 부분에 대하여 헌법불합치결정을 선고하면서 잠정적용을 명한 사례

해상에 장기 기거하는 선원들을 부재자투표 대상자로 규정하지 않은 사건
[헌법불합치]
— 2007. 6. 28. 선고 2005헌마772

판시사항

1. 공직선거법 제38조(부재자신고) 제3항 및 공직선거법 제158조(부재자투표) 제4항이 부재자투표를 할 수 있는 사람과 부재자투표의 방법을 규정하면서, 해상에 장기 기거하는 선원들에 대해서는 부재자투표 대상자로 규정하지 않고 있으며, 이들이 투표할 수 있는 방법을 정하지 않고 있는 것이 그들의 선거권을 침해하는지 여부(적극)
2. 헌법불합치결정을 하되, 청구인들 외의 다른 국민의 선거권 행사는 보장하고 있으므로 법적 공백이나 혼란을 예방하기 위하여 입법자가 개정할 때까지 계속 적용을 명한 사례

사건의 개요

청구인들은 주식회사 ○○해운 또는 ○○기업 주식회사에 소속된 원양어선의 선원들이다.

청구인들은 취업의 특성상 한번 출항하면 장기간 공해상의 선박에서 생활하게 되어, 각종 선거에서 선거권을 행사하려면 부재자투표제도를 이용할 수밖에 없는데도, 공직선거법 제38조(부재자신고) 및 제158조(부재자투표)는 이러한 선원들에 대하여 부재자투표에 관한 절차와 방법을 규정하고 있지 아니하여, 그들의 선거권 및 평등권이 침해된다고 주장하며, 2005. 8. 18. 이 사건 헌법소원심판을 청구하였다.

심판대상조항 및 관련조항

공직선거법 (2005. 8. 4. 법률 제7681호로 개정된 것)

제38조(부재자신고) ③ 다음 각 호의 어느 하나에 해당하는 자는 거소에서 투표할 수 있다.
1. 법령에 따라 영내 또는 함정에 장기기거하는 군인이나 경찰공무원 중 부재자투표소에 가서 투표할 수 없을 정도로 멀리 떨어진 영내(영내) 또는 함정에 근무하는 자
2. 병원 또는 요양소에 장기기거하는 자로서 거동할 수 없는 자
3. 신체에 중대한 장애가 있어 거동할 수 없는 자
4. 선거일에 투표소에 가기 어려운 멀리 떨어진 외딴 섬 중 중앙선거관리위원회규칙으로 정하는 섬에 거주하는 자
5. 부재자투표소를 설치할 수 없는 지역에 장기기거하는 자로서 중앙선거관리위원회규칙으로 정하는 자

제158조(부재자투표) ④ 거소투표자는 거소에서 관할 구·시·군선거관리위원회로부터 송부받은 부재자투표용지에 1인의 후보자를 선택하여 부재자투표용지의 해당 난에 기표한 후 회송용봉투에 넣어 봉함하여 등기우편으로 발송하여야 한다.

주문

공직선거법(2005. 8. 4. 법률 제7681호로 개정된 것) 제38조 제3항 및 제158조 제4항은 헌법에 합치되지 아니한다.
위 법률조항들은 입법자가 개정할 때까지 계속 적용된다.

I 판 단

1. 이 사건 법률조항에 의한 선거권의 제한

이 사건 법률조항이 거소투표 대상에 청구인들과 같은 선원들을 포함시키지 않고, 거소투표의 방법으로 등기우편만을 인정하고 있는 것은, 청구인들이 공해상의 선박에서 선거권을 행사할 수 있는 방법을 별도로 마련하지 않고 있는 것이나 다름없고, 이는 헌법상 보장된 선거권을 실제로 행사할 수 있도록 하는 법률규정에 대한 입법과 관련하여, 그 내용을 불완전하게 함으로써 헌법이 부여한 청구인들의 선거권 행사를 제한하고 있는 셈이 된다.

2. 선거권의 침해 여부

가. 이 사건 법률조항이 대한민국 국외의 구역을 항해하는 선박에 장기 기거하는 선원들이 선거권을 행사할 방법을 마련하고 있지 않은 것은, 입법자로서 선거관리가 사실상 곤란하고 선거의 공정성을 확보할 수 있는 효과적이고 적정한 방법이 없다고 판단하고, 또 선거관리의 효율성과 선거의 공정성을 담보할 수 없다는 점에서 청구인들과 같은 선원들을 위하여 선거권을 행사할 방법을 마련하는 것을 포기하고 있는 것으로 볼 수 있다.

나. 그러나 오늘날 선거에 관한 이러한 원칙적인 요구를 효과적으로 담보하면서도 해상의 선원들이 투표를 할 수 있게 하는 방법은 얼마든지 상정할 수 있다.

오늘날에는 발달된 위성설비를 이용하여 원양어업이나 해상운송에 종사하는 선박들의 위치를 쉽게 추적할 수 있고, 탑승한 선원들의 신분에 대한 확인도 가능하다. 또한 국외의 구역을 항해하는 원양어선이나 외항상선 등은 대부분 인공위성장치를 이용한 모사전송(Facsimile, 팩스) 시스템 등의 전자통신 장비를 갖추고 있으므로, 선장의 엄정한 관리 아래 이러한 현대적인 과학기술 장비를 효율적으로 활용한다면 선원들의 투표권 행사는 얼마든지 가능하다. 선장의 감독 아래 각 선박에 지정된 모사전송 시스템을 이용하여 투표의 내용을 송신한다면 투표의 결과가 왜곡되거나 잘못 전달될 가능성이 적고, 모사전송에 따른 송신비용 외에 추가적으로 비용이 더 들게 되는 것도 아니다. 또한 선장이 가지는 법률상의 중요한 지위와 책임에 비추어, 선원들에 대한 지휘, 감독이 적정하게 이루어진다면 선원들의 투표행위는 공정하게 수행될 수 있고, 나아가 선장의 투표비밀 유지의무 위반 등에 대하여 엄격한 처벌규정 등 효과적인 제재수단을 마련한다면 투표 내용이 공개되는 것을 방지할 수도 있을 것이므로, 모사전송 시스템을 이용한 선상투표 방법이 선거의 공정성을 저해할 것이라고 쉽사리 단정할 수 없다.

다. 비밀선거는 선거인이 누구를 선택하였는지 제3자가 알지 못하도록 하는 상태로 투표하는 것을 말하는데, 모사전송 시스템을 이용하여 선상에서 투표를 할 수 있는 방안이 마련된다면, 전송 과정에서 투표의 내용이 직·간접적으로 노출되어 비밀선거원칙이 침해될 우려가 있다는 지적이 있다.

그러나 통상 모사전송 시스템의 활용에는 특별한 기술을 요하지 않고, 당사자들이 스스로 이를 이용하여 투표를 한다면 비밀 노출의 위험이 적거나 없을 뿐만 아니라, 설사 투표 절차나 전송 과정에서 비밀이 노출될 우려가 있다 하더라도, 이는 국민주권 원리나 보통선거 원칙에 따라 선원들이 선거권을 행사할 수 있도록 충실히 보장하기 위한 불가피한 측면이라 할 수도 있으므로, 이를 두고 섣불리 헌법에 위반된다 할 수 없다.

더욱이 그러한 방식에 의한 선상투표가 인정된다면, 주권자로서의 자발적인 의사에 기하여 선거권을 행사하려는 선원들로서는 자신의 투표 결과에 대한 비밀이 노출될 위험성을 스스로 용인하고 투표에 임할 수도 있을 것이다.

나아가 헌법의 해석은 헌법의 이상과 이념에 따른 역사적, 사회적 요구를 올바르게 수용하여 헌법적 방향을 제시하는 창조적 기능을 수행하여 국민적인 욕구와 의식에 알맞도록 실질적 국민주권의 실현을 보장하는 것이어야 한다.

국민주권의 원리를 실현하고 국민의 근본적인 권리인 선거권의 행사를 보장하려면, 비밀선거의 원칙에 일부 저촉되는 면이 있다 하더라도, 이 사건과 같은 경우 '선거권' 내지 '보통선거원칙'과 '비밀선거원칙'을 조화적으로 해석하여 이들 관계를 합리적으로 조정할 필요가 있다. 모사전송 시스템이나 기타 전자통신 장비를 이용한 선상투표 결과 그 내용이 일부 노출될 우려가 있다 하더라도, 그러한 부정적인 요소보다는 국외의 구역을 항해하는 선박에 장기 기거하는 대한민국 선원들의 선거권 행사를 보장한다고 하는 긍정적인 측면에 더욱 관심을 기울여야 할 것이다. 이러한 점을 고려할 때, 모사전송 시스템을 이용한 선상투표와 같은 제도는 국외를 항해하는 대한민국 선원들의 선거권을 충실히 보장하기 위한 입법수단으로 충분히 수용될 수 있고, 입법자는 비밀선거원칙을 이유로 이를 거부할 수 없다 할 것이다.

라. 한편 직접선거의 원칙은 선거 결과가 선거권자의 투표에 의하여 직접 결정될 것을 요구하는 것인데, 이러한 선상투표도 선거권자가 직접 의사결정을 하고 단지 그 송부만이 모사전송 시스템에 의하여 이루어지는 것이므로, 직접선거원칙에 위배되는 것이 아니다.

마. 이와 같은 이유로, 이 사건 법률조항이 대한민국 국외의 구역을 항해하는 선박에서 장기 기거하는 선원들이 선거권을 행사할 수 있도록 하는 효과적이고 기술적인 방법이 존재함에도 불구하고, 선거의 공정성이나 선거기술상의 이유만을 들어 선거권 행사를 위한 아무런 법적 장치도 마련하지 않고 있는 것은 그들의 선거권을 침해하는 것이고, 그러한 입법목적은 일반 국민들의 선거권 행사를 부인하는 데 필요한 '불가피한 예외적인 사유'에 해당한다고 볼 수 없다.

바. 나아가 이 사건 조항은 모사전송 시스템 등 전자통신 기술을 이용한 선상투표와 같은 기술적인 대체수단이 있음에도 불구하고 선거권을 과도하게 제한하고 있으므로 '피해의 최소성'

원칙에 위배되고, 원양의 해상업무에 종사하는 선원들은 아무런 귀책사유도 없이 헌법상의 선거권을 행사할 수 없게 되는 반면, 이와 관련하여 추구되는 공익은 불분명한 것이어서, '법익의 균형성' 원칙에도 위배된다.

사. 그러므로 이 사건 조항은 과잉금지의 원칙에 위배하여 청구인들의 선거권을 침해하는 것이다.

3. 헌법불합치와 계속 적용

이 사건 법률조항이 국외 구역을 항해하는 선박에 장기 기거하는 선원들에 대하여 어떠한 선거권 행사 방법도 규정하지 않고 있는 것은 청구인들의 기본권을 침해하는 것이지만, 구체적으로 어떤 경우에, 어느 범위의 선원들을 대상으로, 어떻게 선거권을 행사할 수 있도록 할 것인지는 입법자가 입법정책에 따라 결정하여야 할 사항이다.

그러므로 이 사건 법률조항에 대하여는 헌법불합치 결정을 선고하되, 다만 이 사건 법률조항은 청구인들 외의 다른 국민의 선거권 행사는 보장하고 있으므로 법적 공백이나 혼란을 예방하기 위하여 적용중지를 명하지 않고, 입법자의 개선입법이 있을 때까지 계속하여 적용하도록 명함이 상당하다 할 것이다.

II 결 론

이 사건 법률조항은 헌법에 합치되지 아니하나, 다만 입법자의 개선입법이 이루어질 때까지 계속 적용하기로 하여 주문과 같이 결정한다.

이 결정에는 재판관 조대현의 별개의견이 있는 외에는 관여 재판관들의 의견이 일치되었다.

제7절 공무원제도

048 교원의 공직선거 및 교육감선거 입후보 시 사직의무 및 선거운동금지 사건
[기각, 각하]
- 2019. 11. 28. 선고 2018헌마222

판시사항 및 결정요지

1. 공직선거 및 교육감선거에서 사립교원의 선거운동을 금지하는 공직선거법 제60조 제1항 제5호 중 '제53조 제1항 제7호'에 관한 부분, '지방교육자치에 관한 법률' 제49조 제1항 전문의 '공직선거법 제60조 제1항 제5호' 중 '제53조 제1항 제7호에 해당하는 자'에 대하여 시·도지사 선거에 관한 규정을 준용하는 부분(이하 '사립교원 선거운동 금지조항'이라 한다)에 대하여, 사립교원인 청구인들의 채용시기에 비추어 청구기간을 도과하여 부적법하다고 본 사례

　사립교원에 해당하는 청구인들은 모두 제20대 국회의원선거일 이전에 사립교원으로 채용되어 늦어도 2016. 4. 13. 제20대 국회의원선거일 무렵에는 사립교원 선거운동 금지조항의 적용을 받았으므로, 그로부터 1년이 경과하여 제기한 심판청구는 청구기간을 도과하여 부적법하다.

2. 공직선거 및 교육감선거 입후보 시 선거일 전 90일까지 교원직을 그만 두도록 하는 공직선거법 제53조 제1항 제1호 본문의 '국가공무원법 제2조에 규정된 국가공무원' 중 '교육공무원'에 관한 부분 및 제53조 제1항 제7호, '지방교육자치에 관한 법률' 제47조 제1항 본문 가운데 '공직선거법 제53조 제1항 제1호 본문'의 '국가공무원법 제2조에 규정된 국가공무원' 중 '교육공무원'에 관한 부분 및 '제53조 제1항 제7호'에 관한 부분(이하 '입후보자 사직조항'이라 한다)이 교원의 공무담임권과 평등권을 침해하는지 여부(소극)

　입후보자 사직조항은 교원이 그 신분을 지니는 한 계속적으로 직무에 전념할 수 있도록 하기 위해 선거에 입후보하고자 하는 경우 선거일 전 90일까지 그 직을 그만두도록 하는 것이므로, 입법목적의 정당성과 수단의 적합성이 인정된다.
　학교가 정치의 장으로 변질되는 것을 막고 학생들의 수학권을 충실히 보장하기 위해 공직선거나 교육감선거 입후보 시 교직을 그만두도록 하는 것은 교원의 직무전념성을 담보하기 위한 것이므로 불가피한 측면이 있다. 입후보를 전제한 무급휴가나 일시휴직을 허용할 경우, 교육의 연속성이 저해되고, 학생들이 불안정한 교육환경에 방치되어 수학권을 효율적으로 보장받지 못할 우려가 있는 점, 공직선거법상 직무상 행위를 이용한 선거운동 등 금지규정만으로는 직무전념성 확보라는 목적을 충분히 달성할 수 없는 점, 선거운동기간과 예비후보자등록일 등을 종합적으로 고려할 때 선거일 전 90일을 사직 시점으로 둔 것이 불합리하다고 볼 수 없는 점, 학생들의 수학권이 침해될 우려가 있다는 점에서 교육감선거 역시 공직선거와 달리 볼 수 없는 점 등에 비추어 보면, 침해의 최소성에 반하지 않는다.
　교원의 직을 그만두어야 하는 사익 제한의 정도는 교원의 직무전념성 확보라는 공익에 비하여 현저히 크다고 볼 수 없으므로 법익의 균형성도 갖추었으므로 과잉금지원칙에 위배하여 공무담임권을 침해한다고 볼 수 없다.

또한, 선거직의 특수성, 직업정치인과 교원의 업무 내용상 차이, 직무내용이나 직급에 따른 구별 가능성 등에 비추어, 국회의원, 지방자치단체 의회의원이나 장, 정부투자기관의 직원 등과 비교하여 교원이 불합리하게 차별받는다고 볼 수 없으며, 수업 내용 및 학생에 미치는 영향력 등을 고려할 때 대학 교원과의 사이에서도 불합리한 차별이 발생한다고 보기 어렵다. 현직 교육감의 경우 교육감선거 입후보 시 그 직을 그만두도록 하면 임기가 사실상 줄어들게 되어, 업무의 연속성과 효율성이 저해될 우려가 크다는 점 등을 고려할 때, 현직 교육감과 비교하더라도 교원인 청구인들의 평등권이 침해된다고 볼 수 없다.

3. 공직선거 및 교육감선거에서 교육공무원의 선거운동을 금지하는 공직선거법 제60조 제1항 제4호 본문의 '국가공무원법 제2조에 규정된 국가공무원' 중 '교육공무원'에 관한 부분, '지방교육자치에 관한 법률' 제49조 제1항 전문 가운데 '공직선거법 제60조 제1항 제4호 본문'의 '국가공무원법 제2조에 규정된 국가공무원' 중 '교육공무원'에 대하여 시·도지사 선거에 관한 규정을 준용하는 부분(이하 '교육공무원 선거운동 금지조항'이라 한다)이 교육공무원의 선거운동의 자유와 평등권을 침해하는지 여부(소극)

교육공무원 선거운동 금지조항은 공무원의 정치적 중립성, 교육의 정치적 중립성을 확보하기 위한 것으로 입법목적의 정당성 및 수단의 적합성이 인정된다.

선거에 영향을 미칠 수 있는 개별 행위들을 일일이 규정하기란 입법기술상 불가능하고, 근무시간 내외를 불문하고 학생들의 인격 및 기본생활습관 형성 등에 중요한 영향을 끼칠 수 있는 교육공무원의 특성 등에 비추어 침해의 최소성에도 어긋나지 않는다. 교육의 정치적 중립성 확보라는 공익은 선거운동의 자유에 비해 높은 가치를 지니고 있으므로 법익의 균형성도 충족한다. 지방교육자치에도 '교육의 자주성·전문성·정치적 중립성'이 요구되는 점에 비추어 교육감선거에 있어 선거운동을 제한하더라도 과도한 제한으로 볼 수 없으므로, 교육공무원에 대한 선거운동 금지가 과잉금지원칙에 위반되지 않는다고 본 헌법재판소의 2012. 7. 26. 2009헌바298 결정은 이 사건에서도 그대로 타당하고, 대학교원과 비교하여서도 앞서 본 바와 같은 이유에서 평등권을 침해한다고 볼 수 없다.

049 교원의 정당 및 정치단체 결성·가입 사건 [위헌, 기각, 각하]
― 2020. 4. 23. 선고 2018헌마551

판시사항

1. 일부 청구인들의 심판청구는 청구기간을 도과하였다고 본 사례
2. 초·중등학교의 교육공무원이 정당의 발기인 및 당원이 될 수 없도록 규정한 정당법 제22조 제1항 단서 제1호 본문 중 국가공무원법 제2조 제2항 제2호의 교육공무원 가운데 초·중등교육법 제19조 제1항의 교원에 관한 부분(이하 '정당법조항'이라 한다) 및 초·중등학교의 교육공무원이 정당의 결성에 관여하거나 이에 가입하는 행위를 금지한 국가공무원법 제65조 제1항 중 '국가공무원법 제2조 제2항 제2호의 교육공무원 가운데 초·중등교육법 제19조 제1항의 교원은 정당의 결성에 관여하거나 이에 가입할 수 없다.' 부분(이하 "국가공무원법조항 중 '정당'에 관한 부분"이라 한다)이 나머지 청구인들의 정당가입의 자유 등을 침해하는지 여부(소극)
3. 초·중등학교의 교육공무원이 정치단체의 결성에 관여하거나 이에 가입하는 행위를 금지한 국가공무원법 제65조 제1항 중 '국가공무원법 제2조 제2항 제2호의 교육공무원 가운데 초·중등교육법 제19조 제1항의 교원은 그 밖의 정치단체의 결성에 관여하거나 이에 가입할 수 없다.' 부분(이하 "국가공무원법조항 중 '그 밖의 정치단체'에 관한 부분"이라 한다)이 나머지 청구인들의 정치적 표현의 자유 및 결사의 자유를 침해하는지 여부(적극)

사건의 개요

청구인 신○○, 박○○, 허○○, 이○○, 홍○○, 김○○은 2018. 3. 1. 중고등학교 교사로 임용되어 공립학교에서 근무하고 있고, 청구인 이□□은 1990. 3. 1. 초등학교 교사로 임용되어 공립학교에서 근무하고 있으며, 청구인 강○○은 1990. 3. 1. 중고등학교 교사로 임용되어 공립학교에서 근무하고 있고, 청구인 권○○은 1996. 3. 1. 중고등학교 교사로 임용되어 사립학교에서 근무하고 있다.

청구인들은 정당법 제22조 제1항 단서 제1호 본문 중 '국가공무원법 제2조 제2항 제2호에 규정된 교육공무원'에 관한 부분 및 제22조 제1항 단서 제2호 중 '사립학교의 교원'에 관한 부분, 국가공무원법 제65조 제1항 중 '국가공무원법 제2조 제2항 제2호에 규정된 교육공무원'에 관한 부분이 청구인들의 정당설립 및 가입의 자유 등을 침해한다고 주장하면서 2018. 5. 29. 이 사건 헌법소원심판을 청구하였다.

심판대상조항 및 관련조항

교육공무원에는 교원, 조교, 장학관, 장학사, 교육연구관, 교육연구사가 포함되는데(교육공무원법 제2조 제1항 참조), 청구인 신○○, 박○○, 허○○, 이○○, 홍○○, 김○○, 이□□, 강○○은 그 중 초·중등교육법 제19조 제1항의 교원이다. 청구인 권○○은 교육공무원이 아니라 사립학교의 교원이다. 따라서 청구인들과 관련된 부분으로 심판대상을 한정한다.

그렇다면 이 사건 심판대상은 정당법(2013. 12. 30. 법률 제12150호로 개정된 것) 제22조 제1항 단서 제1

호 본문 중 국가공무원법 제2조 제2항 제2호의 교육공무원 가운데 초·중등교육법 제19조 제1항의 교원에 관한 부분(이하 '정당법조항'이라 한다) 및 국가공무원법(2008. 3. 28. 법률 제8996호로 개정된 것) 제65조 제1항 중 국가공무원법 제2조 제2항 제2호의 교육공무원 가운데 초·중등교육법 제19조 제1항의 교원에 관한 부분(이하 '국가공무원법조항'이라 하고, 위 두 조항을 합하여 '교육공무원조항'이라 한다)이 청구인 권○○을 제외한 나머지 청구인들의, 정당법(2013. 12. 30. 법률 제12150호로 개정된 것) 제22조 제1항 단서 제2호 중 '사립학교의 교원'에 관한 부분(이하 '사립학교교원조항'이라 하고, 교육공무원조항과 합하여 '심판대상조항'이라 한다)이 청구인 권○○의 기본권을 침해하는지 여부이다. 심판대상조항은 다음과 같고, 관련조항은 [별지]와 같다.

【심판대상조항】

정당법(2013. 12. 30. 법률 제12150호로 개정된 것)

제22조(발기인 및 당원의 자격) ① 국회의원 선거권이 있는 자는 공무원 그 밖에 그 신분을 이유로 정당가입이나 정치활동을 금지하는 다른 법령의 규정에 불구하고 누구든지 정당의 발기인 및 당원이 될 수 있다. 다만, 다음 각 호의 어느 하나에 해당하는 자는 그러하지 아니하다.
 1. 「국가공무원법」 제2조(공무원의 구분) 또는 「지방공무원법」 제2조(공무원의 구분)에 규정된 공무원. (단서 생략)
 2. 「고등교육법」 제14조 제1항·제2항에 따른 교원을 제외한 사립학교의 교원

국가공무원법(2008. 3. 28. 법률 제8996호로 개정된 것)

제65조(정치 운동의 금지) ① 공무원은 정당이나 그 밖의 정치단체의 결성에 관여하거나 이에 가입할 수 없다.

주문

1. 국가공무원법(2008. 3. 28. 법률 제8996호로 개정된 것) 제65조 제1항 중 '국가공무원법 제2조 제2항 제2호의 교육공무원 가운데 초·중등교육법 제19조 제1항의 교원은 그 밖의 정치단체의 결성에 관여하거나 이에 가입할 수 없다.' 부분은 헌법에 위반된다.
2. 청구인 이□□, 강○○, 권○○의 심판청구를 각하한다.
3. 청구인 이□□, 강○○, 권○○을 제외한 나머지 청구인들의 나머지 심판청구를 모두 기각한다.

I 적법요건에 관한 판단 (생략)

II 본안에 관한 판단

1. 정당법조항 및 국가공무원법조항 중 '정당'에 관한 부분

헌법재판소는 2004. 3. 25. 2001헌마710 결정 및 2014. 3. 27. 2011헌바42 결정에서, 국가공무

원이 정당의 발기인 및 당원이 될 수 없도록 규정한 구 정당법 및 구 국가공무원법 조항들이 헌법에 위반되지 않는다고 판단하였다.

그 요지는 '공무원은 공직자인 동시에 국민의 한 사람이기도 하므로, 공무원은 공인의 지위와 사인의 지위, 국민 전체에 대한 봉사자의 지위와 기본권을 누리는 기본권주체의 지위라는 이중적 지위를 가진다. 따라서 공무원이라고 하여 기본권이 무시되거나 경시되어서도 아니 되지만, 공무원의 신분과 지위의 특수성에 비추어 공무원에 대해서는 일반 국민보다 더욱 넓고 강한 기본권제한이 가능하게 된다. 그런 측면에서 우리 헌법은 공무원이 국민 전체의 봉사자라는 지위에 있음을 확인하면서 공무원에 대하여 정치적 중립성을 지킬 것을 요구하고 있다. 이 사건 정당가입 금지조항은 국가공무원이 정당에 가입하는 것을 금지함으로써 공무원이 국민 전체에 대한 봉사자로서 그 임무를 충실히 수행할 수 있도록 정치적 중립성을 보장하고, 초·중등학교 교원이 당파적 이해관계의 영향을 받지 않도록 교육의 중립성을 확보하기 위한 것이므로, 목적의 정당성 및 수단의 적합성이 인정된다. 공무원의 정치적 행위가 직무 내의 것인지 직무 외의 것인지 구분하기 어려운 경우가 많고, 공무원의 행위는 근무시간 내외를 불문하고 국민에게 중대한 영향을 미치므로, 직무 내의 정당 활동에 대한 규제만으로는 입법목적을 달성하기 어렵다. 또한 정당에 대한 지지를 선거와 무관하게 개인적인 자리에서 밝히거나 선거에서 투표를 하는 등 일정한 범위 내의 정당관련 활동은 공무원에게도 허용되므로 이 사건 정당가입 금지조항은 침해의 최소성 원칙에 반하지 않는다. 정치적 중립성, 초·중등학교 학생들에 대한 교육기본권 보장이라는 공익은 공무원들이 제한받는 사익에 비해 중대하므로 법익의 균형성 또한 인정된다. 따라서 이 사건 정당가입 금지조항은 과잉금지원칙에 위배되지 않는다.

초·중등학교의 교원, 즉 교사는 법령이 정하는 바에 따라 학생을 교육하는 자이고, 반면에 대학의 교원, 즉 교수·부교수·조교수와 전임강사는 학생을 교육·지도하고 학문을 연구하되, 학문연구만을 전담할 수 있는 자이다. 이처럼 현행 교육법령은 양자의 직무를 달리 규정하고 있다. 물론 대학교수도 학생을 교육하기는 하나 그 주된 직무는 연구기능이므로, 이 점에서 매일매일을 학생과 함께 호흡하며 수업을 하고 학생을 지도해야 하는 초·중등학교 교원보다 상대적으로 많은 학문연구와 사회활동의 자유가 인정된다. 그뿐만 아니라 초·중등학교의 교육은 일반적으로 승인된 기초적인 지식의 전달에 중점이 있는 데 비하여, 대학의 교육은 학문의 연구·활동과 교수기능을 유기적으로 결합하여 학문의 발전과 피교육자인 대학생들에 대한 교육의 질을 높일 필요성이 있기 때문에 대학교원의 자격기준도 이와 같은 기능을 수행할 수 있는 능력을 갖출 것이 요구된다. 그렇다면 이 사건 정당가입 금지조항이 초·중등학교 교원에 대해서는 정당가입의 자유를 금지하면서 대학의 교원에게 이를 허용한다 하더라도, 이는 양자 간 직무의 본질이나 내용 그리고 근무 태양이 다른 점을 고려한 합리적인 차별이라고 할 것이므로 평등원칙에 위배된다고 할 수 없다.'는 것이다.

위 선례의 판단을 변경할 만한 사정 변경이나 필요성이 인정되지 않고 위 선례의 취지는 이 사건에서도 그대로 타당하므로, 위 선례의 견해를 그대로 유지하기로 한다.

2. 국가공무원법조항 중 '그 밖의 정치단체'에 관한 부분

가. 재판관 유남석, 재판관 이영진, 재판관 문형배의 위헌의견

국가공무원법조항 중 '그 밖의 정치단체'에 관한 부분은, '그 밖의 정치단체'라는 불명확한 개념을 사용하고 있어, 표현의 자유를 규제하는 법률조항, 형벌의 구성요건을 규정하는 법률조항에 대하여 헌법이 요구하는 명확성원칙의 엄격한 기준을 충족하지 못하였다. 이에 대하여는, 아래 재판관 3인의 위헌의견 중 '명확성원칙 위배 여부' 부분과 의견을 모두 같이 한다. 덧붙여, 국가공무원법조항 중 '그 밖의 정치단체'에 관한 부분은 어떤 단체에 가입하는가에 관한 집단적 형태의 '표현의 내용'에 근거한 규제이므로, 더욱 규제되는 표현의 개념을 명확하게 규정할 것이 요구된다. 그럼에도 위 조항은 '그 밖의 정치단체'라는 불명확한 개념을 사용하여, 수범자에 대한 위축효과와 법 집행 공무원의 자의적 판단 위험을 야기하고 있다. 위 조항이 명확성원칙에 위배되어 나머지 청구인들의 정치적 표현의 자유, 결사의 자유를 침해하여 헌법에 위반되는 점이 분명한 이상, 과잉금지원칙에 위배되는지 여부에 대하여는 더 나아가 판단하지 않는다.

나. 재판관 이석태, 재판관 김기영, 재판관 이미선의 위헌의견

1) 명확성원칙 위배 여부

가) 쟁점 및 심사기준

1) 헌법 제12조 및 제13조를 통하여 보장되고 있는 죄형법정주의원칙은 범죄와 형벌이 법률로 정하여져야 함을 의미한다. 이러한 죄형법정주의에서 파생되는 명확성원칙은 법률이 처벌하고자 하는 행위가 무엇이며 그에 대한 형벌이 어떠한 것인지를 누구나 예견할 수 있고, 그에 따라 자신의 행위를 결정할 수 있도록 구성요건을 명확하게 규정할 것을 요구한다.

한편, 현대 민주사회에서 표현의 자유는 국민주권주의 이념의 실현에 불가결한 것인바, 표현의 자유를 규제하는 입법에 있어서 명확성원칙은 특별히 중요한 의미를 지닌다. 불명확한 규범에 의한 규제는 헌법상 보호받는 표현에 대한 위축적 효과를 야기하고, 그로 인하여 다양한 의견, 견해, 사상의 표출을 통한 상호 검증이라는 표현의 자유의 본래의 기능을 상실하게 한다. 따라서 표현의 자유를 규제하는 법률은 규제되는 표현의 개념을 세밀하고 명확하게 규정할 것이 헌법적으로 요구된다.

2) 국가공무원법조항 중 '그 밖의 정치단체'에 관한 부분은 '국가공무원법 제2조 제2항 제2호의 교육공무원 가운데 초·중등교육법 제19조 제1항의 교원(이하 '교원'이라 한다)은 그 밖의 정치단체의 결성에 관여하거나 이에 가입할 수 없다.'라고 규정하고 있다. 이를 위반한 자는 국가공무원법 제84조 제1항에 의하여 처벌되므로, 위 조항은 형벌의 구성요건을 규정하는 법률조항에 해당한다. 또한 위 조항은 교원이 정치단체의 결성에 관여하거나 이에 가입하는 행위를 금지함으로써 나머지 청구인들의 정치적 표현의 자유 및 결사의 자유를 제한하고 있다.

그렇다면 국가공무원법조항 중 '그 밖의 정치단체'에 관한 부분은 죄형법정주의원칙에서 파생되는 명확성원칙뿐만 아니라 표현의 자유를 규제하는 입법에 있어서의 명확성원칙에 부합하여야 하며, 그 정도는 엄격한 의미에서의 명확성이라 할 것이다.

나) 판 단

민주주의 국가에서 국가 구성원의 모든 사회적 활동은 '정치'와 관련된다. 특히 단체는 국가정책에 찬성·반대하거나, 특정 정당이나 후보자의 주장과 우연히 일치하기만 하여도 정치적인 성격을 가진다고 볼 여지가 있다. 국가공무원법조항은 가입 등이 금지되는 대상을 '정당이나 그 밖의 정치단체'로 규정하고 있으므로, 문언상 '정당'에 준하는 정치단체만을 의미하는 것이라고 해석하기도 어렵다. 단체의 목적이나 활동에 관한 어떠한 제한도 없는 상태에서는 '정치단체'와 '비정치단체'를 구별할 수 있는 기준을 도출할 수 없다. 공무원의 정치적 중립성 및 교육의 정치적 중립성의 보장이라는 위 조항의 입법목적을 고려하더라도, '정치적 중립성' 자체가 다원적인 해석이 가능한 추상적인 개념이기 때문에, 이에 대하여 우리 사회의 구성원들이 일치된 이해를 가지고 있다고 보기 어렵다. 이는 판단주체가 법전문가라 하여도 마찬가지이다. 그렇다면 위 조항은 명확성원칙에 위배되어 나머지 청구인들의 정치적 표현의 자유 및 결사의 자유를 침해한다.

2) 과잉금지원칙 위배 여부

국가공무원법조항 중 '그 밖의 정치단체'에 관한 부분은 공무원의 정치적 중립성 및 교육의 정치적 중립성을 보장하기 위한 것이므로, 그 입법목적의 정당성이 인정된다.

그러나 위 조항은 위와 같은 입법목적과 아무런 관련이 없는 단체의 결성에 관여하거나 이에 가입하는 행위까지 금지한다는 점에서 수단의 적합성 및 침해의 최소성이 인정되지 않는다. 또한 위 조항은 국가공무원법 제2조 제2항 제2호의 교육공무원 가운데 초·중등교육법 제19조 제1항의 교원(이하 '교원'이라 한다)의 직무와 관련이 없거나 그 지위를 이용한 것으로 볼 수 없는 결성 관여행위 및 가입행위까지 전면적으로 금지한다는 점에서도 수단의 적합성 및 침해의 최소성을 인정할 수 없다. 공무원의 정치적 중립성은 국민 전체에 대한 봉사자의 지위에서 공직을 수행하는 영역에 한하여 요구되는 것이고, 교원으로부터 정치적으로 중립적인 교육을 받을 기회가 보장되는 이상, 교원이 기본권 주체로서 정치적 자유권을 행사한다고 하여 교육을 받을 권리가 침해된다거나 교육의 정치적 중립성이 훼손된다고 볼 수 없다. 교원이 사인의 지위에서 정치적 자유권을 행사하게 되면 직무수행에 있어서도 정치적 중립성을 훼손하게 된다는 논리적 혹은 경험적 근거는 존재하지 않는다. 공무원의 정치적 중립성 및 교육의 정치적 중립성에 대한 국민의 신뢰는 직무와 관련하여 또는 그 지위를 이용하여 정치적 중립성을 훼손하는 행위를 방지하기 위한 감시와 통제 장치를 마련함으로써 충분히 담보될 수 있다. 위 조항이 교원에 대하여 정치단체의 결성에 관여하거나 이에 가입하는 행위를 전면적으로 금지함으로써 달성할 수 있는 공무원의 정치적 중립성 및 교육의 정치적 중립성은 명백하거나 구체적이지 못한 반면, 그로 인하여 교원이 받게 되는 정치적 표현의 자유 및 결사의 자유에 대한 제약과 민주적 의사형성과정의 개방성과 이를 통한 민주주의의 발전이라는 공익에 발생하는 피해는 매우 크므로, 위 조항은 법익의 균형성도 갖추지 못하였다. 위 조항은 과잉금지원칙에 위배되어 나머지 청구인들의 정치적 표현의 자유 및 결사의 자유를 침해한다.

050 공무원이 선거운동의 기획에 참여하거나 그 기획의 실시에 관여하는 행위 금지 사건 [헌법불합치]
- 2008. 5. 29. 선고 2006헌마1096

판시사항 및 결정요지

1. 공직선거법 제86조 제1항 제2호의 '공무원이 선거운동의 기획에 참여하거나 그 기획의 실시에 관여하는 행위'(이하 '이 사건 법률조항'이라 한다)가 죄형법정주의의 명확성원칙에 위배되는지 여부(소극)

공직선거법 제86조 제1항 제2호가 규정하고 있는 "선거운동의 기획에 참여하거나 그 기획의 실시에 관여하는 행위"란 공무원이 선거운동의 효율적 수행을 위한 일체의 계획 수립에 참여하는 행위 또는 그 계획을 직접 실시하거나 실시에 관하여 지시·지도하는 행위를 함으로써 선거에 영향을 미치는 행위를 말하며, 이는 건전한 상식과 통상적인 법감정을 가진 사람이면 그 적용대상자가 누구이며 구체적으로 어떠한 행위가 금지되고 있는지를 알 수 있다고 할 것이므로 이 사건 법률조항이 그 조문에 "선거운동", "기획", "참여", "관여"라는 약간의 불명확성을 지닌 구성요건을 사용하고 있다고 하더라도 그 점만으로 헌법이 요구하는 죄형법정주의의 명확성의 원칙에 위배된다고 볼 수 없다.

2. 이 사건 법률조항이 모든 공무원에 대해 '선거운동의 기획에 참여하거나 그 기획의 실시에 관여하는 행위'를 금지하는 것이 정치적 표현의 자유를 침해하는 것인지 여부(적극)

이 사건 법률조항은 소위 관권선거나 공적 지위에 있는 자의 선거 개입의 여지를 철저히 불식시킴으로써 선거의 공정성을 확보하기 위하여 공무원에 대하여 선거운동의 기획에 참여하거나 그 기획의 실시에 관여하는 행위(이하 '선거운동의 기획행위'라 한다)를 전적으로 금지하고 있다. 그런데 선거의 공정성을 확보하기 위하여 선거에 대한 부당한 영향력의 행사 기타 선거결과에 영향을 미치는 행위를 금지하여 선거에서의 공무원의 중립의무를 실현하고자 한다면, 공무원이 '그 지위를 이용하여' 하는 선거운동의 기획행위를 막는 것으로도 충분하다. 이러한 점에서 이 사건 법률조항은 수단의 적정성과 피해의 최소성 원칙에 반한다. 한편, 공무원의 편향된 영향력 행사를 배제하여 선거의 공정성을 확보한다는 공익은, 그 지위를 이용한 선거운동 내지 영향력 행사만을 금지하면 대부분 확보될 수 있으므로 공무원이 그 지위를 이용하였는지 여부에 관계없이 선거운동의 기획행위를 일체 금지하는 것은 정치적 의사표현의 자유라는 개인의 기본권을 중대하게 제한하는 반면, 그러한 금지가 선거의 공정성이라는 공익의 확보에 기여하는 바는 매우 미미하다는 점에서 이 사건 법률조항은 법익의 균형성을 충족하고 있지 못하다.

따라서 이 사건 법률조항은 공무원의 정치적 표현의 자유를 침해하나, 다만 위와 같은 위헌성은 공무원이 '그 지위를 이용하여' 하는 선거운동의 기획행위 외에 사적인 지위에서 하는 선거운동의 기획행위까지 포괄적으로 금지하는 것에서 비롯된 것이므로, 이 사건 법률조항은 공무원의 지위를 이용하지 아니한 행위에까지 적용하는 한 헌법에 위반된다.

3. 이 사건 법률조항이 평등권을 침해하는 것인지 여부(적극)

공무원이 그 지위를 이용하여 한 선거운동의 기획행위를 금지하는 것은 선거의 공정성을 보장하기 위한 것인바, 이로써 공무원인 입후보자와 공무원이 아닌 다른 입후보자, 지방자치단체의 장과 국회의원과 그 보좌관, 비서관, 비서 및 지방의회의원을 차별하는 것은 합리적 이유가 있다. 그러나 이 사건 법률조항이 공무원이 그 지위를 이용하지 않고 사적인 지위에서 선거운동의 기획행위를 하는 것까지 금지하는 것은 선거의 공정성을 보장하려는 입법목적을 달성하기 위한 합리적인 차별취급이라고 볼 수 없으므로 평등권을 침해한다.

4. 구 '공직선거 및 선거부정 방지법' 제86조 제1항 제2호와 제255조 제1항 제10호에 대해 합헌결정을 하였던 것을 판례 변경한 사례

종전에 헌법재판소가 이 결정과 견해를 달리해 구 '공직선거 및 선거부정방지법'(2004. 3. 12. 법률 제7189호로 개정된 것) 제86조 제1항 제2호와 제255조 제1항 제10호가 헌법에 위반되지 않는다고 판시한 2005. 6. 30. 선고 2004헌바33 결정은 이 결정과 저촉되는 범위 내에서 이를 변경한다.

제8절 지방자치제도

051 제주특별자치도의 설치 및 국제자유도시조성을 위한 특별법안 사건 [기각]
― 2006. 4. 27. 선고 2005헌마1190

판시사항

1. 일정 지역 내의 지방자치단체인 시·군을 모두 폐지하여 지방자치단체의 중층구조를 단층화하는 것이 헌법상 지방자치제도의 보장에 위반되는지 여부(소극)
2. 제주도의 지방자치단체인 시·군을 모두 폐지하는 제주도 행정체제 등에 관한 특별법 제3조 및 제주특별자치도 설치 및 국제자유도시 조성을 위한 특별법 제15조 제1항·제2항(위 규정 모두를 이하 '이 사건 법률조항'이라 한다)이 제주도민들의 선거권 및 피선거권의 참정권을 침해하는지 여부(소극)
3. 제주도의 지방자치단체인 시·군을 폐지하는 입법을 위해 제주도 전체의 주민투표를 실시한 것이 폐지되는 지방자치단체의 주민들의 청문권을 침해하는지 여부(소극)

사건의 개요

제주도지사에 의하여 설치되어 운영 중이던 제주도행정개혁추진위원회는 현행 도와 시·군의 자치계층 유지, 자치단체장 및 지방의회의원의 직접 선출, 도와 시·군의 기능과 역할 조정을 내용으로 하는 안("점진적 대안" 또는 "현행유지안"이라고 칭함)과, 도를 하나의 광역자치단체로 개편하고 제주시와 북제주군, 서귀포시와 남제주군을 통합한 2개시 체제구축, 시장 임명, 시·군의회 폐지 및 도의회 확대를 내용으로 하는 안("혁신적 대안" 또는 "단일광역자치안"이라고 칭함)의 두 가지 안을 주민투표를 거쳐 최종확정할 것을 결의하였다.

이에 따라 제주도지사는 행정자치부장관에게 제주도 전역에서 주민투표를 실시할 것을 건의하였고, 행정자치부장관이 이를 받아들여 다시 제주도지사에게 주민투표 실시를 요구함에 따라 2005. 7. 27. 제주도행정구조개편을 위한 주민투표가 실시되었다. 그 결과 제주도 전체에서 36.7%의 투표율, 그 중 혁신적 대안 57.0%, 현행유지안 43.0%으로 혁신적 대안이 우세하게 나타났다.

이러한 주민투표의 결과에 따라 정부는 혁신안을 내용으로 하는 제주도 행정체제 등에 관한 특별법안과 제주특별자치도 설치 및 국제자유도시 조성을 위한 특별법을 국회에 제출하였고 모두 국회에서 가결되었다.

이에 제주도민 및 기초자치단체 소속 공무원인 청구인들은 제주시, 서귀포시, 북제주군, 남제주군을 폐지하는 내용의 제주도 행정체제 등에 관한 특별법 제3조 및 제주특별자치도 설치 및 국제자유도시 조성을 위한 특별법 제15조 제1항·제2항에 의하여 선거권 등을 침해받는다고 주장하며 이 사건 헌법소원심판을 청구하였다.

심판대상조항 및 관련조항

제주도 행정체제 등에 관한 특별법(2006. 1. 11. 법률 제7847호, 2006. 7. 1. 시행, 이하 '제주도행정특별법'이라 한다)

제3조(제주시 등의 폐지) ① 제주도의 제주시·서귀포시·북제주군 및 남제주군을 각각 폐지한다.
② 제주도에는 지방자치법 제2조 제1항 및 제3조 제2항의 규정에 불구하고 관할구역 안에 지방자치단체인 시와 군을 두지 아니한다.

제주특별자치도 설치 및 국제자유도시 조성을 위한 특별법

제15조(지방자치단체가 아닌 시 및 읍·면·동의 설치) ① 제주자치도는 지방자치법 제2조 제1항 및 제3조 제2항의 규정에 불구하고 그 관할구역 안에 지방자치단체인 시와 군을 두지 아니한다.
② 제주자치도의 관할구역 안에 지방자치단체가 아닌 시(이하 "행정시"라 한다)를 두고, 행정시에는 도시의 형태를 갖춘 지역에는 동을, 그 밖의 지역에는 읍·면을 둔다.
③ 지방자치법의 규정 중 읍·면·동에 관한 사항은 행정시에 두는 읍·면·동에 대하여 적용한다. 다만, 행정시에 두는 읍·면·동의 폐치분합은 지방자치법 제4조 제3항의 규정에 불구하고 행정자치부장관의 승인을 요하지 아니하되, 도지사는 그 결과를 행정자치부장관에게 보고하여야 한다.

주문

청구인들의 심판청구를 기각한다.

I 판단

1. 제한되는 기본권과 심사기준

가. 이 사건 법률조항에 의하면 제주도의 제주시·서귀포시·북제주군 및 남제주군이 폐지되며 대신 그 지역에 지방자치단체가 아닌 시가 설치되므로 당해 지역의 지방자치단체는 특별자치도인 제주도만이 존재하게 된다. 따라서 제주도민인 청구인들은 지방자치단체인 시와 군의 장 및 의회의원선거에 후보자로 출마하거나 선거에 참여하여 투표할 수 없게 되므로 그러한 범위에서 헌법상의 기본권인 선거권과 공무담임권을 제한받는다. 또한 제주도가 아닌 다른 지역의 경우 시·도 뿐 아니라 시·군 및 구의 경우에도 자치단체로서 의회의 의원과 그 장을 주민들이 직접 선거에 의해 선출할 수 있으므로 제주도민들인 청구인들은 그에 비하여 선거권 및 피선거권이 제약되는 불이익을 받아 평등권을 제한받는다고 볼 수 있다. 그 외에도 청구인들은 적법절차원칙의 위반을 주장하나 이는 부적절한 절차에 의하여 입법이 이루어짐으로써 헌법상 보장되는 청문권을 침해받았다는 주장으로 볼 수 있다.

나. 헌법 제117조 제2항은 지방자치단체의 종류를 법률로 정하도록 규정하고 있을 뿐 지방자치단체의 종류 및 구조를 명시하고 있지 않으므로 이에 관한 사항은 기본적으로 입법자에게 위임된 것으로 볼 수 있다. 따라서 헌법상 지방자치제도의 보장은 특정 지방자치단체의 존속을 보장하는 것이 아니며 지방자치단체의 폐치·분합은 헌법적으로 허용될 수 있다. 우리 재

판소도 '자치제도의 보장은 지방자치단체에 의한 자치행정을 일반적으로 보장한다는 것뿐이고 특정자치단체의 존속을 보장한다는 것은 아니며 지방자치단체의 폐치·분합에 있어 지방자치권의 존중은 법정절차의 준수로 족하다'고 판시하여 이러한 취지를 분명히 하고 있다. 이와 같이 헌법상 지방자치제도보장의 핵심영역 내지 본질적 부분이 지방자치단체에 의한 자치행정을 일반적으로 보장하는 것이라면, 현행법에 따른 지방자치단체의 중층구조 또는 지방자치단체로서 특별시·광역시 및 도와 함께 시·군 및 구를 계속하여 존속하도록 할지 여부는 결국 입법자의 입법형성권의 범위에 들어가는 것으로 보아야 한다. 같은 이유로 일정 구역에 한하여 모든 자치단체를 전면적으로 폐지하거나 지방자치단체인 시·군이 수행해온 자치사무를 국가의 사무로 이관하는 것이 아니라 당해 지역 내의 지방자치단체인 시·군을 모두 폐지하여 중층구조를 단층화하는 것 역시 입법자의 선택범위에 들어가는 것이다.

이와 같이 자치단체의 구조에 대한 개편을 입법자의 형성에 맡긴 헌법규정의 취지에 의하면, 이 사건 법률조항에 의하여 청구인들의 참정권과 평등권 등 기본권이 제한된다 하더라도 이것이 제주도 지역에서 중층으로 구성된 지방자치단체를 단층화하는 제도의 개편에 의하여 발생한 결과적인 것이라는 점에서, 그 위헌성 판단은 입법자의 판단이 현저히 자의적이어서 기본권 제한의 합리적인 재량의 한계를 벗어난 것인지 여부에 의하여 결정되어야 할 것이다.

2. 선거권, 피선거권 및 평등권의 침해 여부

제주국제자유도시 조성은 단순한 산업발전을 위한 정책을 넘어 사람·상품·자본의 국제적 이동과 기업활동의 편의가 최대한 보장되도록 규제를 완화하고 국제적 기준이 적용되는 지역적 단위를 설정하는 것이다(국제자유도시조성특별법 제2조). 이를 위해서는 기존의 법령을 개정하여 새로운 기준을 설정하는 것뿐 아니라 도시계획·교통·상하수도·주택 등 기반시설의 확충과 광범위한 개발계획의 시행이 이루어져야 한다. 1도·2시·2군의 기존 제주도 행정체계로는 이와 같은 새로운 행정수요를 충족시키기 어렵다. 지방자치단체 간 재정력 격차로 인한 지역 간 불균형이 발생하기 쉽고, 기초자치단체와 광역자치단체의 중층행정계층에 따른 결재단계 등으로 의사결정비용이 크며, 업무상 갈등으로 말미암아 일관된 행정이 이루어지지 않을 가능성이 상존하기 때문이다. 따라서 새로운 행정수요에 따른 지방행정구조개편이 필요하며 이 사건 법률조항으로 자치단체인 시·군을 폐지하여 행정의 효율화를 달성하고 국제자유도시의 조성을 도모하려는 입법자의 판단이 부정확한 사실인식과 불합리한 예측을 근거로 한 것이라 할 수는 없다.

게다가 비록 기초자치단체의 폐지로 말미암아 주민들의 자치단체구성에 대한 참여기회가 일부 상실되었다 하더라도 그에 대한 보완책으로 광역자치단체 수준의 참여권이 확대되었고, 제주도가 중앙정부의 규율로부터 벗어나 폭넓은 자치권을 가지게 됨에 따라 실질적으로 주민들이 지역행정에 참여하여 영향을 미칠 수 있는 범위가 확대되었으므로, 주민들의 민주적 요구를 수용하는 지방자치제의 기능이 예전에 비하여 축소되었다고 볼 수도 없다.

따라서 이 사건 법률조항에 의하여 청구인들의 참정권인 선거권과 공무담임권이 제한된다 하더라도 그것이 현저히 자의적이고 불합리하여 기본권 제한의 입법적 한계를 벗어난 것이라고 할 수 없다.

3. 청문권의 침해 여부

가. 청구인들은 헌법상의 적법절차의 원칙에 의하면 자치단체인 시·군이 폐지될 경우 폐지되는 당해 지방자치단체에 의한 주민투표가 실시되어야 하며 입법자는 반드시 그 결과에 따라 입법하여야 함에도 불구하고, 제주도에 의하여 그 전역에서 실시된 투표결과에 따라 이 사건 법률조항이 규정되었으므로 청문권이 침해되었다고 주장한다.

그러나 주민투표의 투표대상인 혁신적 대안은 단순히 4개 시·군을 폐지하는 것뿐 아니라 기존의 자치단체인 제주도를 폐지하고 새로운 제주특별자치도를 설치하며 그 권한과 사무의 확대, 의회규모 확대 등 완전히 새로운 행정체계를 구축하는 것을 포함하고 있다. 나아가 폐지될 시·군 주민 전체가 제주도민 전체이기도 한 점에서 제주도에 의하여 투표가 실시된다 하여도 투표의 실질에 있어 차이가 없고, 제주도 전역에서 투표가 행해진다 하더라도 투표결과 집계를 통해 전체 주민의 찬반비율 뿐 아니라 개별 지역별 찬반비율 역시 확인할 수 있으므로 폐지되는 자치단체 주민들의 의사를 확인한다는 기능적인 면에서도 차이가 없다.

나. 이에 대하여 설사 제주도에 의하여 그 전역에서 투표가 실시되는 것이 적법절차상의 청문권의 요청에 부합하는 것이라 하더라도, 그 결과 일부 폐지되는 지방자치단체에서 반대하는 의견이 더 많았다면 입법자는 이에 구속되므로 당해 지방자치단체를 폐지하는 이 사건 법률조항은 적법절차에 위반하여 청문권을 침해하는 것이라 주장하기도 한다.

그러나 특히 지방자치단체의 폐지와 관련한 입법절차에 청문절차가 요구되는 것은 입법자가 공공복리를 이유로 지방자치단체의 폐지결정을 내리기 전에 일반적으로 상반되는 이익들 간의 형량이 선행되어야 하고 이러한 이익형량은 이해관계자들의 참여 없이는 적정하게 이루어질 수 없기 때문이다. 국회는 이러한 절차를 통하여 비로소 자신의 결정에 앞서 중요한 사항들에 관한 포괄적이고 신빙성 있는 지식을 얻게 되는 것이다. 그러므로 <u>자치단체의 폐지에 대한 이해관계자들의 참여 즉, 의견개진의 기회부여는 문제가 된 사항의 본질적 내용과 그 근거에 관하여 이해관계인에게 고지하고 그에 관한 의견의 진술기회를 부여함으로써 그 진술된 의견이 국회에 입법자료를 제공하는 기능을 하도록 하면 족하며, 입법자가 그 의견에 반드시 구속되는 것으로 볼 수는 없다.</u>

다. 이와 같이 이 사건 법률조항의 입법과 관련하여 제주도에 의하여 그 전역에서 주민투표를 행한 것으로도 헌법상의 적법절차원칙은 준수되었다고 볼 수 있고, 이로써 청구인들의 청문권이 침해되었다고 볼 수는 없다.

Ⅱ 결 론

그러므로, 이 사건 법률조항으로 인하여 청구인들의 기본권이 침해되었다고 볼 수 없으므로 이 사건 심판청구를 기각하기로 하여 관여 재판관 전원의 일치된 의견으로 주문과 같이 결정한다.

 금고이상의 형을 선고받고 형이 확정되지 않은 지방자치단체장의 권한대행 사건 [헌법불합치]
— 2010. 9. 2. 선고 2010헌마418

판시사항

1. 지방자치단체의 장(이하 '자치단체장'이라 한다)이 금고 이상의 형을 선고받고 그 형이 확정되지 아니한 경우 부단체장이 그 권한을 대행하도록 규정한 지방자치법 제111조 제1항 제3호(이하 '이 사건 법률조항'이라 한다)가 자치단체장인 청구인의 공무담임권 등 기본권을 침해하는지 여부(적극)
2. 단순위헌의견이 5인, 헌법불합치의견이 1인인 경우 주문의 표시 및 종전결정의 변경

심판대상조항 및 관련조항

지방자치법(2007. 5. 11. 법률 제8423호로 전부 개정된 것)

제111조(지방자치단체의 장의 권한대행 등) ① 지방자치단체의 장이 다음 각 호의 어느 하나에 해당되면 부지사·부시장·부군수·부구청장(이하 이 조에서 "부단체장"이라 한다)이 그 권한을 대행한다.
   3. 금고 이상의 형을 선고받고 그 형이 확정되지 아니한 경우

주문

1. 지방자치법(2007. 5. 11. 법률 제8423호로 전부 개정된 것) 제111조 제1항 제3호는 헌법에 합치되지 아니한다.
2. 위 법률조항은 입법자가 2011. 12. 31.까지 개정하지 아니하면 2012. 1. 1.부터 그 효력을 상실한다.
3. 법원 기타 국가기관 및 지방자치단체는 입법자가 개정할 때까지 위 법률조항의 적용을 중지하여야 한다.

I 재판관 이강국, 재판관 김희옥, 재판관 김종대, 재판관 목영준, 재판관 송두환의 위헌의견

1. 제한되는 기본권과 위헌성 심사기준

이 사건 법률조항은, 자치단체장이 금고 이상의 형을 선고받은 경우에 부단체장으로 하여금 그 권한을 대행하도록 규정함으로써, 금고 이상의 형을 선고받은 자치단체장을 그 형이 확정되기 전까지 잠정적으로 직무에서 배제시키고 있다. 즉, 선거직 공무원인 자치단체장의 직무를 '금고 이상의 형의 선고'를 요건으로 일시 정지시키고 있는 것이다.

우리 헌법 제25조는 "모든 국민은 법률이 정하는 바에 의하여 공무담임권을 가진다."고 규정하

여 공무담임권을 기본권으로 보장하고 있고, 공무담임권의 보호영역에는 공직취임 기회의 자의적인 배제뿐 아니라 공무원 신분의 부당한 박탈이나 권한(직무)의 부당한 정지도 포함된다.

결국 이 사건 법률조항이 임기가 정하여져 있는 선거직 공무원의 직무를 '형이 확정될 때까지'라는 불확실한 시점까지 정지시키는 것은, 비록 일시적이고 잠정적인 처분이라 하더라도, 헌법상 보장된 청구인의 공무담임권을 제한하고 있다고 할 것이다.

나아가 법률에 의한 공무담임권의 제한이 헌법의 원칙에 반한다면, 이는 부당한 공권력의 행사로서 취소되어야 한다.

우선 이 사건 법률조항은 '금고 이상의 형을 선고받은' 형사피고인을 그 적용대상으로 하고 있는바, 우리 헌법 제27조 제4항은 "형사피고인은 유죄의 판결이 확정될 때까지는 무죄로 추정된다."고 명시하고 있고, 이같은 무죄추정의 원칙은 비단 형사절차에만 적용되는 것이 아니라 기타 일반 법생활 영역에서의 기본권 제한과 같은 경우에도 적용되는 원칙이므로, 이 사건 법률조항이 무죄추정의 원칙에 반하는지 여부가 판단되어야 한다.

또한 이 사건 법률조항에 의한 직무정지는 선거에 의하여 선출된 자치단체장의 직무를 불확정된 기한까지 정지하는 것으로서 실질적으로 당연퇴직에 상응할 만큼 공무담임권을 제한하는 것이고, 헌법상 무죄추정의 원칙과도 관련되어 있으므로, 그 기본권제한이 적정한지 여부는 비례의 원칙에 따라 엄격하게 심사되어야 한다.

한편 이 사건 법률조항은 금고 이상의 형을 선고받은 자치단체장에게 형이 확정되기 전까지 직무정지의 제재를 가하고 있는바, 자치단체장과 같은 선거직 공무원으로서 그 지위나 권한에 있어서 본질적 차이가 있다고 보기 힘든 국회의원에게는 이같은 내용의 직무정지제도가 없다는 점에서, 위와 같은 차별적 취급이 합리적인지 여부에 따라 청구인의 평등권 침해 여부도 문제된다.

2. 무죄추정의 원칙 위반 여부

우리 헌법 제27조 제4항은 "형사피고인은 유죄의 판결이 확정될 때까지는 무죄로 추정된다."고 하여 무죄추정의 원칙을 천명하고 있다. 무죄추정의 원칙이라 함은, 아직 공소제기가 없는 피의자는 물론 공소가 제기된 피고인이라도 유죄의 확정판결이 있기까지는 원칙적으로 죄가 없는 자에 준하여 취급하여야 하고 불이익을 입혀서는 안되며 가사 그 불이익을 입힌다 하여도 필요한 최소한도에 그쳐야 한다는 원칙을 말한다. 여기서 무죄추정의 원칙상 금지되는 '불이익'이란 '범죄사실의 인정 또는 유죄를 전제로 그에 대하여 법률적·사실적 측면에서 유형·무형의 차별취급을 가하는 유죄인정의 효과로서의 불이익'을 뜻하고, 이는 비단 형사절차 내에서의 불이익뿐만 아니라 기타 일반 법생활 영역에서의 기본권 제한과 같은 경우에도 적용된다.

그런데 이 사건 법률조항은 '금고 이상의 형이 선고되었다.'는 사실 자체에 주민의 신뢰가 훼손되고 자치단체장으로서 직무의 전념성이 해쳐질 것이라는 부정적 의미를 부여한 후, 그러한 판결이 선고되었다는 사실만을 유일한 요건으로 하여, 형이 확정될 때까지의 불확정한 기간동안 자치단체장으로서의 직무를 정지시키는 불이익을 가하고 있으며, 그와 같이 불이익을 가함에 있어 필요최소한에 그치도록 엄격한 요건을 설정하지도 않았으므로, 무죄추정의 원칙에 위배된다.

3. 과잉금지원칙 위반 여부

직무전념성이 우려되는 상황에 처한 자치단체장을 직무에서 배제시킴으로써 주민의 복리와 자치단체행정의 원활한 운영을 도모하고 그로 인해 해이해질 수 있는 공직기강을 확립하여 부정적인 국민의 법감정을 회복시키려는 이 사건 법률조항의 입법목적은 입법자가 추구할 수 있는 정당한 공익이라 할 것이고, 이를 실현하기 위하여 해당 자치단체장을 형이 확정될 때까지 잠정적으로 그 직무에서 배제시키는 것은 일응 유효·적절한 수단이라고 볼 수 있다.

자치단체장직에 대한 공직기강을 확립하고 주민의 복리와 자치단체행정의 원활한 운영에 초래될 수 있는 위험을 예방하기 위한 입법목적을 달성하기 위하여 자치단체장을 직무에서 배제하는 수단을 택하였다 하더라도, 금고 이상의 형을 선고받은 자치단체장을 다른 추가적 요건없이 직무에서 배제하는 것이 위 입법목적을 달성하기 위한 최선의 방안이라고 단정하기는 어렵고. 특히 이 사건 청구인의 경우처럼, 금고 이상의 형의 선고를 받은 이후 선거에 의하여 자치단체장으로 선출된 경우에는 '자치단체행정에 대한 주민의 신뢰유지'라는 입법목적은 자치단체장의 공무담임권을 제한할 적정한 논거가 되기 어렵다.

또한, 금고 이상의 형을 선고받았더라도 불구속상태에 있는 이상 자치단체장이 직무를 수행하는 데는 아무런 지장이 없으므로 부단체장으로 하여금 그 권한을 대행시킬 직접적 필요가 없다는 점, 혹시 그러한 직무정지의 필요성이 인정된다 하더라도, 형이 확정될 때까지 기다리게 되면 자치단체행정의 원활한 운영에 상당한 위험이 초래될 것으로 명백히 예상된다거나 회복할 수 없는 공익이 침해될 우려가 있는 제한적인 경우로 한정되어야 한다는 점, 금고 이상의 형을 선고받은 범죄가 해당 자치단체장에 선출되는 과정에서 또는 선출된 이후 자치단체장의 직무에 관련하여 발생하였는지 여부, 고의범인지 과실범인지 여부 등 해당 범죄의 유형과 죄질에 비추어 형이 확정되기 전이라도 미리 직무를 정지시켜야 할 이유가 명백한 범죄를 저질렀을 경우로만 한정할 필요도 있는 점 등에 비추어 볼 때, 이 사건 법률조항은 필요최소한의 범위를 넘어선 기본권제한에 해당할 뿐 아니라, 이 사건 법률조항으로 인하여 해당 자치단체장은 불확정한 기간 동안 직무를 정지당함은 물론 주민들에게 유죄가 확정된 범죄자라는 선입견까지 주게 되고, 더욱이 장차 무죄판결을 선고받게 되면 이미 침해된 공무담임권은 회복될 수도 없는 등의 심대한 불이익을 입게 되므로, 법익균형성 요건 또한 갖추지 못하였다.

따라서 이 사건 법률조항은 자치단체장인 청구인의 공무담임권을 침해한다.

4. 평등권 침해 여부

국회의원의 경우 자치단체장과는 달리 국회라는 합의체의 구성원으로서 독임제 행정기관의 장이 아니고 그 권한대행을 상정할 수 없다는 차이가 있긴 하나, 이는 직무의 외형적인 특징상 차이일 뿐이다. 우리 헌법이 부여한 국회의원 직무의 중차대함을 고려할 때, 금고 이상의 형을 선고받을 경우 자신에게 민주적 정당성을 부여해 준 국민의 신뢰가 훼손되고 원활한 직무운영에 위험이 초래된다는 이 사건 법률조항의 입법목적을 놓고 보면 그 직무정지의 필요성이 본질적으로 다르다고 할 수 없을 뿐 아니라, 국회의원의 직무가 정지되면 권한대행할 자가 없더라도 직무배제된 국회의원을 국회 정족수에서 제외하면 되므로, 권한대행자를 상정하기 힘들다는 이유만으로 자치단체장의 경우와 달리 취급할 필요성은 없는 것이다. 따라서 이 사건 법률조항이 국회의원과는 달리 자치단체장에게만 직무정지를 부과하는 것은 합리적 이유 없는 차별로서 청구인의 평등권을 침해한다.

5. 소결론

그렇다면 이 사건 법률조항은 헌법상 무죄추정의 원칙과 과잉금지원칙에 반하여 청구인의 공무담임권을 침해하고 있을 뿐만 아니라, 청구인의 평등권도 침해하고 있으므로, 헌법에 위반된다 할 것이다.

Ⅲ 재판관 조대현의 헌법불합치 의견

이 사건 법률조항이 헌법 제27조 제4항과 제37조 제2항에 위반하여 청구인의 기본권을 침해하고 있지만, 전부 위헌은 아니고 위헌부분과 합헌부분이 섞여 있다고 생각한다.

선거로 선출된 공무원이 당해 선거에서 선거법을 위반하여 금고 이상의 형을 선고받은 경우에는 선출의 효력 및 공무담임권 취득의 정당성 자체가 무너졌다고 보아 그의 공무담임권의 행사를 정지시켜도 무방하다고 할 것이다. 그리고 선거직 공무원으로 재직하던 중 직무상 범죄를 저질러 금고 이상의 형을 선고받음으로써 공무담임권 위임의 본지를 배반하였다고 볼 수 있는 경우에도 그의 공무담임권 행사를 정지시킬 수 있다고 할 것이다. 이처럼 선거직 공무원이 금고 이상의 형을 선고받은 사유로 인하여 공무담임권 위임의 정당성이 무너지거나 공무담임권 위임의 본지를 배반하였다고 볼 수 있는 경우에는, 그러한 사유로 인하여 공무를 계속 담당시키기 곤란하다고 보아 공무담임권의 행사를 정지시키더라도, 금고 이상의 형이 선고된 사실보다 공무담임권 위임의 정당성이 무너지거나 공무담임권 위임의 본지를 배반하여 공무를 계속 담당시키기 곤란함을 이유로 하는 것이므로 헌법 제27조 제4항의 무죄추정의 원칙에 직접적으로 위반된다고 보기 어렵고, 국민주권주의의 요청과 국민에 대한 책임을 구현하기 위하여 그러한 사유를 선거직 공무원의 공무담임권과 형사피고인의 무죄추정권을 제한하는 사유로 삼을 수 있다고 할 것이다. 그리고 금고 이상의 형이 선고된 후부터 그 형의 선고가 취소되거나 확정될 때까지 잠정적으로 정지시키는 것이므로 공무담임권이나 무죄추정권을 필요한 한도를 넘어 지나치게 제한하여 헌법 제37조 제2항에 위반된다고 보기도 어렵다고 할 것이다.

그러나 선거직 공무원이 금고 이상의 형을 선고받았다고 하더라도, 그로 인하여 공무담임권 위임의 정당성이 무너지거나 공무담임권 위임의 본지를 배반하여 공무를 계속 담당시키기 곤란한 경우라고 보기 어려운 경우에는, 그러한 형의 선고를 이유로 그 형이 확정되기 전에 선거직 공무원의 공무담임권을 제한하는 것은 곧바로 헌법 제27조 제4항에 위반된다고 할 것이고, 그러한 사유를 선거직 공무원의 기본권인 공무담임권과 형사피고인의 무죄추정권을 제한할 사유로 삼는 것도 허용될 수 없다고 보아야 한다.

결국 이 사건 법률조항은 자치단체장이 금고 이상의 형을 선고받은 경우에, 그러한 형을 선고받은 범죄행위로 인하여 공무담임권 위임의 정당성이 무너지거나 공무담임권 위임의 본지를 배반하여 공무를 계속 담당시키기 곤란한 경우인지 여부를 묻지 않고, 그러한 형이 확정되기 전에도 선출된 공무원의 공무담임권을 행사하지 못하게 하고 있으므로, 헌법에 위반되지 않는 경우와 헌법에 위반되는 경우를 포함하여 규율하고 있다고 할 것이다. 그리고 이 사건 법률조항 중 위헌부분과 합헌부분을 가려내는 일은 국회의 입법형성권에 맡김이 상당하다. 따라서 이 사건 법률조항 전부에 대하여 헌법에 합치되지 아니한다고 선언하고 이 사건 법률조항 중 위헌부분을 제거하는 개선입법을 촉구함이 상당하다.

청구인은 강원도 주민의 선거로 강원도지사로 선출되어 취임한 사람으로서 강원도지사로 선출되기 전에 정치자금법을 위반한 혐의로 인하여 금고 이상의 형을 선고받았지만, 그러한 혐의행위로 인하여 청구인이 강원도지사로 선출되어 취임한 정당성이 무너지거나 도지사선거에 의한 공무담임권 위임의 본지를 배반하였다고 보기 어려우므로, 청구인이 이 사건 법률조항으로 인하여 강원도지사의 권한을 행사하지 못하는 것은 청구인의 공무담임권과 무죄추정권이 부당하게 침해되는 것이라고 보지 않을 수 없다. 그러한 기본권 침해는 이 사건 법률조항 중 위헌부분으로 말미암은 것이라고 할 것이므로 헌법재판소법 제75조 제3항 또는 제5항에 의하여 이 사건 법률조항에 위헌부분이 포함되어 있다는 점도 선언할 필요가 있다.

III 결 론

앞에서 본 바와 같이, 이 사건 법률조항이 헌법에 위반된다는 의견이 5인이고, 헌법에 합치되지 아니한다는 의견이 1인이므로, 단순위헌 의견에 헌법불합치 의견을 합산하면 헌법재판소법 제23조 제2항 제1호에 따라 헌법소원에 관한 인용결정에 필요한 심판정족수 6인에 이르게 된다. 그러므로 이 사건 법률조항에 대하여 주문과 같이 헌법에 합치되지 아니한다고 선언하고, 입법자가 2011. 12. 31.까지 위 법률을 개정하지 아니하면 2012. 1. 1.부터 그 효력을 상실하도록 하며, 위 개정시까지 법원 기타 국가기관 및 지방자치단체에게 위 법률조항의 적용을 중지할 것을 명한다.

아울러 종전에 헌법재판소가 이 결정과 견해를 달리해, 이 사건 법률조항에 해당하는 구 지방자치법(2002. 3. 25. 법률 제6669호로 개정되고 2007. 5. 11. 법률 제8423호로 개정되기 전의 것) 제101조의2 제1항 제3호가 과잉금지원칙을 위반하여 자치단체장의 공무담임권을 제한하는 것이 아니고 무죄추정의 원칙에도 저촉되지 않는다고 판시하였던 2005. 5. 26. 2002헌마699, 2005헌마192(병합) 결정은 이 결정과 저촉되는 범위 내에서 변경하기로 한다.

이 결정에 대하여는, 재판관 이공현, 재판관 민형기, 재판관 이동흡의 반대의견과, 재판관 조대현의 주문표시에 관한 보충의견이 있다.

053 공소제기후 구금된 지방자치단체장에 대한 직무정지 사건 [기각]
― 2011. 4. 28. 선고 2010헌마474

판시사항 및 결정요지

1. **지방자치단체의 장**(이하, '자치단체장'이라 한다)이 '공소 제기된 후 구금상태에 있는 경우' 부단체장이 그 권한을 대행하도록 규정한 지방자치법 제111조 제1항 제2호(이하, '이 사건 법률조항'이라 한다)가, 자치단체장인 청구인의 공무담임권을 제한함에 있어 (1) 과잉금지원칙에 위반되는지 및 (2) 무죄추정의 원칙에 위반되는지 여부(소극)

　(1) 이 사건 법률조항의 입법목적은 주민의 복리와 자치단체행정의 원활하고 효율적인 운영에 초래될 것으로 예상되는 위험을 미연에 방지하려는 것으로, 자치단체장이 '공소 제기된 후 구금상태'에 있는 경우 자치단체행정의 계속성과 융통성을 보장하고 주민의 복리를 위한 최선의 정책집행을 도모하기 위해서는 해당 자치단체장을 직무에서 배제시키는 방법 외에는 달리 의미있는 대안을 찾을 수 없고, 범죄의 죄질이나 사안의 경중에 따라 직무정지의 필요성을 달리 판단할 여지가 없으며, 소명의 기회를 부여하는 등 직무정지라는 제재를 가함에 있어 추가적인 요건을 설정할 필요도 없다.

　나아가 정식 형사재판절차를 앞두고 있는 '공소 제기된 후'부터 시작하여 '구금상태에 있는' 동안만 직무를 정지시키고 있어 그 침해가 최소한에 그치도록 하고 있고, 이 사건 법률조항이 달성하려는 공익은 매우 중대한 반면, 일시적·잠정적으로 직무를 정지당할 뿐 신분을 박탈당하지도 않는 자치단체장의 사익에 대한 침해는 가혹하다고 볼 수 없으므로 과잉금지원칙에 위반되지 않는다.

　(2) 이 사건 법률조항은 공소 제기된 자로서 구금되었다는 사실 자체에 사회적 비난의 의미를 부여한다거나 그 유죄의 개연성에 근거하여 직무를 정지시키는 것이 아니라, 구금의 효과, 즉 구속되어 있는 자치단체장의 물리적 부재상태로 말미암아 자치단체행정의 원활하고 계속적인 운영에 위험이 발생할 것이 명백하여 이를 미연에 방지하기 위하여 직무를 정지시키는 것이므로, '범죄사실의 인정 또는 유죄의 인정에서 비롯되는 불이익'이라거나 '유죄를 근거로 하는 사회윤리적 비난'이라고 볼 수 없다. 따라서 무죄추정의 원칙에 위반되지 않는다.

2. **이 사건 법률조항이**, (1) 국무총리, 행정 각부의 장, 국회의원과는 달리 자치단체장만을 합리적 이유 없이 차별하고 있는지, (2) 입원한 경우와는 달리 60일 미만 구금된 경우에도 직무를 정지시키는 것이 합리적 이유 없는 차별인지 여부(소극)

　(1) 국무총리, 행정 각부의 장은 임명권자에 의해 교체될 수 있다는 점에서, 국회의원은 국회라는 합의체의 일원으로서 구금상태가 직무의 원활한 운영에 미치는 효과가 다르다는 점에서, 자치단체장에 대하여만 이 사건 법률조항에 기한 직무정지를 부과한다 하여 자의적 차별이라 할 수는 없다.

　(2) 구금된 경우와 달리 자치단체장이 입원한 경우는 '60일 이상' 계속하여 입원한 경우에만 부단체장이 그 권한을 대행하도록 규정하고 있으나(지방자치법 제111조 제1항 제4호), 일반인의 출입과 면회가 엄격하게 제한되어 있는 구금상태와는 달리, 병원에 입원하는 경우는 입·퇴실이 다소 자유롭고 퇴원시기에 대한 예측도 어느 정도 가능하며 제한적인 범위에서 업무를 수행할 수도 있다는 등의 차이점이 있으므로, 위와 같은 차별 취급에는 합리적 이유가 있다.

심판대상조항 및 관련조항

지방자치법(2007. 5. 11. 법률 제8423호로 전부개정된 것)

제111조(지방자치단체의 장의 권한대행 등) ① 지방자치단체의 장이 다음 각 호의 어느 하나에 해당되면 부지사·부시장·부군수·부구청장(이하 이 조에서 "부단체장"이라 한다)이 그 권한을 대행한다.
   2. 공소 제기된 후 구금상태에 있는 경우

054 지방자치단체 장의 계속 재임 3기 제한 사건 [기각]
― 2006. 2. 23. 선고 2005헌마403

판시사항 및 결정요지

1. 헌법소원 청구기간과 관련하여 법률이 시행된 뒤 비로소 기본권 침해가 이루어진 사례

지방자치단체 장의 계속 재임을 3기로 제한한 지방자치법 제87조 제1항은 그 시행과 동시에 지방자치단체 장들의 기본권을 침해하는 것이 아니다. 법률 시행 후 지방자치단체 장들이 3기 초과 연임을 하고자 하는 경우에 비로소 기본권 침해가 구체적으로 현실화된다.

2. 지방자치단체 장의 계속 재임을 3기로 제한한 지방자치법 제87조 제1항이 지방자치단체 장들의 공무담임권을 침해하여 헌법에 위반되는지 여부(소극)

국민은 '법률이 정하는 바에 의하여' 공무담임권을 가지므로, 공무담임권의 내용에 관하여는 입법자에게 넓은 입법형성권이 인정된다고 할 것이다. 그러나 그 경우에도 헌법 제37조 제2항의 기본권 제한의 입법적 한계를 넘는 지나친 것이어서는 아니 된다.

이 사건 법률조항의 입법취지는 장기집권으로 인한 지역발전저해 방지와 유능한 인사의 자치단체 장 진출확대로 대별할 수 있다. 그리고 이 사건 법률조항은 3기 계속 재임 후 연임유혹을 떨쳐내고 소속 정당의 입장을 초월하여 지방행정업무를 공정하고 합리적으로 처리할 수 있게 해 주는 부수적인 효과도 가져온다. 따라서 이 사건 법률조항의 목적의 정당성은 인정된다.

지역 내 유력인사가 일단 자치단체 장에 당선되면 지방자치단체 내 공무원 및 지역 지지세력을 장악 및 결집하여 장기간 연속당선을 기도할 가능성이 많다. 특히 인사권을 무기로 다른 후보자에 비하여 선거에서 절대적인 우위를 확보할 수 있고, 나아가 토호세력 및 재력가들과의 정경유착을 통해 유력자들의 지지를 쉽게 획득할 수 있다. 특히 자치단체 장 및 지방의회의원의 선거에 대한 주민들의 투표율이 그다지 높지 않은 현실에서 위와 같이 사익을 바탕으로 형성된 세력에 의한 지지는 장기집권의 가능성을 더욱 높이고, 장기집권 과정에서 형성된 사조직이나 파벌 등은 자치행정기능을 사실상 마비시키는 사태까지 초래할 가능성도 있다. 따라서 이 사건 법률조항은 현행 지방자치법 하에서 위와 같은 지방자치행정의 난맥이 생기는 경우 이를 바로잡을 수 있는 마지막 수단으로서 방법의 적절성을 갖추고 있다고 할 것이다.

이 사건 법률조항은 3기 초과 연임제한에 관한 것이다. 따라서 청구인 자치단체 장들에 대하여 처음부터 공무담임을 제한하지 않는다. 그리고 연속으로 선출되지 아니하면 제한 없이 입후보할 수 있고, 연속으로 선출된 경우도 3기(12년. 다만 이 사건 법률에 따른 최초의 3기 계속 재임기간은 11년이다)까지는 계속하여 재임할 수 있다. 그리고 그 후 입후보하지 않을 경우 다시 3기 계속 재임할 수 있다. 그렇다면 이 사건 법률조항에 의한 공무담임권 제한의 정도는 상대적으로 완화되어 있다고 할 수 있고, 피해의 최소성원칙을 충족시킨다고 할 것이다.

자치단체 장에 대한 강력한 견제수단이 미흡한 현행 지방자치법 하에서 이 사건 법률조항은 공익 달성을 위한 유효한 수단으로서 의의가 있으며 청구인 자치단체 장들이 제한받는 기본권과 비교해 볼 때 법익의 균형성에도 어긋나지 않는다.

3. 지방의회의원 등 다른 선출직 공직자의 경우에는 계속 재임을 제한하지 않으면서 지방자치단체 장의 계속 재임은 3기로 제한하는 것이 평등권을 침해하는지 여부(소극)

1) 이 사건 법률조항은 공무담임권을 제한하고 있는바, 이는 헌법이 차별을 특히 금지하고 있는 영역이거나 차별적 취급으로 인하여 관련 기본권에 대한 중대한 제한을 초래하고 있다고 볼 수 없다. 그리고 공무담임권의 제한의 경우는 그 직무가 가지는 공익실현이라는 특수성으로 인하여 그 직무의 본질에 반하지 아니하고 결과적으로 다른 기본권의 침해를 야기하지 아니하는 한 상대적으로 강한 합헌성이 추정될 것이므로, 주로 평등의 원칙이나 목적과 수단의 합리적인 연관성 여부가 심사대상이 될 것이며, 법익형량에 있어서도 상대적으로 다소 완화된 심사를 하게 된다. 따라서 이 사건 법률조항에 대한 평등권 심사는 합리성 심사로 족하다.

2) 이 사건 법률조항에 있어서 평등권 침해 여부에 관한 비교대상은 선거에 입후보해서 당선될 수 있는 선출직공무원이고, 구체적으로는 지방의회의원을 생각해 볼 수 있다.

지방의회의원은 일정한 지역에서 출마하여 당선되어 활동하는 선출직공무원으로서 지역의 이익을 대변하고 지방자치단체의 기관인 지방의회를 구성한다. 지방의회는 지역주민을 대표하고, 지방행정사무와 법령의 범위 안에서의 지방자치단체의 의사를 결정하고, 지방행정사무에 관한 조례를 제정하며, 주민의 대표로서 집행기관의 업무를 감시, 감독한다. 따라서 지방의회의원의 경우 지방자치행정의 민주성과 능률성 도모, 지방의 균형적 발전과 대한민국의 민주적 발전이라는 지방자치법의 목적에 비추어 자치단체 장과 유사한 지위에 있는 선출직공무원이라고 하겠다.

지방의회의원은 지방의회의 의장·부의장 피선거권, 의회에 의안발의권·발언권·투표권 등을 가지고 지방의회에 참석하여 결의를 할 수 있다. 그러나 기본적으로는 회의체인 지방의회의 구성원에 불과하다. 따라서 지방의회의원은 개인의 권한만으로는 지방자치행정에 큰 영향을 미치기 어렵다. 또한 합의제 기관 특유의 신중하고 공정한 판단구조, 각종 이해관계의 공평한 조정, 결정과정상의 민주성 등을 고려하면, 지방의회의원의 의사는 다른 의원과의 논의를 거쳐 지방의회의 결정으로 현출됨으로써 그 결과의 정당성도 대부분 인정된다. 이에 반하여 자치단체 장은 독임제(獨任制) 행정기관이다. 그리고 자치단체 장은 지방자치단체의 최고집행기관으로서 앞서 본 바와 같이 자치단체의 사무를 통할하고 집행할 권한, 규칙제정권, 주민투표부의권, 소속직원의 임용·감독권 등을 가지기 때문에 자치행정에 있어서 큰 영향력을 미친다. 따라서 주민선거에 의하여 선출된다는 점에서는 양자가 동일하다고 하더라도 계속 재임으로 인한 부작용 발생의 가능성이나 심각성은 자치단체 장의 경우가 훨씬 크다고 할 수 있다. 그러므로 자치단체 장과 지방의회의원의 계속 재임에 대한 차별적 취급에는 합리적인 이유가 있다고 할 것이다.

3) 청구인들은 평등권 침해 여부를 판단함에 있어서 국회의원도 비교대상에 해당한다고 주장한다. 국회의원의 경우 일정한 지역에서 주민들에 의하여 선출되는 선출직공무원이라는 점에서 자치단체 장과 유사한 지위에 있다. 하지만 국회의원은 국민 전체의 이익을 대변하는 국민의 대표자로서의 기능을 담당하고(헌법 제46조 제2항), 이와 같은 지위의 특수성에서 불체포특권·면책특권(헌법 제44조, 제45조)이 인정되고 있다. 따라서 국회의원을 지방자치행정을 담당하는 자치단체 장과 동일 또는 유사한 지위에 있다고 보아 평등권의 비교대상으로 삼는 것은 부적절하다. 설령 비교대상으로 보더라도 위에서 본 바와 같이 지방의회의원과의 차별논거가 대부분 적용될 수 있을 것이다.

4) 결국 이 사건 법률조항이 지방자치의 민주성과 능률성, 지방의 균형적 발전의 저해요인이 될 가능성이 상대적으로 큰 자치단체 장의 장기 재임에 대하여만 규제대상으로 삼은 데에는 합리적인 이유가 있다고 할 것이다.

4. 지방자치단체 장의 계속 재임을 3기로 제한함으로써 주민들의 선거권을 침해하는지 여부(소극)

지방자치단체 장에 대한 선거권을 행사함에 있어서 투표할 대상자가 스스로 또는 법률상의 제한으로 입후보를 하지 아니하는 경우 입후보자의 입장에서 공무담임권 제한의 문제가 발생하겠지만, 선거권자로서는 후보자의 선택에 있어서의 간접적이고 사실상의 제한에 불과할 뿐 그로 인하여 선거권자가 자신의 선거권을 행사함에 있어서 침해를 받게 된다고 보기 어렵다.

5. 지방자치단체 장의 계속 재임을 3기로 제한한 규정이 지방자치제도에 있어서 주민자치를 과도하게 제한함으로써 입법형성의 한계를 벗어났는지 여부(소극)

지방자치단체 장의 계속 재임을 3기로 제한하더라도 그것만으로는 주민의 자치권을 심각하게 훼손한다고 볼 수 없다. 더욱이 새로운 자치단체 장 역시 주민에 의하여 직접 선출되어 자치행정을 담당하게 되므로 주민자치의 본질적 기능에 침해가 있다고 보기 어렵다. 따라서 지방자치단체 장의 계속 재임을 3기로 제한한 규정이 지방자치제도에 있어서 주민자치를 과도하게 제한함으로써 입법형성의 한계를 벗어났다고 할 수 없다.

055 지방자치단체의 장 선거에서 후보자가 1인일 경우 무투표 당선을 규정한 공직선거법 조항 위헌확인 사건 [기각]

— 2016. 10. 27. 선고 2014헌마797

판시사항 및 결정요지

1. 지방자치단체의 장 선거권이 헌법상 보장되는 기본권인지 여부(적극)

헌법에서 지방자치제를 제도적으로 보장하고 있고, 지방자치는 지방자치단체가 독자적인 자치기구를 설치해서 그 자치단체의 고유사무를 국가기관의 간섭 없이 스스로의 책임 아래 처리하는 것이라는 점에서 지방자치단체의 대표인 단체장은 지방의회의원과 마찬가지로 주민의 자발적 지지에 기초를 둔 선거를 통해 선출되어야 한다. 공직선거 관련법상 지방자치단체의 장 선임방법은 '선거'로 규정되어 왔고, 지방자치단체의 장을 선거로 선출하여 온 우리 지방자치제의 역사에 비추어 볼 때, 지방자치단체의 장에 대한 주민직선제 이외의 다른 선출방법을 허용할 수 없다는 관행과 이에 대한 국민적 인식이 광범위하게 존재한다고 볼 수 있다. 주민자치제를 본질로 하는 민주적 지방자치제도가 안정적으로 뿌리내린 현 시점에서 지방자치단체의 장 선거권을 지방의회의원 선거권, 나아가 국회의원 선거권 및 대통령 선거권과 구별하여 하나는 법률상의 권리로, 나머지는 헌법상의 권리로 이원화하는 것은 허용될 수 없다. 그러므로 지방자치단체의 장 선거권 역시 다른 선거권과 마찬가지로 헌법 제24조에 의해 보호되는 기본권으로 인정하여야 한다.

2. 지방자치단체의 장 선거에서 후보자 등록 마감시간까지 후보자 1인만이 등록한 경우 투표를 실시하지 않고 그 후보자를 당선인으로 결정하도록 하는 공직선거법(2010. 1. 25. 법률 제9974호로 개정된 것) 제191조 제3항 중 제188조 제2항의 '후보자등록 마감시각에 지역구국회의원 후보자가 1인'이 된 때에 관한 부분을 준용하는 것이 청구인의 선거권을 침해하는지 여부(소극)

심판대상조항의 입법목적은 선거에 소요되는 여러 가지 절차를 간소화하여 행정적 편의를 도모하고 선거비용을 절감하는 등 선거제도의 효율성을 제고하기 위한 것으로 그 정당성을 인정할 수 있으며, 후보자등록기한까지 후보자가 1인일 경우 투표를 생략하고 해당 후보자를 당선자로 결정하는 것은 이러한 입법목적을 달성하기 위한 적절한 수단이라 할 수 있다.

지방자치단체의 장 선거에 있어서는 "유효투표의 다수"를 얻은 자가 당선인으로 결정되는 것이 원칙이므로 후보자가 1인일 경우에는 단 1표를 얻더라도 출마한 후보가 당선인이 된다. 다만 후보자가 1명일 경우에도 투표를 실시하여 일정비율 이상의 득표를 할 경우에만 당선자로 인정하는 방법도 있겠으나, 당선자의 결정방식은 사회적, 경제적, 기술적 여건 등 여러 가지 요건을 종합적으로 고려하여 입법자가 결정할 사항으로 입법형성의 자유가 인정되는 부분이며, 당선인이 반드시 일정 비율 이상의 득표를 해야 민주적 정당성이나 대표성을 획득한다고 볼 수도 없다.

후보자가 1인일 경우에도 투표를 실시하도록 하면 당선자가 없어 재선거를 하게 되는 경우도 발생할 수 있는데 이 경우 재선거 실시에 따르는 새로운 후보자 확보 가능성의 문제, 행정적인 번거로움과 시간·비용의 낭비는 물론이고 지방자치단체의 장 업무의 공백 역시 필연적으로 뒤따르게 된다. 입법자가 위와 같은 사정을 고려하여 후보자가 1인일 경우 투표를 실시하지 않고 해당 후보자를 지방자치단체의 장 당선자로 정하도록 결단한 것은 입법목적 달성에 필요한 범위를 넘은 과도한 제한이라 할 수 없으므로 심판대상조항은 청구인의 선거권을 침해하지 않는다.

056 지방자치단체장의 임기중 다른 선거 입후보 금지 사건 [위헌, 기각]
— 1999. 5. 27. 선고 98헌마214

판시사항 및 결정요지

1. 국민주권의 원리와 보통선거원칙

민주주의는 참정권의 주체와 국가권력의 지배를 받는 국민이 되도록 일치할 것을 요청한다. 국민의 참정권에 대한 이러한 민주주의적 요청의 결과가 바로 보통선거의 원칙이다. 즉, 원칙적으로 모든 국민이 균등하게 선거에 참여할 것을 요청하는 보통·평등선거원칙은 국민의 자기지배를 의미하는 국민주권의 원리에 입각한 민주국가를 실현하기 위한 필수적 요건이다. 원칙적으로 모든 국민이 선거권과 피선거권을 가진다는 것은 바로 국민의 자기지배를 의미하는 민주국가에의 최대한의 접근을 의미하기 때문이다.

2. 지방자치단체장이 임기 중 공직선거에의 입후보를 금지하고 있는 것이 지방자치단체장의 공무담임권을 침해하는지 여부(적극)

지방자치단체의 장이 임기중에 공직선거에 입후보할 수 있는 경우 어느 정도로 지방행정의 혼란이 우려되는가를 살펴보면, 지방자치단체의 장이 임기중에 사퇴함으로써 발생하는 행정의 혼란은 그 정도에 있어서 심각하다고 할 수 없고, 직무대리나 보궐선거의 방법으로 대처할 수 있다고 판단된다.

공선법은 선거의 공정성을 실현하기 위하여 이미 여러가지 다양한 조치를 취하고 있으며, 특히 공선법 제53조 제1항의 '선거전 공직사퇴조항'을 통하여 충분히 선거의 공정성을 확보하고 있다고 판단되므로, 이를 넘어서 포괄적인 입후보금지규정을 두는 것은, 입법목적을 달성하기 위하여 필요한 조치를 넘어 청구인들의 피선거권을 과도하게 제한하는 것이다.

반면에, 이 사건 조항으로 인하여 발생하는 피선거권 제한의 효과, 특히 '민주주의의 실현'에 미치는 부정적인 효과는 매우 크다. 원칙적으로 국민 누구나가 입후보할 수 있고 이로써 다수의 후보자와 다수의 정책방향 중에서 자유로이 선택할 수 있는 가능성이 유권자에게 주어진 경우에만 그 선거는 국민의 정치적 의사를 제대로 반영할 수 있고 이로써 민주적 정당성을 확보할 수 있는 것이다. 뿐만 아니라 유권자가 후보자를 자유로이 선택할 수 있는 기회가 크게 제한된 상태에서 실시되는 선거는 사실상 국민의 선거권에 대한 현저한 제한으로서 경우에 따라서는 선거권이 형해화될 수도 있다.

결론적으로, 이 사건 조항에 의한 피선거권의 제한이 민주주의의 실현에 미치는 불리한 효과는 매우 큰 반면에, 이 사건 조항을 통하여 달성하려는 공익적 효과는 상당히 작다고 판단되므로, 피선거권의 제한을 정당화하는 합리적인 이유를 인정할 수 없다고 하겠다. 따라서 이 사건 조항은 보통선거원칙에 위반되어 청구인들의 피선거권을 침해하는 위헌적인 규정이다.

057 행정안전부장관이 서울특별시 자치사무에 대하여 실시한 합동감사(서울시와 정부간 권한쟁의) 사건 [인용(권한침해)]
― 2009. 5. 28. 선고 2006헌라6

판시사항

1. 중앙행정기관의 지방자치단체의 자치사무에 대한 감사를 법령위반사항으로 한정하는 구 지방자치법 제158조 단서 규정이 사전적·일반적인 포괄감사권인지 여부(소극)
2. 구 지방자치법 제158조 단서 규정이 중앙행정기관의 지방자치단체의 자치사무에 대한 감사개시요건을 규정한 것인지 여부(적극)
3. 서울특별시의 거의 모든 자치사무를 감사대상으로 하고 구체적으로 어떠한 자치사무가 어떤 법령에 위반되는지 여부를 밝히지 아니한 채 개시한 행정안전부장관 등의 합동감사가 구 지방자치법 제158조 단서 규정상의 감사개시요건을 전혀 충족하지 못하여 헌법 및 지방자치법에 의하여 부여된 지방자치권을 침해한 것인지 여부(적극)

사건의 개요

행정자치부장관(2008. 2. 29. 시행된 정부조직법의 개정에 따라 현재는 행정안전부장관, 이하 같다)은 2006. 1. 23. 국무총리실의 국무조정실장에게 청구인에 대한 부분감사(감사시기는 2006. 9. 내지 2006. 10. 중 12일간, 감사분야는 지방세, 건설·도시계획, 환경, 보건복지, 식품 등, 감사반은 행정자치부, 건설교통부, 환경부, 보건복지부, 식품의약품안전청 등 5개 부·청 내외) 조정협의를 하였고, 국무조정실장은 2006. 2. 3. 위 조정협의를 승인하였다.

행정자치부장관은 2006. 2. 28. 청구인을 비롯한 전국의 각 광역시 및 도에 정부합동감사계획을 통보하였다.

행정자치부장관이 2006. 8. 11. 청구인에게 '2006. 9. 14.부터 2006. 9. 29.까지의 정부합동감사 실시계획'을 통보하자, 청구인은 2006. 8. 14. 감사를 내년으로 연기해줄 것을 요청하였으나 받아들여지지 않았고, 행정자치부 등 5개 부·청이 참가한 정부합동감사반은 예정대로 2006. 9. 14.부터 2006. 9. 29.까지 청구인에 대하여 [별지] 목록 기재 자치사무 등 해당 분야에 대한 정부합동감사(이하 '이 사건 합동감사'라 한다)를 실시하였다.

이에 청구인은 2006. 9. 19. '이 사건 합동감사대상으로 지정된 사무 중 [별지] 목록 기재 사무는 청구인의 고유사무인 자치사무인데, 그에 관한 법령위반사실이 밝혀지지 아니하였고 법령위반 가능성에 대한 합리적인 의심조차 없는 상황에서 구 지방자치법 제158조 단서에 위반하여 사전적·포괄적으로 이 사건 합동감사를 실시하는 것은 헌법과 지방자치법이 청구인에게 부여한 자치행정권, 자치재정권 등 지방자치권을 침해하였다'고 주장하며 이 사건 권한쟁의심판을 청구하였다.

피청구인이 통보한 이 사건 합동감사 실시계획의 전체적인 취지는 청구인의 자치사무 등에 관한 포괄적·일반적인 사전감사를 하겠다는 것이다.

심판대상

이 사건 심판대상은 피청구인이 2006. 9. 14.부터 2006. 9. 29.까지 청구인의 [별지] 목록 기재의 자치사무에 대하여 실시한 이 사건 합동감사가 헌법 및 지방자치법에 의하여 부여된 청구인의 자치행정권, 자치재정권 등 지방자치권을 침해하는지 여부이다.

[별지] 자치사무목록			
연번	감사대상	처리부서	근거법령
1	청계천 유지수 공급시설 현황	치수과	하천법 제7조, 제17조
...	...	...	...
156	청소년수련지구 및 수련지구 조성계획 수립 현황	청소년담당관	청소년활동진흥법 제47조

주문

피청구인이 2006. 9. 14.부터 2006. 9. 29.까지 청구인의 [별지] 목록 기재의 자치사무에 대하여 실시한 정부합동감사는 헌법 및 지방자치법에 의하여 부여된 청구인의 지방자치권을 침해한 것이다.

I 적법요건에 대한 판단

1. 피청구인은, 청구인이 2006. 2. 9.경 피청구인으로부터 이 사건 합동감사가 실시된다는 통보를 받은 때로부터 청구기간인 180일이 경과한 후에 이 사건 심판청구를 제기하였고 청구인이 서류·장부 또는 회계자료의 제출 자체를 조직적으로 거부하고 감사를 지능적으로 방해하여 감사가 제대로 진행되지 못한 채 감사기간이 도과하였으므로 청구인의 권한이 침해되거나 침해가 발생할 현저한 위험이 발생하지 않았다고 할 것이어서 결국 이 사건 심판청구는 부적법하다고 주장하므로 살피건대, 청구인은 실제 감사기간 중인 2006. 9. 19. 이 사건 심판청구를 제기하였고, 권한쟁의심판청구의 적법요건 단계에서 요구되는 권한침해의 요건은 청구인의 권한이 구체적으로 관련되어 이에 대한 침해가능성이 존재할 경우 충족되는 것으로 볼 수 있는바, 이 사건 합동감사로 인하여 청구인의 자치행정권과 자치재정권 등 지방자치권이 침해될 가능성이 전혀 없다고 보기는 어려우므로, 피청구인의 위 주장은 모두 이유 없다.
2. 이 사건 합동감사는 2006. 9. 29. 이미 끝났으므로 권한침해상태가 종료되었다고 볼 수 있어 심판계속중의 사정변경으로 권한침해상태가 이미 종료한 지금에 이르러서는 이 사건 심판청구가 인용된다 하더라도 청구인의 주관적 권리구제에는 도움이 되지 아니하여 원칙적으로 심판의 이익이 없다고 할 것이나, 헌법소원심판과 마찬가지로 권한쟁의심판도 주관적 권리구제뿐만 아니라 객관적인 헌법질서 보장의 기능도 겸하고 있으므로, 청구인에 대한 권한침해

상태가 이미 종료하여 이를 취소할 여지가 없어졌다 하더라도 같은 유형의 침해행위가 앞으로도 반복될 위험이 있고 중앙행정기관의 장의 자치단체에 대한 자치사무 감사권의 존부, 감사범위, 감사의 방법 등에 관하여는 헌법적 해명이 긴요하다고 할 것이므로 예외적으로 심판청구의 이익을 인정할 수 있다고 할 것이다.

II 본안에 대한 판단

1. 피청구인 등 중앙행정기관의 장이 청구인 등 지방자치단체의 자치사무에 관하여는 합법성 감사만 할 수 있고 합목적성 감사는 할 수 없다는 점에 대하여는 청구인과 피청구인 사이에 다툼이 없다. 그런데 청구인의 자치사무에 관하여 법령위반사항이 드러나지 않은 상황에서 피청구인이 청구인의 자치사무 등에 대하여 실시하는 포괄적·일반적인 이 사건 합동감사가 "감사는 법령위반사항에 한하여 실시한다."는 이 사건 관련규정 단서의 해석상 허용되는 것인지 여부가 문제된다.

2. 지방자치제에 관한 헌법과 지방자치법의 개정 취지

··· 헌법 및 지방자치법 개정취지를 고려하면, 이 사건 관련규정은 지방자치제의 실현을 위하여 지방자치단체의 자율권을 확대하고 중앙행정기관의 지방자치단체의 자치사무에 관한 감사를 제한하는 방향으로 해석하여야 할 것이다.

3. 지방자치단체의 자치사무에 관한 감사권

가. 헌법상 보장된 청구인의 지방자치권

헌법은 제117조와 제118조에서 '지방자치단체의 자치'를 제도적으로 보장하고 있는바, 그 보장의 본질적 내용은 자치단체의 보장, 자치기능의 보장 및 자치사무의 보장이다. 이와 같이 헌법상 제도적으로 보장된 자치권 가운데에는 자치사무의 수행에 있어 다른 행정주체(특히 중앙행정기관)로부터 합목적성에 관하여 명령·지시를 받지 않는 권한도 포함된다고 볼 수 있다.

다만, 이러한 헌법상의 자치권의 범위는 법령에 의하여 형성되고 제한된다. 헌법도 제117조 제1항 후단에서 '법령의 범위 안에서 자치에 관한 규정을 제정할 수 있다'고 하였고, 제118조 제2항에서는 '지방자치단체의 조직과 운영에 관한 사항은 법률로 정한다'고 규정하고 있다. 그러나 지방자치단체의 자치권은 헌법상 보장을 받고 있으므로 비록 법령에 의하여 이를 제한하는 것이 가능하다고 하더라도 그 제한이 불합리하여 자치권의 본질을 훼손하는 정도에 이른다면 이는 헌법에 위반된다고 보아야 할 것이다.

한편, 지방자치단체의 사무에는 자치사무와 위임사무가 있다. 위임사무는 지방자치단체가 위임받아 처리하는 국가사무(구 지방자치법 제156조)임에 반하여, 자치사무는 지방자치단체가 주민의 복리를 위하여 처리하는 사무이며(헌법 제117조 제1항 전단 참조) 법령의 범위 안에서 그 처리 여부와 방법을 자기책임 아래 결정할 수 있는 사무로서 지방자치권의 최소한의 본질적 사항이므로 지방자치단체의 자치권을 보장한다고 한다면 최소한 이 같은 자치사무의 자율성만은 침해해서는 안 된다.

나. 중앙행정기관과 지방자치단체 간의 새로운 관계설정을 위해, 자치사무에 관해서는 구 지방자치법 제155조에서 "① 중앙행정기관의 장이나 시·도지사는 지방자치단체의 사무에 관하여 조언 또는 권고하거나 지도할 수 있으며, 이를 위하여 필요하면 지방자치단체에 자료의 제출을 요구할 수 있다. ② 국가나 시·도는 지방자치단체가 그 지방자치단체의 사무를 처리하는 데에 필요하다고 인정하면 재정지원이나 기술지원을 할 수 있다."라고 규정하고 있고, 반면 위임받은 국가사무에 관해서는 제156조에서 "① 지방자치단체나 그 장이 위임받아 처리하는 국가사무에 관하여 시·도에서는 주무부장관의, 시·군 및 자치구에서는 1차로 시·도지사의, 2차로 주무부장관의 지도·감독을 받는다. ② 시·군 및 자치구나 그 장이 위임받아 처리하는 시·도의 사무에 관하여는 시·도지사의 지도·감독을 받는다."라고 규정하여, 자치사무에 대해서는 양자를 조언·지원의 관계로 정하고 국가사무에 관해서는 지도·감독의 관계로 규정함으로써 자치사무에 대한 중앙행정기관의 감독권을 삭제하기에 이르렀다.

다. 또한, 구 지방자치법 제156조의2는 "① 중앙행정기관의 장과 지방자치단체의 장이 사무를 처리할 때 의견을 달리하는 경우 이를 협의·조정하기 위하여 국무총리 소속으로 협의조정기구를 둘 수 있다. ② 제1항에 따른 협의조정기구의 구성과 운영 등에 관하여 필요한 사항은 대통령령으로 정한다."라고 규정하여 자치사무에 관한 한 중앙행정기관과 지방자치단체의 관계를 상명하복의 관계가 아니라 병립적 협력관계로 설정하고 있고, 제157조 제1항은 "지방자치단체의 사무에 관한 그 장의 명령이나 처분이 법령에 위반되거나 현저히 부당하여 공익을 해친다고 인정되면 시·도에 대하여는 주무부장관이, 시·군 및 자치구에 대하여는 시·도지사가 기간을 정하여 서면으로 시정할 것을 명하고, 그 기간에 이행하지 아니하면 이를 취소하거나 정지할 수 있다. 이 경우 자치사무에 관한 명령이나 처분에 대하여는 법령을 위반하는 것에 한한다."라고 규정하여 자치사무에 관한 명령이나 처분에 대해서는 적법성 감독의 범위를 벗어날 수 없게끔 명시하고 있으며, 제2항에서 자치사무에 대한 적법성 감독의 수단으로서 시정명령권과 취소·정지권을 발동하는 경우 "지방자치단체의 장은 제1항에 따른 자치사무에 관한 명령이나 처분의 취소 또는 정지에 대하여 이의가 있으면 그 취소처분 또는 정지처분을 통보받은 날부터 15일 이내에 대법원에 소를 제기할 수 있다."라고 규정하고 있다.

결국, 이들 규정은 중앙행정기관의 감독권 발동이 지방자치단체의 구체적 법위반을 전제로 하여 작동되도록 되어 있다는 점과 중앙행정기관과 지방자치단체 간의 분쟁관계를 대등한 권리주체로서의 "외부 법관계"로 보아 규정하고 있으므로, 중앙행정기관의 지방자치단체의 자치사무에 대한 합목적성 감사가 사전 포괄적으로 허용될 수 없음을 "사후적으로" 정해두고 있는 규정이라 할 것이다.

라. 감사원법은 현행헌법 개정 전후에 걸쳐 지방자치단체에 대한 감사범위에 관하여 별다른 개정 없이 제24조 제1항 제2호에 '지방자치단체의 사무와 그에 소속한 지방공무원의 직무'에 대한 감찰권을 그대로 두었는데, 감사원법에는 감사범위를 제한하는 이 사건 관련규정 단서와 같은 규정이 없고 헌법기관이라는 감사원의 성격상 감사원의 지방자치단체에 대한

감사는 합법성 감사에 한정되지 않고 자치사무에 대하여도 합목적성 감사가 가능하여 (2005헌라3), 국가감독권 행사로서 지방자치단체의 자치사무에 대한 감사원의 사전적·포괄적 감사가 인정되는 터에 여기에다 중앙행정기관에도 사전적·포괄적 감사를 인정하게 되면 지방자치단체는 그 자치사무에 대해서도 국가의 불필요한 중복감사를 면할 수 없게 된다.

마. 위 나.에서 본 헌법 및 지방자치법의 개정취지, 이 사건 관련규정 단서의 신설경위, 자치사무에 관한 한 중앙행정기관과 지방자치단체의 관계가 상하의 감독관계에서 상호보완적 지도·지원의 관계로 변화된 법의 취지, 중앙행정기관의 감독권 발동은 지방자치단체의 구체적 법위반을 전제로 하여 작동되도록 제한되어 있는 점, 그리고 국가감독권 행사로서 지방자치단체의 자치사무에 대한 감사원의 사전적·포괄적 합목적성 감사가 인정되므로 국가의 중복감사의 필요성이 없는 점 등을 종합하여 보면, 지방자치제의 시행이 20년이 지난 지금에 와서도 중앙행정기관이 종래처럼 지방자치단체의 자치사무까지 포괄하여 감독하겠다는 종전 태도는 지양되어야 하고, 지방자치단체가 스스로의 책임하에 수행하는 자치사무에 대해서까지 국가감독이 중복되어 광범위하게 이루어지는 것은 지방자치의 본질을 훼손할 가능성마저 있으므로 지방자치권의 본질적 내용을 침해할 수 없다는 견지에서 중앙행정기관의 지방자치단체의 자치사무에 대한 이 사건 관련규정의 감사권은 사전적·일반적인 포괄감사권이 아니라 그 대상과 범위가 한정적인 제한된 감사권이라 해석함이 마땅하다.

4. 이 사건 합동감사가 지방자치권을 침해하는지 여부

가. 앞서 본 바와 같이 이 사건 관련규정은 문언대로 중앙행정기관의 지방자치단체의 자치사무에 대한 감사범위를 법령위반사항으로 한정하고 있다고 엄격히 해석하여야 하는데, 이 사건 관련규정상의 감사개시에 어떠한 요건이 필요한 것인지에 대해서는 헌법이나 지방자치법 등 어디에도 명시적인 규정이 없다.

그러나 지방자치단체에 대하여 중앙행정기관은 합목적성 감독보다는 합법성 감독을 지향하여야 하고 중앙행정기관의 무분별한 감사권의 행사는 헌법상 보장된 지방자치단체의 자율권을 저해할 가능성이 크므로, 이 사건 관련규정상의 감사에 착수하기 위해서는 자치사무에 관하여 특정한 법령위반행위가 확인되었거나 위법행위가 있었으리라는 합리적 의심이 가능한 경우이어야 하고, 또한, 그 감사대상을 특정해야 한다고 봄이 상당하다. 따라서 전반기 또는 후반기 감사와 같은 포괄적·사전적 일반감사나 위법사항을 특정하지 않고 개시하는 감사 또는 법령위반사항을 적발하기 위한 감사는 모두 허용될 수 없다. 왜냐하면 법령위반 여부를 알아보기 위하여 감사하였다가 위법사항을 발견하지 못하였다면 법령위반사항이 아닌데도 감사한 것이 되어 이 사건 관련규정 단서에 반하게 되며, 이것은 결국 지방자치단체의 자치사무에 대한 합목적성 감사는 안 된다고 하면서 실제로는 합목적성 감사를 하는 셈이 되기 때문이다.

나. 이 사건 합동감사의 경우를 살펴보면, 피청구인이 감사실시를 통보한 [별지] 목록 기재 사무는 청구인의 거의 모든 자치사무를 감사대상으로 하고 있어 사실상 피감사대상이 특정되

지 아니하였다고 보여질 뿐만 아니라 피청구인은 이 사건 합동감사 실시계획을 통보하면서 구체적으로 어떠한 자치사무가 어떤 법령에 위반되는지 여부를 전혀 밝히지 아니하였는바, 그렇다면 이 사건 합동감사는 위에서 본 이 사건 관련규정상의 감사의 개시요건을 전혀 충족하지 못하였다 할 것이다.

경기도가 남양주시에 대하여 실시한 감사가 남양주시의 지방자치권을 침해하였는지 여부에 관한 사건 [인용(권한침해), 기각]
− 2023. 3. 23. 선고 2020헌라5

사건의 개요

피청구인(경기도)은 2020. 11. 10. 청구인(남양주시)의 자치사무에 대한 특별조사 계획을 수립하고, 2020. 11. 11. 청구인에게 조사개시를 통보하였다.

피청구인은 2020. 11. 16.부터 [별지 1] 목록 순번 1 내지 9 기재 각 항목(이하 '감사항목 1 내지 9'라 한다)에 대한 감사를 진행하였고, 감사 중에 추가로 제보된 내용 등을 바탕으로 같은 목록 순번 10 내지 14 기재 각 항목(이하 '감사항목 10 내지 14라 한다)을 감사대상으로 추가하여 감사를 진행하였다(이하 '이 사건 감사'라 한다).

청구인은 2020. 11. 26. 이 사건 감사가 구 지방자치법 제171조의 자치사무에 대한 감사의 개시요건을 갖추지 못하여 청구인의 지방자치권을 침해한다고 주장하며 이 사건 권한쟁의심판을 청구하고, 같은 날 위 조사개시 통보의 효력정지를 구하는 효력정지가처분신청(2020헌사1191)을 하였다.

피청구인은 2020. 12. 7. 청구인에게 '청구인의 협조 거부로 조사를 종료한다'고 통보하였고, 청구인은 2020. 12. 8. 위 가처분신청을 취하하였다.

주문

1. 피청구인이 2020. 11. 16.부터 2020. 12. 7.까지 청구인에 대하여 실시한 [별지 1] 목록 기재 각 항목에 대한 감사 중 순번 9 내지 14 기재 각 항목에 대한 감사는 헌법 및 지방자치법에 의하여 부여된 청구인의 지방자치권을 침해한 것이다.
2. 청구인의 나머지 심판청구를 기각한다.

판시사항 및 결정요지

1. 감사가 이미 종료된 경우에도 심판청구의 이익을 인정할 수 있는지 여부(적극)

피청구인이 청구인에 대하여 이 사건 감사의 종료를 통보하면서 '이번에 진행하지 못한 사항에 대하여는 향후 별도계획을 수립하여 추진할 예정'임을 밝히고 있어 앞으로 같은 유형의 침해행위가 반복될 위험이 있다. 또한 이 사건에서 문제가 된 감사대상 통보의무의 유무, 감사대상의 특정과 관련하여 감사 개시 이후 감사대상의 확장이나 추가 가능 여부, 감사 개시 전 위법성의 확인 방법 및 정도 등에 대한 해명이 필요하므로 예외적으로 심판청구의 이익을 인정할 수 있다.

2. 광역지방자치단체가 기초지방자치단체의 자치사무에 대하여 실시하는 감사 중 연간 감사계획에 포함되지 아니하고 사전조사도 수행되지 아니한 감사의 경우 감사대상의 사전 통보가 감사의 개시요건인지 여부(소극)

연간 감사계획에 포함되지 아니하고 사전조사가 수행되지 아니한 감사의 경우 지방자치법에 따른 감사의 절차와 방법 등에 관한 사항을 규정하는 '지방자치단체에 대한 행정감사규정' 등 관련 법령에서 감사대상이나 내용을 통보할 것을 요구하는 명시적인 규정이 없다. 광역지방자치단체가 자치사무에 대한 감사에 착수하기 위해서는 감사대상을 특정하여야 하나, 특정된 감사대상을 사전에 통보할 것까지 요구된다고 볼 수는 없다.

3. 감사 진행 중에 감사대상을 확장 내지 추가하는 것이 허용되는지 여부(적극) 및 그 요건

지방자치단체의 자치사무에 대한 무분별한 감사권의 행사는 헌법상 보장된 지방자치권을 침해할 가능성이 크므로, 원칙적으로 감사 과정에서 사전에 감사대상으로 특정되지 아니한 사항에 관하여 위법사실이 발견되었다고 하더라도 감사대상을 확장하거나 추가하는 것은 허용되지 않는다. 다만, 자치사무의 합법성 통제라는 감사의 목적이나 감사의 효율성 측면을 고려할 때, 당초 특정된 감사대상과 관련성이 인정되는 것으로서 당해 절차에서 함께 감사를 진행하더라도 감사대상 지방자치단체가 절차적인 불이익을 받을 우려가 없고, 해당 감사대상을 적발하기 위한 목적으로 감사가 진행된 것으로 볼 수 없는 사항에 대하여는 감사대상의 확장 내지 추가가 허용된다.

4. 감사를 개시하기 위하여 요구되는 위법성 확인의 방법과 확인의 정도

헌법재판소 2006헌라6 결정의 내용은 광역지방자치단체의 기초지방자치단체의 자치사무에 대한 감사에 대해서도 그대로 적용되어야 할 것으로, 광역지방자치단체가 기초지방자치단체의 자치사무에 대한 감사에 착수하기 위해서는 자치사무에 관하여 특정한 법령위반행위가 확인되었거나 위법행위가 있었으리라는 합리적 의심이 가능한 경우이어야 하고 그 감사대상을 특정하여야 하며, 위법사항을 특정하지 않고 개시하는 감사 또는 법령위반사항을 적발하기 위한 감사는 허용될 수 없다.

시·도지사 등이 제보나 언론보도 등을 통해 감사대상 지방자치단체의 자치사무의 위법성에 관한 정보를 수집하고, 객관적인 자료에 근거하여 해당 정보가 믿을만하다고 판단함으로써 위법행위가 있었으리라는 합리적 의심이 가능한 경우라면, 의혹이 제기된 사실관계가 존재하지 않거나 위법성이 문제되지 않는다는 점이 명백하지 아니한 이상 감사를 개시할 수 있을 정도의 위법성 확인은 있었다고 봄이 타당하다.

5. 피청구인이 2020. 11. 16.부터 2020. 12. 7.까지 청구인에 대하여 실시한 감사(이하 '이 사건 감사'라 한다)가 헌법 및 지방자치법에 의하여 부여된 청구인의 지방자치권을 침해한 것인지 여부(일부 적극)

이 사건 감사 중 [별지 1] 목록 순번 1 내지 8 기재 각 항목에 대한 감사는 감사 착수 시에 감사대상이 특정되고 감사 개시에 필요한 정도의 법령 위반 여부 확인도 있어 감사의 개시요건을 갖추었으나, 같은 목록 순번 9 내지 14 기재 각 항목에 대한 감사는 감사대상이 특정되지 않거나 당초 특정된 감사대상과의 관련성이 인정되지 않아 감사의 개시요건을 갖추지 못하였다.

6. 감사항목 중 일부에 대한 인용이 가능한지 여부(적극) 및 그 요건

이 사건 감사 중 [별지 1] 목록 순번 9 내지 14 기재 각 항목에 대해서만 감사의 개시요건을 갖추지 못하였는바, 위 항목들에 대한 감사가 이 사건 감사의 주된 목적이고 같은 목록 순번 1 내지 8 기재 각 항목에 대한 감사는 부수적인 것에 불과하다는 등의 특별한 사정이 없는 이상 같은 목록 순번 9 내지 14 기재 각 항목에 대한 감사에 한정해서 위법한 감사로 봄이 타당하다.

059 주민등록을 할 수 없는 국내거주 재외국민에 대한 주민투표권 제외 사건
[헌법불합치, 각하]
- 2007. 6. 28. 선고 2004헌마643

판시사항

1. 일부청구에 대해 중복제소를 이유로 각하한 사례

헌법재판소법 제40조 제1항에 의하면 민사소송법이 헌법소원심판에 준용되는 것이므로 중복제소를 금지하고 있는 민사소송법 제259조가 헌법소원심판에도 준용된다고 할 것이고, 따라서 이미 우리 재판소에 헌법소원심판이 계속중인 사건에 대하여는 당사자는 다시 동일한 헌법소원심판을 청구할 수 없다고 해석하여야 한다.

이 사건의 청구인들은 이미 2004. 8. 14. 공직선거법 제15조 제2항 제1호를 포함한 공직선거법 조항들의 위헌확인 여부를 다투는 헌법소원심판(2004헌마644)을 청구한 바 있음에도, 2005. 11. 16. 청구취지의 추가적 변경을 통하여 위 조항에 대한 위헌확인을 구하는 청구를 추가하고 있는바, 후자의 청구는 헌법재판소법 제40조 제1항과 민사소송법 제259조에 따라 허용되지 아니하는 중복제소에 해당하므로 부적법하다.

2. 주민투표권의 기본권성을 부정하면서도 비교집단 상호간에 차별이 존재할 경우에는 헌법상의 평등권 심사는 허용된다고 본 사례

주민투표권은 헌법상의 열거되지 아니한 권리 등 그 명칭의 여하를 불문하고 헌법상의 기본권성이 부정된다는 것이 우리 재판소의 일관된 입장이라 할 것인데, 이 사건에서 그와 달리 보아야 할 아무런 근거를 발견할 수 없다. 그렇다면 이 사건 심판청구는 헌법재판소법 제68조 제1항의 헌법소원을 통해 그 침해 여부를 다툴 수 있는 기본권을 대상으로 하고 있는 것이 아니므로 그러한 한에서 이유 없다. 하지만 주민투표권이 헌법상 기본권이 아닌 법률상의 권리에 해당한다 하더라도 비교집단 상호간에 차별이 존재할 경우에 헌법상의 평등권 심사까지 배제되는 것은 아니다.

3. 주민투표권 행사를 위한 요건으로 주민등록을 요구함으로써 국내거소신고만 할 수 있고 주민등록을 할 수 없는 국내거주 재외국민에 대하여 주민투표권을 인정하지 않고 있는 주민투표법(2004. 1. 29. 법률 제7124호로 제정된 것, 이하 '법'이라 한다) 제5조 제1항(이하 '이 사건 법률조항'이라 한다) 중 "그 지방자치단체의 관할 구역에 주민등록이 되어 있는 자"에 관한 부분이 국내거주 재외국민의 평등권을 침해하는지 여부(적극)

가. 주민에게 과도한 부담을 주거나 중대한 영향을 미치는 당해 지방자치단체의 주요결정사항에 대한 주민투표의 결과는 주민등록이 가능한 국민인 주민은 물론 주민등록을 할 수 없는 국내거주 재외국민에게도 그 미치는 영향에 있어 다르다고 보기 어렵다. 지방자치단체의 폐치·분합 또는 구역 변경, 주요시설의 설치 등 국가정책의 수립에 관한 주민투표의 경우에도 마찬가지이다. 지방자치단체의 폐치·분합 또는 구역변경은 단순히 행정단위나 행정구역의 개편 차원을 넘어 폐치·분합 또는 구역변경의 대상이 되는 지방자치단체의 주민의 이익과 직접적으로 관련되어 있으며, 국내거주 재외

국민의 경우에도 예외는 아니다. 주요시설의 설치와 관련하여 주민투표가 실시되는 경우에도 마찬가지이다.

　　나. 법 제5조 제2항은 출입국관리 관계 법령의 규정에 의하여 대한민국에 계속거주할 수 있는 자격을 갖춘 자로서 지방자치단체의 조례가 정하는 '외국인'에게 주민투표권을 부여하고 있는바, 주민투표의 결과가 그 법적 및 사실적 효과라는 측면에서 국내거주 재외국민과 외국인 간에 본질적으로 달리 나타난다고 보기는 어렵다. 주민투표의 대상이 되는 사항과의 관련성 내지 이해관계의 밀접성이라는 점에서 양자 간에 본질적 차이가 존재하지 아니한다.

　　다. 이 사건 법률조항 부분은 주민등록만을 요건으로 주민투표권의 행사 여부가 결정되도록 함으로써 '주민등록을 할 수 없는 국내거주 재외국민'을 '주민등록이 된 국민인 주민'에 비해 차별하고 있고, 나아가 '주민투표권이 인정되는 외국인'과의 관계에서도 차별을 행하고 있는바, 그와 같은 차별에 아무런 합리적 근거도 인정될 수 없으므로 국내거주 재외국민의 헌법상 기본권인 평등권을 침해하는 것으로 위헌이다.

4. 헌법불합치결정을 하되 계속 적용을 명한 사례

심판대상조항 및 관련조항

주민투표법(2004. 1. 29. 법률 제7124호로 제정된 것)

제5조(주민투표권) ① 20세 이상의 주민으로서 제6조 제1항의 규정에 의한 투표인명부작성기준일 현재 그 지방자치단체의 관할 구역에 주민등록이 되어 있는 자(공직선거및선거부정방지법 제18조의 규정에 의하여 선거권이 없는 자를 제외한다)는 주민투표권이 있다.
② 20세 이상의 외국인으로서 출입국관리 관계 법령의 규정에 의하여 대한민국에 계속거주할 수 있는 자격(체류자격변경허가 또는 체류기간연장허가를 통하여 계속거주할 수 있는 경우를 포함한다)을 갖춘 자로서 지방자치단체의 조례가 정하는 자는 주민투표권이 있다.
③ 주민투표권자의 연령은 투표일 현재를 기준으로 산정한다.

주문

1. 주민투표법(2004. 1. 29 법률 제7124호로 제정된 것) 제5조 제1항 중 "그 지방자치단체의 관할 구역에 주민등록이 되어 있는 자"에 관한 부분은 헌법에 합치되지 아니한다. 위 법률조항 부분은 2008. 12. 31.을 시한으로 입법자가 개정할 때까지 계속 적용된다.
2. 청구인들의 나머지 심판청구는 이를 각하한다.

060 주민소환제도 사건 [기각]
― 2009. 3. 26. 선고 2007헌마843

판시사항

1. '주민소환에 관한 법률'(2006. 5. 24. 법률 제7958호로 제정된 것, 이하 '법'이라 한다) 제7조 제1항 제2호 중 시장에 대한 부분이 주민소환의 청구사유에 관하여 아무런 규정을 두지 아니함으로써 과잉금지원칙을 위반하여 청구인의 공무담임권을 침해하는지 여부(소극)

2. 법 제7조 제1항 제2호 중 시장에 대한 부분이 당해 지방자치단체 주민소환투표청구권자 총수의 100분의 15 이상 주민들만의 서명으로 당해 지방자치단체의 장에 대한 주민소환투표를 청구할 수 있도록 함으로써 과잉금지원칙에 위반하여 청구인의 공무담임권을 침해하는지 여부(소극)

3. 주민소환투표의 청구제한기간을 정함에 있어 "제12조 제1항에 의하여 주민소환투표가 적법하다고 인정하여 수리한 때"를 규정하지 아니한 법 제8조가 이미 적법하게 수리된 주민소환투표청구가 있음에도 불구하고 동일한 사유에 의한 주민소환투표청구를 재차 허용함으로써 청구인의 공무담임권을 침해하는지 여부(소극)

4. 주민소환투표의 청구를 위한 서명요청 활동을 보장하면서 주민소환투표대상자에 대하여는 아무런 반대활동을 보장하지 아니한 법 제9조 제1항이 과잉금지의 원칙에 위반하여 청구인의 공무담임권을 침해하는지 여부(소극)

5. 주민소환투표가 발의되어 공고되었다는 이유만으로 곧바로 주민소환투표대상자의 권한행사를 정지되도록 한 법 제21조 제1항이 과잉금지원칙에 위반하여 청구인의 공무담임권을 침해하거나 평등권을 침해하는지 여부(소극)

6. 주민소환투표권자 총수의 3분의 1 이상의 투표와 유효투표 총수 과반수의 찬성만으로 주민소환이 확정되도록 한 법 제22조 제1항이 과잉금지원칙에 위반하여 청구인의 공무담임권을 침해하거나 평등권을 침해하는지 여부(소극)

사건의 개요

1. 청구인은 2006. 5. 31. 전국 동시에 실시된 기초자치단체장 선거에서 하남시 총 유권자 103,677명 중 50.6%인 52,431명의 투표와 그 중 40.3%인 21,140명의 선출로 시장에 당선되었다.

2. 청구인은 하남시에 광역장사시설을 설치하고 경기도로부터 관련 인센티브를 지원받아 지역발전을 도모한다는 선거공약에 따라 2006. 8. 25. 경기도지사에게 유치를 건의하고, 2006. 10. 16. 하남시의회에 그 계획을 보고하여 동의를 구하며, 지역주민을 위한 설명회 및 공청회를 계획하는 등 노력을 기울였으나, 지역주민들의 잇단 반대시위로 그 사업을 제대로 추진하지 못하였다.

3. 그러던 중 전년도 말의 하남시 총 유권자 105,054명 중 31.2%인 32,848명은 청구인이 주민의 여론을 충분히 수렴하지도 않은 채 독선적으로 광역장사시설을 유치하려 한다는 등의 이유로,

2007. 7. 23. 유○준을 대표자로 하여 하남시선거관리위원회에 하남시의회 의원 3인을 포함하여 청구인에 대한 주민소환투표를 청구하였다(이하 '이 사건 제1청구'라 한다).

4. 그러자 청구인은 '주민소환에 관한 법률'(이하 '주민소환법'이라 한다) 제1조(목적), 제11조(주민소환투표 청구의 각하) 및 제12조(주민소환투표의 발의)가 주민소환의 구체적인 청구사유를 규정하지 않아 정치적으로 입장을 달리하거나 이해관계가 상반되는 소수 주민들의 소환의사가 관철될 수 있도록 한 것은 청구인의 공무담임권 등 기본권을 침해한다며 2007. 7. 25. 이 사건 헌법소원심판을 청구하고, 이어 주민소환법 제7조(주민소환투표의 청구) 제1항 제2호 중 시장에 대한 부분, 제9조(서명요청 활동) 및 제22조(주민소환투표 결과의 확정) 제1항을 추가하여 2007. 8. 13. 그 청구취지를 변경하였다.

5. 이에 하남시선거관리위원회는 주민소환투표 청구의 적법요건을 심사한 후 2007. 8. 10. 그 요지를 공표하고, 청구인에게 2007. 8. 30.까지 소명자료를 제출할 것을 통지하였고, 청구인은 자신에 대한 주민소환투표가 진행되는 것을 방지하기 위하여 2007. 8. 27. 헌법재판소에 주민소환법 제12조 제2항 등에 대하여 효력정지 가처분 신청을 하였으며, 이어 하남시선거관리위원회는 그 주민소환투표 청구가 적법요건을 갖추었다며 소명서 제출기간이 지난 2007. 8. 31. 주민소환투표일을 2007. 9. 20.로 결정·공고하였다.

6. 그런데 청구인이 하남시선거관리위원회를 상대로 제기한 주민소환투표 청구 수리처분 등 무효확인의 소에서 2007. 9. 13. 청구사유가 기재되지 아니한 서명부에 서명되었다는 이유로 주민소환투표 청구를 수리한 처분을 취소하는 판결이 선고되었고, 이에 대하여 하남시선거관리위원회는 항소를 제기하였다.

7. 그런 가운데 이 사건 제1청구를 추진하였던 일부 주민들은 새로운 절차로 주민 27,009명의 서명을 받아 2007. 10. 10. 주민소환투표를 청구하였고(이하 '이 사건 제2청구'라 한다), 청구인은 이에 대하여 다시 수원지방법원에 위 주민소환투표 청구 수리처분에 대한 취소의 소를 제기하였으나, 2007. 11. 21. 기각되었으며, 이에 이 사건 제2청구에 따라 절차가 진행되어 2007. 12. 12. 주민소환투표가 이루어졌다.

8. 한편 청구인은 위와 같이 이 사건 제1청구의 수리 처분에 대한 취소소송이 진행 중인데도 동일한 사유로 재차 신청된 이 사건 제2청구와 관련하여, 이를 제한하는 규정을 두지 아니한 주민소환법 제8조와 주민소환투표가 공고된 날부터 투표결과가 공표되는 날까지 지방자치단체장의 권한행사가 정지되도록 한 제21조 제1항 또한 청구인의 공무담임권을 침해하여 헌법에 위반된다며, 2007. 10. 29. 이에 대한 심판청구를 추가하여 그 청구취지를 변경하였다.

9. 그 후 이 사건 제2청구에 따라 2007. 12. 12. 실시된 주민소환투표 결과 총 유권자 10만6,435명 중 3만3,040명이 투표함으로써 31%의 투표율에 그쳐, 유권자 총수의 3분의 1 이상이 투표에 참가하여야 한다는 요건을 충족하지 못함으로써 청구인에 대한 주민소환은 결국 부결되었다.

10. 한편 항소심인 서울고등법원은 제1심 판결이 선고된 후인 2007. 12. 3. 하남시선거관리위원회가 이 사건 제1청구의 수리처분을 취소하여 소의 이익이 소멸되었다는 이유로 2007. 12. 7. 제1심 판결을 취소하고 소를 각하하는 판결을 선고하였다.

심판대상조항 및 관련조항

청구인은 추가된 청구취지를 포함하여 주민소환법 제1조, 제7조 제1항 제2호 중 시장에 대한 부분, 제8조, 제9조, 제11조, 제12조, 제21조 제1항 및 제22조 제1항에 대하여 이 사건 헌법소원심판을 청구하였다.

그런데 주민소환투표 청구사유를 제한하지 않아 청구인의 기본권을 침해한다며 이 사건 심판대상으로 삼은 주민소환법 제1조, 제11조 및 제12조와 청구취지로 추가한 주민소환법 제7조 제1항 제2호 중 시장에 대한 부분은 그 중 후자가 청구인의 주장과 더 직접적으로 관련되어 있으므로 이 부분 만을 심판대상으로 삼기로 하고, 주민소환법 제9조는 서명반대 활동과 관련한 제1항만이 관련되므로 이 부분으로 심판대상을 한정하기로 한다.

따라서 이 사건 심판대상은 주민소환법 제7조 제1항 제2호 중 시장에 대한 부분, 제8조, 제9조 제1항, 제21조 제1항 및 제22조 제1항(이하 이들을 '이 사건 법률조항'이라 한다)이 청구인의 기본권을 침해하는지 여부이다.

【심판대상조항】

주민소환에 관한 법률(2006. 5. 24. 법률 제7958호로 제정된 것)

제7조(주민소환투표의 청구) ① 전년도 12월 31일 현재 주민등록표 및 외국인등록표에 등록된 제3조 제1항 제1호 및 제2호에 해당하는 자(이하 "주민소환투표청구권자"라 한다)는 해당 지방자치단체의 장 및 지방의회의원(비례대표선거구시·도의회의원 및 비례대표선거구자치구·시·군의회의원은 제외하며, 이하 "선출직 지방공직자"라 한다)에 대하여 다음 각 호에 해당하는 주민의 서명으로 그 소환사유를 서면에 구체적으로 명시하여 관할선거관리위원회에 주민소환투표의 실시를 청구할 수 있다.
  2. 시장·군수·자치구의 구청장 : 당해 지방자치단체의 주민소환투표청구권자 총수의 100분의 15 이상

제8조(주민소환투표의 청구제한 기간) 제7조 제1항 내지 제3항의 규정에 불구하고 다음 각 호의 어느 하나에 해당하는 때에는 주민소환투표의 실시를 청구할 수 없다.
  1. 선출직 지방공직자의 임기 개시일부터 1년이 경과하지 아니한 때
  2. 선출직 지방공직자의 임기만료일부터 1년 미만일 때
  3. 해당 선출직 지방공직자에 대한 주민소환투표를 실시한 날부터 1년 이내인 때

제9조(서명요청 활동) ① 주민소환투표청구인대표자(이하 "소환청구인대표자"라 한다)와 서면에 의하여 소환청구인대표자로부터 서명요청권을 위임받은 자는 대통령령이 정하는 서명요청 활동기간 동안 주민소환투표의 청구사유가 기재되고 관할선거관리위원회가 검인하여 교부한 주민소환투표 청구인 서명부(이하 "소환청구인 서명부"라 한다)를 사용하여 주민소환투표 청구권자에게 서명할 것을 요청할 수 있다. 이 경우 제10조의 규정에 따라 서명이 제한되는 기간은 서명요청 활동기간에 산입하지 아니한다.

제21조(권한행사의 정지 및 권한대행) ① 주민소환투표 대상자는 관할선거관리위원회가 제12조 제2항의 규정에 의하여 주민소환투표안을 공고한 때부터 제22조 제3항의 규정에 의하여 주민소환투표결과를 공표할 때까지 그 권한행사가 정지된다.

제22조(주민소환투표결과의 확정) ① 주민소환은 제3조의 규정에 의한 주민소환투표권자(이하 "주민소환투표권자"라 한다) 총수의 3분의 1이상의 투표와 유효투표 총수 과반수의 찬성으로 확정된다.

주문

청구인의 이 사건 심판청구를 모두 기각한다.

I. 이 사건 헌법소원심판의 적법 여부

1. 기본권주체성

국가 및 그 기관 또는 조직의 일부나 공법인은 원칙적으로는 기본권의 '수범자'로서 기본권의 주체가 되지 못하고, 다만 국민의 기본권을 보호 내지 실현하여야 할 책임과 의무를 지니는 데 그칠 뿐이므로, 공직자가 국가기관의 지위에서 순수한 직무상의 권한행사와 관련하여 기본권 침해를 주장하는 경우에는 기본권의 주체성을 인정하기 어렵다 할 것이나, 그 외의 사적인 영역에 있어서는 기본권의 주체가 될 수 있는 것이다.

청구인은 선출직 공무원인 하남시장으로서 이 사건 법률 조항으로 인하여 공무담임권 등이 침해된다고 주장하여, 순수하게 직무상의 권한행사와 관련된 것이라기보다는 공직의 상실이라는 개인적인 불이익과 연관된 공무담임권을 다투고 있으므로, 이 사건에서 청구인에게는 기본권의 주체성이 인정된다 할 것이다.

2. 권리보호의 이익

헌법소원은 주관적인 권리구제뿐만 아니라 객관적인 헌법질서 보장의 기능 또한 겸하고 있으므로, 청구인의 주관적 권리구제에는 도움이 되지 아니한다 하더라도 같은 유형의 침해행위가 앞으로도 반복될 위험성이 있고, 헌법질서의 수호·유지를 위하여 그에 대한 헌법적 해명이 긴요한 사항에 대하여는 심판청구의 이익을 인정할 수 있으며, 이 사건에 있어서도 그와 같은 사정이 있다 할 것이므로 이로써 권리보호의 이익이 인정된다 할 것이다.

II. 주민소환제도의 개관

1. 국민주권의 원리와 구현 방법

가. 국민주권의 원리

헌법 제1조 제2항은 "대한민국의 주권은 국민에게 있고 모든 권력은 국민으로부터 나온다."고 규정하여 국민주권주의를 천명하고 있다.

이러한 국민주권의 원리는 일반적으로 어떤 실천적인 의미보다는 국가권력의 정당성이 국민에게 있고 모든 통치권력의 행사를 최후적으로 국민의 의사에 귀착시킬 수 있어야 한다는 등 국가권력 내지 통치권을 정당화하는 원리로 이해되고, 선거운동의 자유의 근거인 선거제도나 죄형법정주의 등 헌법상의 제도나 원칙의 근거로 작용하고 있다.

나. 국민주권의 실현

국민주권주의를 구현하기 위하여 헌법은 국가의 의사결정 방식으로 대의제를 채택하고, 이를 가능하게 하는 선거 제도를 규정함과 아울러 선거권, 피선거권을 기본권으로 보장하며, 대의제를 보완하기 위한 방법으로 직접민주제 방식의 하나인 국민투표제도를 두고 있다(제72조, 제130조 제2항).

이러한 국민주권주의는 국가권력의 민주적 정당성을 의미하는 것이기는 하나, 그렇다고 하여 국민전체가 직접 국가기관으로서 통치권을 행사하여야 한다는 것은 아니므로 주권의 소재와 통치권의 담당자가 언제나 같을 것을 요구하는 것이 아니고, 예외적으로 국민이 주권을 직접 행사하는 경우 이외에는 국민의 의사에 따라 통치권의 담당자가 정해짐으로써 국가권력의 행사도 궁극적으로 국민의 의사에 의하여 정당화될 것을 요구하는 것이다.

이러한 대의제는 국민주권의 이념을 존중하면서도 현대국가가 지니는 민주정치에 대한 현실적인 장애요인들을 극복하기 위하여 마련된 통치구조의 구성원리로서, 기관구성권과 정책결정권의 분리, 정책결정권의 자유위임을 기본적 요소로 하고, 특히 국민이 선출한 대의기관은 일단 국민에 의하여 선출된 후에는 법적으로 국민의 의사와 관계없이 독자적인 양식과 판단에 따라 정책결정에 임하기 때문에 자유위임 관계에 있게 된다는 것을 본질로 하고 있다.

근대국가가 대부분 대의제를 채택하고도 후에 이르러 직접민주제적인 요소를 일부 도입한 역사적인 사정에 비추어 볼 때, 직접민주제는 대의제가 안고 있는 문제점과 한계를 극복하기 위하여 예외적으로 도입된 제도라 할 것이므로, 헌법적인 차원에서 직접민주제를 직접 헌법에 규정하는 것은 별론으로 하더라도 법률에 의하여 직접민주제를 도입하는 경우에는 기본적으로 대의제와 조화를 이루어야 하고, 대의제의 본질적인 요소나 근본적인 취지를 부정하여서는 아니된다는 내재적인 한계를 지닌다 할 것이다.

2. 지방자치와 주민소환제

가. 지방자치의 의의와 성격 (생략)

나. 주민소환제의 의의와 목적

주민소환은 주민의 의사에 의하여 공직자를 공직에서 해임시키는 것으로서 직접민주제 원리에 충실한 제도이다. 이러한 주민소환은 주민이 지방의원·지방자치단체장 기타 지방자치단체의 공무원을 임기 중에 주민의 청원과 투표로써 해임하는 제도이고, 이는 주민에 의한 지방행정 통제의 가장 강력한 수단으로서 주민의 참정기회를 확대하고 주민대표의 정책이나 행정처리가 주민의사에 반하지 않도록 주민대표자기관이나 행정기관을 통제하여 주민에 대한 책임성을 확보하는 데 그 목적이 있다.

다. 주민소환의 성격

주민소환제를 규범적인 차원에서 정치적인 절차로 설계할 것인지, 아니면 사법적인 절차로 할 것인지는 현실적인 차원에서 입법자가 여러 가지 사정을 고려하여 정책적으로 결정할 사항이라 할 것이다.

그런데 주민소환법에 주민소환의 청구사유를 두지 않은 것은 입법자가 주민소환을 기본적으로 정치적인 절차로 설정한 것으로 볼 수 있고, 외국의 입법례도 청구사유에 제한을 두지 않는 경우가 많다는 점을 고려할 때 우리의 주민소환제는 기본적으로 정치적인 절차로서의 성격이 강한 것으로 평가될 수 있다 할 것이다.

라. 지방자치와 주민소환제의 관계

주민소환제 자체는 지방자치의 본질적인 내용이라고 할 수 없으므로 이를 보장하지 않는 것이 위헌이라거나 어떤 특정한 내용의 주민소환제를 반드시 보장해야 한다는 헌법적인 요구가 있다고 볼 수는 없으나, 다만 이러한 주민소환제가 지방자치에도 적용되는 원리인 대의제의 본질적인 내용을 침해하는지 여부는 문제가 된다 할 것이다.

주민이 대표자를 수시에 임의로 소환한다면 이는 곧 명령적 위임을 인정하는 결과가 될 것이나, 대표자에게 원칙적으로 자유위임에 기초한 독자성을 보장하되 극히 예외적이고 엄격한 요건을 갖춘 경우에 한하여 주민소환을 인정한다면 이는 대의제의 원리를 보장하는 범위 내에서 적절한 수단이 될 수 있을 것이다.

주민소환제는 주민의 참여를 적극 보장하고, 이로써 주민자치를 실현하여 지방자치에도 부합하므로, 이 점에서는 위헌의 문제가 발생할 소지가 없고, 제도적인 형성에 있어서도 입법자에게 광범위한 입법재량이 인정된다 할 것이나, 지방자치단체장도 선거에 의하여 선출되므로 주민소환제라 하더라도 이들의 공무담임권을 과잉으로 제한하여서는 아니되고, 앞서 본 바와 같이 제도적인 측면에 있어 예외로서의 주민소환제는 원칙으로서의 대의제의 본질적인 부분을 침해하여서도 아니된다는 점이 그 입법형성권의 한계로 작용한다 할 것이다.

III 기본권 침해 여부

1. 쟁점의 정리

이 사건 심판청구에 있어 주된 쟁점은, 심판대상조항이 과잉금지원칙에 위반하여 청구인의 공무담임권을 침해하는지 여부이므로 아래에서는 이에 관하여 주로 살피고, 평등권 침해는 해당되는 조항에 한하여 살펴보기로 한다.

다만, 청구인은 피선거권의 침해도 아울러 주장하고 있으나, 이는 주민소환이 확정되어 소환 대상자가 그 직을 상실하게 될 경우 그로 인하여 실시되는 보궐선거에 후보자로 등록할 수 없다는 것으로서 공무담임권이 박탈된 이후 필연적으로 수반되는 사항이므로, 공무담임권 침해 여부에 대한 판단에 포함될 수 있어 이에 대하여는 별도로 논의하지 아니하기로 한다.

2. 심사의 방법

이 사건은 주민소환제 자체에 대한 위헌 여부의 판단을 구하는 것이 아니라 주민소환제를 구성하는 여러 가지 요건이 청구인의 공무담임권을 침해하는지 여부에 관한 것이므로, 이를 판단함에 있어서는 ① 직접민주제의 도입이 대의제의 본질적인 내용을 침해하여서는 아니 되고, ② 주민소환제는 기본적으로 정치적인 절차로서의 성격이 강하며, ③ 지방자치단체장에 대한 선거(대의제)나 주민소환(직접민주제)이 헌법적인 차원이 아닌 법률적인 차원에서 보장되고 있음에 비추어 주민소환제는 지방자치의 측면에서 입법재량의 여지가 큼에 반하여 지방자치단체장이 대의제 원리에 따라서 갖는 자유위임의 원칙은 상대적으로 약화될 수밖에 없다는 점 등을 고려하여야 할 것이다.

그런데 선출직 공무원의 공무담임권은 선거를 전제로 하는 대의제의 원리에 의하여 발생하는 것이므로 공직의 취임이나 상실에 관련된 어떠한 법률조항이 대의제의 본질에 반한다면 이는 공무담임권도 침해하는 것이라고 볼 수 있다.

또 입법자는 주민소환제의 형성에 있어 광범위한 입법재량을 갖고 있다고 볼 수 있으나, 앞서 본 바와 같이 대의제의 본질적인 부분을 침해하여 공무담임권을 침해하여서는 아니된다는 한계를 지켜야 하므로, 이를 전제로 이 사건 법률조항이 대의제의 본질적인 부분을 침해하는지와 과잉금지원칙에 위반되어 청구인의 공무담임권을 침해하는지 여부를 살펴보아야 할 것이다.

다만, 과잉금지원칙을 심사하면서 피해의 최소성을 판단함에 있어서는 입법재량의 허용 범위를 고려하여 구체적으로는 '입법자의 판단이 현저하게 잘못 되었는가' 하는 명백성의 통제에 그치는 것이 타당하다 할 것이다.

3. 주민소환법 제7조 제1항 제2호 중 시장 부분(청구사유)

법 제7조 제1항 제2호 중 시장에 대한 부분이 주민소환의 청구사유에 제한을 두지 않은 것은 주민소환제를 기본적으로 정치적인 절차로 설계함으로써 위법행위를 한 공직자뿐만 아니라 정책적으로 실패하거나 무능하고 부패한 공직자까지도 그 대상으로 삼아 공직에서의 해임이 가능하도록 하여 책임정치 혹은 책임행정의 실현을 기하려는데 그 입법목적이 있다.

입법자는 주민소환제의 형성에 광범위한 입법재량을 가지고, 주민소환제는 대표자에 대한 신임을 묻는 것으로 그 속성이 재선거와 같아 그 사유를 묻지 않는 것이 제도의 취지에도 부합하며, 비민주적, 독선적인 정책추진 등을 광범위하게 통제한다는 주민소환제의 필요성에 비추어 청구사유에 제한을 둘 필요가 없고, 업무의 광범위성이나 입법기술적인 측면에서 소환사유를 구체적으로 적시하기 쉽지 않으며, 청구사유를 제한하는 경우 그 해당 여부를 사법기관에서 심사하게 될 것인데 그것이 적정한지 의문이 있고 절차가 지연될 위험성이 크므로, 법이 주민소환의 청구사유에 제한을 두지 않는 데에는 나름대로 상당한 이유가 있고, 청구사유를 제한하지 아니한 입법자의 판단이 현저하게 잘못되었다고 볼 사정 또한 찾아볼 수 없다.

또 위와 같이 청구사유를 제한하지 않음으로써 주민소환이 남용되어 공직자가 소환될 위험성과 이로 인하여 주민들이 공직자를 통제하고 직접참여를 고양시킬 수 있는 공익을 비교하여 볼 때, 법익의 형량에 있어서도 균형을 이루었으므로, 위 조항이 과잉금지의 원칙을 위반하여 청구인의 공무담임권을 침해하는 것으로 볼 수 없다.

4. 주민소환법 제7조 제1항 제2호 중 시장 부분(발의요건)

주민소환투표의 구체적인 요건을 설정하는 데 있어 입법자의 재량이 매우 크고, 이 청구요건이 너무 낮아 남용될 위험이 클 정도로 자의적이라고 볼 수 없으며, 법 제7조 제3항과 법 시행령 제2조가 특정 지역 주민의 의사에 따라 청구가 편파적이고 부당하게 이루어질 위험성을 방지하여 주민들의 전체 의사가 어느 정도 고루 반영되도록 하고 있으므로, 이 조항이 과잉금지원칙에 위반하여 청구인의 공무담임권을 침해한다고 볼 수 없다.

5. 주민소환법 제8조(청구제한 기간)

청구인은, 이 조항은 해당 선출직 지방공직자에 대한 주민소환투표를 실시한 날부터 1년 이내에는 주민소환투표의 실시를 청구할 수 없도록 하고 있을 뿐, 오히려 주민소환법 제13조 제2항 3호가 주민소환투표 공고일 90일 이내에 동일한 선출직 지방공직자에 대한 주민소환투표가 있으면 1차 청구와 2차 청구를 병합하여 실시할 수 있도록 규정하고 있으므로, 주민소환투표가 실시된 때부터 1년 이내가 아니라면 동일한 선출직 지방공직자에 대한 중복된 주민소환투표 청구가 허용된다 할 것이고, 이 조항이 이와 같이 동일한 사유로 재차 주민소환투표를 청구 하는 것을 금지하지 아니하는 것은 자신의 공무담임권을 침해한다고 주장한다.

주민소환투표의 청구기간을 제한한 것은, 선출직 공직자의 임기 초에는 소신에 따라 정책을 추진할 수 있는 기회를 주어야 하는 점, 임기 종료가 임박한 때에는 소환의 실익이 없는 점을 고려하고, 주민소환투표가 부결되었음에도 반복적으로 주민소환투표를 청구하는 폐해를 방지하려는데 그 입법목적이 있으므로, 주민소환투표에 회부되어 부결되었음에도 불구하고 소정의 기간 내에 반복적으로 소환투표를 청구하는 경우가 아닌 한, 제2, 제3의 청구를 할 수 있고 그것을 제한하여야 할 이유도 없다.

따라서, 법 제8조가 사실상 동일한 청구사유에 의하여 주민소환투표를 재청구하는 것을 막는 규정을 두지 아니하였다고 하여 이로써 청구인의 공무담임권이 침해된다고 보기 어렵다.

6. 주민소환법 제9조 제1항(서명요청 활동)

청구인은, 이 조항이 주민소환투표 청구인 대표자와 그로부터 서명요청권을 위임받은 자에게 서명요청 활동을 보장하면서도, 그에 대응하여 서명요청 활동기간 동안 소환대상 공직자의 반대운동을 보장하지 않아 청구인의 공무담임권을 침해한다고 주장한다.

주민소환투표 청구는 일정 수 이상 주민의 서명을 요하므로, 이와 관련한 서명요청은 필수적으로 보장되어야 하는 활동이나 이를 주민소환투표 운동에 속하는 것으로는 보기 어려운 점, 서명요청 활동이 있더라도 실제로 청구요건을 갖추어 주민소환투표 청구가 이루어질 것인지 사전에 알 수 없기 때문에, 주민소환투표 청구가 이루어지기 전 단계에서부터 소환대상 공직자에게 소환반대 활동의 기회를 보장할 필요가 없고, 이를 허용할 경우 행정공백의 상태가 불필요하게 늘어나는 점, 관할 선거관리위원회는 주민소환투표 청구가 이루어진 후 주민소환투표대상자에게 소명할 기회를 제공하고(법 제14조), 주민소환투표가 발의된 이후에는 소환대상자의 반대운동이 가능하여(법

제17조, 제18조), 전체적으로 공정한 반대활동 기회가 보장되고 있는 점 등을 종합적으로 고려하면, 법 제9조 제1항이 과잉금지원칙에 반하여 청구인의 공무담임권을 침해한다고 볼 수 없다.

7. 주민소환법 제21조(권한행사의 정지 및 권한대행)

이 조항은 주민소환투표가 공고된 날부터 주민소환투표의 결과가 공표될 때까지 주민소환투표 대상자의 권한행사를 정지하고, 그 기간 동안 권한대행자로 하여금 권한을 행사하도록 규정하여, 주민소환투표 운동기간 및 투표일까지 주민소환 대상자의 공무담임권을 제한하고 있다.

법 제21조 제1항의 입법목적은 행정의 정상적인 운영과 공정한 선거관리라는 정당한 공익을 달성하려는데 있고, 주민소환투표가 공고된 날로부터 그 결과가 공표될 때까지 주민소환투표 대상자의 권한행사를 정지하는 것은 위 입법목적을 달성하기 위한 상당한 수단이 되는 점, 위 기간 동안 권한행사를 일시 정지한다 하더라도 이로써 공무담임권의 본질적인 내용이 침해된다고 보기 어려운 점, 권한행사의 정지기간은 통상 20일 내지 30일의 비교적 단기간에 지나지 아니하므로, 이 조항이 달성하려는 공익과 이로 인하여 제한되는 주민소환투표 대상자의 공무담임권이 현저한 불균형 관계에 있지 않은 점 등을 고려하면, 위 조항이 과잉금지의 원칙에 반하여 과도하게 공무담임권을 제한하는 것으로 볼 수 없다.

또 대통령 등 탄핵소추 대상 공무원의 권한행사 정지와 주민소환대상 공무원의 권한행사 정지는 성격과 차원을 달리하여, 양자를 평등권 침해 여부 판단에 있어 비교의 대상으로 삼을 수 없으므로, 탄핵소추대상 공무원과 비교하여 평등권이 침해된다는 청구인의 주장도 이유 없다.

8. 주민소환법 제22조 제2항(주민소환투표 결과의 확정요건)

청구인은, 이 조항이 주민소환투표권자 총수의 3분의 1 이상의 투표와 유효투표 총수 과반수의 찬성으로 주민소환이 확정되도록 한 것은, 그 요건이 너무 낮아 과잉금지원칙에 반하여 청구인의 공무담임권을 침해한다고 주장한다.

주민소환투표권자 총수의 3분의 1 이상의 투표와 유효투표 총수 과반수의 찬성으로 주민소환이 확정되도록 한 법 제22조 제1항이 객관적으로 볼 때 그 요건이 너무 낮아 주민소환이 아주 쉽게 이루어질 수 있는 정도라고 보기 어려운 점, 일반선거와 달리 주민소환투표에 최소한 3분의 1 이상의 투표율을 요구하여 상대적으로 엄격한 요건을 설정하고 있는 점, 요즈음 지방선거의 투표율이 저조하고, 주민소환투표가 평일에, 다른 선거 등과 연계되지 아니한 채 독자적으로 실시될 가능성이 많은 점 등을 감안해 볼 때 위 요건이 너무 낮다고 볼 수 없고, 근본적으로 이는 입법재량 사항에 속하므로, 이 조항이 과잉금지원칙을 위반하여 청구인의 공무담임권을 침해한다고 볼 수 없다.

061 주민소환투표청구를 위한 서명요청 활동 제한 규정 사건 [합헌]
― 2011. 12. 29. 선고 2010헌바368

판시사항 및 결정요지

1. '주민소환에 관한 법률'(2006. 5. 24. 법률 제7958호로 제정된 것) **제32조 제1호 중 제10조 제4항에 관한 부분**(이하 '이 사건 법률조항'이라 한다) **중 '제시', '서명요청 활동' 부분이 명확성원칙에 반하는지 여부(소극)**

소환청구인서명부를 '제시'한다 함은 서명요청을 위하여 소환청구인서명부라는 물건을 내어 보이는 것을 의미하고, '서명요청 활동'이란 주민소환투표를 청구하는 취지의 의사표시로서 서명을 해줄 것을 요청하는 활동을 의미하는 것으로 해석되므로, '소환청구인서명부를 제시'하거나 '구두로 주민소환투표의 취지나 이유를 설명하는 경우'를 제외하고는 인쇄물·시설물 및 '그 밖의 방법'을 이용하여 서명요청 활동을 할 수 없도록 규정한 이 사건 법률조항은 그 금지내용을 파악함에 있어 어떠한 불명확성이 존재한다고 보기 어렵고, 수범자가 예견할 수 없을 정도로 모호하다거나 해석자의 자의를 허용하는 것이라 할 수 없으므로 명확성원칙에 반하지 않는다.

2. 주민소환투표청구를 위한 서명요청 활동을 '소환청구인서명부를 제시'하거나 '구두로 주민소환투표의 취지나 이유를 설명하는' 두 가지 경우로만 엄격히 제한하고 이에 위반할 경우 형사처벌하는 이 사건 법률조항이 표현의 자유를 제한함에 있어 과잉금지원칙을 위반하였는지 여부(소극)

가. 문제되는 기본권과 심사기준

1) 표현의 자유

이 사건 법률조항은 주민소환투표를 청구하는 의사표시로서의 서명을 요청하는 행위의 행사방법을 위 두 가지 이외에는 허락하지 않음으로써 '표현의 방법'을 제한하고 있는 것이다.

일반적으로 국가가 개인의 표현행위를 규제하는 경우, 표현내용에 대한 규제는 원칙적으로 중대한 공익의 실현을 위하여 불가피한 경우에 한하여 엄격한 요건하에서 허용되는 반면, 표현내용과 무관하게 표현의 방법을 규제하는 것은 합리적인 공익상의 이유로 폭넓은 제한이 가능하다. 뿐만 아니라, 서명요청 활동은 주민소환청구권 행사의 전제 내지 실현수단의 의미를 가지므로 주민소환 제도에 대한 경우와 마찬가지로 그 내용과 방법에 관하여 입법자의 형성의 자유가 인정되는 영역이라고도 할 수 있다. 따라서 이 사건 법률조항에 대한 과잉금지원칙 위반 여부를 심사함에 있어서는, 일반적인 표현의 자유에 대한 제한에 적용되는 엄격한 의미의 과잉금지원칙 위반 여부의 심사가 아닌 실질적으로 완화된 심사를 함이 상당하고, 특히 '피해의 최소성' 요건은 입법목적을 달성하기 위한 덜 제약적인 수단은 없는지 혹은 필요한 최소한의 제한인지를 심사하기 보다는 '입법목적을 달성하기 위하여 필요한 범위 내의 것인지'를 심사하는 정도로 완화시켜 판단하여야 할 것이다.

2) 주민소환권의 기본권성 인정 여부

우리 헌법은 법률에 정하는 바에 따른 '선거권'(헌법 제24조)과 '공무담임권'(헌법 제25조) 및 국가안위에 관한 중요정책과 헌법개정에 대한 '국민투표권'(헌법 제72조, 제130조)만을 헌법상의 참정권으로 보장하고 있으므로, 지방자치법에서 규정한 주민투표권이나 주민소환청구권은 그 성질상 위에서 본 선거권, 공무담임권, 국민투표권과는 다른 것이어서 이를 법률이 보장하는 참정권이라고 할 수 있을지언정 헌법이 보장하는 참정권이라 할 수는 없다. 또한 주민소환제 자체는 지방자치의 본질적 내용이라고 할 수 없으므로 이를 보장하지 않는 것이 위헌이라거나 어떤 특정한 내용의 주민소환제를 반드시 보장해야 한다는 헌법적인 요구가 있다고 볼 수 없으므로, 주민소환제 및 그에 부수하여 법률상 창설되는 주민소환권이 지방자치의 본질적 내용에 해당하여 반드시 헌법적인 보장이 요구되는 제도라고 할 수도 없다.

그렇다고 주민소환권의 권리내용 또는 보호영역이 비교적 명확하여 권리내용을 규범 상대방에게 요구하거나 재판에 의하여 그 실현을 보장받을 수 있는 구체적 권리로서의 실질을 가지고 있다고 할 수도 없으므로, 헌법 제37조 제1항에서 말하는 '헌법에서 열거되지 아니한 기본권'으로 볼 수도 없다. 결국, 주민소환청구권 자체는 헌법상 기본권으로서 보장되는 것은 아니고, 입법에 의하여 형성된 주민소환청구제도에 따라 행사할 수 있는 법률상의 권리에 불과하다 할 것이므로, 이 사건 법률조항이 주민소환권이라는 기본권을 침해한다는 취지의 청구인 주장에 대해서는 더 이상의 판단을 필요로 하지 아니한다.

나. 과잉금지원칙 위반 여부

이 사건 법률조항은 대의제의 본질적인 부분을 침해하지 않도록 극히 예외적이고 엄격한 요건을 갖춘 경우에 한하여 주민소환을 인정하려는 제도적 고려에서, 서명요청이라는 표현의 방법을 '소환청구인서명부를 제시'하거나 '구두로 주민소환투표의 취지나 이유를 설명'하는 방법, 두 가지로만 엄격히 제한함으로써, ⅰ) 주민소환투표청구가 정치적으로 악용·남용되는 것을 방지함과 동시에, ⅱ) 서명요청 활동 단계에서 흑색선전이나 금품 살포와 같은 부정한 행위가 이루어지는 것을 방지하여 주민소환투표청구권자의 진정한 의사가 왜곡되는 것을 방지하려고 하였는바, 위 입법목적은 정당하고 수단은 적절하다.

또한, 주민소환제도의 남용 내지 악용을 막기 위해서는 주민소환투표청구를 하는 과정에서 진지한 사회적 합의와 숙고가 이루어질 수 있도록 하고, 흑색선전이나 금품 살포 등 부정행위가 개입하여 주민소환투표청구권자의 진의가 왜곡되는 것을 막아야 할 필요성이 매우 크다는 점, 이 사건 법률조항은 주민소환투표청구에 관한 의사표시를 요청하는 표현활동을 방법적으로 제한하고 있을 뿐 서명요청의 의사가 배제되어 있는 단순한 의견개진이나 준비활동 등 정치적·사회적 의견 표명은 제한하고 있지 않은 점 등에 비추어 볼 때, 이 사건 법률조항이 주민소환투표청구를 위하여 요구되는 많은 수의 서명을 받는 것을 사실상 불가능하게 함으로써 청구인의 주민소환투표청구권을 형해화하는 것이라고 보기도 어렵다. 따라서 침해의 최소성 요건도 충족한다.

이 사건 법률조항으로 인하여 제한되는 개인의 표현의 자유 등 사익에 비하여 주민소환투표제도의 부작용 억제를 통한 대의제 원리의 보장과 소환대상자의 공무담임권 보장, 지방행정의 안정성 보장이라는 공익이 훨씬 크므로, 법익균형성 요건도 충족한다.

따라서, 이 사건 법률조항은 표현의 자유를 제한함에 있어 과잉금지원칙을 위반하지 않는다.

062 서울특별시 학생 인권 조례 재의요구 철회 사건 [기각]
― 2013. 9. 26. 선고 2012헌라1

판시사항

1. 교육·학예에 관한 시·도의회의 의결사항에 대하여 서울특별시교육감이 재의요구를 하였다가 철회한 것이, 교육부장관의 재의요구 요청권한을 침해하는지 여부(소극)
2. 서울특별시교육감이 조례안 재의요구를 철회하자, 조례안을 이송 받고 20일이 경과한 이후 교육부장관이 조례안 재의요구 요청을 한 경우, 서울특별시교육감이 재의요구를 하지 않은 부작위, 서울특별시교육감이 조례를 공포한 행위가 교육부장관의 재의요구 요청권한을 침해하는지 여부(소극)

사건의 개요

서울특별시의회는 2011. 12. 19. 서울특별시 학생인권 조례안(다음부터 '이 사건 조례안'이라고 한다)을 의결하고 다음날 서울특별시교육감 권한대행에게 이송하였다. 청구인(교육부장관)은 서울특별시교육감 권한대행에게 이 사건 조례안에 대해 재의요구를 하도록 요청하지 않았다. 하지만 서울특별시교육감 권한대행이 2012. 1. 9. '지방교육자치에 관한 법률' 제28조 제1항, 지방자치법 제107조 제1항에 따라 이 사건 조례안에 대하여 서울특별시의회에 재의를 요구하였다.

그런데 서울특별시교육감이 업무에 복귀한 뒤 2012. 1. 20. 16:45 이 사건 조례안에 대한 재의요구를 철회하였고, 청구인은 2012. 1. 20. 17:08 서울특별시교육감에게 이 사건 조례안에 대한 재의요구를 하도록 요청하였다. 그러나 서울특별시교육감은 청구인의 재의요구 요청을 따르지 아니하고, 2012. 1. 26. '서울특별시 학생인권 조례'(서울특별시조례 제5247호)를 공포하였다.

이에 청구인은, 피청구인(서울특별시)이 이 사건 조례안에 대한 재의요구를 철회하고 '서울특별시 학생인권 조례'를 공포한 행위와 피청구인이 청구인의 재의요구 요청을 받고도 서울특별시의회에 이 사건 조례안에 대한 재의요구를 하지 아니한 부작위가 청구인의 조례안에 대한 재의요구 요청 권한을 침해하였다고 주장하며, 2012. 3. 9. 피청구인을 상대로 이 사건 권한쟁의심판을 청구하였다.

심판대상

"피청구인이 2012. 1. 20. 서울특별시의회에 이 사건 조례안 재의요구를 철회한 행위", "이 사건 조례안에 대한 청구인의 재의요구 요청을 받고도 피청구인이 서울특별시의회에 재의요구를 하지 아니한 부작위", "피청구인이 2012. 1. 26. '서울특별시 학생인권 조례'를 공포한 행위"가, 교육·학예에 관한 시·도의회 의결에 대한 청구인의 재의요구 요청 권한을 침해하였거나 침해할 현저한 위험이 있는지 여부이다.

주문

청구인의 심판청구를 기각한다.

1. 피청구인이 재의요구를 철회한 행위에 대한 청구 부분

'지방교육자치에 관한 법률' 제28조 제1항 제1문은 교육·학예에 관한 시·도의회의 의결이 법령에 위반되거나 공익을 현저히 저해한다고 판단될 때에는 그 의결사항에 대하여 교육감에게 재의요구 권한이 있음을, 제2문은 청구인에게 재의요구 요청 권한이 있음을 각각 규정하고 있다. 따라서 교육·학예에 관한 서울특별시의회의 의결이 법령에 위반되거나 공익을 현저히 저해한다고 판단될 때, 청구인이 서울특별시교육감에게 재의요구를 하도록 요청할 수 있는 일반적인 권한은 인정된다.

그런데 서울특별시교육감 권한대행이 이 사건 조례안에 대하여 2012. 1. 9.에 한 재의요구는 서울특별시교육감의 독자적인 재의요구 권한에 근거한 것이다. 교육감의 재의요구 권한은 교육·학예에 관한 지방자치단체의 장인 교육감과 지방의회 사이의 상호 견제와 균형을 위한 것이며, 청구인의 재의요구 요청 권한은 국가와 지방자치단체 사이의 권한 통제 또는 국가의 지도·감독을 위한 것으로, 교육·학예에 관한 시·도의회의 의결사항에 대한 교육감의 재의요구 권한과 청구인의 재의요구 요청 권한은 중복하여 행사될 수 있는 별개의 독립된 권한이다.

서울특별시교육감은 청구인이 이 사건 조례안에 대한 재의요구 요청 권한을 행사하지 않은 상태에서 이 사건 조례안에 대한 재의요구를 철회하였다. '지방교육자치에 관한 법률' 제28조 제1항은 교육감에게 시·도의회 등의 의결에 대한 재의요구 권한이 있다는 점만 규정하고 있고 재의요구를 철회할 권한이 있다는 점에 대하여는 명시적인 규정을 두고 있지 않음은 청구인의 주장과 같다. 그러나 조례안에 대한 교육감의 재의요구 권한은 조례안의 완성에 대한 조건부의 정지적인 권한에 지나지 않으므로, 시·도의회의 재의결 전에는 언제든지 재의요구를 철회할 수 있다고 보아야 한다. 이런 법리에 따라 대통령이 1956. 10. 15. 귀속재산처리특별회계법(1956. 11. 1. 법률 제404호로 공포됨)에 대한 재의요구를 철회하고, 1964. 12. 31. 탄핵심판법(1964. 12. 31. 법률 제1683호로 공포됨)에 대한 재의요구를 철회한 전례도 있다. 이 사건에서도 서울특별시교육감은 청구인의 요청에 따라 재의요구를 한 것이 아니고, 자신의 독자적인 권한으로 재의요구를 한 것이므로 이를 철회할 권한이 있다고 보아야 한다.

따라서 피청구인이 2012. 1. 20. 이 사건 조례안 재의요구를 철회한 행위가 헌법과 '지방교육자치에 관한 법률'에 따른 청구인의 재의요구 요청 권한을 침해하였거나 침해할 현저한 위험이 있다고 볼 수 없다.

2. 청구인의 재의요구 요청에도 불구하고 피청구인이 조례를 공포한 행위에 대한 청구 부분

'지방교육자치에 관한 법률' 제28조 제1항은 제1문에서 '교육·학예'에 관한 시·도의회의 의결이 '법령 위반이나 공익을 현저히 저해한다고 판단'되는 경우라는 교육감의 재의요구 '대상'과 '사유'에 관한 요건을 규정하고, 교육감의 재의요구 권한의 행사기간을 '시·도의회의 의결사항을 이송받은 날부터 20일 이내'로 규정하고 있다. 그런데 그 제2문에서는 별도의 요건을 규정하지 아니하고, 청구인의 재의요구 요청 권한의 행사에 관하여만 규정하고 있다.

그런데 국가와 지방자치단체 사이의 권한 통제라는 중요한 사항에 관하여, 그 '대상'과 '사유'에 관한 요건도 규정되지 아니한 불명확한 재의요구 요청 권한을 청구인이 행사하도록 입법자가 의도

하였다고 볼 수는 없다. 즉 '지방교육자치에 관한 법률' 제28조 제1항은 교육감의 재의요구와 청구인의 재의요구 요청의 대상과 사유 및 행사기간 등 요건을 동일하게 규정하고 있는 것으로 해석하는 것이 합리적이다. '지방교육자치에 관한 법률' 제28조에 대응하는 지방자치법 제172조 제1항도 지방의회의 의결이 법령에 위반되거나 공익을 현저히 해친다고 판단되는 경우, 지방자치단체의 장에 대한 주무부장관의 재의요구 요청 기간을 의결사항을 이송받은 날부터 20일 이내로 규정하고 있다.

'지방교육자치에 관한 법률' 제28조 제1항과 헌법이 지방자치를 보장하는 취지 등을 유기적·체계적으로 종합하여 보면, 청구인의 재의요구 요청과 관계없이 교육감이 재의요구를 할 수 있는 기간은 '시·도의회의 의결사항을 이송받은 날부터 20일 이내'로 보아야 한다. 교육감이 재의요구를 할 수 없다면 교육감에 대한 청구인의 재의요구 요청도 무의미하므로, 청구인도 교육감이 재의요구를 할 수 있는 기간 내에만 교육감에게 재의요구 요청을 할 수 있다고 해석하여야 한다.

이 사건에서 서울특별시교육감 권한대행이 이 사건 조례안을 2011. 12. 20. 서울특별시의회로부터 이송받았으므로, 청구인은 그로부터 20일 이내인 2012. 1. 9.까지 서울특별시교육감 권한대행에게 재의요구를 요청할 수 있었다. 서울특별시교육감 권한대행이 재의요구를 하였다고 하여, 청구인이 자신의 독립된 권한인 재의요구 요청을 하지 못할 법률상 장애가 있다고 볼 수 없다. 별개의 권한에 근거한 서울특별시교육감의 재의요구와 철회가 청구인이 재의요구 요청 권한을 행사할 수 있는 기간의 진행을 중단시킨다고 볼 수 없는 것이다. 청구인은 서울특별시의회가 이 사건 조례안을 의결한 뒤 재의요구 요청을 할 수 있는 기간 동안 오히려 재의요구를 검토한 바 없다는 보도자료를 언론기관에 배포하기까지 하였다.

그렇다면 청구인이 권한행사기간이 지난뒤인 2012. 1. 20. 서울특별시교육감에게 이 사건 조례안에 대한 재의요구를 요청한 것은 이미 소멸한 권한을 행사한 것으로 부적법하다. 따라서 그 요청에 따라 서울특별시교육감이 이 사건 조례안에 대하여 재의요구를 하여야 할 헌법이나 법률상의 작위의무가 있다고 볼 수 없다.

또한 이 사건 조례안의 확정에 대한 조건부의 정지적인 권한이었던 서울특별시교육감의 재의요구가 철회된 이상 처음부터 재의요구가 없었던 것과 같게 되므로, 서울특별시교육감은 이 사건 조례안을 공포할 권한이 있다(지방교육자치에 관한 법률 제14조 제3항, 제4항). 그러므로 "피청구인이 2012. 1. 20. 청구인으로부터 이 사건 조례안에 대한 재의요구 요청을 받고도 서울특별시의회에 재의요구를 하지 아니한 부작위" 및 "피청구인이 2012. 1. 26. 이 사건 조례안을 공포한 행위"가 헌법과 '지방교육자치에 관한 법률'에 따른 청구인의 재의요구 요청 권한을 침해하였거나 침해할 현저한 위험이 있다고 볼 수 없다.

CONSTITUTION

제3편
통치구조

제1장 통치구조의 구성원리

제2장 국 회

제3장 대통령과 정부

제4장 법 원

제4판
SIGNATURE
헌법 판례 ❷ 헌법총론·통치구조론·헌법재판론

제1장 통치구조의 구성원리

제1절 대의제의 원리

 국회구성권 침해 위헌확인 사건 [각하]
— 1998. 10. 29. 선고 96헌마186

판시사항

국회내 정당간의 의석분포를 결정할 권리 내지 국회구성권이 헌법소원으로 다툴 수 있는 국민의 기본권인지 여부(소극)

사건의 개요

1996. 4. 11. 실시된 국회의원 선거 결과 신한국당은 139석, 새정치국민회의는 79석, 자유민주연합은 50석, 민주당은 15석의 의석을 각 획득하였고, 무소속 당선자가 16명이었다. 그런데 같은 해 4. 27.부터 5. 4.에 걸쳐 자유민주연합 소속 김화남 당선자, 민주당 소속 이규택, 최욱철, 황규선 당선자들은 각 그 소속 정당을 탈당하였고, 같은 해 4. 24.부터 5. 20.에 걸쳐 무소속의 김재천 당선자를 비롯하여 11명의 당선자들이 신한국당에 입당하였다(탈당 및 입당의 현황은 별지 2. 목록 기재와 같다).

청구인들은 1996. 4. 11. 실시된 제15대 국회의원 선거에 참여하여 투표한 대한민국 국민들로서, 제15대 국회의원 선거의 결과 집권당인 신한국당이 139석을 획득하는데 그쳐 소위 여소야대의 상황에 이르자 신한국당의 의석수를 인위적으로 과반수가 넘도록 조작하기 위하여 무소속 김재천 등 11명의 국회의원 당선자를 공권력에 의한 협박과 회유로 신한국당에 입당시키는 한편, 김화남 등 4명의 국회의원 당선자를 각 그 소속정당으로부터 탈당시켰는바, 피청구인의 이러한 행위는 청구인들의 국회구성권을 침해한 것임과 동시에 국민주권주의, 복수정당제도를 침해한 것으로서 위헌이라고 하면서 그 취소를 구하여 1996. 5. 22. 이 사건 헌법소원을 청구하였다.

I 판 단

헌법재판소법 제68조 제1항에 의하면, 헌법소원은 공권력의 행사 또는 불행사로 인하여 헌법상 보장된 기본권을 침해받은 자만이 청구할 수 있는 제도인데, 청구인들이 주장하는 바의 피청구인의 행위가 있었다 하더라도 이로 인하여 청구인들의 "기본권"이 침해받을 여지는 없다.

가. 청구인들은 "국회구성권"을 침해받았다고 하나, "국회구성권"이라는 기본권은 헌법의 명문 규정으로도 해석상으로도 인정할 수 없다. 청구인들은 국민주권주의를 규정한 헌법 제1조 제2항, 국회의 구성에 관한 헌법 제41조 제1항으로부터 국회구성권을 도출해 내고서 여기에는 국회의 정당간의 의석분포를 결정할 권리, 즉 "국회구도결정권"도 포함되는 것으로 논리를 펴고 있다.

그러나 위 조항들에 선거권에 관한 헌법 제24조를 보태어 보더라도 청구인들 주장과 같은 내용의 국회구성권이라는 기본권이 도출된다고는 할 수 없다. 헌법의 기본원리인 대의제 민주주의하에서 국회의원 선거권이란 것은 국회의원을 보통·평등·직접·비밀선거에 의하여 국민의 대표자인 국회의원을 선출하는 권리에 그치고, 개별 유권자 혹은 집단으로서의 국민의 의사를 선출된 국회의원이 그대로 대리하여 줄 것을 요구할 수 있는 권리까지 포함하는 것은 아니다. 또한 대의제도에 있어서 국민과 국회의원은 명령적 위임관계에 있는 것이 아니라 자유위임관계에 있기 때문에 일단 선출된 후에는 국회의원은 국민의 의사와 관계없이 독자적인 양식과 판단에 따라 정책결정에 임할 수 있다. 그런데 청구인들 주장의 "국회구성권"이란 유권자가 설정한 국회의석분포에 국회의원들을 기속시키고자 하는 것이고, 이러한 내용의 "국회구성권"이라는 것은 오늘날 이해되고 있는 대의제도의 본질에 반하는 것이므로 헌법상 인정될 여지가 없다.

따라서 국회구성권의 침해를 주장하는 부분은 존재하지도 않는 기본권의 침해를 주장하는 것으로서 주장자체로 이미 기본권침해성 및 청구인적격을 흠결한 것이다.

나. 청구인들은 피청구인의 행위로 헌법 제1조 제2항의 국민주권주의와 헌법 제8조 제1항의 복수정당제도가 훼손되었다고 주장한다. 그러나 공권력의 행사 또는 불행사로 헌법의 기본원리 혹은 헌법상 보장된 제도의 본질이 훼손되었다고 하여 그 점만으로 바로 국민의 기본권이 직접 현실적으로 침해된 것이라고 할 수는 없다. 따라서 청구인들 주장과 같은 피청구인의 행위로 국민주권주의라든지 복수정당제도가 훼손될 수 있는지의 여부는 별론으로 하고 그로 인하여 바로 헌법상 보장된 청구인들의 구체적 기본권이 침해당하는 것은 아닐 뿐만 아니라, 국민주권주의, 복수정당제도의 훼손만 주장할 뿐 이로 인한 구체적 기본권의 침해 또는 침해의 가능성을 전혀 주장조차 하지 않고 있는 청구인들은 주장 자체로 이미 청구인적격이 없다.

다. 결론적으로 이 사건 심판대상행위와 청구인들의 기본권간에는 아무런 상관관계도 인정되지 아니하고, 그로 인하여 헌법상 보장된 기본권을 침해받을 여지가 전혀 없는 청구인들로서는 헌법소원심판을 청구할 수 없다고 할 것이다.

II 결 론

그러므로 이 사건 심판청구는 더 나아가 살펴 볼 필요없이 부적법하므로 각하하기로 하여 관여재판관 전원의 일치된 의견으로 주문과 같이 결정한다.

002 국회의장의 김홍신 의원에 대한 사보임행위 사건 [기각]
― 2003. 10. 30. 선고 2002헌라1

판시사항

1. 국회의원이 권한쟁의심판을 청구할 당사자적격이 있는지 여부(적극)
2. 국회의장인 피청구인이 국회의원인 청구인을 그 의사에 반하여 국회 보건복지위원회에서 사임시키고 환경노동위원회로 보임한 행위(이하 "이 사건 사보임행위"라 한다)가 권한쟁의심판의 대상이 되는지 여부(적극)
3. 제16대 국회의 제2기 원구성이 완료되고 청구인이 보건복지위원회에 다시 배정된 상태이지만 헌법적 해명의 필요성이 있어 심판의 이익이 있다고 판시한 사례
4. 피청구인의 이 사건 사보임행위가 헌법과 법률의 규정에 위반하여 청구인의 법률안 심의·표결 권한을 침해한 것인지 여부(소극)

사건의 개요

1. 청구인(국회의원 김홍신)은 한나라당 소속 국회의원으로서 국회 보건복지위원회 상임위원으로 활동하였다. 여야 합의로 1999. 2. 8. 법률 제5854호로 제정된 국민건강보험법 제33조 제2항 및 부칙 제10조에 의하면 건강보험의 직장가입자와 지역가입자의 재정을 2002. 1. 1.부터 통합하기로 되어 있었는데, 한나라당은 이와 같은 건강보험재정통합방안에 반대하여 '재정분리'안을 당론으로 결정한 후 이를 2001년 12월 정기국회에서 통과시킨다는 방침을 정하였다.

2. 청구인은 평소 건강보험재정문제와 관련하여 '재정통합'이 올바른 길이라는 소신을 가지고 있었는바, 한나라당 지도부는 보건복지위원회 소속 한나라당 위원 중 유일하게 당론에 반대하고 있는 청구인을 동 위원회에서 강제로 사임시켜서라도 당론을 관철하고자 하였다. 그리하여 2001. 12. 24. 한나라당의 교섭단체대표의원인 원내총무 이재오는 피청구인에게 청구인을 보건복지위원회에서 사임시키고 청구인 대신 같은 당 소속 박혁규 의원의 보임을 요청하는 서류를 제출하였고, 당일 피청구인이 이 서류에 결재함으로써 그 결과 청구인은 위 위원회에서 강제 사임되고 위 박혁규 의원이 보임된 후 "건강보험재정분리법안"의 심의·표결이 이루어졌다.

3. 이에 청구인은 2002. 1. 24. 위와 같이 피청구인이 한나라당 교섭단체대표의원이 제출한 사보임 요청서에 결재함으로써 청구인을 국회 보건복지위원회에서 강제 사임시킨 행위로 말미암아 청구인의 국회의원으로서의 법률안 심의·표결권이 침해되었다고 주장하면서, 그 권한침해의 확인 및 피청구인의 위 사보임행위의 무효확인을 구하는 이 사건 권한쟁의심판을 청구하였다.

심판대상

심판의 대상은 피청구인이 위와 같이 2001. 12. 24. 한나라당 교섭단체대표의원이 제출한 사보임 요청서에 결재함으로써 청구인을 국회 보건복지위원회에서 강제 사임시킨 행위가 헌법 또는 법률에 의하여 부여받은 청구인의 법률안 심의·표결 권한을 침해한 것인지의 여부와 아울러 위와 같은 피청구인의 사보임행위가 무효인지의 여부이다.

주문

청구인의 심판청구를 기각한다.

I. 적법요건에 대한 판단

1. 당사자능력

헌법재판소는 1997. 7. 16. 선고한 96헌라2 국회의원과 국회의장간의 권한쟁의 사건에서 국회의원과 국회의장을 헌법 제111조 제1항 제4호 소정의 '국가기관'에 해당하는 것으로 해석하고 이들의 당사자능력을 인정한 바 있으며, 이러한 입장은 99헌라1 국회의원과 국회의장간의 권한쟁의 사건에서도 이어지고 있다. 따라서 이 사건의 청구인과 피청구인은 권한쟁의심판의 당사자가 될 수 있는 능력이 있다.

2. 피청구인의 행위가 권한쟁의심판의 대상이 될 수 있는지 여부

국회는 국민의 대표기관이자 입법기관으로서 폭넓은 자율권을 가지고 있다. 그러나 이 사건은 국회의장인 피청구인이 국회의원인 청구인의 헌법 및 법률상 보장된 법률안 심의·표결권을 침해하였다는 이유로 권한쟁의심판이 청구된 사건이므로, 피청구인의 이 사건 사보임행위는 헌법재판소가 심사할 수 없는 국회내부의 자율에 관한 문제라고 할 수 없다.

한편, 이 사건에서 피청구인은 2001. 12. 24. 한나라당 교섭단체대표의원이 요청한, 같은 한나라당 의원으로서 국회 보건복지위원회 소속이던 청구인과 환경노동위원회 소속이던 위 박혁규를 서로 맞바꾸는 내용의 상임위원회 위원 사보임 요청서에 결재를 하였고, 이는 법 제48조 제1항에 규정된 바와 같이 교섭단체대표의원의 요청에 따른 상임위원 개선행위이다. 위와 같은 피청구인의 개선행위에 따라 청구인은 같은 날부터 보건복지위원회에서 사임되고, 위 박혁규 의원이 동 위원회에 보임되었다. 따라서, 청구인의 상임위원 신분의 변경을 가져온 피청구인의 이 사건 사보임 결재행위는 권한쟁의심판의 대상이 되는 처분이라고 할 것이다.

3. 헌법 또는 법률에 의하여 부여받은 권한의 침해

청구인은 피청구인의 이 사건 사보임행위로 말미암아 헌법 및 법률에 의하여 부여된 청구인의 법률안 심의·표결권을 침해받았다고 주장하고 있다. 우선 청구인이 주장하는 국회의원의 법률안 심의·표결권은 헌법 제41조 제1항에 따라 국민의 선거에 의하여 선출된 헌법상의 국가기관으로서 헌법과 법률에 의하여 부여받은 독자적인 권한임이 틀림없다. 청구인은 2001. 12. 24. 피청구인의 이 사건 사보임행위로 말미암아 같은 날 열린 제226회 국회(임시회) 보건복지위원회 제3차 회의 때부터 보건복지위원회의 위원으로 법률안, 특히 이 사건 건강보험재정분리법안에 대한 심의·표결권을 행사하지 못하게 되었으므로 일응 이러한 권한침해의 개연성을 인정할 수 있다.

4. 권리보호이익과 헌법적 해명

상임위원회 위원의 임기는 2년이다(법 제40조). 그리고 현재의 제16대 국회는 2000. 4. 13. 실시된 총선거에 의하여 선출된 국회의원으로 구성되어 4년 임기중 전반기를 이미 마쳤고, 후반기 들어 2002. 7.경 새로이 각 상임위원회의 위원배정이 이루어졌다. 국회사무처에서 보내온 2002. 9. 30.자 '상임위원회 위원명단'을 보면, 청구인은 다시 보건복지위원회에 배정되어 현재까지 동 위원회에서 활동하고 있다. 그러므로 청구인이 이 사건 권한쟁의심판청구에 의하여 달성하고자 하는 목적은 이미 이루어져 청구인이 주장하는 권리보호이익이 소멸하였다.

그러나 헌법소원심판과 마찬가지로 권한쟁의심판도 주관적 권리구제뿐만 아니라 객관적인 헌법질서 보장의 기능도 겸하고 있으므로, 청구인에 대한 권한침해 상태가 이미 종료하여 이를 취소할 여지가 없어졌다 하더라도 같은 유형의 침해행위가 앞으로도 반복될 위험이 있고, 헌법질서의 수호·유지를 위하여 그에 대한 헌법적 해명이 긴요한 사항에 대하여는 심판청구의 이익을 인정할 수 있다고 할 것이다.

이 사건과 같이 상임위원회 위원의 개선, 즉 사보임행위는 국회법 규정의 근거하에 국회관행상 빈번하게 행해지고 있고 그 과정에서 당해 위원의 의사에 반하는 사보임이 이루어지는 경우도 얼마든지 예상할 수 있으므로 청구인에게 뿐만 아니라 일반적으로도 다시 반복될 수 있는 사안이어서 헌법적 해명의 필요성이 있으므로 이 사건은 심판의 이익이 있다고 할 것이다.

5. 소 결

이 사건 심판청구는 권한쟁의심판의 당사자가 될 수 있는 국회의원인 청구인이 국회의장인 피청구인을 상대로, 피청구인이 청구인을 국회 보건복지위원회에서 강제로 사임케 하고 위 박혁규 의원을 보임하는 사보임 요청을 허가함으로써 청구인의 권한을 침해하였다고 주장하여 권한침해의 확인과 아울러 그 행위의 무효확인을 구하는 것으로서 적법하다고 할 것이다.

Ⅱ 본안에 대한 판단

1. 국회의원의 법률안 심의·표결 권한

국회의원은 국회의 구성원으로서의 지위뿐만 아니라 국민의 대표로서의 지위를 가지며, 국민의 선거에 의하여 선출되고(헌법 제41조 제1항) 헌법과 법률에 의하여 여러 가지 특권과 권한 내지 책임이 부여되어 있으며[헌법 제42조(임기보장), 제44조(불체포특권), 제45조(면책특권), 제46조 제2항(국가이익을 우선하고 양심에 따른 직무수행), 제52조(법률안제출권) 등과 국회법의 여러 규정들], 이를 토대로 입법활동 및 국정의 비판·감시 활동을 수행함으로써 결정적으로 국가의사형성에 관여하고 있다. 이 중 청구인이 주장하는 법률안 심의·표결권에 대하여 보면, 이러한 권한은 국회 본회의와 상임위원회(특별위원회 포함. 이하 같다)에서의 그것을 의미한다고 할 것이다. 즉, 국회의원은 2 이상의 상임위원회의 위원이 되므로(법 제39조 제1항), 국회의원은 상임위원회와 본회의에서 의제 또는 의사진행에 관하여 발언하고 동의를 함으로써 의제를 성립시킬 수 있는 권한을 가진다. 여기에는 의제에 대한 찬반토론을 할 수 있는 권리를 포함한다(법 제99조 내지 108조). 또한 국회의원은 상임위원회와 본회의에서 표결에 참가할 권리를 가진다(법 제54조, 제109조 참조).

2. 위원회제도의 의의와 그 구성방법

가. 교섭단체와 상임위원회제도의 의의

교섭단체(Negotiation Group)는 원칙적으로 국회에 일정수 이상의 의석을 가진 정당에 소속된 의원들로 구성되는 원내의 정당 또는 정파를 말한다. 정당은 국민의 정치적 의사형성을 목적으로 하는 국민의 자발적 조직이다. 따라서, 원내에 의석을 확보한 정당은 정당의 정강정책을 소속의원을 통하여 최대한 국정에 반영하고 소속의원으로 하여금 의정활동을 효율적으로 할 수 있도록 권고·통제할 필요가 있다. 법은 국회에 20인 이상의 소속의원을 가진 정당은 하나의 교섭단체가 되며, 국회내 상임위원회의 구성은 교섭단체 소속의원수의 비율에 의하여 각 교섭단체대표의원의 요청으로 의장이 선임 및 개선한다고 규정하고 있어(제33조 제1항, 제48조 제1항), 국회운영에 있어 교섭단체의 역할을 제도적으로 보장하고 있다. 교섭단체는 정당국가에서 의원의 정당기속을 강화하는 하나의 수단으로 기능할 뿐만 아니라 정당소속 의원들의 원내 행동통일을 기함으로써 정당의 정책을 의안심의에서 최대한으로 반영하기 위한 기능도 갖는다.

상임위원회(Standing Committee)를 포함한 위원회는 의원 가운데서 소수의 위원을 선임하여 구성되는 국회의 내부기관인 동시에 본회의의 심의 전에 회부된 안건을 심사하거나 그 소관에 속하는 의안을 입안하는 국회의 합의제기관이다. 위원회의 역할은 국회의 예비적 심사기관으로서 회부된 안건을 심사하고 그 결과를 본회의에 보고하여 본회의의 판단자료를 제공하는 데 있다. 우리나라 국회의 법률안 심의는 본회의 중심주의가 아닌 소관 상임위원회 중심으로 이루어진다. 소관 상임위원회에서 심사의결된 내용을 본회의에서는 거의 그대로 통과시키는 이른바 "위원회 중심주의"를 채택하고 있는 것이다. 오늘날 의회의 기능에는 국민대표기능, 입법기능, 정부감독기능, 재정에 관한 기능 등이 포함된다. 의회가 이러한 본연의 기능을 수행함에 있어서는 국민대표로 구성된 의원 전원에 의하여 운영되는 것이 이상적일 것이나, 의원 전원이 장기간의 회기동안 고도의 기술적이고 복잡다양한 내용의 방대한 안건을 다루기에는 능력과 시간상의 제약이 따른다. 이러한 한계를 극복하기 위한 방안으로 위원회제도가 창설된 것이다. 그리하여 상임위원회의 구성과 활동은 의회의 업적과 성패를 실질적으로 결정짓는 변수가 되고 있다고 평가되고 있다.

나. 상임위원회의 구성방법

법 제48조 제1항은 국회내 상임위원회의 구성에 관하여 "상임위원은 교섭단체 소속의원수의 비율에 의하여 각 교섭단체대표의원의 요청으로 의장이 선임 및 개선한다"고 규정하고 있다. 상임위원회는 의장이 상임위원회의 위원정수에 맞도록 위원을 선임함으로써 구성된다. 즉, 273명의 전체 의원수에서 의장을 제외한 272인의 위원을 「상임위원회위원정수에관한규칙」에 규정된 위원회별 정수(법 제38조 참조)에 맞게 선임하는데, 교섭단체별로 위원수 비율을 산출하고 소수점 이하 단수를 조정하여 상임위원회별로 위원수를 할당하여 선임한다.

3. 국회의장의 직무

국회의장은 헌법 제48조에 따라 국회에서 선출되는 헌법상의 국가기관이다. 헌법과 법률에 의하여 국회를 대표하고 의사를 정리하며, 질서를 유지하고 사무를 감독할 지위에 있고(법 제10조), 이러한 지위에서 본회의 개의일시의 변경, 의사일정의 작성과 변경, 의안의 상정, 의안의 가결선포 등의 권한을 행사한다. 이 사건과 같은 상임위원의 선임 또는 개선은 이와 같은 국회의장의 직무 중 의사정리권한에 속하는 것이다.

4. 이 사건 사·보임행위에 대한 평가

가. 정당은 국민과 국가의 중개자로서 정치적 도관(導管)의 기능을 수행하여 주체적·능동적으로 국민의 다원적 정치의사를 유도·통합함으로써 국가정책의 결정에 직접 영향을 미칠 수 있는 규모의 정치적 의사를 형성하고 있다. 구체적으로는 각종 선거에서의 입후보자 추천과 선거활동, 의회에서의 입법활동, 정부의 정치적 중요결정에의 영향력 행사, 대중운동의 지도 등의 과정에 실질적 주도권을 행사한다. 이와 같은 정당의 기능을 수행하기 위해서는 무엇보다도 먼저 정당의 자유로운 지위가 전제되지 않으면 안 된다. 즉, 정당의 자유는 민주정치의 전제인 자유롭고 공개적인 정치적 의사형성을 가능하게 하는 것이므로 그 자유는 최대한 보장되지 않으면 안 되는 것이다.

한편, 정당은 그 자유로운 지위와 함께 "공공(公共)의 지위"를 함께 가지므로 이 점에서 정당은 일정한 법적 의무를 지게 된다. 현대정치의 실질적 담당자로서 정당은 그 목적이나 활동이 헌법적 기본질서를 존중하지 않으면 안되며, 따라서 정당의 활동은 헌법의 테두리 안에서 보장되는 것이다. 또한 정당은 정치적 조직체인 탓에 그 내부조직에서 형성되는 과두적·권위주의적 지배경향을 배제하여 민주적 내부질서를 확보하기 위한 법적 규제가 불가피하게 요구된다.

그러나 정당에 대한 법적 규제는 위와 같은 한정된 목적에 필요한 범위 안에서 행해져야 하며, 그것이 국민의 정치활동의 자유나 정당의 단체자치에 부당한 간섭으로 작용해서는 안 된다. 특히 정당의 내부질서에 대한 규제는 그것이 지나칠 때에는 정당의 자유에 대한 침해의 위험성이 있으므로 민주적 내부질서에 필요한 최소한도의 규제로 그쳐야 한다.

나. 국회는 중요한 헌법기관으로서 스스로의 문제를 자주적으로 처리할 수 있는 폭넓은 자율권을 갖는다. 국회의 자율권은 의회주의사상에 그 뿌리를 두고 권력분립의 원칙에 입각하여 현대 헌법국가의 의회에서는 당연한 국회기능의 하나로 간주되고 있다. 국회의 자율기능은 국회가 갖는 입법·재정·통제·인사기능의 실효성을 높이기 위한 불가결한 전제조건을 뜻하기 때문이다. 규칙제정(헌법 제64조 제1항, 법 제166조), 신분보장(헌법 제44조, 제45조, 제64조 제2항~제4항), 질서유지(법 제143조, 제144조, 제150조) 등의 규정은 그 제도적 표현이라고 할 수 있다. 이 중 국회가 외부의 간섭 없이 독자적으로 그 내부조직을 할 수 있는 권능, 즉 국회의 기관인 의장 1인과 부의장 2인을 선거하고 그 궐위시에 보궐선거를 실시하고 의장·부의장의 사임을 처리하며, 필요할 때 임시의장을 선출하고 그 직원을 임면하고 교섭단체와 위원회를 구성하는 것 등은 모두 자율적인 국회내부의 조직구성행위이다.

이러한 관점에서 볼 때, 이 사건 사보임행위는 기본적으로 국회의 조직자율권에 해당하는 행위라고 할 수 있고, 따라서 이를 평가함에 있어 헌법이나 법률에 명백히 위반되는 것이 아닌 한 성급하게 위헌이라는 평가를 내려서는 안 된다.

다. 현대의 민주주의가 종래의 순수한 대의제 민주주의에서 정당국가적 민주주의의 경향으로 변화하고 있음은 주지하는 바와 같다. 다만, 국회의원의 국민대표성보다는 오늘날 복수정당제하에서 실제적으로 정당에 의하여 국회가 운영되고 있는 점을 강조하려는 견해와, 반대로 대의제 민주주의 원리를 중시하고 정당국가적 현실은 기본적으로 국회의원의 전체국민대표성을 침해하지 않는 범위내에서 인정하려는 입장이 서로 맞서고 있다.

무릇 국회의원의 원내활동을 기본적으로 각자에 맡기는 자유위임은 자유로운 토론과 의사형성을 가능하게 함으로써 당내민주주의를 구현하고 정당의 독재화 또는 과두화를 막아주는 순기능을 갖는다. 그러나 자유위임은 의회내에서의 정치의사형성에 정당의 협력을 배척하는 것이 아니며, 의원이 정당과 교섭단체의 지시에 기속되는 것을 배제하는 근거가 되는 것도 아니다. 또한 국회의원의 국민대표성을 중시하는 입장에서도 특정 정당에 소속된 국회의원이 정당기속 내지는 교섭단체의 결정(소위 '당론')에 위반하는 정치활동을 한 이유로 제재를 받는 경우, 국회의원 신분을 상실하게 할 수는 없으나 "정당내부의 사실상의 강제" 또는 소속 "정당으로부터의 제명"은 가능하다고 보고 있다. 그렇다면, 당론과 다른 견해를 가진 소속 국회의원을 당해 교섭단체의 필요에 따라 다른 상임위원회로의 전임(사보임)하는 조치는 특별한 사정이 없는 한 헌법상 용인될 수 있는 "정당내부의 사실상 강제"의 범위내에 해당한다고 할 것이다.

라. 또한 앞에서 본 교섭단체의 역할에 비추어 볼 때, 국회의장이 국회의 의사(議事)를 원활히 운영하기 위하여 상임위원회의 구성원인 위원의 선임 및 개선에 있어 교섭단체대표의원과 협의하고 그의 "요청"에 응하는 것은 국회운영에 있어 본질적인 요소라고 아니할 수 없다.

따라서 교섭단체대표의원의 "요청"이 헌법 또는 법률에 명백히 위반되는 것이 아닌 한, 교섭단체대표의원이 상임위원의 개선에 있어 청구인의 주장대로 "당해 위원이 위원회의 구성원으로서의 지위를 계속 유지하기에 적합하지 않다고 판단될 만한 불법 또는 부당한 사유를 가지고 있는 경우에" 한하여 그의 개선을 요청할 수 있다고 볼 것은 아니다. 교섭단체대표의원의 상임위원 개선 "요청"이 헌법 또는 법률에 위반되는 것이 아닌 한 국회의장이 이에 따르는 것은 정당국가에서 차지하는 교섭단체의 의의와 기능을 고려할 때 입법취지에도 부합하는 것이다.

피청구인은 법 제48조 제1항에 규정된 바와 같이 청구인이 소속된 한나라당 "교섭단체대표의원의 요청"을 서면으로 받고 이 사건 사보임행위를 한 것으로서 하등 헌법이나 법률에 위반되는 행위를 한 바가 없다. 부수적으로, 상임위원회 위원의 임기는 2년으로 한다는 법 제40조 제1항의 규정을 두고 그 기간 동안 사보임을 할 수 없다고 해석하는 것은, 보임 또는 개선된 상임위원의 임기는 전임자의 잔임기간으로 한다고 규정한 같은 조 제3항에 비추어 받아들일 수 없다. 나아가, 비록 청구인이 피청구인에게 이 사건 사보임 요청을 거부해 줄 것을 바라는 서한을 보냈다고 하여 피청구인이 이에 기속될 의무가 있는 것은 아니다.

마. 요컨대, 피청구인의 이 사건 사보임행위는 청구인이 소속된 정당내부의 사실상 강제에 터잡아 교섭단체대표의원이 상임위원회 사보임 요청을 하고 이에 따라 국회의장인 피청구인이 이른바 의사정리권한의 일환으로 이를 받아들인 것으로서, 그 절차과정에 헌법이나 법률의 규정을 명백하게 위반하여 재량권의 한계를 현저히 벗어나 청구인의 권한을 침해한 것으로 볼 수 없다.

III 결 론

따라서 청구인의 심판청구는 이유 없으므로 이를 기각하기로 하여 재판관 권 성의 반대의견을 제외하고는 관여재판관 전원의 일치된 의견으로 주문과 같이 결정한다.

003 사개특위 위원 개선 사건 [기각]
— 2020. 5. 27. 선고 2019헌라1

판시사항

피청구인 국회의장이 2019. 4. 25. 사법개혁 특별위원회(이하 '사개특위'라 한다)의 바른미래당 소속 위원을 청구인 국회의원 오신환에서 국회의원 채이배로 개선한 행위(이하 '이 사건 개선행위'라 한다)가 청구인의 법률안 심의·표결권을 침해하는지 여부 및 이 사건 개선행위가 무효인지 여부(소극)

사건의 개요

1. 2018. 7. 26. 제362회 국회(임시회)에서 법원·법조 개혁, 검찰·경찰 인사 독립성 및 수사 중립성 강화 등 사법 전반에 걸친 개혁방안의 마련 및 검찰청법, 경찰법, 형사소송법 등 관련 법안의 심사처리를 위하여 위원장 포함 18인의 위원으로 구성되고, 2018. 12. 31.을 활동기한으로 하는 사법개혁 특별위원회(이하 '사개특위'라 한다)가 구성되었다. 청구인은 바른미래당 소속 국회의원으로서 2018. 10. 18. 제364회 국회(정기회)에서 사개특위 위원으로 선임되었다. 2018. 12. 27. 제365회 국회(임시회)에서 사개특위의 활동기한은 2019. 6. 30.로 연장되었고, 2019. 6. 28. 제369회 국회(임시회)에서 다시 그 활동기한이 2019. 8. 31.로 연장되었다.

2. 더불어민주당의 교섭단체 대표의원인 홍영표 의원, 바른미래당의 교섭단체 대표의원인 김관영 의원, 민주평화당의 원내대표인 장병완 의원, 정의당의 원내대표인 윤소하 의원은 2019. 4. 22. '고위공직자범죄수사처 설치 및 운영에 관한 법률안' 및 '검경수사권 조정에 관한 형사소송법·검찰청법 개정안'(이하 '이 사건 법안'이라 한다)을 국회법 제85조의2에 따라 신속처리대상안건으로 지정하여 처리하기로 하는 내용의 합의안(이하 '이 사건 합의안'이라 한다)을 발표하였다.
신속처리대상안건으로 지정되기 위해서는 안건의 소관 위원회 재적위원 과반수가 서명한 신속처리대상안건 지정요구 동의를 소관 위원회 위원장에게 제출하고, 소관 위원회 재적위원 5분의 3 이상의 찬성으로 이를 의결하여야 한다(국회법 제85조의2 제1항 참조).
이 사건 법안의 소관 위원회인 사개특위는 2019. 4. 22. 현재 더불어민주당 소속 위원 8명, 자유한국당 소속 위원 7명, 바른미래당 소속 위원 2명, 어느 교섭단체에도 속하지 아니하는 위원 1명, 총 18명으로 구성되어 있었다.

3. 바른미래당은 2019. 4. 23. 의원총회를 개최하고 찬성 12명, 반대 11명으로 이 사건 합의안을 추인하였다. 사개특위의 바른미래당 소속 위원인 청구인은 2019. 4. 24. 이 사건 법안의 신속처리대상안건 지정에 반대하겠다는 의사를 표명하였다.

4. 바른미래당의 교섭단체 대표의원인 김관영 의원은 제368회 국회(임시회) 회기 중이었던 2019. 4. 25. 피청구인에게 사개특위의 바른미래당 소속 위원을 청구인에서 국회의원 채이배로 개선할 것을 요청하였고, 피청구인은 같은 날 사개특위의 바른미래당 소속 위원을 청구인에서 국회의원 채이배로 개선하였다.

5. 이에 청구인은 2019. 4. 25. 위 피청구인의 개선행위로 인하여 법률안 심의·표결권 등을 침해받았다고 주장하면서 그 권한의 침해확인과 위 개선행위의 무효확인을 구하는 이 사건 권한쟁의심판을 청구하였다.

I 심판의 이익 인정 여부

1. 사개특위는 2019. 8. 31. 그 활동기한이 종료되었다. 따라서 이 사건 권한쟁의심판청구가 인용되더라도 청구인이 사개특위 위원 신분을 회복할 수는 없게 되었으므로, 권한쟁의로써 해결해야 할 구체적인 보호이익은 소멸하였다.
2. 위원회 위원의 개선은 국회법 제48조에 따라 빈번하게 행해지고 있고 앞으로도 당해 위원의 의사에 반하는 개선이 이루어질 가능성이 있다. 헌재 2003. 10. 30. 2002헌라1 결정은 국회의장인 피청구인이 국회의원인 청구인을 그 의사에 반하여 국회 보건복지위원회에서 사임시키고 환경노동위원회로 보임한 행위가 헌법이나 법률의 규정을 위배하여 청구인의 법률안 심의·표결권을 침해한 것으로 볼 수 없다고 판단하였으나, 위원 개선행위가 2003. 2. 4. 법률 제6855호로 신설된 국회법 제48조 제6항에 위배되는지 여부에 관하여는 아직 그 해명이 이루어진 바가 없다. 따라서 이 사건 심판청구는 예외적으로 심판청구의 이익을 인정할 수 있다.

II 이 사건 개선행위로 인한 법률안 심의 · 표결권 침해 여부에 관한 판단

1. 이 사건의 쟁점

가. 국회의원의 법률안 심의·표결권은 의회민주주의의 원리, 입법권을 국회에 귀속시키고 있는 헌법 제40조, 국민에 의하여 선출되는 국회의원으로 국회를 구성한다고 규정한 헌법 제41조 제1항 및 국회의결에 관하여 규정한 헌법 제49조로부터 당연히 도출되는 헌법상의 권한이다.

이 사건 개선행위로 인하여 청구인은 사개특위 위원으로서 사개특위에 상정된 법률안들에 대하여 심의·표결할 수 없게 되었으므로, 이 사건 개선행위가 청구인의 법률안 심의·표결권을 침해하였는지 여부를 살펴본다.

나. 자유위임원칙은 대의민주주의의 기본적 요소이다. "공무원은 국민전체에 대한 봉사자이며, 국민에 대하여 책임을 진다."라고 규정한 헌법 제7조 제1항, "국회의원은 국회에서 직무상 행한 발언과 표결에 관하여 국회 외에서 책임을지지 아니한다."라고 규정한 제45조 및 "국회의원은 국가이익을 우선하여 양심에 따라 직무를 행한다."라고 규정한 제46조 제2항을 종합하여 볼 때, 헌법은 국회의원을 자유위임원칙 하에 두었다고 할 것이다.

자유위임원칙 하에서 국회의원은 일단 국민에 의하여 선출된 후에는 개별 유권자 혹은 집단으로서의 국민의 의사를 그대로 대리하는 것이 아니라, 독자적인 양심에 기초한 스스로의 판단에 따라 국가 전체이익을 추구하여야 한다.

청구인은 이 사건 법안에 대한 신속처리대상안건 지정에 반대하겠다는 의사를 표명하였다는 이유로 이루어진 이 사건 개선행위가 국회의원이 국민의 대표자로서 갖는 지위보다 특정 정당의 당원으로서 갖는 지위를 우선순위에 둠으로써 의회주의와 대의제라는 헌법원리를 위반하였다고 주장하므로, 이 사건 개선행위가 자유위임원칙에 위배되어 청구인의 법률안 심의·표결권을 침해하였는지 여부를 살펴본다.

다. 국회법 제48조 제6항은 "제1항부터 제4항까지에 따라 위원을 개선할 때 임시회의 경우에는 회기 중에 개선될 수 없고, 정기회의 경우에는 선임 또는 개선 후 30일 이내에는 개선될 수 없다. 다만, 위원이 질병 등 부득이한 사유로 의장의 허가를 받은 경우에는 그러하지 아니하다."라고 규정하고 있다. 이 사건 개선행위 당시 제368회 국회(임시회)의 회기 중이었으므로, 이 사건 개선행위가 국회법 제48조 제6항에 위배되어 청구인의 법률안 심의·표결권을 침해하였는지 여부를 살펴본다.

라. 청구인은 이 사건 개선행위로 인하여 사개특위 위원 유지권도 침해받았다고 주장한다.

그러나 헌법은 위원회에 관하여 제62조에서 국무총리·국무위원 또는 정부위원의 위원회 출석·보고·답변 등만을 규정하고 있을 뿐, 국회의원의 '특정한 위원회 위원으로서 활동할 권한'은 명시적으로 인정하고 있지 않다. 또한 국회는 국회의 내부조직인 특정한 위원회를 구성하는 것에 관하여 광범위한 재량을 가지므로, 헌법이 직접 국회의원에 대하여 '특정한 위원회 위원으로서 활동할 권한'을 부여하고 있다고 해석하기도 어렵다. 국회의 자율권을 보장하는 취지에 비추어 볼 때, 국회의원이 특정한 위원회의 위원으로서 활동할 권한은 헌법에서 곧바로 도출되는 것이 아니라, 국회의 자율권 행사 결과 구체화되는 것으로 보는 것이 타당하다.

그렇다면 헌법 및 국회법상 청구인의 사개특위 위원 유지권을 인정할 수 없으므로, 청구인의 이 부분 주장은 더 나아가 판단하지 않는다.

2. 이 사건 개선행위로 인한 청구인 권한 침해 여부

가. 국회의 자율권의 의의 및 이 사건 개선행위의 법적 성격

1) 헌법 제64조는 국회가 법률에 저촉되지 아니하는 범위 안에서 의사와 내부규율에 관한 규칙을 제정할 수 있고, 국회의원의 자격심사·징계·제명에 관하여 자율적 결정을 할 수 있음을 규정하여 국회의 자율권을 보장하고 있다. 이에 따라 국회는 국민의 대표기관이자 입법기관으로서 의사와 내부규율 등 국회운영에 관하여 다른 국가기관의 간섭을 받지 아니하고 스스로의 문제를 자주적으로 처리할 수 있는 폭넓은 자율권을 가진다. 국회의 자율권은 의회주의 사상에 그 뿌리를 두고 권력분립의 원칙에 입각한 것으로, 현대국가의 의회에서는 국회가 갖는 입법·재정·견제·인사기능의 실효성을 높이기 위해서 필요불가결한 국회기능의 하나로 간주되고 있다.

국회의 자율권에는 집회 등에 관한 자율권, 내부조직에 관한 자율권, 국회규칙의 자율적 제정권(헌법 제64조 제1항), 의사에 관한 자율권, 국회의원신분에 관한 자율권(헌법 제64조 제2항),

질서유지권 등이 포함된다. 국회는 어떠한 사항에 대하여 언제, 어떻게 입법할지 여부를 스스로 판단하여 결정할 입법형성의 자유를 가지므로, 국회가 법률에 의하여 그 자율권에 속하는 사항을 스스로 정하는 것 역시 국회의 자율권의 내용에 속한다.

2) 헌법은 국회 내에 위원회가 존재함을 전제로 하여 제62조에서 국무총리·국무위원 또는 정부위원의 위원회 출석·보고·답변 등에 관하여 규정하고 있으나, 그 외에는 국회의 내부조직에 관하여 아무런 규정도 두고 있지 않다. '국회의 내부조직에 관한 자율권'이란 국회가 외부의 간섭 없이 스스로 내부조직을 구성할 수 있는 자율권을 의미하고, 교섭단체와 위원회를 구성하는 것도 이에 포함된다.

피청구인은 국회의장으로서 국회를 대표하고 의사를 정리하며, 질서를 유지하고 사무를 감독할 지위에 있고(국회법 제10조), 위원회 위원의 선임 및 개선은 이와 같은 국회의장의 직무 중 의사정리권한에 속하는 것이다.

그렇다면 국회의장이 위원회의 위원을 선임·개선하는 행위는 국회가 그 자율권에 근거하여 내부적으로 회의체 기관을 구성·조직하는 행위로서, 국회가 그 기능을 민주적이고 효율적으로 수행하기 위해서 다른 국가기관의 간섭을 받지 아니하고 광범위한 재량에 의하여 자율적으로 정할 수 있는 고유한 영역에 속한다. 그러므로 이 사건 개선행위가 청구인의 권한을 침해하는지 여부를 판단할 때 헌법이나 법률을 명백히 위반한 흠이 있는지를 심사하는 것으로 충분하다.

나. 자유위임원칙 위배 여부

1) 자유위임원칙의 구체적 실현과 제한

가) 헌법은 국회가 200인 이상의 국회의원 중 다수의 의사에 따라 헌법상 권한을 행사하는 것을 예정하고 있다. 따라서 의결을 할 수 있는 다수를 형성하는 것은 국회가 그 기능을 수행하기 위해서 반드시 필요한 전제조건이다.

국회 내에서 의결을 할 수 있는 다수를 형성하기 위해서는 다양한 국회의원들의 의사를 몇 가지의 교집합으로 묶어내고, 이에 대해 다시 토의를 거치면서 점차 하나의 공적 견해로 수렴해 가는 과정이 필요하다. 그러므로 다수형성의 가능성을 높이고 국회 의사결정의 능률성을 확보하기 위해서 필요한 의사절차와 내부조직을 정하는 것은 앞서 살펴본 국회에 관한 헌법 규정들에서 도출되는 중대한 헌법적 이익이다.

나) 헌법 제46조 제2항은 "국회의원은 국가이익을 우선하여 양심에 따라 직무를 행한다."라고 규정하고 있다.

국회의원은 단독으로 국회의 의사를 결정하여 국회의 권한을 행사하는 것이 아니라 국회의 구성원으로서 국회의 의사절차에 참여하는 것이므로, 국회의원의 직무는 국회의 기능 수행을 위해서 정해진 의사절차와 그에 필요한 내부조직의 구성방법에 의하여 구체화될 수밖에 없다.

이와 같은 의사절차와 내부조직을 정할 때에도 국회의원의 자유위임에 기한 권한을 충분히 보장하여야 하는 것이나, 국회 내 다수형성의 가능성을 높이고 의사결정의 능률성을 확보하는 것 역시 중대한 헌법적 요청이므로 자유위임원칙이 언제나 최우선적으로 고려되어야 하는 것은 아니다. 나아가 자유위임원칙이 개별 국회의원이 국회 내부에서 구체적으로 어떠한 직무를 담당하는 것까지 보장하는 원리는 아니다.

통치구조의 구성원리는 자기목적적인 것이 아니라 국민의 기본권과 헌법이 추구하는 가치를 보장하고 실현하기 위한 수단의 성격을 가지는 것이다. 따라서 자유위임원칙 역시 무제한적으로 보장되는 것은 아니며, 국회의 기능을 수행하기 위해서 필요한 범위 내에서 불가피하게 제한될 수밖에 없는 것이다.

다) 따라서 자유위임원칙 위배 여부는 국회의 자율권 행사 결과 정해진 의사절차 및 내부조직의 구성이 국회의 기능 수행을 위하여 필요한 정도와 자유위임원칙을 제한하는 정도를 비교형량하여 구체적인 사안에 따라 개별적으로 판단하여야 한다.

또한 권력분립의 원칙 및 국회의 위상과 기능에 비추어 볼 때, 자유위임원칙을 제한하는 정도가 명백히 국회의 기능 수행을 위하여 필요한 정도를 넘어서는 경우가 아닌 한, 국회의 의사절차 및 내부조직의 구성은 국회가 다른 국가기관의 간섭을 받지 아니하고 광범위한 재량에 의하여 자율적으로 정할 수 있는 영역으로 보는 것이 타당하다.

2) 교섭단체 의사에 따른 위원 개선의 필요성

가) 정당민주주의와 국회의원의 지위

(1) 헌법은 정당설립의 자유와 복수정당제를 보장하고(제8조 제1항), 법률이 정하는 바에 의하여 국가가 이를 보호하며, 정당운영에 필요한 자금을 보조할 수 있도록 하는 등(제8조 제2항 내지 제4항), 정당을 일반결사에 비하여 특별히 두텁게 보호하고 있다. 이는 앞서 본 바와 같은 정당의 기능에 상응하는 지위와 권한을 보장하고자 하는 헌법정신의 표현이라 할 수 있다.

(2) 국회의원은 어느 누구의 지시나 간섭을 받지 않고 국가이익을 우선하여 자신의 양심에 따라 직무를 행하는 국민 전체의 대표자로서 활동을 하는 한편, 현대 정당민주주의의 발전과 더불어 현실적으로 소속 정당의 공천을 받아 소속 정당의 지원이나 배경 아래 당선되고 당원의 한 사람으로서 사실상 정치의사 형성에 대한 정당의 규율이나 당론 등에 영향을 받아 정당의 이념을 대변하는 지위도 함께 가지게 되었다.

나) 교섭단체의 의의 및 기능

(1) 의회정치의 발달과정에서 의회 내의 교섭단위별 활동은 자연스럽고 바람직한 현상으로 받아들여져 왔다. 세계관 및 가치관 그리고 정치적 성향이 유사한 의원들을 하나의 교섭단위로 인정하여 자체적으로 하나의 공통의견을 내도록 하면, 의원들 사이의 의사의 통합·조정 작업이 한결 수월해지고, 신속하고 능률적인 의사 진행도 기대할 수 있기 때문이다.

(2) 국회법은 이와 같은 교섭단체의 기능과 역할을 고려하여, 각 교섭단체의 의사를 그 대표의원이나 간사를 통하여 국회운영에 반영하도록 국회의 의사절차를 정하고 있다. 이는 교섭단체로 하여금 개별 국회의원의 의사를 수렴·조정하도록 하고, 그 과정에서 자율적으로 형성된 교섭단체의 의사를 국회운영에 반영함으로써 국회의 효율적 운영을 담보하려는 것이다.

다) 위원회의 의의 및 기능

국회가 본연의 기능을 수행할 때 국민대표로 구성된 국회의원 전원에 의하여 운영되는 것이 이상적일 것이나, 국회의원 전원이 장기간의 회기 동안 고도로 기술적이고 복잡·다양한 내용의 방대한 안건을 모두 다루기에는 능력과 시간의 제약이 따른다. 이러한 한계를 극복하기 위한 방안으로 위원회제도가 창설되었다.

위원회는 국회의원 가운데서 소수의 위원을 선임하여 구성되는 국회의 내부기관인 동시에 본회의의 심의 전에 회부된 안건을 심사하거나 그 소관에 속하는 의안을 입안하는 국회의 합의제기관이다. 위원회의 역할은 국회의 예비적 심사기관으로서 회부된 안건을 심사하여 본회의에 회부할 것인지 여부를 결정하고, 심사결과 안건이 본회의에 부의될 경우 그 심사결과를 본회의에 보고하여 본회의의 판단자료를 제공하는 데에 있다.

국회는 그 의사자율권에 기초하여 의안 심의에 관한 국회운영의 원리로 '위원회 중심주의'를 채택하고 있다. 그 결과 위원회가 회부된 안건을 심사하고 그 결과를 본회의에 보고하면, 본회의에서는 소관 위원회에서 심사의결된 내용을 거의 그대로 통과시키는 형태로 국회의 최종적인 의사를 결정하는 입법절차를 국회법에 두게 되었다.

라) 교섭단체의 의사에 따른 위원회 구성의 필요성 (생략)

마) 정당의 의사를 반영한 법률안 도출의 필요성

··· 교섭단체의 의사는 다양한 방식과 절차에 의하여 결정될 수 있고, 사개특위 위원의 선임·개선에서 특정한 방식과 절차에 따라 결정된 교섭단체의 의사만이 고려되어야 하는 것은 아니다. 또한 '각 정당의 당헌이 규정한 당론'에 해당하는 경우에만 자유위임원칙에 위배되지 않는다고 볼 경우, 각 정당의 당헌 내용에 따라 헌법상 자유위임원칙의 위배 여부가 달라지게 되어 부당하다.

헌재 2003. 10. 30. 2002헌라1 선례 역시 "국회의원이 정당기속 내지는 교섭단체의 결정(소위 '당론')에 위반하는 정치활동을 한 이유로 제재를 받는 경우, 국회의원의 신분을 상실하게 할 수는 없으나 '정당내부의 사실상의 강제' 또는 소속 '정당으로부터의 제명'은 가능하다고 보고 있다. 그렇다면 당론과 다른 견해를 가진 소속 국회의원을 당해 교섭단체의 필요에 따라 다른 상임위원회로의 전임(사보임)하는 조치는 특별한 사정이 없는 한 헌법상 용인될 수 있는 '정당내부의 사실상의 강제'의 범위내에 해당한다고 할 것이다."라고 판단하여, 당론이 정당기속의 한 예시에 불과함을 명시하고 있다.

바) 소 결

··· 이 사건 개선행위는 사개특위의 의사를 원활하게 운영하고, 각 정당의 의사를 반영한 사법개혁안을 도출함으로써 궁극적으로는 사법개혁에 관한 국가정책결정의 가능성을 높이기 위한 것으로서 그 정당성을 인정할 수 있다.

3) 자유위임에 기한 권한의 제한 정도

가) 위원의 의사에 반하는 개선을 허용하게 되면, 위원은 소속 교섭단체의 의사에 반하는 위원회 활동을 할 수 없게 되어 위원이 정당에 기속되는 결과를 초래하게 된다는 우려도 존재한다.

그러나 위원의 의사에 반하는 개선을 허용하더라도, 직접 국회의원이 자유위임원칙에 따라 정당이나 교섭단체의 의사와 달리 표결하거나 독자적으로 의안을 발의하거나 발언하는 것까지 금지하게 되는 것은 아니다. 청구인이나 이 사건 개선행위에 의하여 사개특위 위원으로 선임된 채이배 위원은 모두 사개특위 심사절차에서 독자적인 양심에 기초한 스스로의 판단에 따라 국가 전체이익을 추구할 수 있었고, 교섭단체의 의사에 반하여 직무를 수행할 수도 있었다. 따라서 이 사건 개선행위가 바른미래당 소속 사개특위 위원으로 하여금 교섭단체의 의사에 따르도록 강제한 것이라고 볼 수 없다. 다만 정당 또는 교섭단체가 원내 행동 통일을 기하여 정당의 정책을 의안심의에서 최대한으로 반영하기 위하여 차기선거의 공천, 당직의 배분 등의 수단을 사용하는 것과 마찬가지로, 위원의 개선을 통해 국회의원의 권한 행사에 간접적인 영향력을 행사한 것에 불과하다.

또한 교섭단체는 내부적으로 위원 선임·개선의 요건과 절차를 자유롭게 정하고 정치적 상황을 반영하여 이를 변경할 수 있는 조직이다.

교섭단체 내부에서 이루어진 일련의 정치적 의사의 형성 과정을 고려할 때, 교섭단체 내부적으로 소속 국회의원들의 의사를 수렴하고 의견이 대립되는 경우 이를 민주적으로 해결하기 위한 절차가 마련되어 있고, 교섭단체 내부의 민주성이 실질적으로 구현되고 있는 것으로 평가할 수 있다.

교섭단체의 의사에 따라 위원을 개선하더라도, 곧바로 국회의원이 일방적으로 정당의 결정에 기속되는 결과를 초래하게 된다고 단정하기 어렵다.

나) 이 사건 개선행위로 인하여 청구인은 위원으로서는 사개특위의 심사 절차에 참여하지 못하게 되었으나, 사개특위 심사 절차에 전혀 참여할 수 없게 된 것은 아니다. 위원이 아닌 경우에도 그 위원회 소관 법률안을 제출하여 발의자로서 해당 위원회에서 그 취지를 설명할 수 있고(헌법 제52조, 국회법 제58조, 제79조 내지 제79조의3 참조), 위원이나 발의자가 아니더라도 위원회 소관 법률안을 배부받아(국회법 제81조, 제82조 참조), 위원회에서 발언할 수 있다(국회법 제61조 참조).

다) 그렇다면 이 사건 개선행위로 인하여 청구인의 자유위임에 기한 권한이 제한되는 정도가 크다고 볼 수 없다.

4) 소 결

이 사건 개선행위는 사개특위의 의사를 원활하게 운영하고, 사법개혁에 관한 국가정책결정의 가능성을 높이기 위하여 국회가 자율권을 행사한 것으로서, 앞서 살펴본 제반 사정을 종합적으로 고려하면, 이 사건 개선행위로 인하여 자유위임원칙이 제한되는 정도가 위와 같은 헌법적 이익을 명백히 넘어선다고 단정하기 어렵다. 따라서 이 사건 개선행위는 자유위임원칙에 위배되지 않는다.

다. 국회법 제48조 제6항 위배 여부

국회법 제48조 제6항의 입법목적은 '위원이 일정 기간 재임하도록 함으로써 위원회의 전문성을 강화'하는 것이므로, 국회법 제48조 제6항은 '위원이 된(선임 또는 보임된) 때'로부터 일정 기간 동안 '위원이 아니게 되는(사임되는) 것'을 금지하는 형태로 규정되어야 한다. 따라서 국회법 제48조 제6항 본문 중 "위원을 개선할 때 임시회의 경우에는 회기 중에 개선될 수 없고" 부분은 개선의 대상이 되는 해당 위원이 '위원이 된(선임 또는 보임된) 임시회의 회기 중'에 개선되는 것을 금지하는 것이다. 이는 국회법 제48조 제6항 본문 중 "정기회의 경우에는 선임 또는 개선 후 30일 이내에는 개선될 수 없다." 부분이 '선임 또는 개선된 때로부터' '30일' 동안 개선을 금지하는 것과 마찬가지이다.

··· 이와 같은 해석에 따르면, '선임 또는 개선된 임시회의 회기 중'에는 개선이 금지되었다가, 해당 회기가 종료되면 그 이후에는 폐회 중에는 물론 다시 임시회가 개시되더라도 개선이 가능해진다.

청구인은 제364회 국회(정기회) 회기 중이었던 2018. 10. 18. 사개특위 위원으로 선임되었으므로, 그로부터 30일이 지난 2018. 11. 17. 이후에는 국회법 제48조 제6항 본문 중 '정기회의 경우에는 선임 또는 개선 후 30일 이내에는 개선될 수 없다.' 부분이 적용되지 않아 개선될 수 있었다. 제368회 국회(임시회) 회기 중인 2019. 4. 25. 이 사건 개선행위가 이루어졌으나, 그 이전의 정기회에서 선임된 청구인에 대하여는 국회법 제48조 제6항 본문 중 임시회 부분이 적용되지 않는다.

그렇다면 국회법 제48조 제6항 단서에 해당하는지 여부를 살펴볼 필요 없이, 이 사건 개선행위는 국회법 제48조 제6항에 위배되지 않는다.

라. 소 결

국회법 제48조는 국회가 그 기능을 민주적이고 효율적으로 수행하기 위하여 위원회의 목적, 전문성, 효율성, 국회의원의 위원회에서 활동할 권한, 위원회 배정의 형평성, 교섭단체의 기능과 역할 등을 종합적으로 고려하여 스스로 내부조직의 구성방법을 정한 것이다.

현행 국회법의 규정이 개별 국회의원의 권한을 충분히 보장하고 있지 못한 측면이 존재한다고 하더라도, 권력분립의 원칙 및 국회의 위상과 기능에 비추어 원칙적으로 국회에서 대화와 토론, 설득과 합의를 통하여 국회법의 규정을 개정함으로써 자율적으로 개선하는 것이 타당하다.

앞서 본 바와 같이 이 사건 개선행위는 명백히 자유위임원칙에 위배된다고 보기 어렵고, 국회법 규정에도 위배되지 않으므로, 청구인의 법률안 심의·표결권을 침해하였다고 볼 수 없다.

III 이 사건 개선행위에 대한 무효확인청구에 관한 판단

이 사건 개선행위는 청구인의 법률안 심의·표결권을 침해하지 않으므로, 더 나아가 살펴볼 필요 없이 이 사건 개선행위는 무효로 볼 수 없다.

004 비례대표국회의원후보자명부에 의한 승계원칙의 예외를 규정한 공직선거법 사건 [위헌]

– 2009. 10. 29. 선고 2009헌마350,386(병합)

판시사항

1. 공직선거법 제200조 제2항 단서 중 '비례대표국회의원 당선인이 제264조(당선인의 선거범죄로 인한 당선무효)의 규정에 의하여 당선이 무효로 된 때' 부분(이하 '심판대상조항'이라 한다)이 대의제 민주주의 원리 및 자기책임의 원리에 위배되는지 여부(적극)
2. 심판대상조항이 궐원된 비례대표국회의원 의석을 승계 받을 후보자명부상의 차순위후보자의 공무담임권을 침해하는지 여부(적극)

심판대상조항 및 관련조항

공직선거법(2005. 8. 4. 법률 제7681호로 개정된 것)

제200조(보궐선거) ② 비례대표국회의원 및 비례대표지방의회의원에 궐원이 생긴 때에는 선거구선거관리위원회는 궐원통지를 받은 후 10일 이내에 그 궐원된 의원이 그 선거 당시에 소속한 정당의 비례대표국회의원후보자명부 및 비례대표지방의회의원후보자명부에 기재된 순위에 따라 궐원된 국회의원 및 지방의회의원의 의석을 승계할 자를 결정하여야 한다. 다만, 제264조(당선인의 선거범죄로 인한 당선무효)의 규정에 의하여 당선이 무효로 되거나 그 정당이 해산된 때 또는 임기만료일 전 180일 이내에 궐원이 생긴 때에는 그러하지 아니하다.

주문

공직선거법(2005. 8. 4. 법률 제7681호로 개정된 것) 제200조 제2항 단서 중 '비례대표국회의원 당선인이 제264조(당선인의 선거범죄로 인한 당선무효)의 규정에 의하여 당선이 무효로 된 때' 부분은 헌법에 위반된다.

I 판 단

이 사건의 쟁점은, 비례대표국회의원 당선인이 선거범죄로 비례대표국회의원직을 상실하여 비례대표국회의원에 결원이 생긴 경우에 소속 정당의 비례대표국회의원 후보자명부에 기재된 순위에 따른 의원직 승계를 인정하지 않는 내용의 심판대상조항이 대의제 민주주의 원리 및 자기책임의 원리에 위배하여 정당의 비례대표국회의원 후보자명부상의 차순위 후보자인 청구인들의 공무담임권을 침해하는지의 여부이다.

현행 비례대표국회의원 선거에서 선거권자들의 정치적 의사표명에 의하여 직접 결정되는 것은, 특정의 비례대표국회의원후보자를 비례대표국회의원으로 선출하는 것이 아니라, 비례대표국회의원 후보자명부를 제시한 정당별로 할당될 비례대표국회의원의 수를 배정하는 것이라고 할 수 있다. 그런데 심판대상조항은 선거범죄를 범한 비례대표국회의원 당선인 본인의 의원직 박탈로 그치지 아니하고 그로 인하여 궐원된 의석의 승계를 인정하지 아니함으로써 결과적으로 그 정당에 비례대표국회의원의석을 할당받도록 한 선거권자들의 정치적 의사표명을 무시하고 왜곡하는 결과가 된다. 또한, 당선인이 선거범죄로 당선이 무효로 된 경우를 일반적 궐원 사유인 당선인의 사직 또는 퇴직 등의 경우와 달리 취급하여야 할 합리적인 이유가 있다고 보기도 어렵다. 따라서 심판대상조항은 선거권자의 의사를 무시하고 왜곡하는 결과를 초래한다는 점에서 헌법의 기본원리인 대의제 민주주의 원리에 부합되지 않는다고 할 것이다.

심판대상조항이 정하고 있는 정당의 비례대표국회의원 후보자명부에 의한 승계원칙의 예외사유는, 궐원된 비례대표국회의원의 의석 승계가 허용되지 아니함으로써 불이익을 입게 되는 소속 정당이나 후보자명부상의 차순위 후보자의 귀책사유에서 비롯된 것이 아니라, 당선이 무효로 된 비례대표국회의원 당선인의 선거범죄에서 비롯된 것이다. 그런데도 심판대상조항은 당선인의 선거범죄에 그 소속 정당이나 차순위 후보자가 개입 내지 관여하였는지 여부를 전혀 묻지 않고, 당선인의 선거범죄가 비례대표국회의원선거에 있어 정당에 대한 투표결과에 영향을 미치기 위한 것이었는지, 또 실제로 그러한 결과를 초래하였는지에 대해서도 전혀 고려하지 아니하며, 나아가 정당이 비례대표국회의원 후보자의 선거범죄를 미리 예방하기 위한 감독·통제를 게을리 하였는지 여부도 따지지 않고 있다. 이와 같은 점을 종합하여 보면, 비례대표국회의원 당선자의 선거범죄를 이유로 정당 또는 비례대표국회의원 후보자명부상의 차순위 후보자에게 불이익을 주는 심판대상조항은 자기책임의 범위를 벗어나는 제재라고 하지 않을 수 없다.

심판대상조항이 비례대표국회의원 후보자의 선거범죄에 대한 엄정한 제재를 통하여 선거의 공정성을 확보하기 위한 것이라고 하더라도, 선거범죄를 저지른 국회의원 당선자를 처벌하고 당선을 무효로 하는 것만으로도 충분한 제재 효과를 거둘 수 있다고 할 것이므로, 더 나아가 비례대표국회의원 후보자명부상의 차순위 후보자의 승계까지 부인함으로써 선거를 통하여 표출된 선거권자들의 정치적 의사표명을 무시·왜곡하는 결과를 초래하고 선거범죄에 관하여 귀책사유도 없는 정당이나 차순위 후보자에게 불이익을 주는 것은 필요 이상의 지나친 제재를 규정한 것이라고 보지 않을 수 없다. 따라서 심판대상조항은 과잉금지원칙에 위배하여 청구인들의 공무담임권을 침해한 것이라고 보지 않을 수 없다.

결국 이 사건 심판대상조항은 대의제 민주주의 원리 및 자기책임원리에 반하는 것으로서 청구인들의 공무담임권을 과잉금지원칙에 위배하여 침해한 것이라고 할 것이다.

II 결 론

따라서 공직선거법 제200조 제2항 단서 중 "비례대표국회의원 당선인이 제264조(당선인의 선거범죄로 인한 당선무효)의 규정에 의하여 당선이 무효로 된 때" 부분은 청구인들의 공무담임권을 침해하는 것으로서 헌법에 위반된다고 결정한다. 이 결정은 재판관 이강국의 반대의견이 있는 외에는 나머지 관여 재판관 전원의 일치된 의견에 의한 것이다.

005 임기만료일 전 180일 이내에 비례대표국회의원에 궐원이 생긴 때를 비례대표국회의원 의석승계 제한사유로 규정한 공직선거법 사건 [헌법불합치]
— 2009. 6. 25. 선고 2008헌마413

판시사항

1. 임기만료일 전 180일 이내에 비례대표국회의원에 궐원이 생긴 때를 비례대표국회의원 의석승계 제한사유로 규정한 공직선거법 제200조 제2항 단서 중 '임기만료일 전 180일 이내에 비례대표국회의원에 궐원이 생긴 때' 부분(이하 '심판대상조항'이라 한다)이 대의제 민주주의 원리에 위배되는지 여부(적극)
2. 심판대상조항이 궐원된 비례대표국회의원 의석을 승계 받을 후보자명부상의 차순위후보자의 공무담임권을 침해하는지 여부(적극)
3. 헌법불합치결정을 선고하면서 심판대상조항의 계속 적용을 명한 사례

사건의 개요

1. 청구인들은 제17대 국회의원선거 당시 한나라당의 비례대표국회의원 후보자명부에 등록된 자들로서, 한나라당 소속의 비례대표국회의원 당선인이 당적의 이탈 등으로 퇴직할 경우에는 한나라당의 비례대표국회의원 후보자명부상의 차순위자로서 궐원된 비례대표국회의원의 의석을 승계할 수 있는 지위에 있는 자들이다.

2. 그런데 한나라당 비례대표국회의원으로 당선된 박재완, 이주호가 2008. 3. 1., 같은 송영선이 2008. 3. 23. 한나라당을 각 탈당하면서 국회의원직에서 퇴직하여 청구인들이 궐원된 비례대표국회의원의 의석을 승계할 자격이 주어졌음에도, 제17대 국회의원의 임기(2004. 5. 30.부터 2008. 5. 29.까지) 중인 2005. 8. 4. 법률 제7681호로 개정된 공직선거법 제200조 제2항 단서에서 규정하고 있는 승계의 예외사유, 즉 "임기만료일 전 180일 이내에 궐원이 생긴 때"에 해당된다는 이유로 궐원된 비례대표국회의원의 의석을 승계하지 못하였다.

3. 이에 청구인들은 위 법률조항이 신뢰보호의 원칙 및 소급입법금지원칙 등에 위배되어 청구인들의 공무담임권을 침해하였다고 주장하면서, 2008. 5. 27 이 사건 헌법소원심판을 청구하였다.

심판대상조항 및 관련조항

공직선거법(2005. 8. 4. 법률 제7681호로 개정된 것) 제200조(보궐선거) ② 비례대표국회의원 및 비례대표지방의회의원에 궐원이 생긴 때에는 선거구선거관리위원회는 궐원통지를 받은 후 10일 이내에 그 궐원된 의원이 그 선거 당시에 소속한 정당의 비례대표국회의원후보자명부 및 비례대표지방의회의원후보자명부에 기재된 순위에 따라 궐원된 국회의원 및 지방의회의원의 의석을 승계할 자를 결정하여야 한다. 다만, 제264조(당선인의 선거범죄로 인한 당선무효)의 규정에 의하여 당선이 무효로 되거나 그 정당이 해산된 때 또는 임기만료일 전 180일 이내에 궐원이 생긴 때에는 그러하지 아니하다.

> **주문**

1. 공직선거법(2005. 8. 4. 법률 제7681호로 개정된 것) 제200조 제2항 단서 중 '임기만료일 전 180일 이내에 비례대표국회의원에 궐원이 생긴 때' 부분은 헌법에 합치되지 아니한다.
2. 위 법률조항은 2010. 12. 31.을 시한으로 입법자가 개정할 때까지 계속 적용된다.

Ⅰ 적법요건에 대한 판단

… 이 사건 심판청구는 예외적으로 심판청구의 이익을 인정할 수 있다.

Ⅱ 본안에 대한 판단

1. 비례대표선거제와 입법형성권의 한계

비례대표선거제란 정당이나 후보자에 대한 선거권자의 지지에 비례하여 의석을 배분하는 선거제도를 말한다. 비례대표제는 거대정당에게 일방적으로 유리하고 다양해진 국민의 목소리를 제대로 대표하지 못하며 사표를 양산하는 다수대표제의 문제점에 대한 보완책으로 고안·시행된 것이다. 비례대표제는 그것이 적절히 운용될 경우 사회세력에 상응한 대표를 형성하고, 정당정치를 활성화하며, 정당 간의 경쟁을 촉진하여 정치적 독점을 배제하는 장점을 가질 수 있다. 헌법 제41조 제3항은 "국회의원의 선거구와 비례대표제 기타 선거에 관한 사항은 법률로 정한다."고 규정하고 있으므로 비례대표제를 실시할 경우 구체적으로 어떤 형태로 구현할지는 일차적으로 입법자의 형성에 맡겨져 있다고 할 것이다. 그러나 비례대표제는 국회를 구성하는 방식에 관한 문제이므로 통치구조의 헌법 원리인 민주주의원리에 저촉되지 않아야 함은 물론이고, "국회는 국민의 보통·평등·직접·비밀선거에 의하여 선출된 국회의원으로 구성한다."고 규정하고 있는 헌법 제41조 제1항을 준수하여야 한다. 선거는 주권자인 국민이 그 주권을 행사하는 통로이므로 선거제도는 첫째, 국민의 의사를 제대로 반영하고, 둘째, 국민의 자유로운 선택을 보장하여야 하고, 셋째, 정당의 공직선거 후보자의 결정과정이 민주적이어야 하며, 그렇지 않으면 민주주의 원리 나아가 국민주권의 원리에 부합한다고 볼 수 없다.

비례대표국회의원에 궐원이 생긴 때에 그 궐원된 의석의 승계를 어떻게 정할 것인지는 입법자가 입법형성권의 범위 내에서 스스로 정할 사항이지만, 이때에도 통치구조의 헌법 원리인 민주주의 원리에 저촉되지 않아야 함은 물론이고 헌법이 공무담임권을 기본권으로 보장하는 취지와 대의제 민주주의 통치질서에서 선거가 가지는 의미와 기능이 충분히 고려되어야 한다는 헌법적인 한계가 있다.

2. 심판대상조항의 위헌성 여부에 대한 판단

가. 사건의 쟁점

심판대상조항은 일반적인 경우와 달리 '임기만료일 전 180일 이내에 비례대표국회의원에 궐원이 생긴 때'에는 그 궐원된 의원이 소속한 정당의 비례대표국회의원 후보자명부에 기재된 순위에 따른 의원직 승계를 인정하지 않고 있는바, 과연 이와 같은 예외사유를 두는 것이 헌법 원리인 대의제 민주주의 원리에 위배되는 것이 아닌지, 그리하여 정당의 비례대표국회의원 후보자명부상의 차순위 후보자인 청구인들의 공무담임권을 침해하는 것이 아닌지가 문제된다.

나. 대의제 민주주의 원리에 위배되는지 여부

대의제 민주주의는 헌법의 기본원리에 속하는 것으로서, 대의제 민주주의를 원칙으로 하는 오늘날의 민주정치 아래에서의 선거는 국민의 참여가 필수적이고, 주권자인 국민이 자신의 정치적 의사를 자유로이 결정하고 표명하여 선거에 참여함으로써 민주사회를 구성하고 움직이게 하는 것이다.

현행 비례대표선거제하에서 선거에 참여한 선거권자들의 정치적 의사표명에 의하여 직접 결정되는 것은, 어떠한 비례대표국회의원후보자가 비례대표국회의원으로 선출되느냐의 문제라기보다는 비례대표국회의원의석을 할당받을 정당에 배분되는 비례대표국회의원의 의석수라고 할 수 있다. 그런데 심판대상조항은 임기만료일 전 180일 이내에 비례대표국회의원에 궐원이 생긴 때에는 정당의 비례대표국회의원 후보자명부에 의한 의석 승계를 인정하지 아니함으로써 결과적으로 그 정당에 비례대표국회의원의석을 할당받도록 한 선거권자들의 정치적 의사표명을 무시하고 왜곡하는 결과가 된다. 또한, 비례대표국회의원에 궐원이 생긴 때에는 지역구국회의원에 궐원이 생긴 때와는 달리 원칙적으로 상당한 비용이나 시간이 소요되는 보궐선거나 재선거가 요구되지 아니하고 정당이 제출한 후보자명부에 기재된 순위에 따라서 간명하게 승계 여부가 결정되는 점, 국회의원으로서의 의정활동준비나 업무수행이 임기만료일 전부터 180일이라는 기간 내에는 불가능하다거나 현저히 곤란한 것으로 단정하기는 어려운 점 등을 종합해 볼 때, '임기만료일 전 180일 이내에 비례대표국회의원에 궐원이 생긴 때'를 일반적인 경우와 달리 취급하여야 할 합리적인 이유가 있는 것으로 보기도 어렵다. 더욱이 임기만료일 전 180일 이내에 비례대표국회의원에 상당수의 궐원이 생길 경우에는 의회의 정상적인 기능수행을 부당하게 제약하는 결과를 초래할 수도 있다. 따라서 심판대상조항은 선거권자의 의사를 무시하고 왜곡하는 결과를 낳을 수 있고, 의회의 정상적인 기능 수행에 장애가 될 수 있다는 점에서 헌법의 기본원리인 대의제 민주주의 원리에 부합되지 않는다고 할 것이다.

다. 공무담임권의 침해 여부

1) 헌법 제25조는 "모든 국민은 법률이 정하는 바에 의하여 공무담임권을 가진다."라고 규정하여 국회의원을 비롯한 각종 선거직공무원과 기타 국가기관의 공직에 취임하여 이를 수행할 권리를 기본권으로 보장하고 있는바, 공무담임권은 각종 선거에 입후보하여 당선될 수 있는 피선거권과 공직에 임명될 수 있는 공직취임권을 포괄하고 있고, 그 보호영역에는 공직취임의 기회의 자의적인 배제가 포함된다. 이 사건에서 청구인들은 심판대상조항이 규정한 승계의 예외사유에 해당하여 비례대표국회의원직에 취임할 권리를 제한당하게 되었으므로, 심판대상조항이 청구인들의 공무담임권을 과잉침해하는 것인지의 여부가 문제된다.

2) 심판대상조항의 입법취지는 임기만료일 전 180일 이내에 비례대표국회의원에 궐원이 생긴 때에도 궐원된 의석의 승계를 허용하게 되면 명목상으로만 비례대표국회의원으로서의 신분을 유지할 뿐 의정활동의 기간이 짧아 비례대표의원으로서의 직무를 제대로 수행하기 어렵고, 머지않아 시행될 선거에서 다시 비례대표의원이 선출될 것이므로, 불필요한 의석승계절차의 진행을 사전에 방지함으로써 비용을 절감하는 등 정치문화의 선진화에 기여하기 위한 것이라고 할 수 있다. 따라서 이는 공공복리를 위한 것이므로, 그 입법목적의 정당성을 인정할 수 있다.

3) 그런데 심판대상조항은 앞에서 본 바와 같이 대의제 민주주의 원리에 부합되지 아니하는 것으로서 합리적 이유 없이 비례대표국회의원선거를 통하여 표출된 선거권자들의 정치적 의사표명을 무시, 왜곡하는 결과를 초래할 뿐이라 할 것이므로, 수단의 적합성 요건을 충족한 것으로 보기 어렵다. 나아가 비례대표국회의원의 전체 임기(4년)의 1/8 정도에 해당하는 180일이라는 기간은 비례대표국회의원으로서 국정을 수행함에 있어 결코 짧지 않은 기간이라 할 수 있고, 잔여임기가 180일 이내인 경우에 궐원된 비례대표국회의원의 의석 승계를 일체 허용하지 아니하는 것은 그 입법목적에 비추어 지나친 것이어서 침해의 최소성원칙에도 위배된다. 따라서 심판대상조항은 과잉금지원칙에 위배하여 청구인들의 공무담임권을 침해한 것이다.

라. 소급입법금지원칙에 위배되는지 여부

2005. 8. 4. 시행된 심판대상조항은 제17대 비례대표국회의원의 임기만료일인 2008. 5. 29.로부터 180일 이전에 궐원이 생긴 때에 비로소 적용되는 것이고, 심판대상조항이 마련될 당시에는 한나라당의 제17대 비례대표국회의원 후보자명부상의 후보자인 청구인들도 궐원된 비례대표국회의원의 의석승계에 대한 기대권을 가지고 있을 뿐, 궐원된 비례대표국회의원의 의석을 승계할 구체적인 법적 권리 내지 법적 지위를 취득하였다고 보기는 어려우므로, 심판대상조항은 과거에 완성된 사실·법률관계를 규율의 대상으로 하는 진정소급효의 입법과는 구별되는 것으로서, 헌법 제13조 제2항이 금하고 있는 소급입법에는 해당하지 않는다고 할 것이다.

3. 주문의 형식

주문의 형식에 관하여, 재판관 4인은 비례대표국회의원의 잔여임기를 기준으로 승계원칙의 예외를 규정한 것 자체의 합리성, 정당성을 인정할 수 없으므로 단순위헌을 선고하여야 한다는 의견이고, 재판관 3인은 심판대상조항이 헌법에 위반된다고 하더라도 위헌적인 부분을 구체적으로 어떠한 내용으로 합헌적으로 조정할 것인지는 원칙적으로 입법자의 형성재량에 속하므로 이러한 입법자의 형성권한을 존중하는 차원에서 헌법불합치결정을 선고하여야 한다는 의견이다.

III 결 론

이상과 같이 심판대상조항이 헌법에 위반된다는 점에 있어서는 재판관 4인은 단순위헌의견을 개진하였고, 재판관 3인은 헌법불합치의견을 개진하였는바, 단순위헌의견도 헌법불합치의견의 범위 내에서는 헌법불합치의견과 견해를 같이 하는 것이라고 볼 수 있으므로, 심판대상조항에 대하여 헌법불합치결정을 선고하되, 2010. 12. 31.을 시한으로 입법자의 개선입법이 이루어질 때까지 계속 적용을 명하기로 하여 주문과 같이 결정한다.

제2절 권력분립의 원리

 **006 지방의회의원과 농협 등 조합장의 겸직금지 사건** [위헌, 기각]
— 1991. 3. 11. 선고 90헌마28

판시사항

1. 법규에 대한 헌법소원의 적법요건
2. 지방의회의원선거법 제35조 제1항 제7호 및 지방자치법 제33조 제1항 제6호의 위헌여부
3. 권력분립의 원칙과 공무원의 겸직금지의 필요성
4. 참정권보장의 필요성
5. 농지개량조합의 조합장에 대한 겸직금지규정 등의 위헌여부

사건의 개요

청구인 조신영은 금산농업협동조합의 조합장이고, 같은 장순복은 인천시수산업협동조합의 조합장이며, 같은 심상범은 업종별축산업협동조합인 서울경기양돈협동조합의 조합장이고, 같은 윤용문은 온양농지개량조합의 조합장이고, 같은 신효철은 용인군 산림조합의 조합장이고, 같은 권영진은 이천엽연초생산협동조합의 조합장이며, 같은 조기환은 강화인삼협동조합의 조합장이다.

청구인들은 1990. 2. 24. 헌법재판소에, 개정전 지방의회의원선거법 제28조 제1항 제7호 및 개정전 지방자치법 제33조 제1항 제6호가 청구인들과 같은 각 조합의 조합장들이 지방자치단체의 의원 후보자가 되는 것 및 지방의회 의원의 직을 겸하는 것을 금지하여 청구인들의 평등권 및 공무담임권을 직접 침해하였다고 주장하면서 위 각 법조항에 대하여 이 사건 헌법소원심판을 청구하였다고, 1990. 12. 31. 법률 제4311호로 지방의회의원선거법이 전면 개정되자 1991. 2. 6. 위 개정전의 법조항에 대응하는 개정된 지방의회의원선거법 제35조 제1항 제7호로 심판청구의 대상을 변경하였고, 한편 위 개정전 지방자치법 제33조 제1항 제6호도 1990. 12. 31. 법률 제4310호로 일부 개정되었다.

심판대상조항 및 관련조항

이 사건 심판의 대상은 위 개정된 지방의회의원선거법(1990. 12. 31. 법률 제4311호 전면 개정) 제35조 제1항 제7호 및 지방자치법(1990. 12. 31. 법률 제4310호 개정) 제33조 제1항 제6호 중 각 "조합장"에 관한 부분이 청구인들이 기본권을 침해하였는지의 여부이며, 그 조문가운데 각 그 "상근 임·직원"부분은 심판의 대상이 아닌 것이다.

지방의회의원선거법 제35조 (공무원 등의 입후보) ① 다음 각호의 1에 해당하는 자로서 후보자가 되고자 하는 자는 지방의회 의원의 임기만료일전 90일까지 그 직에서 해임되어야 한다. 다만, 임기만료에 의하지 아니하는 재선거·보궐선거·증원선거 또는 선거를 연기한 경우에 있어서는 후보자등록 전까지 그 직에서 해임되어야 한다. 그러나 지방의회 의원이 당해 지방의회 의원선거에 후보자가 되는 경우에는 그러하지 아니하다.
    7. 농업협동조합·수산업협동조합·축산업협동조합·농지개량조합·산림조합·엽연초생산협동조합·인삼협동조합의 조합장과 상근 임·직원

지방자치법 제33조 (겸직 등 금지) ① 지방의회의원은 다음 각호의 1에 해당하는 직을 겸할 수 없다.
    2. 농업협동조합·수산업협동조합·축산업협동조합·농지개량조합·산림조합·엽연초생산협동조합·인삼협동조합의 조합장과 그 상근 임·직원

주문

1. 지방의회의원선거법(1990.12.31. 법률 제4311호 전면 개정) 제35조 제1항 제7호 및 지방자치법(1990.12.31. 법률 제4310호 개정) 제33조 제1항 제6호 중 농업협동조합·수산업협동조합·축산업협동조합·산림조합·엽연초생산협동조합·인삼협동조합의 조합장에 관한 부분은 헌법에 위반된다.
2. 청구인 윤용문의 심판청구를 기각한다.

I 판단

1. 이 사건 심판청구의 적법성에 관하여 살핀다.

이 사건과 같이 법규 때문에 기본권의 침해를 받았다고 하여 헌법소원의 형태로서 그 위헌여부의 심판을 구하는 법규에 대한 헌법소원은, 구체적인 소송사건에서 전제된 경우도 아니고 법규때문에 직접적인 기본권의 침해가 있는 경우도 아닌데 단순히 어느 법규가 위헌인가의 여부에 대한 의문이 있어 제기하는 외국의 추상적 규범통제제도와는 근본적으로 다른 별개의 제도인 것이다. 이러한 법규 헌법소원을 자기 관련성, 현재성 그리고 직접성을 갖추게 되면 그것만으로 적법한 소원심판청구로 되어 허용이 된다. 그런데 지방자치법과 지방의회의원선거법이 새로 개정되어 지방의회의원의 선거를 목전에 두고 있는 바이고(지방자치법 부칙 제2조 제1항 참조), 이번에 실시하는 지방의회의원선거에 입후보를 하고자 하는 청구인들의 경우에 있어서 문제의 지방의회의원선거법 제35조 제1항 제7호와 지방자치법 제33조 제1항 제6호의 규정의 운영 잘못이 아니라 그 법 자체 때문에 동법 소정의 조합장의 직위를 유지하는 상태에서는 입후보하거나 의회의원직을 겸할 수 없는 참정권의 제약을 받아 그 위헌성의 심판으로 자기의 참정권을 구제 받고자 제기한 것이 이 사건 소원심판청구하고 한다면 그것으로서 그 적법요건인 자기관련성, 현재성 및 직접성이 모두 갖추어졌다고 볼 것이며, 따라서 소원심판청구의 적법성을 다투는 주장은 그 이유 없다고 할 것이다.

2. 본안에 관하여 살핀다.

가. 권력분립의 원리는 인적인 측면에서도 입법과 행정의 분리를 요청한다. 만일 행정공무원이 지방입법기관에서라도 입법에 참여한다면 권력분립의 원칙에 배치되게 된다. 이와 같이 권력분립의 원칙을 준수할 필요성 때문에 공무원의 경우는 지방의회의원의 입후보 제한이나 겸직금지가 필요하며 또 그것이 당연하다고 할 것이나, 어느 특정 계층의 자조적 협동체의 임원에 그치는 조합장에게 같은 필요가 있다고는 할 수 없을 것이다. 나아가 살피건대 겸직금지의 필요성은 이해가 서로 상충될 관계에 있는 단체의 구성원 상호간에 있어서는 분명히 있다. 그러나 농업협동조합 등과 지방자치단체와는 반드시 그 이해가 충돌될 이른바 경합관계에 있는 것이 아니며, 주민복리의 증진이라는 목적상의 합치로 때로는 상조관계일 수도 있는 것이다.

나. 농지개량조합의 조합장은 별론으로 하고, 그 나머지 조합장에 대해서는 적어도 국민의 참정권을 제한함에 있어서 합리성 없는 차별대우의 입법이라고 보지 않을 수 없으며, 이들에 대한 참정권 및 평등권에 관하여 도저히 헌법 제37조 제2항에 의하여 정당화 될 수 없는 과도한 제한이며 그 기본권의 침해라고 볼 것이다. 민주주의는 피치자가 곧 치자가 되는 치자와 피치자의 자동성을 뜻하기 때문에 공무담임권을 통해 최대 다수의 최대 정치참여, 자치참여의 기회를 보장하여야 하는 것이며, 그 제한은 어디까지나 예외적이고 필요 부득이한 경우에 국한되어야 한다. 이러한 헌법상의 법리가 지켜지지 않은 것이다.

다. 이제 농지개량조합의 조합장의 법적 지위를 본다. 농지개량조합의 경우는 토지구획정리사업을 수행하는 등 공법상의 권한을 갖고 있고(농촌근대화촉진법 제7조 제1항 참조), 조합비 부과에 관한 쟁송은 행정쟁송의 방법에 의하여야 하지(동법 제44조) 민사소송에 의할 수 없으며 조합과 그 임직원의 관계는 공법관계라는 것이 판례의 태도로서, 그 공법인성은 어느 협동조합보다도 뚜렷하다. 그렇다면 농지개량조합의 조합장에 대한 겸직금지규정 등은 다른 조합의 조합장과는 달리 그에 대해 부과될 직무 전념의 성실의무 그리고 공법인성 등과 상치된다고 단정할 수 없을 것이며 겸직금지에 의해 참정권이 제한된다 하여도 이 때에 얻는 이익과 잃는 이익을 비교 형량하여 어느 것이 큰지는 매우 판단하기 어려운 일로서, 이 경우에 겸직금지규정을 두느냐의 여부는 차라리 광범위한 입법형성권을 가진 입법자의 결단사항이라고 봄이 무방할 것이다. 따라서 이 한도에서 참정권의 부당한 차별이라고 할 수 없으며 참정권이나 평등권의 침해가 있었다고 볼 수 없다.

Ⅱ 결 론

그렇다면 이 사건 심판의 대상중 농업협동조합·수산업협동조합·축산업협동조합·산림조합·엽연초생산협동조·인삼협동조합의 조합장에 관한 부분은 헌법에 위반되고 그 나머지 부분 즉 농지개량조합의 조합장 부분은 헌법에 위반되지 않는다.

007 구 조세감면규제법 부칙 제23조 위헌소원 사건 [한정위헌]
- 2012. 5. 31. 선고 2009헌바123,126(병합)

판시사항 및 결정요지

1. 법률조항에 대한 한정위헌의 판단을 구하는 심판청구가 실질은 법률조항 자체의 위헌성을 다투는 것이어서 적법하다고 본 사례

헌법재판소법 제68조 제2항이 '법률의 위헌여부심판의 제청신청이 기각된 때에는'이라고 규정하여 심판의 대상을 '법률'에 한정하고 있으므로, 일반적으로 법률조항 자체의 위헌판단을 구하는 것이 아니라 법률조항을 '……하는 것으로 해석하는 한 위헌'이라는 판단을 구하는 청구라고 하더라도, 청구인의 주장이 단순히 법률조항의 해석을 다투는 것만이 아니라, 이에서 더 나아가 법률조항 자체의 위헌성을 다투는 것으로 이해되는 경우에는 헌법재판소법 제68조 제2항의 적법한 청구로 받아들일 수 있는 것이다.

이 사건 헌법소원심판에서 청구인들이 다투는 취지는, 청구인들의 이 사건 사실관계가 이 사건 부칙조항이 규정하고 있는 부과처분의 요건이나 내용에 해당하지 않음에도 당해 사건 법원이 그에 해당하는 것으로 잘못 해석·적용하였다는 것이 아니라, 조세감면특별법이 1993. 12. 31. 법률 제4666호로 전부 개정(이하 '이 사건 전부개정법'이라 한다)되면서 이 사건 부칙조항과 같은 내용을 전혀 반영하지 않음으로써 전부개정법률의 일반적 효력에 의하여 이 사건 부칙조항은 실효된 것으로 보아야 함에도 당해 사건 법원이 이 사건 부칙조항을 '유효한' 법률조항이라고 잘못 판단하고 이 사건 부칙조항이 유효함을 전제로 이를 해석·적용한 것이 헌법상 국회의 입법권을 침해하고 조세법률주의에 반한다는 것이다.

살피건대, 이 사건 부칙조항은 과세요건을 정하고 있어 납세자에 대한 과세의 근거로 작용하고 있는 조항이므로 이 사건 부과처분 당시에는 유효하게 존속하는 과세요건 규정이어야 함이 조세법률주의의 원칙상 당연하다. 유효하게 존속하는 과세요건 규정이 납세자의 권리를 제한함으로써 헌법이 정하는 조세법률주의 위반과 관련된 문제가 될 수 있는 것처럼, 과세요건 규정이 실효되었음에도 불구하고 실효된 그 규정을 마치 유효한 것으로 해석·적용하는 것 또한 조세법률주의 위반과 직결되는 문제라 할 것이다.

그러므로 "구 조세감면규제법(1993. 12. 31. 법률 제4666호로 전부 개정된 것)의 시행에도 불구하고 구 조세감면규제법(1990. 12. 31. 법률 제4285호) 부칙 제23조가 실효되지 않은 것으로 해석하는 한 위헌"이라는 취지의 청구인들의 이 사건 헌법소원심판청구는, 이 사건 각 부과처분에 있어서 '법원이 한 부과처분의 근거법률에 대한 해석·적용'에 관한 다툼이 아니라, 청구인들이 이미 실효되었다고 주장하는 이 사건 부칙조항을 법원이 실효되지 않고 유효하게 존속하는 조항이라고 해석하여 이 사건에 적용한 것을 문제삼고 있는 것이므로, 결국 이 사건 심판청구는 '이 사건 부칙조항 그 자체의 위헌성'에 관한 다툼으로 보아야 할 것이어서 헌법재판소법 제68조 제2항에 의한 청구로서 적법하다 할 것이다.

2. 구 조세감면규제법(1990. 12. 31. 법률 제4285호) 부칙 제23조(이하 '이 사건 부칙조항'이라 한다)가 구 조세감면규제법(1993. 12. 31. 법률 제4666호로 전부 개정된 것, 이하 '이 사건 전부개정법'이라 한다)의 시행에도 불구하고 실효되지 않은 것으로 해석하는 것이 헌법상의 권력분립원칙과 조세법률주의의 원칙에 위배되어 헌법에 위반되는지 여부(적극)

    가. 형벌조항이나 조세법의 해석에 있어서는 헌법상의 죄형법정주의, 조세법률주의의 원칙상 엄격하게 법문을 해석하여야 하고 합리적인 이유 없이 확장해석하거나 유추해석할 수는 없는바, '유효한' 법률조항의 불명확한 의미를 논리적·체계적 해석을 통해 합리적으로 보충하는 데에서 더 나아가, 해석을 통하여 전혀 새로운 법률상의 근거를 만들어 내거나, 기존에는 존재하였으나 실효되어 더 이상 존재한다고 볼 수 없는 법률조항을 여전히 '유효한' 것으로 해석한다면, 이는 법률해석의 한계를 벗어나 '법률의 부존재'로 말미암아 형벌의 부과나 과세의 근거가 될 수 없는 것을 법률해석을 통하여 창설해 내는 일종의 '입법행위'로서 헌법상의 권력분립원칙, 죄형법정주의, 조세법률주의의 원칙에 반한다.

    나. 이 사건 부칙조항은 과세근거조항이자 주식상장기한을 대통령령에 위임하는 근거조항이므로 이 사건 전문개정법의 시행에도 불구하고 존속하려면 반드시 위 전문개정법에 그 적용이나 시행의 유예에 관한 명문의 근거가 있었어야 할 것이나, 입법자의 실수 기타의 이유로 이 사건 부칙조항이 이 사건 전문개정법에 반영되지 못한 이상, 위 전문개정법 시행 이후에는 전문개정법률의 일반적 효력에 의하여 더 이상 유효하지 않게 된 것으로 보아야 한다.

    다. 다만, 이 사건 부칙조항이 실효되지 않고 여전히 존재한다는 전제 하에 과세하더라도, 청구인들을 비롯하여 주식상장을 전제로 자산재평가를 실시한 후 정해진 주식상장기한 내에 상장하지 못하였거나 자산재평가를 취소한 법인들로서는 부당하게 이익을 침해당한 것으로 볼 수 없는 데다가, 이 사건 부칙조항이 실효되었다고 해석하면, 이미 상장을 전제로 자산재평가를 실시한 법인에 대한 사후관리가 불가능하게 되는 법률의 공백상태가 발생하고, 종래 자산재평가를 실시하지 아니한 채 원가주의에 입각하여 성실하게 법인세 등을 신고·납부한 법인이나 상장기간을 준수한 법인들과 비교하여 볼 때 청구인들을 비롯한 위 해당 법인들이 부당한 이익을 얻게 되어 과세형평에 어긋나는 결과에 이를 수도 있다.

    그러나, 과세요건법정주의 및 과세요건명확주의를 포함하는 조세법률주의가 지배하는 조세법의 영역에서는 경과규정의 미비라는 명백한 입법의 공백을 방지하고 형평성의 왜곡을 시정하는 것은 원칙적으로 입법자의 권한이고 책임이지 법문의 한계 안에서 법률을 해석·적용하는 법원이나 과세관청의 몫은 아니다. 뿐만 아니라 구체적 타당성을 이유로 법률에 대한 유추해석 내지 보충적 해석을 하는 것도 어디까지나 '유효한' 법률조항을 대상으로 할 수 있는 것이지 이미 '실효된' 법률조항은 그러한 해석의 대상이 될 수 없다.

    따라서 관련 당사자가 공평에 반하는 이익을 얻을 가능성이 있다 하여 이미 실효된 법률조항을 유효한 것으로 해석하여 과세의 근거로 삼는 것은 과세근거의 창설을 국회가 제정하는 법률에 맡기고 있는 헌법상 권력분립원칙과 조세법률주의의 원칙에 반한다.

    라. 따라서, 이 사건 전부개정법의 시행에도 불구하고 이 사건 부칙조항이 실효되지 않은 것으로 해석하는 것은 헌법상의 권력분립원칙과 조세법률주의의 원칙에 위배되어 헌법에 위반된다.

# 008 궐석재판, 전재산 몰수형 등을 규정한 반국가행위자의처벌에관한특별조치법 사건 [위헌]
― 1996. 1. 25. 선고 95헌가5

판시사항 및 결정요지

1. 법관으로 하여금 최초의 공판기일에 공소사실과 검사의 의견만을 듣고 형을 선고하도록 규정한 반국가행위자의처벌에관한특별조치법(이하 '특조법')이 권력분립원칙에 어긋나는지 여부(적극)

특조법 제7조 제5항은 검사의 청구에 의하여 법원으로 하여금 처음부터 의무적으로 궐석재판을 행하도록 하고 있으며, 재판의 연기도 전혀 허용하지 않고 있어, 중형에 해당하는 사건에 대하여 피고인의 방어권이 일절 행사될 수 없는 상태에서 재판이 진행되도록 규정한 것이므로 그 입법목적의 달성에 필요한 최소한의 범위를 넘어서 피고인의 공정한 재판을 받을 권리를 과도하게 침해한 것이다.

또한 중형에 해당되는 사건에 대하여 피고인에게 출석 기회조차 주지 아니하여 답변과 입증 및 반증 등 공격·방어의 기회를 부여하지 않고, 피고인에게 불출석에 대한 개인적 책임을 전혀 물을 수 없는 경우까지 궐석재판을 행할 수 있다는 것은 절차의 내용이 심히 적정하지 못하여 적법절차의 원칙에도 반한다.

2. 법원은 최초의 공판기일에 검사로부터 공소장에 의하여 피고인의 인적사항 및 공소사실의 요지와 의견을 들은 후 증거조사 없이 피고인에 대한 형을 선고하여야 한다고 규정한 특조법 제7조 제7항 및 변호인 또는 보조인은 궐석한 피고인을 변호하기 위하여 출석할 수 없다고 규정한 동조 제7항 본문이 헌법에 위반되는지 여부 (적극)

중형에 해당되는 사건에서 피고인이 자신을 방어하기 위해 변호인도 출석시킬 수 없고, 증거조사도 없이 실형을 선고받는 것은 공격·방어의 기회를 원천적으로 봉쇄당하는 것이므로 적법절차의 원칙에 반하고, 특조법의 입법목적 달성에 필요한 최소한도의 범위 이상으로 재판청구권을 침해하는 것이다.

사법의 본질은 법 또는 권리에 관한 다툼이 없거나 법이 침해된 경우에 독립적인 법원이 원칙적으로 직접 조사한 증거를 통한 객관적 사실인정을 바탕으로 법을 해석·적용하여 유권적인 판단을 내리는 작용이다. 우리 헌법은 권력 상호간의 견제와 균형을 위하여 명시적으로 규정한 예외를 제외하고는 입법부에게 사법작용을 수행할 권한을 부여하지 않고 있다. 그런데 위 법 제7조 제7항 본문은 법원으로 하여금 증거조사도 하지 말고 형을 선고하도록 하고 있어 헌법이 정한 입법권의 한계를 유월하여 사법작용을 침해하고 있다

3. 피고인이 검사의 소환에 2회 이상 불응한 때에는 전 재산의 몰수형을 병과한다고 규정한 특조법 제8조의 전재산 몰수형이 과잉금지원칙 등을 위배한 것인지 여부(적극)

위 법 제8조는 피고인의 소환불응에 대하여 전재산 몰수를 규정한바, 설사 반국가행위자의 고의적인 소환불응을 범죄행위라고 규정하는 취지라 해도 이러한 행위에 대해 전재산의 몰수라는 형벌은 행위의 가벌성에 비해 지나치게 무거워 적정하지 못하고 일반형사법체계와 조화를 이루지 못하

고 있다. 결국 이는 행위책임의 법리를 넘어서 자의적이고 심정적인 처벌에의 길을 열어 둠으로써 형벌체계상 정당성과 균형을 벗어나 적법절차 및 과잉금지의 원칙에 어긋난다.

뿐만 아니라 특조법 제8조는 동법 제10조의 규정과 관련하여 친족의 재산까지도 검사가 적시하기만 하면 증거조사 없이 몰수형이 선고되게 되어 있으므로, 헌법 제13조 제3항에서 금지한 연좌형이 될 소지도 크다.

4. 헌법재판소법 제45조 단서에 따라 법률 전부에 대해 위헌선언한 사례

위 법 제7조 제5항·제6항·제7항 본문, 제8조가 위헌으로 실효될 경우 위 법 전체가 존재의미를 상실하여 시행될 수 없게 되므로 헌법재판소법 제45조 단서규정에 의해 위 법 전체에 대하여 위헌결정을 한다.

009 연합뉴스를 국가기간뉴스통신사로 지정한 사건 [기각]
― 2005. 6. 30. 선고 2003헌마841

판시사항 및 결정요지

1. 제3자에 대한 자기관련성의 판단기준

법률 또는 법률조항 자체가 헌법재판소법 제68조 제1항에 의한 헌법소원의 대상이 되기 위해서는 청구인이 그 법률 또는 법률조항에 의하여 구체적인 집행행위를 기다리지 아니하고 직접, 현재 그리고 자기의 기본권을 침해받아야 하는 것이 원칙이나 예외적으로 제3자에게도 자기관련성이 인정될 수 있는데, 어떠한 경우에 제3자의 자기관련성을 인정할 것인지는 법의 목적과 실질적인 규율의 대상, 법률 또는 법률조항의 제한이나 금지가 제3자에게 미치는 효과나 진지성의 정도 등을 종합적으로 고려하여 판단하여야 한다.

2. 규율의 직접 상대방이 아닌 제3자에게 자기관련성을 인정한 사례

뉴스통신진흥에관한법률 제10조 등은 청구인 회사(뉴스통신사)와 서로 경업관계에 있는 연합뉴스사를 국가기간뉴스통신사로 지정하고 이에 대하여 재정지원 등 혜택을 부여함을 그 내용으로 하는 바, 그 혜택의 범위에서 제외된 청구인 회사의 경우 영업활동이 부당하게 축소되므로 그러한 범위에서 기본권에 대하여 직접 법적인 제한을 받는 것으로 보아야 한다.

3. 주식회사 연합뉴스를 국가기간뉴스통신사로 지정하고 이에 대한 재정지원 등을 규정한 뉴스통신진흥에관한법률 제10조 등 심판대상조항이 개인대상법률로서 헌법에 위반되는지 여부(소극)

심판대상조항은 상법상의 주식회사에 불과한 연합뉴스사를 주무관청인 문화관광부장관의 지정절차도 거치지 아니하고 바로 법률로써 국가기간뉴스통신사로 지정하고, 법이 정하는 계약조건으로 정부와 뉴스정보 구독계약을 체결하게 하며, 정부가 위탁하는 공익업무와 관련하여 정부의 예산으로 재정지원을 할 수 있는 법적 근거를 법률로써 창설하고 있는바, 이는 특정인에 대해서만 적용되는 '개인대상법률'으로서 처분적 법률에 해당한다.

뉴스통신시장에서 국가기간뉴스통신사의 지정이 필요한 경우 통상적으로 상정할 수 있는 입법형식은 국가기간뉴스통신사의 기능과 역할, 그리고 그 대상이 될 수 있는 자격과 지정절차 등을 법률에서 규정하고 그 구체적인 지정행위는 소관 행정청의 집행행위에 의하는 형식이 될 것인데, 법은 구체적인 법집행행위로서 '지정행위'를 거치지 아니하고 법률에서 직접 연합뉴스사를 국가기간뉴스통신사로 지정하고 있으므로 그 자체로 법적용상의 차별취급이 야기되는 것이다.

그러나 우리 헌법은 처분적 법률로서 개인대상법률 또는 개별사건법률의 정의를 따로 두고 있지 않음은 물론, 이러한 처분적 법률의 제정을 금하는 명문의 규정도 두고 있지 않은바, 특정규범이 개인대상 또는 개별사건법률에 해당한다고 하여 그것만으로 바로 헌법에 위반되는 것은 아니라고 할 것이다.

결국 심판대상조항이 일반 국민을 그 규율의 대상으로 하지 아니하고 특정 개인만을 그 대상으로 한다고 하더라도 이러한 차별적 규율이 합리적인 이유로 정당화되는 경우에는 허용된다고 할 것이다.

4. 심판대상조항이 경업자인 청구인들의 평등권을 침해하는지 여부(소극)

심판대상조항의 내용과 같이 뉴스통신사의 권한을 제한하거나 새로이 의무를 부과하는 것이 아니라 국내 뉴스통신시장의 진흥을 위하여 뉴스통신사에 대한 재정지원 등 혜택을 부여하는 것을 내용으로 하는 시혜적 법률의 경우에는 그 입법형성권의 범위가 더욱 넓어진다.

정보주권의 수호와 국민 간의 정보격차를 해소하고 국가이익보호와 국가의 홍보역량을 강화하기 위해서는 정부의 뉴스통신시장에 대한 최소한의 개입과 뉴스통신사에 대한 적절한 지원이 반드시 요청된다고 할 것이고, 이러한 차원에서 심판대상조항이 국가기간뉴스통신사를 지정하여 이에 대하여 여러 가지 공적 임무를 부여하며, 그 임무의 수행과 관련된 범위에서 비용을 부담하는 등의 우대조치를 취하는 것은 그 합리성을 인정할 수 있다

따라서 다른 뉴스통신사와 그 기능과 역할 및 업무의 영역 측면에서 비교할 수 없을 정도로 큰 차이가 있는 것을 비롯하여 전문뉴스제작인력의 수 등 인력구조의 면이나 매출액 등 물적 측면에서도 뚜렷한 차이가 존재하는 연합뉴스사를 국가기간뉴스통신사로 지정하고 이에 대하여 재정지원 등 여러 가지 혜택을 부여한 심판대상조항에는 수긍할 만한 합리적인 이유가 있다고 할 것이므로, 이를 두고 평등원칙에 어긋나는 자의적 차별이라고 하기는 어렵다.

5. 심판대상조항이 경업자인 청구인들의 경쟁의 자유를 침해하는지 여부(소극)

연합뉴스사에 대한 혜택의 부여로 인하여 다른 뉴스통신사의 경우 연합뉴스사와의 뉴스통신시장에서의 경쟁이 제한된다. 그러나 심판대상조항은 연합뉴스사를 선언적으로 국가기간뉴스통신사로 지정할 뿐 그 지정으로써 당연히 어떠한 혜택이 자동적으로 연합뉴스사에게 부여되는 것은 아니고, 정부가 연합뉴스사와 실제로 뉴스정보 구독계약을 체결하거나 정부가 일정한 공익사업을 연합뉴스사에 위임하는 경우에 비로소 재정지원 등 혜택을 부여할 수 있는 법적 근거를 마련하고 있는 데 불과하다. 그리고 그러한 혜택의 부여도 이 법 시행일로부터 "6년간"만 효력을 가지므로 이러한 경쟁제한의 효과가 영구적인 것도 또한 아니다.

따라서 심판대상조항으로 인한 기본권제한의 효과는 비교적 경미한 데 반하여, 국가기간뉴스통신사로서 연합뉴스사의 인적·물적 기반의 강화와 이를 통한 국제뉴스정보시장에서의 경쟁력의 향상이라는 공익실현의 효과는 매우 크다고 할 것으로 심판대상조항은 과잉금지원칙에 위배된다고 할 수 없다.

6. 심판대상조항이 청구인들의 언론·출판의 자유 및 재산권을 제한하는지 여부(소극)

심판대상조항은 청구인 회사의 취재활동 등 언론기관으로서의 활동에 간섭을 한다거나 또는 언론활동의 결과로서 보도의 내용을 검열하는 등 청구인들의 언론·출판의 자유를 제약하는 내용을 전혀 담고 있지 아니하다.

그리고 이에 더하여 심판대상조항은 오로지 청구인 회사와 연합뉴스사 간의 영업활동(뉴스정보의 판매 등)과 관련한 경쟁을 국가기간뉴스통신사의 지정과 관련된 범위에서 제한하고 있을 뿐, 영업활동 또는 연합뉴스사와의 경쟁의 산물로서 이미 축적되고 형성된 청구인들의 재산권을 부당하게 제한하거나 또는 그 내용을 부당히 축소·변경하는 등의 조항을 일체 포함하고 있지 아니하다.

제2장 국회

010 국회선진화법 사건 [각하]
— 2016. 5. 26. 선고 2015헌라1

판시사항

1. 대한민국 국회가 2012. 5. 25. 법률 제11453호로 국회법 제85조 제1항 및 제85조의2 제1항을 개정한 행위(이하 '이 사건 국회법 개정행위'라 한다)에 대한 심판청구에서 국회의장 및 국회 기획재정위원회 위원장이 피청구인 적격이 있는지 여부(소극)

2. 피청구인 국회의장이 2012. 5. 2. 제307회 국회에서 국회법 일부개정법률안에 대한 수정안 중 국회법 제85조의2를 가결선포한 행위(이하 '이 사건 가결선포행위'라 한다)에 대한 심판청구가 청구기간을 준수하였는지 여부(소극)

3. 피청구인 국회 기획재정위원회(이하 '기재위'라 한다) 위원장이 2015. 1. 29. 서비스산업발전 기본법안에 대한 신속처리대상안건 지정 요청에 대해 기재위 재적위원 과반수가 서명한 신속처리안건지정동의가 아니라는 이유로 표결실시를 거부한 행위(이하 '이 사건 표결실시 거부행위'라 한다)에 대한 심판청구가 소속 위원의 신속처리안건지정동의에 대한 표결권을 침해하거나 침해할 위험성이 있는지 여부(소극)

4. 피청구인 국회의장이 2014. 12. 17. 북한인권법안을 포함한 11건의 법률안에 대한 심사기간 지정 요청을 거부한 행위(이하 '이 사건 제1 심사기간 지정 거부행위'라 한다) 및 2016. 1. 6. 서비스산업발전 기본법안을 포함한 10건의 법률안에 대한 심사기간 지정 요청을 거부한 행위(이하 '이 사건 제2 심사기간 지정 거부행위'라 하고, 이들을 합하여 '이 사건 심사기간 지정 거부행위'라 한다)에 대한 심판청구가 국회의원인 청구인들의 법률안 심의·표결권을 침해하거나 침해할 위험성이 있는지 여부(소극)

사건의 개요

제18대 국회는 2012. 5. 2. 쟁점안건을 심의하는 과정에서 발생하는 물리적 충돌을 방지하여 민주적이고 효율적인 국회를 구현하고자 국회의장의 심사기간 지정 요건을 엄격하게 제한하고, 그 대신 상임위원회에 회부된 안건에 대해 일정한 요건이 갖추어지면 신속처리안건으로 지정할 수 있도록 하는 내용 등을 포함한 국회법 일부 개정법률안(이하 '국회선진화법'이라 한다)을 가결하였고, 이는 2012. 5. 25. 법률 제11453호로 공포되어 제19대 국회 임기 개시일인 2012. 5. 30.부터 시행되었다.

청구인들은 국회 교섭단체 ○○당 소속의 제19대 국회의원들로서, 이 사건 심판청구 당시 청구인 나○린은 정책위원회의 수석부의장이자 국회 기획재정위원회(이하 '기재위'라 한다) 소속 위원이고, 나머지 청구인들은 ○○당 국회법 정상화 태스크포스(TF)의 위원장 내지 위원이거나 정책위원회의 의장, 부의장, 정조위원장이다.

청구인들을 포함한 국회의원 146명은 2014. 12. 9. 피청구인 국회의장에게 각 소관 상임위원회에 계류 중인 북한인권법안을 포함한 11건의 [별지3] 목록 기재 법률안에 대하여 심사기간 지정 및 본회의 부의(이하 '직권상정'이라 한다) 요청을 하였으나, 피청구인 국회의장은 2014. 12. 17. 국회법 제85조 제1항의 심사기간 지정 요건을 충족하지 못하였다는 이유로 위 법률안에 대한 심사기간을 지정할 수 없고, 심사기간 지정을 전제로 한 본회의 부의도 할 수 없다는 답변을 하였다.

청구인 나○린을 포함한 11명의 기재위 소속 위원들은 2015. 1. 15. 피청구인 국회 기획재정위원회 위원장(이하 '기재위 위원장'이라 한다)에게 기재위 법안심사소위원회에 계류 중인 서비스산업발전 기본법안을 신속처리대상안건으로 지정할 것을 요청하였으나, 피청구인 기재위 위원장은 2015. 1. 29. 기재위 위원 총 26명 중 11명이 서명한 신속처리대상안건 지정요구 동의(이하'신속처리안건지정동의'라한다)는 기재위 재적위원 과반수가 서명한 것이 아니라는 이유로 국회법 제85조의2 제1항에 따라 위 지정 동의안에 대해 표결을 실시할 수 없다는 취지의 의견을 송부하였다.

이에 청구인들은 국회법 제85조 제1항 제3호 중 '각 교섭단체대표의원과의 합의' 부분 및 제85조의2 제1항 중 '재적위원 5분의 3 이상의 찬성' 부분이 가중된 특별정족수를 요구하고 있어 헌법상 다수결의 원리 등에 반하여 위헌이며, 피청구인들은 위헌인 위 국회법 조항들에 근거하여 심사기간을 지정하지 아니하거나 신속처리대상안건으로 지정하지 아니한 것이므로, 위 국회법 조항들 및 위와 같은 피청구인들의 행위가 국회의원인 청구인들의 법률안 심의·표결권을 침해하였다고 주장하면서, 2015. 1. 30. 이 사건 권한쟁의심판을 청구하였다.

한편, 청구인들을 포함한 ○○당 소속 의원 157명은 2015. 12. 16. 피청구인 국회의장에게 서비스산업발전 기본법안을 포함한 10건의 [별지4] 목록 기재 법률안에 대하여 직권상정 요청을 하였으나, 피청구인 국회의장은 2016. 1. 6. 국회법 제85조 제1항의 심사기간 지정 요건을 충족하지 못하였다는 이유로 위 법률안에 대한 심사기간 지정은 할 수 없다는 답변을 하였다.

이에 청구인들은 2016. 1. 11. 이 사건 청구취지에 피청구인 국회의장이 2016. 1. 6. 서비스산업발전 기본법안을 포함한 10건의 [별지4] 목록 기재 법률안에 대한 심사기간 지정 요청을 거부한 행위 및 피청구인 국회의장이 2012. 5. 2. 제307회 국회에서 국회법 일부개정법률안에 대한 수정안 중 국회법 제85조의2를 가결선포한 행위에 대하여 청구인들의 권한침해의 확인 및 무효의 확인을 구하는 내용을 추가하였다.

심판대상

① 대한민국 국회가 2012. 5. 25. 법률 제11453호로 국회법 제85조 제1항 및 제85조의2 제1항을 개정한 행위(이하 '이 사건 국회법 개정행위'라 한다) [청구인들은 국회법 제85조 제1항, 제85조의2 제1항 자체가 위헌이라고 주장하나, 법률에 대한 권한쟁의심판은 '법률' 그 자체가 아니라 '법률의 제·개정행위'를 그 심판대상으로 해야 할 것이므로(2005헌라9), 위 국회법 조항들에 대한 심판청구 역시 그 심판대상을 위 국회법 조항들의 개정행위가 청구인들의 법률안 심의·표결권을 침해하였는지 여부로 본다],

② 피청구인 국회의장이 2014. 12. 17. 북한인권법안을 포함한 11건의 [별지3] 목록 기재 법률안에 대한 심사기간 지정 요청을 거부한 행위(이하 '이 사건 제1 심사기간 지정 거부행위'라 한다) 및 2016. 1. 6. 서비스산업발전 기본법안을 포함한 10건의 [별지4] 목록 기재 법률안에 대한 심사기간 지정 요청을 거부한 행위(이하 '이 사건 제2 심사기간 지정 거부행위'라 한다, 이하 이들을 합하여 '이 사건 심사기간 지정 거부행위'라 한다),

③ 피청구인 기재위 위원장이 2015. 1. 29. 서비스산업발전 기본법안에 대한 신속처리대상안건 지정요청에 대해 기재위 재적위원 과반수가 서명한 신속처리안건지정동의가 아니라는 이유로 표결실시를 거부한 행위(이하 '이 사건 표결실시 거부행위'라 한다),

④ 피청구인 국회의장이 2012. 5. 2. 제307회 국회에서 국회법 일부개정법률안에 대한 수정안 중 국회법 제85조의2를 가결선포한 행위(이하 '이 사건 가결선포행위'라 한다)가 청구인들의 법률안 심의·표결권을 침해하였는지 여부 및 이 사건 가결선포행위가 무효인지 여부이다.

주문

이 사건 심판청구를 모두 각하한다.

I 판 단

1. 이 사건 국회법 개정행위에 대한 심판청구의 적법 여부

권한쟁의심판에 있어서는 처분 또는 부작위를 야기한 기관으로서 법적 책임을 지는 기관만이 피청구인적격을 가지므로 권한쟁의심판청구는 이들 기관을 상대로 제기하여야 하고, 법률의 제·개정 행위를 다투는 권한쟁의심판의 경우에는 국회가 피청구인적격을 가진다. 따라서 청구인들이 국회의장 및 기재위 위원장에 대하여 제기한 이 사건 국회법 개정행위에 대한 심판청구는 피청구인 적격이 없는 자를 상대로 한 청구로서 부적법하다.

2. 이 사건 가결선포행위에 대한 심판청구의 적법 여부

권한쟁의심판청구에 대한 청구취지 변경이 이루어진 경우, 청구기간의 준수 여부는 헌법재판소법 제40조 제1항이 준용하는 민사소송법 제265조에 의하여 추가 또는 변경된 청구서가 제출된 시점을 기준으로 판단하여야 한다.

청구인들의 이 부분 청구취지 변경신청은 2016. 1. 11. 헌법재판소에 제출되었고, 추가되는 심판대상은 '2012. 5. 2. 제307회 국회에서 국회법 일부개정법률안에 대한 수정안 중 국회법 제85조의2를 가결선포한 행위'인바, 그 사유가 있은 날인 2012. 5. 2.로부터 180일이 경과한 후에 이루어진 이 사건 가결선포행위에 대한 심판청구는 청구기간을 도과하였음이 명백하므로 부적법하다.

3. 이 사건 표결실시 거부행위에 대한 심판청구의 적법 여부

가. 권한의 침해 또는 현저한 침해위험성

헌법재판소법 제61조 제1항은 국가기관 상호간, 국가기관과 지방자치단체 간 및 지방자치단체 상호간에 권한의 유무 또는 범위에 관하여 다툼이 있을 때에는 해당 국가기관 또는 지방자치단체는 헌법재판소에 권한쟁의심판을 청구할 수 있다고 규정하고, 같은 조 제2항은 권한쟁의심판청구는 피청구인의 처분 또는 부작위가 헌법 또는 법률에 의하여 부여받은 청구인의 권한을 침해하였거나 침해할 현저한 위험이 있는 경우에만 할 수 있다고 규정하고 있다. 따라서 피청구인의 처분 또는 부작위가 헌법 또는 법률에 의하여 부여받은 청구인의 권한을 침해할 가능성이 없는 경우에 제기된 권한쟁의심판청구는 부적법하다.

나. 판 단

국회법 제85조의2 제1항에 의하면, 소관 위원회 재적위원 과반수가 서명한 신속처리안건지정동의가 소관 위원회 위원장에게 제출되어야 위원장은 무기명투표로 표결을 실시할 의무를 부담하게 되는 것이고, 소관 위원회 소속 위원들도 비로소 신속처리안건지정동의를 표결할 권한을 가지게 된다. 이 사건의 경우 신속처리대상안건 지정동의가 적법한 요건을 갖추지 못하였으므로, 이 사건 표결실시 거부행위로 인하여 기재위 소속 위원인 청구인 나○린의 신속처리안건지정동의에 대한 표결권이 직접 침해당할 가능성은 없다. 가사 청구인 나○린의 주장과 같이 국회법 제85조의2 제1항 중 재적위원 5분의 3 이상의 찬성을 요하는 부분이 위헌으로 선언되더라도, 피청구인 기재위 위원장에게 신속처리대상안건 지정요건을 갖추지 못한 신속처리안건지정동의에 대하여 표결을 실시할 의무가 발생하는 것은 아니므로 그 위헌 여부는 이 사건 표결실시 거부행위의 효력에는 아무런 영향도 미칠 수 없다. 따라서 이 사건 표결실시 거부행위는 청구인 나○린의 신속처리안건지정동의에 대한 표결권을 침해하거나 침해할 위험성이 없으므로 이에 대한 심판청구는 부적법하다.

4. 이 사건 심사기간 지정 거부행위에 대한 심판청구의 적법 여부

청구인들은 이 사건 심사기간 지정 거부행위의 근거조항인 국회법 제85조 제1항 제3호가 '각 교섭단체대표의원과의 합의'를 심사기간 지정사유로 규정한 것과 국회법 제85조 제1항에 국회 재적의원 과반수가 의안에 대하여 심사기간 지정을 요청하는 경우 국회의장이 그 의안에 대하여 의무적으로 심사기간을 지정하도록 규정하지 아니한 입법부작위(이하 '이 사건 입법부작위'라 한다)가 다수결의 원리 등에 반하여 위헌이므로 위헌인 위 국회법 조항에 근거한 이 사건 심사기간 지정 거부행위가 청구인들의 법률안 심의·표결권을 침해한다는 취지의 주장도 하고 있으므로, 이에 대하여 살펴보기로 한다.

가.

국회법 제85조 제1항의 직권상정권한은 국회의 수장이 국회의 비상적인 헌법적 장애상태를 회복하기 위하여 가지는 권한으로 국회의장의 의사정리권에 속하고, 의안 심사에 관하여 위원회 중심주의를 채택하고 있는 우리 국회에서는 비상적·예외적 의사절차에 해당한다. 국회법 제85조 제1항 각 호의 심사기간 지정사유는 국회의장의 직권상정권한을 제한하는 역할을 할 뿐 국회의원의 법안에 대한 심의·표결권을 제한하는 내용을 담고 있지는 않다. 국회법 제85조 제1항의 지정사유가 있다 하더라도 국회의장은 직권상정권한을 행사하지 않을 수 있으므로, 청구인들의 법안 심의·표결권에 대한 침해위험성은 해당안건이 본회의에 상정되어야만 비로소 현실화된다. 따라서 이 사건 심사기간 지정 거부행위로 말미암아 청구인들의 법률안 심의·표결권이 직접 침해당할 가능성은 없다.

'의장이 각 교섭단체대표의원과 합의하는 경우'를 심사기간 지정사유로 규정한 국회법 제85조 제1항 제3호가 헌법에 위반된다고 하더라도, 법률안에 대한 심사기간 지정 여부에 관하여는 여전히 국회의장에게 재량이 인정되는 것이지 법률안에 대한 심사기간 지정 의무가 곧바로 발생하는 것은 아니다. 따라서 국회법 제85조 제1항 제3호의 위헌 여부는 이 사건 심사기간 지정 거부행위의 효력에 아무런 영향도 미칠 수 없다.

국회법 제85조 제1항에 국회 재적의원 과반수가 의안에 대하여 심사기간 지정을 요청하는 경우 국회의장이 그 의안에 대하여 의무적으로 심사기간을 지정하도록 규정하지 아니한 입법부작위(이하 '이 사건 입법부작위'라 한다)는 입법자가 재적의원 과반수의 요구에 의해 위원회의 심사를 배제할 수 있는 비상입법절차와 관련하여 아무런 입법을 하지 않음으로써 입법의 공백이 발생한 '진정입법부작위'에 해당한다. 따라서 이 사건 입법부작위의 위헌 여부와 국회법 제85조 제1항은 아무런 관련이 없고, 그 위헌 여부가 이 사건 심사기간 지정 거부행위에 어떠한 영향도 미칠 수 없다.

나. 국회의 의사자율권

국회는 어떠한 사항에 대하여 언제, 어떻게 입법할지 여부를 스스로 판단하여 결정할 입법형성의 자유를 가지며, 법안심의를 위한 의사절차와 규칙을 스스로 결정할 수 있는 자율권을 가지고 있다.

이러한 의사자율권에 기초하여 국회운영의 원리로 위원회 중심주의를 채택한 결과, 국회의 예비적 심사기관인 상임위원회가 회부된 안건을 심사하고 그 결과를 본회의의 판단자료로 보고하면, 본회의에서는 소관 상임위원회에서 심사의결된 내용을 거의 그대로 통과시키는 형태로 국회의 최종적인 의사를 결정하는 입법절차를 국회법에 두게 되었다. 국회법은 위와 같이 통상적인 입법절차에 따라 위원회의 심의·표결을 거쳐 본회의에 상정된 의안이나 비상적 입법절차인 심사기간 지정제도에 따라 위원회의 심사를 배제한 채 본회의에 상정된 의안 등과 같이 의안이 본회의에 안건으로 상정된 경우에만 국회의원으로 하여금 본회의에서 해당 의안에 대해 심의·표결권을 행사하도록 의사절차를 정하고 있는 것이다.

… 쟁점법안에 대하여 쉽사리 국회의장의 직권상정권한을 동원하던 관행을 시정하고, 대화와 타협에 의한 의회정치의 정상화를 위하여 국회법 제85조 제1항 제3호에 의장이 각 교섭단체대표의원과 합의하는 경우라는 심사기간 지정사유를 두어 합의제를 강화한 것을 두고, 국회의 입법형성권이나 의사자율권을 벗어난 것이라 보기도 어렵다.

상임위원회에서의 입법교착 상태로 인해 의결에 이르지 못하는 입법기능장애가 야기될 수는 있다. 그러나 이러한 입법교착 상태는 상임위원회의 위원이 여야 동수(同數)로 구성되거나 법제사법위원회 위원장을 야당에 배분하는 관행 내지 여야 정치력의 부재 등으로 인해 발생하는 것이지 입법절차를 규율하고 있는 국회법 자체로부터 발생하는 것은 아니다. 이는 국회 내부에서 민주적인 방법으로 대화와 토론, 설득과 타협을 통해 스스로 해결해야 할 문제이다. 만일 제도적인 미비가 그러한 입법교착 상태에 영향을 미치고 있다고 한다면 헌법 및 법률에 정해진 법률의 제·개정절차에 따라 제도개선을 함으로써 민주적이고 자율적인 방법으로 입법의 잘못이나 결함을 스스로 바로잡아야 하지, 이 사건처럼 국회의 다수파 의원들이 권한쟁의심판을 통하여 이를 해결하려고 하는 것은 바람직하지 않다. 헌법재판소가 이러한 문제에 개입하게 되면 국회의원이 민주적이고 자율적인 방법으로 해결책을 찾으려는 노력 대신 번번이 사법적 수단에 의존하게 될 것이라는 우려를 떨쳐버리기도 어렵다.

더욱이 헌법실현에 관한 1차적 형성권을 갖고 있는 정치적·민주적 기관인 국회와의 관계에서 헌법재판소가 가지는 기능적 한계에 비추어 보더라도, 헌법재판소가 근거규범도 아닌 이 사건 입법부작위에 대한 위헌 여부 심사를 최대한 자제하여 의사절차에 관한 국회의 자율성을 존중하는 것이 바람직하다. 나아가 여야 간 합의와 타협을 통해 다수당이든 소수당이든 어느 한 쪽만 동의하고 밀어붙이려는 법안이 일방적으로 통과될 수 없도록 국회운영의 원리로 합의제를 강화하면서 도입된 유기적 연관을 갖는 일련의 제도들 중 국회법 제85조 제1항에 대해서만 위헌이라고 판단하는 것은 국회선진화법의 왜곡을 초래한다는 또 다른 문제를 불러일으킨다.

다. 헌법상 또는 헌법해석상 유래하는 입법의무의 부존재

가사 이 사건 입법부작위의 위헌 여부를 선결문제로 판단하더라도, 헌법의 명문규정이나 해석상 재적의원 과반수의 요구가 있는 경우 국회의장이 심사기간을 지정하고 본회의에 부의해야 한다는 의무는 도출되지 아니한다.

의회민주주의 원리는 국가의 정책결정에 참여할 권한을 국민의 대표기관인 의회에 유보하는 것에 그치지 않고, 의사결정과정의 민주적 정당성까지 요구한다. 절차의 민주성과 공개성이 보장되어야만 민주적 정당성도 획득될 수 있다. 의회민주주의국가에서 의사절차는 공개와 이성적 토론의 원리, 합리적 결정, 다원적 개방성, 즉 토론과 다양한 고려를 통하여 의안의 내용이 변경될 가능성, 다수결의 원리에 따른 의결 등 여러 가지 요소에 의하여 이루어져야 한다. 의회민주주의의 기본원리의 하나인 다수결의 원리는 의사형성과정에서 소수파에게 토론에 참가하여 다수파의 견해를 비판하고 반대의견을 밝힐 수 있는 기회를 보장하여 다수파와 소수파가 공개적이고 합리적인 토론을 거쳐 다수의 의사로 결정한다는 데 그 정당성의 근거가 있는 것이다.

헌법 제49조 전문은 "국회는 헌법 또는 법률에 특별한 규정이 없는 한 재적의원 과반수의 출석과 출석의원 과반수의 찬성으로 의결한다."라고 규정하여, 의회민주주의의 기본원리인 다수결의 원리를 선언하고 있다.

이러한 다수결의 원리를 실현하는 국회의 의결방식은 헌법이나 법률에 특별한 규정이 없는 한 재적의원 과반수의 출석과 출석의원 과반수의 찬성을 요하는 일반정족수를 기본으로 한다. 일반정족수는 국회의 의결이 유효하기 위한 최소한의 출석의원 또는 찬성의원의 수를 의미하므로, 의결대상 사안의 중요성과 의미에 따라 헌법이나 법률에 의결의 요건을 달리 규정할 수 있다. 즉 일반정족수는 다수결의 원리를 실현하는 국회의 의결방식 중 하나로서 국회의 의사결정시 합의에 도달하기 위한 최소한의 기준일 뿐 이를 헌법상 절대적 원칙이라고 보기는 어렵다.

헌법 제49조에 따라 어떠한 사항을 일반정족수가 아닌 특별정족수에 따라 의결할 것인지 여부는 국회 스스로 판단하여 법률에 정할 사항이다. 국회법 제109조도 "의사는 헌법 또는 이 법에 특별한 규정이 없는 한, 재적의원 과반수의 출석과 출석의원 과반수의 찬성으로 의결한다."라고 규정하여 국회법에 의결의 요건을 달리 규정할 수 있음을 밝히고 있다.

이러한 점에 비추어 볼 때 가중다수결은 헌법 제53조 제4항, 제64조 제3항,제65조 제2항, 제130조 제1항과 같이 그 결정의 의미와 중요성이 특별히 엄중한 경우에만 요구된다는 인용의견은, 헌법 제49조의 문언의 의미를 벗어난 것이라고 할 것이다.

… 국회 재적의원 과반수가 요구하면 국회의장이 의무적으로 해당 법안을 본회의에 상정하여야 한다는 의견은, 다수파 의원들이 원하는 법안은 상임위원회의 논의 등 모든 입법절차를 생략한 채 본회의를 통과할 수 있어야 한다는 결론에 도달하는 것으로서 다수파의 독재를 허용하여야 한다는 것과 다름없고, 이는 결국 국회 의사의 형성과정에서 소수의 참여 및 토론과 설득의 기회를 배제하자는 것이어서 오히려 다수결의 원리의 정당성 근거를 정면으로 부인하고 있는 것이다.

… 헌법재판소가 근거규범도 아닌 이 사건 입법부작위의 위헌 여부에 대한 심사에까지 나아가는 것은 부적절하므로 그 심사를 최대한 자제하여 의사절차에 관한 국회의 자율성을 존중하는 것이 바람직할 것이나, 위에서 살펴본 바와 같이 헌법의 규정이나 해석에 의하더라도 국회에게 국회 재적의원 과반수가 의안에 대하여 심사기간 지정을 요청하면 국회의장이 의무적으로 심사기간을 지정하고 본회의에 부의하는 방법으로 비상입법절차를 마련해야 할 의무는 도출되지 않으므로 국회법 제85조 제1항에서 이러한 내용을 규정하지 않은 것이 다수결의 원리, 나아가 의회민주주의에 반한다고 볼 수 없다.

라. 소 결

위에서 살펴본 바와 같이 이 사건 심사기간 지정 거부행위는 국회의원인 청구인들의 법률안 심의·표결권을 침해하거나 침해할 위험성이 없다. 나아가 그 근거조항인 국회법 제85조 제1항 제3호나 국회 재적의원 과반수가 의안에 대하여 심사기간 지정을 요청하는 경우 국회의장이 그 의안에 대하여 의무적으로 심사기간을 지정하도록 규정하지 아니한 입법부작위의 위헌성을 이유로 이 사건 심사기간 지정 거부행위가 청구인들의 법률안 심의·표결권을 침해할 가능성 또한 인정되지 아니한다. 따라서 이 사건 심사기간 지정 거부행위에 대한 심판청구는 부적법하다.

II 결 론

이 사건 심판청구는 위에서 살펴본 바와 같이 부적법하므로 이를 모두 각하하기로 한다.

011 한미FTA 비준동의안에 관한 권한쟁의 사건 [인용(권한침해), 기각, 각하]
— 2010. 12. 28. 선고 2008헌라7

판시사항

1. 가. 국회상임위원회 위원장이 위원회를 대표해서 의안을 심의하는 권한이 국회의장으로부터 위임된 것이 아니어서 국회의장의 피청구인 적격을 부인한 사례
   나. 구체적 작위의무가 없어 국회의장의 피청구인 적격이 부인된 사례
2. 국회 상임위원회 위원장이 위원회 전체회의 개의 직전부터 회의가 종료될 때까지 회의장 출입문을 폐쇄하여 회의의 주체인 소수당 소속 상임위원회 위원들의 출입을 봉쇄한 상태에서 상임위원회 전체회의를 개의하여 안건을 상정한 행위 및 소위원회로 안건심사를 회부한 행위가 회의에 참석하지 못한 소수당 소속 상임위원회 위원들의 조약비준동의안에 대한 심의권을 침해한 것인지 여부(적극)
3. 위 안건 상정·소위원회 회부행위가 무효인지 여부(소극)

사건의 개요

청구인들은 민주당 소속의 제18대 국회의원으로 2008. 12. 18. 및 이 사건 심판청구 당시 국회 외교통상통일위원회(이하 '외통위'라 한다) 위원이다.

2008. 12. 16. 피청구인 외통위 위원장은 2008. 12. 18. 14:00 국회 본청 401호에서 '대한민국과 미합중국간의 자유무역협정 비준동의안'(이하 '이 사건 동의안'이라 한다)을 포함한 6개 법안에 대해 제279회 국회 임시회 제2차 외통위 회의(이하 '이 사건 회의'라 한다)를 개의한다고 국회 홈페이지를 이용하여 공지하였다.

그런데 피청구인 외통위 위원장은 이 사건 회의 개의 전에 질서유지권을 발동하여 국회 경위 등으로 하여금 회의장에 대한 경비를 강화하게 하는 등의 조치를 취하였고, 이 사건 회의 무렵 회의장 주변에서는 경위들과 민주당, 민주노동당 소속 국회의원, 당직자, 보좌직원 사이에 물리적 소요사태가 발생하였으며, 청구인들은 앞서 피청구인 외통위 위원장이 공지한 회의 시각보다 일찍 또는 정각에 회의장 입구에 도착하였으나, 회의장 출입문이 폐쇄되어 회의장에 입장하지 못하였다.

피청구인 외통위 위원장은 2008. 12. 18. 14:00경 외통위 회의실(국회본청 401호)에서 총 29인의 외통위 위원 중 한나라당 소속 위원 11인만 출석한 상태에서 이 사건 회의를 개의하여 이 사건 동의안의 상정, 제안설명, 검토보고(서면대체), 대체토론 순으로 회의를 진행한 후 이 사건 동의안을 법안심사소위원회에 회부하였고, 14:03경에 정회를 선포한 다음, 14:05경 한나라당 소속 위원들과 함께 퇴장하였으며, 이후 회의는 속개되지 아니하였다.

이에 청구인들은 위와 같이 피청구인 외통위 위원장이 회의장의 출입문이 폐쇄된 상태에서 이 사건 회의를 개의하여 이 사건 동의안을 외통위에 상정한 행위 및 이 사건 동의안을 법안심사소위원회로 회부한 행위(이하 '이 사건 상정·회부행위'라 한다)로 말미암아 헌법 및 국회법에 의해 부여된 청구인들의 의안 심의·표결권이 침해되었다고 주장하면서 2008. 12. 21. 위 권한침해의 확인 및 이 사건 상정·회부 행위의 무효 확인을 구하는 이 사건 권한쟁의심판을 청구하였다.

> **주문**

1. 청구인들의 피청구인 국회의장에 대한 심판청구를 모두 각하한다.
2. 피청구인 국회 외교통상통일위원회 위원장이 2008. 12. 18. 14:00경 국회 본청 401호 외교통상통일위원회 회의실 출입문을 폐쇄한 상태로 위 회의실에서 제279회 국회임시회 제2차 외교통상통일위원회 전체회의를 개의하여 '대한민국과 미합중국 간의 자유무역협정' 비준동의안을 상정한 행위 및 위 비준동의안을 법안심사소위원회로 회부한 행위는 청구인들의 위 비준동의안 심의권을 침해한 것이다.
3. 청구인들의 피청구인 국회 외교통상통일위원회 위원장에 대한 위 비준동의안 상정행위 및 법안심사소위원회로의 회부행위에 관한 무효확인청구를 모두 기각한다.

I 이 사건 권한쟁의심판의 적법 여부에 대한 판단

1. 피청구인 국회의장에 대한 심판청구의 적법 여부

권한쟁의심판에 있어서는 처분 또는 부작위를 야기한 기관으로서 법적 책임을 지는 기관만이 피청구인적격을 가지므로, 권한쟁의심판청구는 이들 기관을 상대로 제기하여야 한다. 피청구인 외통위 위원장은 외통위 의사절차의 주재자로서 질서유지권(국회법 제49조 제1항, 제145조), 의사정리권(국회법 제49조 제1항, 제2항, 제52조, 제53조 제4항 등)의 귀속주체이므로 이 사건 심판청구의 피청구인적격이 인정될 것이나, 피청구인 국회의장에게 피청구인적격이 있다고 인정할 것인지는 따로 검토할 필요가 있다.

청구인들은 상임위원회 위원장이 위원회를 대표해서 의안을 심의하는 권한은 국회의장의 권한을 위임받은 것이므로, 국회의장도 피청구인적격이 있다고 주장한다.

살피건대, 우리나라 국회의 의안 심의는 본회의 중심이 아닌 소관 상임위원회 중심으로 이루어지며, 이른바 '위원회 중심주의'를 채택하고 있다. 위원회의 역할은 국회의 예비적 심사기관으로서 회부된 안건을 심사하고 그 결과를 본회의에 보고하여 본회의의 판단자료를 제공하는 데 있다.

국회의 의결을 요하는 안건에 대하여 의장이 본회의 의결에 앞서 소관위원회에 안건을 회부하는 것은 국회의 심의권을 위원회에 위양하는 것이 아니고, 그 안건이 본회의에 최종적으로 부의되기 이전의 한 단계로서, 소관위원회가 발의 또는 제출된 의안에 대한 심사권한을 행사하여 사전심사를 할 수 있도록 소관위원회에 송부하는 행위라 할 수 있다. 상임위원회는 그 소관에 속하는 의안, 청원 등을 심사하므로, 국회의장이 안건을 위원회에 회부함으로써 상임위원회에 심사권이 부여되는 것이 아니고, 심사권 자체는 법률상 부여된 위원회의 고유한 권한으로 볼 수 있다(국회법 제36조, 제37조 참조).

따라서 국회 상임위원회 위원장이 위원회를 대표해서 의안을 심사하는 권한이 국회의장으로부터 위임된 것임을 전제로 한 국회의장에 대한 이 사건 심판청구는 피청구인적격이 없는 자를 상대로 한 청구로서 부적법하다.

결국, 청구인들의 국회의장에 대한 이 사건 심판청구는 부적법하므로, 관여 재판관 전원의 일치된 의견으로 이를 모두 각하하기로 한다(이하, 단순히 '피청구인'이라 함은 '피청구인 외통위 위원장'을 가리키는 것이다).

2. 피청구인 외통위 위원장에 대한 심판청구의 적법 여부

피청구인은, 청구인들이 스스로 이 사건 동의안 심의권을 포기하고 민주당 당직자 등의 회의개최 방해행위를 종용하거나 방치함으로써 방해행위를 정치적으로 이용하려 하였고, 이 사건 회의에 참석하여 이 사건 동의안을 심의할 의사는 없었던 것이므로 이 사건 심판청구는 심판청구의 이익을 흠결한 것으로서 부적법하다는 취지로 주장한다.

국회의원의 의안에 대한 심의·표결권은 국민에 의하여 선출된 국가기관인 국회의원이 그 본연의 업무를 수행하기 위하여 가지고 있는 본질적 권한이라고 할 것이므로, 국회의원의 개별적인 의사에 따라 포기할 수 있는 성질의 것이 아니라 할 것이다.

또 국가기관의 권한쟁의심판 청구를 소권의 남용이라고 평가하기 위해서는, 그것이 권한쟁의심판 제도의 취지와 전혀 부합되지 않는다고 볼 극히 예외적인 사정이 인정되어야 할 것인바, 설령 청구인들 중 일부가 자신들의 정치적 의사를 관철하려는 의도로 민주당 당직자 등의 회의개최 방해행위를 종용하거나 방조하였다 하더라도, 그러한 사정만으로 이 사건 심판청구 자체가 권한쟁의심판 제도의 취지와 전혀 부합되지 않는 소권의 남용에 해당되어 심판청구의 이익이 없어 부적법하다고 볼 수는 없다.

Ⅲ 권한침해확인청구에 대한 판단

이 사건의 기본 쟁점은, 피청구인이 질서유지권을 발동하여 청구인들의 외통위 회의장 출입을 봉쇄한 상태에서 외통위 전체회의를 개의하여 이 사건 동의안을 상정한 행위 및 법안심사소위원회에 회부한 행위가 위헌 또는 위법한 것인지 여부 및 그로 인하여 청구인들의 헌법상 권한인 이 사건 동의안에 대한 심의·표결권이 침해되었는지 여부이다.

1. 이 사건 회의에 이르기까지의 경위 (생략)

2. 청구인들의 조약비준동의안에 대한 심의·표결권

가. 조약비준동의안 심의·표결권의 귀속주체

헌법 제60조 제1항은 "국회는 …… 국가나 국민에게 중대한 재정적 부담을 지우는 조약 또는 입법사항에 관한 조약의 체결·비준에 대한 동의권을 가진다."라고 규정하여 조약의 체결·비준에 대한 동의권이 국회에 있음을 천명하고 있다. 국회가 가지는 조약의 체결·비준에 대한 동의권은 조약체결·비준 동의안에 대한 심의·표결권을 포함한다 할 것이고, 국회의원의 조약체결·비준 동의안에 대한 심의·표결권은 비록 헌법에는 이에 관한 명문의 규정이 없지만 의회민주주의의 원리, 조약의 체결·비준에 대한 동의권을 국회에 귀속시키고 있는 헌법 제60조 제1항, 국민에 의하여 선출되는 국회의원으로 국회를 구성한다고 규정하고 있는 헌법 제41조 제1항으로부터 당연히 도출되는 헌법상의 권한으로서, 국회의 다수파의원에게만 보장되는 것이 아니라 소수파의원과 특별한 사정이 없는 한 국회의원 개개인 모두에게 보장되는 것이라 하겠다.

나. 그런데, 이 사건 동의안은 그 내용상 ① 그 분쟁에 대하여 국내 사법권을 제한하고 전속관할을 별도로 창설하는 등 '주권의 제약에 관한 조약'이고, ② 국가와 국민에게 중대한 재정적 부담을 지우는 조약임은 물론, ③ 이로 인하여 국내법의 수정, 삭제, 입법 등을 필요로 하는 '입법 사항에 관한 조약'으로서, 헌법 제60조 제1항이 정하는 그 체결·비준에 국회의 동의를 필요로 하는 조약에 해당한다는 점에 대하여는 당사자 사이에 다툼이 없다.

따라서, 이 사건 상정·회부행위 및 이 사건 심판청구 당시 국회의원으로서 외통위 위원인 청구인들 각자에게 이 사건 동의안에 대한 심의·표결권이 인정된다 할 것이다.

3. 이 사건 질서유지권 발동의 위법 여부

피청구인이 질서유지권을 발동하여 청구인들의 회의장 출입을 봉쇄한 행위는 그와 같이 출입이 봉쇄된 상태에서 이 사건 회의를 개의하여 이루어진 이 사건 상정·회부행위가 위헌·위법하게 청구인들의 이 사건 동의안에 대한 심의·표결권을 침해하였는지 여부를 판단하기 위한 논리적 전제가 되므로 미리 살펴볼 필요가 있다.

가. 질서유지권의 헌법적 의의

국회의 권위를 지키고 원활한 회의운영을 하기 위하여는 국회의 질서가 엄격하게 유지될 필요가 있다. 국회는 다른 국가기관의 간섭을 받지 아니하고, 헌법과 법률 그리고 국회규칙에 따라 의사와 내부사항을 독자적으로 결정할 수 있는 권한, 즉 자율권을 가진다. 질서유지권은 집회 등에 관한 자율권, 내부조직에 관한 자율권, 국회규칙의 자율적 제정권(헌법 제64조 제1항), 의사에 관한 자율권, 의원신분에 관한 자율권(헌법 제64조 제2항)과 더불어 국회의 자율권의 한 내용을 이룬다.

나. 상임위원회 위원장의 질서유지권의 인정 근거 및 한계

1) 인정 근거 및 범위

국회법 제49조 제1항은 '위원장은 위원회를 대표하고 의사를 정리하며, 질서를 유지하고 사무를 감독한다.'라고 하여 위원장의 직무로서 질서유지를 규정하고 있다. 이를 구체화하여 국회법 제145조는 위원장의 회의에서의 질서유지권을 규정하고 있는바, 의원이 위원회의 회의장에서 이 법 또는 국회규칙에 위배하여 회의장의 질서를 문란하게 한 때에는 이를 경고 또는 제지할 수 있고(같은 조 제1항), 제1항의 조치에 응하지 아니한 의원이 있을 때에는 당일의 회의에서 발언함을 금지하거나 퇴장시킬 수 있으며(같은 조 제2항), 회의장이 소란하여 질서를 유지하기 곤란하다고 인정할 때에는 회의를 중지하거나 산회를 선포할 수 있다(같은 조 제3항).

2) 권한행사의 한계

상임위원회 위원장의 질서유지권은 상임위원회에서 위원들을 폭력으로부터 보호하고 안건이 원활하게 토의되게 하기 위하여 발동되는 것이므로, 위와 같은 목적을 위하여 행사되어야 하는 한계를 지닌다고 하겠다.

다. 이 사건 질서유지권 발동의 적법 여부에 대한 판단

피청구인이 회의장 출입문 폐쇄상태를 회의 개시 무렵부터 회의 종료시까지 유지함으로써 회의의 주체인 위원 등의 회의장 출석을 봉쇄하는 결과를 초래한 것은 '상임위원회 회의의 원활한 진행'이라는 사전적 질서유지권의 인정목적에 정면 배치되는 것으로서, 질서유지권 행사의 한계를 벗어난 행위로 보아야 할 것이다. 따라서 이를 정당화할 만한 특별한 사정이 있었다면 그에 대한 입증책임은 피청구인에게 부과되는 것으로 보아야 할 것이다. … 그런데 이 사건 질서유지권 발동행위 중 회의장 출입구 폐쇄상태를 이 사건 회의 개시 무렵부터 회의 종료시까지 유지한 부분은 이를 정당화할 만한 불가피한 사정이 있었다고 보기 어렵다.

따라서, 피청구인의 이 사건 질서유지권 발동행위 중 이 사건 회의 개의 무렵부터 회의가 종료될 때까지 외통위 회의장 출입문의 폐쇄상태를 유지하여 청구인들의 외통위 회의장 출석을 원천 봉쇄한 행위는 질서유지권 행사의 한계를 벗어난 행위로서 위법하다고 하지 않을 수 없다.

4. 이 사건 상정·회부행위의 위헌·위법 여부

청구인들은 피청구인의 이 사건 상정·회부행위가 의회민주주의 원리에 위배되거나 의회민주주의 원리를 구성하는 하부원리인 다수결의 원칙 및 의사공개의 원칙에 위배된다고 주장하고 있다.

가. 다수결의 원리 및 국회법 제54조 위배 여부

1) 다수결의 원리의 함의

의회민주주의원리는 국가의 정책결정에 참여할 권한을 국민의 대표기관인 의회에 유보하는 것에 그치지 않고 나아가 의사결정과정의 민주적 정당성까지 요구한다. 절차의 민주성과 공개성이 보장되어야만 민주적 정당성도 획득될 수 있다. 의회민주주의국가에서 의사절차는 공개와 이성적 토론의 원리, 합리적 결정, 다원적 개방성, 즉 토론과 다양한 고려를 통하여 의안의 내용이 변경될 가능성, 잠재적인 통제를 가능케 하는 절차의 개방성, 다수결의 원리에 따른 의결 등 여러 가지 요소에 의하여 이루어져야 하지만, 무엇보다도 중요한 요소는 헌법 제49조의 다수결의 원리와 제50조의 의사공개의 원칙이라 할 것이다.

의회민주주의의 기본원리의 하나인 다수결의 원리는 의사형성과정에서 소수파에게 토론에 참가하여 다수파의 견해를 비판하고 반대의견을 밝힐 수 있는 기회를 보장하여 다수파와 소수파가 공개적이고 합리적인 토론을 거쳐 다수의 의사로 결정한다는 데 그 정당성의 근거가 있는 것이다. 따라서 입법과정에서 소수파에게 출석할 기회조차 주지 않고 토론과정을 거치지 아니한 채 다수파만으로 단독 처리하는 것은 다수결의 원리에 의한 의사결정이라고 볼 수 없다.

헌법 제49조는 의회민주주의의 기본원리인 다수결의 원리를 선언한 것으로서 이는 단순히 재적의원 과반수의 출석과 출석의원 과반수에 의한 찬성을 형식적으로 요구하는 것에 그치지 않는다. 헌법 제49조는 국회의 의결은 통지가 가능한 국회의원 모두에게 회의에 출석할 기회가 부여된 바탕 위에 재적의원 과반수의 출석과 출석의원 과반수의 찬성으로 이루어져야 한다는 것으로 해석하여야 한다.

2) 국회법 제54조의 해석

다수결원리를 위와 같이 실질적인 원리로 이해하여 다수결의 전제로서의 토론을 포함하는 것으로 볼 경우, "위원회는 재적의원 5분의 1 이상의 출석으로 개회하고, 재적위원 과반수의 출석과 출석위원 과반수의 찬성으로 의결한다."라고 규정한 국회법 제54조의 규정은 단순히 형식적으로 국회의 의사에 있어 의사정족수, 의결에 있어 의결정족수를 충족할 것만을 요구하는 것이 아니라, 실질적으로 모든 위원회의 구성원에게 출석의 기회가 보장된 상태에서 자유로운 토론의 기회가 부여되는 것을 전제조건으로 하는 의사정족수 또는 의결정족수의 충족을 요하는 것으로 해석되어야 할 것이다.

3) 소 결 : 다수결의 원리 및 국회법 제54조에 위배

다수결의 원리를 위와 같이 볼 경우, 이 사건에서 위법한 질서유지권의 행사로 청구인들에게 회의장 출입이 원천 봉쇄된 상태에서 이 사건 회의를 개의하여 이루어진 이 사건 상정·회부행위는, 비록 의사정족수가 충족된 상태에서 이루어진 것이라 하더라도, 다수결의 원리를 규정한 헌법 제49조 혹은 다수결의 원리를 포함하는 상위 원리인 의회민주주의 원리에 위배되고, 이러한 헌법 원리를 구체적으로 구현하고 있는 법률규정으로 볼 수 있는 국회법 제54조의 규정에도 위배되는 것으로 볼 것이다.

나. 의사공개의 원칙 및 국회법 제75조 제1항 위배 여부

1) 의사공개의 원칙과 국회법 제75조 제1항

의사공개의 원칙은 민의의 전당인 국회에서의 의사진행을 공개함으로써 국민의 비판과 감시를 받게 하는 원칙이다. 이 원칙에 따라 국회 본회의뿐만 아니라 위원회의 회의도 공개되어야 한다. 헌법 제50조 제1항은 "국회의 회의는 공개한다. 다만, 출석의원 과반수의 찬성이 있거나 의장이 국가의 안전보장을 위하여 필요하다고 인정할 때에는 공개하지 아니할 수 있다."라고 규정하여 의사공개의 원칙을 천명하고 있고, 이를 받아 국회법 제75조 제1항도 "본회의는 공개한다. 다만, 의장의 제의 또는 의원 10인 이상의 연서에 의한 동의로 본회의의 의결이 있거나 의장이 각 교섭단체대표의원과 협의하여 국가의 안전보장을 위하여 필요하다고 인정할 때에는 공개하지 아니할 수 있다."고 규정하고 있다. 국회법 제71조에 따라 국회법 제75조 제1항은 상임위원회에도 준용된다.

의사공개의 원칙은 의회민주주의의 핵심적 기본원리일 뿐 아니라 대의제도의 이념에 따라 주권자인 국민이 국회의원의 의정활동을 감시하고 비판함으로써 책임정치를 실현시킬 수 있는 불가결의 전제조건이며, 공개성은 의사결정의 공정성을 담보하고 정치적 야합과 부패에 대한 방부제 역할을 한다. 의사공개의 원칙은 구체적으로는 방청의 자유, 보도의 자유, 중계방송의 자유, 회

의록 열람 공표의 자유 등을 포함한다(국회법 제149조, 제149조의2 참조). 의사공개의 구체적 실현을 위하여 국회의사의 중계방송제도를 도입하고 있다. 다만, 의장은 방청권을 발행하여 방청을 허가하며, 질서유지를 위하여 방청인수를 제한하거나 퇴장명령을 내릴 수 있다(국회법 제152조, 제154조).

2) 판 단

이 사건에서, 피청구인은 회의가 시작되기 훨씬 전인 2008. 12. 18. 08:15경 회의장의 출입문을 폐쇄하고 내부에 책상 등으로 바리케이드를 설치하게 함으로써 외통위 위원인 소수당 국회의원의 출입까지 불가능하게 한 상태에서 이 사건 회의를 개의하여 이 사건 상정·회부행위를 하였는바, 이는 의사공개의 원칙에 위배된다.

나아가, 이 사건 회의는 비공개를 위한 요건과 절차도 갖추지 아니하였다. 상임위원회 본회의를 공개하지 아니하려면 국회법 제75조 제1항 단서에 따라 상임위원회의 의결이 있거나 국가안전보장의 필요성에서 위원장과 교섭단체위원이 협의하여야 하는데, 이 사건에서 회의의 비공개를 위한 의결이나 교섭단체의 협의가 있었음을 인정할 아무런 증거가 없다.

따라서, 이 사건 상정·회부행위는 공개되지 않은 회의에서 이루어진 것이므로 의사공개의 원칙을 규정한 헌법 제50조 제1항 및 이를 구체화한 국회법 제75조 제1항에 위배된다 하겠다.

다. 소 결

살피건대, 피청구인이 질서유지권의 행사로서 이 사건 회의 개의 무렵부터 회의 종료시까지 외통위 회의장 출입문 폐쇄상태를 유지한 행위는 위법하고, 따라서, 위와 같이 질서유지권의 위법한 행사로서 이 사건 회의의 주체인 청구인들의 출입이 봉쇄된 상태에서 이 사건 회의를 개의하여 이루어진 이 사건 상정·회부행위는 헌법 제49조의 다수결의 원리, 헌법 제50조 제1항의 의사공개의 원칙과 이를 구체적으로 구현하는 국회법 제54조, 제75조 제1항에 반하는 위헌, 위법한 행위라 할 것이다.

5. 이 사건 상정·회부행위의 권한침해 여부

가. 심의권 침해 여부

위원회는 안건을 심사함에 있어서 먼저 그 취지의 설명과 전문위원의 검토보고를 듣고 대체토론과 축조심사 및 찬반토론을 거쳐 표결한다(국회법 제58조 제1항). 상임위원회는 안건을 심사함에 있어서 상설소위원회에 회부하여 이를 심사보고하도록 한다(같은 조 제2항). 위원회가 안건을 소위원회에 회부하고자 하는 때에는 제1항의 규정에 의한 대체토론이 끝난 후가 아니면 회부할 수 없다(같은 조 제3항).

대체토론은 안건에 대한 전반적인 문제점과 당부에 관한 일반적인 의견을 제시하는 것으로, 그 목적은 소위 회부 전에 소위에서 심의할 방향이나 문제점의 시정을 위한 여러 가지 수정방향을 제시해 주는 데 있다. 실질적이고 심도 있는 안건심사를 기대하기 위하여 제14대 국회의 개정국회법(1994. 6. 28.)에서 채택한 제도로서, 위원회는 대체토론을 마친 후라야만 법률안을 소위원회에 회부할 수 있다.

피청구인이 질서유지권의 위법한 행사로 이 사건 회의가 개의할 무렵부터 이 사건 회의를 종료할 때까지 회의장 출입문 폐쇄상태를 유지함으로써 청구인들은 이 사건 회의에 출석할 기회를 잃게 되었고, 그 결과 피청구인의 이 사건 동의안 상정·회부행위로 말미암아 청구인들은 이 사건 동의안 심의과정(대체토론)에 참여하지 못하게 되었다.

따라서 청구인들은 위에서 본 바와 같이 피청구인의 위헌·위법한 이 사건 상정·회부행위로 인하여 헌법에 의하여 부여받은 이 사건 동의안의 심의권을 침해당하였다 할 것이다.

나. 표결권 침해 여부

1) 청구인들은 안건을 법안심사소위원회에 회부하는 데는 상임위원회의 의결이 필요한데도 피청구인이 이 사건 회의에서 의결정족수를 갖추지 못한 상태에서 이 사건 동의안을 법안심사소위원회에 회부함으로써 청구인들의 표결권도 침해하였다고 주장한다.

그러므로, 이 사건 동의안의 소위원회 회부에 외통위의 의결이 필요한지에 관하여 보건대, 이 사건 기록과 당 재판소에 현저한 사실에 의하면, 외통위 내의 법안심사소위원회는 매 2년마다 7 내지 9인의 위원으로 구성되어 상설로 운영되어 오면서 법안 기타 의안에 관한 심사를 담당하는 국회법 제57조 제2항의 상설소위원회로 볼 수 있는바, 2000. 2. 16. 개정된 국회법 제58조 제2항에 따라 상설소위원회에의 안건회부는 필요적으로 하도록 되어 있으므로, 이 사건 동의안을 법안심사소위원회로 회부하는 데에는 외통위의 의사만으로 충분하고 외통위의 의결은 요하지 아니한다고 볼 수 있다.

또한 기록에 의하면, 외통위는 관행적으로 제17대 국회부터 조약비준동의안을 표결 없이 소위원회로 회부하여 온 사실을 인정할 수 있다.

따라서 피청구인이 안건을 법안심사소위원회로 회부함에 있어 외통위의 의결을 요한다고는 볼 수 없으므로, 의사정족수를 갖춘 상태에서 이루어진 이 사건 동의안의 법안심사소위원회 회부행위가 청구인들의 표결권을 침해한 것으로는 볼 수 없다.

2) 또한 청구인들은 국회법 제58조 제3항에 따라 대체토론 또는 대체토론의 종결 여부는 의결로 결정되어야 하는데도, 피청구인이 대체토론 종결에 대한 표결 없이 대체토론을 종결하고 이 사건 동의안을 법안심사소위원회에 회부함으로써 청구인들의 대체토론 종결 동의에 관한 표결권을 침해하였다고 주장한다.

살피건대, 국회법 제71조에 의하여 위원회에 준용되는 국회법 제108조에 따라 질의 또는 토론이 끝났을 때에는 의장이 그 종결을 선포할 수 있고, 질의 또는 토론이 다 끝나지 않은 상태에서 토론을 종결하고자 할 경우는 토론종결 동의에 따른 의결을 필요로 한다고 해석된다. 을제4호증의 기재에 의하면, 이 사건 회의에 참석한 한나라당 소속 위원들 중에 질의, 토론할 의사를 가진 위원들은 없었던 것으로 보이므로, 이 사건 회의에서 피청구인이 토론종결을 선언한 것이 국회법 제108조에 위반되는 것으로는 볼 수 없다.

따라서 피청구인이 이 사건 동의안을 법안심사소위원회에 회부한 행위가 청구인들의 토론종결동의에 관한 표결권을 침해한 것으로도 볼 수 없다.

다. 소 결

위에서 살핀 바를 종합하면, 피청구인이 회의장 출입문의 폐쇄상태를 이 사건 회의 직전부터 이 사건 회의가 종료될 때까지 위법하게 유지하여 회의의 주체인 소수당 소속 위원들의 출입을 봉쇄한 상태로 이 사건 회의를 개의하여 행한 이 사건 상정·회부행위는 다수결의 원리, 의사공개의 원칙 및 국회법 제54조, 제75조 제1항에 위배하여 청구인들의 이 사건 동의안에 대한 심의권을 침해하였다고 할 것이다. 이에 대하여는 재판관 이동흡, 재판관 목영준의 반대의견을 제외하고는 관여 재판관 전원의 의견이 일치되었다.

III 이 사건 상정·회부행위의 무효확인청구에 대한 판단

청구인들은 이 사건 상정·회부행위가 청구인들의 심의·표결권한을 침해하였다는 확인을 구하는 외에 이 사건 상정·회부행위의 무효확인을 구한다.

이 부분 청구의 인용 여부에 관하여는 아래와 같이 재판관들 사이에 의견이 나뉘었다.

1. 재판관 김희옥, 재판관 민형기, 재판관 송두환의 기각의견

이 사건 상정·회부행위는, 국회의원의 조약비준동의안 심의·표결의 전제가 되는 회의장 출석 자체를 봉쇄함으로써 의안 심의권의 한 내용을 이루는 대체토론권을 침해한 잘못이 있고, 그러한 절차상의 하자는 결코 가볍다고 할 수 없다.

그러나 헌법재판소법 제66조 제2항이 권한침해 처분의 취소나 무효확인에 관하여 헌법재판소에 재량적 판단여지를 부여하고 있는 이상, 종국결정 당시를 기준으로 현저히 공공복리에 적합하지 않은 예외적인 경우에는 행정소송에서의 사정판결의 법리를 유추 적용하여 처분의 취소나 무효확인을 하지 아니함으로써 처분의 효력을 유지하도록 할 수도 있다.

따라서, 비록 이 사건 상정·회부행위가 청구인들의 이 사건 동의안 심의권을 침해하는 중대한 하자를 지니고 있지만, 이 사건 동의안에 대한 사후의 진행경과, 현재의 제반 상황, 이 사건 상정·회부행위에 존재하는 하자가 본회의 심사에서 치유될 가능성 등을 감안하여, 이 부분 청구는 기각함이 상당하다.

2. 재판관 이강국의 기각의견

국회의 특별한 헌법적 지위와 권한, 광범위한 정치적 형성권과 형성방법을 고려한다면, 국회의 입법과정에서 발생하는 구성원 간의 권한쟁의심판에 있어서는 원칙적으로 처분이 헌법과 법률에 위반되는지 여부만을 밝혀 그 종국결정의 기속력에 의하여 국회 스스로 합헌적인 상태를 구현하도록 함으로써 손상된 헌법상의 권한질서를 회복시켜야 할 뿐, 헌법재판소법 제66조 제2항 전문에 의한 취소나 무효확인까지 나아가 국회의 정치적 과정에 적극 개입하는 것은 합당하지 않다.

3. 재판관 이공현의 기각의견

헌법재판소로서는 피청구인의 정치적 형성권을 가급적 존중하여야 하므로, 재량적 판단에 의한 무효확인 또는 취소로 처분의 효력을 직접 결정하는 것은 권한질서의 회복을 위하여 헌법적으로 요청되는 예외적인 경우에 한정되어야 한다.

이 사건의 경우, 입법절차의 하자를 다투는 권한쟁의심판과 마찬가지로 국회의 자율권을 존중하는 의미에서 헌법재판소는 원칙적으로 처분의 권한 침해만을 확인하고, 권한 침해로 인하여 야기된 위헌·위법 상태의 시정은 피청구인에게 맡겨두는 것이 바람직하다.

4. 재판관 김종대의 기각의견

이 사건 처분과 같은 입법관련 행위는 국회의 헌법상 지위(민의를 대표하는 국가최고기관)와 청구인용 정족수(헌법소원인용 정족수는 재판관 9인의 2/3인 6인이고, 권한쟁의심판 인용정족수는 의결정족수의 과반수에 지나지 아니함)의 헌법적 의미를 고려할 때, 헌법재판소가 권한쟁의심판절차로써 무효선언 내지 취소로까지 나아갈 수 있는 성질의 것이 아니고, 그렇게 나아가야 할 타당성도 없다.

5. 소 결

이 사건 상정·회부행위의 무효확인을 구하는 청구인들의 심판청구 부분에 대하여는, 재판관 조대현의 인용 의견, 재판관 이동흡, 재판관 목영준의 각하 의견이 있는 것을 제외하고, 기각 의견이 재판관 6인의 의견에 달하여 헌법재판소법 제23조 제2항이 정한 권한쟁의심판의 심판정족수를 충족한다.

따라서, 청구인들이 피청구인을 상대로 구한 이 사건 상정·회부행위에 대한 무효확인청구는 이유 없으므로 이를 모두 기각하여야 할 것이다.

2 헌법총론·통치구조론·헌법재판론

012 정보위원회 회의를 비공개하도록 규정한 국회법 조항에 관한 사건
[각하, 위헌]
— 2022. 1. 27. 선고 2018헌마1162, 2020헌바428(병합)

판시사항 및 결정요지

1. 피청구인이 정보위원회 법안심사소위원회 회의의 방청신청을 불허한 행위(이하 '이 사건 방청불허행위'라 한다)**에 대한 헌법소원 심판청구의 적법 여부(소극)**

이 사건 방청불허행위의 대상이 되었던 회의는 이미 종료되었으므로 방청불허행위에 관한 주관적 권리보호이익은 소멸하였고, 심판대상조항에 대한 심판청구의 적법성을 인정하여 본안 판단에 나아가는 이상 이 사건 방청불허행위에 대해서는 별도의 심판의 이익도 인정되지 아니하므로, 이 사건 방청불허행위에 대한 심판청구는 부적법하다.

2. 쟁 점

알 권리는 민주주의 국가에서 국정에 대한 참여를 보장하고, 인격의 자유로운 발전을 도모하며, 인간다운 생활을 확보하기 위하여 필요한 정보수집의 자유와 권리를 의미한다. 국민이 정치적 의사를 형성하기 위해서는 필요한 정보에의 접근 및 수집이 보장되어야 하고, 이러한 정보를 바탕으로 국민이 그들이 선출한 대표자의 의정활동을 파악하고 비판하는 것은 국민주권주의와 민주주의에 내재된 헌법적 요청이다. 특히 헌법 제50조 제1항에 따라 국회의 회의는 원칙적으로 공개되어야 하고, 국민은 국회의 회의의 공개를 요구할 수 있다. 그런데 심판대상조항은 명시적으로 국회 정보위원회의 회의를 공개하지 않는다고 규정하고 있으므로, 심판대상조항이 의사공개원칙을 명문으로 규정하고 있는 헌법 제50조 제1항에 반하거나 과잉금지원칙에 위배되어 청구인들의 알 권리를 침해하는지 여부가 문제된다.

3. 헌법 제50조 제1항의 의사공개원칙의 의미

헌법 제50조 제1항은 의사공개원칙을 명문으로 정하고 있다. 앞서 살펴본 바와 같이, 의사공개원칙은 의사진행의 내용과 의원의 활동을 국민에게 공개함으로써 민의에 따른 국회운영을 실천한다는 민주주의적 요청에서 유래한 것이다. 국회에서 하는 토론 및 정책결정의 과정이 공개되어야 주권자인 국민의 정치적 의사형성과 참여, 의정활동에 대한 감시와 비판이 가능할 뿐만 아니라 의사를 공개함으로써 의사결정의 공정성을 담보하고 정치적 야합이나 부패를 방지할 수 있다는 점에서, 의사공개원칙은 대의민주주의의 구체적 실현을 위한 불가결한 요소이다.

헌법 제50조 제1항은 본문에서 국회의 회의를 공개한다는 원칙을 규정하면서, 단서에서 '출석의원 과반수의 찬성이 있거나 의장이 국가의 안전보장을 위하여 필요하다고 인정할 때'에는 이를 공개하지 아니할 수 있다는 예외를 두고 있다. 이러한 헌법 제50조 제1항의 구조에 비추어 볼 때, 헌법상 의사공개원칙은 모든 국회의 회의를 항상 공개하여야 하는 것은 아니나 이를 공개하지 아니할 경우에는 헌법에서 정하고 있는 일정한 요건을 갖추어야 함을 의미하는 것이다. 또한 헌법 제50조

제1항 단서가 정하고 있는 회의의 비공개를 위한 절차나 사유는 그 문언이 매우 구체적이므로, 예외적인 비공개 사유는 문언에 따라 엄격하게 해석되어야 한다.

　이러한 점에 비추어 보면, 헌법 제50조 제1항으로부터 일체의 공개를 불허하는 절대적인 비공개가 허용된다고 볼 수는 없다. 회의의 내용이 국가안전보장에 영향을 미치지 아니하는 경우나 회의의 구성원인 출석의원 과반수가 회의의 공개에 찬성하는 경우에도 회의를 공개할 수 없도록 정하여, 국회의 회의 공개를 원천적으로 차단하는 것은 헌법 제50조 제1항의 문언에 정면으로 반하기 때문이다. 따라서 특정한 내용의 국회의 회의나 특정 위원회의 회의를 일률적으로 비공개한다고 정하면서 공개의 여지를 차단하는 것은 헌법 제50조 제1항에 부합하지 아니한다.

4. 정보위원회 회의는 공개하지 아니한다고 정하고 있는 국회법 제54조의2 제1항 본문(이하 '심판대상조항'이라 한다)이 의사공개원칙에 위배되어 청구인들의 알 권리를 침해하는지 여부(적극)

　정보위원회는 국민이 선출한 대표로 하여금 정보기관인 국가정보원의 재량의 남용, 밀행성을 통제할 수 있도록 하는 민주적 통제의 한 방법이므로, 정보위원회의 실효성을 위해서는 국가안전보장에 위험이 발생할 여지가 없는 한 회의를 공개하여 국민의 비판 또는 견제가 가능하도록 운영되어야 한다. 그럼에도 불구하고, 심판대상조항은 정보위원회의 회의 일체를 비공개 하도록 정하고 있다. 위원회의 의결로 공개할 수 있는 것도 공청회와 인사청문회뿐이어서(국회법 제54조의2 제1항 단서), 이를 제외하고는 출석한 정보위원 과반수의 찬성이 있거나, 정보위원장이 국가의 안전보장과 무관하다고 인정한 경우에도 회의를 공개할 수 없다. 이로 인해 정보위원회 활동에 대한 국민의 감시와 견제는 사실상 불가능하게 되는 바, 이는 헌법 제50조 제1항에 위배되는 것이다.

　심판대상조항이 헌법 제49조에서 정하고 있는 바에 따라 재적의원 과반수의 출석과 출석의원 과반수의 찬성으로 의결되었다는 이유만으로, 심판대상조항의 존재 자체가 헌법 제50조 제1항 단서의 '출석의원 과반수의 찬성' 요건을 충족하는 것으로 해석할 수도 없다. 헌법 제50조 제1항 단서는 번거롭더라도 개별·구체적인 회의마다 회의에 참여하는 구성원의 실질적인 합의나 회의 내용을 고려한 위원장의 결정을 통해 공개 여부를 자율적으로 정하라는 취지이다. '출석의원 과반수의 찬성' 또는 '위원장의 국가안전보장을 위해 필요하다는 결정'은 각 회의마다 충족되어야 하는 요건으로 이를 달리 해석할 여지는 없으며, 입법과정에서 재적의원 과반수의 출석과 출석의원 과반수의 찬성으로 의결되었다는 사실만으로 헌법 제50조 제1항 단서의 '출석의원 과반수의 찬성'이라는 요건이 충족되었다고 보는 것은 헌법 제50조 제1항을 장식에 불과한 것으로 만드는 해석이다. 만일 이 사건에서 심판대상조항이 의결정족수를 충족하여 의결되어 국회법으로 성립되었다는 이유로 헌법 제50조 제1항의 출석의원 과반수 찬성이라는 요건이 충족되었다고 해석하게 되면, 본회의를 포함한 모든 국회의 회의를 비공개한다는 내용의 입법이 이루어져도 출석의원 과반수 찬성이라는 요건을 충족한 것이 되어 헌법재판소로서는 이러한 입법이 헌법 제50조 제1항에 위반된다는 판단을 할 수 없게 된다. 이는 국민주권주의, 민주주의 원리에 정면으로 배치되고, 의사공개원칙을 선언한 헌법 제50조 제1항은 껍데기만 남게 될 것이다.

　이처럼 심판대상조항은 헌법 제50조 제1항에 위배되는 것으로, 과잉금지원칙 위배 여부에 대해서는 더 나아가 판단할 필요 없이 청구인들의 알 권리를 침해한다.

심판대상조항 및 관련조항

① 2018헌마1162 사건의 심판대상은 피청구인이 청구인 오○○ 등의 이 사건 회의 방청을 불허한 행위(이하 '이 사건 방청불허행위'라 한다) 및 국회법(2018. 4. 17. 법률 제15620호로 개정된 것) 제54조의2 제1항 본문이 청구인 오○○ 등의 기본권을 침해하는지 여부이고
② 2020헌바428 사건의 심판대상은 국회법(2018. 4. 17. 법률 제15620호로 개정된 것) 제54조의2 제1항 본문(이하 '심판대상조항'이라 한다)이 헌법에 위반되는지 여부이다.

【심판대상조항】

국회법(2018. 4. 17. 법률 제15620호로 개정된 것)

제54조의2(정보위원회에 대한 특례) ① 정보위원회의 회의는 공개하지 아니한다. 다만, 공청회 또는 제65조의2에 따른 인사청문회를 실시하는 경우에는 위원회의 의결로 이를 공개할 수 있다.

주문

1. 국회법(2018. 4. 17. 법률 제15620호로 개정된 것) 제54조의2 제1항 본문은 헌법에 위반된다.
2. 청구인 오○○, 강□□, 김△△, 이◆◆, 이▲▲의 나머지 심판청구를 각하한다.

013 금융소득에 대한 분리과세제도 사건 [기각]
- 1999. 11. 25. 선고 98헌마55

사건의 개요

청구인들은 은행에 금융자산을 보유하고 있는 예금주들인 바, 금융실명거래및비밀보장에관한법률 부칙 제12조가 종래 부분적으로 실시되던 금융소득종합과세제도를 폐지하고 금융소득에 대한 분리과세제도를 도입하면서 세율을 15%에서 20%로 상향조정하자, 저소득층과 중산층의 금융소득에 대한 세부담이 증가함으로써 자신들의 기본권이 침해되었다고 주장하면서 위 법률조항의 위헌확인을 구하여 1998. 2. 28. 이 사건 헌법소원심판을 청구하였다.

판시사항 및 결정요지

1. 원천징수되는 조세를 부과하는 법규정의 직접성 여부(적극) (생략)

2. 조세평등주의의 내용

조세평등주의라 함은 헌법 제11조 제1항에 규정된 평등원칙의 세법적 구현으로서, 조세의 부과와 징수를 납세자의 담세능력에 상응하여 공정하고 평등하게 할 것을 요구하며 합리적인 이유없이 특정의 납세의무자를 불리하게 차별하거나 우대하는 것을 허용하지 아니한다.

조세평등주의가 요구하는 담세능력에 따른 과세의 원칙(또는 응능부담의 원칙)은 한편으로 동일한 소득은 원칙적으로 동일하게 과세될 것을 요청하며(이른바 '수평적 조세정의'), 다른 한편으로 소득이 다른 사람들간의 공평한 조세부담의 배분을 요청한다(이른바 '수직적 조세정의').

그러나 이러한 담세능력에 따른 과세의 원칙이라 하여 예외없이 절대적으로 관철되어야 한다고 할 수 없고, 합리적 이유가 있는 경우라면 납세자간의 차별취급도 예외적으로 허용된다 할 것이다. 세법의 내용을 어떻게 정할 것인가에 관하여 입법자에게는 광범위한 형성의 자유가 인정되며, 더욱이 오늘날 조세입법자는 조세의 부과를 통하여 재정수입의 확보라는 목적 이외에도 국민경제적, 재정정책적, 사회정책적 목적달성을 위하여 여러 가지 관점을 고려할 수 있기 때문이다.

3. 수직적 조세평등의 위반 여부(소극)

담세능력의 원칙은 소득이 많으면 그에 상응하여 많이 과세되어야 한다는 것, 즉 담세능력이 큰 자는 담세능력이 작은 자에 비하여 더 많은 세금을 낼 것과, 최저생계를 위하여 필요한 경비는 과세로부터 제외되어야 한다는 최저생계를 위한 공제를 요청할 뿐 입법자로 하여금 소득세법에 있어서 반드시 누진세율을 도입할 것까지 요구하는 것은 아니다. 소득에 단순비례하여 과세할 것인지 아니면 누진적으로 과세할 것인지는 입법자의 정책적 결정에 맡겨져 있다. 그러므로 이 사건 법률조항이 소득계층에 관계없이 동일한 세율을 적용한다고 하여 담세능력의 원칙에 어긋나는 것이라 할 수 없다.

4. 수평적 조세평등의 위반 여부(소극)

분리과세하에서는 저소득층의 경우 동일한 소득계층에 속하는 납세자간에도 금융소득의 비중이 많은 납세자가 상대적으로 더 많은 세금을 부담하게 된다. 그러나 입법자는 IMF라는 절박한 경제위기를 극복하여야 한다는 국민경제적 관점에서 금융소득에 대한 분리과세를 시행하기로 정책적 결단을 내린 것이고 이 결정이 명백히 잘못되었다고 볼 수 없으므로, 금융소득의 비중이 많은 납세자가 상대적으로 불이익을 받게 된다 하더라도 이를 정당화하는 합리적인 이유가 있다고 할 것이다.

5. 헌법상의 경제질서에 대한 위반 여부(소극)

헌법은 제119조 제1항에서 "대한민국의 경제질서는 개인과 기업의 경제상의 자유와 창의를 존중함을 기본으로 한다"고 하면서, 한편으로는 제2항에서 "국가는 균형있는 국민경제의 성장 및 안정과 적정한 소득의 분배를 유지하고, 시장의 지배와 경제력의 남용을 방지하며, 경제주체간의 조화를 통한 경제의 민주화를 위하여 경제에 관한 규제와 조정을 할 수 있다"고 규정함으로써, 개인의 경제적 자유를 보장하면서도 경제에 관한 국가의 광범위한 규제와 조정을 인정하고 있다.

헌법 제119조 제2항은 국가가 경제영역에서 실현하여야 할 목표의 하나로서 "적정한 소득의 분배"를 들고 있지만, 이로부터 반드시 소득에 대하여 누진세율에 따른 종합과세를 시행하여야 할 구체적인 헌법적 의무가 조세입법자에게 부과되는 것이라고 할 수 없다. 오히려 입법자는 사회·경제정책을 시행함에 있어서 소득의 재분배라는 관점만이 아니라 서로 경쟁하고 충돌하는 여러 목표, 예컨대 "균형있는 국민경제의 성장 및 안정", "고용의 안정" 등을 함께 고려하여 서로 조화시키려고 시도하여야 하고, 끊임없이 변화하는 사회·경제상황에 적응하기 위하여 정책의 우선순위를 정할 수도 있다. 그러므로 "적정한 소득의 분배"를 무조건적으로 실현할 것을 요구한다거나 정책적으로 항상 최우선적인 배려를 하도록 요구하는 것은 아니라 할 것이다.

이 사건 법률조항은 "적정한 소득의 분배"만이 아니라 "균형있는 국민경제의 성장과 안정"이라는, 경우에 따라 상충할 수 있는 법익을 함께 고려하여 당시의 경제상황에 적절하게 대처하기 위하여 내린 입법적 결정의 산물로서, 그 결정이 현저히 불합리하다거나 자의적이라고 할 수 없으므로 이를 두고 헌법상의 경제질서에 위반되는 것이라고 볼 수 없다.

6. 저소득층의 인간다운 생활을 할 권리를 침해하는지 여부(소극)

소득에 대한 과세는 원칙적으로 최저생계비를 초과하는 소득에 대해서만 가능하다. 이 사건 법률조항이 비록 최저생계비는 과세되어서는 아니된다는 헌법적 요청에 대한 예외를 설정하고 있다고 할지라도, 공제제도를 두는 경우 납세자에게 돌아가는 실익에 비하여 과도한 행정적 부담이 있고 금융소득에 대한 분리과세는 한시적으로 이루어지고 있으며 여러 가지 세금우대 저축제도가 있다는 점 등 이를 정당화할 수 있는 합리적 사유가 있는 만큼 그로 인하여 저소득층의 인간다운 생활을 할 권리가 침해되었다고 보기 어렵다.

014 미디어법 등 관련 권한쟁의 사건 [인용(권한침해),기각,각하]
— 2009. 10. 29. 선고 2009헌라8,9,10(병합)

사건의 개요

1. 청구인 조승수는 진보신당 소속 국회의원, 나머지 청구인들은 민주당, 창조한국당, 민주노동당 소속 국회의원들이다.

2. 국회의장은 2009. 7. 22. 11:00경 방송법 일부개정법률안 등 언론관계 법률안을 국회 본회의에 직권 상정하였다.
   국회부의장은 같은 날 15:35경 민주당 소속 국회의원들의 출입문 봉쇄로 국회본회의장에 진입하지 못한 국회의장으로부터 의사진행을 위임받아 제283회 국회임시회 제2차 본회의의 개의를 선언한 다음, 같은 날 15:37경 '신문 등의 자유와 기능보장에 관한 법률 전부 개정법률안'(이하 '신문법 원안'이라 한다), '방송법 일부개정법률안'(이하 '방송법 원안'이라 한다), '인터넷멀티미디어 방송사업법 일부개정법률안'(이하 '인터넷멀티미디어법안'이라 한다)을 일괄 상정한다고 선언하고, 심사보고나 제안설명은 단말기 회의록, 회의자료로 대체하고 질의와 토론도 실시하지 않겠다고 하였다.

3. 먼저 신문법 원안에 대하여 한나라당 강승규 의원 외 168인이 발의한 수정안(이하 '신문법 수정안'이라 한다)에 대한 표결이 이루어진바, 재적 294인, 재석 162인, 찬성 152인, 반대 0인, 기권 10인의 표결 결과가 나오자, 국회부의장은 신문법 수정안이 가결되었으므로 '신문 등의 자유와 기능보장에 관한 법률 전부 개정법률안'은 위 수정안 부분은 수정안대로, 나머지 부분은 신문법 원안의 내용대로 가결되었다고 선포하였다(이하 가결된 수정안 부분과 원안 부분을 합하여 '신문법안'이라 한다).

4. 국회부의장은 이어 방송법 원안에 대하여 한나라당 강승규 의원 외 168인이 발의한 수정안(이하 '방송법 수정안'이라 한다)에 대하여 표결을 진행하였고, 몇 분이 경과한 후 "투표를 종료합니다."라고 선언하였으며, 곧이어 투표종료버튼이 눌러졌는데, 전자투표 전광판에는 국회 재적 294인, 재석 145인, 찬성 142인, 반대 0인, 기권 3인이라고 표시되었다.
   이에 국회부의장은 "강승규 의원 외 168인으로부터 제출된 수정안에 대해서 투표를 다시 해 주시기 바랍니다." "재석의원이 부족해서 표결 불성립되었으니 다시 투표해 주시기 바랍니다."라고 하여 다시 투표가 진행되었고, "투표 종료를 선언합니다."라고 말한 후 전자투표 게시판에 재적 294인, 재석 153인, 찬성 150인, 반대 0인, 기권 3인으로 투표 결과가 집계되자, 방송법 수정안이 가결되었으므로 '방송법 일부개정 법률안'은 수정된 부분은 수정안대로, 나머지 부분은 원안대로 가결되었다고 선포하였다(이하 가결된 수정안 부분과 원안 부분을 합하여 '방송법안'이라 한다).

5. 그 이후 인터넷멀티미디어법안에 대한 표결이 이루어졌고, 그 결과 재석 161인, 찬성 161인, 반대 0인, 기권 0인으로 표결 결과가 집계되자 국회부의장은 위 법안이 가결되었다고 선포하였다.

6. 국회부의장은 같은 날 16:12경 '금융지주회사법 일부개정법률안'(이하 '금융지주회사법 원안'이라 한다)을 상정하고, 이 안건에 대하여 박종희 의원 외 168인으로부터 수정안이 발의되었다고 밝힌 후

위 수정안(이하 '금융지주회사법 수정안'이라 한다)에 대한 표결을 실시하였고, 재석 165인 가운데 찬성 162인, 기권 3인으로 표결 결과가 집계되자, '금융지주회사법 일부개정법률안'은 수정한 부분은 수정안대로, 기타 부분은 원안대로 가결되었다고 선포하였으며(이하 가결된 수정안 부분과 원안 부분을 합하여 '금융지주회사법안'이라 한다), 같은 날 16:16경 본회의는 산회되었다.

7. 본회의 진행 당시 국회본회의장 의장석 주변에는 국회 경위들과 한나라당 소속 의원들 상당수가 민주당 등 일부 야당 소속 의원들의 의장석 점거를 막기 위하여 병풍처럼 에워싸고 있었고, 일부 야당소속 의원들은 '대리투표 무효' 등의 구호를 외치며 곳곳에서 국회부의장의 의사진행을 저지하려고 하면서 한나라당 소속 의원들과 몸싸움을 벌이고 있었다.

8. 청구인 조승수는, 방송법 수정안에 대한 표결의 결과 투표에 참가한 의원수가 재적의원의 과반수에 달하지 못하여 위 법률안이 부결되었음에도 국회부의장이 동일한 법률안에 대하여 즉석에서 재투표를 실시하여 방송법안의 가결을 선포함으로써 일사부재의원칙에 반하여 국회의원인 위 청구인의 법률안 심의·표결권을 침해하였다고 주장하면서, 2009. 7. 23. 위 권한의 침해 확인과 방송법 수정안에 대한 재투표 실시 및 그에 따른 가결선포행위의 무효확인을 구하는 권한쟁의심판(2009헌라8)을 청구하였다.

9. 별지 1 기재 청구인 정세균 외 88인은 방송법 수정안에 대한 재투표 및 그 표결 결과에 따른 가결선포는 일사부재의원칙에 위반하여 위 청구인들의 법률안 심의·표결권을 침해한 것이고, 또한 신문법 수정안의 표결 과정에 권한 없는 자에 의한 표결이라는 명백한 절차적 하자가 있으며, 위 각 법률안에 대한 제안취지의 설명 절차 및 질의·토론 절차가 생략된 중대한 절차상 하자가 있으므로, 국회부의장의 위 각 법률안 가결 선포행위는 적법절차의 원칙에 위배하여 국회의원인 위 청구인들의 법률안 심의·표결권을 침해한 것이라고 주장하면서, 2009. 7. 23. 위 권한의 침해 확인 및 위 각 법률안에 대한 가결선포행위의 무효 확인을 구하는 권한쟁의심판(2009헌라9)을 청구하였다.

10. 별지 1 기재 청구인 정세균 외 88인은, 박종희 의원 외 168인이 제출한 금융지주회사법 수정안이 그 원안과는 전혀 다른 내용을 포함하고 있어 별개의 법률안임에도 수정안으로 표결되었고, 수정안에 대하여 어떠한 토의도 이루어지지 않았으며, 또한 금융지주회사법 수정안은 그 원안과는 별개로 정무위원회에 회부되어 소위원회에서 심사 중이었던 정부 제출의 개정 법률안과 동일한 것으로서 심사기일도 지정되지 않은 법안이므로 국회의장이 직권상정할 수 없음에도 직권상정하는 등 절차상 하자가 있어 위 청구인들의 심의·표결권을 침해하였다고 주장하면서, 2009. 7. 28. 위 권한의 침해 확인 및 금융지주회사법 수정안에 대한 가결선포행위의 무효 확인을 구하는 권한쟁의심판(2009헌라10)을 청구하였다.

11. 신문법안, 방송법안, 인터넷멀티미디어법안 및 금융지주회사법안은 2009. 7. 27. 정부로 이송되어 다음날인 2009. 7. 28. 국무회의에 상정되었으며, 2009. 7. 31. 공포되었다.

판시사항 및 결정요지

1. 국회의원이 국회의장의 직무를 대리하여 법률안 가결선포행위를 한 국회부의장을 상대로 위 가결선포행위가 자신의 법률안 심의·표결권을 침해하였음을 주장하여 권한쟁의심판을 청구할 수 있는지 여부(소극)

권한쟁의심판에서는 처분 또는 부작위를 야기한 기관으로서 법적 책임을 지는 기관만이 피청구인적격을 가지므로, 이 사건 심판은 의안의 상정·가결선포 등의 권한을 갖는 국회의장을 상대로 제기되어야 한다. 국회부의장은 국회의장의 직무를 대리하여 법률안을 가결선포할 수 있을 뿐(국회법 제12조 제1항), 법률안 가결선포행위에 따른 법적 책임을 지는 주체가 될 수 없으므로, 국회부의장에 대한 이 사건 심판청구는 피청구인 적격이 인정되지 아니한 자를 상대로 제기되어 부적법하다(이하, '피청구인'이라고만 표시되었을 경우 이는 국회부의장이 '피청구인 국회의장'의 직무를 대리한 것을 의미한다).

2. 가. 국회의원이 법률안 심의·표결권을 포기할 수 있는지 여부(소극)

국회의원의 법률안 심의·표결권은 국민에 의하여 선출된 국가기관으로서 국회의원이 그 본질적 임무인 입법에 관한 직무를 수행하기 위하여 보유하는 권한으로서의 성격을 갖고 있으므로 국회의원의 개별적인 의사에 따라 포기할 수 있는 것은 아니다.

나. 의사진행을 방해하거나 다른 국회의원들의 투표를 방해한 국회의원이 자신의 심의·표결권이 침해되었음을 주장하여 국회의장을 상대로 제기한 권한쟁의심판청구가 소권의 남용으로서 부적법한 것으로 볼 수 없다고 한 사례

이 사건 권한쟁의심판의 경우는 헌법상의 권한질서 및 국회의 의사결정체제와 기능을 수호·유지하기 위한 공익적 쟁송으로서의 성격이 강하므로, 청구인들 중 일부가 자신들의 정치적 의사를 관철하려는 과정에서 피청구인의 의사진행을 방해하거나 다른 국회의원들의 투표를 방해하였다 하더라도, 그러한 사정만으로 이 사건 심판청구 자체가 소권의 남용에 해당하여 부적법하다고 볼 수는 없다.

3. '신문 등의 자유와 기능보장에 관한 법률 전부개정법률안'(이하 '신문법안'이라 한다)**의 가결선포행위에 대하여**

가. 안건의 제안취지 설명 절차가 위법하여 국회의원의 심의·표결권을 침해하였는지 여부(소극)

재판관 이강국, 재판관 이공현, 재판관 조대현의 적법의견

제안취지의 설명에 관한 국회법 규정의 취지는 심의·표결에 참가할 국회의원으로 하여금 제안된 법률안의 취지와 내용을 알게 하고자 하는 것이다. 이 사건에서 국회의원들이 실제로 신문법 수정안을 표결할 때에는 법률안의 취지와 내용을 알 수 있는 상태에 있었으므로, 신문법 수정안에 대한 제안취지의 설명은 이루어졌다고 볼 것이다. 따라서 피청구인이 제안취지 설명에 관한 국회법 제93조를 위배하여 청구인들의 심의·표결권을 침해하였다고 보기는 어렵다.

재판관 민형기, 재판관 이동흡, 재판관 목영준의 적법의견

신문법 수정안이 표결개시 선언될 때 e-의안시스템에 입력되었을 뿐 아직 회의진행시스템에 입력되지 아니한 절차적 흠결이 있다. 그러나, 청구인들이 e-의안시스템에 의하여도 신문법 수정안의 내용을 파악할 수 있었고, 표결이 실질적으로 개시되기 전에 의안이 회의진행시스템에 입력된 이상, 회의장의 질서가 극도로 문란하였던 상황에서 피청구인이 위와 같은 제안취지 설명을 유효한 것으로 보고 표결 절차를 진행한 것은 국회의장의 자율적 의사진행권한범위를 벗어나지 아니하였다. 따라서 국회법 제93조에 위배되어 청구인들의 심의·표결권을 침해할 정도에 이르렀다고 보기는 어렵다.

나. 질의·토론 절차가 위법하여 국회의원의 심의·표결권을 침해하였는지 여부(적극)

> **재판관 이강국, 재판관 조대현, 재판관 김희옥, 재판관 송두환의 위법의견**
>
> 국회의 심의 절차는 의회주의 이념을 기초로 하는 국회 입법 절차의 본질적인 부분이다. 국회법 제93조도 심의 절차를 특별한 사유가 없는 한 입법 절차에서 반드시 거쳐야 할 절차로 규정하고 있고, 특히 위원회의 심사를 거치지 아니한 안건에 대하여는 본회의의 의결에 의하여도 질의·토론 절차를 생략할 수 없도록 함으로써 안건에 관한 심의가 보장되도록 하고 있다.
>
> 피청구인은 신문법안을 다른 법안들과 일괄 상정하고, 그 즉시 그에 대한 질의·토론은 실시하지 않겠다고 선언한 다음 곧바로 위원회의 심사를 거치지 않은 신문법 수정안에 대한 표결을 선포하였으며, 표결선포 후 약 11분 가량이 지난 후에야 신문법 수정안이 회의진행시스템에 입력되고, 그로부터 약 30초 후에 투표가 시작된 점 등의 회의 진행상황에 비추어보면, 청구인들이 피청구인의 표결선포 전에 질의나 토론 신청을 준비하는 것은 물리적으로 불가능하였다. 또한 국회법 제110조 제2항에 따라 표결선포 이후에는 질의·토론 자체가 허용되지 않으므로, 피청구인이 의안 내용을 사전에 제공하지 아니한 채 표결선포를 함으로써 질의 및 토론 신청의 기회는 실질적으로 봉쇄되었다.
>
> 이러한 사정을 종합하면, 피청구인이 청구인들에게 신문법 수정안에 대한 질의·토론 신청을 할 수 있는 기회를 사전에 부여하였다고 볼 수 없으므로, 이러한 상태에서 질의·토론 절차를 생략한 피청구인의 의사진행은 국회법 제93조를 위배하여 청구인들의 심의·표결권을 침해한 것이다.

> **재판관 김종대, 재판관 이동흡의 위법의견**
>
> 위원회의 심사를 거치지 않고 바로 본회의에 상정된 법률안의 경우에 국회의장이 질의·토론 신청이 있었는지 여부를 확인하거나 이를 언급도 하지 아니한 채 질의·토론을 생략하고 곧바로 표결처리에 나아가는 의사진행은 국회의장의 의사진행 권한의 한계를 넘어 청구인들의 질의·토론의 기회를 봉쇄하는 것으로서 정당화될 수 없으므로, 청구인들의 심의·표결권을 침해한 것이다.

다. 표결 절차에서, 표결의 자유와 공정이 현저히 저해되고 그로 인하여 표결 결과의 정당성에 영향을 미쳤을 개연성이 있는지 여부 및 다수결의 원칙에 위배되어 국회의원의 표결권을 침해하였는지 여부(적극)

> **재판관 이강국, 재판관 이공현, 재판관 조대현, 재판관 김희옥, 재판관 송두환의 위법의견**
>
> 헌법 제49조가 천명한 다수결의 원칙은 국회의 의사결정 과정의 합리성 내지 정당성이 확보될 것을 전제로 한 것이고, 국회의원의 법률안 표결권은 국회의 구성원으로서 자신과 다른 국회의원의 표결권이 모두 정당하게 행사되고 확인되는 과정을 거쳐 국회의 최종 의사로 확정되는 국회입법권의 근본적인 구성요소이다. 따라서 법률안에 대한 표결의 자유와 공정이 현저히 저해되고 이로 인하여 표결 결과의 정당성에 영향을 미칠 개연성이 인정되는 경우라면, 그러한 표결 절차는 헌법 제49조 및 국회법 제109조가 규정한 다수결 원칙의 대전제에 반하는 것으로서 국회의원의 법률안 표결권을 침해한다.
>
> 신문법 수정안 표결 전후의 무질서하였던 회의장 상황 및 현행 전자투표 방식의 맹점 등을 고려할 때, 피청구인으로서는 표결과정에서 요구되는 최소한의 질서를 확보하고 위법한 투표행위나 투표 방해행위를 제지하는 등의 조치를 취하였어야 함에도 그러지 못한 결과, 신문법 수정안에 대한 표결 과정에 권한 없는 자에 의한 임의의 투표행위, 위법한 무권 또는 대리투표행위로 의심받을 만한 여러 행위, 투표방해 또는 반대 투표행위 등 정상적인 절차에서 나타날 수 없는 투표행위가 다수 확인되는바, 신문법 수정안에 대한 표결 절차는 자유와 공정이 현저히 저해되었다.

신문법 수정안 표결 전후 상황, 위법의 의심이 있는 투표행위의 횟수 및 정도 등을 종합하면, 신문법 수정안의 표결 결과는 극도로 무질서한 상황에서 발생한 위법한 투표행위, 정당한 표결권 행사에 의한 것인지를 객관적으로 가릴 수 없는 다수의 투표행위들이 그대로 반영된 것으로서, 표결과정의 현저한 무질서와 불합리 내지 불공정이 표결 결과의 정당성에 영향을 미쳤을 개연성이 있다.

결국, 피청구인의 신문법안 가결선포행위는 헌법 제49조 및 국회법 제109조의 다수결 원칙에 위배되어 청구인들의 표결권을 침해한 것이다.

4. '방송법 일부개정법률안'(이하 '방송법안'이라 한다)의 가결선포행위에 대하여

가. 안건의 제안취지 설명 절차가 위법하여 국회의원의 심의·표결권을 침해하였는지 여부(소극)

방송법안의 경우 의안이 회의진행시스템에 입력된 후 법률안에 대한 표결이 선포되었고 그러한 상태가 표결 종료 시까지 유지되어 있었으므로, 국회법 규정이 요구하는 의안에 대한 제안취지 설명은 이루어졌다고 볼 것이다.

나. 질의·토론 절차가 위법하여 국회의원의 심의·표결권을 침해하였는지 여부(소극)

재판관 이강국, 재판관 이공현, 재판관 김희옥, 재판관 민형기, 재판관 목영준의 적법의견

피청구인이 방송법 원안을 상정하면서 회의를 정상적으로 진행할 수 없는 상황임을 들어 질의·토론을 실시하지 않겠다고 말하였다 하더라도 질의나 토론을 할 의원이 있는 경우 피청구인에게 임의로 질의·토론을 생략할 권한이 없는 이상, 그러한 발언이 있었다는 이유만으로 청구인들이 질의·토론을 신청할 수 없었다고는 할 수 없는바, 방송법 수정안은 15:37 국회의 e-의안시스템에 입력되고 15:55 회의진행시스템에 입력되었으며 그로부터 3분이 경과한 15:58 표결이 선포되었으므로, 청구인들은 표결이 선포되기 전에 피청구인에게 질의나 토론을 신청할 기회가 충분히 있었다고 할 것이다.

그런데 이 사건 본회의 회의록을 보아도 위 법안에 대하여 질의나 토론 신청을 한 의원이 있었음을 확인할 수 없는바, 이처럼 방송법 원안이나 수정안에 대한 질의나 토론 신청이 있었다는 점이 명백하지 않은 이상, 질의나 토론 신청이 없는 것으로 판단하고 의사를 진행한 피청구인의 판단은 존중되어야 한다.

또한 이 사건 당일 장내가 소란하여 의사진행이 정상적으로 이루어질 수 없는 상황이었으므로, 피청구인이 위 각 법률안에 대한 표결에 앞서 질의·토론 신청의 유무를 적극적으로 확인하는 발언을 하지 않았더라도, 그것이 국회법 제93조에 위배된 것으로 보기는 어렵다.

다. 표결 절차에서 일사부재의의 원칙에 위배하여 국회의원의 심의·표결권을 침해하였는지 여부(적극)

재판관 조대현, 재판관 김종대, 재판관 민형기, 재판관 목영준, 재판관 송두환의 위법의견

헌법 제49조 및 국회법 제109조는 의결정족수에 관하여 일부 다른 입법례와는 달리, 의결을 위한 출석정족수와 찬성정족수를 병렬적으로 규정하고 있고, '재적의원 과반수의 출석'과 '출석의원의 과반수의 찬성'이라는 규정의 성격이나 흠결의 효력을 별도로 구분하여 규정하고 있지 아니하다.

국회의원이 특정 의안에 반대하는 경우 회의장에 출석하여 반대투표하는 방법 뿐만 아니라 회의에 불출석하는 방법으로도 반대 의사를 표시할 수 있으므로, '재적의원 과반수의 출석'과 '출석의원 과반수의 찬성'의 요건이 국회의 의결에 대하여 가지는 의미나 효력을 달리 할 이유가 없다.

전자투표에 의한 표결의 경우 국회의장의 투표종료선언에 의하여 투표 결과가 집계됨으로써 안건에 대한 표결 절차는 실질적으로 종료되므로, 투표의 집계 결과 출석의원 과반수의 찬성에 미달한 경우는 물론 재적의원 과반수의 출석에 미달한 경우에도 국회의 의사는 부결로 확정되었다고 볼 수밖에 없다.

결국 방송법 수정안에 대한 1차 투표가 종료되어 재적의원 과반수의 출석에 미달되었음이 확인된 이상, 방송법 수정안에 대한 국회의 의사는 부결로 확정되었다고 보아야 하므로, 피청구인이 이를 무시하고 재표결을 실시하여 그 표결 결과에 따라 방송법안의 가결을 선포한 행위는 일사부재의 원칙(국회법 제92조)에 위배하여 청구인들의 표결권을 침해한 것이다.

5. '인터넷멀티미디어 방송사업법 일부개정법률안'(이하 '인터넷멀티미디어법안'이라 한다) 및 '금융지주회사법 일부개정법률안'(이하 '금융지주회사법안'이라 한다)의 가결선포행위에 대하여

가. 안건의 제안취지 설명 및 질의·토론 절차가 위법하여 국회의원의 심의·표결권을 침해하였는지 여부(소극)

앞서 방송법안에 대한 판단[4-(가), (나)]에서 본 바와 같다.

나. 금융지주회사법 수정안이 국회법 제95조가 정한 수정동의에 해당하는지 여부(적극)

국회법상 수정안의 범위에 대한 어떠한 제한도 규정되어 있지 않은 점과 국회법 규정에 따른 문언의 의미상 수정이란 원안에 대하여 다른 의사를 가하는 것으로 새로 추가, 삭제 또는 변경하는 것을 모두 포함하는 개념이라는 점에 비추어, 어떠한 의안으로 인하여 원안이 본래의 취지를 잃고 전혀 다른 의미로 변경되는 정도에까지 이르지 않는다면 이를 국회법상의 수정동의에 해당하는 것으로 볼 수 있다.

6. 신문법안 가결선포행위에 대한 무효확인 청구의 인용 여부(소극)

재판관 민형기, 재판관 목영준의 기각의견

앞서 본 바와 같이 신문법안 가결선포행위가 청구인들의 법률안 심의·표결권을 침해한 것으로 볼 수는 없으므로, 위 가결선포행위가 청구인들의 심의·표결권을 침해함을 전제로 구하는 무효확인 청구는 나아가 판단할 필요 없이 이유 없다.

재판관 이강국, 재판관 이공현의 기각의견

권한쟁의심판 결과 드러난 위헌·위법 상태를 제거함에 있어 헌법재판소는 피청구인의 정치적 형성권을 가급적 존중하여야 하므로, 재량적 판단에 의한 무효확인 또는 취소로 처분의 효력을 직접 결정하는 것은 권한질서의 회복을 위하여 헌법적으로 요청되는 예외적인 경우에 한정되어야 한다.

이 사건에 있어서도 국회의 입법에 관한 자율권을 존중하는 의미에서 헌법재판소는 처분의 권한 침해만을 확인하고, 권한 침해로 인하여 야기된 위헌·위법상태의 시정은 피청구인에게 맡겨 두는 것이 바람직하다.

재판관 김종대의 기각의견

피청구인의 가결선포행위가, 무효나 취소소송의 대상이 될 수 있는 행정처분의 성격을 갖는 경우가 아닌 한, 국회의 법률제정과정에서 비롯된 국회의원과 국회의장 사이의 이 사건 권한쟁의심판사건에 있어서 헌법재판소의 권한쟁의심판권은 피청구인이 청구인들의 심의·표결권을 침해하였는지 여부를 확인하는 것에 그치고, 그 후 법률안 가결선포행위의 효력에 대한 사후의 조치는 오직 국회의 자율적 의사결정에 의하여 해결할 영역에 속한다.

재판관 이동흡의 기각 의견

이 사건 각 법률안 가결선포행위의 무효 여부는 그것이 입법 절차에 관한 헌법의 규정을 명백히 위반한 흠이 있는지 여부에 의하여 가려져야 한다.

이 사건 신문법안은 재적의원 과반수의 출석과 출석의원 중 압도적 다수의 찬성으로 의결되었는 바, 위 법률안 의결과정에서 피청구인의 질의·토론에 관한 의사진행이 국회법 제93조에서 규정한 절차를 위반하였다 하더라도, 다수결의 원칙(헌법 제49조), 회의공개의 원칙(헌법 제50조)등 헌법의 규정을 명백히 위반한 경우에 해당하지 아니하므로 무효라고 할 수 없다.

7. 방송법안 가결선포행위에 대한 무효확인 청구의 인용 여부(소극)

재판관 이강국, 재판관 이공현, 재판관 김희옥의 기각의견

앞서 본 바와 같이 방송법안 가결선포행위가 청구인들의 법률안 심의·표결권을 침해한 것으로 볼 수는 없으므로, 위 가결선포행위가 청구인들의 심의·표결권을 침해한 것임을 전제로 한 무효확인 청구는 나아가 판단할 필요 없이 이유 없다.

재판관 민형기, 재판관 이동흡, 재판관 목영준의 기각의견

헌법재판소법 제66조는 권한침해확인과 아울러 원인되는 처분의 취소 또는 무효확인까지 할 것인지 여부를 헌법재판소의 재량에 맡겨놓고 있는바, 우리 헌법은 국회의 의사 절차에 관한 기본원칙으로 제49조에서 '다수결의 원칙'을, 제50조에서 '회의공개의 원칙'을 각 선언하고 있으므로, 결국 법률안의 가결선포행위의 효력은 입법 절차상 위 헌법규정을 명백히 위반한 하자가 있었는지에 따라 결정되어야 할 것이다.

피청구인의 방송법안 가결선포행위는 비록 국회법을 위반하여 청구인들의 심의·표결권을 침해한 것이지만, 그 하자가 입법 절차에 관한 헌법규정을 위반하는 등 가결선포행위를 취소 또는 무효로 할 정도에 해당한다고 보기 어렵다.

재판관 김종대의 기각의견

앞서 신문법안 가결선포행위의 무효확인 청구에서 밝힌 바와 같은 이유로, 방송법안 가결선포행위의 무효확인 청구도 기각되어야 한다.

015 국회의장의 무제한토론 거부행위와 공직선거법 본회의 수정안의 가결선포행위에 관한 권한쟁의 사건 [기각]
— 2020. 5. 27. 선고 2019헌라6, 2020헌라1(병합)

판시사항 및 결정요지

1. 정당이 권한쟁의심판의 당사자능력이 있는지 여부(소극)

정당은 국민의 자발적 조직으로, 그 법적 성격은 일반적으로 사적·정치적 결사 내지는 법인격 없는 사단으로 파악된다. 비록 헌법이 특별히 정당설립의 자유와 복수정당제를 보장하고, 정당의 해산을 엄격한 요건하에서 인정하는 등 정당을 특별히 보호하고 있으나, 이는 정당이 공권력의 행사 주체로서 국가기관의 지위를 갖는다는 의미가 아니고 사인에 의해서 자유로이 설립될 수 있다는 것을 의미한다. 따라서 정당은 특별한 사정이 없는 한 권한쟁의심판절차의 당사자가 될 수는 없다.

한편, 국회법 제33조 제1항 본문은 정당이 교섭단체가 될 수 있다고 규정하고 있다. 교섭단체는 국회의 원활한 운영을 위하여 소속의원의 의사를 수렴·집약하여 의견을 조정하는 교섭창구의 역할을 하는 조직이다. 국회법상 교섭단체의 대표의원은 국회 내부의 기관 구성에 참여하거나, 의사와 관련하여 합의권이나 협의권 등 각종 권한을 부여받는바, 이는 교섭단체의 권한을 대표의원을 통해서 행사하는 것으로 볼 수 있다.

그러나 헌법은 권한쟁의심판청구의 당사자로 국회의원들의 모임인 교섭단체에 대해서 규정하고 있지 않다. 국회는 교섭단체와 같이 국회의 내부 조직을 자율적으로 구성하고 그에 일정한 권한을 부여할 수 있으나, 헌법은 국회의원들이 교섭단체를 구성하여 활동하는 것까지 예정하고 있지 아니하다. 교섭단체가 갖는 권한은 원활한 국회 의사진행을 위하여 국회법에서 인정하고 있는 권한일 뿐이다.

또한 교섭단체의 권한 침해는 교섭단체에 속한 국회의원 개개인의 심의·표결권 등 권한 침해로 이어질 가능성이 높은바, 교섭단체와 국회의장 등 사이에 분쟁이 발생하더라도 국회의원과 국회의장 등 사이의 권한쟁의심판으로 해결할 수 있다. 따라서 위와 같은 분쟁을 해결할 적당한 기관이나 방법이 없다고 할 수 없다.

이러한 점을 종합하면, 교섭단체는 그 권한침해를 이유로 권한쟁의심판을 청구할 수 없다.

위에서 본 바와 같이, 정당은 사적 결사와 국회 교섭단체로서의 이중적 지위를 가지나, 어떠한 지위에서든 헌법 제111조 제1항 제4호 및 헌법재판소법 제62조 제1항 제1호의 '국가기관'에 해당한다고 볼 수 없으므로, 권한쟁의심판의 당사자능력이 인정되지 아니한다.

따라서 청구인 자유한국당의 승계인 미래통합당의 심판청구는 청구인능력이 없는 자가 제기한 것으로서 모두 부적법하다.

2. 피청구인 국회가 선거제도에 관한 공직선거법을 개정한 행위가 국회의원들의 법률안 심의·표결권을 침해할 가능성이 있는지 여부(소극)

권한쟁의심판은 피청구인의 처분 또는 부작위가 청구인의 권한을 침해하였거나 침해할 현저한 위험이 있는 경우에만 청구할 수 있다(헌법재판소법 제61조 제2항 참조). 피청구인 국회가 이 사건 공직선거법을 개정한 행위는 국회입법으로서 헌법재판소법 제61조 제2항의 처분에 해당하고, 따라서 권한쟁의심판의 대상이 될 수 있다.

그러나 국회의 위와 같은 입법이 권한쟁의심판의 대상이 되는 처분에 해당하더라도 이러한 처분에 대한 권한쟁의심판이 적법하기 위해서는 이것이 청구인의 권한을 침해하였거나 침해할 현저한 위험성이 있어야 한다. 그런데 이 사건 공직선거법 개정행위로 개정된 공직선거법(2020. 1. 14. 법률 제16864호)의 내용은 선거권자의 연령을 낮추고, 국회의원선거와 관련하여 부분적으로 준연동형 비례대표제를 도입하여 비례대표국회의원의 선출방식을 변경하는 등 선거와 관련된 내용만을 담고 있어, 국회의원을 선출하는 방법과 관련되어 문제될 뿐이고, 청구인 국회의원들이 침해되었다고 주장하는 법률안 심의·표결권과는 아무런 관련이 없다.

그렇다면 피청구인 국회의 이 사건 공직선거법 개정행위로 인하여 청구인 국회의원들의 법률안 심의·표결권이 침해될 가능성은 없다고 할 것이므로, 이 부분 심판청구는 부적법하다.

3. 피청구인 국회의장이 '제372회 국회(임시회) 회기결정의 건'(이하 '이 사건 회기결정의 건'이라 한다)과 관련하여 회기를 2019. 12. 11.부터 12. 25.까지 15일간으로 정하자는 윤후덕 의원 외 155인이 제출한 수정안(이하 '이 사건 회기 수정안'이라 한다)을 가결선포한 행위(이하 '이 사건 회기 수정안 가결선포행위'라 한다)가 자유한국당을 제외한 나머지 청구인들(이하 '청구인 국회의원들'이라 한다)의 심의·표결권을 침해하였는지 여부 및 그 무효 여부(소극)

가. 무제한토론제도의 취지

국회의장의 의사진행에 관한 폭넓은 재량권은 국회의 자율권의 일종이므로, 다른 국가기관은 헌법이나 법률에 명백히 위배되지 않는 한 국회의장의 의사절차 진행 행위를 존중하여야 한다.

무제한토론제도는 의결정족수를 충족할 수 있는 의원들이 다른 의원들에게 의견을 개진할 수 있는 기회조차 주지 아니한 채 의안을 일방적으로 통과시키는 것을 방지하기 위하여 도입된 것으로, 소수 의견이 개진될 수 있는 기회를 보장하면서도 안건에 대한 효율적인 심의가 이루어지도록 하려는 데에 그 입법취지가 있다.

나. '회기결정의 건'이 무제한토론의 대상인지 여부

국회의 회기란 국회가 의사와 관련된 활동을 할 수 있는 기간으로서 집회일부터 폐회일까지를 의미한다. 국회법 제7조 제1항은 "국회의 회기는 의결로 정하되, 의결로 연장할 수 있다."라고 규정하고 있고, 같은 조 제2항은 "국회의 회기는 집회 후 즉시 정하여야 한다."라고 규정하고 있다. 이는 국회의 회기가 국회 운영에서 가장 기본적인 사항에 해당하므로 국회 운영의 예측가능성을 높이고 의사를 효율적으로 진행하기 위하여, 국회의 집회일에 본회의를 개의하여 회기를 정하도록 규정한 것이다.

국회법 제7조에 따라 집회 후 즉시 의결로 국회의 회기를 정하는 것이 국회법이 예정하고 있는 국회의 정상적인 운영 방식이다. 국회가 불가피한 사정이 없음에도 불구하고 집회 후 즉시 회기를 의결하지 않는 것은 국회법 제7조에 위배되는 비정상적인 운영이라고 볼 수밖에 없다.

무제한토론제도는 다른 국회의 의사절차와 마찬가지로 국회법이 예정하고 있는 절차에 따라 국회가 정상적으로 운영되는 것을 전제로 하여 도입되었다.

국회법 제106조의2 제8항은 "무제한토론을 실시하는 중에 '해당 회기가 끝나는 경우'에는 무제한토론의 종결이 선포된 것으로 본다. 이 경우 해당 안건은 바로 다음 회기에서 지체 없이 표결하여야 한다."라고 규정하고 있다. 이는 국회가 집회 후 즉시 의결로 국회의 회기를 정하여 해당 회기의 종기가 정해져 있는 상태에서 무제한토론이 실시되는 것을 전제로 하여, 해당 회기의 종기까지만 무제한토론을 보장한 것이다.

'회기결정의 건'에 대하여 무제한토론이 실시되는 경우, 무제한토론을 할 의원이 더 이상 없거나 무제한토론의 종결동의가 가결되지 않으면, 국회가 해당 회기를 정하지 못하게 된다. 국회법 제106조의2 제8항은 무제한토론을 실시하는 중에 해당 회기가 끝나는 경우 해당 안건은 바로 다음 회기에서 지체 없이 표결하도록 규정하고 있으나, 이미 헌법 제47조 제2항에 의하여 종료된 해당 회기를 그 다음 회기에 이르러 결정할 여지는 없다. 결국 '회기결정의 건'에 대하여 무제한토론이 실시되면, 무제한토론이 '회기결정의 건'의 처리 자체를 봉쇄하는 결과가 초래된다. 이는 당초 특정 안건에 대한 처리 자체를 불가능하게 하는 것이 아니라 처리를 지연시키는 수단으로 도입된 무제한토론제도의 취지에 반할 뿐만 아니라, 국회법 제7조에도 정면으로 위반된다.

국회가 집회할 때마다 '해당 회기결정의 건'에 대하여 무제한토론이 개시되어 헌법 제47조 제2항에 따라 폐회될 때까지 무제한토론이 실시되면, 국회는 다른 안건은 전혀 심의·표결할 수 없게 되므로, 의정활동이 사실상 마비된다. 이와 같은 결과를 피하기 위해서는 국회가 매 회기에 회기를 정하는 것을 포기할 수밖에 없다. 회기를 정하지 못한 채 국회가 비정상적으로 운영되도록 하는 것이 의회정치의 정상화를 도모하고자 도입된 무제한토론제도가 의도한 바라고 볼 수는 없다.

국민의 안전이나 경제정책과 관련된 주요 법안 등 국가적으로 반드시 긴급하게 처리해야 하는 안건의 처리가 지연되면 국회가 국민의 대의기관으로서의 역할을 제대로 수행하지 못할 우려가 있다. 그런데 '회기결정의 건'이 무제한토론의 대상이라고 보면, 앞서 본 바와 같이 의정활동이 사실상 마비될 가능성이 있다. 이를 피하기 위하여 국회가 매 회기에 회기를 정하는 것을 포기하고 쟁점 안건을 먼저 상정하더라도, 정기회의 경우 100일, 임시회의 경우 30일이 넘는 기간 동안 단 한 건의 안건만을 처리할 수 있게 된다.

국회법 제106조의2 제8항은 무제한토론의 대상이 다음 회기에서 표결될 수 있는 안건임을 전제하고 있다. 그런데 '회기결정의 건'은 해당 회기가 종료된 후 소집된 다음 회기에서 표결될 수 없으므로, '회기결정의 건'이 무제한토론의 대상이 된다고 해석하는 것은 국회법 제106조의2 제8항에도 반한다.

그렇다면, '회기결정의 건'은 그 본질상 국회법 제106조의2에 따른 무제한토론의 대상이 되지 않는다고 보는 것이 타당하다.

피청구인 국회의장의 이 사건 회기 수정안 가결선포행위는 청구인 국회의원들의 심의·표결권을 침해하지 않으므로, 더 나아가 살펴볼 필요 없이 무효로 볼 수 없다.

4. 피청구인 국회의장이 2019. 12. 27. '공직선거법 일부개정법률안(심상정 의원 등 17인 발의, 의안번호 제2019985호, 이하 '이 사건 원안'이라 한다)**에 대한 수정안**[김관영 의원 외 155인, 의안번호 원안과 동일(제2019985호)-이하 '이 사건 수정안'이라 한다]**을 가결선포한 행위**(이하 '이 사건 수정안 가결선포행위'라 한다)**가 청구인 국회의원들의 법률안 심의·표결권을 침해하였는지 여부 및 그 무효 여부(소극)**

가. 쟁 점

국회법 제95조 제1항, 제5항 본문에 의한 수정동의는 본회의 심의과정에서 의안을 수정하고자 하는 경우에 안을 갖추고 이유를 붙여 의원 30명 이상(예산안의 경우 50명 이상)의 찬성자가 연서하여 미리 의장에게 제출하는 것으로서, '원안 또는 위원회에서 심사보고(제51조에 따라 위원회에서 제안하는 경우를 포함한다)한 안(이하 '원안'이라 한다)의 취지 및 내용과 직접 관련이 있을 것'을 그 요건으로 한다. 만일 제출하고자 하는 안이 '원안의 취지 및 내용과 직접 관련'이 없다면, 국회법 제95조 제4항에 따라 위원회에서 원안을 심사하는 동안에 대안으로 제출하거나, 국회법 제79조 등에 따라 새로운 의안으로 발의하여야 한다.

청구인 국회의원들은 이 사건 수정안은 이 사건 원안의 취지 및 내용과 직접 관련이 없으므로 국회법 제95조 제4항에 따라 위원회에서 원안을 심사하는 동안 대안으로 제출되었어야 함에도 불구하고, 피청구인 국회의장이 국회법 제95조 제5항 본문에 의한 적법한 수정동의로 보고 이 사건 수정안의 가결을 선포하여 청구인 국회의원들의 법률안 심의·표결권을 침해받았다고 주장한다.

따라서 이 사건 수정안 가결선포행위가 국회법 제95조 제5항 본문에 위배되어 청구인 국회의원들의 법률안 심의·표결권을 침해하였는지 여부를 살펴본다.

나. 이 사건 수정안 가결선포행위의 국회법 제95조 제5항 본문 위배 여부

국회법 제95조가 본회의에서 수정동의를 제출할 수 있도록 한 취지는 일정한 범위 내에서 국회의원이 본회의에 상정된 의안에 대한 수정의 의사를 위원회의 심사절차를 거치지 아니하고 곧바로 본회의의 심의과정에서 표시할 수 있도록 허용함으로써 의안 심의의 효율성을 제고하기 위한 것이다. 그런데 수정동의를 지나치게 넓은 범위에서 인정할 경우 국회가 의안 심의에 관한 국회운영의 원리로 채택하고 있는 위원회 중심주의를 저해할 우려가 있다. 국회법 제95조 제5항의 입법취지는 원안에 대한 위원회의 심사절차에서 심사가 이루어질 여지가 없는 경우에는 수정동의의 제출을 제한함으로써 위원회 중심주의를 공고히 하는 것이다.

국회는 안건의 심의를 위한 의사절차와 규칙을 스스로 결정할 수 있는 자율권을 갖는다. 또한 국회는 어떠한 사항에 대하여 언제, 어떻게 입법할지 여부를 스스로 판단하여 결정할 입법형성의 자유를 가지므로, 국회가 법률에 의하여 그 자율권에 속하는 사항을 스스로 정하는 것 역시 국회의 자율권의 내용에 속한다.

의안에 대한 수정동의의 범위를 정하는 것 역시 '국회의 의사에 관한 자율권'에 포함되므로, 국회법 제95조 제5항 본문을 해석할 때 앞서 본 위 조항의 입법경과 및 입법취지는 명백히 문언에 반하지 않는 한 가급적 존중되어야 한다. 또한 수정동의의 범위를 너무 좁게 해석하면 본회의에서 대화와 타협을 통한 조정 과정을 거쳐 절충안을 만드는 것이 어려워져 국회의 의사에 관한 자율권을 제약하게 되고, 국회법 제95조가 본회의에서 수정동의를 인정한 의미를 상실하게 된다는 점도 고려되어야 한다.

국회법 제95조 제5항 본문은 "제1항에 따른 수정동의는 원안 또는 위원회에서 심사보고(제51조에 따라 위원회에서 제안하는 경우를 포함한다)한 안의 취지 및 내용과 직접 관련이 있어야 한다."라고 규정하고 있다.

위 조항의 문언의 의미를 살펴보면, 수정이란 원안에 대하여 다른 의사를 가하는 것으로 새로 추가, 삭제 또는 변경하는 것을 모두 포함하는 개념이다. 의안의 취지는 의안이 달성하고자 하는 근본 목적을 의미하고, 의안의 내용은 국회의 의결을 통하여 시행하고자 하는 사항을 의미하며, 직접 관련이 있어야 한다는 것은 원안과 수정안이 바로 연결되는 관계에 있어야 한다는 것을 의미한다.

위 조항의 문언의 의미와 앞서 본 입법취지, 입법경과를 종합적으로 고려하면, 위원회의 심사를 거쳐 본회의에 부의된 법률안의 취지 및 내용과 직접 관련이 있는지 여부는 '원안에서 개정하고자 하는 조문에 관한 추가, 삭제 또는 변경으로서, 원안에 대한 위원회의 심사절차에서 수정안의 내용까지 심사할 수 있었는지 여부'를 기준으로 판단하는 것이 타당하다.

이 사건 원안과 이 사건 수정안의 개정취지는 '사표를 줄이고, 정당득표율과 의석점유율 사이의 불일치를 줄이며, 지역주의 정당체제를 극복'하는 것으로 동일하다.

이 사건 수정안 제21조 제1항은 국회의 의원정수를 변경하는 내용의 이 사건 원안 제21조 제1항을 당시 공직선거법 그대로 두는 내용으로 수정한 것이다. 이 사건 원안에 대한 위원회 심사절차에서 국회의 의원정수를 당시 공직선거법 그대로 둘 것인지, 변경할 것인지에 관하여 심사가 이루어질 수 있었다.

이 사건 수정안 중 석패율제·권역별 비례대표제 삭제 관련 조항들은 석패율제·권역별 비례대표제를 도입하기 위하여 이 사건 원안이 개정·신설한 조항들을 당시 공직선거법 그대로 두는 내용으로 수정한 것이다. 이는 실질적으로 이 사건 원안 중 일부인 석패율제·권역별 비례대표제에 대한 반대의 의사를 표시한 것인데, 원안에 대한 위원회의 심사 절차에 찬반토론이 포함되어 있으므로, 이 사건 원안에 대한 위원회의 심사절차에서 심사가 이루어질 수 있었다.

이 사건 수정안 부칙 제3조는 이 사건 원안 부칙 제3조가 정한 당헌 등의 제출 기간을 수정한 것으로, 위 제출 기간을 어떻게 정하는 것이 적정한지에 관하여 이 사건 원안에 대한 위원회 심사절차에서 심사가 이루어질 수 있었다.

이 사건 수정안 부칙 제4조는 이 사건 원안 제189조 제2항(준연동형 비례대표제)에 관하여 2020. 4. 15. 실시하는 비례대표국회의원선거에 한하여 적용되는 특례를 정한 것이다. 이 사건 원안에 대한 위원회의 심사절차에서 준연동형 비례대표제를 적용하는 범위에 관하여 심사가 이루어질 수 있었다.

앞서 살펴본 내용을 종합하여 보면, <u>이 사건 수정안은 이 사건 원안의 개정취지에 변화를 초래한 것이 아니고 이 사건 원안이 개정취지 달성을 위해 제시한 여러 입법수단 중 일부만 채택한 것에 불과한 것으로서, 이 사건 원안에 대한 위원회의 심사절차에서 이 사건 수정안의 내용까지 심사할 수도 있었으므로, 이 사건 원안의 취지 및 내용과 직접 관련성이 인정된다. 따라서 이 사건 수정안 가결선포행위는 국회법 제95조 제5항 본문에 위배되지 않는다.</u>

결국 피청구인 국회의장의 이 사건 수정안 가결선포행위는 국회법 제95조 제5항 본문에 위배되지 아니하고, 그 밖의 청구인들의 주장 또한 이유 없으므로, 청구인 국회의원들의 심의·표결권을 침해하지 않는다. 따라서 더 나아가 살펴볼 필요 없이 피청구인 국회의장의 이 사건 수정안 가결선포행위는 무효로 볼 수 없다.

016 노무현 대통령 탄핵심판 [기각]
— 2004. 5. 14. 선고 2004헌나1

판시사항

1. 탄핵심판절차에서의 헌법재판소에 의한 판단의 대상
2. 국회의 탄핵소추절차에 적법절차원칙을 직접 적용할 수 있는지 여부(소극)
3. 헌법 제65조의 탄핵심판절차의 본질
4. 헌법 제65조의 탄핵사유의 의미
5. 선거에서의 공무원의 정치적 중립의무의 헌법적 근거
6. 대통령이 공직선거및선거부정방지법(이하 '공선법'이라 한다) 제9조의 '공무원'에 해당하는지 여부(적극)
7. 기자회견에서 특정정당을 지지한 대통령의 발언이 공무원의 정치적 중립의무에 위반되는지 여부(적극)
8. 기자회견에서 특정정당을 지지한 대통령의 발언이 공무원의 선거운동금지를 규정하는 공선법 제60조에 위반되는지 여부(소극)
9. 헌법을 준수하고 수호해야 할 대통령의 의무
10. 중앙선거관리위원회의 선거법위반 결정에 대한 대통령의 행위가 헌법에 위반되는지 여부(적극)
11. 재신임 국민투표를 제안한 행위가 헌법에 위반되는지 여부(적극)
12. 대통령 측근의 권력형 부정부패와 관련하여 대통령의 법위반이 인정되는지 여부(소극)
13. 불성실한 직책수행과 경솔한 국정운영으로 인한 정국의 혼란 및 경제파탄이 탄핵심판절차의 판단대상이 되는지 여부(소극)
14. 헌법재판소법 제53조 제1항의 '탄핵심판청구가 이유 있는 때'란 중대한 법위반의 경우에 한정되는지 여부(적극)
15. '법위반의 중대성'에 관한 판단 기준
16. 대통령의 구체적인 법위반행위에 있어서 헌법질서에 역행하고자 하는 적극적인 의사를 인정할 수 없는 이 사건의 경우 파면결정을 할 것인지 여부(소극)
17. 탄핵심판절차에서 소수의견을 밝힐 수 있는지 여부(소극)

사건의 개요

국회는 2004. 3. 12. 제246회 국회(임시회) 제2차 본회의에서 유용태·홍사덕 의원 외 157인이 발의한 '대통령(노무현)탄핵소추안'을 상정하여 재적의원 271인 중 193인의 찬성으로 가결하였다. 소추위원인 국회 법제사법위원회 위원장 김기춘은 헌법재판소법 제49조 제2항에 따라 소추의결서의 정본을 같은 날 헌법재판소에 제출하여 피청구인에 대한 탄핵심판을 청구하였다.

심판대상

1. 이 사건 심판의 대상은 대통령이 직무집행에 있어서 헌법이나 법률에 위반했는지의 여부 및 대통령에 대한 파면결정을 선고할 것인지의 여부이다.
2. 헌법재판소는 사법기관으로서 원칙적으로 탄핵소추기관인 국회의 탄핵소추의결서에 기재된 소추사유에 의하여 구속을 받는다. 따라서 헌법재판소는 탄핵소추의결서에 기재되지 아니한 소추사유를 판단의 대상으로 삼을 수 없다.
그러나 탄핵소추의결서에서 그 위반을 주장하는 '법규정의 판단'에 관하여 헌법재판소는 원칙적으로 구속을 받지 않으므로, 청구인이 그 위반을 주장한 법규정 외에 다른 관련 법규정에 근거하여 탄핵의 원인이 된 사실관계를 판단할 수 있다. 또한, 헌법재판소는 소추사유의 판단에 있어서 국회의 탄핵소추의결서에서 분류된 소추사유의 체계에 의하여 구속을 받지 않으므로, 소추사유를 어떠한 연관관계에서 법적으로 고려할 것인가의 문제는 전적으로 헌법재판소의 판단에 달려있다.

주문

이 사건 심판청구를 기각한다.

I 탄핵소추의 적법여부에 관한 판단

1. 국회의 의사절차 자율권

국회는 국민의 대표기관이자 입법기관으로서 의사와 내부규율 등 국회운영에 관하여 폭넓은 자율권을 가지므로 국회의 의사절차나 입법절차에 헌법이나 법률의 규정을 명백히 위반한 흠이 있는 경우가 아닌 한, 그 자율권은 권력분립의 원칙이나 국회의 위상과 기능에 비추어 존중되어야 하며, 따라서 그 자율권의 범위 내에 속하는 사항에 관한 국회의 판단에 대하여 다른 국가기관이 개입하여 그 정당성을 가리는 것은 바람직하지 않고, 헌법재판소도 그 예외는 아니다.

또한, 국회의장은 국회법 제10조에 의거 원칙적으로 의사진행에 관한 전반적이고 포괄적인 권한과 책임이 부여되어 있으므로, 본회의의 의사절차에 다툼이 있거나 정상적인 의사진행이 불가능한 경우에 의사진행과 의사결정에 대한 방법을 선택하는 문제는 국회의장이 자율적으로 결정하여야 할 사항으로서, 이러한 국회의장의 의사진행권은 넓게 보아 국회자율권의 일종으로서 그 재량의 한계를 현저하게 벗어난 것이 아닌 한 존중되어야 하므로 헌법재판소도 이에 관여할 수 없는 것이 원칙이다.

2. 국회에서의 충분한 조사 및 심사가 결여되었다는 주장에 관하여

국회가 탄핵소추를 하기 전에 소추사유에 관하여 충분한 조사를 하는 것이 바람직하나, 국회법 제130조 제1항에 의하면 "탄핵소추의 발의가 있은 때에는 …본회의는 의결로 법제사법위원회에 회부하여 조사하게 할 수 있다."고 하여, 조사의 여부를 국회의 재량으로 규정하고 있으므로, 이 사건에서 국회가 별도의 조사를 하지 않았다 하더라도 헌법이나 법률을 위반하였다고 할 수 없다.

3. 투표의 강제, 투표내역의 공개, 국회의장의 대리투표가 이루어졌다는 주장에 관하여

한나라당과 민주당이 "탄핵소추안의 의결에 참여하지 않는 소속 국회의원들을 출당시키겠다."고 공언하였다 하더라도, 그것이 오늘날의 정당민주주의 하에서 허용되는 국회의원의 정당기속의 범위를 넘어 국회의원의 양심에 따른 표결권행사를 실질적으로 방해할 정도의 압력 또는 협박이었다고 볼 수 없다.

4. 본회의 개의시각이 무단 변경되었다는 주장에 관하여

국회법은 개의시각과 관련하여 제72조에서 "본회의는 오후 2시(토요일은 오전 10시)에 개의한다. 다만 의장은 각 교섭단체 대표의원과 협의하여 그 개의시를 변경할 수 있다."고 하여 개의시각을 변경하는 경우에는 각 교섭단체 대표의원과 협의하도록 규정하고 있다.

여기서 '협의'는 의견을 교환하고 수렴하는 절차라는 그 성질상 다양한 방식으로 이루어질 수 있으며, 그에 대한 판단과 결정은 종국적으로 국회의장에게 맡겨져 있다고 할 것인바, 이 사건의 경우 2004. 3. 12.이 지나면 시한의 경과로 탄핵소추안이 폐기됨에도 불구하고 열린우리당 소속 국회의원들의 계속된 본회의장 점거로 인하여 국회법에 따른 정상적인 의사진행을 기대하기 어려웠던 점, 2004. 3. 12. 11시 22분경 개의된 본회의에 열린우리당 소속 국회의원들을 비롯하여 대다수의 국회의원들이 회의장에 출석하고 있었던 점 등을 고려해 보면, 설사 열린우리당의 대표의원과 국회의장이 직접 협의하지 않았다 하더라도 그 점만으로 국회법 제72조에 명백히 위반된 흠이 있다거나, 열린우리당 소속 국회의원들의 심의·표결권이 침해되었다고 보기 어렵다.

5. 투표의 일방적 종료가 선언되었다는 주장에 관하여 (생략)

6. 질의 및 토론절차가 생략되었다는 주장에 관하여

국회법 제93조는 '본회의는 안건을 심의함에 있어서 질의·토론을 거쳐 표결할 것'을 규정하고 있으므로 탄핵소추의 중대성에 비추어 국회 내의 충분한 질의와 토론을 거치는 것이 바람직하다. 그러나 법제사법위원회에 회부되지 않은 탄핵소추안에 대하여 "본회의에 보고된 때로부터 24시간 이후 72시간 이내에 탄핵소추의 여부를 무기명투표로 표결한다."고 규정하고 있는 국회법 제130조 제2항을 탄핵소추에 관한 특별규정인 것으로 보아, '탄핵소추의 경우에는 질의와 토론 없이 표결할 것을 규정한 것'으로 해석할 여지가 있기 때문에, 국회의 자율권과 법해석을 존중한다면, 이러한 법해석이 자의적이거나 잘못되었다고 볼 수 없다.

7. 탄핵소추사유별로 의결하지 않았다는 주장에 관하여

탄핵소추의결은 개별 사유별로 이루어지는 것이 국회의원들의 표결권을 제대로 보장하기 위해서 바람직하나, 우리 국회법상 이에 대한 명문 규정이 없으며, 다만 제110조는 국회의장에게 표결할 안건의 제목을 선포하도록 규정하고 있을 뿐이다. 이 조항에 따르면 탄핵소추안의 안건의 제목을 어떻게 잡는가에 따라 표결범위가 달라질 수 있으므로, 여러 소추사유들을 하나의 안건으로 표결할 것인지 여부는 기본적으로 표결할 안건의 제목설정권을 가진 국회의장에게 달려있다고 판단된다. 그렇다면 이 부분 피청구인의 주장은 이유가 없다고 할 것이다.

8. 적법절차원칙에 위배되었다는 주장에 관하여

피청구인은 이 사건 탄핵소추를 함에 있어서 피청구인에게 혐의사실을 정식으로 고지하지도 않았고 의견 제출의 기회도 부여하지 않았으므로 적법절차원칙에 위반된다고 주장한다.

여기서 피청구인이 주장하는 적법절차원칙이란, 국가공권력이 국민에 대하여 불이익한 결정을 하기에 앞서 국민은 자신의 견해를 진술할 기회를 가짐으로써 절차의 진행과 그 결과에 영향을 미칠 수 있어야 한다는 법원리를 말한다. 국민은 국가공권력의 단순한 대상이 아니라 절차의 주체로서, 자신의 권리와 관계되는 결정에 앞서서 자신의 견해를 진술할 수 있어야만 객관적이고 공정한 절차가 보장될 수 있고 당사자간의 절차적 지위의 대등성이 실현될 수 있다는 것이다.

그런데 이 사건의 경우, 국회의 탄핵소추절차는 국회와 대통령이라는 헌법기관 사이의 문제이고, 국회의 탄핵소추의결에 의하여 사인으로서의 대통령의 기본권이 침해되는 것이 아니라, 국가기관으로서의 대통령의 권한행사가 정지되는 것이다. 따라서 국가기관이 국민과의 관계에서 공권력을 행사함에 있어서 준수해야 할 법원칙으로서 형성된 적법절차의 원칙을 국가기관에 대하여 헌법을 수호하고자 하는 탄핵소추절차에는 직접 적용할 수 없다고 할 것이고, 그 외 달리 탄핵소추절차와 관련하여 피소추인에게 의견진술의 기회를 부여할 것을 요청하는 명문의 규정도 없으므로, 국회의 탄핵소추절차가 적법절차원칙에 위배되었다는 주장은 이유 없다.

Ⅱ 헌법 제65조의 탄핵심판절차의 본질 및 탄핵사유

1. 탄핵심판절차는 행정부와 사법부의 고위공직자에 의한 헌법침해로부터 헌법을 수호하고 유지하기 위한 제도이다.

헌법 제65조는 행정부와 사법부의 고위공직자에 의한 헌법위반이나 법률위반에 대하여 탄핵소추의 가능성을 규정함으로써, 그들에 의한 헌법위반을 경고하고 사전에 방지하는 기능을 하며, 국민에 의하여 국가권력을 위임받은 국가기관이 그 권한을 남용하여 헌법이나 법률에 위반하는 경우에는 다시 그 권한을 박탈하는 기능을 한다. 즉, 공직자가 직무수행에 있어서 헌법에 위반한 경우 그에 대한 법적 책임을 추궁함으로써, 헌법의 규범력을 확보하고자 하는 것이 바로 탄핵심판절차의 목적과 기능인 것이다.

우리 헌법은 헌법수호절차로서의 탄핵심판절차의 기능을 이행하도록 하기 위하여, 제65조에서 탄핵소추의 사유를 '헌법이나 법률에 대한 위배'로 명시하고 헌법재판소가 탄핵심판을 관장하게 함으로써 탄핵절차를 정치적 심판절차가 아니라 규범적 심판절차로 규정하였고, 이에 따라 탄핵제도의 목적이 '정치적 이유가 아니라 법위반을 이유로 하는' 대통령의 파면임을 밝히고 있다.

2. 헌법은 제65조 제1항에서 "대통령…이 그 직무집행에 있어서 헌법이나 법률에 위배한 때에는 국회는 탄핵의 소추를 의결할 수 있다."고 하여 탄핵사유를 규정하고 있다.

　헌법 제65조에 규정된 탄핵사유를 구체적으로 살펴보면, '직무집행에 있어서'의 '직무'란, 법제상 소관 직무에 속하는 고유 업무 및 통념상 이와 관련된 업무를 말한다. 따라서 직무상의 행위란, 법령·조례 또는 행정관행·관례에 의하여 그 지위의 성질상 필요로 하거나 수반되는 모든 행위나 활동을 의미한다. 이에 따라 대통령의 직무상 행위는 법령에 근거한 행위뿐만 아니라, '대통령의 지위에서 국정수행과 관련하여 행하는 모든 행위'를 포괄하는 개념으로서, 예컨대 각종 단체·산업현장 등 방문행위, 준공식·공식만찬 등 각종 행사에 참석하는 행위, 대통령이 국민의 이해를 구하고 국가정책을 효율적으로 수행하기 위하여 방송에 출연하여 정부의 정책을 설명하는 행위, 기자회견에 응하는 행위 등을 모두 포함한다.

　헌법은 탄핵사유를 "헌법이나 법률에 위배한 때"로 규정하고 있는데, '헌법'에는 명문의 헌법규정뿐만 아니라 헌법재판소의 결정에 의하여 형성되어 확립된 불문헌법도 포함된다. '법률'이란 단지 형식적 의미의 법률 및 그와 등등한 효력을 가지는 국제조약, 일반적으로 승인된 국제법규 등을 의미한다.

III 피청구인이 직무집행에 있어서 헌법이나 법률에 위반했는지의 여부

1. 기자회견에서 특정정당을 지지한 행위(2004. 2. 18. 경인지역 6개 언론사와의 기자회견, 2004. 2. 24. 한국방송기자클럽 초청 기자회견에서의 발언)

가. 선거에서의 공무원의 정치적 중립의무

　선거에서의 공무원의 정치적 중립의무는 공무원의 지위를 규정하는 헌법 제7조 제1항, 자유선거원칙을 규정하는 헌법 제41조 제1항 및 제67조 제1항 및 정당의 기회균등을 보장하는 헌법 제116조 제1항으로부터 나오는 헌법적 요청이다.

　1) 헌법 제7조 제1항은 "공무원은 국민 전체에 대한 봉사자이며, 국민에 대하여 책임을 진다."고 하여, 공무원은 특정 정당이나 집단의 이익이 아니라 국민 전체의 복리를 위하여 직무를 행한다는 것을 규정하고 있다. 국민 전체에 대한 봉사자로서의 국가기관의 지위와 책임은 선거의 영역에서는 '선거에서의 국가기관의 중립의무'를 통하여 구체화된다. 국가기관은 모든 국민에 대하여 봉사해야 하며, 이에 따라 정당이나 정치적 세력간의 경쟁에서 중립적으로 행동해야 한다. 그러므로 국가기관이 자신을 특정 정당이나 후보자와 동일시하고 공직에 부여된 영향력과 권위를 사용하여 선거운동에서 특정 정당이나 후보자의 편에 섬으로써 정치적 세력간의 자유경쟁관계에 영향력을 행사해서는 안 된다는 것은 곧 헌법 제7조 제1항의 요청인 것이다.

　2) 헌법 제41조 제1항 및 제67조 제1항은 각 국회의원선거 및 대통령선거와 관련하여 선거의 원칙을 규정하면서 자유선거원칙을 명시적으로 언급하고 있지 않으나, 선거가 국민의 정치

적 의사를 제대로 반영하기 위해서는, 유권자가 자유롭고 개방적인 의사형성과정에서 외부로부터의 부당한 영향력의 행사 없이 자신의 판단을 형성하고 결정을 내릴 수 있어야 한다. 따라서 자유선거원칙은 선출된 국가기관에 민주적 정당성을 부여하기 위한 기본적 전제조건으로서 선거의 기본원칙에 포함되는 것이다.

자유선거원칙이란, 유권자의 투표행위가 국가나 사회로부터의 강제나 부당한 압력의 행사 없이 이루어져야 한다는 것뿐만 아니라, 유권자가 자유롭고 공개적인 의사형성과정에서 자신의 판단과 결정을 내릴 수 있어야 한다는 것을 의미한다. 이러한 자유선거원칙은 국가기관에 대해서는, 특정 정당이나 후보자와 일체감을 가지고 선거에서 국가기관의 지위에서 그들을 지지하거나 반대하는 것을 금지하는 '공무원의 중립의무'를 의미한다.

나. 공선법 제9조(공무원의 중립의무 등)의 위반 여부

공선법은 제9조에서 "공무원 기타 정치적 중립을 지켜야 하는 자는 선거에 대한 부당한 영향력의 행사 기타 선거결과에 영향을 미치는 행위를 하여서는 아니 된다."고 하여 '선거에서의 공무원의 중립의무'를 규정하고 있다.

1) 대통령이 공선법 제9조의 '공무원'에 해당하는지의 문제

공선법 제9조의 '공무원'이란, 위 헌법적 요청을 실현하기 위하여 선거에서의 중립의무가 부과되어야 하는 모든 공무원 즉, 구체적으로 '자유선거원칙'과 '선거에서의 정당의 기회균등'을 위협할 수 있는 모든 공무원을 의미한다. 그런데 사실상 모든 공무원이 그 직무의 행사를 통하여 선거에 부당한 영향력을 행사할 수 있는 지위에 있으므로, 여기서의 공무원이란 원칙적으로 국가와 지방자치단체의 모든 공무원 즉, 좁은 의미의 직업공무원은 물론이고, 적극적인 정치활동을 통하여 국가에 봉사하는 정치적 공무원을 포함한다. 다만, 국회의원과 지방의회의원은 정당의 대표자이자 선거운동의 주체로서의 지위로 말미암아 선거에서의 정치적 중립성이 요구될 수 없으므로, 공선법 제9조의 '공무원'에 해당하지 않는다.

따라서 선거에 있어서의 정치적 중립성은 행정부와 사법부의 모든 공직자에게 해당하는 공무원의 기본적 의무이다. 더욱이, 대통령은 행정부의 수반으로서 공정한 선거가 실시될 수 있도록 총괄·감독해야 할 의무가 있으므로, 당연히 선거에서의 중립의무를 지는 공직자에 해당하는 것이고, 이로써 공선법 제9조의 '공무원'에 포함된다.

2) 기자회견에서 특정정당을 지지한 대통령의 발언이 공무원의 정치적 중립의무에 위반되는지 여부

선거에 임박한 시기이기 때문에 공무원의 정치적 중립성이 어느 때보다도 요청되는 때에, 공정한 선거관리의 궁극적 책임을 지는 대통령이 기자회견에서 전 국민을 상대로, 대통령직의 정치적 비중과 영향력을 이용하여 특정 정당을 지지하는 발언을 한 것은, 대통령의 지위를 이용하여 선거에 대한 부당한 영향력을 행사하고 이로써 선거의 결과에 영향을 미치는 행위를 한 것이므로, 선거에서의 중립의무를 위반하였다.

다. 공선법 제60조(공무원의 선거운동금지) 위반여부

1) 선거운동의 개념

공선법은 제58조 제1항에서 '선거운동'의 개념을 '선거운동이라 함은 당선되거나 되게 하거나 되지 못하게 하기 위한 행위'로 정의하고 있다. 공선법은 같은 항 단서에서 '선거운동으로 보지 아니하는 행위'를 열거하고 있는데, 선거에 관한 단순한 의견개진 및 의사표시, 입후보와 선거운동을 위한 준비행위, 정당의 후보자 추천에 관한 단순 지지·반대의 의견개진 및 의사표시, 통상적인 정당활동이 이에 해당한다.

헌법재판소의 판례에 의하면, 공선법 제58조 제1항의 '선거운동'이란, 특정 후보자의 당선 내지 이를 위한 득표에 필요한 모든 행위 또는 특정 후보자의 낙선에 필요한 모든 행위 중 당선 또는 낙선을 위한 것이라는 목적의사가 객관적으로 인정될 수 있는 능동적, 계획적 행위를 말한다.

선거운동인지의 여부를 판단함에 있어서 중요한 기준은 행위의 '목적성'이며, 그 외의 '능동성'이나 '계획성' 등은 선거운동의 목적성을 객관적으로 확인하고 파악하는 데 기여하는 부차적인 요소이다. 행위자의 '목적의지'는 매우 주관적인 요소로서 그 자체로서 확인되기 어렵기 때문에, 행위의 '능동성'이나 '계획성'의 요소라는 상대적으로 '객관화될 수 있는 주관적 요소'를 통하여 행위자의 의도를 어느 정도 객관적으로 파악할 수 있는 것이다.

2) 대통령의 발언이 선거운동에 해당하는지의 여부

공선법 제58조 제1항은 '당선'의 기준을 사용하여 '선거운동'의 개념을 정의함으로써, '후보자를 특정할 수 있는지의 여부'를 선거운동의 요건으로 삼고 있다. 그러나 이 사건의 발언이 이루어진 시기인 2004. 2. 18.과 2004. 2. 24.에는 아직 정당의 후보자가 결정되지 아니하였으므로, 후보자의 특정이 이루어지지 않은 상태에서 특정 정당에 대한 지지발언을 한 것은 선거운동에 해당한다고 볼 수 없다.

뿐만 아니라, 여기서 문제되는 대통령의 발언들은 기자회견에서 기자의 질문에 대한 답변의 형식으로 수동적이고 비계획적으로 행해진 점을 감안한다면, 대통령의 발언에 선거운동을 향한 능동적 요소와 계획적 요소를 인정할 수 없고, 이에 따라 선거운동의 성격을 인정할 정도로 상당한 목적의사가 있다고 볼 수 없다. 그렇다면 피청구인의 발언이 특정 후보자나 특정 가능한 후보자들을 당선 또는 낙선시킬 의도로 능동적·계획적으로 선거운동을 한 것으로는 보기 어렵다.

2. 헌법을 준수하고 수호해야 할 의무(헌법 제66조 제2항 및 제69조)와 관련하여 문제되는 행위

가. 헌법을 준수하고 수호해야 할 대통령의 의무

헌법은 제66조 제2항에서 대통령에게 '국가의 독립·영토의 보전·국가의 계속성과 헌법을 수호할 책무'를 부과하고, 같은 조 제3항에서 '조국의 평화적 통일을 위한 성실한 의무'를 지우면서, 제69조에서 이에 상응하는 내용의 취임선서를 하도록 규정하고 있다. 헌법 제69조는 단순히 대통령의 취임선서의무만을 규정한 것이 아니라, 헌법 제66조 제2항 및 제3항에 규정된 대통령의 헌법적 책무를 구체화하고 강조하는 실체적 내용을 지닌 규정이다.

헌법 제66조 제2항 및 제69조에 규정된 대통령의 '헌법을 준수하고 수호해야 할 의무'는 헌법상 법치국가원리가 대통령의 직무집행과 관련하여 구체화된 헌법적 표현이다. '헌법을 준수하고 수호해야 할 의무'가 이미 법치국가원리에서 파생되는 지극히 당연한 것임에도, 헌법은 국가의 원수이자 행정부의 수반이라는 대통령의 막중한 지위를 감안하여 제66조 제2항 및 제69조에서 이를 다시 한번 강조하고 있다. 이러한 헌법의 정신에 의한다면, 대통령은 국민 모두에 대한 '법치와 준법의 상징적 존재'인 것이다.

이에 따라 대통령은 헌법을 수호하고 실현하기 위한 모든 노력을 기울여야 할 뿐만 아니라, 법을 준수하여 현행법에 반하는 행위를 해서는 안 되며, 나아가 입법자의 객관적 의사를 실현하기 위한 모든 행위를 해야 한다. 행정부의 법존중 의무와 법집행 의무는 행정부가 위헌적인 것으로 간주하는 법률에 대해서도 마찬가지로 적용된다. <u>위헌적인 법률을 법질서로부터 제거하는 권한은 헌법상 단지 헌법재판소에 부여되어 있으므로, 설사 행정부가 특정 법률에 대하여 위헌의 의심이 있다 하더라도, 헌법재판소에 의하여 법률의 위헌성이 확인될 때까지는 법을 존중하고 집행하기 위한 모든 노력을 기울여야 한다.</u>

나. 중앙선거관리위원회의 선거법위반 결정에 대한 대통령의 행위

대통령이 현행법을 '관권선거시대의 유물'로 폄하하고 법률의 합헌성과 정당성에 대하여 대통령의 지위에서 공개적으로 의문을 제기하는 것은 헌법과 법률을 준수해야 할 의무와 부합하지 않는다.

모든 공직자의 모범이 되어야 하는 대통령의 이러한 언행은 법률을 존중하고 준수해야 하는 다른 공직자의 의식에 중대한 영향을 미치고, 나아가 국민 전반의 준법정신을 저해하는 효과를 가져오는 등 법치국가의 실현에 있어서 매우 부정적인 영향을 미칠 수 있다. 결 론적으로, 대통령이 국민 앞에서 현행법의 정당성과 규범력을 문제삼는 행위는 법치국가의 정신에 반하는 것이자, 헌법을 수호해야 할 의무를 위반한 것이다.

다. 2003. 10. 13. 재신임 국민투표를 제안한 행위

1) 대통령이 2003. 10. 13. 국회에서 행한 '2004년도 예산안 시정연설'에서 "저는 지난주에 국민의 재신임을 받겠다는 선언을 했다.…제가 결정할 수 있는 일은 아니지만, 국민투표가 옳다고 생각한다. 법리상 논쟁이 없는 것은 아니지만 정치적 합의가 이루어지면 현행법으로도 '국가안보에 관한 사항'을 좀더 폭넓게 해석함으로써 가능할 것으로 생각한다."라고 발언하여, 같은 해 12월 중 재신임 국민투표를 실시할 것을 제안하였고, 이로 인하여 재신임 국민투표의 헌법적 허용여부에 관한 논란이 야기되었다. 결국, 신임 국민투표의 위헌성에 관한 다툼은 헌법소원의 제기로 인하여 헌법재판소의 판단을 받게 되었으나, <u>헌법재판소가 헌재 2003. 11. 27. 2003헌마694 등 결정에서 5인의 다수의견으로 '심판의 대상이 된 대통령의 행위가 법적인 효력이 있는 행위가 아니라 단순한 정치적 계획의 표명에 불과하기 때문에 공권력의 행사에 해당하지 않는다.'는 이유로 심판청구를 부적법한 것으로서 각하하였다.</u>

2) 헌법 제72조는 "대통령은 필요하다고 인정할 때에는 외교·국방·통일 기타 국가안위에 관한 중요정책을 국민투표에 붙일 수 있다."고 규정하여 대통령에게 국민투표 부의권을 부여하고

있다. 헌법 제72조는 대통령에게 국민투표의 실시 여부, 시기, 구체적 부의사항, 설문내용 등을 결정할 수 있는 임의적인 국민투표발의권을 독점적으로 부여함으로써, 대통령이 단순히 특정 정책에 대한 국민의 의사를 확인하는 것을 넘어서 자신의 정책에 대한 추가적인 정당성을 확보하거나 정치적 입지를 강화하는 등, 국민투표를 정치적 무기화하고 정치적으로 남용할 수 있는 위험성을 안고 있다. 이러한 점을 고려할 때, 대통령의 부의권을 부여하는 헌법 제72조는 가능하면 대통령에 의한 국민투표의 정치적 남용을 방지할 수 있도록 엄격하고 축소적으로 해석되어야 한다.

3) 이러한 관점에서 볼 때, 헌법 제72조의 국민투표의 대상인 '중요정책'에는 대통령에 대한 '국민의 신임'이 포함되지 않는다.

선거는 '인물에 대한 결정' 즉, 대의제를 가능하게 하기 위한 전제조건으로서 국민의 대표자에 관한 결정이며, 이에 대하여 국민투표는 직접민주주의를 실현하기 위한 수단으로서 '사안에 대한 결정' 즉, 특정한 국가정책이나 법안을 그 대상으로 한다. 따라서 국민투표의 본질상 '대표자에 대한 신임'은 국민투표의 대상이 될 수 없으며, 우리 헌법에서 대표자의 선출과 그에 대한 신임은 단지 선거의 형태로써 이루어져야 한다. 대통령이 이미 지난 선거를 통하여 획득한 자신에 대한 신임을 국민투표의 형식으로 재확인하고자 하는 것은, 헌법 제72조의 국민투표제를 헌법이 허용하지 않는 방법으로 위헌적으로 사용하는 것이다.

대통령은 헌법상 국민에게 자신에 대한 신임을 국민투표의 형식으로 물을 수 없을 뿐만 아니라, 특정 정책을 국민투표에 붙이면서 이에 자신의 신임을 결부시키는 대통령의 행위도 위헌적인 행위로서 헌법적으로 허용되지 않는다.

4) 뿐만 아니라, 헌법은 명시적으로 규정된 국민투표 외에 다른 형태의 재신임 국민투표를 허용하지 않는다. 이는 주권자인 국민이 원하거나 또는 국민의 이름으로 실시하더라도 마찬가지이다. 국민은 선거와 국민투표를 통하여 국가권력을 직접 행사하게 되며, 국민투표는 국민에 의한 국가권력의 행사방법의 하나로서 명시적인 헌법적 근거를 필요로 한다. 따라서 국민투표의 가능성은 국민주권주의나 민주주의원칙과 같은 일반적인 헌법원칙에 근거하여 인정될 수 없으며, 헌법에 명문으로 규정되지 않는 한 허용되지 않는다.

5) 결론적으로, 대통령이 자신에 대한 재신임을 국민투표의 형태로 묻고자 하는 것은 헌법 제72조에 의하여 부여받은 국민투표부의권을 위헌적으로 행사하는 경우에 해당하는 것으로, 국민투표제도를 자신의 정치적 입지를 강화하기 위한 정치적 도구로 남용해서는 안 된다는 헌법적 의무를 위반한 것이다. 물론, 대통령이 위헌적인 재신임 국민투표를 단지 제안만 하였을 뿐 강행하지는 않았으나, 헌법상 허용되지 않는 재신임 국민투표를 국민들에게 제안한 것은 그 자체로서 헌법 제72조에 반하는 것으로 헌법을 실현하고 수호해야 할 대통령의 의무를 위반한 것이다.

라. 국회의 견해를 수용하지 않은 행위

1) 대통령은 그의 지휘·감독을 받는 행정부 구성원을 임명하고 해임할 권한(헌법 제78조)을 가지고 있으므로, 국가정보원장의 임명행위는 헌법상 대통령의 고유권한으로서 법적으로 국회

인사청문회의 견해를 수용해야 할 의무를 지지는 않는다. 따라서 대통령은 국회 인사청문회의 판정을 수용하지 않음으로써 국회의 권한을 침해하거나 헌법상 권력분립원칙에 위배되는 등 헌법에 위반한 바가 없다.
2) 국회는 국무총리나 국무위원의 해임을 건의할 수 있으나(헌법 제63조), 국회의 해임건의는 대통령을 기속하는 해임결의권이 아니라, 아무런 법적 구속력이 없는 단순한 해임건의에 불과하다. 우리 헌법 내에서 '해임건의권'의 의미는, 임기 중 아무런 정치적 책임을 물을 수 없는 대통령 대신에 그를 보좌하는 국무총리·국무위원에 대하여 정치적 책임을 추궁함으로써 대통령을 간접적이나마 견제하고자 하는 것에 지나지 않는다. 헌법 제63조의 해임건의권을 법적 구속력 있는 해임결의권으로 해석하는 것은 법문과 부합할 수 없을 뿐만 아니라, 대통령에게 국회해산권을 부여하고 있지 않는 현행 헌법상의 권력분립질서와도 조화될 수 없다.
3) 결국, 대통령이 국회인사청문회의 결정이나 국회의 해임건의를 수용할 것인지의 문제는 대의기관인 국회의 결정을 정치적으로 존중할 것인지의 문제이지 법적인 문제가 아니다. 따라서 대통령의 이러한 행위는 헌법이 규정하는 권력분립구조 내에서의 대통령의 정당한 권한행사에 해당하거나 또는 헌법규범에 부합하는 것으로서 헌법이나 법률에 위반되지 아니한다.

3. 대통령 측근의 권력형 부정부패

가. 직무집행 관련성의 시간적 범위

헌법 제65조 제1항은 '대통령…이 그 직무집행에 있어서'라고 하여, 탄핵사유의 요건을 '직무'집행으로 한정하고 있으므로, 위 규정의 해석상 대통령의 직위를 보유하고 있는 상태에서 범한 법위반행위만이 소추사유가 될 수 있다고 보아야 한다. 따라서 당선 후 취임 시까지의 기간에 이루어진 대통령의 행위도 소추사유가 될 수 없다. 비록 이 시기 동안 대통령직인수에관한법률에 따라 법적 신분이 '대통령당선자'로 인정되어 대통령직의 인수에 필요한 준비작업을 할 수 있는 권한을 가지게 되나, 이러한 대통령당선자의 지위와 권한은 대통령의 직무와는 근본적인 차이가 있고, 이 시기 동안의 불법정치자금 수수 등의 위법행위는 형사소추의 대상이 되므로, 헌법상 탄핵사유에 대한 해석을 달리할 근거가 없다.

4. 불성실한 직책수행과 경솔한 국정운영으로 인한 정국의 혼란 및 경제파탄

헌법 제69조는 대통령의 취임선서의무를 규정하면서, 대통령으로서 '직책을 성실히 수행할 의무'를 언급하고 있다. 비록 대통령의 '성실한 직책수행의무'는 헌법적 의무에 해당하나, '헌법을 수호해야 할 의무'와는 달리, 규범적으로 그 이행이 관철될 수 있는 성격의 의무가 아니므로, 원칙적으로 사법적 판단의 대상이 될 수 없다고 할 것이다.

헌법 제65조 제1항은 탄핵사유를 '헌법이나 법률에 위배한 때'로 제한하고 있고, 헌법재판소의 탄핵심판절차는 법적인 관점에서 단지 탄핵사유의 존부만을 판단하는 것이므로, 이 사건에서 청구인이 주장하는 바와 같은 정치적 무능력이나 정책결정상의 잘못 등 직책수행의 성실성여부는 그 자체로서 소추사유가 될 수 없어, 탄핵심판절차의 판단대상이 되지 아니한다.

5. 소결론

대통령의 2004. 2. 18. 경인지역 6개 언론사와의 기자회견에서의 발언, 2004. 2. 24. 한국방송 기자클럽 초청 대통령 기자회견에서의 발언은 공선법 제9조의 공무원의 중립의무에 위반하였다.

2004. 3. 4. 중앙선거관리위원회의 선거법 위반결정에 대한 대통령의 행위는 법치국가이념에 위반되어 대통령의 헌법수호의무에 위반하였고, 2003. 10. 13. 대통령의 재신임 국민투표 제안행위는 헌법 제72조에 반하는 것으로 헌법수호의무에 위반하였다.

Ⅳ 피청구인을 파면할 것인지의 여부

1. 헌법재판소법 제53조 제1항의 해석

헌법은 제65조 제4항에서 "탄핵결정은 공직으로부터 파면함에 그친다."고 규정하고, 헌법재판소법은 제53조 제1항에서 "탄핵심판청구가 이유 있는 때에는 헌법재판소는 피청구인을 당해 공직에서 파면하는 결정을 선고한다."고 규정하고 있는데, 여기서 '탄핵심판청구가 이유 있는 때'를 어떻게 해석할 것인지의 문제가 발생한다.

헌법재판소법 제53조 제1항은 헌법 제65조 제1항의 탄핵사유가 인정되는 모든 경우에 자동적으로 파면결정을 하도록 규정하고 있는 것으로 문리적으로 해석할 수 있으나, 이러한 해석에 의하면 피청구인의 법위반행위가 확인되는 경우 법위반의 경중을 가리지 아니하고 헌법재판소가 파면결정을 해야 하는바, 직무행위로 인한 모든 사소한 법위반을 이유로 파면을 해야 한다면, 이는 피청구인의 책임에 상응하는 헌법적 징벌의 요청 즉, 법익형량의 원칙에 위반된다. 따라서 헌법재판소법 제53조 제1항의 '탄핵심판청구가 이유 있는 때'란, 모든 법위반의 경우가 아니라, 단지 공직자의 파면을 정당화할 정도로 '중대한' 법위반의 경우를 말한다.

2. '법위반의 중대성'에 관한 판단 기준

가. '법위반이 중대한지' 또는 '파면이 정당화되는지'의 여부는 그 자체로서 인식될 수 없는 것이므로, 결국 파면결정을 할 것인지의 여부는 공직자의 '법위반 행위의 중대성'과 '파면결정으로 인한 효과' 사이의 법익형량을 통하여 결정된다고 할 것이다. 그런데 탄핵심판절차가 헌법의 수호와 유지를 그 본질로 하고 있다는 점에서, '법위반의 중대성'이란 '헌법질서의 수호의 관점에서의 중대성'을 의미하는 것이다. 따라서 한편으로는 '법위반이 어느 정도로 헌법질서에 부정적 영향이나 해악을 미치는지의 관점'과 다른 한편으로는 '피청구인을 파면하는 경우 초래되는 효과'를 서로 형량하여 탄핵심판청구가 이유 있는지의 여부 즉, 파면여부를 결정해야 한다.

나. 대통령에 대한 파면결정은, 국민이 선거를 통하여 대통령에게 부여한 '민주적 정당성'을 임기 중 다시 박탈하는 효과를 가지며, 직무수행의 단절로 인한 국가적 손실과 국정 공백은 물론이고, 국론의 분열현상 즉, 대통령을 지지하는 국민과 그렇지 않은 국민간의 분열과 반목으로 인한 정치적 혼란을 가져올 수 있다. 따라서 대통령의 경우, 국민의 선거에 의하여

부여받은 '직접적 민주적 정당성' 및 '직무수행의 계속성에 관한 공익'의 관점이 파면결정을 함에 있어서 중요한 요소로서 고려되어야 하며, 대통령에 대한 파면효과가 이와 같이 중대하다면, 파면결정을 정당화하는 사유도 이에 상응하는 중대성을 가져야 한다.

그 결과, 대통령을 제외한 다른 공직자의 경우에는 파면결정으로 인한 효과가 일반적으로 적기 때문에 상대적으로 경미한 법위반행위에 의해서도 파면이 정당화될 가능성이 큰 반면, 대통령의 경우에는 파면결정의 효과가 지대하기 때문에 파면결정을 하기 위해서는 이를 압도할 수 있는 중대한 법위반이 존재해야 한다.

다. '대통령을 파면할 정도로 중대한 법위반이 어떠한 것인지'에 관하여 일반적으로 규정하는 것은 매우 어려운 일이나, 대통령의 직을 유지하는 것이 더 이상 헌법수호의 관점에서 용납될 수 없거나 대통령이 국민의 신임을 배신하여 국정을 담당할 자격을 상실한 경우에 한하여, 대통령에 대한 파면결정은 정당화되는 것이다.

3. 이 사건의 경우 파면결정을 할 것인지의 여부

이 사건에서 인정되는 대통령의 법위반이 헌법질서에 미치는 효과를 종합하여 본다면, 대통령의 구체적인 법위반행위에 있어서 헌법질서에 역행하고자 하는 적극적인 의사를 인정할 수 없으므로, 자유민주적 기본질서에 대한 위협으로 평가될 수 없다.

V 결 론

1. 이 심판청구는 헌법재판소법 제23조 제2항에서 요구하는 탄핵결정에 필요한 재판관 수의 찬성을 얻지 못하였으므로 이를 기각하기로 하여, 헌법재판소법 제34조 제1항, 제36조 제3항에 따라 주문과 같이 결정한다.
2. 헌법재판소법 제34조 제1항에 의하면 헌법재판소 심판의 변론과 결정의 선고는 공개하여야 하지만, 평의는 공개하지 아니하도록 되어 있다. 이 때 헌법재판소 재판관들의 평의를 공개하지 않는다는 의미는 평의의 경과뿐만 아니라 재판관 개개인의 개별적 의견 및 그 의견의 수 등을 공개하지 않는다는 뜻이다. 그러므로 개별 재판관의 의견을 결정문에 표시하기 위해서는 이와 같은 평의의 비밀에 대해 예외를 인정하는 특별규정이 있어야만 가능하다. 그런데 법률의 위헌심판, 권한쟁의심판, 헌법소원심판에 대해서는 평의의 비밀에 관한 예외를 인정하는 특별규정이 헌법재판소법 제36조 제3항에 있으나, 탄핵심판에 관해서는 평의의 비밀에 대한 예외를 인정하는 법률규정이 없다. 따라서 이 탄핵심판사건에 관해서도 재판관 개개인의 개별적 의견 및 그 의견의 수 등을 결정문에 표시할 수는 없다고 할 것이다.

017 박근혜 대통령 탄핵심판 [인용(파면)]
— 2017. 3. 10. 선고 2016헌나1

판시사항

1. 소추사유의 특정 여부(적극)
2. 국회 의결절차의 위법 여부(소극)
3. 8인 재판관에 의한 탄핵심판 결정 가부(적극)
4. 탄핵의 요건
5. 최ㅇ원의 국정개입을 허용하고 권한을 남용한 행위가 공익실현의무에 위배되는지 여부(적극)
6. 최ㅇ원의 국정개입을 허용하고 권한을 남용한 행위가 기업의 자유와 재산권을 침해하는지 여부(적극)
7. 최ㅇ원의 국정개입을 허용하고 권한을 남용한 행위가 비밀엄수의무에 위배되는지 여부(적극)
8. 공무원 임면권 남용 여부(소극)
9. 언론의 자유 침해 여부(소극)
10. 생명권 보호의무 위반 여부(소극)
11. 불성실한 직책수행이 탄핵심판절차의 판단대상이 되는지 여부(소극)
12. 피청구인을 파면할 것인지 여부(적극)

심판대상

이 사건 심판대상은 대통령이 직무집행에 있어서 헌법이나 법률을 위배했는지 여부 및 대통령에 대한 파면결정을 선고할 것인지 여부이다.

주문

피청구인 대통령 박근혜를 파면한다.

I 적법요건 판단

1. 소추사유의 특정 여부

탄핵소추사유는 그 대상 사실을 다른 사실과 명백하게 구분할 수 있을 정도의 구체적 사실이 기재되면 충분하다. 이 사건 소추의결서의 헌법 위배행위 부분은 소추사유가 분명하게 유형별로 구분되지 않은 측면이 있지만, 소추사유로 기재된 사실관계는 법률 위배행위 부분과 함께 보면 다른 소추사유와 명백하게 구분할 수 있을 정도로 충분히 구체적으로 기재되어 있다.

2. 국회 의결절차의 위법 여부

가. 국회의 의사절차에 헌법이나 법률을 명백히 위반한 흠이 있는 경우가 아니면 국회 의사절차의 자율권은 권력분립의 원칙상 존중되어야 하고, 국회법 제130조 제1항은 탄핵소추의 발의가 있을 때 그 사유 등에 대한 조사 여부를 국회의 재량으로 규정하고 있으므로, 국회가 탄핵소추사유에 대하여 별도의 조사를 하지 않았다거나 국정조사결과나 특별검사의 수사결과를 기다리지 않고 탄핵소추안을 의결하였다고 하여 그 의결이 헌법이나 법률을 위반한 것이라고 볼 수 없다.

나. 국회법에 탄핵소추안에 대하여 표결 전에 반드시 토론을 거쳐야 한다는 명문 규정은 없다. 또 이 사건 소추의결 당시 토론을 희망한 의원이 없었기 때문에 탄핵소추안에 대한 제안 설명만 듣고 토론 없이 표결이 이루어졌을 뿐, 의장이 토론을 희망하는 의원이 있었는데도 토론을 못하게 하거나 방해한 사실은 없다.

다. 탄핵소추안을 각 소추사유별로 나누어 발의할 것인지, 아니면 여러 소추사유를 포함하여 하나의 안으로 발의할 것인지는 소추안을 발의하는 의원들의 자유로운 의사에 달린 것이고, 표결방법에 관한 어떠한 명문규정도 없다.

라. 탄핵소추절차는 국회와 대통령이라는 헌법기관 사이의 문제이고, 국회의 탄핵소추의결에 따라 사인으로서 대통령 개인의 기본권이 침해되는 것이 아니다. 국가기관이 국민에 대하여 공권력을 행사할 때 준수하여야 하는 법원칙으로 형성된 적법절차의 원칙을 국가기관에 대하여 헌법을 수호하고자 하는 탄핵소추절차에 직접 적용할 수 없다.

3. 8인 재판관에 의한 탄핵심판 결정 가부

헌법재판은 9인의 재판관으로 구성된 재판부에 의하여 이루어지는 것이 원칙이다. 그러나 현실적으로는 일부 재판관이 재판에 참여할 수 없는 경우가 발생할 수밖에 없다. 이에 헌법과 헌법재판소법은 재판관 중 결원이 발생한 경우에도 헌법재판소의 헌법 수호 기능이 중단되지 않도록 7명 이상의 재판관이 출석하면 사건을 심리하고 결정할 수 있음을 분명히 하고 있다. 그렇다면 헌법재판관 1인이 결원이 되어 8인의 재판관으로 재판부가 구성되더라도 탄핵심판을 심리하고 결정하는 데 헌법과 법률상 아무런 문제가 없다.

Ⅲ 탄핵의 요건

1. 직무집행에 있어서 헌법이나 법률 위배

헌법 제65조는 대통령이 '그 직무집행에 있어서 헌법이나 법률을 위배한 때'를 탄핵사유로 규정하고 있다. 여기에서 '직무'란 법제상 소관 직무에 속하는 고유 업무와 사회통념상 이와 관련된 업무를 말하고, 법령에 근거한 행위뿐만 아니라 대통령의 지위에서 국정수행과 관련하여 행하는 모든 행위를 포괄하는 개념이다. 또 '헌법'에는 명문의 헌법규정뿐만 아니라 헌법재판소의 결정에 따라 형성되어 확립된 불문헌법도 포함되고, '법률'에는 형식적 의미의 법률과 이와 동등한 효력을 가지는 국제조약 및 일반적으로 승인된 국제법규 등이 포함된다.

2. 헌법이나 법률 위배의 중대성

헌법재판소법 제53조 제1항은 '탄핵심판 청구가 이유 있는 경우' 피청구인을 파면하는 결정을 선고하도록 규정하고 있다. 대통령을 탄핵하기 위해서는 대통령의 법 위배 행위가 헌법질서에 미치는 부정적 영향과 해악이 중대하여 대통령을 파면함으로써 얻는 헌법 수호의 이익이 대통령 파면에 따르는 국가적 손실을 압도할 정도로 커야 한다. 즉, '탄핵심판청구가 이유 있는 경우'란 대통령의 파면을 정당화할 수 있을 정도로 중대한 헌법이나 법률 위배가 있는 때를 말한다.

III 사인의 국정개입 허용과 대통령 권한 남용 여부

1. 사건의 배경 (생략)
2. 국정에 관한 문건 유출 지시·묵인 (생략)
3. 최○원의 추천에 따른 공직자 인선 (생략)
4. 케이디코퍼레이션 관련 (생략)
5. 미르와 케이스포츠 관련 (생략)
6. 플레이그라운드 관련 (생략)
7. 더블루케이 관련 (생략)
8. 직권남용권리행사 및 강요 혐의 (생략)
9. 평　가
   가. 공익실현의무 위반(헌법 제7조 제1항 등 위반) **(적극)** (생략)
   나. 기업의 자유와 재산권 침해(헌법 제15조, 제23조 제1항 등 위반) **(적극)** (생략)
   다. 비밀엄수의무 위배 **(적극)**

   국가공무원법 제60조에 따라 공무원은 직무상 알게 된 비밀을 엄수하여야 한다. 비밀엄수의무는 공무원이 국민전체에 대한 봉사자라는 지위에 기하여 부담하는 의무이다. 특히 대통령은 고도의 정책적 결정을 내리는 과정에서 중요한 국가기밀을 다수 알게 되므로, 대통령의 비밀엄수의무가 가지는 중요성은 다른 어떤 공무원의 경우보다 크고 무겁다.

IV 공무원 임면권 남용 여부 (소극) (생략)

V 언론의 자유 침해 여부 (소극) (생략)

Ⅵ 생명권 보호의무 등 위반 여부

국가는 개인이 가지는 불가침의 기본적 인권을 확인하고 이를 보장할 의무를 진다(헌법 제10조). 생명·신체의 안전에 관한 권리는 인간의 존엄과 가치의 근간을 이루는 기본권이고, 국민의 생명·신체의 안전이 위협받거나 받게 될 우려가 있는 경우 국가는 그 위험의 원인과 정도에 따라 사회·경제적 여건과 재정사정 등을 감안하여 국민의 생명·신체의 안전을 보호하기에 필요한 적절하고 효율적인 입법·행정상의 조치를 취하여 그 침해의 위험을 방지하고 이를 유지할 포괄적 의무를 진다.

피청구인은 행정부의 수반으로서 국가가 국민의 생명과 신체의 안전 보호의무를 충실하게 이행할 수 있도록 권한을 행사하고 직책을 수행하여야 하는 의무를 부담한다. 하지만 국민의 생명이 위협받는 재난상황이 발생하였다고 하여 피청구인이 직접 구조 활동에 참여하여야 하는 등 구체적이고 특정한 행위의무까지 바로 발생한다고 보기는 어렵다. 세월호 참사로 많은 국민이 사망하였고 그에 대한 피청구인의 대응조치에 미흡하고 부적절한 면이 있었다고 하여 곧바로 피청구인이 생명권 보호의무를 위반하였다고 인정하기는 어렵다.

Ⅶ 피청구인을 파면할 것인지 여부

피청구인은 최○원에게 공무상 비밀이 포함된 국정에 관한 문건을 전달했고, 공직자가 아닌 최○원의 의견을 비밀리에 국정 운영에 반영하였다. 피청구인의 이러한 위법행위는 피청구인이 대통령으로 취임한 때부터 3년 이상 지속되었다. 피청구인은 국민으로부터 위임받은 권한을 사적 용도로 남용하여 적극적·반복적으로 최○원의 사익 추구를 도와주었고, 그 과정에서 대통령의 지위를 이용하거나 국가의 기관과 조직을 동원하였다는 점에서 법 위반의 정도가 매우 중하다. 대통령은 공무 수행을 투명하게 공개하여 국민의 평가를 받아야 한다. 그런데 피청구인은 최○원의 국정 개입을 허용하면서 이 사실을 철저히 비밀에 부쳤고, 그에 관한 의혹이 제기될 때마다 이를 부인하며 의혹 제기 행위만을 비난하였다. 따라서 권력분립원리에 따른 국회 등 헌법기관에 의한 견제나 언론 등 민간에 의한 감시 장치가 제대로 작동될 수 없었다. 이와 같은 피청구인의 일련의 행위는 대의민주제의 원리와 법치주의의 정신을 훼손한 것으로서 대통령으로서의 공익실현의무를 중대하게 위반한 것이다.

결국 피청구인의 이 사건 헌법과 법률 위배행위는 국민의 신임을 배반한 행위로서 헌법수호의 관점에서 용납될 수 없는 중대한 법 위배행위라고 보아야 한다. 그렇다면 피청구인의 법 위배행위가 헌법질서에 미치게 된 부정적 영향과 파급 효과가 중대하므로, 피청구인을 파면함으로써 얻는 헌법수호의 이익이 대통령 파면에 따르는 국가적 손실을 압도할 정도로 크다고 인정된다.

Ⅷ 결 론

피청구인을 대통령직에서 파면한다.

018 국회의원 유성환의 국시론 사건
― 대법원 1992. 9. 22. 선고 91도3317 판결 [국가보안법위반]

판시사항 및 결정요지

1. 국회의원 면책특권의 대상이 되는 행위의 범위 및 판단기준

헌법 제45조는 국회의원은 국회에서 직무상 행한 발언과 표결에 관하여 국회 외에서 책임을 지지 아니한다고 규정하여 국회의원의 면책특권을 인정하고 있는바, 이는 국회의원이 국민의 대표자로서 자유롭게 그 직무를 수행할 수 있도록 보장하기 위하여 마련한 장치인 것이므로 면책특권의 대상이 되는 행위는 직무상의 발언과 표결이라는 의사표현행위 자체에 국한되지 아니하고 이에 통상적으로 부수하여 행하여지는 행위까지 포함한다고 할 것이고, 그와 같은 부수행위인지 여부는 결국 구체적인 행위의 목적, 장소, 태양 등을 종합하여 개별적으로 판단할 수밖에 없다고 할 것이다.

2. 국회의원이 국회본회의에서 질문할 원고를 사전에 배포한 행위가 면책특권의 대상이 되는 직무부수행위에 해당하는 경우

원심판결의 이유에 의하면, 원심은 피고인이 신한민주당 소속 제12대 국회의원으로서 1986. 7.경 제131회 정기국회 본회의에서의 정치분야 대정부 질문자로 내정되어 그 질문 원고를 작성함에 있어 우리 나라의 통일정책과 관련하여 '이 나라의 국시는 반공이 아니라 통일이어야 한다' '통일이나 민족이라는 용어는 공산주의나 자본주의보다 그 위에 있어야 한다'는 등 통일을 위해서라면 공산화통일도 용인하여야 한다는 취지 등을 담은 원고를 완성하고 비서인 공소외 양순석으로 하여금 50부를 복사하게 한 다음, 같은 해 10. 13. 13:30 국회의사당 내 기자실에서 위 양순석을 통하여 그 중 30부를 국회 출입기자들에게 배포함으로써 반국가단체인 북괴의 활동에 동조하여 이를 이롭게 한 것이다라는 공소사실에 대하여, 피고인이 배포한 원고의 내용이 공개회의에서 행할 발언내용이고(회의의 공개성), 원고의 배포시기가 당초 발언하기로 예정된 회의시작 30분 전으로 근접되어 있으며(시간적 근접성), 원고배포의 장소 및 대상이 국회의사당 내에 위치한 기자실에서 국회출입기자들만을 상대로 한정적으로 이루어졌고(장소 및 대상의 한정성), 원고배포의 목적이 보도의 편의를 위한 것이라는(목적의 정당성) 등의 사실을 인정한 후 이와 같은 사실을 종합하여 피고인이 국회 본회의에서 질문한 원고를 위와 같이 사전에 배포한 행위는 국회의원의 면책특권의 대상이 되는 직무부수행위에 해당한다고 판시하고 있는바, 기록에 비추어 원심의 판단은 옳게 수긍이 되고 거기에 국회의원의 면책특권에 관한 법리를 오해하였거나 채증법칙을 어긴 위법이 없다.

3. 국회의원의 면책특권에 속하는 행위에 대하여 공소가 제기된 경우 법원의 조치

국회의원의 면책특권에 속하는 행위에 대하여는 공소를 제기할 수 없으며 이에 반하여 공소가 제기된 것은 결국 공소권이 없음에도 공소가 제기된 것이 되어 형사소송법 제327조 제2호의 "공소제기의 절차가 법률의 규정에 위반하여 무효인 때"에 해당된다고 보아야 할 것이므로 이와 같은 경우에는 위 규정에 따라 공소를 기각하여야 할 것이다.

019 국회의원 노회찬의 안기부X파일 사건
― 대법원 2011. 5. 13. 선고 2009도14442

판시사항 및 결정요지

1. 국회의원 면책특권의 취지 및 면책특권의 대상이 되는 행위의 범위와 판단 기준

헌법 제45조는 "국회의원은 국회에서 직무상 행한 발언과 표결에 관하여 국회 외에서 책임을 지지 아니한다"고 규정하여 국회의원의 면책특권을 인정하고 있다. 그 취지는 국회의원이 국민의 대표자로서 국회 내에서 자유롭게 발언하고 표결할 수 있도록 보장함으로써 국회가 입법 및 국정통제 등 헌법에 의하여 부여된 권한을 적정하게 행사하고 그 기능을 원활하게 수행할 수 있도록 보장하는 데에 있다. 따라서 면책특권의 대상이 되는 행위는 국회의 직무수행에 필수적인 국회의원의 국회 내에서의 직무상 발언과 표결이라는 의사표현행위 자체에만 국한되지 아니하고 이에 통상적으로 부수하여 행하여지는 행위까지 포함하며, 그와 같은 부수행위인지 여부는 구체적인 행위의 목적·장소·태양 등을 종합하여 개별적으로 판단하여야 한다.

2. 국회의원인 피고인이, 구 국가안전기획부 내 정보수집팀이 대기업 고위관계자와 중앙일간지 사주 간의 사적 대화를 불법 녹음한 자료를 입수한 후 그 대화 내용과, 전직 검찰간부인 피해자가 위 대기업으로부터 이른바 떡값 명목의 금품을 수수하였다는 내용이 게재된 보도자료를 작성하여 국회 법제사법위원회 개의 당일 국회 의원회관에서 기자들에게 배포한 사안에서, 피고인이 국회 법제사법위원회에서 발언할 내용이 담긴 위 보도자료를 사전에 배포한 행위는 국회의원 면책특권의 대상이 되는 직무부수행위에 해당하므로, 피고인에 대한 허위사실적시 명예훼손 및 통신비밀보호법 위반의 점에 대한 공소를 기각하여야 한다고 한 사례.

3. 불법 감청·녹음 등에 관여하지 아니한 언론기관이 그 통신 또는 대화 내용을 보도하여 공개하는 행위가 형법 제20조의 정당행위에 해당하기 위한 요건 및 공개행위의 주체가 언론기관이나 그 종사자 아닌 사람인 경우에도 동일한 법리가 적용되는지 여부(적극)

불법 감청·녹음 등에 관여하지 아니한 언론기관이 그 통신 또는 대화 내용을 보도하여 공개하는 행위가 형법 제20조의 정당행위에 해당하기 위하여는, 첫째, 그 보도의 목적이 불법 감청·녹음 등의 범죄가 저질러졌다는 사실 자체를 고발하기 위한 것으로 그 과정에서 불가피하게 통신 또는 대화의 내용을 공개할 수밖에 없는 경우이거나, 불법 감청·녹음 등에 의하여 수집된 통신 또는 대화의 내용이 이를 공개하지 아니하면 공중의 생명·신체·재산 기타 공익에 대한 중대한 침해가 발생할 가능성이 현저한 경우 등과 같이 비상한 공적 관심의 대상이 되는 경우에 해당하여야 하고, 둘째, 언론기관이 불법 감청·녹음 등의 결과물을 취득함에 있어 위법한 방법을 사용하거나 적극적·주도적으로 관여하여서는 아니되며, 셋째, 그 보도가 불법 감청·녹음 등의 사실을 고발하거나 비상한 공적 관심사항을 알리기 위한 목적을 달성하는 데 필요한 부분에 한정되는 등 통신비밀의 침해를 최소화하는 방법으로 이루어져야 하고, 넷째, 그 내용을 보도함으로써 얻어지는 이익 및 가치가 통신비밀의 보호에 의하여 달성되는 이익 및 가치를 초과하여야 한다. 이러한 법리는 불법 감청·녹음 등에 의하여 수집된 통신 또는 대화 내용의 공개가 관계되는 한, 그 공개행위의 주체가 언론기관이나 그 종사자 아닌 사람인 경우에도 마찬가지로 적용된다.

4. 국회의원인 피고인이, 구 국가안전기획부 내 정보수집팀이 대기업 고위관계자와 중앙일간지 사주 간의 사적 대화를 불법 녹음한 자료를 입수한 후 그 대화내용과, 위 대기업으로부터 이른바 떡값 명목의 금품을 수수하였다는 검사들의 실명이 게재된 보도자료를 작성하여 자신의 인터넷 홈페이지에 게재하였다고 하여 통신비밀보호법 위반으로 기소된 사안에서, 피고인이 국가기관의 불법 녹음 자체를 고발하기 위하여 불가피하게 위 녹음 자료에 담겨 있던 대화 내용을 공개한 것이 아니고, 위 대화가 피고인의 공개행위시로부터 8년 전에 이루어져 이를 공개하지 아니하면 공익에 대한 중대한 침해가 발생할 가능성이 현저한 경우로서 비상한 공적 관심의 대상이 되는 경우에 해당한다고 보기 어려우며, 전파성이 강한 인터넷 매체를 이용하여 불법 녹음된 대화의 상세한 내용과 관련 당사자의 실명을 그대로 공개하여 방법의 상당성을 결여하였고, 위 게재행위와 관련된 사정을 종합하여 볼 때 위 게재에 의하여 얻어지는 이익 및 가치가 통신비밀이 유지됨으로써 얻어지는 이익 및 가치를 초월한다고 볼 수 없으므로, 피고인이 위 녹음 자료를 취득하는 과정에 위법이 없었더라도 위 행위는 형법 제20조의 정당행위에 해당한다고 볼 수 없는데도, 이와 달리 본 원심판단에 법리오해의 위법이 있다고 한 사례.

020 면책특권의 한계
— 대법원 2007. 1. 11. 2005다57752

판시사항 및 결정요지

1. 헌법 제45조에 정한 국회의원의 면책특권의 규정 취지 및 국회의원의 직무상 발언과 관련한 면책특권의 범위

헌법 제45조에서 규정하는 국회의원의 면책특권은 국회의원이 국민의 대표자로서 국회 내에서 자유롭게 발언하고 표결할 수 있도록 보장함으로써 국회가 입법 및 국정통제 등 헌법에 의하여 부여된 권한을 적정하게 행사하고 그 기능을 원활하게 수행할 수 있도록 보장하는 데 그 취지가 있다. 이러한 면책특권의 목적 및 취지 등에 비추어 볼 때, 발언 내용 자체에 의하더라도 직무와는 아무런 관련이 없음이 분명하거나, 명백히 허위임을 알면서도 허위의 사실을 적시하여 타인의 명예를 훼손하는 경우 등까지 면책특권의 대상이 될 수는 없지만, 발언 내용이 허위라는 점을 인식하지 못하였다면 비록 발언 내용에 다소 근거가 부족하거나 진위 여부를 확인하기 위한 조사를 제대로 하지 않았다고 하더라도, 그것이 직무 수행의 일환으로 이루어진 것인 이상 이는 면책특권의 대상이 된다.

2. 국회의원이 국회 예산결산위원회 회의장에서 법무부장관을 상대로 대정부질의를 하던 중 대통령 측근에 대한 대선자금 제공 의혹과 관련하여 이에 대한 수사를 촉구하는 과정에서 한 발언이 국회의원의 면책특권의 대상이 된다고 본 사례

국회의원인 피고는 국회 예산결산위원회 회의장에서 법무부장관을 상대로 대정부질의를 하던 중, 당시 제기되어 있던 '(그룹명 생략) 그룹'측의 노무현 대통령 측근에 대한 대선자금 제공 의혹과 관련하여 이에 대한 수사를 촉구하는 과정에서 이 사건 발언을 하였고, 이 사건 발언 이후 위 의혹에 대하여 특별검사의 수사가 이루어지기도 했던 사실을 알 수 있는바, 이 사건 발언이 이루어진 전후 경위 및 그 내용 등에 비추어 보면, 피고로서는 이 사건 발언 내용이 허위라고 생각하면서도 발언을 하였다기보다는 당시 대통령을 둘러싼 정치자금 의혹이 제기되어 있던 상황에서 이에 대한 수사를 촉구하기 위하여 미처 진위 여부를 정확하게 파악하지 못하거나 다소 근거가 부족한 채로 이 사건 발언을 하였다고 봄이 상당하고, 따라서 이 사건 발언이 면책특권의 범위를 벗어나는 것이라고 보기는 어렵다

제3장 대통령과 정부

| 불소추특권 |

함께 보는 판례

> 헌법 제84조 불소추특권에 의하여 대통령 재직중에는 공소시효의 진행이 당연히 정지되는지 여부 (1995. 1. 20. 선고 94헌마246)
>
> 우리 헌법이 채택하고 있는 국민주권주의(제1조 제2항)와 법 앞의 평등(제11조 제1항), 특수계급제도의 부인(제11조 제2항), 영전에 따른 특권의 부인(제11조 제3항) 등의 기본적 이념에 비추어 볼 때, 대통령의 불소추특권에 관한 헌법의 규정이, 대통령이라는 특수한 신분에 따라 일반국민과는 달리 대통령 개인에게 특권을 부여한 것으로 볼 것이 아니라, 단지 국가의 원수로서 외국에 대하여 국가를 대표하는 지위에 있는 대통령이라는 특수한 직책의 원활한 수행을 보장하고, 그 권위를 확보하여 국가의 체면과 권위를 유지하여야 할 실제상의 필요 때문에 대통령으로 재직중인 동안만 형사상 특권을 부여하고 있음에 지나지 않는 것으로 보아야 할 것이다.
>
> 위와 같은 헌법 제84조의 규정취지와 함께 공소시효제도나 공소시효정지제도의 본질에 비추어보면, 비록 헌법 제84조에는 "대통령은 내란 또는 외환의 죄를 범한 경우를 제외하고는 재직중 형사상의 소추를 받지 아니한다"고만 규정되어 있을 뿐 헌법이나 형사소송법 등의 법률에 대통령의 재직중 공소시효의 진행이 정지된다고 명백히 규정되어 있지는 않다고 하더라도, 위 헌법규정의 근본취지를 대통령의 재직중 형사상의 소추를 할 수 없는 범죄에 대한 공소시효의 진행은 정지되는 것으로 해석하는 것이 원칙일 것이다. 즉 위 헌법규정은 바로 공소시효진행의 소극적 사유가 되는 국가의 소추권행사의 법률상 장애사유에 해당하므로, 대통령의 재직중에는 공소시효의 진행이 당연히 정지되는 것으로 보아야 한다.

통치행위

021 금융실명제 사건 [기각, 각하]
― 1996. 2. 29. 선고 93헌마186

판시사항

1. 통치행위(대통령긴급재정경제명령)의 헌법재판 대상성
2. 국회의 탄핵소추의결 부작위에 대한 위헌확인소원이 적법한 것인지 여부
3. 긴급재정경제명령의 발동요건

사건의 개요

대통령은 1993. 8. 12. 금융실명거래및비밀보장에관한긴급재정경제명령(대통령 긴급재정경제명령 제16호, 이하 "이 사건 긴급명령"이라고 한다)을 발하여 같은 날 20:00부터 이 사건 긴급명령이 시행되었고 같은 달 19. 국회의 승인을 받았는바, 그 주된 내용은 다음과 같다.

① 이 사건 긴급명령의 시행시부터 모든 금융거래시 실명 사용을 의무화하고(제2조, 제3조 제1항)
② 기존의 비실명예금에 대하여는 2개월간의 실명전환의무기간을 설정하여(제5조)
③ 비실명에 의한 자금의 인출을 금지하며(제3조 제3항)
④ 일정금액 이상의 실명전환된 비실명금융자산의 인출시 금융기관이 국세청에 대하여 거래내용을 통보하도록 하고(제6조, 제10조)
⑤ 실명전환의무기간 경과 후에는 이자, 배당소득 등에 대하여 고율의 소득세율을 적용하며, 최고 원금의 60%에 달하는 과징금을 부과하고(제7조, 제9조)
⑥ 금융거래의 비밀보장을 강화하며(제4조)
⑦ 이에 위반하는 자에 대하여는 형사처벌을 한다(제12조).

이에 대하여 청구인은 대통령은 헌법 제76조 제1항에 규정한 요건을 갖추지 못하였음에도 이 사건 긴급명령을 발하였고, 국회는 위헌적인 이 사건 긴급명령을 발한 대통령에 대하여 헌법 제65조의 탄핵소추를 의결하여야 함에도 이를 하지 아니함으로써 청구인의 알권리와 청원권 및 재산권을 침해하였다고 주장하며 1993.8.16. 이 사건 헌법소원심판을 청구하였다.

심판대상

그러므로 이 사건 심판의 대상은 ① 대통령이 1993.8.12. 발한 이 사건 긴급명령 및 ② 국회가 이 사건 긴급명령을 발한 대통령에 대하여 헌법 제65조에 의한 탄핵소추의결을 하지 아니한 것이 청구인의 헌법상 기본권을 침해하는 것인지 여부이다.

> **주문**

이 사건 심판청구 중 국회의 탄핵소추의결 부작위에 대한 부분을 각하하고, 금융실명거래및비밀보장에관한긴급재정경제명령(대통령 긴급재정경제명령 제16호)에 대한 부분을 기각한다.

1. 적법요건에 관한 판단

가. 이 사건 긴급명령 부분

1) 통치행위 주장에 대한 판단

통치행위란 고도의 정치적 결단에 의한 국가행위로서 사법적 심사의 대상으로 삼기에 적절하지 못한 행위라고 일반적으로 정의되고 있는바, 이 사건 긴급명령이 통치행위로서 헌법재판소의 심사 대상에서 제외되는지에 관하여 살피건대, 고도의 정치적 결단에 의한 행위로서 그 결단을 존중하여야 할 필요성이 있는 행위라는 의미에서 이른바 통치행위의 개념을 인정할 수 있고, 대통령의 긴급재정경제명령은 중대한 재정 경제상의 위기에 처하여 국회의 집회를 기다릴 여유가 없을 때에 국가의 안전보장 또는 공공의 안녕질서를 유지하기 위하여 필요한 경우에 발동되는 일종의 국가긴급권으로서 대통령이 고도의 정치적 결단을 요하고 가급적 그 결단이 존중되어야 할 것임은 법무부장관의 의견과 같다.

그러나 이른바 통치행위를 포함하여 모든 국가작용은 국민의 기본권적 가치를 실현하기 위한 수단이라는 한계를 반드시 지켜야 하는 것이고, 헌법재판소는 헌법의 수호와 국민의 기본권 보장을 사명으로 하는 국가기관이므로 비록 고도의 정치적 결단에 의하여 행해지는 국가작용이라고 할지라도 그것이 국민의 기본권 침해와 직접 관련되는 경우에는 당연히 헌법재판소의 심판대상이 될 수 있는 것일 뿐만 아니라, 긴급재정경제명령은 법률의 효력을 갖는 것이므로 마땅히 헌법에 기속되어야 할 것이다.

따라서 이 사건 긴급명령이 통치행위이므로 헌법재판의 대상이 될 수 없다는 법무부장관의 주장은 받아들일 수 없다.

2) 기본권침해의 직접성 결여 주장에 대한 판단

이 사건 금융실명제를 입법예고 등을 거치는 통상의 입법절차에 의하지 아니하고 대통령의 긴급명령의 형태로 전격적으로 시행함으로 인하여 청구인이 구체적으로 실시될 금융실명제의 내용이나 실시시기에 관한 정보에 접근·수집할 권리나 이에 관하여 청원할 권리는 직접 침해되었다고 할 것이다.

다음으로 이 사건 긴급명령의 실시로 인하여 청구인의 소유 주식 11주의 시가가 하락함으로써 재산권이 침해되었다는 청구인의 주장에 관하여 살피건대, 청구인이 제출한 자료에 의하면 청구인이 주장하는 주식의 소유자는 청구인이 아니라 청구외 최명숙인 점을 알 수 있어 재산권침해 부분은 기본권침해의 자기관련성이 흠결되어 부적법하므로 더 이상 판단하지 않는다.

나. 국회의 부작위 부분

 탄핵이란 일반적인 사법절차나 징계절차에 따라 소추하거나 징계하기가 곤란한 행정부의 고위직 공무원이나 법관 등과 같이 신분이 보장된 공무원이 직무상 중대한 비위를 범한 경우에 이를 의회가 소추하여 처벌하거나 파면하는 절차로서, 헌법 제65조는 대통령이 그 직무집행에 있어서 헌법이나 법률을 위배한 때에는 국회가 재적의원 과반수의 발의와 재적의원 3분의 2 이상의 찬성으로 탄핵소추의 의결을 할 수 있고 탄핵결정이 있게 되면 공직으로부터 파면되는 것으로 규정하고 있다.

 청구인은 국회가 위 탄핵소추의결을 하지 아니한 것을 위헌적인 공권력의 불행사라고 주장하므로 살피건대, 부작위위헌확인소원은 기본권보장을 위하여 헌법상 명문으로 또는 헌법의 해석상 특별히 공권력주체에게 작위의무가 규정되어 있어 청구인에게 그와 같은 작위를 청구할 헌법상 기본권이 인정되는 경우에 한하여 인정되는 것인바, 국회에게 대통령의 헌법 등 위배행위가 있을 경우에 탄핵소추의결을 하여야 할 헌법상의 작위의무가 있다거나 청구인에게 탄핵소추의결을 청구할 헌법상 기본권이 있다고 할 수 없다. 왜냐하면 헌법은 "대통령……이 그 직무집행에 있어서 헌법이나 법률을 위배한 때에는 국회는 탄핵의 소추를 의결할 수 있다."(제65조 제1항)라고 규정함으로써 명문규정상 국회의 탄핵소추의결이 국회의 재량행위임을 밝히고 있고 헌법해석상으로도 국정통제를 위하여 헌법상 국회에게 인정된 다양한 권한 중 어떠한 것을 행사하는 것이 적절한 것인가에 대한 판단권은 오로지 국회에 있다고 보아야 할 것이며, 나아가 청구인에게 국회의 탄핵소추의결을 청구할 권리에 관하여도 아무런 명문규정이 없고, 헌법해석상으로도 그와 같은 권리를 인정할 수 없기 때문이다(다만 청원법에 의하여 청구인은 국회에 탄핵소추의결을 청원할 수는 있으나 이에 대하여 국회는 성실히 심사처리할 의무만 있을 뿐 반드시 탄핵소추의결을 하여야 할 의무는 없다). 따라서 국회의 탄핵소추의결의 부작위는 헌법소원의 대상이 되는 공권력의 불행사에 해당한다고 할 수 없어 이 부분에 대한 헌법소원청구는 부적법하다.

2. 위헌 여부에 관한 판단

가. 기본권의 침해

 대통령의 이 사건 긴급명령으로 인하여 청구인의 청원권과 알권리가 침해되었음은 위에서 살핀 바와 같다. 그런데 대통령의 긴급재정경제명령은 평상시의 헌법 질서에 따른 권력행사방법으로서는 대처할 수 없는 재정·경제상의 국가위기 상황에 처하여 이를 극복하기 위하여 발동되는 비상입법조치라는 속성으로부터 일시적이긴 하나 다소간 권력분립의 원칙과 개인의 기본권에 대한 침해를 가져오는 것은 어쩔 수 없는 것이다.

 그렇기 때문에 헌법은 긴급재정경제명령의 발동에 따른 기본권침해를 위기상황의 극복을 위하여 필요한 최소한에 그치도록 그 발동요건과 내용, 한계를 엄격히 규정함으로써 그 남용 또는 악용의 소지를 줄임과 동시에 긴급재정경제명령이 헌법에 합치하는 경우라면 이에 따라 기본권을 침해받는 국민으로서도 특별한 사정이 없는 한 이를 수인할 것을 요구하고 있는 것이다.

즉 긴급재정경제명령이 아래에서 보는 바와 같은 헌법 제76조 소정의 요건과 한계에 부합하는 것이라면 그 자체로 목적의 정당성, 수단의 적정성, 피해의 최소성, 법익의 균형성이라는 기본권 제한의 한계로서의 과잉금지원칙을 준수하는 것이 되는 것이다. 그러므로 이 사건 긴급명령이 헌법 제76조가 정하고 있는 요건과 한계에 부합하는 것인지 살펴본다.

나. 이 사건 긴급명령의 요건 구비 여부

1) 헌법의 규정

가) 헌법 제76조 제1항은 긴급재정경제명령의 요건에 관하여 "대통령은······ 중대한 재정·경제상의 위기에 있어서 국가의 안전보장 또는 공공의 안녕질서를 유지하기 위하여 긴급한 조치가 필요하고 국회의 집회를 기다릴 여유가 없을 때에 한하여 최소한으로 필요한······법률의 효력을 가지는 명령을 발할 수 있다."라고 규정하고 있다.

나) 또한 헌법은 긴급재정경제명령의 발령절차에 관하여 국무회의의 심의를 거쳐야 하고(제89조 제5호), 그 발령은 문서의 형식으로 하여야 하며, 그 문서에는 국무총리와 관계국무위원의 부서가 있어야 하고(제82조), 지체없이 국회에 보고하여 그 승인을 얻어야 하며, 국회의 승인 여부를 즉시 공포하여야 한다(제76조 제3항, 제5항)는 규정을 두고 있다.

다) 따라서 긴급재정경제명령은 정상적인 재정운용·경제운용이 불가능한 중대한 재정·경제상의 위기가 현실적으로 발생하여(그러므로 위기가 발생할 우려가 있다는 이유로 사전적·예방적으로 발할 수는 없다) 긴급한 조치가 필요함에도 국회의 폐회 등으로 국회가 현실적으로 집회될 수 없고 국회의 집회를 기다려서는 그 목적을 달할 수 없는 경우에 이를 사후적으로 수습함으로써 기존질서를 유지·회복하기 위하여(그러므로 공공복리의 증진과 같은 적극적 목적을 위하여는 발할 수 없다) 위기의 직접적 원인의 제거에 필수불가결한 최소의 한도 내에서 헌법이 정한 절차에 따라 행사되어야 한다.

그리고 긴급재정경제명령은 평상시의 헌법 질서에 따른 권력행사방법으로서는 대처할 수 없는 중대한 위기상황에 대비하여 헌법이 인정한 비상수단으로서 의회주의 및 권력분립의 원칙에 대한 중대한 침해가 되므로 위 요건은 엄격히 해석되어야 할 것이다.

2) 이 사건에의 적용

가) 긴급재정경제명령을 발할 수 있는 중대한 재정·경제상의 위기 상황의 유무에 관한 제1차적 판단은 대통령의 재량에 속한다. 그러나 그렇다고 하더라도 그것이 자유재량이라거나 객관적으로 긴급한 상황이 아닌 경우라도 주관적 확신만으로 좋다는 의미는 아니므로 객관적으로 대통령의 판단을 정당화할 수 있을 정도의 위기상황이 존재하여야 한다.

살피건대 우리 사회는 지난 30여년간 경제성장 제일주의에 매달려 온 결과, 성장에 필요한 자금조달을 극대화하는 과정에서 비실명금융거래가 조장되어 음성불로소득이 만연하고 지하경제가 확산되었으며, 정치·사회·경제 등 모든 분야에서 부정·부조리를 온존·심화시키는 역할을 하여 왔는바, 그로 인하여 금융시장이 왜곡되고 금융정책의 실효성이 떨어져 이른바 이철희·장영자 부부의 거액어음사기 사건 등 대형 금융사고가 빈발하고, 유휴자금이 부동산과 사채시장으로 몰려 투기가 극에 달하였으며 탈세 및 조세의 형평성 문제가 제기되고 기업이 자금조달에 어려움을 겪는 등 건전한 경제발전에 장애가 되어 특히 1980년대 이후 문제가 더욱 심각해져 중대한 사회·경제적 문제로서 더 이상 이를 방치할 수 없는 위기상황에까지 이르렀으며, 이와 같은 위기를 극복하고 정상적인 금융질서를 회복함으로써 지하경제의 범위를 축소시키고 침체되어 있던 생산부문에 활력을 불어넣기 위하여는 금융거래의 실명화 조치가 반드시 필요하였던 사실은 주지하는 바와 같다. 그렇다면 이 사건 긴급명령은 "중대한 재정·경제상의 위기에 있어서 국가의 안전보장 또는 공공의 안녕질서를 유지하기 위하여" 발하여진 것이라고 할 수 있을 것이다.

나) … 당시 국회는 폐회중이었을 뿐 아니라 국회를 소집하여 그 논의를 거쳐 기존의 금융실명법을 이 사건 긴급명령과 같은 내용으로 개정한 후 시행하는 경우에는 검은 돈이 금융시장을 이탈하여 부동산시장으로 이동함으로써 한편으로는 금융경색을 초래하여 기업의 자금조달을 어렵게 하여 경기침체를 심화시키고, 다른 한편으로는 부동산투기를 재연시키거나 자금이 해외로 도피할 위험성이 있으며, 특히 사채시장 의존도가 높은 중소기업의 일시적 자금 부족이 우려되고 비실명화율이 높은 증권시장에 혼란이 일어나는 등 큰 부작용이 있을 것임은 충분히 예상할 수 있고, 그렇다고 금융실명제의 실시를 지체하기에는 우리나라의 재정·경제상의 위기상황이 매우 심각하였음은 앞서 본 바와 같다.

그렇다면 이 사건 긴급명령의 발포와 관련하여 "긴급한 조치가 필요함에도 국회의 집회를 기다릴 여유가 없을 때"라는 요건도 충족되었다고 볼 것이다.

다) 다만 긴급권은 그 본질상 비상사태에 대응하기 위한 잠정적 성격의 권한이므로 긴급권의 발동은 그 목적을 달성할 수 있는 최단기간 내로 한정되어야 하고 그 원인이 소멸된 때에는 지체없이 해제하여야 할 것인데도 이 사건 긴급명령은 발포일로부터 2년이 훨씬 지난 현재까지도 유지되고 있는바, 이와 같은 긴급명령 발포상태의 장기화가 바람직하지는 않지만 그렇다고 그 사유만으로 발포 당시 합헌적이었던 이 사건 긴급명령이 바로 위헌으로 된다고 할 수는 없다.

라) 그 밖에 국회는 이 사건 긴급명령 발포 후 1983.8.19. 최초로 소집된 임시국회에서 이 사건 긴급명령을 승인하였으며 기타 절차적 요건의 구비 여부에 관하여 문제점을 찾아 볼 수 없다.

다. 그렇다면 이 사건 긴급명령은 헌법이 정한 절차와 요건에 따라 헌법의 한계 내에서 발포된 것이고 따라서 이 사건 긴급명령 발포로 인한 청구인의 기본권 침해는 헌법상 수인의무의 한계 내에 있다고 할 것이다.

022 개성공단 전면중단 조치에 관한 위헌소원 사건 [기각, 각하]
— 2022. 1. 27. 선고 2016헌마364

1. 피청구인 대통령이 2016. 2. 10.경 개성공단의 운영을 즉시 전면 중단하기로 결정하고, 피청구인 통일부장관은 피청구인 대통령의 지시에 따라 철수계획을 마련하여 관련 기업인들에게 통보한 다음 개성공단 전면중단 성명을 발표하고, 이에 대응한 북한의 조치에 따라 개성공단에 체류 중인 국민들 전원을 대한민국 영토 내로 귀환하도록 한 일련의 행위로 이루어진 개성공단 전면중단 조치에 대한 헌법소원심판청구의 적법요건에 대한 판단

가. 공권력행사성

헌법소원은 공권력 행사 또는 불행사로 인하여 헌법상 보장된 기본권을 침해받은 자가 제기하는 권리구제수단이다. 행정상의 사실행위는 경고, 권고, 시사와 같은 정보제공행위나 단순한 지식표시행위인 행정지도와 같이 대외적 구속력이 없는 '비권력적 사실행위'와 행정청이 우월적 지위에서 일방적으로 강제하는 '권력적 사실행위'로 나눌 수 있고, 이 중에서 권력적 사실행위는 헌법소원의 대상이 되는 공권력의 행사에 해당한다. 일반적으로 어떤 행정행위가 헌법소원의 대상이 되는 권력적 사실행위에 해당하는지의 여부는 당해 행정주체와 상대방과의 관계, 그 사실행위에 대한 상대방의 의사관여정도·태도, 그 사실행위의 목적·경위, 법령에 의한 명령·강제수단의 발동 가부 등 그 행위가 행하여질 당시의 구체적 사정을 종합적으로 고려하여 개별적으로 판단하여야 한다.

이 사건 중단조치는 행정부 최고의 의사결정권자인 피청구인 대통령과 개성공단에서의 협력사업에 관한 각종 승인·취소, 지도·감독 등의 행정 권한을 가진 피청구인 통일부장관이, 국가안보, 남북관계 경색 등을 이유로 개성공단에서 수행하고 있던 협력사업 활동을 전면적으로 중단하도록 한 조치로서, 투자기업인 청구인들의 의사를 고려하지 않고 개성공단 내 공장가동, 영업소 운영의 중단, 현지 체류 중인 남한 주민의 복귀 등을 일방적으로 요구한 고권적 행위이다. 투자기업인 청구인들이 그 중단, 복귀 지시 등에 따르지 않을 경우, 피청구인 통일부장관은 기존의 협력사업 승인, 방북승인을 조정, 취소하거나 향후 방북신청에 대해서 그 승인을 불허하는 조치 등을 통해 이를 강제할 수 있다. 또한 북한이 4차 핵실험과 장거리 미사일발사를 감행하였고 피청구인들이 이를 한반도 및 국제평화에 대한 극단적 도발로 규정하면서 그에 대한 대응조치로 개성공단의 운영 중단을 결정하고 성명까지 발표한 이상, 남북한 사이의 신뢰와 합의를 바탕으로 제공되고 있던 개성공단에서의 안전한 사업 환경이 더 이상 유지될 수 없게 되었으므로, 위 청구인들로서는 피청구인들의 결정과 요구를 따를 수밖에 없다.

따라서 이 사건 중단조치는 투자기업인 청구인들로 하여금 공권력에 순응케 하여 개성공단의 운영을 중단시키는 결과를 실현한 일련의 행위로 구성되며, 그로 인해 위 청구인들의 개성공단에서의 사업 활동이 중단되고, 개성공단 내 공장, 영업시설이나 자재 등에 접근, 이용이 차단되는 등 법적 지위에 직접적, 구체적 영향을 받게 되었으므로, 이 사건 중단조치는 피청구인들이 투자

기업인 청구인들에 대한 우월적 지위에서 일방적으로 행한 권력적 사실행위로서 공권력의 행사에 해당한다고 봄이 타당하다.

나. 자기관련성, 직접성, 현재성

투자기업인 청구인들은 남북교류협력법에 따라 협력사업 승인을 받은 후 개성공단 내에 자회사 또는 영업소를 설립하여 운영해 온 국내 모기업으로서, 이 사건 중단조치로 인하여 다른 집행행위의 매개 없이 직접 그리고 현재 개성공단 내에서 위와 같은 협력사업 활동이 제한되고 있으므로, 기본권침해의 자기관련성, 직접성 및 현재성이 인정된다.

다. 보충성

공권력의 행사 또는 불행사로 인하여 헌법상 보장된 기본권을 침해받은 자는 다른 법률에 구제절차가 있는 경우 그 절차를 모두 거친 후가 아니면 헌법소원심판을 청구할 수 없다(헌법재판소법 제68조 제1항 단서). 그런데 이 사건 중단조치는 권력적 사실행위로서 행정심판이나 행정소송의 대상이 되는지 여부가 객관적으로 불분명하다. 그리고 헌법재판소법 제68조 제1항 단서에서 말하는 다른 권리구제절차는 공권력의 행사 또는 불행사를 직접대상으로 하여 그 효력을 다툴 수 있는 권리구제절차를 의미하는 것이지, 사후적·보충적 구제수단인 손해배상청구를 의미하는 것이 아니다. 따라서 투자기업인 청구인들로서는 헌법소원심판을 청구하는 외에 달리 개성공단 전면 중단조치를 직접 다툴 수 있는 효과적인 구제방법이 있다고 보기 어려우므로 보충성도 인정된다.

라. 권리보호이익

헌법소원은 국민의 기본권 침해를 구제하는 제도이므로 헌법소원심판청구가 적법하려면 심판청구 당시는 물론 결정 당시에도 권리보호이익이 있어야 한다. 이 사건 중단조치로 인하여 개성공단의 운영이 전면 중단됨으로써 투자기업인 청구인들의 개성공단 내 사업 활동이 전면 제한되었고 현재까지 그 상태가 지속되고 있으며, 중단 이후 북한의 조치나 국제 정세의 변화 등으로 개성공단이 재개될 가능성이 완전히 차단된 상태에 이르렀다고는 보기 어렵다. 따라서 이 사건 헌법소원심판 청구가 투자기업인 청구인들의 권리구제에 더 이상 도움이 되지 않는다고 볼 수 없으므로, 권리보호의 이익도 인정할 수 있다.

마. 고도의 정치적 행위로서 사법심사가 배제되어야 하는지

이 사건 중단조치가 북한의 핵무기 개발로 인한 위기에 대처하기 위한 조치로서 국가안보와 관련된 대통령의 의사 결정을 포함하고 그러한 의사 결정이 고도의 정치적 결단을 요하는 문제이기는 하나, 그 의사 결정에 따른 조치 결과 투자기업인 청구인들의 영업의 자유 등 기본권에 제한이 발생하였다. 그리고 국민의 기본권 제한과 직접 관련된 공권력의 행사는 고도의 정치적 고려가 필요한 대통령의 행위라도 헌법과 법률에 따라 정책을 결정하고 집행하도록 함으로써 국민의 기본권이 침해되지 않도록 견제하는 것이 국민의 기본권 보장을 사명으로 하는 헌법재판소 본연의 임무이므로, 그 한도에서 헌법소원심판의 대상이 될 수 있다. 따라서 이 사건 헌법소원심판이 사법심사가 배제되는 행위를 대상으로 한 것이어서 부적법하다고는 볼 수 없다.

2. 개성공단 전면중단 조치가 헌법과 법률에 근거한 조치인지 여부(적극)

이 사건 중단조치가 대통령의 정치적 결단에 따른 조치라도 국민의 기본권 제한과 관련된 이상 반드시 헌법과 법률에 근거를 두어야 하고, 그 근거가 없을 경우 위헌적 조치로 보아야 한다.

개성공단 전면중단 조치는 국제평화를 위협하는 북한의 핵무기 개발을 경제적 제재조치를 통해 저지하려는 국제적 합의에 이바지하기 위한 조치로서, 통일부장관의 조정명령에 관한 '남북교류협력에 관한 법률' 제18조 제1항 제2호, 대통령의 국가의 계속성 보장 책무, 행정에 대한 지휘·감독권 등을 규정한 헌법 제66조, 정부조직법 제11조 등이 근거가 될 수 있으므로, 헌법과 법률에 근거한 조치로 보아야 한다.

3. 개성공단 전면중단 조치가 적법절차원칙을 위반하여 개성공단 투자기업인 청구인들의 영업의 자유와 재산권을 침해하는지 여부(소극)

이 사건 중단조치는 정부의 중요한 대외정책 또는 행정각부의 중요한 정책의 조정이 되어, 헌법 제89조 제2호(선전·강화 기타 중요한 대외정책), 제13호(행정각부의 중요한 정책의 수립과 조정)에 따라 국무회의 심의를 거쳐야 하는 것인지 문제될 수 있다.

그런데 구체적으로 어떤 정책을 국무회의 심의를 거쳐야 하는 중요한 정책으로 보아야 하는지는 국무회의에 의안을 상정할 수 있는 대통령 등에게 일정 정도의 판단재량이 인정되고, 그에 관한 대통령 등의 일차적 판단이 명백히 비합리적이거나 자의적인 것이 아닌 한 존중되어야 한다.

국가안보와 관련된 정책은 국가 존립 등과의 관련성 때문에 그 자체로 중요한 정책이 될 수 있지만, 안보정책이 가지는 긴급성, 기밀성 등의 특성으로 인해 국무회의 심의보다 다른 헌법상 기구인 국가안전보장회의가 더 효율적이고 적절한 의사 결정의 경로를 제공할 수 있다. 이 사건 중단조치는 국가안보와 관련되고, 개성공단 체류 국민들의 안전을 위해 관련 논의를 최대한 기밀로 유지하면서 신속하게 처리할 필요가 있었다. 이 사건 중단조치 과정에서 국무회의 심의가 이루어지지는 않았으나, 국가안보에 관한 필수 기관이 참여하는 국가안전보장회의 상임위원회가 개최되었고, 이 사건 중단조치의 법적 근거가 되는 남북교류협력법 상 조정명령이 국무회의를 사전 절차로 요구하지도 않으므로, 국무회의 심의가 아닌 국가안전보장회의 상임위원회의 협의를 거치도록 한 피청구인 대통령의 절차 판단이 명백히 비합리적이거나 자의적인 것이라고 보기 어렵다.

따라서 피청구인 대통령이 개성공단의 운영 중단 결정 과정에서 국무회의 심의를 거치지 않았더라도 그 결정에 적법절차원칙에 따라 필수적으로 요구되는 절차를 거치지 않은 흠결이 있다고 할 수 없다.

이 사건 중단조치 과정에서 국회와의 사전 협의를 거쳐야 한다고 볼 만한 아무런 근거가 없고, 조치의 특성, 절차 이행으로 제고될 가치, 국가작용의 효율성 등에 비추어 볼 때, 이해관계자 등의 의견청취절차는 적법절차원칙에 따라 반드시 요구되는 절차라고 보기 어렵다.

따라서 이 사건 중단조치가 적법절차원칙에 위반되어 투자기업인 청구인들의 영업의 자유나 재산권을 침해한 것으로 볼 수 없다.

4. 개성공단 전면중단 조치가 과잉금지원칙을 위반하여 청구인들의 영업의 자유와 재산권을 침해하는지 여부(소극)

가. 심사기준

이 사건 중단조치에 의하여 청구인들의 영업의 자유와 재산권이 제한되었고, 이러한 기본권 제한에 있어서는 헌법 제37조 제2항이 정하는 과잉금지원칙이 준수되어야 한다. 그런데 이 사건 중단조치는 북한의 핵실험과 장거리 미사일 발사로 인한 안보 위기와 이에 대한 국가 차원의 대응 필요성, 북한 핵 문제에 있어 우리나라의 지위와 국제사회에서 담당해야 할 역할, 복잡한 국제정세와 외교관계, 개성공단 내 우리 국민의 생명, 신체의 안전 등 제반 상황을 고려하여 내린 고도의 정치적 결단에 기초한 조치이다. 그리고 이러한 정치적 판단에 있어서 어떠한 정책이 국가안보에 도움이 되고 궁극적으로 국익과 국제평화에 기여하는지는 국민으로부터 직접 선출되고 국민에게 책임을 지는 대의기관이 정치적 책임 하에 결정하여야 할 사안이므로, 정치적 대의기관인 대통령에게 광범위한 판단 재량이 인정되는 것으로 보아야 한다. 따라서 그러한 정치적 결정이 국민의 기본권 침해와 직접 관련이 되어 사법심사의 대상이 되는 경우라도 이에 대한 사법심사는 정책판단이 명백하게 재량의 한계를 유월(逾越)하거나 선택된 정책이 현저히 합리성을 결여한 것인지를 살피는 데 한정되어야 하고, 그 한계 내의 것이라면 국가 계속성 보장의 책무와 조국의 평화적 통일을 위한 성실한 의무를 지는 대통령이 헌법이 부여한 권한 범위 내에서 정치적 책임을 지고 한 판단과 선택으로서 존중되어야 한다.

나. 위반여부

이 사건 중단조치는 북한의 핵무기 개발 시도를 경제적 제재조치를 통해 저지하려는 국제적 합의에 이바지하고, 북한 핵 위기의 핵심 당사국으로 독자적인 경제제재 조치를 실행함으로써 보다 강력한 국제적 공조를 유도하여 종국적으로 한반도와 세계평화에 기여함을 목적으로 하며, 동시에 경제제재 조치와 관련된 영역에서 사업 활동을 하는 우리 국민의 신변안전 확보를 목적으로 하므로, 목적의 정당성이 인정된다. 그리고 개성공단의 운영 중단은 경제제재 조치로서 북한의 핵개발에 대응하는 국제사회의 제재 방식에 부합하고, 개성공단 현지 체류 근로자 등의 철수조치를 통해 북한의 보복적 대응에 노출되는 우리 국민의 수를 최소화할 수 있으므로 그 수단의 적합성도 인정된다.

이 사건 중단조치는 남북관계, 북미관계, 국제관계가 복잡하게 얽혀 있는 상황에서 단계적 중단만으로는 일괄 중단의 경우와 동일한 정도로 경제제재 조치를 통해 달성하고자 하는 목적을 달성하기 어렵다는 정치적 판단 하에 채택된 것이고, 그러한 판단이 현저히 비합리적이라고는 보이지 않는다. 북한의 태도 변화를 쉽사리 예상할 수 없는 상황에서 중단 기간을 미리 한정하기 어렵고, 체류인원 제한 조치 역시 설비나 생산 물품 반출에 대한 북한 당국의 협조 여하에 따라 일부는 변경도 가능한 임시조치의 성격을 가진다. 따라서 이 사건 중단조치는 피해의 최소성 원칙에도 부합한다.

개성공단에서의 협력사업과 투자자산에 대한 보호는 지역적 특수성과 여건에 따른 한계가 있을 수밖에 없으며, 관련 개성공업지구 지원에 관한 법령은 그러한 특수성 등으로 인해 개성공단 투자기업에게 피해가 발생한 경우 각종 지원을 할 수 있도록 정하고 있다. 이 사건 중단조치는 그러한 법령에 따른 피해지원을 전제로 한 조치였고, 실제 그 예정된 방식에 따라 상당 부분 지원이 이루어졌다. 이 사건 중단조치로 투자기업인 청구인들이 입은 피해가 적지 않지만, 그럼에도 불구하고 북한의 핵개발에 맞서 개성공단의 운영 중단이라는 경제적 제재조치를 통해, 대한민국의 존립과 안전 및 계속성을 보장할 필요가 있다는 피청구인 대통령의 판단이 명백히 잘못된 것이라 보기도 어려운바, 이는 헌법이 대통령에게 부여한 권한 범위 내에서 정치적 책임을 지고 한 판단과 선택으로 존중되어야 한다. 따라서 이 사건 중단조치는 법익의 균형성 요건도 충족하는 것으로 보아야 한다.

따라서 이 사건 중단조치는 과잉금지원칙에 위반되어 투자기업인 청구인들의 영업의 자유와 재산권을 침해하지 아니한다.

5. 개성공단 전면중단 조치가 신뢰보호원칙을 위반하여 청구인들의 영업의 자유와 재산권을 침해하는지 여부(소극)

2013. 8. 14. 채택된 '개성공단의 정상화를 위한 합의서'는 투자기업인 청구인들에 대하여 직접적으로 그 효력과 존속에 대한 신뢰를 부여하였다고 인정하기 어렵고, 과거 사례에 비추어 이 사건 중단조치가 신뢰이익을 침해하는 정도는 비교적 낮은 수준에 불과하며, 이 사건 중단조치를 통해 달성하려는 공익은 그와 같은 신뢰의 손상을 충분히 정당화할 수 있다. 따라서 이 사건 중단조치는 신뢰보호원칙을 위반하여 투자기업인 청구인들의 영업의 자유와 재산권을 침해하지 아니한다.

6. 개성공단 전면중단 조치가 헌법 제23조 제3항을 위반하여 청구인들의 재산권을 침해하는지 여부(소극)

이 사건 중단조치에 의해 개별적, 구체적으로 이미 형성된 구체적 재산권이 공익목적을 위해 제한되는 공용 제한이 발생한 것이 아니고, 개성공단에서 영업을 계속하지 못하여 발생한 영업 손실이나 주식 등 권리의 가치 하락은 헌법 제23조의 재산권보장의 범위에 속한다고 보기 어렵다. 따라서 그와 같은 재산권 제한이나 손실에 대하여 정당한 보상이 지급되지 않았더라도, 이 사건 중단조치가 헌법 제23조 제3항을 위반하여 투자기업인 청구인들의 재산권을 침해한 것으로 볼 수 없다.

023 일반사병 이라크파병 위헌확인 사건 [각하]
― 2004. 4. 29. 선고 2003헌마814

판시사항

1. 외국에의 국군의 파견결정과 같이 성격상 외교 및 국방에 관련된 고도의 정치적 결단이 요구되는 사안에 대한 국민의 대의기관의 결정이 사법심사의 대상이 되는지 여부(소극)
2. '대통령이 2003. 10. 18. 국군(일반사병)을 이라크에 파견하기로 한 결정'(이하 '이 사건 파견결정'이라 한다)이 헌법에 위반되는지의 여부에 대한 판단을 헌법재판소가 하여야 하는지 여부(소극)
3. 그 성격상 국방 및 외교에 관련된 고도의 정치적 결단을 요하는 이 사건 파견결정이 사법심사의 대상이 되는지 여부(소극)

사건의 개요

청구인은 일반 국민의 한 사람인바, 대한민국 정부가 2003. 10. 18. 국군을 이라크에 파견하기로 한 것은 침략적 전쟁을 부인한다고 규정하고 있는 헌법 제5조에 위반될 뿐만 아니라 특히 의무복무를 하는 일반 사병은 급여를 받는 직업군인인 장교 및 부사관과 달리 실질적으로 급여를 받지 못하는 바 일반 사병을 이라크에 파견하는 것은 국가안전보장 및 국방의 의무에 관한 헌법규정에 위반된다는 이유로 2003. 11. 17. 헌법재판소법 제68조 제1항에 의하여 위 파병의 위헌확인을 구하는 이 사건 헌법소원심판을 청구하였다.

심판대상

심판청구서에는 '국가안전보장회의가 2003. 10. 18. 일반사병을 이라크에 파견하기로 한 결정'의 위헌확인을 구하고 있다. 그러나 국가안전보장회의는 헌법상 대통령의 자문기관에 불과할 뿐 공권력의 행사, 특히 문제된 국군의 외국에의 파견이라는 국가행위(공권력행사)의 주체가 될 수 없다. 가사 국가안전보장회의가 그와 같은 결정(의결)을 하더라도 이는 국군통수권자인 대통령의 결정으로 볼 수 있음은 별론으로 하고 국가기관 내부의 의사결정, 특히 대통령에 대한 권고 내지 의견제시에 불과할 뿐 법적 구속력이 있거나 대외적 효력이 있는 행위라고 볼 수는 없다.

살피건대 국가안전보장회의는 국가안보와 관련한 대외정책·군사정책의 수립에 관하여 헌법상 대통령의 자문기관이고 그 의결에 구속력이 없어 그 자체로는 법적 효력이 없지만, 대통령이 대외·군사정책의 수뇌부가 모인 가운데 자문을 거쳐 의결로 파병을 결정하고 공표하였다면 그 결정은 실질적으로 대통령의 파병결정이라고 할 것이므로 이 사건의 심판대상을 대통령의 파병결정으로 보아야 옳다고 할 것이며, 청구인의 청구취지에도 부합한다고 할 것이다.

그렇다면 이 사건 심판의 대상은 '대통령이 2003. 10. 18. 국군(일반사병)을 이라크에 파견하기로 한 결정(이하, '이 사건 파견결정'이라고 한다)'의 위헌여부라고 할 것이다.

> **주문**
>
> 청구인의 심판청구를 각하한다.

헌법은 대통령에게 다른 나라와의 외교관계에 대한 권한과 함께 선전포고와 강화를 할 수 있는 권한을 부여하고 있고(제73조) 헌법과 법률이 정하는 바에 따라 국군을 통수하는 권한을 부여하면서도(제74조 제1항) 선전포고 및 국군의 외국에의 파견의 경우 국회의 동의를 받도록 하여(제60조 제2항) 대통령의 국군통수권 행사에 신중을 기하게 함으로써 자의적인 전쟁수행이나 해외파병을 방지하도록 하고 있다.

이 사건과 같은 외국에의 국군의 파견결정은 파견군인의 생명과 신체의 안전뿐만 아니라 국제사회에서의 우리나라의 지위와 역할, 동맹국과의 관계, 국가안보문제 등 궁극적으로 국민 내지 국익에 영향을 미치는 복잡하고도 중요한 문제로서 국내 및 국제정치관계 등 제반상황을 고려하여 향후 우리나라의 바람직한 위치, 앞으로 나아가야 할 방향 등 미래를 예측하고 목표를 설정하는 등 고도의 정치적 결단이 요구되는 사안이다.

따라서 그와 같은 결정은 그 문제에 대해 정치적 책임을 질 수 있는 국민의 대의기관이 관계분야의 전문가들과 광범위하고 심도 있는 논의를 거쳐 신중히 결정하는 것이 바람직하며 우리 헌법도 그 권한을 국민으로부터 직접 선출되고 국민에게 직접 책임을 지는 대통령에게 부여하고 그 권한행사에 신중을 기하도록 하기 위해 국회로 하여금 파병에 대한 동의여부를 결정할 수 있도록 하고 있는바, 현행 헌법이 채택하고 있는 대의민주제 통치구조하에서 대의기관인 대통령과 국회의 그와 같은 고도의 정치적 결단은 가급적 존중되어야 한다.

살피건대, 이 사건 파견결정은 그 성격상 국방 및 외교에 관련된 고도의 정치적 결단을 요하는 문제로서, 헌법과 법률이 정한 절차를 지켜 이루어진 것임이 명백하므로, 대통령과 국회의 판단은 존중되어야 하고 우리 재판소가 사법적 기준만으로 이를 심판하는 것은 자제되어야 한다. 오랜 민주주의 전통을 가진 외국에서도 외교 및 국방에 관련된 것으로서 고도의 정치적 결단을 요하는 사안에 대하여는 줄곧 사법심사를 자제하고 있는 것도 바로 이러한 취지에서 나온 것이라 할 것이다. 이에 대하여는 설혹 사법적 심사의 회피로 자의적 결정이 방치될 수도 있다는 우려가 있을 수 있으나 그러한 대통령과 국회의 판단은 궁극적으로는 선거를 통해 국민에 의한 평가와 심판을 받게 될 것이다.

그렇다면 이 사건 파견결정에 대한 사법적 판단을 자제함이 타당하므로 재판관 윤영철, 재판관 김효종, 재판관 김경일, 재판관 송인준의 별개의견이 있는 외에는 나머지 재판관들의 일치된 의견으로 주문과 같이 결정한다.

024 | 2007년 전시증원연습 사건 [각하]
― 2009. 5. 28. 선고 2007헌마369

판시사항 및 결정요지

1. 청구인 대통령이 한미연합 군사훈련의 일종인 2007년 전시증원연습(이하 '이 사건 연습'이라 한다)을 하기로 한 결정(이하 '이 사건 연습결정'이라 한다)이 통치행위에 해당하는지 여부(소극)

한미연합 군사훈련은 1978. 한미연합사령부의 창설 및 1979. 2. 15. 한미연합연습 양해각서의 체결 이후 연례적으로 실시되어 왔고, 특히 이 사건 연습은 대표적인 한미연합 군사훈련으로서, 피청구인이 2007. 3.경에 한 이 사건 연습결정이 새삼 국방에 관련되는 고도의 정치적 결단에 해당하여 사법심사를 자제하여야 하는 통치행위에 해당된다고 보기 어렵다.

2. 평화적 생존권이 헌법상 보장된 기본권인지 여부(소극)

헌법 전문 및 제1장 총강에 나타난 "평화"에 관한 규정에 의하면, 우리 헌법은 침략적 전쟁을 부인하고 조국의 평화적 통일을 지향하며 항구적인 세계평화의 유지에 노력하여야 함을 이념 내지 목적으로 삼고 있음은 분명하다. 따라서 국가는 국민이 전쟁과 테러 등 무력행위로부터 자유로운 평화 속에서 생활을 영위하면서 인간의 존엄과 가치를 지키고 헌법상 보장된 기본권을 최대한 누릴 수 있도록 노력하여야 할 책무가 있음은 부인할 수 없다.

그러나 평화주의가 헌법적 이념 또는 목적이라고 하여 이것으로부터 국민 개인의 평화적 생존권이 바로 도출될 수 있는 것은 아니다. 헌법에 열거되지 아니한 기본권을 새롭게 인정하려면, 그 필요성이 특별히 인정되고, 그 권리내용(보호영역)이 비교적 명확하여 구체적 기본권으로서의 실체 즉, 권리내용을 규범 상대방에게 요구할 힘이 있고 그 실현이 방해되는 경우 재판에 의하여 그 실현을 보장받을 수 있는 구체적 권리로서의 실질에 부합하여야 할 것이다.

그런데 청구인들이 평화적 생존권이란 이름으로 주장하고 있는 평화란 헌법의 이념 내지 목적으로서 추상적인 개념에 지나지 아니하고, 평화적 생존권은 이를 헌법에 열거되지 아니한 기본권으로서 특별히 새롭게 인정할 필요성이 있다거나 그 권리내용이 비교적 명확하여 구체적 권리로서의 실질에 부합한다고 보기 어려워 헌법상 보장된 기본권이라고 할 수 없다.

3. 평화적 생존권을 헌법상 보장된 기본권으로 인정하였던 판례를 변경한 사례

종전에 헌법재판소가 이 결정과 견해를 달리하여 '평화적 생존권을 헌법 제10조와 제37조 제1항에 의하여 인정된 기본권으로서 침략전쟁에 강제되지 않고 평화적 생존을 할 수 있도록 국가에 요청할 수 있는 권리'라고 판시한 2003. 2. 23. 2005헌마268 결정은 이 결정과 저촉되는 범위 내에서 이를 변경한다.

| 국가긴급권 |

 긴급조치 제1호 등 사건 [위헌]
― 2013. 3. 21. 선고 2010헌바70,132,170(병합)

판시사항

1. 유신헌법을 부정·반대·왜곡 또는 비방하거나, 유신헌법의 개정 또는 폐지를 주장·발의·제안 또는 청원하는 일체의 행위, 유언비어를 날조·유포하는 행위 등을 전면적으로 금지하고, 이를 위반하면 비상군법회의 등에서 재판하여 처벌하도록 하는 것을 주된 내용으로 한, 유신헌법 제53조에 근거하여 발령된 대통령긴급조치 제1호, 대통령긴급조치 제2호, '국가안전과 공공질서의 수호를 위한 대통령긴급조치' 제9호(이하 이들 모두를 지칭할 때는 '이 사건 긴급조치들'이라 한다)에 대한 위헌심사권한이 헌법재판소에 전속하는지 여부(적극)
2. 이 사건 긴급조치들에 대한 위헌 심사의 준거규범(현행헌법)
3. 예외적으로 이 사건 긴급조치들이 무죄판결이 확정되었거나 재심청구가 기각된 당해 사건 재판의 전제성이 있는지 여부(적극)
4. 긴급조치 제1호, 제2호가 입법목적의 정당성이나 방법의 적절성을 갖추지 못하고, 참정권, 표현의 자유, 영장주의 및 신체의 자유, 법관에 의한 재판을 받을 권리 등을 침해하는지 여부(적극)
5. 긴급조치 제9호가 입법목적의 정당성이나 방법의 적절성을 갖추지 못하고, 참정권, 표현의 자유, 집회·시위의 자유, 영장주의 및 신체의 자유, 학문의 자유 등을 침해하는지 여부(적극)

사건의 개요

1. 2010헌바70 사건

가. 청구인 오○상은 1974. 8. 8. 대통령긴급조치 제2호(1974. 1. 8. 대통령긴급조치 제2호로 제정된 것, 이하 '긴급조치 제2호'라 한다)에 의하여 설치된 비상보통군법회의에서 대통령긴급조치 제1호(1974. 1. 8. 대통령긴급조치 제1호로 제정되고, 1974. 8. 23. 대통령긴급조치 제5호 '대통령긴급조치 제1호와 동 제4호의 해제에 관한 긴급조치'로 해제된 것, 이하 '긴급조치 제1호'라 한다) 위반 및 반공법위반으로 징역 7년 및 자격정지 7년을 선고받고(74비보군형공34), 항소심인 비상고등군법회의에서 징역 3년 및 자격정지 3년을 선고받았으며(74비고군형상34), 대법원에서 상고가 기각되어(74도3506) 위 비상고등군법회의 판결이 그대로 확정되었다.

나. 위 청구인은 2009. 2. 12. 서울고등법원에 위 확정판결에 대하여 재심청구를 하였고(2009재노19), 그 소송계속 중 구 헌법(1972. 12. 27. 헌법 제8호로 개정되고, 1980. 10. 27. 헌법 제9호로 개정되기 전의 것, 이하 '유신헌법'이라 한다) 제53조와 긴급조치 제1호, 긴급조치 제2호가 헌법에 위반된다는 이유로 위헌법률심판제청신청을 하였으나(2009초기39), 2009. 12. 29. 유신헌법 제53조에 대해서는 위헌법률심판의 대상이 되지 않는다는 이유로, 위 긴급조치들에 대해서는 재판의 전제성이 인정되지 않는다는 이유로 각하되자, 2010. 2. 3. 이 사건 헌법소원심판을 청구하였다.

다. 당해 사건 법원은 위 청구인에 대한 재심을 개시하여 2010. 4. 30. 긴급조치 제1호 위반의 점에 대해서는 긴급조치가 모두 해제 또는 실효되었다는 이유로 면소판결을 선고하였는데, 2010. 12. 16. 대법원은 이 부분을 파기하고 긴급조치 제1호 위반의 점에 대해서 형사소송법 제325조 전단이 규정하는 '범죄로 되지 아니한 때'에 해당한다고 보아 무죄판결을 선고하였다(대법원 2010도5986).

2. 2010헌바170 사건

가. 청구인 이○준, 김○석, 조○우, 강○종은 1975. 12. 2. 서울형사지방법원에서 긴급조치 제9호 위반으로, 청구인 이○준, 김○석은 각 징역 8년 및 자격정지 8년, 청구인 조○우는 징역 7년 및 자격정지 7년, 청구인 강○종은 징역 4년 및 자격정지 4년을 선고받았는데, 청구인 이○준, 김○석, 강○종은 그 무렵 항소를 포기하였고, 청구인 조○우는 서울고등법원에 항소 및 대법원에 상고 하였으나 모두 기각되어 위 판결들은 그대로 확정되었다.

나. 위 청구인들은 2009. 9. 24. 서울중앙지방법원에 위 확정판결에 대하여 재심청구를 하였고(2009재고합30), 그 소송계속 중 유신헌법 제53조와 긴급조치 제9호가 헌법에 위반된다는 이유로 위헌법률심판제청신청을 하였으나(2010초기430), 2010. 3. 10. 유신헌법 제53조에 대해서는 위헌법률심판의 대상이 되지 않는다는 이유로, 긴급조치 제9호에 대해서는 재판의 전제성이 인정되지 않는다는 이유로 각하되자, 2010. 4. 14. 이 사건 헌법소원심판을 청구하였다.

다. 당해 사건 법원은 2010. 3. 10. 긴급조치 제9호가 위헌임이 명백하다는 위 청구인들의 주장을 재심사유로 인정하지 않고 재심청구를 기각하는 결정을 하였는데, 이에 대한 청구인들의 즉시항고는 2010. 6. 25. 기각되었다(서울고등법원 2010로6).

심판대상

1. 청구인 오○상은 유신헌법 제53조, 긴급조치 제1호, 제2호의 위헌 여부를, 나머지 청구인들은 유신헌법 제53조, 긴급조치 제9호의 위헌 여부를 각 심판대상으로 구하고 있다.
2. 그런데 유신헌법 제53조는 긴급조치를 발령할 수 있는 근거규정일 뿐이고, 당해 사건 재판에 직접 적용되어 재판의 전제성이 있는 규정은 긴급조치 제1호, 제2호, 제9호이다. 유신헌법 제53조의 위헌을 주장하는 청구인들의 의사도 당해 사건에 적용된 긴급조치 제1호, 제2호, 제9호의 위헌성을 확인하기 위한 것으로 보이고, 뒤에 보는 것처럼 위 긴급조치의 위헌 여부는 유신헌법이 아닌 현행헌법에 의해 판단되어야 하므로, 유신헌법 제53조는 이 사건 심판의 대상에서 제외하기로 한다.
3. 결국 이 사건 심판대상은 긴급조치 제1호, 제2호 및 제9호(이하 이들 모두를 지칭할 때는 '이 사건 긴급조치들'이라 한다)의 위헌 여부이다.

주문

대통령긴급조치 제1호(1974. 1. 8. 대통령긴급조치 제1호로 제정되고, 1974. 8. 23. 대통령긴급조치 제5호 '대통령긴급조치 제1호와 동 제4호의 해제에 관한 긴급조치'로 해제된 것), 대통령긴급조치 제2호(1974. 1. 8. 대통령긴급조치 제2호로 제정된 것), '국가안전과 공공질서의 수호를 위한 대통령긴급조치'(1975. 5. 13. 대통령긴급조치 제9호로 제정되고, 1979. 12. 7. 대통령공고 제67호로 해제된 것)는 모두 헌법에 위반된다.

I. 이 사건 긴급조치들에 대한 위헌심사권한

1. 구체적 규범통제제도의 이원화와 '법률'의 의미

가. 헌법은 당해 사건에 적용될 법률(조항)의 위헌 여부를 심사하는 구체적 규범통제의 경우에, '법률'의 위헌 여부는 헌법재판소가, 법률의 하위 규범인 '명령·규칙 또는 처분' 등의 위헌 또는 위법 여부는 대법원이 그 심사권한을 갖는 것으로 그 권한을 분배하고 있다(헌법 제107조 제1항, 제2항, 헌법재판소법 제111조 제1항 제1호 참조). 헌법재판소가 한 법률의 위헌결정은 법원 기타 모든 국가기관을 기속한다는 점에서(헌법재판소법 제47조 제1항), 한편으로 헌법질서의 수호·유지와 규범의 위헌심사의 통일성을 확보하고, 다른 한편으로 구체적인 법적 분쟁에서 합헌적 법률에 의한 재판을 통하여 법원재판의 합헌성을 확보하기 위해서는, 규범이 갖는 효력에 따라 법률에 대한 위헌심사는 헌법재판소에, 명령·규칙에 대한 위헌 또는 위법 심사는 대법원에 그 권한을 분배할 필요성이 있다.

나. 법원의 제청에 의한 위헌법률심판 또는 헌법재판소법 제68조 제2항에 의한 헌법소원심판의 대상이 되는 '법률'에는 국회의 의결을 거친 이른바 형식적 의미의 법률은 물론이고 그 밖에 조약 등 '형식적 의미의 법률과 동일한 효력'을 갖는 규범들도 모두 포함된다.
이때 '형식적 의미의 법률과 동일한 효력'이 있느냐 여부는 그 규범의 명칭이나 형식에 구애받지 않고 법률적 효력의 유무에 따라 판단하여야 한다.

다. 일정한 규범이 위헌법률심판 또는 헌법재판소법 제68조 제2항에 의한 헌법소원심판의 대상이 되는 '법률'인지 여부는 그 제정 형식이나 명칭이 아니라 그 규범의 효력을 기준으로 판단하여야 한다. 따라서 헌법이 법률과 동일한 효력을 가진다고 규정한 긴급재정경제명령(제76조 제1항) 및 긴급명령(제76조 제2항)은 물론, 헌법상 형식적 의미의 법률은 아니지만 국내법과 동일한 효력이 인정되는 '헌법에 의하여 체결·공포된 조약과 일반적으로 승인된 국제법규'(제6조)의 위헌 여부의 심사권한도 헌법재판소에 전속된다고 보아야 한다.

2. 이 사건 긴급조치들의 효력과 위헌심사권한의 소재

가. 유신헌법 제53조는 긴급조치의 효력에 관하여 명시적으로 규정하고 있지 않다. 그러나 긴급조치는 유신헌법 제53조에 근거한 것으로서 그에 정해진 요건과 한계를 준수해야 한다는 점에서 이를 헌법과 동일한 효력을 갖는 것으로 보기는 어렵다.

나. 한편 이 사건 긴급조치들은 표현의 자유 등 기본권을 제한하고, 형벌로 처벌하는 규정을 두고 있으며, 영장주의나 법원의 권한에 대한 특별한 규정 등을 두고 있다. 유신헌법이 규정하고 있던 적법절차의 원칙(제10조 제1항), 영장주의(제10조 제3항), 죄형법정주의(제11조 제1항), 기본권제한에 관한 법률유보원칙(제32조 제2항) 등을 배제하거나 제한하고, 표현의 자유 등 국민의 기본권을 직접적으로 제한하는 내용이 포함된 이 사건 긴급조치들의 효력을 법률보다 하위에 있는 것이라고 보기도 어렵다.

다. 결국 이 사건 긴급조치들은 최소한 법률과 동일한 효력을 가지는 것으로 보아야 하고, 따라서 그 위헌 여부 심사권한도 헌법재판소에 전속한다.

II 이 사건 긴급조치들에 대한 위헌심사 준거규범

이 사건 긴급조치들의 위헌 여부를 심사하는 기준은 유신헌법이 아니라 현행헌법이라 할 것이다. 현행헌법은 전문에서 '1948. 7. 12. 에 제정되고 8차에 걸쳐 개정된 헌법을 이제 국회의 의결을 거쳐 국민투표에 의하여 개정한다.'라고 하여, 제헌헌법 이래 현행헌법에 이르기까지 헌법의 동일성과 연속성을 선언하고 있으므로 헌법으로서의 규범적 효력을 가지고 있는 것은 오로지 현행헌법뿐이라고 할 것이다.

유신헌법도 그 시행 당시에는 헌법으로서 규범적 효력을 갖고 있었음을 부정할 수 없다. 그러나 유신헌법에는 권력분립의 원리에 어긋나고 기본권을 과도하게 제한하는 등 제헌헌법으로부터 현행헌법까지 일관하여 유지되고 있는 헌법의 핵심 가치인 '자유민주적 기본질서'를 훼손하는 일부 규정이 포함되어 있었고, 주권자인 국민은 이러한 규정들을 제8차 및 제9차 개헌을 통하여 모두 폐지하였다.

이 사건에서는 유신헌법 제53조에 따른 긴급조치라는 공권력의 행사가 예외적으로 재심과 같은 특수한 구제절차를 통해 그 위헌 여부가 다투어지고 있는바, 이 사건 긴급조치들이 유신헌법을 근거로 하여 발령된 것이긴 하나 그렇다고 하여 이미 폐지된 유신헌법에 따라 이 사건 긴급조치들의 위헌 여부를 판단하는 것은, 유신헌법 일부 조항과 긴급조치 등이 기본권을 지나치게 침해하고 자유민주적 기본질서를 훼손하는 데에 대한 반성에 기초하여 헌법 개정을 결단한 주권자인 국민의 의사와 기본권 강화와 확대라는 헌법의 역사성에 반하는 것으로 허용할 수 없다.

한편 헌법재판소의 헌법 해석은 헌법이 내포하고 있는 특정한 가치를 탐색·확인하고 이를 규범적으로 관철하는 작업이므로, 헌법재판소가 행하는 구체적 규범통제의 심사기준은 원칙적으로 헌법재판을 할 당시에 규범적 효력을 가지는 헌법이라 할 것이다.

그러므로 이 사건 긴급조치들의 위헌성을 심사하는 준거규범은 유신헌법이 아니라 현행헌법이라고 봄이 타당하다.

III 이 사건 긴급조치들의 재판의 전제성

1. 재판의 전제성의 의미

헌법재판소법 제68조 제2항의 헌법소원심판청구가 적법하기 위해서는 당해 사건에 적용될 법률이 헌법에 위반되는지 여부가 재판의 전제가 되어야 하고, 재판의 전제가 된다는 것은 그 법률이 당해 사건에 적용될 법률이어야 하고 그 위헌 여부에 따라 재판의 주문이 달라지거나 재판의 내용과 효력에 관한 법률적 의미가 달라지는 것을 말한다.

2. 긴급조치 제1호 및 제2호의 전제성

가. 2010헌바70 사건의 당해 사건 법원은 2009. 12. 31. 형사소송법 제420조 제7호의 재심사유

에 해당한다고 보아 재심개시결정을 하였다. 그러므로 위 사건의 당해 사건에서 청구인에 대한 처벌 근거 조항인 긴급조치 제1호는 '본안사건에 대한 심판'의 절차에 있는 당해 사건에서 일응 재판의 전제성을 인정할 수 있다.

그런데 대법원이 위 당해 사건에서 긴급조치 제1호 위반의 점에 대하여 무죄판결을 선고하였으므로, 이 경우에도 과연 재판의 전제성이 인정되는지 여부가 문제 된다. 헌법재판소법 제68조 제2항에 의한 헌법소원심판 청구인이 당해 사건인 형사사건에서 무죄의 확정판결을 받은 때에는 처벌조항의 위헌확인을 구하는 헌법소원이 인용되더라도 재심을 청구할 수 없고, 청구인에 대한 무죄판결은 종국적으로 다툴 수 없게 되므로 법률의 위헌 여부에 따라 당해 사건 재판의 주문이 달라지거나 재판의 내용과 효력에 관한 법률적 의미가 달라지는 경우에 해당한다고 볼 수 없으므로, 원칙적으로 더 이상 재판의 전제성이 인정되지 아니한다.

그러나 앞에서 본 바와 같이 법률과 같은 효력이 있는 유신헌법에 따른 긴급조치의 위헌 여부를 심사할 권한은 본래 헌법재판소의 전속적 관할 사항인 점, 법률과 같은 효력이 있는 규범인 긴급조치의 위헌 여부에 대한 헌법적 해명의 필요성이 있는 점, 당해 사건의 대법원 판결은 대세적 효력이 없는 데 비하여 형벌조항에 대한 헌법재판소의 위헌결정은 대세적 기속력을 가지고 유죄 확정판결에 대한 재심사유가 되는 점(헌법재판소법 제47조 제1항, 제3항) 등에 비추어 볼 때, 이 사건에서는 긴급조치 제1호, 제2호에 대하여 예외적으로 객관적인 헌법질서의 수호·유지 및 관련 당사자의 권리구제를 위하여 심판의 필요성을 인정하여 적극적으로 그 위헌 여부를 판단하는 것이 헌법재판소의 존재 이유에도 부합하고 그 임무를 다하는 것이 되므로, 당해 사건에서 재판의 전제성을 인정함이 타당하다.

나. 긴급조치 제2호는 대통령의 긴급조치를 위반한 자를 심판하기 위하여 설치하는 비상군법회의의 조직법으로 긴급조치 제2호에 따라 법원이 아닌 비상군법회의가 청구인에게 긴급조치 위반의 혐의로 유죄판결을 선고할 수 있었으므로, 비록 긴급조치 제2호가 처벌의 직접적인 근거 조항은 아니더라도 그것이 위헌이라면 청구인에 대한 유죄판결은 결국 재판권이 없는 기관에 의한 것이 된다. 그러므로 긴급조치 제2호도 당해 사건에서 재판의 전제성이 인정된다.

3. 긴급조치 제9호의 전제성

가. 형사소송법은 재심의 절차를 '재심의 청구에 대한 심판'과 '본안사건에 대한 심판'이라는 두 단계 절차로 구별하고 있다. 따라서 확정된 유죄판결에서 처벌의 근거가 된 법률조항은 원칙적으로 '재심의 청구에 대한 심판', 즉 재심의 개시 여부를 결정하는 재판에서는 재판의 전제성이 인정되지 않고, 재심의 개시 결정 이후의 '본안사건에 대한 심판'에 있어서만 재판의 전제성이 인정된다.

나. 긴급조치 제9호를 심판대상으로 하는 사건들(2010헌바132, 170)의 당해 사건 법원들은 재심사유가 없다는 이유로 청구인들의 재심청구를 기각하였다. 이 경우재심의 대상이 된 유죄판결에서 처벌의 근거 조항인 긴급조치 제9호가 당해 사건에서 재판의 전제성이 인정되지 않아 이 부분 심판청구가 부적법한지 문제된다.

확정된 유죄판결에서 처벌의 근거가 된 법률조항을 재심의 개시 여부를 결정하는 재판에서 재판의 전제성을 인정하지 않는 주된 이유는, 재심대상사건의 재판절차에서 처벌조항의 위헌성을 다툴 수 있었던 피고인이 이를 다투지 않고 유죄 판결이 확정된 뒤에야 비로소 형사소송법에 정한 재심사유가 없는데도 처벌조항의 위헌성을 들어 재심을 통하여 확정된 유죄판결을 다투는 것을 재판의 전제성이 없다고 차단함으로써 형사재판절차의 법적 안정성을 추구하자는 데 있다.

그러나 만약 피고인이 재심대상사건의 재판절차에서 그 처벌조항의 위헌성을 다툴 수 없는 규범적 장애가 있는 특수한 상황이었다면, 그에게 그 재판절차에서 처벌의 근거 조항에 대한 위헌 여부를 다투라고 요구하는 것은 규범상 불가능한 것을 요구하는 노릇이므로 이러한 경우에는 예외적으로 유죄판결이 확정된 후에라도 재판의 전제성을 인정하여 위헌성을 다툴 수 있는 길을 열어줄 필요가 있다.

그런데 유신헌법에도 법률이 헌법에 위반되는지 여부가 재판의 전제가 된 때에는 법원의 제청에 의하여 헌법위원회가 심판하도록 하는 위헌법률심판제도(제105조, 제109조 제1항)를 두고 있었으나, 유신헌법 제53조 제4항은 "긴급조치는 사법적 심사의 대상이 되지 아니한다."라고 규정함으로써 긴급조치의 위헌 여부에 대한 판단을 원천적으로 봉쇄하였고, 대법원도 긴급조치는 사법적 심사의 대상이 되지 않는다고 판시하면서(대법원 1977. 3. 22. 선고 74도3510 전원합의체 판결; 대법원 1977. 5. 13. 자 77모19 전원합의체 결정 등 참조) 긴급조치에 대한 위헌법률심판제청신청을 기각하여 왔다. 그리고 유신헌법에서는 규범통제형 헌법소원제도(헌법재판소법 제68조 제2항)를 인정하지 않았다. 이와 같이 유신헌법 당시 긴급조치 위반으로 처벌을 받게 된 사람은 재심대상사건 재판절차에서 긴급조치의 위헌성을 다툴 수조차 없는 규범적 장애가 있었으므로, 그 재심청구에 대한 재판절차에서 긴급조치의 위헌성을 비로소 다툴 수밖에 없다. 더구나 긴급조치에 의한 수사와 재판이 종료한 지 30년도 더 지난 시점이어서 긴급조치 위반을 이유로 유죄판결을 받은 사람이 형사소송법 제420조가 규정하고 있는 재심사유를 통해 재심을 개시하기란 현실적으로 매우 어려운 상황까지 감안하면, 일반 형사재판에 대한 재심사건과는 달리 긴급조치 위반에 대한 재심사건에서는 예외적으로 형사재판 재심절차의 이원적 구조를 완화하여 재심 개시 여부에 관한 재판과 본안에 관한 재판 전체를 당해 사건으로 보아 재판의 전제성을 인정함이 타당하다.

IV 긴급조치 제1호, 제2호의 위헌 여부

1. 입법목적의 정당성과 방법의 적절성

우리 헌법의 전문과 본문 전체에 담겨 있는 최고 이념은 국민주권주의와 자유민주주의에 입각한 입헌민주헌법의 본질적 기본원리에 기초하고 있다. 기타 헌법상의 여러 원칙도 여기에서 연유되는 것이므로 이는 헌법전을 비롯한 모든 법령해석의 기준이 되고, 입법형성권 행사의 한계와 정책결정의 방향을 제시하며, 나아가 모든 국가기관과 국민이 존중하고 지켜가야 하는 최고의 가치규범이다.

헌법을 개정하거나 폐지하고 다른 내용의 헌법을 모색하는 것은 주권자인 국민이 보유하는 가장 기본적인 권리로서, 가장 강력하게 보호되어야 할 권리 중의 권리에 해당한다. 무릇 집권세력의 정책과 도덕성, 혹은 정당성에 대하여 정치적인 반대의사를 표시하는 것은 헌법이 보장하는 정치적 자유의 가장 핵심적인 부분이기 때문이다.

정부에 대한 비판에 대하여 합리적인 홍보와 설득으로 대처하는 것이 아니라, 비판 자체를 원천적으로 배제하려는 공권력의 행사나 규범의 제정은 대한민국 헌법이 예정하고 있는 자유민주적 기본질서에 부합하지 아니하므로 그 정당성을 부여할 수 없다.

나아가 당시 유신헌법에 반대하는 국민이 유신헌법에 대한 비판적 의사표시나 개헌을 위한 적극적인 의견제시 등을 특정 시기에 집약적이고 집합적으로 표출하고 있었다 하더라도, 이를 긴급조치와 같은 국가긴급권으로서 대처하여야 할 국가적 비상상황이라고 보기도 어렵다.

주권자이자 헌법개정권력자인 국민은 당연히 유신헌법의 문제점을 지적하고 그 개정을 주장하거나 청원하는 활동을 할 수 있다. 그런데 긴급조치 제1호, 제2호는 헌법개정을 주장하는 등의 일체의 행위를, 유신헌법에 반대하고 그 전복을 기도하며 사회질서의 혼란을 조장함으로써 국가의 안전보장을 위태롭게 하는 범죄행위로 판단하여 제정된 것이므로, 헌법의 근본원리인 국민주권주의와 자유민주적 기본질서에 비추어 볼 때 그 목적의 정당성을 인정할 수 없고, 기본권제한에 있어서 준수되어야 할 방법의 적절성도 갖추지 못하였다.

또한 계엄이나 긴급조치와 같은 국가긴급권은 국가가 법치주의적 질서 아래에서 행사되는 정상적인 헌법보호수단에 의해서는 제거할 수 없는 전쟁, 사변, 천재·지변 등과 같은 비상사태(긴급사태)에서만 행사될 수 있는 것이고, 그 비상사태에 대한 판단을 국가원수가 단독으로 결정할 수 없으며, 그 행사의 목적이 국가의 존립 내지 자유민주적 기본질서의 보호를 위한 것이어야 한다. 특히 국가긴급권은 일시적인 비상사태에 대응하기 위한 특별하고 예외적인 조치이므로 반드시 일시적이고 임시적인 조치에 한정되어야 한다. 마지막으로 구체적인 조치들이 비례의 원칙에 합치되는지 여부를 사후심사할 수 있는 사법적 통제도 보장되어야 할 것이다.

그런데 앞에서 본 바와 같이 긴급조치 제1호 및 제2호는 국민의 유신헌법 반대운동을 금지하는 등 정치적 표현의 자유를 지나치게 침해하는 내용이어서 국가긴급권이 갖는 내재적 한계를 일탈한 것이므로, 이 점에서도 입법목적의 정당성이나 방법의 적절성을 갖추지 못한 것이다.

2. 긴급조치 제1호 및 제2호의 구체적 위헌요소

긴급조치 제1호, 제2호는 국가긴급권의 발동이 필요한 상황과는 전혀 무관하게 헌법과 관련하여 자신의 견해를 단순하게 표명하는 모든 행위까지 처벌하고, 처벌의 대상이 되는 행위를 전혀 구체적으로 특정할 수 없으므로, 표현의 자유 제한의 한계를 일탈하여 국가형벌권을 자의적으로 행사하였고, 죄형법정주의의 명확성 원칙에 위배되며, 국민의 헌법개정권력의 행사와 관련한 참정권, 국민투표권, 영장주의 및 신체의 자유, 법관에 의한 재판을 받을 권리 등을 침해한다.

Ⅴ. 긴급조치 제9호의 위헌 여부

1. 입법목적의 정당성과 방법의 적절성

'북한의 남침 가능성의 증대'라는 추상적이고 주관적인 상황인식만으로는 긴급조치를 발령할 만한 국가적 위기상황이 존재한다고 보기 부족하고, 주권자이자 헌법개정권력자인 국민이 유신헌법의 문제점을 지적하고 그 개정을 주장하거나 청원하는 활동을 금지하고 처벌하는 긴급조치 제9호는 국민주권주의에 비추어 목적의 정당성을 인정할 수 없다. 다원화된 민주주의 사회에서는 표현의 자유를 보장하고 자유로운 토론을 통해 사회적 합의를 도출하는 것이야말로 국민총화를 공고히 하고 국론을 통일하는 진정한 수단이라는 점에서 긴급조치 제9호는 국민총화와 국론통일이라는 목적에 적합한 수단이라고 보기도 어렵다.

2. 긴급조치 제9호의 구체적 위헌요소

긴급조치 제9호는 학생의 모든 집회·시위와 정치관여행위를 금지하고, 위반자에 대하여는 주무부장관이 학생의 제적을 명하고 소속 학교의 휴업, 휴교, 폐쇄조치를 할 수 있도록 규정하여, 학생의 집회·시위의 자유, 학문의 자유와 대학의 자율성 내지 대학자치의 원칙을 본질적으로 침해하고, 행위자의 소속 학교나 단체 등에 대한 불이익을 규정하여 헌법상의 자기책임의 원리에도 위반되며, 긴급조치 제1호, 제2호와 같은 이유로 죄형법정주의의 명확성 원칙에 위배되고, 헌법개정권력의 행사와 관련한 참정권, 표현의 자유, 집회·시위의 자유, 영장주의 및 신체의 자유, 학문의 자유 등을 침해한다.

Ⅵ. 결 론

그렇다면 이 사건 긴급조치들은 모두 헌법에 위반되므로 관여 재판관 전원의 일치된 의견으로 주문과 같이 결정한다.

위임입법

함께 보는 판례

❶ 법률이 입법사항을 고시 등의 형식으로 위임할 수 있는지 여부(한정적극) (2004. 10. 28. 선고 99헌바91)

의회의 입법독점주의에서 입법중심주의로 전환하여 일정한 범위 내에서 행정입법을 허용하게 된 동기가 사회적 변화에 대응한 입법수요의 급증과 종래의 형식적 권력분립주의로는 현대사회에 대응할 수 없다는 기능적 권력분립론에 있다는 점 등을 감안하여 헌법 제40조와 헌법 제75조, 제95조의 의미를 살펴보면, 국회입법에 의한 수권이 입법기관이 아닌 제2의 국가기관인 행정기관에게 법률 등으로 구체적인 범위를 정하여 위임한 사항에 관하여 법정립의 권한을 갖게 되고, 입법자가 규율의 형식을 선택할 수도 있다 할 것이다. 따라서, 헌법이 인정하고 있는 위임입법의 형식은 예시적인 것으로 보아야 할 것이고, 그것은 법률이 행정규칙에 위임하더라도 그 행정규칙은 위임된 사항만을 규율할 수 있으므로, 국회입법의 원칙과 상치되지도 않는다. 다만, 형식의 선택에 있어서 규율의 밀도와 규율영역의 특성이 개별적으로 고찰되어야 할 것이다. 그에 따라 입법자에게 상세한 규율이 불가능한 것으로 보이는 영역이라면 행정부에게 필요한 보충을 할 책임이 인정되고 극히 전문적인 식견에 좌우되는 영역에서는 행정기관에 의한 구체화의 우위가 불가피하게 있을 수 있다. 그러한 영역에서 행정규칙에 대한 위임입법이 제한적으로 인정될 수 있는 것이다.

위와 같이 법률이 입법사항을 고시 등에 위임하는 것이 가능하다고 하더라도 그에 관한 통제는 다음과 같은 이유로 더욱 엄격하게 행하여져야 한다.

과거 우리나라는 행정부 주도로 경제개발·사회발전을 이룩하는 과정에서 국회는 국민의 다양한 의견을 수렴하여 입법에 반영하는 민주·법치국가적인 의회로서의 역할수행이 상대적으로 미흡하여 행정부에서 마련하여 온 법률안을 신중하고 면밀한 검토과정을 소홀히 한 채 통과시키는 사례가 적지 않았고, 그로 말미암아 위임입법이 양산된 것이 헌정의 현실이다.

한편 행정절차법은 국민의 권리·의무 또는 일상생활과 밀접한 관련이 있는 법령 등을 제정·개정 또는 폐지하고자 할 때에는 당해 입법안을 마련한 행정청은 이를 예고하여야 하고(제41조), 누구든지 예고된 입법안에 대하여는 의견을 제출할 수 있으며(제44조), 행정청은 입법안에 관하여 공청회를 개최할 수 있도록(제45조) 규정하고 있으나, 고시나 훈령 등 행정규칙을 제정·개정·폐지함에 관하여는 아무런 규정을 두고 있지 아니한다. 법규명령과 행정규칙의 이러한 행정절차상의 차이점 외에도 법규명령은 법제처의 심사를 거치고(대통령령은 국무회의에 상정되어 심의된다) 반드시 공포하여야 효력이 발생되는데 반하여, 행정규칙은 법제처의 심사를 거칠 필요도 없고 공포 없이도 효력을 발생하게 된다는 점에서 차이가 있다. 또한 우리나라에서는 위임입법에 대한 국회의 사전적 통제수단이 전혀 마련되어 있지 아니하다.

이상과 같은 여러 가지 사정을 종합하면 이 사건에서와 같이 재산권 등과 같은 기본권을 제한하는 작용을 하는 법률이 입법위임을 할 때에는 "대통령령", "총리령", "부령" 등 법규명령에 위임함이 바람직하고, 금융감독위원회의 고시와 같은 형식으로 입법위임을 할 때에는 적어도 행정규제기본법 제4조 제2항 단서에서 정한 바와 같이 법령이 전문적·기술적 사항이나 경미한 사항으로서 업무의 성질상 위임이 불가피한 사항에 한정된다 할 것이고, 그러한 사항이라 하더라도 포괄위임금지의 원칙상 법률의 위임은 반드시 구체적·개별적으로 한정된 사항에 대하여 행하여져야 할 것이다.

❷ 시행령의 위헌 여부와 위임규정의 위헌 여부의 관계 (1996. 6. 26. 선고 93헌바2)

위임입법의 법리는 헌법의 근본원리인 권력분립주의와 의회주의 내지 법치주의에 바탕을 두는 것이기 때문에 행정부에서 제정된 대통령령에서 규정한 내용이 정당한 것인지 여부와 위임의 적법성은 직접적인 관계가 없다.

즉, 이 사건 심판대상 조항의 위임에 따라 대통령령으로 규정한 내용이 헌법에 위반될 경우라도 그 대통령령의 규정이 위헌으로 되는 것은 별론으로 하고 그로 인하여 정당하고 적법하게 입법권을 위임한 수권법률인 이 사건 심판대상까지도 위헌으로 되는 것은 아니라고 할 것이므로 청구인의 위 주장은 이유없다.

사면권

> **함께 보는 판례**
>
> ❶ **사면에 관한 사항을 법률에 위임하고 있는 헌법 제79조 제3항의 의미** (2000. 6. 1. 선고 97헌바74)
>
> 우리 헌법 제79조 제1항은 "대통령은 법률이 정하는 바에 의하여 사면·감형 또는 복권을 명할 수 있다"고 대통령의 사면권을 규정하고 있고, 제3항은 "사면·감형 또는 복권에 관한 사항은 법률로 정한다"고 규정하여 사면의 구체적 내용과 방법 등을 법률에 위임하고 있다. 그러므로 사면의 종류, 대상, 범위, 절차, 효과 등은 범죄의 죄질과 보호법익, 일반국민의 가치관 내지 법감정, 국가이익과 국민화합의 필요성, 권력분립의 원칙과의 관계 등 제반사항을 종합하여 입법자가 결정할 사항으로서 광범위한 입법재량 내지 형성의 자유가 부여되어 있다.
>
> ❷ **징역형의 집행유예에 대한 사면이 병과된 벌금형에도 미치는지 여부가 사면내용에 대한 해석문제인지 여부(적극)** (2000. 6. 1. 선고 97헌바74)
>
> 선고된 형의 전부를 사면할 것인지 또는 일부만을 사면할 것인지를 결정하는 것은 사면권자의 전권사항에 속하는 것이고, 징역형의 집행유예에 대한 사면이 병과된 벌금형에도 미치는 것으로 볼 것인지 여부는 사면의 내용에 대한 해석문제에 불과하다 할 것이다.

| 국민투표제도 |

| 국무총리 |

026 국가안전기획부의 설치근거와 그 직무범위를 규정한 정부조직법 사건
[합헌, 각하]
- 1994. 4. 28. 선고 89헌마221

판시사항 및 결정요지

1. 헌법재판소법 제68조 제2항에 따른 헌법소원에 있어 청구인들의 위헌제청신청을 기각한 제청법원의 법정 내용에 포함되어 있지 않은 법률조문에 관한 심판청구가 적법한지 여부(소극)

헌법재판소법 제68조 제2항에 의한 헌법소원심판의 청구는 헌법재판소법 제41조 제1항의 규정에 의한 적법한 위헌여부심판의 제청신청을 법원이 각하 또는 기각하였을 경우에만 당사자가 직접 헌법재판소에 헌법소원의 형태로써 심판을 청구할 수 있는 것인데 이 사건에 있어서 청구인들의 위헌제청신청사건을 담당하여 이유 없다고 기각한 제청법원의 결정내용에 의하면 청구인들이 이 사건 헌법소원심판청구를 한 국가안전기획부법 제15조 및 제16조에 관하여는 재판 대상으로 삼은 법률조항도 아니어서 이 규정들에 대하여는 제청법원이 위헌제청신청기각의 결정을 한 바 없음을 알 수 있다. 따라서 같은 규정들에 대하여는 법 제68조 제2항에 의한 심판의 대상이 될 수 없는 사항에 대한 것으로서 이 부분 청구인들의 심판청구는 부적법하다 할 것이다.

2. 청구원인이 기본적으로 동일한 사건들이지만 심판청구요건 및 대상이 달라 중복제소라고 보지 않은 사례

헌법재판소법 제68조 제1항에 의한 헌법소원심판은 주관적 권리구제의 헌법소원으로서, 개별적인 공권력의 행사 또는 불행사로 인하여 헌법상 보장된 기본권을 침해받은 자가 청구할 수 있고 이 경우 법 제75조 제2항 및 제5항에 의한 부수적 위헌심판청구도 할 수 있음에 대하여 법 제68조 제2항에 의한 헌법소원심판은 구체적 규범통제의 헌법소원으로서 법 제41조 제1항의 규정에 의한 법률의 위헌여부심판의 제청신청이 법원에 의하여 기각된 때에는 그 신청을 한 당사자는 헌법재판소에 제청신청이 기각된 법률의 위헌 여부를 가리기 위한 헌법소원심판을 청구할 수 있는바, 그렇다면 법 제68조 제1항과 같은 조 제2항에 규정된 헌법소원심판청구들은 그 심판청구의 요건과 그 대상이 각기 다른 것임이 명백하다.

이 사건 심판대상의 "위헌이라고 해석되는 이유"의 내용과 당재판소에 이미 계속 중인 89헌마86 사건의 "청구원인"과 이 사건의 "위헌이라고 해석되는 이유"의 내용이 기본적으로 동일하다고 하더라도 위와 같은 제소의 요건이 상이하고, 청구인도 동일하지 않을 뿐 아니라, 89헌마86 사건에서는 정부조직법 제14조에 대하여서만 부수적 위헌심판을 구함에 대하여 이 사건에서는 국가안전기획부법 제4조 및 제6조의 위헌 여부도 함께 심판을 구함에 비추어 두 사건의 심판청구 요건이나 그 대상이 반드시 동일하다고 단정할 수 없다 할 것이므로 이 사건 헌법소원은 중복제소로서 부적법하다 할 수 없다.

3. 국가안전기획부의 설치근거와 그 직무범위를 규정한 정부조직법 제14조 제1항 및 국가안전기획부법 제4조, 제6조의 위헌 여부(소극)

행정기관으로서 국무총리 통할에 속하는 행정각부에 속하지 아니하고 대통령의 소속하에 있는 국가안전기획부의 설치근거 법률규정인 정부조직법 제14조 제1항과 국가안전기획부법 제4조 및 제6조가 헌법 제86조 제2항 "국무총리는 대통령을 보좌하며, 행정에 관하여 대통령의 명을 받아 행정각부를 통할한다"와 헌법 제94조 "행정각부의 장은 국무위원 중에서 국무총리의 제청으로 대통령이 임명한다"에 위반되느냐의 여부가 문제로 된다.

국무총리에 관한 헌법상 제 규정을 종합하면 국무총리의 지위가 대통령의 권한행사에 다소의 견제적 기능을 할 수 있다고 보여지는 것이 있기는 하나, 우리 헌법이 대통령중심제의 정부형태를 취하면서도 국무총리제도를 두게 된 주된 이유가 부통령제를 두지 않았기 때문에 대통령 유고시에 그 권한대행자가 필요하고 또 대통령제의 기능과 능률을 높이기 위하여 대통령을 보좌하고 그 의견을 받들어 정부를 통할·조정하는 보좌기관이 필요하다는 데 있었던 점과 대통령에게 법적 제한 없이 국무총리해임권이 있는 점(헌법 제78조, 제86조 제1항 참조)등을 고려하여 총체적으로 보면 내각책임제 밑에서의 행정권이 수상에게 귀속되는 것과는 달리 우리 나라의 행정권은 헌법상 대통령에게 귀속되고, 국무총리는 단지 대통령의 첫째 가는 보좌기관으로서 행정에 관하여 독자적인 권한을 가지지 못하고 대통령의 명을 받아 행정각부를 통할하는 기관으로서의 지위만을 가지며, 행정권 행사에 대한 최후의 결정권자는 대통령이라고 해석하는 것이 타당하다고 할 것이다. 이와 같은 헌법상의 대통령과 국무총리의 지위에 비추어 보면 국무총리의 통할을 받는 행정각부에 모든 행정기관이 포함된다고 볼 수 없다 할 것이다.

헌법 제86조 제2항에서 "국무총리는 행정에 관하여 대통령의 명을 받아 행정각부를 통할한다"라고, 헌법 제94조에서 "행정각부의 장은 국무위원 중에서 국무총리의 제청으로 대통령이 임명한다"라고 각 규정하고 있을 뿐 그 "행정각부"가 무엇을 가리키는 것인지에 관하여는 헌법상 아무런 직접적 규정이 있음을 볼 수 없고 한편 헌법은 제4장 제2절 제3관에서 별도로 행정각부에 관한 규정을 두면서 제96조에서 "행정각부의 설치·조직과 직무범위는 법률로 정한다"라고만 규정하고 있다. 이와 같이 헌법이 "행정각부"의 의미에 관하여 아무런 규정을 두지 아니하고 그 "설치"에 관한 사항까지도 법률에 위임한 이상 헌법 제86조 제2항의 "행정각부"가 어떤 행정기관을 가리키는 것인지는 그 위임된 법률의 규정에 의하여 해석, 판단할 수밖에 없다.

헌법이 "행정각부"의 의의에 관하여는 아무런 규정도 두고 있지 않지만, "행정각부의 장(長)"에 관하여는 "제3관 행정각부"의 관(款)에서 행정각부의 장은 국무위원 중에서 임명되며(헌법 제94조) 그 소관사무에 관하여 법률이나 대통령령의 위임 또는 직권으로 부령을 발할 수 있다(헌법 제95조)고 규정하고 있는바, 이는 헌법이 "행정각부"의 의의에 관하여 간접적으로 그 개념범위를 제한한 것으로 볼 수 있다. 즉, 성질상 정부의 구성단위인 중앙행정기관이라 할지라도, 법률상 그 기관의 장(長)이 국무위원이 아니라든가 또는 국무위원이라 하더라도 그 소관사무에 관하여 부령을 발할 권한이 없는 경우에는, 그 기관은 우리 헌법이 규정하는 실정법적(實定法的) 의미의 행정각부로는 볼 수 없다는 헌법상의 간접적인 개념제한이 있음을 알 수 있다. 따라서 정부의 구성단위로서 그 권한에 속하는 사항을 집행하는 모든 중앙행정기관이 곧 헌법 제86조 제2항 소정의 행정각부는 아니라 할 것이다. 또한 입법권자는 헌법 제96조에 의하여 법률로써 행정을 담당하는 행정기관을 설치함에 있어 그 기관이 관장하는 사무의 성질에 따라 국무총리가 대통령의 명을 받아 통할할 수 있는 기관으로 설치할 수도 있고 또는 대통령이 직접 통할하는 기관으로 설치할 수도 있다 할 것이므로 헌법 제86조 제

2항 및 제94조에서 말하는 국무총리의 통할을 받는 행정각부는 입법권자가 헌법 제96조의 위임을 받은 정부조직법 제29조에 의하여 설치하는 행정각부만을 의미한다고 할 것이다. 대통령직속기관으로 국가안전보장회의(헌법 제91조), 감사원(제97조)을 필요적 기관으로, 국가원로자문회의(제90조), 민주평화통일자문회의(제92조) 및 국민경제자문회의(제93조)를 임의적 기관으로 설치하도록 규정하고 있는바 이는 그 기관이 담당하는 업무의 중요성을 감안하여 특별히 헌법에 그 설치근거를 명시하여 업무의 중요성을 감안하여 특별히 헌법에 그 설치근거를 명시하여 헌법기관으로 격상한 것에 불과하다 할 것이므로, 대통령직속의 헌법기관이 별도로 규정되어 있다는 이유만을 들어 법률에 의하더라도 헌법에 열거된 헌법기관 이외에는 대통령직속의 행정기관을 설치할 수 없다든가 또는 모든 행정기관은 헌법상 예외적으로 열거된 경우 등 이외에는 반드시 국무총리의 통할을 받아야 한다고는 말할 수 없다 할 것이고 이는 현행 헌법상 대통령중심제의 정부조직원리에도 들어맞는 것이라 할 것이다.

다만 대통령이 이러한 직속기관을 설치하는 경우에도 자유민주적 통치구조의 기본이념과 원리에 부합되어야 할 것인데 그 최소한의 기준으로서 ㄱ) 우선 그 설치·조직·직무범위 등에 관하여 법률의 형식에 의하여야 하고 ㄴ) 그 내용에 있어서도 목적·기능 등이 헌법에 적합하여야 하며 ㄷ) 모든 권한이 기본권적 가치실현을 위하여 행사되도록 제도화하는 한편 ㄹ) 권한의 남용 내지 악용이 최대 억제되도록 합리적이고 효율적인 통제장치가 있어야 할 것이다.

… 자유민주주의 국가에 있어서도 국가의 존립과 안전보장을 위하여 정보기관을 설치·운영하는 것 자체는 허용된다고 보아야 할 것이고 이 점에 관하여는 별다른 이론(異論)이 없는 것 같다. 그런데 국가가 어떤 정보기관을 설치·운영하는 경우에 그것을 대통령직속기관(소위 의원내각제국가에 있어서는 수상직속기관)으로 할 것인가 또는 다른 어떤 국가기관의 통제나 규제를 받는 기관으로 할 것인가의 문제는 기본적으로 각국의 입법정책의 영역에 속하는 문제로서, 그것이 그 나라의 헌법이념이나 헌법규정에 위배되지 아니하는 한 위헌이라고 볼 수 없을 것이다. 우리 나라와 같이 대통령중심제의 정부형태를 취하고 있는 경우에는 국가안전기획부의 직무내용(국가안전기획부법 제2조 참조)으로 보아 이를 대통령직속기관으로 하는 것이 합리적이고 효율적이다. 그리고 이러한 입법이 우리 헌법의 다른 규정이나 헌법이념에도 반한다고 볼 수 없다. 또 정보기관인 국가안전기획부의 설치근거를 헌법에 두지 아니하고 법률(정부조직법 제14조)에 두었다 하여 위헌이라고 할 수 없다.

… 따라서 그 목적·직무범위·통제방법 등의 관점에서 헌법이 요구하는 최소한의 요건은 갖추었다 할 것으로서, 국무총리의 통할을 받지 아니하는 대통령직속기관인 국가안전기획부의 설치근거와 그 직무범위 등을 정한 정부조직법 제14조와 국가안전기획부법 제4조 및 제6조의 규정은 헌법에 위배된다고 할 수 없다.

제4장 법 원

 **작량감경을 하여도 집행유예를 선고할 수 없도록 법정형을 정한 강도상해죄 사건** [합헌]
- 1997. 8. 21. 선고 93헌바60

판시사항 및 결정요지

1. 법정형의 내용에 관한 입법재량

어떤 범죄를 어떻게 처벌할 것인가하는 문제 즉 법정형의 종류와 범위의 결정은, 그 범죄의 죄질과 보호법익의 성격에 대한 고려뿐만 아니라 우리의 역사와 문화, 입법당시의 시대적 상황, 국민일반의 가치관 내지 법감정, 그리고 그 범죄의 실태와 예방을 위한 형사정책적 측면 등 여러가지 요소를 종합적으로 고려하여 입법자가 결정할 국가의 입법정책에 관한 사항으로서, 광범위한 입법재량 내지 형성의 자유가 인정되어야 할 분야이다. 따라서 어느 범죄에 대한 법정형이 그 범죄의 죄질 및 이에 따른 행위자의 책임에 비하여 지나치게 가혹한 것이어서 현저히 형벌체계상 균형을 잃고 있다거나 그 범죄에 대한 형벌 본래의 목적과 기능을 달성함에 있어 필요한 정도를 일탈하였다는 등 헌법상의 평등의 원리 및 비례의 원칙 등에 명백히 위배되는 경우가 아닌한 쉽사리 헌법에 위반된다고 단정하여서는 안되며, 죄질이 서로 다른 둘 또는 그 이상의 범죄를 동일선상에 놓고 그 중 어느 한 범죄의 법정형을 기준으로 하여 단순한 평면적인 비교로써 다른 범죄의 법정형의 과중여부를 판정하여서는 아니될 것이다

2. 강도상해죄의 법정형의 하한을 살인죄의 그것보다 중하게 규정한 것이 합리성과 비례성의 원칙에 위배되는지 여부(소극)

어느 범죄에 대한 법정형의 하한도 여러가지 기준의 종합적 고려에 의하여 정해지는 것으로서 죄질의 경중과 법정형의 하한의 높고 낮음이 반드시 정비례하는 것은 아니므로, 강도상해죄의 법정형의 하한을 살인죄의 그것보다 높였다고 해서 바로 합리성과 비례성의 원칙을 위배하였다고는 볼 수 없다.

3. 작량감경을 하여도 집행유예를 선고할 수 없도록 법정형을 정한 것이 법관의 양형판단재량권을 과도하게 제한한 것인지 여부(소극)

강도상해죄는 그 법정형의 하한이 7년 이상의 유기징역으로 한정되어 있어, 법률상 다른 감경사유가 없는 한 작량감경을 하여도 집행유예의 선고를 할 수 없도록 되어 있다고 하나, 이는 앞서 본 바와 같은 입법재량의 범위를 일탈하지 아니한 것이다. 즉, 어떤 범죄에 대한 법정형의 종류와 범위를 정하는 것은 기본적으로 입법자의 형성의 자유에 속하는 사항으로서, 입법자는 앞서 본 제반사정을 종합하여 강도상해의 범행을 저지른 자에 대하여는 법률상 다른 형의 감경사유가 있다는 등

특단의 사정이 없는 한 작량감경만으로는 집행유예의 판결을 선고할 수 없도록 함으로써 그러한 범죄자에 대하여는 반드시 장기간 사회에서 격리시키도록 하는 것이 형사정책적 측면에서 바람직하다는 판단에 따라 강도상해죄의 법정형의 하한을 징역 7년으로 제한하였다고 할 것이므로, 이러한 입법자의 입법정책적 결단은 기본적으로 존중되어야 한다. 또한 법관이 형사재판의 양형에 있어 법률에 기속되는 것은, 법률에 따라 심판한다고 하는 헌법규정(제103조)에 따른 것으로 헌법이 요구하는 법치국가원리의 당연한 귀결이며, 법관의 양형판단재량권 특히 집행유예 여부에 관한 재량권은 어떠한 경우에도 제한될 수 없다고 볼 성질의 것은 아니다.

4. 집행유예의 요건으로 "3년 이하의 징역 또는 금고의 형을 선고할 경우"로 한정하고 있는 것이 법관의 양형판단권을 근본적으로 제한하거나 사법권의 본질을 침해한 것인지 여부(소극)

집행유예선고의 요건에 관한 제한은 반드시 필요한 것이고, 다만 어떠한 형을 선고하는 경우에 집행유예의 선고를 할 수 있느냐의 기준은 나라마다의 범죄자에 대한 교정처우의 실태, 범죄발생의 추이 및 범죄억제를 위한 형사정책적 판단, 각종 형벌법규에 규정된 법정형의 내용 등 제반사정을 종합적으로 고려하여 결정할 입법권자의 형성의 자유에 속하는 문제이다. 따라서 그 입법형성이 입법재량의 한계를 명백히 벗어난 것이 아닌 한 헌법위반이라고는 할 수 없는 바 형법 제62조 제1항 본문 중 "3년 이하의……"라는 요건제한은 위에서 본 제반사정에 비추어 입법재량의 한계를 벗어난 것이라고 볼 수 없다.

028 판사의 근무성적평정과 연임 결격 사건 [합헌]
– 2016. 9. 29. 선고 2015헌바331

판시사항

1. 판사의 근무성적평정에 관한 사항을 대법원규칙으로 정하도록 위임한 구 법원조직법 제44조의2 제2항(이하 '이 사건 근무평정조항'이라 한다)이 포괄위임금지원칙에 위배되는지 여부 (소극)
2. 근무성적이 현저히 불량하여 판사로서 정상적인 직무를 수행할 수 없는 경우에 연임발령을 하지 않도록 규정한 구 법원조직법 제45조의2 제2항 제2호(이하 '이 사건 연임결격조항'이라 한다)가 명확성원칙에 위배되는지 여부 (소극)
3. 이 사건 연임결격조항이 사법의 독립을 침해하는지 여부 (소극)

사건의 개요

청구인은 2002. 2. 18. ○○지방법원 판사로 임명된 후 ××지방법원 판사로 재직하던 중 2011. 12. 16. 대법원장에게 연임희망원을 제출하였다. 법관인사위원회는 2012. 1. 27. 청구인이 연임적격 여부가 문제되는 판사로서 심의대상에 해당한다고 결정하였고, 같은 날 청구인에게 위와 같은 사유를 통지하였다. 청구인은 2012. 2. 7. 법관인사위원회 회의에 출석하여 의견을 진술하고 소명자료를 제출하였으며, 법관인사위원회는 같은 날 청구인을 연임부적격으로 의결하였다. 연임적격 여부에 관하여 대법관회의를 거친 후, 대법원장은 청구인의 10년 동안 근무성적평정 결과와 법관인사위원회의 연임적격에 관한 심의 결과 등을 종합할 때 청구인이 구 법원조직법 제45조의2 제2항 제2호의 '근무성적이 현저히 불량하여 판사로서 정상적인 직무를 수행할 수 없는 경우'에 해당한다는 이유로 2012. 2. 10. 청구인을 연임하지 않기로 하는 결정을 하였고(이하 '이 사건 처분'이라 한다), 이에 따라 청구인은 2012. 2. 18. 임기만료로 퇴직하였다.

청구인은 이 사건 처분에 불복하여 소청심사를 청구하였으나 기각되자, 2012. 8. 28. 서울행정법원에 이 사건 처분의 취소를 구하는 소송을 제기하였다. 위 소송 계속 중 청구인은 판사의 근무성적평정에 관한 사항을 대법원규칙에 위임한 구 법원조직법 제44조의2 제2항과 판사의 연임결격사유를 정한 구 법원조직법 제45조의2 제2항 제2호에 대하여 위헌법률심판제청신청을 하였으나, 2015. 8. 13. 취소소송 및 위헌법률심판제청신청이 모두 기각되자, 2015. 9. 25. 이 사건 헌법소원심판을 청구하였다.

심판대상조항 및 관련조항

구 법원조직법(1994. 7. 27. 법률 제4765호로 개정되고, 2011. 7. 18. 법률 제10861호로 개정되기 전의 것)
제44조의2(근무성적 등의 평정) ② 제1항의 근무성적평정에 관한 사항은 대법원규칙으로 정한다.

구 **법원조직법**(2005. 3. 24. 법률 제7402호로 개정되고, 2014. 12. 30. 법률 제12886호로 개정되기 전의 것)
제45조의2(판사의 연임) ② 대법원장은 다음 각 호의 어느 하나에 해당한다고 인정되는 판사에 대하여는 연임발령을 하지 아니한다.
　2. 근무성적이 현저히 불량하여 판사로서 정상적인 직무를 수행할 수 없는 경우

주문

구 법원조직법(1994. 7. 27. 법률 제4765호로 개정되고, 2011. 7. 18. 법률 제10861호로 개정되기 전의 것) 제44조의2 제2항, 구 법원조직법(2005. 3. 24. 법률 제7402호로 개정되고, 2014. 12. 30. 법률 제12886호로 개정되기 전의 것) 제45조의2 제2항 제2호는 모두 헌법에 위반되지 아니한다.

1. 이 사건 근무평정조항(법원조직법 제44조의2 제2항)에 관한 판단

청구인은 이 사건 근무평정조항이 근무성적평정의 내용 및 절차를 하위법규인 대법원규칙에 백지위임하고 있으므로 포괄위임금지원칙에 위반될 뿐만 아니라, 헌법상 재판의 독립과 법관의 신분보장 규정에도 반한다고 주장한다. 그런데 이 사건 근무평정조항은 판사의 근무성적평정에 관한 사항을 대법원규칙에 위임하는 수권조항으로, 법률조항 자체에서 근무성적평정의 내용이나 법관의 신분변동에 영향을 주는 사항을 직접 규정하지 않고 있으므로 사법의 독립이나 법관의 신분보장을 직접 제한하는 조항이라고 볼 수 없다. 또한 백지위임에 해당하여 재판의 독립을 침해한다는 주장은 포괄위임금지원칙 위배 여부에서 함께 판단될 수 있다. 따라서 이 사건 근무평정조항이 포괄위임금지원칙에 위배되는지 여부를 중심으로 판단하기로 한다.

가. 대법원규칙에 대한 입법위임과 포괄위임금지원칙

헌법 제75조는 "대통령은 법률에서 구체적인 범위를 정하여 위임받은 사항과 법률을 집행하기 위하여 필요한 사항에 관하여 대통령령을 발할 수 있다."고 규정하여 위임입법의 근거와 함께 그 범위와 한계를 제시하고 있다. 헌법 제75조에 근거한 포괄위임금지원칙은 법률에 이미 대통령령 등 하위법규에 규정될 내용 및 범위의 기본사항이 구체적으로 규정되어 있어서 누구라도 당해 법률로부터 하위법규에 규정될 내용의 대강을 예측할 수 있어야 함을 의미하는데, 위임입법이 대법원규칙인 경우에도 수권법률에서 이 원칙을 준수하여야 하는 것은 마찬가지라 할 것이다.

나. 판 단

입법권이 사법권에 간섭하는 것을 최소화하여 사법의 자주성과 독립성을 보장한다는 측면과 사법권의 적절한 행사에 요구되는 판사의 근무와 관련하여 내용적·절차적 사항에 관해 전문성을 가지고 재판 실무에 정통한 사법부 스스로 근무성적평정에 관한 사항을 정하도록 할 필요성에 비추어 보면, 판사의 근무성적평정에 관한 사항을 하위법규인 대법원규칙에 위임할 필요성을 인정할 수 있다. 또한 관련조항의 해석과 판사에 대한 연임제 및 근무성적평정제도의 취지 등을 고려할 때, 이 사건 근무평정조항에서 말하는 '근무성적평정에 관한 사항'이란 판사의 연임 등 인사관

리에 반영시킬 수 있는 것으로 사법기능 및 업무의 효율성을 위하여 판사의 직무수행에 요구되는 것, 즉 직무능력과 자질 등과 같은 평가사항, 평정권자 및 평가방법 등에 관한 사항임을 충분히 예측할 수 있으므로 이 사건 근무평정조항은 포괄위임금지원칙에 위배된다고 볼 수 없다

2. 이 사건 연임결격조항(법원조직법 제45조의2 제2항 제2호)에 관한 판단

청구인은 이 사건 연임결격조항의 '근무성적이 현저히 불량' 부분이 불명확하여 명확성원칙에 위배되며, 근무성적평정 결과를 판사의 연임결격사유로 규정한 것이 사법의 독립을 침해한다고 주장하므로 이에 대해 차례로 살펴본다.

가. 명확성원칙 위배 여부

1) 명확성원칙

명확성원칙이란 법령을 명확한 용어로 규정함으로써 적용 대상자, 즉 수범자가 규제내용을 미리 알 수 있도록 공정한 고지를 하여 장래의 행동지침을 제공하고, 동시에 법 집행자에게 객관적 판단지침을 주어 차별적이거나 자의적인 법해석 및 집행을 예방하기 위한 원칙을 의미하는 것으로서, 민주주의와 법치주의의 원리에 기초하여 모든 기본권제한 입법에 요구되는 원칙이다.

법규범이 명확한지 여부는 해당 법규범이 수범자에게 법규의 의미내용을 알 수 있도록 공정한 고지를 하여 예측가능성을 주고 있는지 여부와 그 법규범이 법을 해석·집행하는 기관에게 충분한 의미내용을 규율하여 자의적인 법해석이나 법집행이 배제되는지 여부, 즉 예측가능성 및 자의적 법집행 배제가 확보되는지 여부에 따라 판단할 수 있다. 법규범의 의미 내용은 그 문언뿐만 아니라 입법목적이나 입법취지, 입법연혁, 법규범의 체계적 구조 등을 종합적으로 고려하는 해석방법에 의하여 구체화 되므로, 결국 법규범이 명확성원칙에 위반되는지 여부는 위와 같은 해석방법에 의하여 그 의미내용을 합리적으로 파악할 수 있는 해석기준을 얻을 수 있는지 여부에 달려 있다.

2) 판 단

구 법원조직법 제44조의2 제1항은 대법원장으로 하여금 판사에 대한 근무성적을 평정하여 그 결과를 인사관리에 반영시킬 수 있도록 규정하고 있는데, 판사에 대한 연임발령 역시 대법원장의 인사권 행사에 해당하므로 근무성적에 대한 평가 결과가 연임발령 여부에 영향을 줄 수 있다는 점 역시 충분히 예측할 수 있으며, 구체적으로 어떠한 경우가 '근무성적이 현저히 불량한 경우'에 해당하는지를 판단함에 있어서는 법관으로서의 직무수행 능력에 관한 전반적인 사정을 종합적으로 고려하여 결정될 수 있으므로, 이를 일률적으로 단정하기 어렵다.

결국 이 사건 연임결격조항의 입법목적과 관련조항의 해석 및 용어의 사전적 의미 등을 종합하면, 이 사건 연임결격조항에서 말하는 '근무성적이 현저히 불량한 경우'란 판사의 직무수행에 관한 평가 결과가 뚜렷이 드러날 정도로 나쁜 경우로 충분히 해석할 수 있으며, 그 내용이 불명확하여 수범자인 판사에게 예측가능성을 제공하지 못하거나 법 집행자에게 자의적인 법해석이나 법집행을 허용하고 있다고 할 수 없으므로 명확성원칙에 위배되지 아니한다.

나. 사법의 독립을 침해하는지 여부

1) 사법권의 독립과 법관의 신분보장

사법권의 독립은 권력분립을 그 중추적 내용의 하나로 하는 자유민주주의 체제의 특징적 지표이고 법치주의의 요소를 이룬다. 사법권의 독립은 재판상의 독립, 즉 법관이 재판을 함에 있어서 오직 헌법과 법률에 의하여 그 양심에 따라 할 뿐, 어떠한 외부적인 압력이나 간섭도 받지 않는다는 것뿐만 아니라, 재판의 독립을 위해 법관의 신분보장도 차질 없이 이루어져야 함을 의미한다. 이에 헌법은 법관의 독립을 보장하기 위하여 법관의 신분보장에 관한 사항을 규정하고 있는바(헌법 제101조 제1항 및 제3항, 제103조, 제105조, 제106조 등 참조), 사법의 독립을 실질적으로 보장하는 것은 헌법 제27조에 의하여 보장되고 있는 국민의 재판청구권이 올바로 행사될 수 있도록 하기 위한 측면에서도 그 의의가 있다.

그런데 헌법이 사법의 독립을 보장하는 것은 그것이 법치주의와 민주주의의 실현을 위한 전제가 되기 때문이지, 그 자체가 궁극적인 목적이 되는 것은 아니다. 국민의 재판청구권을 실질적으로 보장하기 위해서는 사법의 독립성 외에 책임성도 함께 요구되는데, 판사의 연임제도는 사법의 책임성을 실현하는 제도의 하나로 이해할 수 있다. 다만, 사법의 책임성을 지나치게 강조할 경우 오히려 법관의 독립이 침해될 가능성이 있으므로 근무평정제도는 어디까지나 판사에 대한 연임제를 객관적으로 운용하고, 판사의 성실한 직무수행 및 인사의 공정성과 객관성을 확보하기 위하여 필요한 부분에서 합리적으로 이루어져야 할 것이다.

2) 판 단

이 사건 연임결격조항은 직무를 제대로 수행하지 못하는 판사를 그 직에서 배제하여 사법부 조직의 효율성을 유지하기 위한 것으로 그 정당성이 인정된다. 판사의 근무성적은 공정한 기준에 따를 경우 판사의 사법운영능력을 판단함에 있어 다른 요소에 비하여 보다 객관적인 기준으로 작용할 수 있고, 이를 통해 국민의 재판청구권의 실질적 보장에도 기여할 수 있다. 나아가 연임심사에 반영되는 판사의 근무성적에 대한 평가는 10년이라는 장기간 동안 반복적으로 실시되어 누적된 것이므로, 특정 가치관을 가진 판사를 연임에서 배제하는 수단으로 남용될 가능성이 크다고 볼 수 없다. 근무성적평정을 실제로 운용함에 있어서는 재판의 독립성을 해칠 우려가 있는 사항을 평정사항에서 제외하는 등 평정사항을 한정하고 있으며, 연임 심사과정에서 해당 판사에게 의견진술권 및 자료제출권이 보장되고, 연임하지 않기로 한 결정에 불복하여 행정소송을 제기할 수 있는 점 등을 고려할 때, 판사의 신분보장과 관련한 예측가능성이나 절차상의 보장이 현저히 미흡하다고 볼 수도 없으므로, 이 사건 연임결격조항은 사법의 독립을 침해한다고 볼 수 없다.

029 법관징계법 위헌소원 사건 [합헌]
― 2012. 2. 23. 선고 2009헌바34

판시사항

1. 법관에 대한 징계사유로 '법관이 그 품위를 손상하거나 법원의 위신을 실추시킨 경우'를 규정한 구 법관징계법 제2조 제2호가 명확성원칙에 위배되는지 여부(소극)
2. '품위 손상', '위신 실추'라는 불명확한 개념을 전제로 한 구 법관징계법 제2조 제2호가 위 개념의 추상성, 포괄성으로 말미암아 법관의 표현의 자유를 과도하게 제한하여 과잉금지원칙에 위배되는지 여부(소극)
3. 법관에 대한 징계처분 취소청구소송을 대법원의 단심재판에 의하도록 한 구 법관징계법 제27조가 헌법상 재판청구권을 침해하는지 여부(소극)
4. 구 법관징계법 제27조가 징계처분 취소청구소송에 있어서 법관을 다른 전문직 종사자와 차별취급하여 평등권을 침해하는지 여부(소극)

사건의 개요

청구인은 서울○○지방법원 부장판사로 근무하고 있던 자인바, 대법원 법관징계위원회(이하 '위원회'라 한다)는 2007. 10. 5. 청구인에 대한 징계위원회를 개최하여, 청구인이 소속 법원장의 구두경고 및 서면경고 등을 통한 거듭된 자제 지시를 무시한 채 2007. 2. 20.부터 6개월간 20여 차례에 걸쳐 법원 내부는 물론 외부 언론기관에까지 법관으로서의 정당한 의견표명의 한계를 벗어난 주장을 집요하게 반복하고, 극단적으로 표현하는 등 청구인의 행위가 구 법관징계법 제2조 제2호 소정의 '법관이 그 품위를 손상하거나, 법원의 위신을 실추시킨 경우'에 해당한다는 이유로 정직 2월의 징계결정(이하 '이 사건 징계결정'이라 한다)을 하였고, 대법원장은 2007. 10. 12. 위 징계결정에 따라 청구인에 대하여 같은 달 18.자로 정직 2월의 징계처분을 하였다.

이에 청구인은 대법원 2007추127호로 징계처분무효확인및취소소송을 제기하고, 위 소송계속 중 법관징계사유를 규정한 구 법관징계법 제2조 제2호와 법관의 징계처분에 대한 불복소송을 대법원의 전속관할로 하고 단심재판에 의하도록 한 같은 법 제27조에 대하여 대법원에 위헌법률심판제청신청을 하였으나, 대법원이 2009. 1. 30. 위 청구와 제청신청을 모두 기각하자 2009. 2. 26. 이 사건 헌법소원심판을 청구하였다.

심판대상조항 및 관련조항

구 법관징계법(1999. 1. 21. 법률 제5642호로 개정되고, 2011. 4. 12. 법률 제10578호로 개정되기 전의 것)
제2조(징계사유) 법관에 대한 징계사유는 다음 각 호와 같다.
　2. 법관이 그 품위를 손상하거나 법원의 위신을 실추시킨 경우

제27조(불복절차) ① 피청구인이 징계처분에 대하여 불복하고자 하는 경우에는 징계처분이 있음을 안 날부터 14일 이내에 전심절차를 경유하지 아니하고 대법원에 징계처분의 취소를 청구하여야 한다.
② 대법원은 제1항의 취소청구사건을 단심으로 재판한다.

주문

구 법관징계법(1999. 1. 21. 법률 제5642호로 개정되고, 2011. 4. 12. 법률 제10578호로 개정되기 전의 것) 제2조 제2호 및 같은 법 제27조는 각 헌법에 위반되지 아니한다.

I 본안에 대한 판단

1. 법관 징계제도

헌법 제106조 제1항은 "법관은 탄핵 또는 금고 이상의 형의 선고에 의하지 아니하고는 파면되지 아니하며, 징계처분에 의하지 아니하고는 정직·감봉 기타 불리한 처분을 받지 아니한다."라고 규정함으로써 법관에 대하여 파면을 제한하여 재판의 독립에 필수적인 법관의 신분을 보장하면서도 한편으로는 법관으로서의 품위 유지와 직무의 성실성을 확보하기 위하여 징계처분에 의한 정직 등 불리한 처분을 할 수 있도록 하고 있다.

법관에 대한 징계를 규율하는 법관징계법에 의하면, 징계사유는 법관이 직무상 의무를 위반하거나 직무를 게을리한 경우 및 법관이 그 품위를 손상하거나 법원의 위신을 실추시킨 경우(2조)이고, 징계처분의 종류로는 정직·감봉·견책이 있으며(제3조), 징계사건의 심의·결정은 법관징계위원회에 의하여 이루어진다(제4조).

법관징계위원회는 대법원에 두고, 위원장과 6명의 위원, 3명의 예비위원으로 구성되며(제4조), 위원장은 대법관 중에서, 위원은 법관 3명과 변호사, 법학교수, 그 밖에 학식과 경험이 풍부한 자 중 각 1명을, 예비위원은 법관 중에서 각 대법원장이 임명하고(제5조), 위원회의 징계심의는 ① 대법원장, ② 대법관, ③ 해당법관에 대하여 법원조직법에 따라 사법행정사무에 관한 감독권을 가지는 법원행정처장·사법연수원장·각급 법원장·법원도서관장의 징계청구에 의하여 개시되며(제7조), 위원회가 위원 과반수의 출석과 출석위원 과반수의 찬성으로 징계처분을 하는 결정을 하는 경우(제23조, 제24조)에 대법원장은 위 위원회의 결정에 따라 징계처분을 하고 이를 집행한다(제26조).

피청구인이 징계처분에 불복하고자 하는 경우에는 징계처분이 있음을 안 날부터 14일 이내에 전심 절차를 경유하지 아니하고 대법원에 징계처분의 취소를 청구하여야 하고, 대법원은 이를 단심으로 재판한다(제27조).

2. 구 법관징계법 제2조 제2호의 위헌 여부

가. 명확성원칙 위배 여부

구 법관징계법 제2조 제2호는 법관에 대한 징계사유로 '법관이 그 품위를 손상하거나 법원의 위신을 실추시킨 경우'를 규정하여 '품위 손상', '위신 실추'라는 추상적인 용어를 사용하고 있는바, 이러한 용어의 사용이 헌법상 명확성원칙에 위배하여 표현의 자유를 침해하는지 여부가 문제된다.

명확성원칙이란 법령을 명확한 용어로 규정함으로써 적용 대상자 즉 수범자에게 그 규제내용을 미리 알 수 있도록 공정한 고지를 하여 장래의 행동지침을 제공하고, 동시에 법 집행자에게 객관적 판단지침을 주어 차별적이거나 자의적인 법해석 및 집행을 예방하기 위한 원칙을 의미하는 것으로서, 민주주의와 법치주의의 원리에 기초하여 모든 기본권제한 입법에 요구되는 원칙이다. 법규범이 명확한지 여부는 그 법규범이 수범자에게 법규의 의미내용을 알 수 있도록 공정한 고지를 하여 예측가능성을 주고 있는지 여부와 그 법규범이 법을 해석·집행하는 기관에게 충분한 의미내용을 규율하여 자의적인 법해석이나 법집행이 배제되는지 여부, 다시 말하면 예측가능성 및 자의적 법집행 배제가 확보되는지 여부에 따라 이를 판단할 수 있는데, 법규범의 의미내용은 그 문언뿐만 아니라 입법목적이나 입법취지, 입법연혁, 그리고 법규범의 체계적 구조 등을 종합적으로 고려하는 해석방법에 의하여 구체화하게 되므로, 결국 법규범이 명확성원칙에 위반되는지 여부는 위와 같은 해석방법에 의하여 그 의미내용을 합리적으로 파악할 수 있는 해석기준을 얻을 수 있는지 여부에 달려 있다. 그리고 수범자에 대한 행위규범으로서의 법령이 명확하여야 한다는 것은 일반 국민 누구나 그 뜻을 명확히 알게 하여야 한다는 것을 의미하지는 않고, 사회의 평균인이 그 뜻을 이해하고 위반에 대한 위험을 고지받을 수 있을 정도면 충분하며, 일정한 신분 내지 직업 또는 지역에 거주하는 사람들에게만 적용되는 법령의 경우에는 그 사람들 중의 평균인을 기준으로 하여 판단하여야 한다.

입법취지, 용어의 사전적 의미, 유사 사례에서의 법원의 법률해석 등을 종합하여 보면, 구 법관징계법 제2조 제2호의 '법관이 그 품위를 손상하거나 법원의 위신을 실추시킨 경우'란 '법관이 주권자인 국민으로부터 수임받은 사법권을 행사함에 손색이 없는 인품에 어울리지 않는 행위를 하거나 법원의 위엄을 훼손하는 행위를 함으로써 법원 및 법관에 대한 국민의 신뢰를 떨어뜨릴 우려가 있는 경우'로 해석할 수 있고, 위 법률조항의 수범자인 평균적인 법관은 구체적으로 어떠한 행위가 여기에 해당하는지를 충분히 예측할 수 있으므로, 구 법관징계법 제2조 제2호는 명확성원칙에 위배되지 아니한다.

나. 과잉금지원칙 위배 여부

위 법률조항의 적용범위가 지나치게 광범위하고 포괄적이어서 헌법상 과잉금지원칙에 위배하여 법관의 표현의 자유를 침해하는지 여부이다.

살피건대, 비록 위 법률조항이 '품위 손상', '위신 실추'와 같은 추상적인 용어를 사용하고 있기는 하나, 앞서 본 바와 같이 구체적으로 어떠한 행위가 이에 해당하는지 충분히 예측할 수 없을 정도로 그 적용범위가 모호하다거나 불분명하다고 할 수 없다.

그리고 법관도 기본권의 주체로서 표현의 자유를 보장받아야 하나, 법관의 표현의 자유는 법원과 법관의 사법권 행사의 공정성과 중립성 유지 및 이에 대한 국민의 신뢰를 확보하기 위하여 제한될 수 있고, 구 법관징계법 제2조 제2호에서 정한 징계사유는 이러한 목적을 달성하기 위하여 법관으로서의 품위를 손상하거나 법원의 위신을 실추시킨 행위만을 제한하는 것이다. 법관의 사법부 내부 혁신 등을 위한 표현행위에 있어서도 그러한 표현행위를 하였다는 것 자체가 위 법률조항의 징계사유가 되는 것이 아니라, 표현행위가 이루어진 시기와 장소, 표현의 내용 및 방법, 행위의 상대방 등 제반사정을 종합하여 볼 때 법관으로서의 품위를 손상하거나 법원의 위신을 실추시킨 행위에 해당하는 경우에 한하여 징계사유가 되는 것이다.

따라서, 구 법관징계법 제2조 제2호는 그 적용범위가 지나치게 광범위하거나 포괄적이어서 법관의 표현의 자유를 과도하게 제한한다고 볼 수 없으므로 과잉금지원칙에 위배되지 아니한다.

3. 구 법관징계법 제27조의 위헌 여부

가. 재판청구권 침해 여부

청구인은 구 법관징계법 제27조가 법관에 대한 징계처분 취소청구사건을 법률심인 대법원의 단심재판으로 규정함으로써 법관에 의한 사실확정 및 법률적용의 기회를 박탈하여 헌법상 법관에 의한 재판을 받을 권리를 침해한다고 주장한다.

살피건대, 헌법 제27조 제1항은 "모든 국민은 헌법과 법률이 정한 법관에 의하여 법률에 의한 재판을 받을 권리를 가진다."라고 규정하고 있는바, 재판이라 함은 구체적 사건에 관하여 사실의 확정과 그에 대한 법률의 해석적용을 그 본질적인 내용으로 하는 일련의 과정이므로, 법관에 의한 재판을 받을 권리를 보장한다고 함은 법관이 사실을 확정하고 법률을 해석·적용하는 재판을 받을 권리를 보장한다는 뜻이다. 나아가 헌법 제27조 제1항이 규정하는 재판청구권을 보장하기 위해서는 입법자에 의한 재판청구권의 구체적 형성이 불가피하므로 입법자의 광범위한 입법재량이 인정되고, 심급제도도 사법에 의한 권리보호에 관하여 한정된 사법자원의 합리적인 분배의 문제인 동시에 재판의 적정과 신속이라는 서로 상반되는 두 가지의 요청을 어떻게 조화시키느냐의 문제로서 원칙적으로 입법자의 형성의 자유에 속하는 사항이다.

법관에 대한 징계절차는 일반 국민에게 미치는 영향이 크기 때문에 신속히 종결할 필요가 있고, 법관에 대한 대법원장의 징계처분은 다른 행정처분과 달리 처분의 전단계로서 준사법절차인 법관징계위원회의 심의·결정을 받는다. 또한 법관의 연임거부처분이나 임명신청 거부처분 등은 그 처분에 의하여 법관의 신분 상실 여부가 결정되는데 비하여 징계처분은 처분을 받더라도 법관의 신분이 계속 유지되므로 이의절차를 조속히 해소하여야 할 필요성이 훨씬 강하고, 현실적으로 대법원장의 처분에 대하여 하급법원인 1심부터 재판을 하기가 어렵다는 점을 고려하여 입법자는 법관에 대한 대법원장의 징계처분 취소청구소송을 대법원에 의한 단심재판에 의하도록 하고 있다. 이는 입법자가 독립적으로 사법권을 행사하는 법관이라는 지위의 특수성과 법관에 대한 징계절차의 특수성을 감안하여 재판의 신속을 도모한 것으로서 그 합리성을 인정할 수 있다.

그리고 대법원이 법관에 대한 징계처분 취소청구소송을 단심으로 재판하는 경우에는 법률심인 상고심으로서 사실확정에는 관여하지 않는 다른 재판과 달리 심리의 범위에 관하여 아무런 제한이 없어 사실확정도 대법원의 권한에 속하여 법관에 의한 사실확정의 기회가 박탈되었다고 볼 수 없으므로, 헌법 제27조 제1항의 재판청구권을 침해하지 아니한다.

나. 평등권침해 여부

구 법관징계법 제27조는 법관에 대한 징계처분 취소청구소송을 대법원의 단심재판에 의하도록 하여 법관을 다른 전문직 종사자(검사, 변호사, 법학교수, 의사, 공인회계사, 세무사, 건축사 등)와 차별취급하고 있다.

그러나, 법관에 대한 징계의 심의·결정이 준사법절차(법관징계법 제14조, 제16조)를 거쳐서 이루어지는 점, 법관에 대한 징계의 경우 파면·해임·면직 등 신분관계 자체를 변경시키는 중한 징계처분이 존재하지 않는 점, 법관은 독립적으로 사법권을 행사하는 자로서 그 지위를 조속히 안정시킬 필요가 있는 점, 법관에 대한 징계처분 취소청구소송은 피징계자와 동일한 지위를 가진 법관에 의하여 이루어질 수밖에 없는 점 등을 고려하면, 이러한 차별취급에는 합리적인 근거가 있으므로, 구 법관징계법 제27조는 헌법상 평등권을 침해하지 아니한다.

II 결 론

그렇다면 구 법관징계법 제2조 제2호 및 같은 법 제27조는 헌법에 위반되지 아니하므로, 구 법관징계법 제27조에 대한 재판관 이동흡, 재판관 목영준의 보충의견이 있는 외에는 나머지 관여 재판관 전원의 일치된 의견으로 주문과 같이 결정한다.

함께 보는 판례

❶ 1980년 국가보위비상대책위원회에서 조치한 공직자정화작업이 추진되는 과정에서 부당하게 해직된 공무원들의 명예회복과 보상을 위한 1980년해직공무원의보상등에관한 특별조치법 제2조 제2항 제1호의 "차관급 상당이상의 보수를 받은 자"에 법관을 포함시키는 것이 헌법에 위반되는지 여부 (1992. 11. 12. 선고 91헌가2)

법관에 대하여 헌법이 직접적으로 그 신분보장규정을 두고 있는 이유는 사법권의 독립을 실질적으로 보장함으로써 헌법 제27조에 의하여 보장되고 있는 국민의 재판청구권이 올바로 행사될 수 있도록 하기 위한 것임은 의문의 여지가 없다. 헌법 제27조 제1항이 규정하고 있는 국민의 재판청구권의 보장내용은, 헌법과 법률이 정한 자격과 절차에 의하여 임명되고(헌법 제104조, 법원조직법 제41조 내지 제43조), 물적 독립(헌법 제103조)과 인적 독립(헌법 제106조, 법원조직법 제46조)이 보장된 법관에 의한 재판을 받을 권리를 의미하며(헌법재판소 1992.6.26. 선고, 90헌바25 결정 참조), 사법권의 독립은 재판상의 독립 즉 법관이 재판을 함에 있어서 오직 헌법과 법률에 의하여 그 양심에 따라 할 뿐 어떠한 외부적인 압력이나 간섭도 받지 않는다는 것 뿐만 아니라 그 수단으로서 법관의 신분보장도 차질없이 이루어져야 함을 의미하는 것이다. 특히 신분보장은 법관의 재판상의 독립을 보장하는데 있어서 필수적인 전제로서 정당한 법절차에 따르지 않은 법관의 파면이나 면직처분 내지 불이익처분의 금지를 의미하는 것이다.

위 법 제2조 제2항 제1호의 "차관급 상당 이상의 보수를 받은 자"에 법관을 포함시키는 것은, 법관의 신분을 직접 가중적으로 보장하고 있는 헌법 제106조 제1항의 법관의 신분보장규정에 위반되고, 직업공무원으로서 그 신분이 보장되고 있는 일반직 공무원과 비교하더라도 그 처우가 차별되고 있는 것이어서 헌법 제11조의 평등권의 보장규정에 위반된다.

❷ 법관의 정년을 규정하고 있는 법원조직법 제45조 제4항(이하, '이 사건 법률조항'이라 한다)이 청구인의 평등권, 직업선택의 자유 내지 공무담임권을 침해하거나 헌법 제106조의 법관 신분보장 규정에 위배되는지 여부(소극) (2002. 10. 31. 선고 2001헌마557)

가. 평등권 침해 여부

법관은 국가의 통치권인 입법·행정·사법의 주요 3권 중 사법권을 담당하고 그 권한을 행사하는 국가기관이고, 다른 국가기관이나 그 종사자와는 달리 헌법과 법률에 의하여 그 양심에 따라 독립하여 심판하는 기관으로서, 법관 하나 하나가 법을 선언·판단하는 독립된 기관이며, 그에 따라 사법권의 독립을 위하여 헌법에 의하여 그 신분을 고도로 보장받고 있다. 따라서, 법관의 정년을 설정함에 있어서, 입법자는 위와 같은 헌법상 설정된 법관의 성격과 그 업무의 특수성에 합치되도록 하여야 할 것이다.

그런데 이 사건 법률조항은 법관의 정년을 직위에 따라 대법원장 70세, 대법관 65세, 그 이외의 법관 63세로 하여 법관 사이에 약간의 차이를 두고 있는 것으로, 헌법 제11조 제1항에서 금지하고 있는 차별의 요소인 '성별', '종교' 또는 '사회적 신분' 그 어디에도 해당되지 아니할 뿐만 아니라, 그로 인하여 어떠한 사회적 특수계급제도를 설정하는 것도 아니고, 그와 같이 법관의 정년을 직위에 따라 순차적으로 낮게 차등하게 설정한 것은 법관 업무의 성격과 특수성, 평균수명, 조직체 내의 질서 등을 고려하여 정한 것으로 그 차별에 합리적인 이유가 있다고 할 것이므로, 청구인의 평등권을 침해하였다고 볼 수 없다.

나. 직업선택의 자유 침해여부

이 사건 법률조항과 같이 법관의 정년을 설정한 것은 법관의 노령으로 인한 정신적·육체적 능력 쇠퇴로부터 사법이라는 업무를 제대로 수행함으로써 사법제도를 유지하게 하고, 한편으로는 사법인력의 신진대사를 촉진하여 사법조직에 활력을 불어넣고 업무의 효율성을 제고하고자 하는 것으로 그 입법목적이 정당하다. 그리고 일반적으로 나이가 들어감에 따라 인간의 정신적·육체적 능력이 쇠퇴해 가게 되는 것은 과학적 사실이고, 개인마다 그 노쇠화의 정도는 차이가 있음도 또한 사실이다. 그런데, 법관 스스로가 사법이라는 중요한 업무수행 감당능력을 판단하여 자연스럽게 물러나게 하는 제도로는 사법제도의 유지, 조직의 활성화 및 직무능률의 유지향상이라는 입법목적을 효과적으로 수행할 수 없고, 어차피 노령에 따른 개개인의 업무감당능력을 객관적으로 측정하기 곤란한 마당에, 입법자가 법관의 업무 특성 등 여러 가지 사정을 고려하여 일정한 나이를 정년으로 설정할 수밖에 없을 것이므로, 그 입법수단 역시 적절하다고 하지 않을 수 없다. 또한 이 사건 법률조항이 규정한 법관의 정년은 60세 내지 65세로 되어 있는 다른 국가공무원의 정년보다 오히려 다소 높고, 정년제를 두고 있는 외국의 법관 정년연령(65세 내지 70세)을 비교하여 보아도 일반법관의 정년이 지나치게 낮다고 볼 수도 없다. 그렇다면, 이 사건 법률조항은 직업선택의 자유 내지 공무담임권을 침해하고 있다고 할 수 없다.

다. 법관의 신분보장규정 위배여부

헌법 제105조 제1항 내지 제3항에서는 대법원장·대법관 및 그 이외의 법관의 임기제를 규정하고 있고, 같은 조 제4항에서, "법관의 정년은 법률로 정한다."라고 규정하여 '법관정년제' 자체를 헌법에서 명시적으로 채택하고 있으며, 다만, 구체적인 정년연령을 법률로 정하도록 위임하고 있을 뿐이다. 따라서 '법관정년제' 자체의 위헌성 판단은 헌법규정에 대한 위헌주장으로, 종전 우리 헌법재판소 판례에 의하면, 위헌판단의 대상이 되지 아니한다

헌법규정 사이의 우열관계, 헌법규정에 대한 위헌성판단은 인정되지 아니하므로, 그에 따라 헌법 제106조 법관의 신분보장 규정은 헌법 제105조 제4항 법관정년제 규정과 병렬적 관계에 있는 것으로 보아 조화롭게 해석하여야 할 것이고, 따라서, 정년제를 전제로 그 재직 중인 법관은 탄핵 또는 금고 이상의 형의 선고에 의하지 아니하고는 파면되지 아니하며, 징계처분에 의하지 아니하고는 정직, 감봉 기타 불리한 처분을 받지 아니한다고 해석하여야 하고, 그러한 해석하에서는 헌법 제105조 제4항에 따라 입법자가 법관의 정년을 결정한 이 사건 법률조항은 그것이 입법자의 입법재량을 벗어나지 않고 기본권을 침해하지 않는 한 헌법에 위반된다고 할 수 없고, 위에서 본 바와 같이 그 입법 자체가 평등권, 직업선택의 자유나 공무담임권 등 기본권을 침해하였다고 볼 수 없어, 결국 신분보장 규정에도 위배된다고 할 수 없다.

❸ 사법보좌관에 의한 소송비용액 확정결정절차를 규정한 법원조직법(2005. 3. 24. 법률 제7402호로 개정된 것) 제54조 제2항 제1호 중 "「민사소송법」(동법이 준용되는 경우를 포함한다)상의 소송비용액 확정결정절차에서의 법원의 사무" 부분(이하 '이 사건 조항'이라 한다)이 재판청구권을 규정한 헌법 제27조 제1항에 위반되는지 여부(소극) (2009. 2. 26. 선고 2007헌바8, 84(병합))

법원조직법에서 사법보좌관제도를 도입한 취지는 사법 인력을 보다 효율적으로 운용하기 위한 것으로서 법원의 업무 중 상대적으로 쟁송성이 없거나 희박한 비송적·형식적 절차 업무를 법관이 아닌 자로서 법원일반직 공무원 중 일정한 자격을 갖춘 사법보좌관에게 맡기는 것이 법관의 업무를 경감시킴과 아울러 전체적인 사법 서비스를 향상시킬 수 있다는 측면에서 바람직하므로 사법보좌관에 의하여 소송비용액 확정결정절차를 처리하게 하는 이 사건 조항은 그 입법목적이 정당하다.

헌법 제27조 제1항의 재판청구권 보장과 관련하여 최소한 법관이 사실을 확정하고 법률을 해석·적용하는 재판을 받을 권리를 보장할 것이 요구되므로 사법보좌관의 처분에 대한 이의절차가 중요하다. 법원조직법 제54조 제3항 등에서는 사법보좌관의 처분에 대한 이의신청을 허용함으로써 동일 심급 내에서 법관으로부터 다시 재판받을 수 있는 권리를 보장하고 있는데, 이 사건 조항에 의한 소송비용액 확정결정절차의 경우에도 이러한 이의절차에 의하여 법관에 의한 판단을 거치도록 함으로써 법관에 의한 사실확정과 법률해석의 기회를 보장하고 있다.

이와 같이 이 사건 조항에 의한 사법보좌관제도는 이의절차 등에 의하여 법관이 사법보좌관의 소송비용액 확정결정절차를 처리할 수 있는 장치를 마련함으로써 적정한 업무처리를 도모함과 아울러 사법보좌관의 처분에 대하여 법관에 의한 사실확정과 법률의 해석적용의 기회를 보장하고 있는바, 이는 한정된 사법 인력을 실질적 쟁송에 집중하도록 하면서 궁극적으로 국민의 재판받을 권리를 실질적으로 보장한다는 입법목적 달성에 기여하는 적절한 수단임을 인정할 수 있다.

따라서 사법보좌관에게 소송비용액 확정결정절차를 처리하도록 한 이 사건 조항이 그 입법재량권을 현저히 불합리하게 또는 자의적으로 행사하였다고 단정할 수 없으므로 헌법 제27조 제1항에 위반된다고 할 수 없다.

함께 보는 판례

❶ 소송을 대리한 변호사에게 당사자가 지급하였거나 지급할 보수는 대법원규칙이 정하는 금액의 범위 안에서 소송비용으로 인정한다고 한 민사소송법 규정이 대법원규칙 제정에 관한 헌법규정을 위반하였는지 여부 (소극) (2016. 6. 30. 선고 2013헌바370)

헌법 제108조는 "대법원은 법률에서 저촉되지 아니하는 범위 안에서 소송에 관한 절차, 법원의 내부규율과 사무처리에 관한 규칙을 제정할 수 있다."고 규정하고 있는바, 이는 위 조항에서 열거하고 있는 사항에 대해서는 대법원이 법률에 저촉되지 않는 한 법률에 의한 명시적인 수권이 없이도 이를 규칙으로 정할 수 있다는 의미이다(헌재 1995. 12. 28. 91헌마114 참조). 한편, 헌법상 입법권에 관하여는 특별한 제한이 없으므로 국회가 입법권을 행사함에 있어서 그 내용은 물론 그 규율의 형식 또한 선택할 수 있는데, 헌법이 위임입법의 형태로 제75조와 제95조에서 열거하고 있는 대통령령, 총리령 또는 부령 등의 행정입법은 예시적인 것으로 보아야 한다. 따라서 법률은 헌법 제108조에서 열거하고 있는 사항은 물론, 위 조항에서 열거하고 있지 않은 사항에 대해서도 이를 대법원규칙에서 정하도록 위임할 수 있으므로, 소송비용에 관한 사항이 소송에 관한 절차에 관련된 사항인지 여부와 관계없이 심판대상조항이 이를 대법원규칙에 위임하였다 하여 이것이 헌법 제108조에 위반된다고 볼 수는 없다.

❷ 부동산에 대한 강제집행을 부동산 소재지 지방법원의 전속관할로 규정한 민사집행법 제21조 및 제79조 제1항이 재판청구권을 침해하는지 여부(소극) (2007. 10. 25. 2006헌바39)

관할을 배분하는 문제, 즉 여러 법원 사이에 재판권을 어떻게 나누어 행사시킬 것인지는 기본적으로 입법형성권을 가진 입법자가 사법정책을 고려하여 결정할 사항이다. 다만 정해진 관할에 따라 당사자의 재판수행의 용이성이나 재판의 효율 등이 달라질 수 있으므로 입법자는 국민의 권리를 효율적으로 보호하고 재판제도를 적정하고 합리적으로 운영할 수 있도록 관할을 배분·확정하여야 한다.

부동산 강제경매절차에 참가하는 다양한 이해관계인들의 집행절차에의 참가기회를 보장하고 집행절차의 적정·신속·효율 등 공익을 위하여 부동산 소재지 지방법원에 배타적으로 부동산 강제경매의 관할을 인정할 필요성이 있는 점 및 법원이 부동산의 합리적 이용관계 등을 고려하여 관할이 다른 여러 부동산에 대한 일괄매각을 결정할 수 있는 점 등을 고려하면, 부동산에 대한 강제집행을 부동산 소재지 지방법원의 전속관할로 규정한 민사집행법 제21조 및 제79조 제1항은 입법형성권의 한계를 벗어나 국민의 재판청구권을 침해한다고 할 수 없다.

❸ 국민참여재판 대상을 합의부관할 사건으로 정한 것이 헌법에 위반되는지 여부 (2016. 12. 29. 선고 2015헌바63)

개정 전 국민참여재판법은 살인, 강도, 강간과 같이 법정형이 중한 강력범죄를 중심으로 대상사건을 규정하였다. 그러나 국민참여재판법 제정 이후 저조한 신청율과 높은 철회·배제율로 인하여 국민참여재판이 유명무실해지는 것을 방지하기 위하여 그 대상사건의 범위를 어떻게 조정하여야 하는가에 대하여 논의가 있었고, 그 결과 국민참여재판의 취지에 부합하고 현실적인 사정을 고려하면서, 법원의 재판에 대한 국민의 건전한 상식과 사법신뢰의 향상을 위하여 심판대상조항은 국민참여재판의 대상사건을 합의부 관할사건으로 확대하였다. 국민참여재판의 원활한 진행을 위하여는, 배심원의 확보, 재판진행을 위한 인적·물적 자원의 확보, 다양한 상황을 해결하기 위한 충분한 경험의 축적 등이 필수적이고, 합의부 관할사건이 일반적으로 단독판사 관할사건보다 사회적 파급력이 크거나 중한 범죄를 다루고 있는 점, 우리나라는 플리바기닝(plea bargaining), 항소의 제한 등과 같이 외국에서 시행하고 있는 형사제도의 효율적, 경제적 운용을 위한 제도가 마련되어 있지 아니하고, 배심원 평결에 기속력도 없는 점 등을 고려하여 보면, 심판대상조항이 사형·무기 또는 단기 1년 이상의 징역 또는 금고에 해당하는 합의부 관할사건만을 국민참여재판의 대상사건이 되도록 함에 따라 단독판사 관할사건으로 재판받는 피고인이 합의부 관할사건으로 재판받는 피고인과 다르게 취급되는 것은 합리적인 이유가 있다고 인정된다.

제4편
헌법재판

제1장 헌법재판제도 일반이론

제2장 개별심판절차

제1장 헌법재판제도 일반이론

| 재판관의 제척·기피·회피 |

 **재판관 기피 제한 사건** [기각]
― 2016. 11. 24. 선고 2015헌마902

판시사항 및 결정요지

동일한 사건에 대하여 2명 이상의 재판관을 기피할 수 없도록 규정한 헌법재판소법 제24조 제4항이 청구인의 공정한 헌법재판을 받을 권리를 침해하는지 여부(소극)

심판대상조항은 기피를 통해 특정 사건에서 공정한 심판을 기대하기 어려운 재판관을 직무집행에서 배제할 수 있도록 하면서도 심리정족수 부족으로 인하여 헌법재판소의 심판기능이 중단되는 사태를 방지하기 위한 것으로, 목적의 정당성과 수단의 적합성이 인정된다. 헌법재판은 일반재판과 달리 규범이나 국가작용에 대한 헌법적 판단이 주를 이루고, 재판관은 보다 엄격한 절차를 거쳐 임용되므로, 재판관이 특정 사건의 기초가 되는 상황과 관련하여 일정한 관계를 형성하고 있다 하더라도 그것이 헌법재판의 공정성이나 독립성에 영향을 줄 가능성은 일반재판에 비하여 상대적으로 낮다. 또한, 현행 헌법재판제도는 전원재판부의 재판관 결원을 보충할 수 있는 제도를 두고 있지 아니하여, 재판관의 결원은 곧 합헌 또는 기각의견이 확정되는 것과 같은 결과를 야기하게 되므로, 당사자가 1명의 재판관만 기피가 가능하도록 규정하고 있는 것은 청구인의 신청에 의하여 그 자체로 기피신청 당사자에게 불리한 재판결과를 초래하는 것을 최소화하기 위한 부득이한 조치이다. 한편, 기피제도 외에도 공정한 재판을 보장하기 위한 방법으로 제척과 회피제도가 마련되어 있어, 이를 통해 재판의 공정성에 대한 우려를 불식시킬 수 있다. 결국 심판대상조항은 침해의 최소성에 반한다고 보기 어렵다. 또한, 심판대상조항으로 인하여 청구인이 실제로 공정한 재판을 받지 못할 우려에 비하여, 심리정족수 부족으로 인하여 헌법재판기능이 중단되는 사태를 방지함으로써 달성할 수 있는 공익은 매우 크다고 할 것이므로, 법익 사이의 균형을 상실하였다고 보기도 어렵다. 따라서 심판대상조항은 과잉금지원칙을 위반하여 청구인의 공정한 헌법재판을 받을 권리를 침해하지 아니한다.

| 가처분 |

002 사법시험 4회 응시자에 대한 4년간 응시제한 가처분 사건 [인용]
― 2000. 12. 8. 선고 2000헌사471

판시사항 및 결정요지

1. 헌법재판소법 제68조 제1항 헌법소원심판에서 가처분이 허용되는지 여부(적극)

헌법재판소법은 정당해산심판과 권한쟁의심판에 관해서만 가처분에 관한 규정(같은 법 제57조 및 제65조)을 두고 있을 뿐, 다른 헌법재판절차에 있어서도 가처분이 허용되는가에 관하여는 명문의 규정을 두고 있지 않다. 그러나 위 두 심판절차 이외에 같은 법 제68조 제1항 헌법소원심판절차에 있어서도 가처분의 필요성은 있을 수 있고, 달리 가처분을 허용하지 아니할 상당한 이유를 찾아볼 수 없으므로 위 헌법소원심판청구사건에서도 가처분이 허용된다고 할 것이다.

2. 헌법재판소법 제68조 제1항 헌법소원심판의 가처분 요건

헌법재판소법 제40조 제1항에 따라 준용되는 행정소송법 제23조 제2항의 집행정지규정과 민사소송법 제714조의 가처분규정에 비추어 볼 때, 이와 같은 가처분결정은 헌법소원심판에서 다투어지는 '공권력 행사 또는 불행사'의 현상을 그대로 유지시킴으로 인하여 생길 회복하기 어려운 손해를 예방할 필요가 있어야 하고 그 효력을 정지시켜야 할 긴급한 필요가 있어야 한다는 것 등이 그 요건이 된다 할 것이므로, 본안심판이 부적법하거나 이유없음이 명백하지 않는 한, 위와 같은 가처분의 요건을 갖춘 것으로 인정되고, 이에 덧붙여 가처분을 인용한 뒤 종국결정에서 청구가 기각되었을 때 발생하게 될 불이익과 가처분을 기각한 뒤 청구가 인용되었을 때 발생하게 될 불이익에 대한 비교형량을 하여 후자의 불이익이 전자의 불이익보다 크다면 가처분을 인용할 수 있는 것이다

3. 헌법재판소법 제68조 제1항 헌법소원심판에서 가처분신청을 인용한 사례

우선 이 사건 본안심판사건은 헌법재판소의 사전심사를 거쳐 적법하게 계속 중이며, 한편 법무부는 이 사건 규정에 위헌소지가 있음을 시인하고 이를 폐지하는 것 등을 내용으로 하는 '사법시험법 및 동법 시행령 제정안'을 마련·제출함으로써 현재 그 법안이 국회에 계류 중인 점을 고려하면, 이 사건 본안심판청구가 부적법하거나 이유없음이 명백한 경우라고 할 수는 없다.

또한 이 사건 규정의 효력이 그대로 유지되어 신청인들에 적용되면, 신청인들은 2001년부터 4년간 제1차시험에 응시할 수 없게 되므로 사법시험의 합격가능성이 원천적으로 봉쇄되는 회복하기 어려운 손해를 입게 될 것임이 명백할 뿐만 아니라, 사법시험 제1차시험은 매년 초에 시행되어 그 적용의 시기도 매우 근접하였으므로 긴급성도 인정된다고 할 것이다.

이 사건 가처분신청을 기각하였다가 본안심판을 인용하는 경우 2001년도 사법시험 제1차시험은 그대로 시행되어 버리고 신청인들은 이에 응시하여 합격할 기회를 상실하는 돌이킬 수 없는 손해를 입게 된다.

심판대상조항 및 관련조항

사법시험령(1998. 12. 31. 대통령령 제16032호로 개정된 것)

제4조 (응시자격의 제한) ③ 제5조의 규정에 의한 제1차시험을 4회 응시한 자는 마지막으로 응시한 제1차시험의 시행일부터 4년이 경과한 날이 속하는 해의 말일까지는 제1차시험에 다시 응시할 수 없다. 본문의 규정에 의하여 응시가 제한되는 자로서 4년이 경과되어 다시 응시하는 경우에도 제1차시험 4회 응시 후에는 또한 같다.

주문

사법시험령 제4조 제3항 본문의 효력은 헌법재판소 2000헌마262 헌법소원심판청구사건의 종국결정 선고시까지 이를 정지한다.

003 변호사시험 합격자 명단 공고 가처분 사건 [인용]
— 2018. 4. 6. 선고 2018헌사242, 2018헌사245(병합)

판시사항

법무부장관에게 변호사시험의 합격자가 결정되면 즉시 합격자의 성명을 공개하는 방법으로 공고하도록 하는 변호사시험법(2017. 12. 12. 법률 제15154호로 개정된 것) 제11조 중 '명단을 공고' 가운데 성명 공개에 관한 부분(이하 '심판대상조항'이라 한다)의 효력을 본안 사건의 종국결정 선고 시까지 정지할 것인지 여부(적극)

사건의 개요

신청인은 2018. 1. 9.부터 같은 달 13일까지 시행된 '2018년도 제7회 변호사시험'에 응시한 자이다. 2017. 12. 12. 법률 제15154호로 변호사시험법 제11조가 개정되어, 법무부장관은 변호사시험의 합격자가 결정되면 즉시 '명단'을 공고하여야 한다. 그런데 신청인은 위 법률조항에 따라 합격자 명단이 공개될 경우 타인이 자신들의 변호사시험 합격 여부 등을 알 수 있게 되어 자신들의 인격권, 평등권, 개인정보자기결정권 등이 침해된다고 주장하면서 2018. 1. 23. 헌법소원심판을 청구하였다(2018헌마77). 그리고 신청인은 2018. 3. 15. 위 본안 사건의 종국결정 선고시까지 위 변호사시험법 제11조 중 '법무부장관은 합격자가 결정되면 즉시 명단을 공고하고' 부분의 효력 정지를 구하는 이 사건 가처분신청서를 제출하였다.

심판대상조항 및 관련조항

변호사시험법(2017. 12. 12. 법률 제15154호로 개정된 것)
제11조(합격자 공고 및 합격증서 발급) 법무부장관은 합격자가 결정되면 즉시 명단을 공고하고, 합격자에게 합격증서를 발급하여야 한다.

주문

변호사시험법(2017. 12. 12. 법률 제15154호로 개정된 것) 제11조 중 '명단을 공고' 가운데 성명 공개에 관한 부분의 효력은 헌법재판소 2018헌마77, 2018헌마283(병합) 헌법소원심판청구사건의 종국결정 선고 시까지 이를 정지한다.

I 판단

1. 가처분 인용 요건

헌법재판소법 제40조 제1항이 준용하는 행정소송법 제23조 제2항의 집행정지규정과 민사집행법 제300조의 가처분규정에 따를 때, 본안심판이 부적법하거나 이유 없음이 명백하지 않고, 헌법소원심판에서 문제된 '공권력 행사 또는 불행사'를 그대로 유지할 경우 발생할 회복하기 어려운 손해를 예방할 필요와 그 효력을 정지시켜야 할 긴급한 필요가 있으며, 가처분을 인용한 뒤 종국결정에서 청구가 기각되었을 때 발생하게 될 불이익과 가처분을 기각한 뒤 청구가 인용되었을 때 발생하게 될 불이익을 비교형량하여 후자의 불이익이 전자의 불이익보다 클 경우 가처분을 인용할 수 있다.

2. 가처분 인용 여부

가. 이 사건 가처분신청의 본안 심판은 헌법재판소의 사전심사를 거쳐 전원재판부에 계속 중이므로, 이 사건 가처분신청은 본안 심판이 명백히 부적법한 경우에는 해당하지 아니한다(2014헌사592 참조).

또한, 성명은 개인식별정보로서 개인정보의 하나이며, 그 성명 공개를 통하여 개인의 변호사시험 합격 여부를 일반에게 알리는 것이 개인정보자기결정권을 침해하는지, 그리고 신청인들이 주장하는 것과 같이 법학전문대학원 졸업예정자 또는 졸업자라는 한정된 집단만이 변호사시험에 응시하는 경우 합격자의 성명을 공고하면 곧 불합격자를 추정할 수 있게 되어 합격자 성명 공개가 불합격자의 인격권을 제한하는지 여부 등이 본안 심판에서 심리를 거쳐 판단될 필요가 있다.

나. 국가가 변호사시험 합격자 명단을 공고하면 합격자의 성명이 알려지는 것은 물론, 특정 합격자의 합격한 시험 횟수가 공표되므로 그의 과거 응시 이력을 확인할 수 있게 되는 등 합격자에 대한 개인정보자기결정권 제한이 있을 수 있고, 불합격자의 경우에도 상대적으로 높은 합격률이 유지되고 있는 변호사시험 특성상, 그 불합격 사실은 그의 법학전문대학원 학업 성취도와 성실성, 법률지식 등 법률사무를 수행할 능력과 자질에 대한 불신으로 이어질 수 있으므로, 특정인의 불합격 사실을 추정할 수 있는 성명을 공개하는 방식의 합격자 공고는 불합격자에 대한 인격권 제한에 해당할 여지가 있다. 그런데 제7회 변호사시험 합격자 명단이 법무부 홈페이지 등을 통하여 일반에 일단 공개되면, 이는 법조 전문 일간지 기사, 인터넷상 게시물 등에 인용되어 널리 알려지게 되므로, 이를 다시 비공개로 돌리는 것은 불가능하고, 이로써 신청인들은 회복하기 어려운 중대한 손해를 입을 수 있다.

또한, 법무부장관은 제7회 변호사시험의 합격자를 2018. 4. 27.경에 발표할 것으로 예고하였는바, 위 예정일이 임박하였으므로 손해를 방지할 긴급한 필요도 인정된다.

다. 가처분을 인용하더라도 법무부장관은 제3회부터 제6회 변호사시험의 예에 따라 합격자의 응시번호만을 공개하는 방법 등 성명을 공개하지 않는 다른 방법으로 합격자를 공고할 수 있고, 그 후 종국결정에서 청구가 기각된다면 그때 비로소 성명을 추가 공고하면 된다. 반면, 가처분을 기각한 뒤 청구가 인용되었을 때는 위에서 살펴본 것과 같이, 이미 합격자 명단이 법조 전문 일간지 기사, 인터넷상 게시물 등에 인용되어 널리 알려졌을 것이므로 이를 돌이킬 수 없어 신청인들에게 발생하는 불이익이 매우 클 수 있다. 따라서 가처분을 인용한 뒤 종국결정에서 청구가 기각되었을 때 발생하게 될 불이익보다 가처분을 기각한 뒤 청구가 인용되었을 때 발생하게 될 불이익이 더 크다.

Ⅱ 결 론

신청인들의 이 사건 가처분신청은 이유 있으므로 이를 인용하기로 하여 관여재판관 전원의 일치된 의견으로 주문과 같이 결정한다.

위헌결정의 기속력

 **시각장애인에 대하여만 안마사 자격인정을 받을 수 있도록 하는 이른바 비맹제외기준을 설정하고 있는 구 의료법 조항 사건** [기각]
― 2008. 10. 30. 선고 2006헌마1098,1116,1117(병합)

판시사항

1. 시각장애인에 대하여만 안마사 자격인정을 받을 수 있도록 하는 이른바 비맹제외기준을 설정하고 있는 구 의료법 제61조 제1항 중 "「장애인복지법」에 따른 시각장애인 중" 부분 및 의료법 제82조 제1항 중 "「장애인복지법」에 따른 시각장애인 중" 부분(이하 위 두 조항을 합쳐 '이 사건 법률조항'이라 한다)에서 문제되는 기본권 및 이에 대한 위헌심사방법

2. 이 사건 법률조항이 헌법 제37조 제2항의 기본권제한입법의 한계를 벗어나서 비시각장애인의 직업선택의 자유와 평등권을 침해하는지 여부(소극)

3. 이 사건 법률조항이 종전에 헌법재판소가 선고한 위헌결정의 기속력에 저촉되는 것인지 여부(소극)

사건의 개요

청구인들과 공동심판참가인들은 안마, 마사지 또는 지압을 업으로 하려는 사람들이다. 헌법재판소가 2006. 5. 25. 시각장애인만 안마사자격을 취득할 수 있도록 한 '안마사에 관한 규칙'(2000. 6. 16. 보건복지부령 제153호로 개정된 것) 제3조 제1항 제1호와 제2호 중 각 "앞을 보지 못하는" 부분이 법률유보원칙 또는 과잉금지원칙에 위배된다는 이유로 위헌선언을 하였으나 국회는 2006. 9. 27. 시각장애인만 안마사 자격을 취득할 수 있도록 의료법 제61조 제1항을 새로 개정함으로써 비시각장애인의 안마사 자격 취득제한을 그대로 유지하였다.

청구인들 및 공동심판참가인들은 안마업 또는 마사지업에 종사하기 위해 안마사자격인정신청을 하였으나, 관할 시·도지사로부터 장애인복지법에 따른 시각장애인이 아니라는 이유로 이를 거부하는 처분을 받았거나 이러한 처분을 받을 예정에 있다.

그러자 청구인들은 개정 의료법이 장애인복지법에 따른 시각장애인 중 일정한 사람만이 안마사 자격인정을 받을 수 있도록 하고 시각장애인이 아닌 일반인은 안마사 자격인정을 받을 수 없도록 규정함으로써 청구인들의 직업선택의 자유 등 기본권을 침해하고 있다고 주장하면서 2006. 9. 27. 및 9. 29. 이 사건 헌법소원심판을 청구하였고, 또한 공동심판참가인들도 2006. 10. 2. 고○미 외 40인이 '헌법소원심판청구인 보정서'를 통하여 공동심판참가를 한 이래 여러 차례에 걸쳐 위와 같은 공동심판참가를 하였다.

심판대상조항 및 관련조항

청구인들이 심판청구의 대상으로 삼은 것은 구 의료법(2006. 9. 27. 법률 제8007호로 개정된 것, 이하 '구 의료법'이라 한다) 제61조 제1항 중 "「장애인복지법」에 따른 시각장애인 중" 부분이다. 그런데 의료법은 2007. 4. 11. 전부 개정되어 구 의료법 제61조 제1항은 의료법(법률 제8366호로 전부 개정된 것) 제82조 제1항에 그대로 규정되었다.

위와 같이 구 의료법 제61조 제1항은 이미 그 효력을 상실하였지만 심판대상에 대한 헌법적 해명이 이루어지지 않은 상태에서 동일한 내용의 의료법 제82조 제1항이 청구인들의 기본권을 계속 제한하고 있으므로 헌법재판소가 신·구법이 공통으로 함유하고 있는 '시각장애인 안마사제도의 위헌성' 문제를 일거에 판단하는 것이 청구인들의 의사에 부합될 뿐만 아니라 기본권 침해의 구제를 그 본질로 하는 헌법소원제도의 취지에도 부합한다고 할 것이다. 따라서 이 사건 심판의 대상은 구 의료법(2006. 9. 27. 법률 제8007호로 개정되고 2007. 4. 11. 법률 제8366호로 전부 개정되기 전의 것) 제61조 제1항 중 "「장애인복지법」에 따른 시각장애인 중" 부분 및 의료법(2007. 4. 11. 법률 제8366호로 전부 개정된 것) 제82조 제1항 중 "「장애인복지법」에 따른 시각장애인 중" 부분(이하, 두 법조항을 합쳐 '이 사건 법률조항'이라 한다)의 위헌 여부이며, 그 내용 및 관련조항의 내용은 다음과 같다.

【심판대상조항】

구 의료법(2006. 9. 27. 법률 제8007호로 개정되고 2007. 4. 11. 법률 제8366호로 전부 개정되기 전의 것)

제61조(안마사)[2] ① 안마사는 「장애인복지법」에 따른 시각장애인 중 다음 각 호의 어느 하나에 해당하는 자로서 시·도지사의 자격인정을 받아야 한다.
1. 「초·중등교육법」 제2조 제5호의 규정에 따른 특수학교 중 고등학교에 준한 교육을 하는 학교에서 제4항의 규정에 의한 안마사의 업무한계에 따라 물리적 시술에 관한 교육과정을 마친 자
2. 중학교 과정 이상의 교육을 받고 보건복지부장관이 지정하는 안마수련기관에서 2년 이상의 안마수련과정을 마친 자

주문

이 사건 심판청구를 모두 기각한다.

I 적법요건에 대한 판단

1. 공동심판참가신청

헌법재판소법은 청구인의 추가 또는 참가에 관한 아무런 명문의 규정을 두고 있지 않으나 헌법재판의 성격에 반하지 않는 한도 내에서 민사소송법 및 행정소송법이 준용된다고 할 것이다(헌법재판소법 제40조 제1항). 헌법재판소는 법령에 대한 헌법소원심판에서 그 목적이 청구인과 제3자에게 합일적으로 확정되어야 할 경우 그 제3자는 공동 청구인으로서 심판에 참가할 수 있다(헌법재판소법

---

[2] 의료법(2007. 4. 11. 법률 제8366호로 전부 개정된 것) 제82조(안마사)도 동일한 규정임

제40조 제1항, 민사소송법 제83조 제1항)고 판시함으로써 공동심판참가신청의 적법성을 인정한 바 있다. 다만, 공동심판참가인은 별도의 헌법소원을 제기하는 대신에 계속중인 심판에 공동 청구인으로서 참가하는 것이므로 그 참가신청에 대하여 헌법소원 청구기간 등 기타 적법요건이 충족되어야 할 것이다.

2. 자기관련성, 직접성

이 사건 법률조항은 안마사 자격을 '장애인복지법에 따른 시각장애인'에 한하여 인정받을 수 있도록 규정함으로써 구체적인 집행행위를 기다리지 않고 곧바로 비시각장애인의 안마사 자격취득을 제한하고 있으므로, 시각장애인이 아닌 청구인들은 이 사건 법률조항으로 인해 안마사자격을 받을 수 없게 될 뿐 아니라 안마사업에 종사할 수 없게 된다. 따라서 청구인들은 이 사건 법률조항에 대하여 헌법소원을 제기할 자기관련성과 직접성이 인정된다.

3. 현재성, 청구기간

청구인들은 심판청구 또는 공동심판참가신청 당시 이 사건 법률조항으로 인한 기본권침해를 현실적으로 받았던 것은 아니지만, 청구인들 대부분은 안마사업을 하려고 서울장 등 관할 시·도지사에게 안마사자격인정신청을 한 후 시각장애인이 아니라는 이유로 반려처분을 받았고, 아직 반려처분을 받지 못한 일부 청구인들의 경우에도 안마사자격인정 신청으로써 안마업 준비에 대한 소명이 있다고 봄이 상당하므로, 이 사건 법률조항으로 인한 기본권침해가 틀림없이 있을 것으로 심판청구 또는 공동심판참가신청 당시 확실히 예측되었다고 볼 것이다. 따라서 기본권구제의 실효성을 보장하기 위하여 기본권침해의 현재성을 인정할 수 있다.

또한 이와 같이 장래 확실히 기본권침해가 예측되어 현재관련성을 인정하는 이상 청구기간의 도과의 문제는 발생할 여지가 없다.

4. 보충성

법령자체에 의하여 직접 기본권이 침해될 때에는 그 법령 자체의 효력을 직접 다투는 것을 소송물로 하여 일반법원에 소송을 제기하는 길이 없어, 구제절차가 있는 경우가 아니므로 바로 헌법소원을 청구할 수 있다.

이 사건의 경우 청구인들이 이 사건 법률조항 자체의 효력을 직접 다투는 것을 소송물로 하여 일반법원에 소송을 제기하는 길이 없어 다른 법률에 구제절차가 있는 경우에 해당하지 않으므로, 보충성의 요건도 갖추었다.

5. 소결론

따라서, 청구인들의 이 사건 심판청구는 적법요건을 모두 충족한 것으로 판단된다.

II. 본안에 대한 판단

1. 이 사건 법률조항의 의미와 연혁

가. 이 사건 법률조항의 입법경위

헌법재판소는 2006. 5. 25. 2003헌마715등 안마사에관한규칙 제3조 제1항 제1호 등 위헌확인 사건에서, 이와 같이 시각장애인에 한해 안마사의 자격을 인정하는 '안마사에 관한 규칙'(2000. 6. 16. 보건복지부령 제153호로 개정된 것, 이하 '비맹제외기준'이라 한다)이 법률유보원칙 및 과잉금지원칙에 위배하여 비시각장애인의 직업선택의 자유를 침해한다고 재판관 7 : 1의 의견으로 위헌결정을 선고하였다. 다만 위헌결정의 이유에 대하여는 위헌의견을 낸 재판관 7인 사이에서도 다음과 같이 견해가 나뉘었는데, 그 의견분포를 보면 ① 기본권 제한에 관한 사항을 법률에 규정하지 않고 하위법규인 '안마사에 관한 규칙'으로 정한 것이 법률유보원칙에 위배되는지 여부에 대하여 재판관 2인이, ② 시각장애인에 대하여만 안마사자격을 인정하는 것이 과잉금지원칙에 위반하여 비시각장애인의 직업선택의 자유를 침해하는 것인지 여부에 대하여 재판관 2인이, ③ 위 ① ② 모두에 대하여 재판관 3인이 각각 위헌의견을 제시하였다.

헌법재판소의 2003헌마715등 사건에 대한 위헌결정 이후 국회에서는 2006. 9. 27. 법률 제8007호로 종래 "안마사가 되고자 하는 자는 시·도지사의 자격인정을 받아야 한다."라는 구 의료법 제61조 제1항을 "안마사는 「장애인복지법」에 따른 시각장애인 중 다음 각 호의 어느 하나에 해당하는 자로서 시·도지사의 자격인정을 받아야 한다."로 개정함으로써 종전의 시각장애인 안마사제도를 그대로 유지하면서 그 자격인정의 범위를 다소 확대하였고, 그 후 2007. 4. 11. 법률 제8366호로 전부 개정되어 같은 내용이 의료법 제82조 제1항에 규정되었다.

위와 같이 국회에서 2003헌마715등 사건에 대한 위헌결정 이후 의료법을 개정한 이유를 보면, "비시각장애인의 직업선택의 자유보다는 신체장애인에 대한 국가의 보호의무를 규정하고 있는 헌법 제34조 제5항의 정신을 좀 더 고려하여 안마사의 자격을 장애인복지법에 따른 시각장애인 중에서 일정한 교육을 마친 자로 하여 이를 법률에 직접 규정하려는 것"에 있다고 한다.

나. 이 사건 법률조항의 의미

이 사건 법률조항에 의한 시각장애인 안마사제도는 비시각장애인에 대하여 안마사 직업을 선택할 수 있는 자유를 제한하면서 시각장애인에 비해 안마사자격취득에 있어 차별적 취급을 하는 것이지만, 다른 한편 시각장애인에 대하여는 인간다운 생활을 영위할 수 있도록 하는 우대조치로서 기능한다고 볼 수 있다.

2. 위헌결정의 기속력 저촉 여부

헌법재판소법 제47조 제1항은 "법률의 위헌결정은 법원 기타 국가기관 및 지방자치단체를 기속한다."고 규정하고, 같은 법 제75조 제1항은 "헌법소원의 인용결정은 모든 국가기관과 지방자치단체를 기속한다."고 규정함으로써 헌법재판소가 내린 법률의 위헌결정 및 헌법소원의 인용결정의 효력을 담보하기 위해서 기속력을 부여하고 있는바, 이와 관련하여 입법자인 국회에게 기속력이 미치는지 여부, 나아가 결정주문뿐 아니라 결정이유에까지 기속력을 인정할지 여부 등이 문제될 수 있는데, 이에 대하여는 헌법재판소의 헌법재판권 내지 사법권의 범위와 한계, 국회의 입법권의 범위와 한계 등을 고려하여 신중하게 접근할 필요가 있을 것이다. 이 사건에서 청구인들은, 헌법재판소가 2003헌마715등 사건에서 시각장애인에게만 안마사 자격을 인정하는 이른바 비맹제외기준이 과잉금지원칙에 위반하여 비시각장애인의 직업선택의 자유를 침해한다는 이유로 위헌결정을 하였음에도 불구하고 국회가 다시 비맹제외기준과 본질적으로 동일한 내용의 이 사건 법률조항을 개정한 것은 비맹제외기준이 과잉금지원칙에 위반한다고 한 위헌결정의 기속력에 저촉된다는 취지로 주장하는바, 이는 기본적으로 위 위헌결정의 이유 중 비맹제외기준이 과잉금지원칙에 위반한다는 점에 대하여 기속력을 인정하는 전제에 선 것이라고 할 것이다.

앞서 본 바와 같이 결정이유에까지 기속력을 인정할지 여부 등에 대하여는 신중하게 접근할 필요가 있을 것이나 설령 결정이유에까지 기속력을 인정한다고 하더라도, 이 사건의 경우 위헌결정 이유 중 비맹제외기준이 과잉금지원칙에 위반한다는 점에 대하여 기속력을 인정할 수 있으려면, 결정주문을 뒷받침하는 결정이유에 대하여 적어도 위헌결정의 정족수인 재판관 6인 이상의 찬성이 있어야 할 것이고(헌법 제113조 제1항 및 헌법재판소법 제23조 제2항 참조), 이에 미달할 경우에는 결정이유에 대하여 기속력을 인정할 여지가 없다고 할 것인바, 앞서 본 바와 같이 2003헌마715등 사건의 경우 재판관 7인의 의견으로 주문에서 비맹제외기준이 헌법에 위반된다는 결정을 선고하였으나, 그 이유를 보면 비맹제외기준이 법률유보원칙에 위반한다는 의견과 과잉금지원칙에 위반한다는 의견으로 나뉘면서 비맹제외기준이 과잉금지원칙에 위반한다는 점과 관련하여서는 재판관 5인만이 찬성하였을 뿐이므로 위 과잉금지원칙 위반의 점에 대하여 기속력이 인정될 여지가 없다고 할 것이다.

그렇다면, 국회에서 2003헌마715등 사건의 위헌결정 이후 비맹제외기준을 거의 그대로 유지하는 이 사건 법률조항을 개정하였다고 하더라도, 위와 같이 비맹제외기준이 과잉금지원칙에 위반한다는 점과 관련하여 기속력을 인정할 여지가 없는 이상 입법자인 국회에게 기속력이 미치는지 여부 및 결정주문뿐 아니라 결정이유에까지 기속력을 인정할지 여부 등에 대하여 나아가 살펴 볼 필요 없이 이 사건 법률조항이 위 위헌결정의 기속력에 저촉된다고 볼 수는 없을 것이다.

3. 위헌 여부에 대한 판단

가. 문제되는 기본권과 위헌심사방법

1) 헌법 제34조 제1항은 "국가는 사회보장·사회복지의 증진에 노력할 의무를 진다."고 규정하여 국민의 생존권 보장의무를 부과하고, 제5항에서는 "신체장애자 및 질병·노령 기타의 사유로 생활능력이 없는 국민은 법률이 정하는 바에 의하여 국가의 보호를 받는다."고 규정함으로써 특히 신체장애자를 비롯한 자립능력이 부족한 국민에 대한 국가의 보호의무를 천명하고 있다.

이와 같이 입법자로서는 사회적 약자인 신체장애자의 생존권 보호라는 헌법적 요청에 상응하여 적극적으로 복지정책을 형성할 의무를 부담하는데, 이러한 입법이 일반국민의 기본권과 충돌하는 상황을 예상할 수도 있다. 시각장애인 안마사제도를 규정한 이 사건 법률조항의 경우, 헌법 제34조 제5항에 따른 헌법적 요청과 일반국민의 직업선택의 자유 등 기본권이 충돌하는 상황이 문제될 수 있는 것이므로 위 법률조항에 대한 위헌심사 과정에서 이러한 상황을 충분히 고려하여야 할 것이다. 그 경우 헌법 제37조 제2항에 의한 기본권제한입법의 한계를 벗어날 수 없지만, 구체적인 최소침해성 및 법익균형성 심사과정에서 이러한 헌법적 요청뿐만 아니라, 일반국민의 기본권 제약 정도, 시각장애인을 둘러싼 기본권의 특성과 복지정책의 현황, 시각장애인을 위한 직업으로서의 안마사제도와 그와 다른 대안의 가능성 등을 종합하여 형량할 필요가 있을 것이다.

2) 한편 이 사건 법률조항과 같이 시각장애인에 대한 우대처우로 인하여 비시각장애인의 직업선택의 자유 등 기본권이 제한받는 경우 직업선택의 자유에 대한 과잉제한 여부와 평등권 침해 여부가 동시에 문제된다. 그러한 경우에는 직업선택의 자유와 평등권 침해 여부는 따로 분리하여 심사할 것이 아니라 하나로 묶어 판단함이 상당하다고 할 것이다. 왜냐하면, 입법자의 차별취급의 결과 거기에 포함되거나 포함되지 않는 집단이 제한받는 직업선택의 문제와 불평등 처우의 문제는 상당히 밀접하게 결합되어 있기 때문이다. 특히 이 사건 법률조항의 입법의도가 시각장애인의 우대에 있고 그 결과 일반인의 직업선택의 자유가 제한되는 경우라는 점에 비추어, 위헌여부를 판단함에 있어 직업선택의 자유에 대한 제한과 차별취급의 정당성을 함께 심사하는 것이 보다 타당하다고 본다.

나. 이 사건 법률조항에 대한 위헌 여부

1) 이 사건 법률조항은 시각장애인에게 삶의 보람을 얻게 하고 인간다운 생활을 할 권리를 실현시키려는 데에 그 목적이 있으므로 입법목적이 정당하고, 다른 직종에 비해 공간이동과 기동성을 거의 요구하지 않을 뿐더러 촉각이 발달한 시각장애인이 영위하기에 용이한 안마업의 특성 등에 비추어 시각장애인에게 안마업을 독점시킴으로써 그들의 생계를 지원하고 직업활동에 참여할 수 있는 기회를 제공하는 이 사건 법률조항의 경우 이러한 입법목적을 달성하는 데 적절한 수단임을 인정할 수 있다.

2) 과거 우리 사회에서 시각장애인은 생활 전반에 걸쳐 유·무형의 차별을 받았고, 특히 교육, 고용 등에서 많은 차별을 받아왔음을 부인할 수 없다. 그렇다고 시각장애인의 소득보장 내지 직업재활 등과 관련한 복지정책이 이들의 인간다운 삶을 보장할 정도로 갖추어져 있었던 것도 아니다. 시각장애인 안마사제도는 바로 이러한 현실에서 시각장애인의 생계 및 인간다운 삶을 보장하기 위한 최소한의 우선적 처우이며 시각장애인에게 가해진 사회적 차별을 보상해주고 실질적인 평등을 이룰 수 있는 수단으로 채택된 것이라고 평가할 수 있을 것이다.

사회통합의 관점에서 보나, 기본권 보장의 관점에서 보나 장애인에 대해서 국가는 특별한 보호를 해야 하고, 이는 결코 국가의 은전(恩典)이나 혜택이 아니라 헌법상의 권리인 것이다. 인간다운 삶은 다른 국민과 마찬가지로 주어진 여건에서 자신의 능력에 맞게 인격을 발현할 수 있는 직업활동을 통해 생존의 조건을 갖추어가는 것이므로, 단지 정부로부터 금전적 지원을 받는 것보다 적극적으로 직업을 갖고 사회활동을 하는 것이 시각장애인의 직업의식을 고양하고 소외감을 방지할 수 있을 것임은 당연하다. 또한 시각장애인의 상당수가 후천적인 원인에 기하여 발생한다는 점에서 알 수 있듯이 일반국민도 언제든지 장애인이 될 수 있는 점을 염두에 둔다면, 장애인, 특히 시각장애인을 우대한다고 하여 일반국민에 대한 부당한 차별이 된다고 보기도 어렵다.

나아가 시각장애인에 대한 복지정책이 미흡한 현실에서 안마사가 시각장애인이 선택할 수 있는 거의 유일한 직업이라는 점, 안마사 직역을 비시각장애인에게 허용할 경우 시각장애인의 생계를 보장하기 위한 다른 대안이 충분하지 않다는 점, 시각장애인은 역사적으로 교육, 고용 등 일상생활에서 차별을 받아온 소수자로서 실질적인 평등을 구현하기 위해서 이들을 우대하는 조치를 취할 필요가 있는 점 등에 비추어 최소침해성원칙에 반하지 아니하고, 이 사건 법률조항으로 인해 얻게 되는 시각장애인의 생존권 등 공익과 그로 인해 잃게 되는 일반국민의 직업선택의 자유 등 사익을 비교해 보더라도, 공익과 사익 사이에 법익 불균형이 발생한다고 단정할 수도 없다.

다. 소결론

따라서 이 사건 법률조항이 헌법상 보장된 청구인들의 직업선택의 자유와 평등권을 침해한다고 볼 수는 없을 것이다.

III 결 론

그렇다면 청구인들의 이 사건 심판청구는 이유 없으므로 이를 모두 기각하기로 하여 주문과 같이 결정한다.

| 일사부재리 |

함께 보는 판례

❶ 이 사건 심판대상 법률조항은 구법 제19조 중 신·구법 제3조·제5조·제8조·제9조의 죄에 관한 구속기간연장부분이고 위 90헌마82사건의 심판대상 법률조항은 신법 제19조(구법 제19조와 같다) 전부로서 양자의 심판대상 법률조항이 일부 중복되기는 하나, 90헌마82 사건은 헌법재판소법 제68조 제1항에 의한 헌법소원심판청구사건이고 이 사건은 같은 법 제41조 제1항에 의한 위헌법률심판제청사건으로서 심판청구의 유형이 상이하므로 위 두 사건이 동일한 사건이라고 할 수 없다. 따라서 이 사건 심판청구를 동일한 사건의 중복청구로 보아 헌법재판소법 제39조의 일사부재리에 위반된다는 위 주장은 받아들일 수 없다. (1997. 6. 26. 선고 96헌가8·9·10(병합))

❷ 헌법재판소법 제68조 제2항에 의한 헌법소원에 있어서 당사자와 심판대상이 동일하더라도 당해 사건이 다른 경우에는 동일한 사건이 아니므로 일사부재리의 원칙이 적용되지 아니한다. (2006. 5. 25. 선고 2003헌바115)

| 재 심 |

 통합진보당 해산결정에 대한 재심 사건 [각하]
― 2016. 5. 26. 선고 2015헌아20

판시사항 및 결정요지

1. 정당해산결정에 대하여 재심이 허용되는지 여부(적극)

헌법재판은 심판의 종류에 따라 그 절차와 결정의 효과에 차이가 있으므로 재심의 허용여부 내지 허용정도 등은 심판절차의 종류에 따라 개별적으로 판단할 수밖에 없다. 헌법재판소법 제68조에 따른 헌법소원 중 법령에 대한 헌법소원 심판절차에서는 그 인용결정이 위헌법률심판의 경우와 마찬가지로 일반적 기속력과 대세적·법규적 효력을 가지기 때문에 원칙적으로 재심을 허용하지 아니함으로써 얻을 수 있는 법적 안정성의 이익이 재심을 허용함으로써 얻을 수 있는 구체적 타당성의 이익보다 높으므로 그 성질상 재심을 허용할 수 없다(90헌아1; 2002헌아5). 반면, 헌법재판소법 제68조 제1항에 따른 헌법소원 중 행정작용에 속하는 공권력 작용을 대상으로 하는 심판절차에서는, 그 결정의 효력이 원칙적으로 소송당사자 사이에서만 미치기 때문에 재심을 허용함이 상당하다(93헌아1).

정당해산심판은 일반적 기속력과 대세적·법규적 효력을 가지는 법령에 대한 헌법재판소의 결정과 달리 원칙적으로 해당 정당에게만 그 효력이 미친다. 또 정당해산결정은 해당 정당의 해산에 그치지 않고 대체정당이나 유사정당의 설립까지 금지하는 효력을 가지므로, 오류가 드러난 결정을 바로잡지 못한다면 현 시점의 민주주의가 훼손되는 것에 그치지 않고 장래 세대의 정치적 의사결정에까지 부당한 제약을 초래할 수 있다. 따라서 정당해산심판절차에서는 재심을 허용하지 아니함으로써 얻을 수 있는 법적 안정성의 이익보다 재심을 허용함으로써 얻을 수 있는 구체적 타당성의 이익이 더 크므로 재심을 허용하여야 한다. 한편, 이 재심절차에서는 원칙적으로 민사소송법의 재심에 관한 규정이 준용된다(헌법재판소법 제40조 제1항).

2. 이 사건 재심청구가 적법한지 여부(소극)

가. 재심대상결정의 심판대상은 재심청구인의 목적이나 활동이 민주적 기본질서에 위배되는지, 재심청구인에 대한 정당해산결정을 선고할 것인지, 정당해산결정을 할 경우 그 소속 국회의원에 대하여 의원직 상실을 선고할 것인지 여부이다. 내란음모 등 형사사건에서 내란음모 혐의에 대한 유·무죄 여부는 재심대상결정의 심판대상이 아니었고 논리적 선결문제도 아니다. 따라서 이○기 등에 대한 내란음모 등 형사사건에서 대법원이 지하혁명조직의 존재와 내란음모죄의 성립을 모두 부정하였다 해도, 재심대상결정에 민사소송법 제451조 제1항 제8호의 재심사유가 있다고 할 수 없다.

나. 재심대상결정에서 소속 국회의원의 의원직을 상실시킨 것이 위법하다거나 재심대상결정 중 경정 대상이 아닌 내용을 경정한 것이 위법하다는 주장은, 재심대상결정이 사실을 잘못 인정하였거나 법리를 오해한 위법이 있다는 것에 불과하므로 민사소송법 제451조 제1항의 어느 재심사유에도 해당하지 않는다.

함께 보는 판례

❶ 헌법재판소법 제68조 제2항에 의한 헌법소원심판청구사건에서 선고된 헌법재판소의 결정에 대하여 재심이 허용되는지 여부 (1992. 6. 26. 선고 90헌아1)

헌법재판소법은 헌법재판소의 심판절차에 대한 재심의 허용 여부에 관하여 별도의 명문규정을 두고 있지 않으나, 일반적으로 위헌법률심판을 구하는 헌법소원에 대한 헌법재판소의 결정에 대하여는 재심을 허용하지 아니함으로써 얻을 수 있는 법적 안정성의 이익이 재심을 허용함으로써 얻을 수 있는 구체적 타당성의 이익보다 훨씬 높을 것으로 쉽사리 예상할 수 있으므로, 헌법재판소의 이러한 결정에 대하여는 재심에 의한 불복방법이 성질상 허용될 수 없다고 보는 것이 상당하다.

❷ 공권력의 작용을 대상으로 하는 권리구제형 헌법소원절차에서 "판단유탈"을 이유로 한 재심이 허용되는지 여부(적극) (2001. 9. 27. 선고 2001헌아3)

공권력의 작용에 대한 권리구제형 헌법소원심판절차에 있어서 '헌법재판소의 결정에 영향을 미칠 중대한 사항에 관하여 판단을 유탈한 때'를 재심사유로 허용하는 것이 헌법재판의 성질에 반한다고 볼 수는 없으므로, 민사소송법 제422조 제1항 제9호를 준용하여 "판단유탈"도 재심사유로 허용되어야 한다. 따라서 종전에 이와 견해를 달리하여 행정작용에 속하는 공권력 작용을 대상으로 한 권리구제형 헌법소원에 있어서 판단유탈은 재심사유가 되지 아니한다는 취지의 의견(93헌아1, 98헌아2)은 이를 변경하기로 한다. (청구인의 수사미진 주장에 대한 헌법재판소의 판단이 있는 이상, 그 판단에 이르는 이유나 근거 등을 일일이 또는 개별적으로 설시하지 아니하였다고 하더라도 이를 민사소송법 제422조 제1항 제9호에서 말하는 판단유탈이라고 할 수 없다.)

| 다른 법령의 준용 |

 정당해산심판절차에서의 민사소송법령 준용 및 가처분 조항에 관한 사건
[기각]
- 2014. 2. 27. 선고 2014헌마7

판시사항

1. 정당해산심판절차에 민사소송에 관한 법령을 준용할 수 있도록 규정한 헌법재판소법 제40조 제1항 전문 중 '정당해산심판의 절차'에 관한 부분(이하 '준용조항'이라 한다)이 청구인의 공정한 재판을 받을 권리를 침해하는지 여부(소극)
2. 정당해산심판에 가처분을 허용하는 헌법재판소법 제57조(이하 '가처분조항'이라 한다)가 청구인의 정당활동의 자유를 침해하는지 여부(소극)

사건의 개요

청구인은 2011. 12. 13. 중앙선거관리위원회에 등록을 마친 정당이다. 대한민국 정부는 2013. 11. 5. 청구인의 목적과 활동이 민주적 기본질서에 위배된다고 주장하면서 헌법재판소에 정당해산심판을 청구하고(2013헌다1), 그 사건의 종국결정 전까지 청구인의 합당 및 분당, 해산의 금지 및 소속 당원의 활동 금지 등을 구하는 정당활동정지 가처분신청을 하였다(2013헌사907).

청구인은 ① 헌법재판소법 제40조 제1항은 정당해산심판절차에 관하여 증거 및 사실인정에 대하여 민사소송에 관한 법령을 준용하는 것으로 해석되는 한 청구인의 공정한 재판을 받을 권리를 침해하고, ② 정당해산심판의 가처분 근거조항인 헌법재판소법 제57조는 이에 관한 헌법상의 근거가 없어 위헌이라는 등의 주장을 하면서, 정당해산심판 계속 중인 2014. 1. 7. 이들 조항의 위헌확인을 구하는 이 사건 헌법소원심판을 청구하였다.

심판대상조항 및 관련조항

헌법재판소법(2011. 4. 5. 법률 제10546호로 개정된 것)

제40조(준용규정) ① 헌법재판소의 심판절차에 관하여는 이 법에 특별한 규정이 있는 경우를 제외하고는 헌법재판의 성질에 반하지 아니하는 한도에서 민사소송에 관한 법령을 준용한다. (후문 생략)

제57조(가처분) 헌법재판소는 정당해산심판의 청구를 받은 때에는 직권 또는 청구인의 신청에 의하여 종국결정의 선고 시까지 피청구인의 활동을 정지하는 결정을 할 수 있다.

주문

이 사건 심판청구를 기각한다.

I 판 단

1. 정당해산심판절차

헌법재판소법은 제4장 제3절에서 정당해산심판의 절차에 관하여 규정하고 있지만 심리절차에 관한 구체적 규정을 두고 있지는 아니하므로, 일반심판절차에 관한 제22조부터 제40조까지의 규정이 정당해산심판 절차에도 그대로 적용된다. 따라서 헌법재판소법에 특별한 규정이 없는 경우에는 준용조항에 따라 정당해산심판의 성질에 반하지 아니하는 한도에서 민사소송에 관한 법령이 준용된다.

한편, 헌법 제113조 제2항은 헌법재판소는 법률에 저촉되지 아니하는 범위 안에서 심판에 관한 절차에 관한 규칙을 제정할 수 있도록 규정하고 있다. 이 규정과 헌법재판소법 제10조 제1항에 따라 헌법재판소 심판규칙이 제정되어 심판절차를 보다 구체적으로 정하고 있는데, 그 주요 내용은 민사소송법 및 민사소송규칙의 내용과 대체로 비슷하다.

2. 준용조항의 위헌 여부

가. 침해되는 기본권과 심사기준

준용조항에 따라 정당해산심판절차에 민사소송에 관한 법령을 준용할 경우, 허용되는 증거의 범위와 입증의 정도·증거채부 및 조사에 관한 심리의 내용·청구인의 공격과 구체적인 방어의 내용 및 범위에 관하여 실질적이고 직접적인 영향을 미치게 된다. 따라서 준용조항은 청구인의 공정한 재판을 받을 권리를 제한할 수 있다. 청구인은 준용조항이 헌법상 적법절차원칙에 위배된다는 취지의 주장도 하지만, 이는 합헌적인 절차에 따라 헌법재판이 이루어져야 한다는 재판청구권에 관한 주장과 실질적으로 같은 내용의 주장이다.

그런데 절차적 기본권인 재판청구권은 원칙적으로 제도적으로 보장되는 성격이 강하므로, 그에 관하여는 상대적으로 폭넓은 입법형성권이 인정된다. 특히, 우리 헌법은 헌법재판의 심판절차에 적용되거나 준용될 법령에 대한 직접적인 규정을 두고 있지 아니하므로, 이는 헌법원리에 위배되지 아니하는 한도에서 입법형성의 자유가 있는 영역에 속한다고 보아야 한다. 따라서 준용조항이 헌법 제27조 제1항의 법률에 의한 재판을 받을 권리를 침해하는지 여부는, 헌법재판의 성질에 반하여 공정성을 훼손할 정도로 현저히 불합리한 입법형성을 함으로써 그 한계를 벗어났는지 여부를 기준으로 판단하여야 한다.

나. 기본권 침해 여부

준용조항은 헌법재판에서의 불충분한 절차진행규정을 보완하고, 원활한 심판절차진행을 도모하기 위한 조항으로, 그 절차보완적 기능에 비추어 볼 때, 소송절차 일반에 준용되는 절차법으로서의 민사소송에 관한 법령을 준용하도록 한 것이 현저히 불합리하다고 볼 수 없다. 또한 '헌법재판의 성질에 반하지 아니하는 한도'에서 민사소송에 관한 법령을 준용하도록 규정하여 정당해산심판의 고유한 성질에 반하지 않도록 적용범위를 한정하고 있는바, 여기서 '헌법재판의 성질에 반하지 않는' 경우란, 다른 절차법의 준용이 헌법재판의 고유한 성질을 훼손하지 않는 경우로 해석할 수 있고, 이는 헌법재판소가 당해 헌법재판이 갖는 고유의 성질·헌법재판과 일반재판의 목적 및 성격의 차이·준용 절차와 대상의 성격 등을 종합적으로 고려하여 구체적·개별적으로 판단할 수 있다. 따라서 준용조항은 청구인의 공정한 재판을 받을 권리를 침해한다고 볼 수 없다.

3. 가처분조항의 위헌 여부

가. 헌법재판에서 가처분의 의의

헌법재판은 사안의 성질에 따라서 종국결정에 이르기까지 상당한 시간이 필요한 경우가 많으므로, 잠정적인 권리보호수단을 두지 않는다면 종국결정이 선고되더라도 그 실효성을 기대할 수 없게 되어 심판청구 당사자나 헌법질서에 회복하기 어려운 불이익을 야기할 수 있다. 이러한 상황은 결국 헌법의 규범력을 약화시켜 헌정질서에 위해를 초래하게 하므로, 그러한 위험성을 사전에 예방하기 위하여 잠정적인 긴급조치로서 가처분의 필요성이 인정된다. 이에 헌법재판소법에서는 권한쟁의심판(제65조)과 함께 정당해산심판에서 별도의 가처분 규정을 두고 있으며(제57조, 가처분조항), 헌법재판소법 제40조 제1항에 따라 행정소송법과 민사소송법 등을 준용하여 헌법소원심판에서도 가처분을 인정해 오고 있다.

나. 정당활동의 자유와 한계

헌법 제8조 제1항은 정당설립의 자유를 명시하고 있는데, 정당의 자유에는 정당설립의 자유만이 아니라 정당활동의 자유도 포함된다. 정당의 설립만이 보장되고 설립된 정당이 언제든지 다시 금지되거나 정당의 활동이 임의로 제한될 수 있다면, 정당설립의 자유는 사실상 아무런 의미가 없기 때문에, 헌법은 정당활동의 자유를 헌법상 기본권으로 보호하는 것이다. 다만, 정당활동의 자유는 국민의 정치적 자유와 민주주의를 실현하는 전제 아래 인정되는 것이기 때문에 일정한 한계가 있다. 헌법 제8조 제2항은 "정당은 그 목적·조직과 활동이 민주적이어야 하며, 국민의 정치적 의사형성에 참여하는 데 필요한 조직을 가져야 한다."고 하여 정당의 조직과 활동의 자유가 가지는 한계를 명시하고 있다. 헌법 제8조 제4항이 "정당의 목적이나 활동이 민주적 기본질서에 위배될 때에는 헌법재판소의 심판에 의하여 해산된다."라고 한 것 역시 정당의 자유에 대한 한계를 정하고 있는 것이다.

따라서 정당활동의 자유 역시 헌법 제37조 제2항의 일반적 법률유보의 대상이 되고, 가처분조항은 이에 근거하여 정당활동의 자유를 제한하는 법률조항이다. 그러므로 가처분조항이 헌법의 수권 없는 법률의 규정으로 위헌이라는 청구인의 주장은 받아들일 수 없다. 다만 가처분조항이 정당활동의 자유를 제한할 수 있으므로, 가처분조항의 기본권 침해 여부를 판단함에 있어서는 과잉금지원칙을 준수했는지 여부가 심사기준이 된다.

다. 과잉금지원칙 위배 여부

① 가처분은 종국결정의 실효성을 확보하고 잠정적인 권리 보호를 위해서 일정한 사전조치가 필요한 경우 헌법재판소가 하는 잠정적인 조치이다. 가처분은 회복할 수 없는 심각한 불이익의 발생을 예방하고 불가피한 공익목적을 달성하기 위해서 행해진다. 이와 같은 잠정적인 권리보호 수단을 두지 않는다면, 종국결정이 선고되더라도 그 실효성이 없어 당사자나 헌법질서에 회복하기 어려운 불이익을 주는 경우가 있을 수 있다. 한편, 정당해산심판이 갖는 헌법보호라는 측면에 비추어 볼 때, 헌법질서의 유지·수호를 위해 일정한 요건 아래에서는 정당의 활동을 임시로 정지할 필요성이 있다. 따라서 가처분조항은 입법목적의 정당성 및 수단의 적정성이 인정된다.

② 정당해산심판에서 가처분 신청이 인용되기 위해서는 그 인용요건이 충족되어야 할 뿐만 아니라, 그 인용범위도 가처분의 목적인 종국결정의 실효성을 확보하고 헌법질서를 보호하기 위해 필요한 범위 내로 한정된다. 가처분조항에 따라 정당의 활동을 정지하는 결정을 하기 위해서는 정당해산심판제도의 취지에 비추어 헌법이 규정하고 있는 정당해산의 요건이 소명되었는지 여부 등에 관하여 신중하고 엄격한 심사가 이루어져야 한다.

나아가 가처분이 인용되더라도 종국결정 선고 시까지만 정당의 활동을 정지시키는 임시적이고 잠정적인 조치에 불과하므로, 정당활동의 자유를 형해화시킬 정도로 기본권 제한의 범위가 광범위하다고 볼 수 없다. 정당해산심판의 종국결정이 선고된 뒤 그 정당을 해산시킬 수 있다 하더라도, 이러한 사후조치만으로는 종국결정 이전에 발생할 수 있는 헌법질서에 대한 위험을 방지하기 어려워 헌법보호를 목적으로 하는 정당해산심판의 실효성을 담보할 수 없다. 또 사전적 조치인 가처분제도와 동등하거나 유사한 효과가 있는 덜 침해적인 사후적 수단이 존재한다고 볼 수도 없다. 따라서 가처분조항은 침해최소성의 요건도 충족하였다.

③ 가처분조항에 의해 달성될 수 있는 정당해산심판의 실효성 확보 및 헌법질서의 유지 및 수호라는 공익은, 정당해산심판의 종국결정 시까지 잠정적으로 제한되는 정당활동의 자유에 비하여 결코 작다고 볼 수 없으므로 법익균형성도 충족하였다.

④ 따라서 가처분조항은 과잉금지원칙에 위배하여 정당활동의 자유를 침해한다고 볼 수 없다.

II 결 론

그렇다면 준용조항은 청구인의 재판받을 권리를 침해하지 아니하고, 가처분조항은 청구인의 정당활동의 자유를 침해하지 아니하므로, 청구인의 심판청구를 기각하기로 한다.

제2장 개별심판절차

제1절 위헌법률심판

| 한정위헌청구 |

 **뇌물죄의 주체인 '공무원'의 해석·적용에 대한 위헌소원 사건** [한정위헌]
― 2012. 12. 27. 선고 2011헌바117

판시사항

1. 한정위헌청구의 적법성에 관한 종래의 선례를 변경하여 원칙적으로 한정위헌청구가 적법하다고 결정한 사례
2. 형법 제129조 제1항(다음부터 '이 사건 법률조항'이라 한다) 중 "공무원"에 구 '제주특별자치도 설치 및 국제자유도시 조성을 위한 특별법' 제299조 제2항의 제주특별자치도통합영향평가심의위원회 심의위원 중 위촉위원(다음부터 '제주자치도 위촉위원'이라 한다)이 포함되는 것으로 해석하는 것이 죄형법정주의원칙에 위배되는지 여부(적극)

사건의 개요

청구인은 ○○대학교 ○○공학과 교수로서 '2003. 2. 1.경부터 제주도 통합(환경·교통·재해)영향평가위원회 재해분과심의위원으로 위촉되어 ○○골프장, □□골프장 등의 재해영향평가 심의를 하는 과정에서 재해영향평가 심의위원의 직무와 관련하여, 2006. 12.경 현금 35,000,000원, 2007. 5.경 현금 46,500,000원을 수수하는 등 용역비 명목으로 억대의 금품을 수수하였다'는 구 '특정범죄 가중처벌 등에 관한 법률' 위반죄의 범죄사실로 2010. 11. 25. 1심에서 징역 4년에 추징금 1억 5,265만 원을 선고받았으나, 항소하여 2011. 5. 4. 항소심에서 □□골프장 관련 금품 수수 등 일부 범죄사실에 대하여 무죄를 선고받았으며, 수뢰액에 관하여는 '용역비 상당액'이 아닌 '용역계약을 체결할 기회 또는 이에 참여하여 그 대금의 일부를 지급받을 수 있는 기회의 제공'으로 보아야 한다고 하여 구 '특정범죄 가중처벌 등에 관한 법률' 위반(뇌물)죄에 대하여 무죄가 선고됨으로써 결국 형법 제129조 제1항만이 적용되어 징역 2년을 선고받았다.

청구인은 항소심 계속 중인 2011. 1. 26. 형법 제129조 제1항과 구 '특정범죄가중처벌 등에 관한 법률' 제2조 제1항의 '공무원'에 뒤에서 보는 바와 같이 일반공무원이 아닌 지방자치단체 산하 위원회의 심의위원이 포함된다고 해석하는 한도에서 헌법에 위반된다는 취지 등의 위헌법률심판 제청신청을 하였으나, 같은 법원은 2011. 5. 4. 이를 기각하는 결정을 하였다.

이에 청구인은 2011. 6. 3. 위 법률조항들에 대하여 헌법재판소법 제68조 제2항에 의한 이 사건 헌법소원심판을 청구하였으며, 한편 대법원은 2011. 9. 29. 청구인의 상고를 기각하여 위 형이 확정되었다.

심판대상조항 및 관련조항

이 사건 심판의 대상은 형법(1953. 9. 18. 법률 제293호로 제정된 것) 제129조 제1항(이하 '이 사건 법률조항'이라 한다)의 '공무원'에 구 '제주특별자치도 설치 및 국제자유도시 조성을 위한 특별법'(2007. 7. 27. 법률 제8566호로 개정되기 전의 것)(이하 '이 사건 특별법'이라 한다) 제299조 제2항의 제주특별자치도통합영향평가심의위원회 심의위원 중 위촉위원이 포함되는 것으로 해석·적용하는 것이 위헌인지 여부로 한정한다 (이 사건 특별법 및 관련조례 등에 의하면, 제주특별자치도통합영향평가심의위원회 심의위원에는 환경·교통·재해영향평가업무 담당국장 등 당연직 위원과 위촉위원이 있는데, 청구인은 위촉위원이다. 이하 청구인과 같이 심의위원 중 위촉위원을 '제주자치도 위촉위원'이라 한다).

【심판대상조항】

형법(1953. 9. 18. 법률 제293호로 제정된 것)

제129조(수뢰, 사전수뢰) ① 공무원 또는 중재인이 그 직무에 관하여 뇌물을 수수, 요구 또는 약속한 때에는 5년 이하의 징역 또는 10년 이하의 자격정지에 처한다.

주문

형법(1953. 9. 18. 법률 제293호로 제정된 것) 제129조 제1항의 '공무원'에 구 '제주특별자치도 설치 및 국제자유도시 조성을 위한 특별법'(2007. 7. 27. 법률 제8566호로 개정되기 전의 것) 제299조 제2항의 제주특별자치도통합영향평가심의위원회 심의위원 중 위촉위원이 포함되는 것으로 해석하는 한 헌법에 위반된다.

I 적법요건 판단

1. 한정위헌청구의 적법성 여부

법률의 의미는 결국 개별·구체화된 법률해석에 의해 확인되는 것이므로 법률과 법률의 해석을 구분할 수는 없고, 재판의 전제가 된 법률에 대한 규범통제는 해석에 의해 구체화된 법률의 의미와 내용에 대한 헌법적 통제로서 헌법재판소의 고유권한이며, 헌법합치적 법률해석의 원칙상 법률조항 중 위헌성이 있는 부분에 한정하여 위헌결정을 하는 것은 입법권에 대한 자제와 존중으로서 당연하고 불가피한 결론이므로, 이러한 한정위헌결정을 구하는 한정위헌청구는 원칙적으로 적법하다고 보아야 한다.

다만, 구체적 규범통제절차에서 법률조항에 대한 특정적 해석이나 적용부분의 위헌성을 다투는 한정위헌청구가 원칙적으로 적법하다고 하더라도, 재판소원을 금지하고 있는 '법' 제68조 제1항의 취지에 비추어 한정위헌청구의 형식을 취하고 있으면서도 실제로는 당해 사건 재판의 기초가 되는 사실관계의 인정이나 평가 또는 개별적·구체적 사건에서의 법률조항의 단순한 포섭·적용에 관한 문제를 다투거나 의미있는 헌법문제를 주장하지 않으면서 법원의 법률해석이나 재판결과를 다투는 경우 등은 모두 현행의 규범통제제도에 어긋나는 것으로서 허용될 수 없는 것이다.

2. 재판의 전제성 인정 여부

청구인은 국립대학인 ○○대학교 교수로서 국가공무원법 제2조 제2항 제2호의 교육공무원에 해당하나, (대)법원은 당해 사건에서 청구인이 교육공무원으로서가 아니라, 이 사건 특별법상의 재해영향평가심의위원으로서의 직무와 관련하여 금품을 수수하였다고 인정하고, 나아가 위 재해영향평가심의위원은 공법상의 공무원에 해당하지 않거나 특정 법률에 의하여 공무원으로 의제되지 않는다고 하더라도 널리 법령의 근거에 기하여 국가 또는 지방자치단체 및 이에 준하는 공법인의 사무에 종사한다는 점에서 이 사건 법률조항의 '공무원'에 해당된다고 판단하였다. 따라서 이 사건 특별법상의 제주자치도 위촉위원인 청구인이 이 사건 법률조항의 '공무원'에 해당된다고 한 법원의 해석·적용에 대하여(이 사건 법률조항의 '공무원' 부분과 이 사건 특별법상의 제주자치도 위촉위원에 관한 규정은 각각 그 자체로서는 위헌성이 있다고 보기 어렵다) 위헌결정이 선고되는 경우에는 그 범위에서는 처벌근거가 없어지게 되어 재판의 결론이나 내용에 영향을 미치게 되는 것이므로 재판의 전제성이 인정된다.

II 본안 판단

1. 이 사건의 쟁점

이 사건 특별법에는 청구인과 같은 제주자치도 위촉위원에 대하여는 벌칙적용에 있어서 공무원 의제규정이 없음에도 그가 행하는 직무의 성질과 내용에 비추어 '공무원'에 포함된다고 해석·적용하는 것이 죄형법정주의의 명확성의 원칙이나 유추해석금지의 원칙에 위배되어 위헌인지의 여부이다.

2. 죄형법정주의원칙과 법률해석

헌법은 제12조 제1항 후단에서 "법률과 적법한 절차에 의하지 아니하고는 처벌·보안처분 또는 강제노역을 받지 아니한다"라고 규정하고, 제13조 제1항 전단에서 "모든 국민은 행위시의 법률에 의하여 범죄를 구성하지 아니하는 행위로 소추되지 아니하며"라고 하여 죄형법정주의원칙을 천명하고 있다. 죄형법정주의의 원칙은 법률이 처벌하고자 하는 행위가 무엇이며 그에 대한 형벌이 어떠한 것인지를 누구나 예견할 수 있고, 그에 따라 자신의 행위를 결정할 수 있게끔 구성요건을 명확하게 규정할 것을 요구한다. 형벌법규의 내용이 애매모호하거나 추상적이어서 불명확하면 무엇이 금지된 행위인지를 국민이 알 수 없어 법을 지키기가 어려울 뿐만 아니라, 범죄의 성립 여부가 법관의 자의적인 해석에 맡겨져서 죄형법정주의에 의하여 국민의 자유와 권리를 보장하려는 법치주의의 이념은 실현될 수 없기 때문이다.

이러한 죄형법정주의원칙은, 누구나 법률이 처벌하고자 하는 행위가 무엇이며 그에 대한 형벌이 어떠한 것인지를 예견할 수 있고 그에 따라 자신의 행위를 결정지을 수 있도록 구성요건이 명확할 것을 요구하는 '명확성의 원칙'과 범죄와 형벌에 대한 규정이 없음에도 해석을 통하여 유사한 성질을 가지는 사항에 대하여 범죄와 형벌을 인정하는 것을 금지하는 '유추해석금지의 원칙'이 도출된다.

일반적으로 형벌법규 이외의 법규범에서는 법문의 의미가 명확하지 않거나 특정한 상황에 들어맞는 규율을 하고 있는 것인지 모호할 경우에는, 입법목적이나 입법자의 의도를 합리적으로 추론하여 문언의 의미를 보충하여 확정하는 체계적, 합목적적 해석을 할 수도 있고, 유사한 규범이나 유사한 사례로부터 확대해석을 하거나 유추해석을 하여 법의 흠결을 보충할 수도 있으며, 나아가 법률의 문언 그대로 구체적 사건에 적용할 경우에는 오히려 부당한 결론에 도달하게 되고 입법자가 그러한 결과를 의도하였을 리가 없다고 판단되는 경우에는 문언을 일정부분 수정하여 해석하는 경우도 있을 수 있다. 그러나 형벌조항을 해석함에 있어서는 앞서 본 바와 같은 헌법상 규정된 죄형법정주의 원칙 때문에 입법목적이나 입법자의 의도를 감안하는 확대해석이나 유추해석은 일체 금지되고 형벌조항의 문언의 의미를 엄격하게 해석해야 하는 것이다.

3. 판 단

형벌법규에 있어 독자적인 공무원 개념을 사용하기 위해서는 법률에 명시하는 것이 일반적 입법례인데, 우리의 경우에는 구 형법의 공무원 개념규정을 형법 제정 당시 두지 않았고, 국가공무원법·지방공무원법에 의한 공무원이 아니라고 하더라도 국가나 지방자치단체의 사무에 관여하거나 공공성이 높은 직무를 담당하여 청렴성과 직무의 불가매수성이 요구되는 경우에, 개별 법률에 '공무원 의제' 조항을 두어 공무원과 마찬가지로 뇌물죄로 처벌하거나, 특별규정을 두어 처벌하고 있다. 그런데 국가공무원법·지방공무원법에 따른 공무원이 아님에도 법령에 기하여 공무에 종사한다는 이유로 공무원 의제규정이 없는 사인(私人)을 이 사건 법률조항의 '공무원'에 포함된다고 해석하는 것은 처벌의 필요성만을 지나치게 강조하여 범죄와 형벌에 대한 규정이 없음에도 구성요건을 확대한 것으로서 죄형법정주의와 조화될 수 없다.

따라서 이 사건 법률조항의 '공무원'에 국가공무원법·지방공무원법에 따른 공무원이 아니고 공무원으로 간주되는 사람도 아닌 제주자치도 위촉위원이 포함된다고 해석하는 것은 법률해석의 한계를 넘은 것으로서 죄형법정주의에 위배된다.

| 위헌결정의 소급효 |

위헌결정의 소급효 사건 [합헌]
– 1993. 5. 13. 선고 92헌가10,91헌바7,92헌바24,50

판시사항 및 결정요지

1. 위헌법률심판제청 내지 헌법재판소법 제68조 제2항에 의한 헌법소원심판청구의 적법요건인 재판의 전제성의 의미

　　법률에 대한 위헌여부심판제청이나 법 제68조 제2항의 규정에 의한 헌법소원심판청구가 적법하기 위하여는 문제된 법률의 위헌여부가 재판의 전제가 되어야 한다는 재판의 전제성을 갖추어야 할 것인바, 그 재판의 전제성이라 함은 첫째 구체적인 사건이 법원에 계속되어 있었거나 계속 중이어야 하고, 둘째 위헌여부가 문제되는 법률이 당해 소송사건의 재판에 적용되는 것이어야 하며, 셋째 그 법률이 헌법에 위반되는지의 여부에 따라 당해 사건을 담당한 법원이 다른 내용의 재판을 하게 되는 경우를 말하는 것으로, 여기에서 법원이 "다른 내용의" 재판을 하게 되는 경우라 함은 원칙적으로 법원이 심리 중인 당해 사건의 재판의 결론이나 주문에 어떠한 영향을 주는 것 뿐만 아니라, 문제된 법률의 위헌여부가 비록 재판의 주문 자체에는 아무런 영향을 주지 않는다고 하더라도 재판의 결론을 이끌어내는 이유를 달리 하는데 관련되어 있거나 또는 재판의 내용과 효력에 관한 법률적 의미가 전혀 달라지는 경우도 포함한다 할 것이다(1992.12.24. 92헌가8).

2. 재판의 전제성에 관한 일반법원과 헌법재판소의 판단권한관계

　　위헌법률심판이나 법 제68조 제2항의 규정에 의한 헌법소원심판에 있어서 위헌여부가 문제되는 법률이 재판의 전제성 요건을 갖추고 있는지의 여부는 헌법재판소가 별도로 독자적인 심사를 하기보다는 되도록 법원의 이에 관한 법률적 견해를 존중해야 할 것이며, 다만 그 전제성에 관한 법률적 견해가 명백히 유지될 수 없을 때에만 헌법재판소는 이를 직권으로 조사할 수 있다 할 것이다. 왜냐하면 문제되는 법률의 위헌여부가 재판의 전제가 되느냐 않느냐는 사건기록 없이 위헌여부의 쟁점만 판단하게 되어 있는 헌법재판소보다는 기록을 갖고 있는 당해 사건의 종국적 해결을 하는 법원이 더 잘 알 것이며, 또 헌법재판소가 위헌여부의 실체판단보다는 형식적 요건인 재판의 전제성에 관하여 치중하여 나름대로 철저히 규명하려고 든다면 결과적으로 본안사건의 종국적 해결에 커다란 지연요인이 될 것이기 때문이다.

3. "위헌으로 결정된 법률 또는 법률의 조항은 그 결정이 있는 날로부터 효력을 상실한다. 다만, 형벌에 관한 법률 또는 법률의 조항은 소급하여 그 효력을 상실한다."고 규정한 헌법재판소법 제47조 제2항의 위헌 여부(소극)

　　헌법재판소에 의하여 위헌으로 선고된 법률 또는 법률의 조항이 제정 당시로 소급하여 효력을 상실하는가 아니면 장래에 향하여 효력을 상실하는가의 문제는 특단의 사정이 없는 한 헌법적합성의 문제라기 보다는 입법자가 법적 안정성과 개인의 권리구제 등 제반이익을 비교형량하여 가면서 결정할 입법정책의 문제인 것으로 보인다.

다시 말하면 위헌결정에 소급효를 인정할 것인가를 정함에 있어 "법적 안정성 내지 신뢰보호의 원칙"과 "개별적 사건에 있어서의 정의 내지 평등의 원칙"이라는 서로 상충되는 두 가지 원칙이 대립하게 되는데, 개별적 사건에서의 정의 내지 평등의 원칙이 대립하게 되는데, 개별적 사건에서의 정의 내지 평등의 원칙이 헌법상의 원칙임은 물론 법적 안정성 내지 신뢰보호의 원칙도 법치주의의 본질적 구성요소로서 수호되어야 할 헌법적 가치이므로, 이 중 어느 원칙을 더 중요시 할 것인가에 관하여는 법의 연혁·성질·보호법익 등을 고려하여 입법자가 자유롭게 선택할 수 있도록 일임된 사항으로 보여진다. 결국 우리의 입법자는 법 제47조 제2항 본문의 규정을 통하여 형벌법규를 제외하고는 법적 안정성을 더 높이 평가하는 방안을 선택하였는바, 이에 의하여 구체적 타당성이나 평등의 원칙이 완벽하게 실현되지 않는다고 하더라도 헌법상 법치주의의 원칙의 파생인 법적안정성 내지는 신뢰보호의 원칙에 의하여 정당화된다 할 것이고, 특단의 사정이 없는 한 이로써 헌법이 침해되는 것은 아니라 할 것이다.

다만 여기에서 형벌법규 이외의 일반 법규에 관하여 위헌결정에 불소급의 원칙을 채택한 법 제47조 제2항 본문의 규정 자체에 대해 기본적으로 그 합헌성에 의문을 갖지 않지만 위에서 본바 효력이 다양할 수밖에 없는 위헌결정의 특수성때문에 예외적으로 그 적용을 배제시켜 부분적인 소급효의 인정을 부인해서는 안 될 것이다. 우선 생각할 수 있는 것은, 구체적 규범통제의 실효성의 보장의 견지에서 법원의 제청·헌법소원의 청구 등을 통하여 헌법재판소에 법률의 위헌결정을 위한 계기를 부여한 당해사건, 위헌결정이 있기 전에 이와 동종의 위헌 여부에 관하여 헌법재판소에 위헌제청을 하였거나 법원에 위헌제청신청을 한 경우의 당해 사건, 그리고 따로 위헌제청신청을 아니하였지만 당해 법률 또는 법률의 조항이 재판의 전제가 되어 법원에 계속 중인 사건에 대하여는 소급효를 인정하여야 할 것이다. 또 다른 한가지의 불소급의 원칙의 예외로 볼 것은, 당사자의 권리구제를 위한 구체적 타당성의 요청이 현저한 반면에 소급효를 인정하여도 법적 안정성을 침해할 우려가 없고 나아가 구법에 의하여 형성된 기득권자의 이익이 해쳐질 사안이 아닌 경우로서 소급효의 부인이 오히려 정의와 형평 등 헌법적 이념에 심히 배치되는 때라고 할 것으로, 이 때에 소급효의 인정은 법 제47조 제2항 본문의 근본취지에 반하지 않을 것으로 생각한다. 어떤 사안이 후자와 같은 테두리에 들어가는가에 관하여는 다른 나라의 입법례에서 보듯이 본래적으로 규범통제를 담당하는 헌법재판소가 위헌선언을 하면서 직접 그 결정주문에서 밝혀야 할 것이나, 직접 밝힌 바 없으면 그와 같은 경우에 해당하는가의 여부는 일반 법원이 구체적 사건에서 해당 법률의 연혁·성질·보호법익 등을 검토하고 제반이익을 형량에서 합리적·합목적적으로 정하여 대처할 수밖에 없을 것으로 본다. 생각건대, 일률적인 소급효의 인정이 부당한 결과를 발생시키듯이 일률적인 소급효의 완전부인도 부당한 결과를 발생할 수 있다고 할 것이다.

결론적으로 법 제47조 제2항 본문의 규정을 특별한 예외를 허용하는 원칙규정으로 이해 해석하는 한, 헌법에 위반되지 아니하며, 따라서 일률적 소급효를 인정하여야 합헌이 된다는 전제하에 법 제47조 제2항 본문의 규정이 헌법위반이 된다는 주장은 그 이유없다.

제2절 위헌심사형 헌법소원심판

> **함께 보는 판례**
>
> ❶ 당사자가 위헌법률심판 제청신청의 대상으로 삼지 않았고, 법원 또한 이에 대하여 기각 또는 각하결정의 대상으로도 삼지 않은 법률조항에 대하여 헌법소원심판청구에 이르러 비로소 위헌이라고 주장하는 경우 그 법률조항에 대한 헌법소원이 헌법재판소법 제68조 제2항 소정의 헌법소원으로서 적법한지 여부(소극) (2005. 2. 24. 선고 2004헌바24)
>
> 헌법재판소법 제68조 제2항의 헌법소원은 법률의 위헌여부심판의 제청신청을 하여 그 신청이 기각된 때에만 청구할 수 있는 것이므로, 청구인이 특정 법률조항에 대한 위헌여부심판의 제청신청을 하지 않았고 따라서 법원의 기각결정도 없었다면 비록 헌법소원심판청구에 이르러 위헌이라고 주장하는 법률조항에 대한 헌법소원은 원칙적으로 심판청구요건을 갖추지 못하여 부적법한 것이나, 예외적으로 위헌제청신청을 기각 또는 각하한 법원이 위 조항을 실질적으로 판단하였거나 위 조항이 명시적으로 위헌제청신청을 한 조항과 필연적 연관관계를 맺고 있어서 법원이 위 조항을 묵시적으로나마 위헌제청신청으로 판단을 하였을 경우에는 헌법재판소법 제68조 제2항의 헌법소원으로서 적법한 것이다.
>
> ❷ 헌법재판소법 제68조 제2항 후문의 '당해 사건의 소송절차'에 당해 사건의 상소심 소송절차가 포함되는지 여부(적극) (2007. 7. 26. 선고 2006헌바40)
>
> 헌법재판소법 제68조 제2항은 법률의 위헌여부심판의 제청신청이 기각된 때에는 그 신청을 한 당사자는 헌법재판소에 헌법소원심판을 청구할 수 있으나, 다만 이 경우 그 당사자는 당해 사건의 소송절차에서 동일한 사유를 이유로 다시 위헌여부심판의 제청을 신청할 수 없다고 규정하고 있는 바, 이 때 당해 사건의 소송절차란 당해 사건의 상소심 소송절차를 포함한다 할 것이다.
>
> 청구인들은 항고심 소송절차에서 위헌법률심판제청신청을 하여 그 신청이 기각되었는데도 이에 대하여 헌법소원심판을 청구하지 아니하고 있다가 다시 그 재항고심 소송절차에서 대법원에 같은 이유를 들어 위 법조항이 위헌이라고 주장하면서 위헌법률심판제청신청을 하였고, 그 신청이 기각되자, 헌법소원심판청구를 한 이 사건은 헌법재판소법 제68조 제2항 후문의 규정에 위배된 것으로서 부적법하다고 할 것이다.

제3절 권리구제형 헌법소원심판

009 헌법재판소법 제68조 제1항 본문의 '법원의 재판'부분 사건
[한정위헌, 인용(취소)]
- 1997. 12. 24. 선고 96헌마172,173(병합)

판시사항

1. 법원의 재판을 헌법소원심판의 대상으로부터 배제하는 헌법재판소법 제68조 제1항의 위헌여부
2. 헌법재판소가 위헌으로 결정한 법령을 적용함으로써 국민의 기본권을 침해한 법원판결이 헌법소원의 대상이 되는지 및 그 취소여부
3. 한정위헌결정의 효력
4. 법원의 판결에 대한 헌법소원심판청구가 예외적으로 허용되어 그 재판이 취소되는 경우, 원래의 행정처분에 대한 헌법소원심판의 인용여부

사건의 개요

… 대법원은 1996. 4. 9. 헌법재판소의 위 법령조항들에 대한 한정위헌결정에도 불구하고 위 법률조항들이 헌법상의 조세법률주의와 포괄위임금지원칙에 위배되지 아니하는 유효한 규정이라고 본 끝에, 이 사건 과세처분이 위 각 법률조항에 근거한 것이기 때문에 위법한 것이라는 청구인의 주장을 배척하고 위 과세처분이 적법한 것이라고 본 원심의 판단은 정당한 것이라고 판단하여, 청구인의 상고를 기각하는 판결(95누11405)을 선고하였다.

심판대상

청구취지와 청구이유를 종합하여 볼 때, 헌법재판소법 제68조 제1항 중 청구인이 위헌선언을 구하는 것은 '법원의 재판'을 헌법소원의 대상에서 제외하고 있는 본문에 한정됨이 분명하므로 위 법률조항의 단서부분은 심판의 대상에 포함되지 아니한다. 그렇다면 이 사건 심판의 대상은 헌법재판소법 제68조 제1항 본문과 대법원 1996. 4. 9. 선고 95누11405 판결(이하 '이 사건 대법원 판결'이라 함) 및 피청구인 동작세무서장이 1992. 6. 16. 청구인에게 1989년 귀속분 양도소득세 금736,254,590원과 방위세 금147,250,910원을 부과한 이 사건 과세처분이 청구인의 기본권을 침해하였는지의 여부인 바, 헌법재판소법 제68조 제1항 본문의 내용은 다음과 같다.

【심판대상조항】

헌법재판소법 제68조(청구사유) ① 공권력의 행사 또는 불행사로 인하여 헌법상 보장된 기본권을 침해받은 자는 법원의 재판을 제외하고는 헌법재판소에 헌법소원심판을 청구할 수 있다.

> **주문**

1. 헌법재판소법 제68조 제1항 본문의 '법원의 재판'에 헌법재판소가 위헌으로 결정한 법령을 적용함으로써 국민의 기본권을 침해한 재판도 포함되는 것으로 해석하는 한도내에서, 헌법재판소법 제68조 제1항은 헌법에 위반된다.
2. 대법원 1996. 4. 9. 선고 95누11405 판결은 청구인의 재산권을 침해한 것이므로 이를 취소한다.
3. 피청구인 동작세무서장이 1992. 6. 16. 청구인에게 양도소득세 금736,254,590원 및 방위세 금147,250,910원을 부과한 처분은 청구인의 재산권을 침해한 것이므로 이를 취소한다.

I 판 단

1. 헌법재판소법 제68조 제1항의 위헌여부

가. 헌법 제111조 제1항 제5호의 '법률이 정하는 헌법소원'의 의미

헌법재판소법 제68조 제1항은 "공권력의 행사 또는 불행사로 인하여 헌법상 보장된 기본권을 침해받은 자는 법원의 재판을 제외하고는 헌법재판소에 헌법소원심판을 청구할 수 있다."고 규정함으로써 명문으로 "법원의 재판"을 헌법소원심판의 대상에서 제외하고 있다.

헌법 제107조 제1항은 "법률이 헌법에 위반되는 여부가 재판의 전제가 된 경우에는 법원은 헌법재판소에 제청하여 그 심판에 의하여 판단한다"고 규정하고, 제2항은 "명령·규칙 또는 처분이 헌법이나 법률에 위반되는 여부가 재판의 전제가 된 경우에는 대법원은 이를 최종적으로 심사할 권한을 가진다"고 규정하여 구체적 규범통제절차에서의 법률에 대한 위헌심사권과 명령·규칙·처분에 대한 위헌심사권을 분리하여 각각 헌법재판소와 대법원에 귀속시킴으로써 헌법의 수호 및 기본권의 보호가 오로지 헌법재판소만의 과제가 아니라 헌법재판소와 법원의 공동과제라는 것을 밝히고 있다.

그런데 헌법소원에 관한 헌법의 규정은 헌법 제111조 제1항 제5호가 '법률이 정하는 헌법소원에 관한 심판'이라고 규정하여 그 구체적인 형성을 입법자에게 위임함으로써, 입법자에게 헌법소원제도의 본질적 내용을 구체적인 입법을 통하여 보장할 의무를 부과하고 있다.

헌법소원제도는 일반사법제도와 같이 보편화된 제도가 아니고 헌법소원을 채택하고 있는 나라마다 헌법소원제도를 구체적으로 형성함에 있어서, 특히 헌법소원의 심판범위에 있어서도 그 내용을 서로 달리하는 경우가 많으므로 일반적으로 인정된 보편·타당한 형태가 있는 것이 아니다. 그러나 오늘날 헌법소원제도를 두고 있는 나라들은 모두 한결같이 헌법소원이 공권력작용으로 인하여 헌법상의 권리를 침해받은 자가 그 권리를 구제받기 위한 이른바 주관적 권리구제절차라는 것을 그 본질적 요소로 하고 있다.

헌법 제111조 제1항 제5호가 '법률이 정하는 헌법소원에 관한 심판'이라고 규정한 뜻은 결국 헌법이 입법자에게 공권력작용으로 인하여 헌법상의 권리를 침해받은 자가 그 권리를 구제받기 위한 주관적 권리구제절차를 우리의 사법체계, 헌법재판의 역사, 법률문화와 정치적·사회적 현황 등을 고려하여 헌법의 이념과 현실에 맞게 구체적인 입법을 통하여 구현하게끔 위임한 것으로 보아야 할 것이므로, 헌법소원은 언제나 '법원의 재판에 대한 소원'을 그 심판의 대상에 포함하여야만 비로소 헌법소원제도의 본질에 부합한다고 단정할 수 없다 할 것이다.

나. 평등권의 침해여부

법원의 재판을 헌법소원심판의 대상에서 제외한 것은 사법부에 대한 특권을 인정한 것으로서, 이러한 특권의 인정은 결국 다른 공권력으로 인하여 기본권의 침해를 받은 국민에 비하여 법원의 재판으로 인하여 기본권의 침해를 받은 국민을 합리적인 이유없이 차별대우하는 것이므로 평등의 원칙에 위반되는 것이 아니냐는 의문이 생길 수 있다.

법원의 재판을 헌법소원심판의 대상에서 제외한 것이 평등권을 침해한 것이라고 하려면, 법원의 재판과 다른 공권력의 작용 사이의 차별을 정당화할 수 있는 합리적인 이유를 찾아 볼 수 없을 때에 비로소 그렇다고 말할 수 있다. 그러나 입법작용과 행정작용의 잠재적인 기본권침해자로서의 기능과 사법작용의 기본권의 보호자로서의 기능이 바로 법원의 재판을 헌법소원심판의 대상에서 제외한 것을 정당화하는 본질적인 요소이다.

즉, 법원은 기본권을 보호하고 관철하는 일차적인 주체이다. 모든 국가권력이 헌법의 구을 받듯이 사법부도 헌법의 일부인 기본권의 구속을 받고, 따라서 법원은 그의 재판작용에서 기본권을 존중하고 준수해야 한다. 법원이 기본권의 구속을 받기 때문에 법원이 행정청이나 하급심에 의한 기본권의 침해를 제거해야 하는 것은 당연한 것이다. 기본권의 보호는 제도적으로 독립된 헌법재판소만의 전유물이 아니라 모든 법원의 가장 중요한 과제이기도 하다.

물론, 법원도 재판절차를 통하여 기본권을 침해할 가능성이 없지 아니하나, 기본권침해에 대한 보호의무를 담당하는 법원에 의한 기본권침해의 가능성은 입법기관인 국회나 집행기관인 행정부에 의한 경우보다 상대적으로 적고, 또한 법원내부에서도 상급심법원은 하급심법원이 한 재판의 기본권침해여부에 관하여 다시 심사할 기회를 가진다는 점에서 다른 기관에 의한 기본권침해의 경우와는 본질적인 차이가 있다.

그럼에도 불구하고 법원에 의한 기본권침해의 가능성은 존재하기 때문에, 법원의 재판을 헌법소원심판의 대상이 될 수 있도록 한다면 또 한 번의 기본권 구제절차를 국민에게 제공하게 되는 것이므로 더욱 이상적일 수 있다. 그러나 입법자가 헌법재판소와 법원의 관계, 기타의 사정 등을 고려하여 행정작용과 재판작용에 대한 기본권의 보호를 법원에 맡겨 헌법재판소에 의한 기본권구제의 기회를 부여하지 아니하였다 하여 위헌이라 할 수는 없는 것이다.

그 결과, 법원의 최고심급에 의한 기본권침해의 경우에는 권리구제의 사각지대가 발생한다. 그러나 법적 분쟁은 재판의 공정성과 신속성에 관한 대립된 법익을 서로 조화롭게 조정하여 어느 선에선가 종결되고 법적 확정력을 부여받아야 하기 때문에, 법치국가에서도 완벽한 권리구제제도란 있을 수 없다. 법적 안정성의 관점에서 최종심급이 존재해야 하고, 최종심급이 있는 한 최종심급에 의한 권리침해의 가능성은 언제나 존재하는 것이기 때문에 이러한 침해가능성에 대한 또 다른 안전장치는 법치국가적으로 불가피한 것이 아닐 뿐만 아니라 궁극적으로 가능한 것도 아니다.

그렇다면, 헌법재판소법 제68조 제1항이 법원의 재판을 헌법소원의 대상에서 제외한 것은 평등의 원칙에 위반된 것이라 할 수 없다.

다. 재판청구권의 침해여부

헌법재판소법 제68조 제1항이 법원의 재판을 헌법소원심판의 대상에서 제외한 것은 법치국가의 원리와 조화되기 어렵고, 헌법 제27조에 보장된 국민의 재판청구권을 침해한다는 주장이 있을 수 있다.

법치국가는 기본권의 보장, 권력분립, 사법에 의한 권리구제절차 등을 통하여 비로소 구체화되고 실현되므로 재판청구권은 법치국가의 실현을 위한 중요한 요소이다. 재판청구권은 국민의 헌법상의 기본권과 법률상의 권리가 법원의 재판절차에서 관철되는 것을 요청하는 것이기 때문에, 헌법이 특별히 달리 규정하고 있지 아니하는 한 하나의 독립된 법원이 법적 분쟁을 사실관계와 법률관계에 관하여 적어도 한번 포괄적으로 심사하고 결정하도록 소송을 제기할 수 있는 권리를 보장하는 기본권이다.

따라서 재판청구권은 사실관계와 법률관계에 관하여 최소한 한번의 재판을 받을 기회가 제공될 것을 국가에게 요구할 수 있는 절차적 기본권을 뜻하므로 기본권의 침해에 대한 구제절차가 반드시 헌법소원의 형태로 독립된 헌법재판기관에 의하여 이루어 질 것만을 요구하지는 않는다. 법원의 재판은 법률상 권리의 구제절차이자 동시에 기본권의 구제절차를 의미하므로, 법원의 재판에 의한 기본권의 보호는 이미 기본권의 영역에서의 재판청구권을 충족시키고 있기 때문이다.

헌법재판소법 제68조 제1항은 청구인의 재판청구권을 침해하였다거나 되도록이면 흠결없는 효율적인 권리구제절차의 형성을 요청하는 법치국가원칙에 위반된다고 할 수 없다.

라. 소결론

법원의 재판도 헌법소원심판의 대상으로 하는 것이 국민의 기본권보호의 실효성 측면에서 바람직한 것은 분명하다. 그러나 현재의 법적 상태가 보다 이상적인 것으로 개선되어야 할 여지가 있다는 것이 곧 위헌을 의미하지는 않는다. 법원의 재판을 헌법소원심판의 대상에 포함시켜야 한다는 견해는 기본권보호의 측면에서는 보다 이상적이지만, 이는 헌법재판소의 위헌결정을 통하여 이루어질 문제라기 보다 입법자가 해결해야 할 과제이다.

그렇다면 헌법재판소법 제68조 제1항은 국민의 기본권(평등권 및 재판청구권등)의 관점에서는 입법형성권의 헌법적 한계를 넘는 위헌적인 법률조항이라고 할 수 없다.

2. 한정위헌결정

가. 헌법재판소법 제68조 제1항이 위와같이 원칙적으로 헌법에 위반되지 아니한다고 하더라도, 법원이 헌법재판소가 위헌으로 결정하여 그 효력을 전부 또는 일부 상실하거나 위헌으로 확인된 법률(이하 단순히 '그 효력을 상실한 법률'이라 한다)을 적용함으로써 국민의 기본권을 침해한 경우에도 법원의 재판에 대한 헌법소원이 허용되지 않는 것으로 해석한다면, 위 법률조항은 그러한 한도내에서 헌법에 위반된다고 보지 아니할 수 없다.

모든 국가기관은 헌법의 구속을 받고 헌법에의 기속은 헌법재판을 통하여 사법절차적으로 관철되므로, 헌법재판소가 헌법에서 부여받은 위헌심사권을 행사한 결과인 법률에 대한 위헌결정은 법원을 포함한 모든 국가기관과 지방자치단체를 기속한다. 따라서 헌법재판소가 위헌으로 결정하여 그 효력을 상실한 법률을 적용하여 한 법원의 재판은 헌법재판소결정의 기속력에 반하는 것일 뿐 아니라, 법률에 대한 위헌심사권을 헌법재판소에 부여한 헌법의 결단(헌법 제107조 및 제111조)에 정면으로 위배된다. 결국, 그러한 판결은 헌법의 최고규범성을 수호하기 위하여 설립된 헌법재판소의 존재의의, 헌법재판제도의 본질과 기능, 헌법의 가치를 구현함을 목적으로 하는 법치주의의 원리와 권력분립의 원칙 등을 송두리째 부인하는 것이라 하지 않을 수 없는 것이다.

한편 헌법이 법률에 대한 위헌심사권을 헌법재판소에 부여하고 있음에도 법원이 헌법재판소의 위헌결정에 따르지 아니하는 것은 실질적으로 법원 스스로가 '입법작용에 대한 규범통제권'을 행사하는 것을 의미하므로, 헌법은 어떠한 경우이든 헌법재판소의 기속력있는 위헌결정에 반하여 국민의 기본권을 침해하는 법원의 재판에 대하여는 헌법재판소가 다시 최종적으로 심사함으로써 자신의 손상된 헌법재판권을 회복하고 헌법의 최고규범성을 관철할 것을 요청하고 있다. 또한, 청구인과 같이 권리의 구제를 구하는 국민의 입장에서 보더라도, 이러한 결과는 국민이 행정처분의 근거가 된 법률의 위헌성을 헌법재판을 통하여 확인받았으나 헌법재판소의 결정에 위배되는 법원의 재판으로 말미암아 권리의 구제를 받을 수 없는, 법치국가적으로 도저히 받아들일 수 없는, 법적 상태가 발생한다.

나. 1) 헌법재판소의 법률에 대한 위헌결정에는 단순위헌결정은 물론, 한정합헌, 한정위헌결정과 헌법불합치결정도 포함되고 이들은 모두 당연히 기속력을 가진다.

즉, 헌법재판소는 법률의 위헌여부가 심판의 대상이 되었을 경우, 재판의 전제가 된 사건과의 관계에서 법률의 문언, 의미, 목적 등을 살펴 한편으로 보면 합헌으로, 다른 한편으로 보면 위헌으로 판단될 수 있는 등 다의적인 해석가능성이 있을 때 일반적인 해석작용이 용인되는 범위내에서 종국적으로 어느 쪽이 가장 헌법에 합치되는가를 가려, 한정축소적 해석을 통하여 합헌적인 일정한 범위내의 의미내용을 확정하여 이것이 그 법률의 본래적인 의미이며 그 의미 범위내에 있어서는 합헌이라고 결정할 수도 있고, 또 하나의 방법으로는 위와 같은 합헌적인 한정축소 해석의 타당영역밖에 있는 경우에까지 법률의 적용범위를 넓히는 것은 위헌이라는 취지로 법률의 문언자체는 그대로 둔 채 위헌의 범위를 정하여 한정위헌의 결정을 선고할 수도 있다.

위 두 가지 방법은 서로 표리관계에 있는 것이어서 실제적으로는 차이가 있는 것이 아니다. 합헌적인 한정축소해석은 위헌인 해석 가능성과 그에 따른 법적용을 소극적으로 배제한 것이고, 적용범위의 축소에 의한 한정적 위헌선언은 위헌적인 법적용 영역과 그에 상응하는 해석 가능성을 적극적으로 배제한다는 뜻에서 차이가 있을 뿐, 본질적으로는 다 같은 부분 위헌결정이다.

헌법재판소의 또 다른 변형결정의 하나인 헌법불합치결정의 경우에도 개정입법시까지 심판의 대상인 법률조항은 법률문언의 변화없이 계속 존속하나, 헌법재판소에 의한 위헌성 확인의 효력은 그 기속력을 가지는 것이다.

2) 명령·규칙에 근거한 집행행위가 존재하지 아니한 경우에는 그에 대한 헌법위반여부를 구체적인 재판절차에서 심사할 수 없기 때문에 직접 국민의 기본권을 침해하는 명령·규칙에 대하여는 주관적 권리구제절차로서 헌법소원의 가능성이 열려 있으므로, 헌법재판소에 의하여 명령·규칙이 위헌으로 결정되어 그 효력을 상실한 경우에도 법률의 경우와 그 법리가 다를 바 없다.

다. 헌법재판소법 제68조 제1항은 법원이 헌법재판소의 기속력있는 위헌결정에 반하여 그 효력을 상실한 법률을 적용함으로써 국민의 기본권을 침해하는 경우에는 예외적으로 그 재판도 위에서 밝힌 이유로 헌법소원심판의 대상이 된다고 해석하여야 한다. 따라서 헌법재판소법 제68조 제1항의 '법원의 재판'에 헌법재판소가 위헌으로 결정하여 그 효력을 상실한 법률을 적용함으로써 국민의 기본권을 침해하는 재판도 포함되는 것으로 해석하는 한도내에서, 헌법재판소법 제68조 제1항은 헌법에 위반된다고 하겠다.

라. 헌법소원이 단지 주관적인 권리구제절차일 뿐이 아니라 객관적 헌법질서의 수호와 유지에 기여한다는 이중적 성격을 지니고 있으므로, 헌법재판소는 본안판단에 있어서 모든 헌법규범을 심사기준으로 삼음으로써 청구인이 주장한 기본권의 침해여부에 관한 심사에 한정하지 아니하고 모든 헌법적 관점에서 심판대상의 위헌성을 심사한다. 따라서 헌법재판소법 제68조 제1항이 비록 청구인이 주장하는 기본권을 침해하지는 않지만, 헌법 제107조 및 제111조에 규정된 헌법재판소의 권한규범에 부분적으로 위반되는 위헌적인 규정이므로, 이 사건 헌법소원은 위에서 밝힌 이유에 따라 한정적으로 인용될 수 있는 것이다.

3. 이 사건 대법원판결의 취소 여부

가. 위에서 판단한 바와 같이 헌법재판소법 제68조 제1항의 '법원의 재판'에 헌법재판소가 위헌으로 결정하여 그 효력을 상실한 법률을 적용함으로써 국민의 기본권을 침해한 재판을 포함하는 것은 헌법에 위반되므로, 그러한 재판에 대한 헌법소원심판은 허용되는 것이다. 그러므로 먼저 이 사건 대법원판결이 예외적으로 헌법소원심판의 대상이 되는 바로 그러한 재판에 해당하는지를 본다.

헌법재판소는 1995. 11. 30. 선고 94헌바40, 95헌바13(병합) 결정에서 구 소득세법 제23조 제4항 단서, 제45조 제1항 제1호 단서(각 1982. 12. 21. 법률 제3576호로 개정된 후 1990. 12. 31. 법률 제4281호로 개정되기 전의 것)에 대하여 "실지거래가액에 의할 경우를 그 실지거래가액에 의한 세액이 그 본문의 기준시가에 의한 세액을 초과하는 경우까지를 포함하여 대통령령에 위임한 것으로 해석하는 한 헌법에 위반된다"고 선고하여 법률의 문언자체는 그대로 둔 채 위헌의 범위를 법률이 적용되는 일부영역을 제한하여 이를 제거하는 한정위헌결정을 하였다. 다시 말하면, 헌법재판소의 위 한정위헌의 결정은 위 법률조항의 문언자체는 그대로 둔 그 적용범위를 제한하여 실지거래가액에 의하여 산출한 세액이 그 본문의 기준시가에 의하여 산출한 세액을 초과하는 경우에는 이를 적용할 수 없다는 내용의 부분위헌인 것이다. 따라서 헌법재판소의 위 결정의 효력은 헌법에 위반된다는 이유로 그 적용이 배제된 범위내에서 법원을 비롯하여 모든 국가기관 및 지방자치단체를 기속하므로 이로써 법원은 헌법재판소의 위 결정내용에 반하는 해석은 할 수 없게 되었다 할 것이다.

나. 한편, 대법원은 구체적 사건에서의 법령의 해석·적용권한은 사법권의 본질적 내용을 이루는 것이므로 비록 어떤 법률조항에 대한 헌법재판소의 한정위헌의 결정이 있다 하더라도 법률문언의 변화가 없는한 당해 법률조항에 대한 해석권은 여전히 대법원을 최고법원으로 하는 법원에 전속되는 것이라고 주장한다. 물론 구체적 사건에서의 법률의 해석·적용권한은 사법권의 본질적 내용을 이루는 것임이 분명하다. 그러나 법률에 대한 위헌심사는 당연히 당해 법률 또는 법률조항에 대한 해석이 전제되는 것이고, 헌법재판소의 한정위헌의 결정은 단순히 법률을 구체적인 사실관계에 적용함에 있어서 그 법률의 의미와 내용을 밝히는 것이 아니라 법률에 대한 위헌성심사의 결과로서 법률조항이 특정의 적용영역에서 제외되는 부분은 위헌이라는 것을 뜻한다함은 이미 앞에서 밝힌 바와 같다. 따라서 헌법재판소의 한정위헌결정은 결코 법률의 해석에 대한 헌법재판소의 단순한 견해가 아니라, 헌법에 정한 권한에 속하는 법률에 대한 위헌심사의 한 유형인 것이다.

만일, 대법원의 견해와 같이 한정위헌결정을 법원의 고유권한인 법률해석권에 대한 침해로 파악하여 헌법재판소의 결정유형에서 배제해야 한다면, 헌법재판소는 앞으로 헌법합치적으로 해석하여 존속시킬 수 있는 많은 법률을 모두 무효로 선언해야 하고, 이로써 합헌적 법률해석방법을 통하여 실현하려는 입법자의 입법형성권에 대한 존중과 헌법재판소의 사법적 자제를 포기하는 것이 된다. 또한, 헌법재판소의 한정위헌결정에도 불구하고 위헌으로 확인된 법률조항이 법률문언의 변화없이 계속 존속된다고 하는 관점은 헌법재판소결정의 기속력을 결정하는 기준이 될 수 없다. 헌법재판소의 변형결정의 일종인 헌법불합치결정의 경우에도 개정입법시까지 심판의 대상인 법률조항은 법률문언의 변화없이 계속 존속하나, 법률의 위헌성을 확인한 불합치결정은 당연히 기속력을 갖는 것이므로 헌법재판소결정의 효과로서의 법률문언의 변화와 헌법재판소결정의 기속력은 상관관계가 있는 것이 아니다.

다. 그런데 이 사건 대법원판결은 헌법재판소가 이 사건 법률조항에 대하여 앞서 본 바와 같이 이미 한정위헌결정을 선고하였음에도 단지 법률문언이 그대로 존속한다는 이유를 들어 법 적용영역에서 이미 배제된 부분까지 여전히 유효하다는 전제 아래 이를 적용하여, 이 사건 과세처분이 헌법에 위반된 위 법률조항을 근거로 한 것이기 때문에 위법한 것이라는 청구인의 주장을 배척하고 위 과세처분이 적법한 것이라고 본 원심의 판단을 정당한 것이라고 판단한 끝에 청구인의 상고를 기각하였다.

그렇다면 이 사건 대법원판결은 헌법재판소가 이 사건 법률조항에 대하여 한정위헌결정을 선고함으로써 이미 부분적으로 그 효력이 상실된 법률조항을 적용한 것으로서 위헌결정의 기속력에 반하는 재판임이 분명하므로 앞에서 밝힌 이유대로 이에 대한 헌법소원은 허용된다할 것이고, 또한 이 사건 대법원판결로 말미암아 청구인의 헌법상 보장된 기본권인 재산권 역시 침해되었다 할 것이다. 따라서 이 사건 대법원판결은 헌법재판소법 제75조 제3항에 따라 취소되어야 마땅하다.

4. 이 사건 과세처분의 취소여부

　가. 행정처분이 헌법에 위반되는 것이라는 이유로 그 취소를 구하는 행정소송을 제기하였으나 법원에 의하여 그 청구가 받아들여지지 아니한 후 다시 원래의 행정처분에 대하여 헌법소원심판을 청구하는 것이 원칙적으로 허용될 수 있는지의 여부에 관계없이, 이 사건의 경우와 같이 행정소송으로 행정처분의 취소를 구한 청구인의 청구를 받아들이지 아니한 법원의 판결에 대한 헌법소원심판의 청구가 예외적으로 허용되어 그 재판이 헌법재판소법 제75조 제3항에 따라 취소되는 경우에는 원래의 행정처분에 대한 헌법소원심판의 청구도 이를 인용하는 것이 상당하다.

　원래 공권력의 행사로 인하여 헌법상 보장된 기본권을 침해받은 자는 원칙적으로 법원의 재판을 제외하고는 헌법재판소에 헌법소원심판을 청구할 수 있는 것이므로(헌법 제111조 제1항 제5호, 헌법재판소법 제68조 제1항 본문), 행정처분에 대하여도 헌법소원심판을 청구할 수 있음이 원칙이라고 하겠다. 다만, 행정소송의 대상이 되는 행정처분의 경우에는, 헌법재판소법 제68조 제1항 단서에 의하여 헌법소원심판을 청구하기에 앞서 행정소송절차를 거치도록 되어 있고, 이러한 경우 행정소송절차에서 선고되어 확정된 판결과 헌법재판소가 헌법소원심판절차에서 선고하게 될 인용결정의 기속력과의 관계, 법원의 재판을 원칙적으로 헌법소원심판의 대상에서 제외한 헌법재판소법 제68조 제1항의 입법취지 등에 비추어 그에 대한 헌법소원심판청구의 적법성이 문제되었던 것이다. 그러나, 이 사건의 경우와 같이 법원의 판결에 대한 헌법소원이 예외적으로 허용되는 경우에는 달리 그 판결의 대상이 된 행정처분에 대한 헌법소원심판의 청구가 허용되지 아니한다고 볼 여지가 없다고 하겠다. 뿐만아니라, 법원의 재판과 행정처분이 다 같이 헌법재판소의 위헌결정으로 그 효력을 상실한 법률을 적용함으로써 청구인의 기본권을 침해한 경우에는 그 처분의 위헌성이 명백하므로 원래의 행정처분까지도 취소하여 보다 신속하고 효율적으로 국민의 기본권을 구제하는 한편, 기본권 침해의 위헌상태를 일거에 제거함으로써 합헌적 질서를 분명하게 회복하는 것이 법치주의의 요청에 부응하는 길이기도 하다.

　나. 이 사건 심판기록에 의하면, 이 사건 과세처분은 헌법재판소가 위헌으로 결정하여 그 효력을 상실한 이 사건 법률조항을 적용하여 한 처분임이 분명할 뿐만 아니라, 헌법재판소가 이 사건 법률조항에 대하여 한 위 위헌결정이 피청구인이 한 과세처분의 취소를 구하는 이 사건에 대하여도 소급하여 그 효력이 미치는 경우에 해당하고, 이 사건 과세처분에 대한 심판을 위하여 달리 새로운 사실인정이나 법률해석을 할 필요성이 인정되지도 아니한다. 따라서 청구인은 피청구인의 위법한 공권력의 행사인 이 사건 과세처분으로 말미암아 헌법상 보장된 기본권인 재산권을 침해받았다고 할 것이므로, 헌법재판소법 제75조 제3항에 따라 피청구인이 1992. 6. 16. 청구인에게 한 이 사건 과세처분을 취소하기로 한다.

Ⅱ 결 론

그러므로 헌법재판소법 제45조에 따라 헌법재판소법 제68조 제1항은 원칙적으로 헌법에 위반되는 것이 아니지만, 위 법률조항의 "법원의 재판"에 헌법재판소가 위헌으로 결정한 법령을 적용함으로써 국민의 기본권을 침해한 재판도 포함되는 것으로 해석하는 한도내에서 헌법에 위반된 것임을 선언하고, 헌법재판소가 위헌으로 결정한 위 각 구 소득세법조항이 헌법에 위반된 것이 아님을 전제로 청구인의 상고를 기각한 이 사건 대법원판결과 위 각 법률조항에 근거한 이 사건 과세처분을 헌법재판소법 제75조 제3항에 따라 모두 취소하기로 하여 주문과 같이 결정한다.

010 재판 취소 사건 [위헌, 인용(취소), 각하]
— 2022. 6. 30. 선고 2014헌마760

사건의 개요

● **청구인 남○○(2014헌마760)**

청구인 남○○은 '제주특별자치도 통합(재해)영향평가심의위원회의 심의위원으로 위촉되어 활동하면서 공무원인 위 심의위원의 직무와 관련하여 뇌물을 수수하였다'는 범죄사실로 항소심에서 징역 2년을 선고받고[광주고등법원 2011. 5. 4. 선고 (제주)2010노107 판결], 그에 대한 상고가 기각되어(대법원 2011. 9. 29. 선고 2011도6347 판결) 위 항소심 판결이 확정되었다.

위 청구인은 항소심 계속 중 형법 제129조 제1항 등에 대하여 헌법재판소법 제68조 제2항에 의한 헌법소원심판을 청구하였고, 헌법재판소는 2012. 12. 27. 2011헌바117 결정에서 "형법 제129조 제1항의 '공무원'에 구 '제주특별자치도 설치 및 국제자유도시 조성을 위한 특별법'(2007. 7. 27. 법률 제8566호로 개정되기 전의 것) 제299조 제2항의 제주특별자치도통합영향평가심의위원회 심의위원 중 위촉위원이 포함되는 것으로 해석하는 한 헌법에 위반된다."는 한정위헌결정(이하 '이 사건 한정위헌결정'이라 한다)을 선고하였다.

위 청구인은 이 사건 한정위헌결정 이후 헌법재판소법 제75조 제7항에 따라 위 상고기각 판결에 대하여 재심을 청구하였으나 기각되었고[광주고등법원 2013. 11. 25.자 (제주)2013재노2 결정], 그에 대한 재항고도 기각되었다(대법원 2014. 8. 11.자 2013모2593 결정).

이에 위 청구인은 헌법재판소법 제68조 제1항 본문의 '법원의 재판' 부분에 대한 위헌청구와 함께 위 상고기각 판결, 재심기각결정 및 그에 대한 재항고기각결정의 취소를 구하는 헌법소원심판을 청구하였다.

● **청구인 이□□(2014헌마763)**

청구인 이□□는 '제주특별자치도 통합(환경)영향평가심의위원회의 심의위원으로 위촉되어 활동하면서 공무원인 위 심의위원의 직무와 관련하여 뇌물을 수수하였다'는 범죄사실 등으로 항소심에서 징역 5년 및 추징금 4억 3,300만 원을 선고받고[광주고등법원 (제주)2010노13], 그에 대한 상고가 기각되어(대법원 2011. 2. 24. 선고 2010도14891 판결) 위 항소심 판결이 그대로 확정되었다.

이후 청구인 남○○이 제기한 헌법소원심판 사건(헌재 2011헌바117)을 계기로 이 사건 한정위헌결정이 선고되자, 청구인 이□□는 헌법재판소법 제75조 제6항, 제47조 제4항에 따라 위 항소심 판결에 대하여 재심을 청구하였으나 기각되었고[광주고등법원 2013. 11. 26.자 (제주)2013재노1 결정], 그에 대한 재항고도 기각되었다(대법원 2014. 8. 20.자 2013모2645 결정).

이에 위 청구인은 위 항소심 판결 및 재항고기각결정의 취소를 구하는 헌법소원심판을 청구하였다.

주문

1. 헌법재판소법(2011. 4. 5. 법률 제10546호로 개정된 것) 제68조 제1항 본문 중 '법원의 재판' 가운데 '법률에 대한 위헌결정의 기속력에 반하는 재판' 부분은 헌법에 위반된다.
2. 광주고등법원 2013. 11. 25.자 (제주)2013재노2 결정 및 대법원 2014. 8. 11.자 2013모2593 결정은 청구인 남○○의 재판청구권을 침해한 것이므로 이를 모두 취소한다.
3. 대법원 2014. 8. 20.자 2013모2645 결정은 청구인 이□□의 재판청구권을 침해한 것이므로 이를 취소한다.
4. 청구인들의 나머지 심판청구를 모두 각하한다.

심판대상

이 사건 심판대상은 ① 헌법재판소법(2011. 4. 5. 법률 제10546호로 개정된 것) 제68조 제1항 본문 중 '법원의 재판' 부분(이하 '재판소원금지조항'이라 한다), ② 청구인 남○○에 대한 재심기각결정인 광주고등법원 2013. 11. 25.자 (제주)2013재노2 결정 및 그에 대한 재항고기각결정인 대법원 2014. 8. 11.자 2013모2593 결정, 청구인 이□□에 대한 재심기각결정의 재항고기각결정인 대법원 2014. 8. 20.자 2013모2645 결정(이하 이들 재심재판을 합하여 '이 사건 재심기각결정들'이라 한다), ③ 청구인 남○○에 대하여 상고기각으로 유죄판결을 확정한 대법원 2011. 9. 29. 선고 2011도6347 판결 및 청구인 이□□에 대한 유죄의 확정판결인 광주고등법원 2010. 10. 20. 선고 (제주)2010노13 판결(이하 이들 재판을 합하여 '이 사건 유죄판결들'이라 한다)이 각각 청구인들의 기본권을 침해하는지 여부이다.

[심판대상조항]

헌법재판소법(2011. 4. 5. 법률 제10546호로 개정된 것)

제68조(청구 사유) ① 공권력의 행사 또는 불행사(不行使)로 인하여 헌법상 보장된 기본권을 침해받은 자는 법원의 재판을 제외하고는 헌법재판소에 헌법소원심판을 청구할 수 있다. 다만, 다른 법률에 구제절차가 있는 경우에는 그 절차를 모두 거친 후에 청구할 수 있다.

판시사항 및 결정요지

1. 법률에 대한 규범통제 권한과 효력

헌법은 제107조 및 제111조에서 법률에 대한 위헌심사권을 헌법재판소에 부여하고 있다. 헌법재판소의 법률에 대한 위헌심사권은 법원의 제청에 의한 위헌법률심판에서뿐만 아니라 헌법재판소법 제68조 제2항의 헌법소원심판, 제68조 제1항의 헌법소원심판을 통해서 행사된다. 헌법재판소가 헌법에서 부여받은 위헌심사권을 행사한 결과인 법률에 대한 위헌결정은 법원을 포함한 모든 국가기관과 지방자치단체를 기속한다(법 제47조 제1항, 제75조 제1항, 제6항).

2. 법률에 대한 규범통제로서 한정위헌결정의 기속력

헌법재판소가 법률의 위헌성 심사를 하면서 합헌적 법률해석을 하고 그 결과로서 이루어지는 한정위헌결정도 일부위헌결정으로서, 헌법재판소가 헌법에서 부여받은 위헌심사권을 행사한 결과인 법률에 대한 위헌결정에 해당한다.

3. 재판소원금지조항의 위헌 여부에 대한 판단

헌법이 법률에 대한 위헌심사권을 헌법재판소에 부여하고 있으므로, 법률에 대한 위헌결정의 기속력을 부인하는 법원의 재판은 그 자체로 헌법재판소 결정의 기속력에 반하는 것일 뿐만 아니라 법률에 대한 위헌심사권을 헌법재판소에 부여한 헌법의 결단에 정면으로 위배된다.

헌법의 최고규범성을 수호하고 헌법이 헌법재판소에 부여한 법률에 대한 위헌심사권을 회복하기 위해서는 헌법재판소법 제68조 제1항 본문의 '법원의 재판'의 범위에서 '법률에 대한 위헌결정의 기속력에 반하는 재판' 부분을 명시적으로 제외하는 위헌결정을 하고, 위와 같은 법원의 재판에 대해서 예외적으로 헌법소원심판을 허용할 필요가 있다.

헌법재판소는 헌재 2016. 4. 28. 2016헌마33 사건에서 헌법재판소법 제68조 제1항 본문 중 '법원의 재판' 가운데 '헌법재판소가 위헌으로 결정한 법령을 적용함으로써 국민의 기본권을 침해한 재판' 부분에 대하여 위헌결정을 한 바 있다. 그러나 위 결정의 효력은 위 부분에 국한되므로, 재판소원금지조항의 적용 영역에서 '법률에 대한 위헌결정의 기속력에 반하는 재판' 부분을 모두 제외하기 위해서는 해당 부분에 대한 별도의 위헌결정이 필요하다.

따라서 헌법재판소는 이번 결정에서 재판소원금지조항 가운데 '법률에 대한 위헌결정의 기속력에 반하는 재판' 부분은 헌법에 위반된다고 선언한다.

4. 이 사건 재심기각결정들에 대한 판단

헌법재판소는 2012. 12. 27. 2011헌바117 결정에서 "형법 제129조 제1항의 '공무원'에 구 '제주특별자치도 설치 및 국제자유도시 조성을 위한 특별법' 제299조 제2항의 제주특별자치도통합영향평가심의위원회 심의위원 중 위촉위원이 포함되는 것으로 해석하는 한 헌법에 위반된다."는 한정위헌결정을 하였다. 이는 형벌 조항의 일부가 헌법에 위반되어 무효라는 내용의 일부위헌결정으로, 법 제75조 제6항, 제47조 제1항에 따라 법원과 그 밖의 국가기관 및 지방자치단체에 대하여 기속력이 있다.

그런데 이 사건 재심기각결정들은 이 사건 한정위헌결정의 기속력을 부인하여 헌법재판소법에 따른 청구인들의 재심청구를 기각하였다.

따라서 이 사건 재심기각결정들은 모두 '법률에 대한 위헌결정의 기속력에 반하는 재판'으로 이에 대한 헌법소원은 허용되고 청구인들의 헌법상 보장된 재판청구권을 침해하였으므로, 법 제75조 제3항에 따라 취소되어야 한다.

5. 이 사건 유죄판결들에 대한 판단

형벌 조항은 위헌결정으로 소급하여 그 효력을 상실하지만, 위헌결정이 있기 이전의 단계에서 그 법률을 판사가 적용하는 것은 제도적으로 정당성이 보장된다. 따라서 아직 헌법재판소에 의하여 위헌으로 선언된 바가 없는 법률이 적용된 재판을 그 뒤에 위헌결정이 선고되었다는 이유로 위법한 공권력의 행사라고 하여 헌법소원심판의 대상으로 삼을 수는 없다.

청구인들에 대한 유죄판결은 이 사건 한정위헌결정이 이루어지기 전에 확정된 재판으로 그에 대한 구제는 재심절차에 의해서만 가능하다. 따라서 이 사건 한정위헌결정 이전에 확정된 청구인들에 대한 유죄판결은 법률에 대한 위헌결정의 기속력에 반하는 재판이라고 볼 수 없으므로 이에 대한 심판청구는 부적법하다.

> **결정의 의의**
>
> 헌법재판소는 이번 결정을 통해, '법원의 재판'을 헌법소원심판의 대상에서 원칙적으로 제외하고 있는 재판소원금지조항에서 '법률에 대한 위헌결정의 기속력에 반하는 재판' 부분에 대하여 위헌결정을 선고함으로써, 헌법이 부여한 헌법재판소의 법률에 대한 위헌심사권의 의미와 일부위헌결정으로서 한정위헌결정의 효력을 분명히 하였다. 헌법재판소는 2016. 4. 28. 2016헌마33 결정에서 헌법재판소법 제68조 제1항 본문의 '법원의 재판' 중 '헌법재판소가 위헌으로 결정한 법령을 적용함으로써 국민의 기본권을 침해한 재판' 부분에 대하여 위헌결정을 한 바 있으나, 위 결정의 효력은 위 주문에 표시된 부분에 국한되므로, 재판소원금지조항의 적용 영역에서 '법률에 대한 위헌결정의 기속력에 반하는 재판' 부분을 모두 제외하기 위해 헌법재판소법 제68조 제1항 본문 중 '법원의 재판' 가운데 '법률에 대한 위헌결정의 기속력에 반하는 재판' 부분은 헌법에 위반된다는 결정을 한 것이다.
>
> 이번 결정은, 헌법재판소의 한정위헌결정의 기속력을 부인하여 재심절차에 따른 재심청구를 받아들이지 아니한 법원의 재판에 대한 것으로, 헌법재판소가 직접 법원의 재판을 취소한 것은 헌재 1997. 12. 24. 96헌마172등 결정 이후 두 번째이다.
>
> 다만, 법률에 대한 위헌결정인 이 사건 한정위헌결정 이전에 확정된 청구인들에 대한 유죄판결은 법률에 대한 위헌결정의 기속력에 반하는 재판에 해당하지 않으므로 그에 대한 심판청구는 부적법하다고 판단하였다.

| 부작위 |

011 연명치료중단등에관한법률 입법부작위 사건 [각하]
― 2009. 11. 26. 선고 2008헌마385

판시사항

1. 연명치료중인 환자의 자녀들이 제기한 '연명치료의 중단에 관한 기준, 절차 및 방법 등에 관한 법률'(이하 '연명치료 중단 등에 관한 법률'이라 한다)의 입법부작위 위헌확인에 관한 헌법소원 심판청구가 기본권침해의 자기관련성의 관점에서 적법한지 여부(소극)

2. 연명치료중인 환자 본인이 제기한 '연명치료 중단 등에 관한 법률'의 입법부작위 위헌확인에 관한 헌법소원 심판청구가 심판대상적격('공권력의 불행사')의 관점에서 적법한지 여부(소극)
    가. 죽음에 임박한 환자에게 '연명치료 중단에 관한 자기결정권'이 헌법상 보장된 기본권인지 여부(적극)
    나. 헌법해석상 '연명치료 중단 등에 관한 법률'에 관한 입법의무가 인정되는지 여부(소극)

사건의 개요

1. 청구인 김○경은 1932. 8. 26.생으로 2008. 2. 18. 폐암 발병 여부를 확인하기 위하여 학교법인 연세대학교가 운영하는 신촌세브란스 병원(이하 '병원'이라고만 한다)에서 기관지내시경을 이용한 폐종양 조직 검사를 받던 중 과다출혈 등으로 인하여 심정지가 발생하였다. 이에 병원의 주치의 등은 심장마사지 등을 시행하여 심박동기능을 회복시키고 인공호흡기를 부착하였으나 청구인 김○경은 저산소성 뇌손상을 입고 중환자실로 이송되었다.
   이때부터 청구인 김○경은 지속적 식물인간상태(persistent vegetative state)에 있으면서 병원의 중환자실에서 인공호흡기를 부착한 채, 항생제 투여·인공영양 공급·수액 공급 등의 치료(이하 '이 사건 연명치료'라 한다)를 받았다.

2. 청구인 김○경의 자녀들인 나머지 청구인들은 병원 주치의 등에게 '이 사건 연명치료는 건강을 증진시키는 것이 아니라 생명의 징후만을 단순히 연장시키는 것에 불과하므로 의학적으로 의미가 없고, 청구인 김○경이 평소 무의미한 생명연장을 거부하고 자연스럽게 죽고 싶다고 밝혀왔다.'는 취지로 주장하면서 이 사건 연명치료의 중단을 요청하였으나, 병원 주치의 등은 '청구인 김○경의 의사를 확인할 수 없고, 청구인 김○경이 사망에 임박한 상태가 아닌데도 이 사건 연명치료를 중단하는 것은 의사의 생명보호 의무에 반하고 형법상 살인죄 또는 살인방조죄로 처벌받을 수 있다.'는 취지로 반박하면서 위 요청을 거부하였다.

3. 이에 청구인들은(청구인 김○경은 소송상 특별대리인을 통하여) 2008. 5. 11. "① 청구인 김○경과 같이 죽음이 임박한 환자로서 무의미한 연명치료 거부에 관한 본인의 의사를 확인할 수 있는 경우 헌법상 기본권으로서 무의미한 연명치료에서 벗어나 자연스럽게 죽음을 맞이할 권리가 있다 할 것인데, 국회가 이를 보호하기 위한 입법의무를 이행하지 않고 있고, ② 한편 국민건강보험법 제

39조 제2항, 제3항에 근거한 보건복지가족부령인 '국민건강보험 요양급여의 기준에 관한 규칙' (이하 '요양급여기준 규칙'이라 줄여 부른다) 별표 2 비급여대상(이하 '비급여대상 조항'이라 부른다)에 국민건강보험 요양급여의 비급여 대상으로서 무의미한 연명치료행위의 구체적 내용을 규정하지 아니한 결함이 있어 청구인들의 인간의 존엄과 가치, 행복추구권, 재산권 등을 침해하였다."고 주장하면서 국회의 입법부작위 및 요양급여기준 규칙 중 비급여대상 조항의 위헌확인을 구하는 이 사건 헌법소원심판을 청구하였다.

심판대상

청구인들은 국회의 '입법부작위' 외에 결함 있는 행정입법으로서 보건복지가족부령인 '요양급여기준 규칙 중 비급여대상 조항'에 대해서도 심판대상으로 주장하고 있다. 즉, 청구인들은 요양급여기준 규칙 중 비급여대상 조항(국민건강보험 요양급여의 기준에 관한 규칙 제9조 제1항, 별표 2)이 무의미한 연명치료를 국민건강보험의 비급여대상에 포함하는 것으로 명확히 규정하지 아니함으로써 의료현장에서 청구인 김○경과 같이 죽음에 임박한 환자에 대한 무의미한 연명치료행위가 가능하도록 하여 청구인들의 기본권을 침해한 것이라고 주장한다.

그러나 요양급여기준 규칙은 국민건강보험제도에 따른 요양급여가 필요하고도 합리적인 범위 내에서 시행되도록 하기 위하여 요양급여의 방법·절차·범위·상한 등 요양급여의 기준을 정한 것이고, 의사나 의료기관의 의료행위를 제한하기 위한 것이 아니다. 청구인들 주장처럼 요양급여기준 규칙에 비급여 대상으로 무의미한 연명치료 행위에 해당하는 사항을 규정한다고 하여, 이로써 해당 치료행위가 국민건강보험에 따른 요양급여의 대상에서 제외되는 것 외에, 바로 해당 치료행위를 금지시키는 법적 효과가 발생하는 것은 아닐 뿐만 아니라, 연명치료 중단으로 환자가 사망한 경우 이에 관여한 자에 대한 민·형사상 책임이 면제되는 것도 아니다. 요컨대, 연명치료 중단에 관한 사항은 국민건강보험에 따른 요양급여의 합리적 운영에 관한 사항 등을 규정하는 요양급여기준 규칙 등, 국민건강보험법령의 규율대상이 아니다. 따라서 요양급여기준 규칙 중 비급여대상 조항이 소위 '무의미한 연명치료 행위'를 포함하여 규정하지 않았다고 하여, 이를 두고 무의미한 연명치료에서 벗어나 자연스럽게 죽음을 맞이할 권리 등에 관한 행정입법의 결함이라고 볼 수 없다.

청구인들이 동일한 입법사항에 대하여 입법이 없다고 주장하면서 그 위헌확인을 구하는 한편, 입법이 있으나 결함이 있다고 주장하면서 해당 행정입법의 위헌확인을 구하는 것은 서로 모순되는 것이므로 이 사건 청구는 양자를 선택적으로 구하는 것으로 이해할 수 있고, 특히 앞서 본 바에 비추어 보면 비급여대상 조항에 대한 청구는 청구인들이 그 규율대상과 효력에 관한 착오에 기한 것으로 보이기도 한다.

그렇다면 이 사건 심판대상은 위 비급여대상 조항에 대한 부분을 제외하고 국회의 입법부작위에 대한 것, 즉 '죽음에 임박한 환자로서 연명치료의 거부에 관한 본인의 의사가 확인된 경우 이러한 환자를 위한 연명치료의 중단에 관한 기준, 절차 및 방법 등에 관한 법률(이하, 연명치료 중단 등에 관한 법률이라 한다)의 입법부작위가 청구인들의 기본권을 침해하여 헌법에 위반되는지 여부'로 한정한다.

주문

청구인들의 심판청구를 모두 각하한다.

Ⅰ 적법요건에 대한 판단

1. 연명치료중인 환자의 자녀들이 제기한 헌법소원 심판청구가 기본권침해의 자기관련성의 관점에서 적법한지 여부

헌법재판소법 제68조 제1항에 의하면, 헌법소원심판은 공권력의 행사 또는 불행사로 인하여 기본권을 침해받은 자가 청구하여야 한다고 규정하고 있다. 이때 '공권력의 행사 또는 불행사로 인하여 기본권의 침해를 받은 자'라 함은 공권력의 행사 또는 불행사로 말미암아 자기의 기본권이 현재 그리고 직접적으로 침해받은 경우를 의미하므로 원칙적으로 공권력의 행사 또는 불행사의 직접적인 상대방만이 이에 해당한다고 할 것이고, 공권력의 작용에 단순히 간접적, 사실적 또는 경제적인 이해관계가 있을 뿐인 제3자는 이에 해당되지 않는다.

이 사건 심판대상인 '공권력의 불행사'라는 것은 '죽음에 임박한 환자가 자연스럽게 죽음을 맞이할 수 있도록 마련하여야 할 연명치료 중단 등에 관한 법률의 입법부작위'이다. 위 입법부작위(또는 입법의무의 이행에 따른 입법행위)의 직접적인 상대방은 연명치료 중단으로 사망에 이르는 당사자인 청구인 김○경이라 할 것이다.

나머지 청구인들은 청구인 김○경의 자녀로서 위 입법부작위로 말미암아 어머니가 무의미한 연명치료로 자연스런 죽음을 뒤로한 채 병상에 누워있는 모습을 지켜보아야 하는 정신적 고통을 감수하고, 환자의 부양의무자로서 연명치료에 소요되는 의료비 등 경제적 부담을 안을 수 있다는 점에 이해관계를 갖는다. 그러나 위 나머지 청구인들의 이와 같은 정신적 고통이나 경제적 부담은 가족인 환자에 대하여 무의미하다고 여겨지는 치료가 계속됨에 뒤따른 간접적, 사실적 이해관계에 그친다고 보는 것이 타당하다.

그렇다면 위 나머지 청구인들의 이 사건 입법부작위에 관한 헌법소원은 자신 고유의 기본권의 침해에 관련되지 아니하여 부적법하다.

2. 연명치료중인 환자 본인(청구인 김○경)이 제기한 심판청구

가. 권리보호이익

헌법소원제도는 국민의 기본권침해를 구제하기 위한 제도이므로 그 제도의 목적상 권리보호이익이 있는 경우에만 이를 제기할 수 있다. 헌법소원이 비록 적법하게 제기되었더라도 권리보호이익은 헌법재판소의 결정 당시에도 존재해야 한다. 그러므로 헌법소원심판청구 당시 권리보호이익이 인정되더라도 심판 계속중 사실관계 또는 법률관계의 변동으로 말미암아 청구인이 주장하는 기본권의 침해가 종료된 경우에는 권리보호이익이 없으므로 원칙적으로 심판청구는 부적법하게 된다.

청구인 김○경은 이 사건 헌법소원과 별도로 법원에 병원 운영자인 학교법인 연세대학교를 상대로 '청구인 김○경에 대하여 인공호흡기를 제거하라'는 소를 제기하여, 1심 법원에서 청구인용 판결을 받았고, 이에 대한 병원 측의 항소 및 상고가 모두 기각되어 위 1심 판결이 확정되었다. 병원 측은 위 확정판결에 따라 2009. 6. 23. 청구인 김○경에 대하여 인공호흡기를 제거하는 시술을 시행하였다. 따라서 청구인 김○경은 인공호흡 치료에 관한 한, 이로 인한 기본권 침해로부터 구제되어 자연스런 죽음을 맞이할 상태가 되었다고 할 수 있다.

그러나 법원의 권리구제는 이 사건 연명치료 중 인공호흡 치료에 한정된 것이고, 병원 측은 청구인 김○경에 대하여 다른 연명치료, 즉 인공영양 공급, 수액 공급, 항생제 투여 등을 계속하고 있다. 청구인 김○경이 이 사건에서 주장하는 연명치료의 중단 범위가 반드시 인공호흡 치료에 한정된 것으로는 보이지 아니할 뿐만 아니라, 위 청구인의 주장 속에 국가가 죽음에 임박한 환자의 기본권 보호를 위하여 '중단하여야 할 연명치료의 범위'도 입법할 의무가 있다는 취지를 포함하고 있다고 보이므로, 법원의 위와 같은 권리구제로 인하여 청구인 김○경이 주장하는 기본권 침해의 모든 상황이 종료하였다고 볼 수 없다.

따라서 청구인 김○경에 대한 법원의 판결 및 그 집행에도 불구하고, 청구인 김○경의 이 사건 심판청구는 권리보호 이익이 존재한다 할 것이다.

나. 헌법소원의 대상적격

넓은 의미의 입법부작위에는, 입법자가 헌법상 입법의무가 있는 어떤 사항에 관하여 전혀 입법을 하지 아니함으로써 입법행위의 흠결이 있는 경우와 입법자가 어떤 사항에 관하여 입법은 하였으나 그 입법의 내용·범위·절차 등이 당해 사항을 불완전, 불충분 또는 불공정하게 규율함으로써 입법행위에 결함이 있는 경우가 있는데, 일반적으로 전자를 '진정입법부작위', 후자를 '부진정입법부작위'라고 부르고 있다. 청구인 김○경이 주장하는 '연명치료 중단 등에 관한 법률'은 아직까지 전혀 입법이 없는 상태이므로, 이 사건 심판대상인 입법부작위는 진정입법부작위에 해당한다.

진정입법부작위가 헌법재판소법 제68조 제1항의 '공권력의 불행사'로서 헌법소원의 대상이 되려면, 헌법에서 기본권보장을 위하여 법령에 명시적인 입법위임을 하였는데도 입법자가 상당한 기간 내에 이를 이행하지 않거나 또는 헌법해석상 특정인에게 구체적인 기본권이 생겨 이를 보장하기 위한 국가의 행위의무 내지 보호의무가 발생하였음이 명백함에도 불구하고 입법자가 아무런 입법조치를 취하지 않고 있는 경우라야 한다.

그런데 헌법 어느 규정도 죽음에 임박한 환자를 위하여 '연명치료의 중단에 관한 법률'을 제정하여야 한다는 것을 명시적으로 위임하였다고 보이지 않는다. 따라서 남은 문제는 '헌법해석상' 죽음에 임박한 환자에게 '무의미한 연명치료를 중단하고 자연스럽게 죽음을 맞이할 이익'이 구체적 기본권으로 인정되고, 이를 보호하기 위하여 '연명치료 중단 등에 관한 법률'을 제정하여야 할 국가의 행위의무 내지 보호의무가 발생하였음이 명백함에도 불구하고, 국회가 이를 이행하지 않고 있다고 볼 수 있는지 여부이다.

생명과 직결되는 치료행위라 할 수 있는 연명치료의 중단은 생명권 주체인 환자 본인의 의사를 떠나서 그 정당성을 찾을 수 없기 때문에 여기서 '무의미한 연명치료를 중단하고 자연스럽게 죽음을 맞이할 이익'은 헌법 제10조에 근거를 둔 자기운명결정권의 한 내용으로서 '연명치료 중단에 관한 자기결정권'으로 포섭될 수 있을 것이다.

이하 항을 바꾸어, 먼저 '연명치료를 중단에 관한 자기결정권'이 죽음에 임박한 환자에게 헌법상 보장된 기본권인지 여부에 관하여, 다음으로 위 기본권이 인정된다면 이를 보호하기 위하여

'연명치료 중단 등에 관한 법률'을 제정하여야 할 국가의 행위의무 내지 보호의무가 발생하였음이 명백하다고 볼 것인지 여부에 관하여 차례로 살핀다.

■ II '연명치료 중단에 관한 자기결정권' 인정 여부

1. 죽음에 임박한 환자로서 연명치료에 의존하여 생명을 유지하고 있는 자 역시 법적으로 사망에 이르지 아니하여 생존한 사람임에는 틀림이 없다. 죽음에 임박한 환자에게 연명치료는 생명과 직결된 치료행위라 할 것이므로 이를 중단하는 것은 조금이라도 그의 사망 시기를 앞당겨 생명단축을 초래한다 할 것이다. 따라서 죽음에 임박한 환자의 연명치료 중단에 관한 자기결정은 생명단축과 관련된 결정이므로 이를 기본권으로 인정하는 것은 필연적으로 생명권 보호에 관한 헌법적 가치질서와 충돌하는 문제를 야기한다.

2. 인간의 생명은 고귀하고, 이 세상에서 무엇과도 바꿀 수 없는 존엄한 인간 존재의 근원이며, 인간존엄성의 활력적 기초이다. 이러한 생명에 대한 권리는 비록 헌법에 명문의 규정이 없다 하더라도 인간의 생존본능과 존재목적에 바탕을 둔 선험적이고 자연법적인 권리로서 헌법에 규정된 모든 기본권의 전제로서 기능하는 기본권 중의 기본권이라 할 것이다. 그러므로 인간의 생명권은 최대한 존중되어야 하고, 국가는 국민의 생명을 최대한 보호할 의무가 있으며, 생명권의 주체라도 자신의 생명을 임의로 처분하는 것은 정당화 될 수 없다.

    한편 헌법 제10조에서 규정하고 있는 인간의 존엄과 가치 및 행복을 추구할 권리는 생명권 못지않게 우리 헌법상 최고의 가치를 이루고 있다 할 것이므로 죽음에 임박한 환자의 생명은 그의 인간으로서의 존엄과 가치 및 행복을 추구할 권리에 부합하는 방식으로 보호되어야 한다. 또한 죽음이란 삶을 살아가는 인간이 피할 수 없는 인간 실존의 한 영역이고 이러한 의미에서 죽음이란 삶의 마지막 과정에서 겪게 되는 삶의 또 다른 형태라 할 것이므로 모든 인간은 죽음을 맞이하는 순간까지 인간으로서의 존엄과 가치를 유지할 권리를 보장받아야 한다.

3. 이와 같이 '연명치료 중단, 즉 생명단축에 관한 자기결정'은 '생명권 보호'의 헌법적 가치와 충돌하므로 '연명치료 중단에 관한 자기결정권'의 인정 여부가 문제되는 '죽음에 임박한 환자'란 '의학적으로 환자가 의식의 회복가능성이 없고 생명과 관련된 중요한 생체기능의 상실을 회복할 수 없으며 환자의 신체상태에 비추어 짧은 시간 내에 사망에 이를 수 있음이 명백한 경우', 즉 '회복 불가능한 사망의 단계'에 이른 경우를 의미한다 할 것이다(2009다17417).

4. '죽음에 임박한 환자'는 전적으로 기계적인 장치에 의존하여 연명할 수밖에 없고, 전혀 회복 가능성이 없는 상태에서 결국 신체의 다른 기능까지 상실되어 기계적인 장치에 의하여서도 연명할 수 없는 상태에 이르기를 기다리고 있을 뿐이다. 따라서 '죽음에 임박한 환자'에 대한 연명치료는 의학적인 의미에서 치료의 목적을 상실한 신체침해 행위가 계속적으로 이루어지는 것이라 할 수 있고, 죽음의 과정이 시작되는 것을 막는 것이 아니라 자연적으로는 이미 시작된 죽음의 과정에서의 종기를 인위적으로 연장시키는 것으로 볼 수 있다(2009다17417).

    '죽음에 임박한 환자'에 대한 연명치료에 대한 규범적 평가가 이와 같다면, 비록 연명치료 중단에 관한 결정 및 그 실행이 환자의 생명단축을 초래한다 하더라도 이를 생명에 대한 임의적 처분으로서 자살이라고 평가할 수 없고, 오히려 인위적인 신체침해 행위에서 벗어나서 자신의 생명을 자연적인 상태에 맡기고자 하는 것으로서 인간의 존엄과 가치에 부합한다고 할 것이다.

그렇다면 환자가 장차 죽음에 임박한 상태에 이를 경우에 대비하여 미리 의료인 등에게 연명치료 거부 또는 중단에 관한 의사를 밝히는 등의 방법으로 죽음에 임박한 상태에서 인간으로서의 존엄과 가치를 지키기 위하여 연명치료의 거부 또는 중단을 결정할 수 있다 할 것이고, 위 결정은 헌법상 기본권인 자기결정권의 한 내용으로서 보장된다 할 것이다.

III. '연명치료 중단 등에 관한 법률'의 입법의무 인정 여부

1. 헌법상의 입법의무를 어느 정도로 인정하는가의 문제는 바로 입법자와 헌법재판소 사이의 헌법을 실현하고 구체화하는 공동의무 및 과제의 배분과 직결되는 문제라 할 것이다. 입법자와 헌법재판소는 모두 헌법규범의 구속을 받고, 입법자는 입법작용을 통하여, 헌법재판소는 헌법의 해석과 적용을 통한 헌법재판의 형태로 각각 헌법을 구체화하고 실현한다. 그런데 어떠한 사항을 법규로 규율할 것인가, 이를 방치할 것인가는 특단의 사정이 없는 한 입법자의 정치적, 경제적, 사회적 그리고 세계관적 고려 아래 정해지는 사항인 것이고, 따라서 일반국민이 입법을 해달라는 취지의 청원권을 향유하고 있음은 별론하고 입법행위의 소구청구권은 원칙적으로 인정될 수 없다고 할 것이다. 만일 법을 제정하지 아니한 것이 위헌임을 탓하여 이 점에 관하여 헌법재판소의 위헌판단을 받아 입법당국으로 하여금 입법을 강제하게 하는 것이 일반적으로 허용된다면 결과적으로 헌법재판소가 입법자의 지위에 갈음하게 되어 헌법재판의 한계를 벗어나게 된다고 할 것이다. 따라서 헌법상의 권력분립원칙과 민주주의원칙은 입법자의 민주적 입법형성의 자유를 보장하기 위하여 입법자의 헌법적 입법의무는 예외적으로만 이를 인정하고, 되도록이면 헌법에 명시적인 위임이 있는 경우만으로 제한할 것을 요구한다.

   결국 입법부작위에 대한 헌법재판소의 재판관할권은 극히 한정적으로 인정할 수밖에 없다고 할 것이다.

2. 입법부작위에 대한 헌법재판의 이와 같은 한계 속에서 입법의무 위반은 국가가 기본권을 효율적으로 보호하기 위해 입법이 유일한 수단인데도 입법자가 전혀 입법을 하지 않고 있을 때에 한하여 확인할 수 있다. 입법자가 입법을 통하여 기본권의 보호의무를 최대한 실현하는 것이 이상적이지만, 이것은 원칙적으로 입법재량에 속하는 사항이다.

   죽음에 임박한 환자에 대한 연명치료 중단에 관한 다툼은 법원의 재판을 통하여 해결될 수 있고, 법원의 재판에서 나타난 연명치료 중단의 허용요건이나 절차 등에 관한 기준에 의하여 연명치료 중단에 관한 자기결정권은 충분하지 않을지는 모르나 효율적으로 보호될 수 있다. 그리고 자기결정권을 행사하여 연명치료를 중단하고 자연스런 죽음을 맞이하는 문제는 생명권 보호라는 헌법적 가치질서와 관련된 것으로 법학과 의학만의 문제가 아니라 종교, 윤리, 나아가 인간의 실존에 관한 철학적 문제까지도 연결되는 중대한 문제이므로 충분한 사회적 합의가 필요한 사항이다. 따라서 이에 관한 입법은 사회적 논의가 성숙되고 공론화 과정을 거친 후 비로소 국회가 그 필요성을 인정하여 이를 추진할 사항이다. 또한 '연명치료 중단에 관한 자기결정권'을 보장하는 방법으로서 '법원의 재판을 통한 규범의 제시'와 '입법' 중 어느 것이 바람직한가는 입법정책의 문제로서 국회의 재량에 속한다 할 것이다.

3. 그렇다면 헌법해석상 '연명치료 중단 등에 관한 법률'을 제정할 국가의 입법의무가 명백하다고 볼 수 없고, 따라서 위 입법부작위는 헌법재판소법 제68조 제1항 소정의 '공권력의 불행사'에 해당하지 아니하므로 청구인 김○경의 이 사건 심판청구는 헌법소원 대상적격의 흠결로 부적법하다.

Ⅳ 결 론

결국 청구인들의 이 사건 심판청구는 모두 부적법하므로 이를 각 각하하기로 하여 주문과 같이 결정한다. 이 결정에는 청구인 김○경의 심판청구의 부적법성에 관하여 재판관 이공현의 별개의견이 있는 외에는 나머지 관여 재판관들의 의견이 일치되었다.

> **함께 보는 판례**
>
> ❶ **연명치료 중단의 허용 기준** (대법원 2009. 5. 21. 선고 2009다17417)
>
> 가. 의학적으로 환자가 의식의 회복가능성이 없고 생명과 관련된 중요한 생체기능의 상실을 회복할 수 없으며 환자의 신체상태에 비추어 짧은 시간 내에 사망에 이를 수 있음이 명백한 경우(이하 '회복불가능한 사망의 단계'라 한다)에 이루어지는 진료행위(이하 '연명치료'라 한다)는, 원인이 되는 질병의 호전을 목적으로 하는 것이 아니라 질병의 호전을 사실상 포기한 상태에서 오로지 현 상태를 유지하기 위하여 이루어지는 치료에 불과하므로, 그에 이르지 아니한 경우와는 다른 기준으로 진료중단 허용 가능성을 판단하여야 한다. 이미 의식의 회복가능성을 상실하여 더 이상 인격체로서의 활동을 기대할 수 없고 자연적으로는 이미 죽음의 과정이 시작되었다고 볼 수 있는 회복불가능한 사망의 단계에 이른 후에는, 의학적으로 무의미한 신체침해 행위에 해당하는 연명치료를 환자에게 강요하는 것이 오히려 인간의 존엄과 가치를 해하게 되므로, 이와 같은 예외적인 상황에서 죽음을 맞이하려는 환자의 의사결정을 존중하여 환자의 인간으로서의 존엄과 가치 및 행복추구권을 보호하는 것이 사회상규에 부합되고 헌법정신에도 어긋나지 아니한다. 그러므로 회복불가능한 사망의 단계에 이른 후에 환자가 인간으로서의 존엄과 가치 및 행복추구권에 기초하여 자기결정권을 행사하는 것으로 인정되는 경우에는 특별한 사정이 없는 한 연명치료의 중단이 허용될 수 있다. 한편, 환자가 회복불가능한 사망의 단계에 이르렀는지 여부는 주치의의 소견뿐 아니라 사실조회, 진료기록 감정 등에 나타난 다른 전문의사의 의학적 소견을 종합하여 신중하게 판단하여야 한다.
>
> 나. 환자가 회복불가능한 사망의 단계에 이르렀을 경우에 대비하여 미리 의료인에게 자신의 연명치료 거부 내지 중단에 관한 의사를 밝힌 경우(이하 '사전의료지시'라 한다)에는, 비록 진료 중단 시점에서 자기결정권을 행사한 것은 아니지만 사전의료지시를 한 후 환자의 의사가 바뀌었다고 볼 만한 특별한 사정이 없는 한 사전의료지시에 의하여 자기결정권을 행사한 것으로 인정할 수 있다. 다만, 이러한 사전의료지시는 진정한 자기결정권 행사로 볼 수 있을 정도의 요

건을 갖추어야 하므로 의사결정능력이 있는 환자가 의료인으로부터 직접 충분한 의학적 정보를 제공받은 후 그 의학적 정보를 바탕으로 자신의 고유한 가치관에 따라 진지하게 구체적인 진료행위에 관한 의사를 결정하여야 하며, 이와 같은 의사결정 과정이 환자 자신이 직접 의료인을 상대방으로 하여 작성한 서면이나 의료인이 환자를 진료하는 과정에서 위와 같은 의사결정 내용을 기재한 진료기록 등에 의하여 진료 중단 시점에서 명확하게 입증될 수 있어야 비로소 사전의료지시로서의 효력을 인정할 수 있다.

다. 한편, 환자의 사전의료지시가 없는 상태에서 회복불가능한 사망의 단계에 진입한 경우에는 환자에게 의식의 회복가능성이 없으므로 더 이상 환자 자신이 자기결정권을 행사하여 진료행위의 내용 변경이나 중단을 요구하는 의사를 표시할 것을 기대할 수 없다. 그러나 환자의 평소 가치관이나 신념 등에 비추어 연명치료를 중단하는 것이 객관적으로 환자의 최선의 이익에 부합한다고 인정되어 환자에게 자기결정권을 행사할 수 있는 기회가 주어지더라도 연명치료의 중단을 선택하였을 것이라고 볼 수 있는 경우에는, 그 연명치료 중단에 관한 환자의 의사를 추정할 수 있다고 인정하는 것이 합리적이고 사회상규에 부합된다. 이러한 환자의 의사 추정은 객관적으로 이루어져야 한다. 따라서 환자의 의사를 확인할 수 있는 객관적인 자료가 있는 경우에는 반드시 이를 참고하여야 하고, 환자가 평소 일상생활을 통하여 가족, 친구 등에 대하여 한 의사표현, 타인에 대한 치료를 보고 환자가 보인 반응, 환자의 종교, 평소의 생활 태도 등을 환자의 나이, 치료의 부작용, 환자가 고통을 겪을 가능성, 회복불가능한 사망의 단계에 이르기까지의 치료 과정, 질병의 정도, 현재의 환자 상태 등 객관적인 사정과 종합하여, 환자가 현재의 신체상태에서 의학적으로 충분한 정보를 제공받는 경우 연명치료 중단을 선택하였을 것이라고 인정되는 경우라야 그 의사를 추정할 수 있다.

라. 환자 측이 직접 법원에 소를 제기한 경우가 아니라면, 환자가 회복불가능한 사망의 단계에 이르렀는지 여부에 관하여는 전문의사 등으로 구성된 위원회 등의 판단을 거치는 것이 바람직하다.

❷ 환자가 의료계약을 체결하고 진료를 받다가 연명치료 거부 내지 중단에 관한 의사를 밝히지 아니한 상태에서 회복불가능한 사망의 단계에 진입하였고 연명치료 중단을 명하는 판결이 확정된 경우, 기존 의료계약이 판결 주문에서 중단을 명한 연명치료를 제외한 나머지 범위 내에서 유효하게 존속하는지 여부(원칙적 적극)
(대법원 2016. 1. 28. 선고 2015다9769)

환자가 의료인과 의료계약을 체결하고 진료를 받다가 미리 의료인에게 자신의 연명치료 거부 내지 중단에 관한 의사를 밝히지 아니한 상태에서 회복불가능한 사망의 단계에 진입을 하였고, 환자 측이 직접 법원에 연명치료 중단을 구하는 소를 제기한 경우에는, 특별한 사정이 없는 한, 연명치료 중단을 명하는 판결이 확정됨으로써 판결 주문에서 중단을 명한 연명치료는 더 이상 허용되지 아니하지만, 환자와 의료인 사이의 기존 의료계약은 판결 주문에서 중단을 명한 연명치료를 제외한 나머지 범위 내에서는 유효하게 존속한다.

012 국회의 퇴임한 헌법재판소 재판관 후임자 선출 부작위 사건 [각하]
― 2014. 4. 24. 선고 2012헌마2

판시사항

1. 국회가 선출하여 임명된 헌법재판소 재판관 중 공석이 발생한 경우, 국회가 공석인 재판관의 후임자를 선출하여야 할 헌법상 작위의무의 존재 여부(적극)
2. 국회가 공석인 재판관의 후임자를 선출함에 있어 준수하여야 할 '상당한 기간'의 의미
3. 피청구인이 조대현 전 재판관의 후임자를 선출함에 있어 '상당한 기간'을 정당한 사유 없이 경과하여 작위의무의 이행을 지체하였다고 한 사례
4. 피청구인 국회가 임기만료로 퇴임한 조대현 전 재판관의 후임자를 선출하지 아니하여 재판관의 공석 상태를 방치하고 있는 부작위(이하 '이 사건 부작위'라 한다)의 위헌확인을 구하는 심판청구에 대하여, 심판청구 이후 피청구인이 조대현 전 재판관의 후임자 등 3인의 재판관을 선출하고, 청구인이 제기한 다른 헌법소원심판청구에 대하여 재판관 9인의 의견으로 종국결정이 선고됨으로써 주관적 권리보호이익이 소멸하였다고 한 사례

사건의 개요

청구인은 2011. 12. 23. 대기환경보전법 제46조 등의 위헌확인을 구하는 헌법소원심판(2011헌마850)을 청구한 후 위 헌법소원심판 계속 중, 피청구인이 2011. 7. 8. 임기만료로 퇴임한 조대현 전 헌법재판소 재판관(이하 '재판관'이라 한다)의 후임자를 선출하지 아니하여 재판관의 공석 상태가 계속됨으로써 청구인의 공정한 재판을 받을 권리를 침해하고 있다고 주장하면서, 2012. 1. 3. 위와 같은 피청구인의 부작위의 위헌확인을 구하는 이 사건 헌법소원심판을 청구하였다.

이 사건 심판청구 이후인 2012. 9. 14. 4인의 재판관이 퇴임함으로써 총 5인의 재판관이 공석이 되었으나, 피청구인이 선출한 3인의 재판관 및 대법원장이 지명한 2인의 재판관이 2012. 9. 20. 동시에 취임함으로써 재판관의 공석 상태가 해소되었고, 헌법재판소는 2013. 11. 28. 재판관 9인의 의견으로 위 2011헌마850 사건에 대하여 각하결정을 선고하였다.

주문

이 사건 심판청구를 각하한다.

I. 판 단

1. 헌법상 작위의무의 존재

공정한 재판을 받을 권리는 헌법 제27조의 재판청구권에 의하여 함께 보장되고, 재판청구권에는 민사재판, 형사재판, 행정재판뿐만 아니라 헌법재판을 받을 권리도 포함되므로, 헌법상 보장되는 기본권인 '공정한 재판을 받을 권리'에는 '공정한 헌법재판을 받을 권리'도 포함된다.

그런데 헌법 제111조 제2항은 헌법재판소는 법관의 자격을 가진 9인의 재판관으로 구성한다고 규정하고 있다. 이는 단순히 9인의 재판관으로 헌법재판소를 구성한다는 의미가 아니라 다양한 가치관과 헌법관을 가진 9인의 재판관으로 구성된 합의체가 헌법재판을 담당함으로써, 헌법재판에서 헌법의 해석에 관한 다양한 견해가 제시되고 그 견해들 간의 경쟁 기능이 충분히 발휘될 수 있도록 하기 위한 것이다. 또한 헌법 제111조 제3항은 재판관 중 3인은 국회에서 선출하는 자를 임명한다고 규정하고 있는바, 이는 국민의 대표기관인 피청구인으로 하여금 최고헌법기관인 헌법재판소의 구성에 관여하도록 함으로써 민주적 정당성을 부여함과 동시에 권력의 균형을 꾀하고자 하는 데에 그 근본적 의의가 있는 것이다.

그러므로 헌법이 피청구인에 대하여 공석인 재판관의 후임자를 선출할 의무를 부과하는 명시적인 규정을 두고 있는 것은 아니지만, 헌법 제27조, 제111조 제2항 및 제3항의 해석상 피청구인이 선출하여 임명된 재판관 중 공석이 발생한 경우, 피청구인은 공정한 헌법재판을 받을 권리의 보장을 위하여 공석인 재판관의 후임자를 선출하여야 할 구체적 작위의무를 부담한다고 보아야 할 것이다.

나아가 피청구인이 공석이 된 재판관의 후임자를 선출함에 있어서 준수하여야 할 기간에 관하여 보건대, 이 점에 관하여 헌법은 아무런 규정을 두고 있지 아니하고, 헌법해석상으로도 그 기간을 구체적으로 도출하기는 어렵다.

다만, 헌법재판소법은 피청구인의 후임 재판관 선출 시한에 관하여 재판관의 임기가 만료되거나 정년이 도래하는 경우에는 임기만료일 또는 정년도래일까지, 임기 중 재판관이 결원된 경우에는 결원된 날로부터 30일 이내에 후임 재판관을 선출하여야 한다고 하면서, 만약 국회의 폐회 또는 휴회 중 위와 같은 사유로 재판관이 공석이 된 경우에는 국회의 다음 집회가 개시된 후 30일 이내에 후임자를 선출하여야 한다고 규정함으로써 피청구인의 작위의무를 구체화하고 있다(제6조 제3항 내지 제5항). 위 헌법재판소법 조항들의 법적 성격에 대하여는 이를 강행규정으로 보는 견해도 있을 수 있으나, 헌법재판소법이 위 조항들을 위반한 피청구인의 재판관 선출행위를 무효로 하는 규정을 두고 있지 아니한 점, 피청구인에 의한 재판관 후보자의 전문성 및 도덕성 등에 대한 충분한 검증은 국가의 근본 질서와 국민의 기본권 수호의 측면에서 필수적인 점 등에 비추어 보면, 위 조항들의 법적 성격은 피청구인으로 하여금 일률적인 기간을 준수하도록 하기 위한 것이라기보다는 법률에 구체적인 기간을 명시하여 가급적 신속하게 재판관의 공석 상태를 해소하도록 하기 위한 훈시규정으로 보는 것이 타당하다.

한편, 피청구인에 의한 재판관 선출은 여·야 간 정치적 협의를 통한 후보자의 선정 및 선정된 후보자에 대한 인사청문회 등을 통한 검증을 거쳐 최종적으로 피청구인의 본회의에서 무기명 투표를 통해 이루어지고, 국회법 및 인사청문회법은 이와 관련한 구체적인 절차를 규정하고 있다(국회법 제46조의3, 인사청문회법 제6조 및 제9조 참조).

사정이 이와 같다면, 피청구인이 공석인 재판관의 후임자를 선출함에 있어 준수하여야 할 기간은 헌법재판소법 제6조 제3항 내지 제5항이 규정하고 있는 기간이 아니라, 앞서 본 헌법 제27조, 제111조 제2항 및 제3항의 입법취지, 공석인 재판관 후임자의 선출절차 진행에 소요되는 기간 등을 고려한 '상당한 기간'이라고 보아야 할 것이다.

결국 피청구인이 선출하여 임명된 재판관 중 공석이 발생한 경우, 피청구인은 공정한 헌법재판을 받을 권리의 보장을 위하여 '상당한 기간' 내에 공석이 된 재판관의 후임자를 선출하여야 할 헌법상 작위의무를 부담한다고 할 것이다.

2. 헌법상 작위의무의 이행지체

피청구인이 공석인 재판관의 후임자를 선임함에 있어 준수하여야 할 '상당한 기간'을 정당한 사유 없이 경과하였다면 공석인 재판관의 후임자를 선출하여야 할 헌법상 작위의무의 이행을 지체하였다고 보아야 할 것이고, 이 경우 '상당한 기간'을 정당한 사유 없이 경과하였는지 여부는 헌법 제27조, 제111조 제2항 및 제3항의 입법취지, 후보자의 선정과 관련한 정치적 협의, 인사청문회 및 본회의에서의 표결 등 재판관 선출절차 진행에 소요된 기간, 당시의 정치적 상황 등을 종합적으로 고려하여 개별적으로 판단하여야 할 것이다.

그런데 헌법재판소법 제6조 제2항은 재판관의 선출시 국회의 인사청문을 거쳐야 한다고 규정하고 있고, 국회법 및 인사청문회법은 이를 위한 구체적인 절차를 규정하고 있다. 즉 국회에서 선출하는 재판관에 대한 선출안은 국회 인사청문특별위원회(이하 '위원회'라 한다)의 심사를 거쳐 의장이 이를 본회의에 부의하며(국회법 제46조의3 제1항 본문, 인사청문회법 제6조 제1항), 피청구인은 재판관 후보자에 대한 선출안이 제출된 날부터 20일 이내에 이에 대한 심사를 마치도록 하고 있다(인사청문회법 제6조 제2항). 이를 위하여 위원회는 재판관 후보자에 대한 선출안이 위원회에 회부된 날로부터 3일 이내의 인사청문회 기간을 포함하여 15일 이내에 인사청문회를 마치고, 인사청문회를 마친 날로부터 3일 이내에 심사경과보고서를 의장에게 제출하도록 하고 있다(인사청문회법 제9조 제1항, 제2항).

조용환 재판관 후보자에 대한 선출안 부결 이후 약 7개월 동안 피청구인이 새로운 후보자를 찾고 검증하는 절차를 진행하였다고 볼 만한 사정이 없는 점, 국회법 제12조 제1항에 의하여 의장이 사고가 있을 때에는 의장이 지정하는 부의장이 그 직무를 대리할 수 있는 점, 제19대 국회의원 선거의 실시 후에도 다수의 법률이 제·개정된 점에 더하여 헌법 제27조, 제111조 제2항 및 제3항의 입법취지, 조대현 전 재판관 후임자 선출절차 진행에 소요된 기간, 당시의 정치적 상황 등을 종합하여 보면, 피청구인은 공석이 된 조대현 전 재판관의 후임자를 선출함에 있어 준수하여야 할 '상당한 기간'을 정당한 사유 없이 경과함으로써, 공석인 재판관의 후임자를 선출하여야 할 헌법상 작위의무의 이행을 지체하였다고 보아야 할 것이다.

3. 권리보호이익의 소멸

다만, 헌법소원은 국민의 기본권 침해를 구제하는 제도이므로 헌법소원 심판청구가 적법하려면 심판청구 당시는 물론 결정 당시에도 권리보호이익이 있어야 함이 원칙이다.

그런데 피청구인은 2012. 9. 4. 조대현 전 재판관 후임자를 비롯한 3인의 재판관 후보자에 대한 선출안을 위원회에 회부하였고, 2012. 9. 19. 위 각 선출안에 대한 심사경과보고서를 채택하였으며, 같은 날 본회의에서 위 각 선출안을 가결하였는바, 이로써 앞서 본 바와 같이 공석인 재판관의 후임자를 선출하지 않고 있던 피청구인의 헌법상 작위의무 이행지체 상태가 해소되었다. 나아가, 헌법재판소가 2013. 11. 28. 청구인이 제기한 헌법소원 심판청구(2011헌마850)에 대하여 재판관 9인의 의견으로 각하결정을 선고함으로써, 9인의 재판관으로 구성된 헌법재판소 전원재판부의 판단을 받고자 하였던 청구인의 주관적 목적도 달성되었다.

그러므로 이 사건 심판청구의 권리보호이익은 소멸하였다고 할 것이다.

Ⅱ 결 론

그렇다면 이 사건 심판청구는 부적법하므로 이를 각하하기로 하여, 아래와 같은 재판관 박한철, 재판관 이정미, 재판관 김이수, 재판관 이진성의 반대의견을 제외한 관여 재판관 전원의 일치된 의견으로 주문과 같이 결정한다.

■ 재판관 박한철, 재판관 이정미, 재판관 김이수, 재판관 이진성의 반대의견

이 사건 부작위와 같은 재판관의 장기간 공석 상태가 반복될 위험성이 여전히 남아 있고, 피청구인이 장기간 공석인 재판관의 후임자를 선출하지 아니한 부작위가 공정한 재판을 받을 권리를 침해하는지 여부에 대하여서는 아직 그 해명이 이루어진 적이 없으므로, 이 사건 심판청구는 예외적으로 심판의 이익을 인정할 수 있는 경우에 해당한다.

공정한 헌법재판이 이루어지기 위하여서는 재판관들이 토론 및 합의 과정에서 견해를 제시하고 그 타당성을 충분히 검증할 수 있어야 하고, 신속한 재판을 받을 권리의 보장을 위하여서는 오랜 기간 재판관이 공석이 되더라도 헌법재판은 끊임없이 이루어져야 한다. 그렇다면 피청구인이 정당한 사유 없이 상당한 기간 내에 공석인 재판관의 후임자를 선출하지 아니하면 재판관이 공석인 상태에서 헌법재판이 이루어질 수밖에 없어 심리 및 결정에 재판관 9인 전원의 견해가 모두 반영될 수 없으므로 헌법재판 청구인들의 공정한 재판을 받을 권리가 침해받게 된다.

진실한 사실은 공동체의 자유로운 의사형성과 진실발견의 전제가 되므로, '적시된 사실이 진실인 경우'에는 허위 사실을 바탕으로 형성된 개인의 명예보다 표현의 자유 보장에 중점을 둘 필요성이 있다. 헌법 제17조가 선언한 사생활의 비밀의 보호 필요성을 고려할 때, '적시된 사실이 사생활의 비밀에 관한 것이 아닌 경우'에는 허위 사실을 바탕으로 형성된 개인의 명예보다 표현의 자유 보장에 중점을 둘 필요성이 있다. 법률조항 중 위헌성 있는 부분에 한하여 위헌선언하는 것이 입법권에 대한 자제와 존중에 부합하는 점을 종합적으로 고려하면, 형법 제307조 제1항 중 '진실한 것으로서 사생활의 비밀에 해당하지 아니한' 사실 적시에 관한 부분은 헌법에 위반된다.

013 선거구 입법부작위 사건 [각하]
— 2016. 4. 28. 2015헌마1177·1220, 2016헌마6·17·25·64(병합))

판시사항 및 결정요지

1. 헌법재판소가 입법개선시한을 정하여 헌법불합치결정을 하였음에도 국회가 입법개선시한까지 개선입법을 하지 아니하여 국회의원의 선거구에 관한 법률이 존재하지 아니하게 된 경우 국회에 국회의원의 선거구를 입법할 헌법상 의무가 존재하는지 여부(적극)

헌법 제41조 제3항은 국회의원선거에 있어 필수적인 요소라고 할 수 있는 선거구에 관하여 직접 법률로 정하도록 규정하고 있으므로, 피청구인에게는 국회의원의 선거구를 입법할 명시적인 헌법상 입법의무가 존재한다. 나아가 헌법이 국민주권의 실현 방법으로 대의민주주의를 채택하고 있고 선거구는 이를 구현하기 위한 기초가 된다는 점에 비추어 보면, 헌법 해석상으로도 피청구인에게 국회의원의 선거구를 입법할 의무가 인정된다. 따라서 헌법재판소가 입법개선시한을 정하여 헌법불합치결정을 하였음에도 국회가 입법개선시한까지 개선입법을 하지 아니하여 국회의원의 선거구에 관한 법률이 존재하지 아니하게 된 경우, 국회는 이를 입법 하여야 할 헌법상 의무가 있다.

2. 국회가 헌법에서 위임한 선거구에 관한 입법의무를 상당한 기간을 넘어 정당한 사유 없이 지체하였는지 여부(적극)

헌법재판소는 구 선거구구역표에 대하여 헌법불합치결정을 하면서 피청구인에게 1년 2개월 동안 개선입법을 할 수 있는 기간을 부여하였는데, 이는 선거구 획정을 진지하게 논의하고 그에 따른 입법을 하기에 불충분한 시간이었다고 볼 수 없는 점, 그럼에도 불구하고 피청구인은 입법개선시한을 도과하여 선거구 공백 상태를 초래하여 국회의원선거에 출마하고자 하는 사람 등의 선거운동의 자유가 온전히 보장되지 못하고 선거권자의 선거정보 취득이 어렵게 되었던 점, 이러한 선거구 공백 상태가 2달여의 기간 동안 계속되어 제20대 국회의원선거가 불과 40여 일 앞으로 다가왔음에도 불구하고 피청구인은 여전히 선거구에 관한 법률을 제정하지 아니하였던 점 등을 종합하여 보면, 이 사건 입법부작위는 합리적인 기간 내의 입법지체라고 볼 수 없고, 이러한 지체를 정당화할 다른 특별한 사유를 발견할 수 없다. 그렇다면 피청구인은 선거구에 관한 법률을 제정하여야 할 헌법상 입법의무의 이행을 지체하였다.

3. 국회의원의 선거구에 관한 법률을 제정하지 아니한 입법부작위(이하 '이 사건 입법부작위'라 한다)**의 위헌확인을 구하는 심판청구에 대하여, 심판청구 이후 국회가 국회의원의 선거구를 획정함으로써 청구인들의 주관적 목적이 달성되어 권리보호이익이 소멸하였다고 인정한 사례**

헌법소원심판청구가 적법하려면 심판청구 당시는 물론 결정 당시에도 권리보호이익이 존재해야 하는데, 2016. 3. 2. 피청구인이 선거구를 획정함으로써 선거구에 관한 법률을 제정하지 아니하고 있던 피청구인의 입법부작위 상태는 해소되었고, 획정된 선거구에서 국회의원후보자로 출마하거나 선거권자로서 투표하고자 하였던 청구인들의 주관적 목적이 달성되었으므로, 청구인들의 이 사건 입법부작위에 대한 심판청구는 권리보호이익이 없어 부적법하다.

014 일본군위안부의 행정부작위 위헌소원 사건 [인용(위헌확인)]
― 2011. 8. 30. 선고 2006헌마788

판시사항

청구인들이 일본국에 대하여 가지는 일본군위안부로서의 배상청구권이 '대한민국과 일본국 간의 재산 및 청구권에 관한 문제의 해결과 경제협력에 관한 협정'(이하 '이 사건 협정'이라 한다) 제2조 제1항에 의하여 소멸되었는지 여부에 관한 한·일 양국 간 해석상 분쟁을 위 협정 제3조가 정한 절차에 따라 해결하지 아니하고 있는 피청구인의 부작위가 위헌인지 여부(적극)

사건의 개요

청구인들은 일제에 의하여 강제로 동원되어 성적 학대를 받으며 위안부로서의 생활을 강요당한 '일본군위안부 피해자'들이다. 피청구인은 외교, 외국과의 통상교섭 및 그에 관한 총괄·조정, 국제관계 업무에 관한 조정, 조약 기타 국제협정, 재외국민의 보호·지원, 재외동포정책의 수립, 국제정세의 조사분석에 관한 사무를 관장하는 국가기관이다.

대한민국은 1965. 6. 22. 일본국과의 사이에 '대한민국과 일본국 간의 재산 및 청구권에 관한 문제의 해결과 경제협력에 관한 협정'(조약 제172호, 이하 '이 사건 협정'이라 한다)을 체결하였다.

청구인들은, 청구인들이 일본국에 대하여 가지는 일본군위안부로서의 배상청구권이 이 사건 협정 제2조 제1항에 의하여 소멸되었는지 여부에 관하여, 일본국은 위 청구권이 위 규정에 의하여 모두 소멸되었다고 주장하며 청구인들에 대한 배상을 거부하고 있고, 대한민국 정부는 청구인들의 위 청구권은 이 사건 협정에 의하여 해결된 것이 아니라는 입장이어서, 한·일 양국 간에 이에 관한 해석상 분쟁이 존재하므로, 피청구인(외교통상부 장관)으로서는 이 사건 협정 제3조가 정한 절차에 따라 위와 같은 해석상 분쟁을 해결하기 위한 조치를 취할 의무가 있는데도 이를 전혀 이행하지 않고 있다고 주장하면서, 2006. 7. 5. 이러한 피청구인의 부작위가 청구인들의 기본권을 침해하여 위헌이라는 확인을 구하는 이 사건 헌법소원심판을 청구하였다.

주문

청구인들이 일본국에 대하여 가지는 일본군위안부로서의 배상청구권이 '대한민국과 일본국 간의 재산 및 청구권에 관한 문제의 해결과 경제협력에 관한 협정' 제2조 제1항에 의하여 소멸되었는지 여부에 관한 한·일 양국 간 해석상 분쟁을 위 협정 제3조가 정한 절차에 따라 해결하지 아니하고 있는 피청구인의 부작위는 위헌임을 확인한다.

I. 적법요건에 관한 판단

1. 행정부작위에 대한 헌법소원

행정권력의 부작위에 대한 헌법소원은 공권력의 주체에게 헌법에서 유래하는 작위의무가 특별히 구체적으로 규정되어 이에 의거하여 기본권의 주체가 행정행위 내지 공권력의 행사를 청구할 수 있음에도 공권력의 주체가 그 의무를 해태하는 경우에만 허용된다.

위에서 말하는 "공권력의 주체에게 헌법에서 유래하는 작위의무가 특별히 구체적으로 규정되어"가 의미하는 바는, 첫째, 헌법상 명문으로 공권력 주체의 작위의무가 규정되어 있는 경우, 둘째, 헌법의 해석상 공권력 주체의 작위의무가 도출되는 경우, 셋째, 공권력 주체의 작위의무가 법령에 구체적으로 규정되어 있는 경우 등을 포괄하고 있는 것으로 볼 수 있다.

2. 피청구인의 작위의무

만약 공권력의 주체에게 위와 같은 작위의무가 없다면 헌법소원은 부적법하게 되므로, 이 사건에서 피청구인에게 위와 같은 작위의무가 존재하는지를 살핀다.

청구인들은 일제에 의하여 강제로 동원되어 성적 학대를 받으며 위안부로서의 생활을 강요당한 '일본군위안부 피해자'들로서, 일본국에 대하여 그로 인한 손해배상을 청구하였으나, 일본국은 이 사건 협정에 의하여 배상청구권이 모두 소멸되었다며 청구인들에 대한 배상을 거부하고 있는 반면, 우리 정부는 앞에서 본 바와 같이 청구인들의 위 배상청구권은 이 사건 협정에 의하여 해결된 것이 아니어서 아직까지 존속한다는 입장이므로, 결국 이 사건 협정의 해석에 관하여 한·일간에 분쟁이 발생한 상태이다.

우리 헌법은 제10조에서 "모든 국민은 인간으로서의 존엄과 가치를 가지며, 행복을 추구할 권리를 가진다. 국가는 개인이 가지는 불가침의 기본적 인권을 확인하고 이를 보장할 의무를 진다."고 규정하고 있는데, 이 때 인간의 존엄성은 최고의 헌법적 가치이자 국가목표규범으로서 모든 국가기관을 구속하며, 그리하여 국가는 인간존엄성을 실현해야 할 의무와 과제를 안게 됨을 의미한다. 따라서 인간의 존엄성은 '국가권력의 한계'로서 국가에 의한 침해로부터 보호받을 개인의 방어권일 뿐 아니라, '국가권력의 과제'로서 국민이 제3자에 의하여 인간존엄성을 위협받을 때 국가는 이를 보호할 의무를 부담한다.

또한 헌법 제2조 제2항은 "국가는 법률이 정하는 바에 의하여 재외국민을 보호할 의무를 진다."라고 규정하고 있는바, 이러한 재외국민 보호의무에 관하여 헌법재판소는 "헌법 제2조 제2항에서 규정한 재외국민을 보호할 국가의 의무에 의하여 재외국민이 거류국에 있는 동안 받는 보호는 조약 기타 일반적으로 승인된 국제법규와 당해 거류국의 법령에 의하여 누릴 수 있는 모든 분야에서의 정당한 대우를 받도록 거류국과의 관계에서 국가가 하는 외교적 보호와 국외거주 국민에 대하여 정치적인 고려에서 특별히 법률로써 정하여 베푸는 법률·문화·교육 기타 제반영역에서의 지원을 뜻하는 것이다."라고 판시함으로써, 국가의 재외국민에 대한 보호의무가 헌법에서 도출되는 것임을 인정한 바 있다.

한편, 우리 헌법은 전문에서 "3·1운동으로 건립된 대한민국임시정부의 법통"의 계승을 천명하고 있는바, 비록 우리 헌법이 제정되기 전의 일이라 할지라도 국가가 국민의 안전과 생명을 보호하여야 할 가장 기본적인 의무를 수행하지 못한 일제강점기에 일본군위안부로 강제 동원되어 인간의 존엄과 가치가 말살된 상태에서 장기간 비극적인 삶을 영위하였던 피해자들의 훼손된 인간의 존엄과 가치를 회복시켜야 할 의무는 대한민국임시정부의 법통을 계승한 지금의 정부가 국민에 대하여 부담하는 가장 근본적인 보호의무에 속한다고 할 것이다.

위와 같은 헌법 규정들 및 이 사건 협정 제3조의 문언에 비추어 볼 때, 피청구인이 위 제3조에 따라 분쟁해결의 절차로 나아갈 의무는 일본국에 의해 자행된 조직적이고 지속적인 불법행위에 의하여 인간의 존엄과 가치를 심각하게 훼손당한 자국민들이 배상청구권을 실현할 수 있도록 협력하고 보호하여야 할 헌법적 요청에 의한 것으로서, 그 의무의 이행이 없으면 청구인들의 기본권이 중대하게 침해될 가능성이 있으므로, 피청구인의 작위의무는 헌법에서 유래하는 작위의무로서 그것이 법령에 구체적으로 규정되어 있는 경우라고 할 것이다.

나아가 특히, 우리 정부가 직접 일본군위안부 피해자들의 기본권을 침해하는 행위를 한 것은 아니지만, 위 피해자들의 일본에 대한 배상청구권의 실현 및 인간으로서의 존엄과 가치의 회복을 하는 데 있어서 현재의 장애상태가 초래된 것은 우리 정부가 청구권의 내용을 명확히 하지 않고 '모든 청구권'이라는 포괄적 개념을 사용하여 이 사건 협정을 체결한 것에도 책임이 있다는 점에 주목한다면, 피청구인에게 그 장애상태를 제거하는 행위로 나아가야 할 구체적 작위의무가 있음을 부인하기 어렵다.

3. 공권력의 불행사

이 사건에서 문제되는 공권력의 불행사는 이 사건 협정에 의하여 일본군위안부 피해자들의 일본에 대한 배상청구권이 소멸되었는지 여부에 관한 해석상의 분쟁을 해결하기 위하여 이 사건 협정 제3조의 분쟁해결절차로 나아갈 의무의 불이행을 가리키는 것이므로, 일본에 대한 위 피해자들의 배상청구권 문제를 도외시한 외교적 조치는 이 사건 작위의무의 이행에 포함되지 않는다. 또한, 청구인들의 인간으로서의 존엄과 가치를 회복한다는 관점에서 볼 때, 가해자인 일본국이 잘못을 인정하고 법적 책임을 지는 것과 우리 정부가 위안부 피해자들에게 사회보장적 차원의 금전을 제공하는 것은 전혀 다른 차원의 문제이므로, 우리 정부가 피해자들에게 일부 생활지원 등을 하고 있다고 하여 위 작위의무의 이행으로 볼 수는 없다.

피청구인의 주장에 의하더라도, 우리 정부는 1990년대부터 일본 정부에 대해서 금전적인 배상책임은 묻지 않는다는 방침을 정하였고, 한·일협정 관련문서의 전면공개가 이루어진 후에도 2006. 4. 10. "일본 측과 소모적인 법적 논쟁으로 발전될 가능성이 크므로 이와 관련되어 일본 정부를 상대로 문제해결을 위한 조치를 하지 않겠다."고 관련단체에 회신한 바 있으며, 이 사건 청구가 제기된 이후 제출한 서면에서도 이 사건 협정의 해석과 관련한 분쟁에 대해서는 아무런 조치를 취하지 않겠다는 의사를 거듭 밝힌 바 있다.

한편, 우리 정부는 앞서 본 바와 같이 2005. 8. 26. '민관공동위원회'의 결정을 통해 일본군위안부 문제는 이 사건 협정에 의하여 해결된 것으로 볼 수 없다고 선언한 바 있는데, 이것이 이 사건 협정 제3조의 외교상 경로를 통한 분쟁해결조치에 해당된다고는 보기 어렵고, 가사 해당된다고 보더라도 이러한 분쟁해결노력은 지속적으로 추진되어야 하고 더 이상 외교상의 경로를 통하여 분쟁을 해결할 수 있는 방법이 없다면 이 사건 협정 제3조에 따라 중재회부절차로 나아가야 할 것인데, 피청구인은 2008년 이후 일본군위안부 문제를 직접적으로 언급하지도 않을 뿐만 아니라 이를 해결하기 위한 별다른 계획도 없다는 것이므로, 어느 모로 보더라도 작위의무를 이행한 것이라고는 할 수 없다.

4. 소 결

그렇다면 피청구인은 헌법에서 유래하는 작위의무가 있음에도 이를 이행하지 아니하여 청구인들의 기본권을 침해하였을 가능성이 있다.

따라서, 이하에서는 본안에 나아가 피청구인이 위와 같은 작위의무의 이행을 거부 또는 해태하고 있는 것이 청구인들의 기본권을 침해하여 위헌인지 여부에 관하여 살펴보기로 한다.

II 본안에 관한 판단

1. 피청구인의 부작위의 기본권 침해 여부

가. 피청구인의 재량

외교행위는 가치와 법률을 공유하는 하나의 국가 내에 존재하는 국가와 국민과의 관계를 넘어 가치와 법률을 서로 달리하는 국제환경에서 국가와 국가 간의 관계를 다루는 것이므로, 정부가 분쟁의 상황과 성질, 국내외 정세, 국제법과 보편적으로 통용되는 관행 등을 감안하여 정책결정을 함에 있어 폭넓은 재량이 허용되는 영역임을 부인할 수 없다.

그러나, 헌법상의 기본권은 모든 국가권력을 기속하므로 행정권력 역시 이러한 기본권 보호의무에 따라 기본권이 실효적으로 보장될 수 있도록 행사되어야 하고, 외교행위라는 영역도 사법심사의 대상에서 완전히 배제되는 것으로는 볼 수 없다. 특정 국민의 기본권이 관련되는 외교행위에 있어서, 앞서 본 바와 같이 법령에 규정된 구체적 작위의무의 불이행이 헌법상 기본권 보호의무에 대한 명백한 위반이라고 판단되는 경우에는 기본권 침해행위로서 위헌이라고 선언되어야 한다. 결국 피청구인의 재량은 침해되는 기본권의 중대성, 기본권침해 위험의 절박성, 기본권의 구제가능성, 진정한 국익에 반하는지 여부 등을 종합적으로 고려하여 국가기관의 기본권 기속성에 합당한 범위 내로 제한될 수 밖에 없다.

나. 부작위로 인한 기본권 침해 여부

① 침해되는 기본권의 중대성

일본국에 의하여 광범위하게 자행된 반인도적 범죄행위에 대하여 일본군위안부 피해자들이 일본에 대하여 가지는 배상청구권은 헌법상 보장되는 재산권일 뿐 아니라, 그 배상청구권의 실현은 무자비하게 지속적으로 침해된 인간으로서의 존엄과 가치 및 신체의 자유를 사후적으로 회복한다는 의미를 가지는 것이므로, 그 배상청구권의 실현을 가로막는 것은 헌법상 재산권 문제에 국한되지 않고 근원적인 인간으로서의 존엄과 가치의 침해와 직접 관련이 있다.

② 기본권 침해 구제의 절박성 ③ 기본권의 구제가능성 ④ 진정으로 중요한 국익에 반하는지 여부

또한, 일본군위안부 피해자는 모두 고령으로서, 더 이상 시간을 지체할 경우 일본군위안부 피해자의 배상청구권을 실현함으로써 역사적 정의를 바로세우고 침해된 인간의 존엄과 가치를 회복하는 것은 영원히 불가능해질 수 있으므로, 기본권 침해 구제의 절박성이 인정되며, 이 사건 협정의 체결 경위 및 그 전후의 상황, 일련의 국내외적인 움직임을 종합해 볼 때 구제가능성이 결코 작다고 할 수 없다. 국제정세에 대한 이해를 바탕으로 한 전략적 선택이 요구되는 외교행위의 특성을 고려한다고 하더라도, 피청구인이 부작위의 이유로 내세우는 '소모적인 법적 논쟁으로의 발전가능성'이나 '외교관계의 불편'이라는 매우 불분명하고 추상적인 사유를 들어, 기본권 침해의 중대한 위험에 직면한 청구인들에 대한 구제를 외면하는 타당한 사유라거나 진지하게 고려되어야 할 국익이라고 보기는 힘들다.

2. 소 결

헌법 제10조, 제2조 제2항 및 전문과 이 사건 협정 제3조의 문언 등에 비추어 볼 때, 피청구인이 이 사건 협정 제3조에 따라 분쟁해결의 절차로 나아갈 의무는 헌법에서 유래하는 작위의무로서 그것이 법령에 구체적으로 규정되어 있는 경우라 할 것이고, 청구인들의 인간으로서의 존엄과 가치 및 재산권 등 기본권의 중대한 침해가능성, 구제의 절박성과 가능성 등을 널리 고려할 때, 피청구인에게 이러한 작위의무를 이행하지 않을 재량이 있다고 할 수 없으며, 피청구인이 현재까지 이 사건 협정 제3조에 따라 분쟁해결절차를 이행할 작위의무를 이행하였다고 볼 수 없다.

결국, 피청구인의 이러한 부작위는 헌법에 위반하여 청구인들의 기본권을 침해하는 것이다.

III 결 론

그렇다면 이 사건 심판청구는 이유 있으므로 이를 인용하기로 하여, 아래 재판관 조대현의 인용보충의견, 아래 재판관 이강국, 재판관 민형기, 재판관 이동흡의 반대의견을 제외한 나머지 관여 재판관 전원의 일치된 의견으로 주문과 같이 결정한다.

함께 보는 판례

청구인들이 일본국에 대하여 가지는 원폭피해자로서의 배상청구권이 '대한민국과 일본국 간의 재산 및 청구권에 관한 문제의 해결과 경제협력에 관한 협정'(이하 '이 사건 협정'이라 한다) 제2조 제1항에 의하여 소멸되었는지 여부에 관한 한·일 양국 간 해석상 분쟁을 이 사건 협정 제3조가 정한 절차에 따라 해결하지 아니하고 있는 피청구인의 부작위가 위헌인지 여부(적극) (2011. 8. 30. 선고 2008헌마648)

헌법 전문, 제2조 제2항, 제10조와 이 사건 협정 제3조의 문언에 비추어 볼 때, 피청구인이 이 사건 협정 제3조에 따라 분쟁해결의 절차로 나아갈 의무는 일본국에 의해 자행된 조직적이고 지속적인 불법행위에 의하여 인간의 존엄과 가치를 심각하게 훼손당한 자국민들이 배상청구권을 실현하도록 협력하고 보호하여야 할 헌법적 요청에 의한 것으로서, 그 의무의 이행이 없으면 청구인들의 기본권이 중대하게 침해될 가능성이 있으므로, 피청구인의 작위의무는 헌법에서 유래하는 작위의무로서 그것이 법령에 구체적으로 규정되어 있는 경우라고 할 것이다.

특히, 우리 정부가 직접 원폭피해자들의 기본권을 침해하는 행위를 한 것은 아니지만, 일본에 대한 배상청구권의 실현 및 인간으로서의 존엄과 가치의 회복에 대한 장애상태가 초래된 것은 우리 정부가 청구권의 내용을 명확히 하지 않고 '모든 청구권'이라는 포괄적인 개념을 사용하여 이 사건 협정을 체결한 것에도 책임이 있다는 점에 주목한다면, 그 장애상태를 제거하는 행위로 나아가야 할 구체적 의무가 있음을 부인하기 어렵다.

이러한 분쟁해결절차로 나아가지 않은 피청구인의 부작위가 청구인들의 기본권을 침해하여 위헌인지 여부는, 침해되는 기본권의 중대성, 기본권침해 위험의 절박성, 기본권의 구제가능성, 작위로 나아갈 경우 진정한 국익에 반하는지 여부 등을 종합적으로 고려하여, 국가기관의 기본권 기속성에 합당한 재량권 행사 범위 내로 볼 수 있을 것인지 여부에 따라 결정된다.

불법적인 강제징용 및 징병에 이어 피폭을 당한 후 방치되어 몸과 마음이 극도로 피폐해진 채 비참한 삶을 영위하게 된 한국인 원폭피해자들이 일본에 대하여 가지는 배상청구권은 헌법상 보장되는 재산권일 뿐만 아니라, 그 배상청구권의 실현은 무자비하고 불법적인 일본의 침략전쟁 수행과정에서 도구화되고 피폭 후에도 인간 이하의 극심한 차별을 받음으로써 침해된 인간으로서의 존엄과 가치를 사후적으로 회복한다는 의미를 가지는 것이므로, 침해되는 기본권이 매우 중대하다. 또한, 원폭피해자는 모두 고령으로서, 더 이상 시간을 지체할 경우 원폭피해자의 배상청구권을 실현함으로써 역사적 정의를 바로세우고 침해된 인간의 존엄과 가치를 회복하는 것은 영원히 불가능해질 수 있으므로, 기본권 침해 구제의 절박성이 인정되고, 이 사건 협정의 체결 경위 및 그 전후의 상황, 일련의 국내외적인 움직임을 종합해 볼 때 구제가능성이 결코 작다고 할 수 없다. 국제정세에 대한 이해를 바탕으로 한 전략적 선택이 요구되는 외교행위의 특성을 고려한다고 하더라도, 피청구인이 부작위의 이유로 내세우는 '소모적인 법적 논쟁으로의 발전가능성'이나 '외교관계의 불편'이라는 매우 불분명하고 추상적인 사유를 들어, 기본권 침해의 중대한 위험에 직면한 청구인들에 대한 구제를 외면하는 타당한 사유라거나 진지하게 고려되어야 할 국익이라고 보기는 힘들다.

이상과 같은 점을 종합하면, 결국 이 사건 협정 제3조에 의한 분쟁해결절차로 나아가는 것만이 국가기관의 기본권 기속성에 합당한 재량권 행사라 할 것이고, 피청구인의 부작위로 인하여 청구인들에게 중대한 기본권의 침해를 초래하였다 할 것이므로, 이는 헌법에 위반된다.

015 군법무관의 봉급에 관한 행정입법부작위 사건 [인용(위헌확인)]
― 2004. 2. 26. 선고 2001헌마718

판시사항

1. 행정입법의무의 헌법적 성격
2. 구 군법무관임용법 제5조 제3항 및 군법무관임용등에관한법률 제6조가 군법무관의 봉급과 그 밖의 보수를 법관 및 검사의 예에 준하여 지급하도록 하는 대통령령을 제정할 것을 규정하였는데, 대통령이 지금까지 해당 대통령령을 제정하지 않는 것이 청구인들(군법무관들)의 기본권을 침해하는지 여부(적극)

사건의 개요

청구인들은 군법무관임용시험 혹은 사법시험에 합격한 후 현재 군법무관으로 근무 중이고, 청구인 류○○은 군법무관으로 근무하다가 2003. 5. 31. 전역하였는바, 청구인들은 구 군법무관임용법 제5조 제3항 및 군법무관임용등에관한법률 제6조의 위임에 따라 피청구인이 군법무관의 봉급과 그 밖의 보수를 법관 및 검사의 대우(예)에 준하여 지급하도록 하는 시행령을 제정할 의무가 있음에도 불구하고 이를 이행하지 아니함으로써 자신들의 기본권을 침해하고 있다며 2001. 10. 15. 이 사건 헌법소원을 청구하였다.

심판대상조항 및 관련조항

이 사건 심판의 대상은 구법 제5조 제3항 및 법 제6조의 위임에 따라 군법무관의 대우(봉급과 그 밖의 보수)를 법관 및 검사의 대우(예)에 준하여 지급하도록 하는 대통령령을 제정하지 아니하는 부작위의 위헌 여부이다. 관련 조항의 내용은 다음과 같다.

【관련조항】

구 군법무관임용법(1967. 3. 3. 법률 제1904호로 개정되고 2000. 12. 26. 법률 제6291호로 전문개정되기 전의 것. 이하 '구법'이라 한다)

제5조 ③ 군법무관의 대우는 법관 및 검사의 대우에 준하여 대통령령으로 정한다.

군법무관임용등에관한법률(2000. 12. 26. 법률 제6291호로 전문개정된 것. 이하 '법'이라 한다)

제6조(군법무관의 보수) 군법무관의 봉급과 그 밖의 보수는 법관 및 검사의 예에 준하여 대통령령으로 정한다.

주문

피청구인이 구 군법무관임용법 제5조 제3항 및 군법무관임용등에관한법률 제6조의 위임에 따라 군법무관의 봉급과 그 밖의 보수를 법관 및 검사의 예에 준하여 지급하도록 하는 대통령령을 제정하지 아니하는 입법부작위는 위헌임을 확인한다.

I. 판 단

1. 행정입법 의무의 성격

행정권력의 부작위에 대한 헌법소원은 공권력의 주체에게 헌법에서 유래하는 작위의무가 특별히 구체적으로 규정되어 이에 의거하여 기본권의 주체가 행정행위를 청구할 수 있음에도 공권력의 주체가 그 의무를 해태하는 경우에 허용되고, 특히 행정명령의 제정 또는 개정의 지체가 위법으로 되어 그에 대한 법적 통제가 가능하기 위하여는 첫째, 행정청에게 시행명령을 제정(개정)할 법적 의무가 있어야 하고 둘째, 상당한 기간이 지났음에도 불구하고 셋째, 명령제정(개정)권이 행사되지 않아야 한다.

이 사건에 있어서 대통령령의 제정의무는 구법 제5조 제3항 내지 법 제6조에 의한 위임에 의하여 부여된 것이지만, 입법부가 법률로써 행정부에게 특정한 사항을 위임했음에도 불구하고 행정부(대통령)가 이러한 법적 의무를 이행하지 않는다면 이는 위법한 것인 동시에 위헌적인 것이 된다. 우리 헌법은 국가권력의 남용으로부터 국민의 기본권을 보호하려는 법치국가의 실현을 기본이념으로 하고 있고, 근대 자유민주주의 헌법의 원리에 따라 국가의 기능을 입법·행정·사법으로 분립하여 상호간의 견제와 균형을 이루게 하는 권력분립제도를 채택하고 있다. 따라서 행정과 사법은 법률에 기속되므로, 국회가 특정한 사항에 대하여 행정부에 위임하였음에도 불구하고 행정부가 정당한 이유 없이 이를 이행하지 않는다면 권력분립의 원칙과 법치국가 내지 법치행정의 원칙에 위배되는 것이다.

따라서 이 사건과 같이 군법무관의 보수의 지급에 관하여 대통령령을 제정하여야 하는 것은 헌법에서 유래하는 작위의무를 구성한다.

2. 행정입법 부작위의 정당성 유무

구 군법무관임용법 제5조 제3항은 1967. 3. 3. 제정되어 2000. 12. 26. 폐지되었고, 군법무관임용등에관한법률 제6조는 2000. 12. 26. 제정되었다. 그러나 해당 시행령은 지금까지 제정된바 없다. 위 구법조항과 현행법 조항은 자구 내용만 일부 달라졌을 뿐 기본적으로 내용이 동일하다. 그렇다면 위 구법조항 시행시부터 약 37년간 해당 시행령에 관한 입법부작위 상태가 지속되고 있다.

행정부가 위임 입법에 따른 시행명령을 제정하지 않거나 개정하지 않은 것에 정당한 이유가 있었다면 그런 경우에는 헌법재판소가 위헌확인을 할 수는 없다. 그러한 정당한 이유가 인정되기 위해서는 그 위임입법 자체가 헌법에 위반된다는 것이 명백하거나, 행정입법 의무의 이행이 오히려 헌법질서를 파괴하는 결과를 가져옴이 명백할 정도는 되어야 할 것이다.

위 조항들은 군법무관의 보수 수준에 관한 것으로서 위헌임이 명백할 만큼 자의적이라고 할 수 없고, 군법무관 직무의 특수성을 고려할 때 위 규정이 입법자의 입법형성의 헌법적 한계를 벗어난 것이라고도 볼 수 없다.

이 사건 입법부작위의 정당한 이유로써 거론된 '타 병과 장교와의 형평성 문제'는 시행령 제정의 근거가 되는 법률의 개정을 추구할 사유는 될 수 있어도, 해당 법률에 따른 시행령 제정을 거부하는 사유는 될 수 없다. 또한 '예산상의 제약'이 있다는 논거도 예산의 심의·확정권을 국회가 지니고 있는 한 이 사건에서 입법부작위에 대한 정당한 사유라고 하기 어렵다.

통상 상위법령을 시행하기 위하여 하위법령을 제정하거나 필요한 조치를 함에 있어서는 상당한 기간을 필요로 하며 합리적인 기간내의 지체를 위헌적인 부작위로 볼 수 없지만, 이 사건의 경우 구법 조항이 신설된 때로부터 현재까지 약 37년 간 행정입법 부작위의 상태가 지속되고 있다. 이러한 기간은 합리적인 기간내의 지체라고 볼 수 없다.

3. 침해되는 기본권

청구인들은 이 사건 입법부작위로 인하여 직업의 자유, 평등권, 재산권이 침해되었다고 주장한다. 그런데 시행령이 제정되지 않아 법관, 검사와 같은 보수를 받지 못한다 하더라도, 직업의 자유에 '해당 직업에 합당한 보수를 받을 권리'까지 포함되어 있다고 보기 어려우므로 청구인들의 직업 선택이나 직업수행의 자유가 침해되었다고 할 수 없다.

또한 이 사건 입법부작위가 평등권을 침해한다고 보기도 어렵다. 군법무관이 처음부터 법관, 검사와 똑같은 보수를 받을 권리를 가진다고 전제하기 어렵고, 달리 시행령 제정상의 차별이라는 비교 관점도 성립하기 어려운 것이다.

그러나 이 사건 입법부작위는 청구인들의 재산권을 침해하고 있는 것이라 할 것이다.

헌법 제23조 제1항은 "모든 국민의 재산권은 보장된다. 그 내용과 한계는 법률로 정한다."고 규정한다. 우리 헌법이 보장하고 있는 재산권은 경제적 가치가 있는 모든 공법상·사법상의 권리를 뜻한다. 법 제6조 내지 구법 제5조 제3항은 군법무관의 보수를 법관, 검사의 예에 의할 것이라고 규정하고 다만 그 구체적 내용을 시행령에 위임하고 있다. 이러한 법조항들은 <u>군법무관의 보수의 내용을 법률로써 일차적으로 형성한 것이고, 이 법률들에 의하여 상당한 수준의 보수(급료)청구권이 인정되는 것이라 해석될 여지가 있다.</u> 그렇다면 그러한 보수청구권은 단순한 기대이익을 넘어서는 것으로서 법률의 규정에 의하여 인정된 재산권의 한 내용으로 봄이 상당하다. 따라서 대통령이 정당한 이유 없이 해당 시행령을 만들지 않아 그러한 보수청구권이 보장되지 않고 있다면 이는 재산권의 침해에 해당된다고 볼 것이다.

II 결 론

이 사건에서 피청구인이 구법 제5조 제3항 및 법 제6조의 위임에도 불구하고 지금까지 해당 시행령을 제정하지 않고 있는 입법부작위는 정당한 이유 없이 청구인들의 재산권을 침해한 것으로서 헌법에 위반되므로 재판관 권 성의 반대의견을 제외하고 나머지 관여 재판관들의 일치된 의견으로 주문과 같이 결정한다.

016 '사실상 노무에 종사하는 공무원'에 관한 조례 입법부작위 사건
[인용(위헌확인)]
- 2009. 7. 30. 선고 2006헌마358

판시사항

1. 지방자치단체인 피청구인들이 지방공무원법 제58조 제2항의 위임에 따라 '사실상 노무에 종사하는 공무원의 범위'를 정하는 조례를 제정하지 아니한 부작위(이하 '이 사건 부작위'라 한다)에 의하여 청구인들의 기본권이 침해될 가능성이 존재하는지 여부 및 청구인들이 이 사건 부작위에 대하여 자기관련성을 가지는지 여부(적극)
2. 피청구인들이 '사실상 노무에 종사하는 공무원'의 구체적 범위를 정하는 조례를 제정할 헌법상 의무를 부담하는지 여부(적극) 및 조례제정을 지체함에 정당한 사유가 존재하는지 여부(소극)
3. 이 사건 부작위가 청구인들의 근로3권을 침해하는지 여부(적극)

사건의 개요

청구인들은 서울특별시·인천광역시·경기도·전라북도의 각급 학교에서 지방방호원·지방난방원·지방조무원·지방운전원·지방전기원 등으로 근무하고 있는 기능직 공무원들이다.

청구인들은, 지방공무원법(1973. 3. 12. 법률 제2594호로 개정된 것, 이하 같다) 제58조 제2항이 노동운동을 할 수 있는 '사실상 노무에 종사하는 공무원의 범위'를 조례에서 정하도록 위임하였음에도 불구하고 피청구인들이 그러한 내용의 조례를 제정하지 아니함으로써 헌법 제33조 제2항에 위반하여 청구인들의 근로3권을 침해한다고 주장하면서 이 사건 헌법소원심판을 청구하였다.

심판대상

이 사건 심판의 대상은 피청구인들이 지방공무원법 제58조 제2항의 위임에 따라 '사실상 노무에 종사하는 공무원의 범위'를 정하는 조례를 제정하지 아니한 부작위(이하 '이 사건 부작위'라 한다)가 청구인들의 근로3권을 침해하는지 여부이다.

【관련조항】

지방공무원법 제58조(집단행위의 금지) ① 공무원은 노동운동 기타 공무 이외의 일을 위한 집단행위를 하여서는 아니 된다. 다만, 사실상 노무에 종사하는 공무원은 그러하지 아니하다.
② 제1항 단서에 규정된 사실상 노무에 종사하는 공무원의 범위는 조례로 정한다.

국가공무원법 제66조(집단행위의 금지) ① 공무원은 노동운동 기타 공무 이외의 일을 위한 집단적 행위를 하여서는 아니된다. 다만, 사실상 노무에 종사하는 공무원은 예외로 한다.
② 제1항 단서의 사실상 노무에 종사하는 공무원의 범위는 국회규칙·대법원규칙·헌법재판소규칙·중앙선거관리위원회규칙 또는 대통령령으로 정한다.

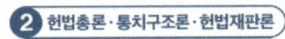

국가공무원 복무규정 제28조(사실상 노무에 종사하는 공무원) 법 제66조에 규정된 "사실상 노무에 종사하는 공무원"이라 함은 정보통신부 소속의 현업기관과 국립의료원의 작업현장에서 노무에 종사하는 기능직공무원(기능직공무원의 정원을 대체하여 채용된 일반계약직공무원 및 시간제일반계약직공무원을 포함한다) 및 고용직공무원으로서 다음 각 호의 어느 하나에 해당하지 아니하는 자에 한한다.
1. 서무·인사 및 기밀업무에 종사하는 자
2. 경리 및 물품출납사무에 종사하는 자
3. 노무자의 감독사무에 종사하는 자
4. 「보안업무규정」에 의한 보안 목표시설의 경비업무에 종사하는 자
5. 승용자동차 및 구급차의 운전에 종사하는 자

주문

피청구인들이 지방공무원법 제58조 제2항의 위임에 따라 사실상 노무에 종사하는 공무원의 범위를 정하는 조례를 제정하지 아니한 것은 위헌임을 확인한다.

I. 적법요건에 대한 판단

1. 피청구인 적격 (서울특별시, 인천광역시, 경기도, 전라북도)

이 사건 심판의 대상은 지방공무원법 제58조 제2항의 위임에 따라 '사실상 노무에 종사하는 공무원의 범위'를 정하는 조례를 제정하지 아니한 부작위가 청구인들의 근로3권을 침해하는지 여부이고, 이 사건 심판청구가 인용되면 피청구인은 '사실상 노무에 종사하는 공무원의 범위'를 정하는 조례를 제정하여야 한다(헌법재판소법 제75조 제4항). 이 사건 헌법소원심판청구의 피청구인이 지방자치단체인지 또는 지방의회인지가 문제된다.

그런데 헌법 제117조 제1항은 "지방자치단체는 …… 법령의 범위 안에서 자치에 관한 규정을 제정할 수 있다"고 규정하고 있고, 지방자치법 제22조도 "지방자치단체는 법령의 범위 안에서 그 사무에 관하여 조례를 제정할 수 있다"고 규정함으로써 조례 제정의 주체를 지방자치단체로 규정하고 있다. 따라서 이 사건 조례를 제정하지 아니한 부작위의 위헌 확인을 구하는 헌법소원심판청구의 피청구인은 지방자치단체라고 봄이 상당하다고 할 것이다.

한편, 지방공무원법 제58조 제2항의 위임에 따라 지방자치단체가 '사실상 노무에 종사하는 공무원의 범위'를 정하는 조례를 제정하는 일은 해당 지방자치단체의 지방공무원 전체를 대상으로 하는 것이지만, 이 사건 청구인들은 모두 시·도 교육청 소속 지방공무원이고 이 사건 부작위도 청구인들의 근로3권을 침해하는 것인지 여부에 한하여 심판대상으로 되는 것이므로, 이 사건 심판청구에 관해서는 각 시·도의 교육감이 대표자로 된다고 할 것이다.

2. 부진정 입법부작위인지 여부

피청구인들은 각자의 지방공무원 복무조례에서 국가공무원법 제66조의 위임에 따라 '사실상 노무에 종사하는 공무원의 범위'를 정하고 있는 '국가공무원 복무규정' 제28조를 준용하고 있으므로, 피청구인들의 진정 입법부작위는 없으며, 그 준용규정의 내용이 불충분하다면 부진정 입법부작위에 불과할 뿐이라고 주장한다.

그러나 '국가공무원 복무규정' 제28조는 국가공무원 중에서 '사실상 노무에 종사하는 국가공무원의 범위'를 정하고 있을 뿐이어서 지방공무원에게 준용될 여지가 없다. 그러므로 피청구인들은 지방공무원 중 '사실상 노무에 종사하는 지방공무원의 범위'를 전혀 정하지 않았다고 봄이 상당하고, 결국 청구인들의 이 사건 심판청구는 그러한 진정 입법부작위의 기본권 침해 여부를 다투는 것이라고 할 것이다.

3. 기본권침해가능성 및 자기관련성

헌법 제33조 제2항과 지방공무원법 제58조 제1항 단서 및 제2항에 의하면, 조례에 의하여 '사실상 노무에 종사하는 공무원'으로 규정되는 지방공무원은 단결권·단체교섭권 및 단체행동권을 가진다.

헌법재판소는, 지방공무원법 제58조 제1항 단서에 의하여 노동운동이 허용되는 '사실상 노무에 종사하는 공무원'이란 공무원의 주된 직무를 정신활동으로 보고 이에 대비되는 신체활동, 즉 육체노동을 통한 직무수행에 종사하는 공무원으로 해석하면서, 그 범위를 각 지방자치단체의 특수한 사정을 감안하지 아니하고 법률에서 일일이 정하는 것은 곤란하다고 판시하였다. 이처럼 근로3권이 보장되는 '사실상 노무에 종사하는 공무원의 범위'는 각 지방자치단체의 특수한 사정을 감안하여 조례로 정해지게 되는 결과, 청구인들과 같은 기능직공무원들은 해당 조례에서 '신체활동에 종사하는 공무원'의 범위가 어떻게 정하여지는지에 따라 지방공무원법 제58조 제1항 단서의 '사실상 노무에 종사하는 공무원'이 될 수도 있고, 그에 포함되지 않을 수도 있게 된다.

한편, '공무원의 노동조합 설립 및 운영 등에 관한 법률'(이하 '공무원노조법'이라 한다)에 의하면, 지방공무원 중 기능직공무원과 고용직공무원은 모두 공무원노동조합에 가입할 수 있고, 단결권과 단체교섭권을 가진다. 그런데 만일 지방공무원법 제58조 제2항에 따라 제정된 조례가 기능직공무원을 '사실상 노무에 종사하는 공무원'의 범위에 포함시킨다면 기능직공무원들은 공무원노조법의 적용대상에서 제외되어 단결권과 단체교섭권은 물론 단체행동권까지 가질 수 있게 되는바, 해당 조례가 어떻게 제정되는지에 따라 기능직공무원인 청구인들이 향유할 수 있는 근로3권의 범위가 달라지게 된다. 따라서 이 사건 부작위에 의하여 청구인들의 기본권이 침해될 가능성이 있으며 아울러 청구인들은 이 사건 심판청구에 관한 자기관련성도 인정된다.

Ⅱ 본안에 대한 판단

1. 재판관 이공현, 재판관 조대현, 재판관 민형기, 재판관 목영준, 재판관 송두환의 의견

가. 조례제정의무

공권력의 부작위에 대한 헌법소원은 공권력의 주체에게 헌법에서 우러나오는 작위의무가 있음에도 불구하고 상당한 기간이 지나도록 그 작위의무를 이행하지 아니하여 기본권을 침해하는 경우에 인정된다.

헌법 제33조는 제1항에서 "근로자는 근로조건의 향상을 위하여 자주적인 단결권·단체교섭권 및 단체행동권을 가진다."라고 규정하고, 제2항에서 "공무원인 근로자는 법률이 정하는 자에 한하여 단결권·단체교섭권 및 단체행동권을 가진다."고 규정하고 있다. 이에 따라 지방공무원법 제58조는 제1항 단서에서 '사실상 노무에 종사하는 공무원'만 노동운동을 할 수 있다고 규정하면서 제2항에서 그 범위를 조례로 정하도록 규정하였다.

이처럼 '사실상 노무에 종사하는 공무원'은 단결권·단체교섭권은 물론 단체행동권까지 가지고 일반기업의 노동조합과 같이 '노동조합 및 노동관계조정법'의 적용을 받게 되므로, 공무원노조법에 따라 공무원노동조합에 가입하여 단체행동권을 제한받게 되는 공무원보다 완전하게 근로3권을 보장받게 된다.

그런데 지방공무원법 제58조 제2항이 '사실상 노무에 종사하는 공무원'의 구체적인 범위를 조례로 정하도록 하였기 때문에, 그 범위를 정하는 조례가 정해져야 비로소 지방공무원 중에서 단결권·단체교섭권 및 단체행동권을 보장받게 되는 공무원이 구체적으로 확정되고 근로3권을 현실적으로 행사할 수 있게 된다. 그러므로 지방자치단체는 소속 공무원 중에서 지방공무원법 제58조 제1항의 '사실상 노무에 종사하는 공무원'에 해당되는 지방공무원이 단결권·단체교섭권 및 단체행동권을 원만하게 행사할 수 있도록 보장하기 위하여 그러한 공무원의 구체적인 범위를 조례로 제정할 헌법상 의무를 진다고 할 것이다.

나. 조례제정을 지체할 정당한 사유가 있는지 여부

'사실상 노무에 종사하는 공무원의 범위'를 정하는 조례를 제정할 의무가 헌법상 의무로 인정되고 그러한 조례의 제정이 지체되었더라도, 그러한 조례를 제정함에 필요한 상당한 기간을 넘기지 않았거나 그 조례제정의 지체를 정당화할 만한 사유가 있다면, 헌법에 위반된다고 보기 어렵다. 다만 그와 같은 정당한 사유로 인정되기 위해서는 그러한 조례제정이 헌법에 위반되거나 전체적인 법질서 체계와 조화되지 아니하여 조례제정의무의 이행이 오히려 헌법질서를 파괴하는 결과를 가져온다고 볼 수 있어야 할 것이다.

지방공무원법 제58조가 '사실상 노무에 종사하는 공무원'에 대하여 단체행동권을 포함한 근로3권을 인정한 것은, 그 직무의 내용에 비추어 노동3권을 보장하더라도 공무 수행에 큰 지장이 없고 국민에 대한 영향이 크지 않다고 입법자가 판단한 것이므로, 지방공무원법이 위 범위를 조례로 정하도록 위임한 지 36년이 지나도록 해당 조례의 제정을 그토록 미루어야 할 정당한 사유를 찾아볼 수 없다.

피청구인들은, 청구인들의 업무는 교육과 독립된 별도의 업무가 아니라 교육지원활동이므로 청구인들에게 단체행동권을 인정하면 학생교육에 직접적인 피해가 초래될 우려가 있다고 주장하나, 그러한 사유는 '사실상 노무에 종사하는 공무원의 범위'를 조례로 정할 경우에 고려할 사유일 뿐, 해당 조례를 제정하지 않은 것 자체를 정당화할 사유라고 볼 수는 없다.

다. 청구인들의 기본권 침해

헌법 제33조 제2항과 지방공무원법 제58조 제1항 단서 및 제2항에 의하면 조례에 의하여 '사실상 노무에 종사하는 공무원'으로 규정되는 지방공무원만이 단체행동권을 보장받게 되므로 조례가 아예 제정되지 아니하면 지방공무원 중 누구도 단체행동권을 보장받을 수 없게 된다. 따라서 이 사건 부작위는 청구인들이 단체행동권을 향유할 가능성조차 봉쇄하여 버리는 것으로 청구인들의 기본권을 침해한다.

라. 소 결

그렇다면, 피청구인들이 지방공무원법 제58조 제2항에 따라 '사실상 노무에 종사하는 공무원의 범위'를 정하는 조례를 제정하도록 위임받았음에도 불구하고, 이를 정당한 사유 없이 제정하지 아니한 이 사건 부작위는 헌법상 의무를 위반하여 청구인들이 노동3권을 부여받을 기회 자체를 사전에 차단하거나 박탈하였다고 할 것이므로, 청구인들의 이 사건 심판청구를 받아들여 위와 같은 조례입법부작위가 위헌임을 확인하여야 한다.

2. 재판관 김종대의 별개위헌의견

국회는 근로3권을 보장하는 내용의 입법을 하여야 할 의무를 가지므로 법률이 근로3권이 인정되는 공무원의 범위를 스스로 정하지 아니한 채 "사실상 노무에 종사하는 자"라고만 규정하고 그 구체적인 범위를 하위법령에 재위임하는 것은 헌법이 명한 입법의무를 위반한 것이다. 따라서 이 사건 부작위의 위헌성은 근본적으로는 헌법이 법률로써 정하도록 명한 근로3권이 인정되는 지방공무원의 범위를 스스로 구체적으로 정하지 아니한 채 조례에 재위임한 지방공무원법 제58조 제2항 자체의 위헌성에 기인한 것이다. 그러므로 원칙적으로 이 사건 부작위의 위헌확인을 구하는 것은 허용되지 아니한다고 할 것이나, 이러한 견해를 고집할 경우 근로3권을 누려야 할 일정한 범위의 공무원들이 입법의 혼란으로 인해 근로3권을 향유하지 못하게 되는 결과가 초래되어 헌법의 취지가 몰각되게 되므로 부득이 지방공무원법 제58조 제2항이 정한 조례의 미제정을 입법부작위로 보아 헌법에 위반된다고 판단한다.

III 결 론

그렇다면, 이 사건 입법부작위는 청구인들의 근로3권을 침해하므로 재판관 이강국, 재판관 김희옥, 재판관 이동흡의 반대의견을 제외한 나머지 관여 재판관들의 일치된 의견으로 주문과 같이 결정한다.

017 사법시험 성적세부산출 및 합격결정에 필요한 사항에 관한 행정입법부작위 사건 [각하]

― 2005. 12. 22. 선고 2004헌마66

판시사항

1. '성적의 세부산출방법 그 밖에 합격결정에 필요한 사항'을 법무부령으로 정하도록 한 사법시험법시행령 제5조 제5항이 기본권침해의 직접성 요건을 갖추고 있는지(소극)

2. 상위 법령의 규정만으로도 집행이 이루어질 수 있는 경우 하위 행정입법을 하여야 할 헌법적 작위의무가 인정되는지 여부(소극)

3. 법무부장관이 사법시험의 '성적세부산출 및 그 밖에 합격결정에 필요한 사항'에 관한 법무부령을 제정하여야 할 헌법상의 작위의무가 인정되는지 여부(소극)

4. 제45회 사법시험 제2차 시험에서 과락점수를 받아 불합격된 청구인들이, 사법시험의 '성적세부산출 및 그 밖에 합격결정에 필요한 사항'에 관하여 법무부령을 제정하지 아니한 법무부장관의 부작위에 대하여 위헌확인을 구할 권리보호의 이익이 있는지 여부(소극)

사건의 개요

피청구인(법무부장관)은 2003. 1. 1. '2003년도 제45회 사법시험' 시행계획을 공고한 후 2003. 6. 23. 부터 6. 26. 사이에 제45회 사법시험 제2차 시험을 실시하였는데, 위 시험의 커트라인은 평균 42.64점으로서 총 응시생 5,122명 중 선발예정인원 약 1,000명에 못 미치는 905명만이 합격하였다. 청구인들은 제45회 사법시험 제2차 시험에 응시하여 커트라인을 상회하는 평균점수를 얻고도 한 과목 이상의 시험과목에서 과목별 합격최저점수인 4할을 얻지 못하여 2003. 12. 2. 불합격처리된 사람들이다. 청구인들은, 사법시험법 및 동시행령이 법무부령으로 정하도록 위임한 '성적의 세부산출방법'을 상당한 기간이 지나도록 정하지 아니한 피청구인의 행정입법부작위(이하 '이 사건 행정입법부작위'라 한다)로 인하여 자신들의 공무담임권, 직업선택의 자유, 행복추구권이 침해되었다고 주장하며 2004. 1. 20. 이 사건 헌법소원심판청구를 제기하였다.

심판대상

이 사건 심판대상은 이 사건 행정입법부작위로 인하여 청구인들의 공무담임권 등이 침해되었는지 여부이다. 다만, 청구인들은 이 사건 행정입법부작위의 위헌성을 주장함에 있어 사법시험법시행령 제5조 제5항이 사법시험법 제11조 제2항에서 위임받은 항목들 중 '성적의 세부산출방법'을 그대로 하위명령에 재위임한 것은 복위임금지의 원칙에 위배되어 위헌이라는 주장도 하고 있으므로, 사법시험법시행령 제5조 제5항(이하 '이 사건 시행령조항'이라고 한다)이 청구인들의 공무담임권 등을 침해하는지 여부도 함께 살펴보기로 한다.

사법시험법 제11조(시험의 합격결정) ① 제1차 시험 및 제2차 시험의 합격결정은 각 과목별 취득점수를 합산한 총득점에 의한다. 다만, 시험과목 중 제9조 제2항의 규정에 의하여 다른 시험에서 취득한 성적으로 시험을 대체하는 과목의 경우 그 과목의 성적은 제1차 시험의 총득점에는 산입하지 아니하고 해당 과목의 합격 여부만을 결정한다.
② 각 시험의 구분별·과목별 합격최저점수, 과목별 배점기준, 성적의 세부산출방법 기타 시험의 합격결정방법은 대통령령으로 정한다.

사법시험법시행령 제5조(시험의 합격결정) ① 제1차 시험의 합격결정에 있어서는 제4조 제3항에서 규정한 과목을 제외한 나머지 과목에 대하여 매 과목 4할 이상, 전 과목 총득점의 6할 이상 득점한 자 중에서 제2차 시험 응시자 수를 고려하여 전 과목 총득점에 의한 고득점자순으로 결정한다. 이 경우 선택과목의 만점은 필수과목의 만점의 5할로 한다.
② 제2차 시험의 합격결정에 있어서는 매 과목 4할 이상 득점한 자 중에서 제3차 시험 응시자 수 등을 고려하여 최종 선발예정인원의 13할의 범위 안에서 전 과목 총득점에 의한 고득점자순으로 합격자를 정한다.
③ 제1항 및 제2항의 규정에 의한 득점의 계산은 소수점 이하 둘째자리(이하 버림)까지 계산한다.
④ 제3차 시험의 합격결정에 있어서는 법 제8조 제3항 각 호에 규정된 면접시험 평정요소마다 각각 "상"(3점), "중"(2점), "하"(1점)로 구분하고, 총15점 만점으로 채점하여 각 시험위원이 채점한 평점의 평균이 "중"(10점) 이상인 자를 합격자로 한다. 다만, 시험위원의 과반수가 어느 하나의 평정요소에 대하여 "하"로 평정한 경우에는 불합격으로 한다.
⑤ 성적의 세부산출방법 그 밖에 합격결정에 필요한 사항은 법무부령으로 정한다.

주문

이 사건 심판청구를 각하한다.

I. 심판청구의 적법 여부에 관한 검토

1. 이 사건 시행령조항에 관하여

법률 또는 법률조항 자체가 헌법소원의 대상이 될 수 있으려면 구체적인 집행행위를 기다리지 아니하고 그 법률 또는 법률조항에 의하여 직접, 현재, 자기의 기본권을 침해받아야 하는 것을 요건으로 하는바, 여기서 말하는 기본권침해의 직접성이란 집행행위에 의하지 아니하고 법률 그 자체에 의하여 자유의 제한, 의무의 부과, 권리 또는 법적 지위의 박탈이 생긴 경우를 뜻한다.

사법시험법시행령 제5조 제5항은 '성적의 세부산출방법 그 밖에 합격결정에 필요한 사항'을 법무부령으로 정하도록 위임하는 규정일 뿐, 그 자체로 응시생에게 어떤 의무를 부과하거나 그들의 권리 또는 법적 지위에 어떤 제약을 가하고 있지 아니하므로 기본권침해의 직접성을 갖추지 못하고 있다.

2. 이 사건 입법부작위에 관하여

가. 행정입법의 작위의무

삼권분립의 원칙, 법치행정의 원칙을 당연한 전제로 하고 있는 우리 헌법 하에서 행정권의 행정입법 등 법집행의무는 헌법적 의무라고 보아야 할 것이다. 그런데 이는 행정입법의 제정이 법률의 집행에 필수불가결한 경우로서 행정입법을 제정하지 아니하는 것이 곧 행정권에 의한 입법권 침해의 결과를 초래하는 경우를 말하는 것이므로, 만일 하위 행정입법의 제정 없이 상위 법령의 규정만으로도 집행이 이루어질 수 있는 경우라면 하위 행정입법을 하여야 할 헌법적 작위의무는 인정되지 아니한다고 할 것이다.

사법시험법과 동법시행령이 '성적의 세부산출방법 그 밖에 합격결정에 필요한 사항'에 대하여 법무부령에 의한 규율을 예정하고 있지만, 사법시험법과 동법시행령이 사법시험의 성적을 산출하여 합격자를 결정하는데 지장이 없을 정도로 충분한 규정을 두고 있기 때문에, '성적의 세부산출방법 그 밖에 합격결정에 필요한 사항'에 관한 법무부령의 제정이 사법시험법의 집행에 필수불가결한 것이라고 보기 어렵다. 따라서 법무부장관이 사법시험의 '성적의 세부산출방법'에 관한 법무부령을 제정하여야 할 헌법적 작위의무가 있다고 보기 어렵다.

나. 권리보호의 이익

1) 청구인들은 제45회 사법시험에서 제2차시험 과목 중 일부의 과락으로 인하여 합격되지 못하여 기본권을 침해당하였는데, 그 원인은 법시행규칙에 '성적의 세부산출방법 그 밖에 합격결정에 필요한 사항'을 규정하지 않았기 때문이라는 취지로 주장한다.

사법시험법과 사법시험법시행령은 정원제와 과락제를 모두 기본원칙으로 하면서도 상호간의 우열관계에 관하여는 아무런 규정을 두고 있지 않고, 정원제를 유지하기 위하여 과락제의 적용을 제한하는 조치를 하위명령에 위임하지도 아니하였으므로 법무부령으로 '성적의 세부산출방법 그 밖에 합격결정에 필요한 사항'으로서 정원제를 유지하기 위하여 과락제의 적용을 제한하는 조치를 정하는 것은 하위명령에 의한 모법의 내용변경을 의미하여 허용되지 아니한다. 그러므로 법무부령에 '성적의 세부산출방법'을 규정하였더라면 청구인들이 제45회 사법시험 제2차 시험에서 과락을 면하여 합격할 수 있었을 것이라고 보기 어렵고, 따라서 청구인들이 사법시험의 '성적의 세부산출방법 그 밖에 합격결정에 필요한 사항'에 관한 법무부령을 제정하지 아니한 법무부장관의 부작위에 대하여 위헌 확인을 구할 권리보호의 이익이 없다.

III 결 론

그렇다면 이 사건 헌법소원심판청구 중 이 사건 시행령조항의 위헌확인을 구하는 부분은 기본권침해의 직접성이 없어 부적법하고, 이 사건 입법부작위의 위헌확인을 구하는 부분은 작위의무가 없거나 권리보호의 이익이 없어 부적법하므로, 이 사건 관여 재판관 전원의 일치된 의견으로 주문과 같이 결정한다.

| 청구기간 |

018 어린이통학버스 동승보호자 사건 [기각, 각하]
— 2020. 4. 23. 선고 2017헌마479

판시사항

1. 유예기간을 두고 있는 법령의 경우, 헌법소원심판의 청구기간 기산점을 그 법령의 시행일이 아니라 유예기간 경과일이라고 본 사례
2. 도로교통법(2014. 12. 30. 법률 제12917호로 개정된 것) 제53조 제3항 전단 중 '학원의 설립·운영 및 과외교습에 관한 법률'에 따라 설립된 학원 및 '체육시설의 설치·이용에 관한 법률'에 따라 설립된 체육시설에서 어린이통학버스를 운영하는 자에 관한 부분(이하 '이 사건 보호자동승조항'이라 한다)이 청구인들의 직업수행의 자유를 침해하는지 여부(소극)

사건의 개요

청구인 황○○은 '학원의 설립·운영 및 과외교습에 관한 법률'에 따른 학원등록을 마치고 2016. 1. 1.부터 '○○학원'이라는 상호로 어린이 및 초·중·고등학생들을 상대로 어학과목을 교습하는 학원을 운영하면서 15인승 승합자동차를 수강생들의 통학에 제공하고 있다.

청구인 박○○은 '체육시설의 설치·이용에 관한 법률'에 따라 체육도장업을 신고하고 2016. 7. 15.부터 '○○ 태권도'라는 상호로 태권도장을 운영하면서 12인승 승합자동차를 수강생들의 통학에 제공하고 있다.

청구인들은 자가용자동차 유상운송에 관하여 규정한 여객자동차 운수사업법 제83조 제1항 제2호, 제90조 제8호, 유상운송용 자가용자동차의 차령에 관하여 규정한 여객자동차 운수사업법 시행규칙 제103조의2, 어린이통학버스 운영자 등의 의무에 관하여 규정한 도로교통법 제53조 제3항이 청구인들의 영업의 자유, 재산권을 침해한다고 주장하며 2017. 4. 28. 이 사건 헌법소원심판을 청구하였다.

심판대상조항 및 관련조항

청구인들은 도로교통법 제53조 제3항 전체에 대하여 심판청구를 제기하고 있으나, 청구인들은 '학원의 설립·운영 및 과외교습에 관한 법률'에 따라 설립된 학원 또는 '체육시설의 설치·이용에 관한 법률'에 따라 설립된 체육시설을 운영하는 자로서 어린이통학버스에 보호자를 동승하도록 강제하는 부분만을 다투고 있으므로, 심판대상조항은 도로교통법 제53조 제3항 중 이와 관련된 부분으로 한정한다.

따라서 이 사건 심판대상은 구 여객자동차 운수사업법(2017. 3. 21. 법률 제14716호로 개정되고, 2020. 2. 18. 법률 제17007호로 개정되기 전의 것, 이하 연혁에 관계없이 '여객자동차법'이라 한다) 제83조 제1항 제2호(이하 '이 사건 자동차사용제한조항'이라 한다), 여객자동차법(2015. 6. 22. 법률 제13376호로 개정된 것) 제90조 제8호(이하 '이 사건 벌칙조항'이라 한다), 여객자동차 운수사업법 시행규칙(2015. 7. 20. 국토교통부령 제

222호로 개정된 것, 이하 '여객자동차법 시행규칙'이라 한다) 제103조의2(이하 '이 사건 차령제한조항'이라 한다), 도로교통법(2014. 12. 30. 법률 제12917호로 개정된 것) 제53조 제3항 전단 중 '학원의 설립·운영 및 과외교습에 관한 법률'에 따라 설립된 학원 및 '체육시설의 설치·이용에 관한 법률'에 따라 설립된 체육시설에서 어린이통학버스를 운영하는 자에 관한 부분(이하 '이 사건 보호자동승조항'이라 한다)이 청구인들의 기본권을 침해하는지 여부이다. 심판대상조항의 내용은 다음과 같다.

【심판대상조항】

구 여객자동차 운수사업법(2017. 3. 21. 법률 제14716호로 개정되고, 2020. 2. 18. 법률 제17007호로 개정되기 전의 것)

제83조(자가용자동차 사용의 제한 또는 금지) ① 특별자치시장·특별자치도지사·시장·군수 또는 구청장은 자가용자동차를 사용하는 자가 다음 각 호의 어느 하나에 해당하면 6개월 이내의 기간을 정하여 그 자동차의 사용을 제한하거나 금지할 수 있다.
  2. 제81조 제1항 제2호에 따른 허가를 받지 아니하고 자가용자동차를 유상으로 운송에 사용하거나 임대한 경우

여객자동차 운수사업법(2015. 6. 22. 법률 제13376호로 개정된 것)

제90조(벌칙) 다음 각 호의 어느 하나에 해당하는 자는 2년 이하의 징역 또는 2천만 원 이하의 벌금에 처한다.
  8. 제81조를 위반하여 자가용자동차를 유상으로 운송용으로 제공 또는 임대하거나 이를 알선한 자

여객자동차 운수사업법 시행규칙(2015. 7. 20. 국토교통부령 제222호로 개정된 것)

제103조의2(유상운송용 자가용자동차의 차령) ① 제103조 제4호 및 제4호의2에 따라 유상운송 허가를 받은 자가용자동차(이하 "유상운송용 자가용자동차"라 한다)의 차령은 9년으로 한다.
② 제1항에 따른 유상운송용 자가용자동차의 차령 기산일은 다음 각 호의 구분에 따른다.
  1. 제작연도에 등록된 자동차: 최초의 신규등록일
  2. 제작연도에 등록되지 아니한 자동차: 제작연도의 말일
③ 제1항에도 불구하고 제1항에 따른 차령 기간(차령이 연장된 경우에는 연장된 기간을 말한다)이 만료되기 전에 「자동차관리법」 제43조 제1항 제2호에 따른 정기검사를 받아 검사기준에 적합한 경우에는 「자동차관리법 시행규칙」 제74조에 따른 검사유효기간의 만료일까지 차령이 연장된 것으로 본다.
④ 제1항에 따른 차령과 제3항에 따라 연장된 기간의 합은 11년을 초과할 수 없다.

도로교통법(2014. 12. 30. 법률 제12917호로 개정된 것)

제53조(어린이통학버스 운전자 및 운영자 등의 의무) ③ 어린이통학버스를 운영하는 자는 어린이통학버스에 어린이나 영유아를 태울 때에는 다음 각 호의 어느 하나에 해당하는 보호자를 함께 태우고 운행하여야 하며, 동승한 보호자는 어린이나 영유아가 승차 또는 하차하는 때에는 자동차에서 내려서 어린이나 영유아가 안전하게 승하차하는 것을 확인하고 운행 중에는 어린이나 영유아가 좌석에 앉아 좌석안전띠를 매고 있도록 하는 등 어린이 보호에 필요한 조치를 하여야 한다.
  3. 「학원의 설립·운영 및 과외교습에 관한 법률」 제13조 제1항에 따른 강사
  4. 「체육시설의 설치·이용에 관한 법률」에 따른 체육시설의 종사자
  5. 그 밖에 어린이통학버스를 운영하는 자가 지명한 사람

> **주문**

1. 도로교통법(2014. 12. 30. 법률 제12917호로 개정된 것) 제53조 제3항 전단 중 '학원의 설립·운영 및 과외교습에 관한 법률'에 따라 설립된 학원 및 '체육시설의 설치·이용에 관한 법률'에 따라 설립된 체육시설에서 어린이통학버스를 운영하는 자에 관한 부분에 대한 심판청구를 기각한다.
2. 청구인들의 나머지 심판청구를 모두 각하한다.

I 적법요건에 관한 판단

1. 이 사건 자동차사용제한조항에 관한 판단

이 사건 자동차사용제한조항은 자가용자동차를 사용하는 자가 유상운송허가를 받지 아니하고 자가용자동차를 유상으로 운송에 사용하는 경우 특별자치시장·특별자치도지사·시장·군수 또는 구청장(이하 '특별자치시장 등'이라 한다)은 6개월 이내의 기간을 정하여 그 자동차의 사용을 제한하거나 금지할 수 있다고 규정하여, 특별자치시장 등 집행기관의 자동차의 사용 제한 또는 금지처분이라는 구체적 집행행위를 예정하고 있다. 이와 같은 자가용자동차의 사용제한 내지 금지처분은 관할 행정기관에 재량이 주어지는 재량행위로서 특별자치시장 등의 위 재량권 행사에 의하여 자가용자동차를 유상으로 운송에 사용하는 자의 자가용자동차 사용제한 또는 금지라는 불이익이 비로소 현실화되는 것이므로, 위 법률조항 그 자체에 의하여 기본권 침해가 직접 발생한다고 볼 수 없다. 따라서 이 사건 자동차사용제한조항에 대한 심판청구는 기본권침해의 직접성을 갖추지 못하여 부적법하다.

2. 이 사건 벌칙조항에 관한 판단

처벌조항의 전제가 되는 구성요건조항이 별도로 규정되어 있는 경우에, 처벌조항에 대하여는 청구인들이 그 법정형이 체계정당성에 어긋난다거나 과다하다는 등 그 자체가 위헌임을 주장하지 않는 한 직접성을 인정할 수 없다.

3. 이 사건 차령제한조항에 관한 판단

청구인들은 이 사건 차령제한조항이 일률적으로 차령만을 자가용자동차 유상운송의 절대적인 기준으로 규정함으로써 위 차령제한을 초과한 통학차량을 보유한 청구인들은 자가용자동차 유상운송허가를 얻을 수 없게 되어 청구인들의 영업의 자유, 재산권이 침해된다고 주장한다.

그러나 자가용자동차 유상운송허가 요건은 이 사건 차령제한조항이 아니라 구 여객자동차법 시행규칙 제103조에서 규정하고 있는바, 특히 같은 조 제4호의2에 의하면 학원 및 체육시설(이하 '학원 등'이라 한다)의 경우 학원 등이 직접 소유하는 9인승 이상의 승용자동차 또는 승합자동차일 것, 처음 허가를 신청하는 경우 차령은 3년을 초과하지 아니할 것 등의 구체적 허가요건을 규정하고 있다. 반면, 이 사건 차령제한조항은 위 시행규칙 제103조의 요건에 따라 자가용자동차 유상운송 허가를 받은 경우 그 자가용자동차의 차령을 9년으로 제한하고, 그 차령산정의 기산일, 차령연장, 차령연장기간의 상한에 관하여 규정하고 있는 조항이다. 결국 이 사건 차령제한조항은 이미 자가용자동차 유상운송 허가를 받은 경우의 차령에 관한 것이어서, 아직 유상운송 허가를 받지 아니한 청구인들의 이 사건 차령제한조항에 대한 심판청구는 자기관련성이 인정되지 아니하여 부적법하다.

4. 이 사건 보호자동승조항에 관한 판단

헌법재판소법 제69조 제1항 본문은 "제68조 제1항의 규정에 따른 헌법소원의 심판은 그 사유가 있음을 안 날부터 90일 이내에, 그 사유가 있은 날부터 1년 이내에 청구하여야 한다."고 규정하고 있다. 이때 "그 사유가 있은 날"이란 헌법재판소법 제68조 제1항에 규정된 사유, 즉 '공권력의 행사 또는 불행사로 인한 기본권의 침해가 있은 날'을 의미한다. 따라서 법령의 시행과 동시에 기본권의 침해가 있는 경우에는 법령이 시행된 사실을 안 날로부터 90일 이내에, 법령이 시행된 날로부터 1년 이내에 헌법소원심판을 청구하여야 한다. 다만, 법령이 시행된 후에 그 법령에 해당하는 사유가 발생하여 기본권의 침해를 받은 사람은 그 사유가 발생하였음을 안 날로부터 90일 이내에, 그 사유가 발생한 날로부터 1년 이내에 헌법소원심판을 청구하여야 한다. 여기서 청구기간의 기산점인 '법령에 해당하는 사유가 발생한 날'이란 '법령의 규율을 구체적이고 현실적으로 적용받음으로써 기본권의 침해가 있은 날'을 의미한다.

도로교통법 부칙(2014. 1. 28. 법률 제12343호) 제1조는 "시행일"이라는 표제 아래, "이 법은 공포 후 1년이 경과한 날부터 시행한다."라고 규정한다. 또한 위 부칙 제3조는 "어린이통학버스 운전자 및 운영자 등의 의무에 관한 적용례"라는 표제 아래, "제53조 제3항의 개정규정은 「학원의 설립·운영 및 과외교습에 관한 법률」에 따른 학원 및 「체육시설의 설치·이용에 관한 법률」에 따른 체육시설에서 운영하는 승차정원 15인승 이하의 어린이통학버스에 대하여는 이 법 시행일 후 2년이 경과한 날부터 적용한다."라고 규정하여, 특정한 경우 심판대상조항에 대하여 2년간의 시행유예기간을 둔다. 청구인들은 승차정원 15인승 이하의 어린이통학버스를 운영하고 있으므로, 위 부칙 조항들에 따라 도로교통법 제53조 제3항의 개정규정의 시행일인 2015. 1. 29.로부터 2년이 경과하기 전까지는 어린이 통학버스 운행 시에 보호자를 동승시키지 않아도 된다. 따라서 청구인들은 심판대상조항의 시행과 동시에 기본권을 침해받지는 않고, '시행일로부터 2년 경과'라는 사유가 발생하는 2017. 1. 29.에 비로소 도로교통법 제53조 제3항의 개정규정을 구체적이고 현실적으로 적용받게 되어 보호자 동승의무를 부담한다. 따라서 이 사건 보호자동승조항으로 인한 기본권 침해가 구체적이고 현실적으로 발생하는 날은 2017. 1. 29.이고, 이 날이 청구인들에 대한 헌법소원심판청구의 청구기간 기산점이 된다. 청구인들은 청구기간 기산점인 2017. 1. 29.로부터 1년 및 90일 이내인 2017. 4. 28. 헌법소원심판을 청구하였으므로 이 사건 보호자동승조항에 대한 청구기간은 준수되었다. 따라서 이하 본안에서는 이 사건 보호자동승조항이 청구인들의 기본권을 침해하는지 여부를 판단한다.

이와 달리, 시행유예기간을 둔 법령에 대한 헌법소원심판의 청구기간에 관한 헌법재판소의 선례에 따르면, 도로교통법 제53조 제3항의 개정규정의 시행일인 2015. 1. 29.에 이미 시행유예기간

이 지나면 청구인들의 기본권이 침해될 것임이 분명하게 되었으므로, 법령의 시행과 동시에 기본권 침해가 발생한 것으로 인정하여 시행일을 청구기간의 기산점으로 보게 되어 이 사건 보호자동승조항에 대한 청구기간이 도과하였다는 결론에 이른다. 그러나 시행유예기간 동안에는 청구인들은 기본권 행사에 있어 어떠한 구체적, 현실적 제약도 받지 않으므로 위와 같은 해석은 지나치게 관념적일 뿐 아니라, 시행유예기간을 두지 않은 법령의 경우 기본권 행사에 구체적이고 현실적인 제약을 받는 시점이 청구기간의 기산점이 되는 것과 차별이 생긴다. 나아가 시행유예기간이 아니라 시행일을 청구기간의 기산점으로 본다면 시행유예기간이 경과하여 정작 기본권 침해가 실제로 발생한 때에는 이미 청구기간이 지나버려 위헌성을 다툴 기회가 부여되지 않는 불합리한 결과가 초래될 위험이 있는 점, 일반국민에 대해 법규정의 개폐에 적시에 대처할 것을 기대하기가 사실상 어렵고, 헌법소원의 본질은 국민의 기본권을 충실히 보장하는 데에 있으므로 법적 안정성을 해하지 않는 범위 내에서 청구기간에 관한 규정을 기본권보장이 강화되는 방향으로 해석하는 것이 바람직한 점을 종합해 보면, 시행유예기간의 적용 대상인 청구인들에 대해서도 청구기간의 기산점은 시행일인 것으로 해석하는 것은 헌법소원심판청구권을 보장하는 취지에 어긋난다.

뿐만 아니라, 시행유예기간 경과일을 청구기간의 기산점으로 보더라도 청구기간이 무한히 확장되는 것이 아니라 시행유예기간 경과일로부터 1년이 지나면 헌법소원심판을 청구할 수 없으므로 법적안정성을 확보할 수 있는 점, 시행유예기간 동안에도 현재성 요건의 예외에 따라 적법하게 헌법소원심판을 청구할 수 있고, 이와 같이 시행유예기간 동안에 헌법소원심판청구를 허용하더라도 아직까지 법령의 효력이 발생하기 전인 이상 그로 인하여 헌법소원심판청구의 대상이 된 법령의 법적 안정성이 곧바로 저해되지는 않는 점을 아울러 고려하면, 시행유예기간 경과일을 청구기간의 기산점으로 해석함으로써 헌법소원심판청구권 보장과 법적안정성 확보 사이의 균형을 달성할 수 있다.

종래 이와 견해를 달리하여, 법령의 시행일 이후 법령에 규정된 일정한 기간이 경과한 후에 비로소 법령의 적용을 받는 청구인들에 대한 헌법재판소법 제68조 제1항의 규정에 의한 법령에 대한 헌법소원심판 청구기간의 기산점을 법령의 시행일이라고 판시한 우리 재판소결정들은(헌재 96. 3. 28. 93헌마198; 헌재 99. 7. 22. 98헌마480 등; 헌재 2003. 1. 30. 2002헌마516; 헌재 2011. 3. 31. 2010헌마45; 헌재 2011. 5. 26. 2009헌마285; 헌재 2013. 11. 28. 2011헌마372), 이 결정의 취지와 저촉되는 범위 안에서 변경한다.

II 이 사건 보호자동승조항에 관한 본안 판단

1. 이 사건의 쟁점

이 사건 보호자동승조항은 어린이통학버스를 운영함에 있어서 반드시 보호자를 동승하도록 함으로써 학원 등의 영업방식에 제한을 가하고 있으므로 청구인들의 직업수행의 자유를 제한한다.

2. 판 단

 헌법 제15조는 직업의 자유를 보장하고 있고, 이러한 직업의 자유에는 자신이 원하는 직업을 자유롭게 선택하는 직업선택의 자유와 선택한 직업을 자신이 원하는 방식으로 자유롭게 수행할 수 있는 직업수행의 자유가 포함된다. 그런데 직업선택의 자유와 직업수행의 자유는 기본권의 주체에 대한 제한의 효과가 다르기 때문에 제한에 있어 적용되는 기준 또한 다르며, 특히 직업수행의 자유에 대한 제한의 경우 인격발현에 대한 침해의 효과가 일반적으로 직업선택 그 자체에 대한 제한에 비하여 작기 때문에, 그에 대한 제한은 보다 폭넓게 허용된다. 다만 이러한 경우에도 헌법 제37조 제2항의 과잉금지원칙에 위배되어서는 안 된다.

가. 목적의 정당성 및 수단의 적합성

 이 사건 보호자동승조항의 목적은 어린이통학버스에 학원 강사 내지 체육시설 종사자 등의 보호자를 함께 태우고 운행하도록 함으로써 인지능력이나 사고대응능력 등에서 취약한 어린이나 영유아(이하 '어린이 등'이라 한다)가 안전하게 어린이통학버스를 이용할 수 있도록 하기 위한 것으로서 그 정당성을 인정할 수 있다. 또한 어린이통학버스에 운전자의 부주의를 보완해 줄 보호자를 의무적으로 동승하도록 하는 것은 위와 같은 입법목적을 달성하기 위한 적합한 수단이 된다.

나. 침해의 최소성

 어린이 등은 신체기능의 미발달로 신체조절능력과 운동기능이 숙달되지 않은 시기에 있고, 인지적·정서적 능력이 제한적이어서 환경의 안전을 판단하고 위험을 예측할 수 있는 능력들이 부족하여 어느 때보다도 안전사고를 당하기 쉽다. 또한 어린이 등은 자신에게 주어진 환경을 조절하거나 바꿀 수 있는 능력이 부족하고 자신의 행동에 수반되는 위험을 평가하지 못하는 특성이 있기에 어린이 안전사고의 대처를 위한 법적 장치를 마련함에 있어서는 어린이 등의 이와 같은 취약성이 충분히 고려되어야 한다. 특히, 오늘날 취학 연령이 되기 전 일정한 교육시설에서의 어린이 등에 대한 돌봄이 일반화되어 있는 상황에서 어린이 등이 학원이나 체육시설 등에 다니기 위하여 통학버스를 이용하는 것은 상당히 일반적인 현상이 되고 있는데, 이와 관련한 사고 역시 치명적인 결과를 가져온다는 점에서 어린이통학버스와 관련하여서는 보다 엄격한 안전관리가 필요하다.

 이 사건 보호자동승조항은 어린이통학버스에 어린이 등을 태울 경우 학원 강사 내지 체육시설 종사자 등의 보호자를 함께 동승하도록 하고 있는데, 도로교통법 제53조 제3항 후문에 의하면 동승보호자는 어린이 등이 승·하차 할 때 자동차에서 내려서 어린이 등이 안전하게 승·하차하는 것을 확인하고 운행 중에는 어린이 등이 좌석에 앉아 안전띠를 매고 있도록 하는 등 어린이 등의 보호에 필요한 조치를 할 의무가 있다. 물론, 어린이통학버스의 운전자에게도 승차한 모든 어린이 등의 좌석안전띠를 매도록 한 후 출발하여야 하고, 내릴 때는 안전한 장소에 도착한 것을 확인하고 출발하도록 하는 등 어린이 등의 안전을 보호하기 위한 의무가 부여되어 있기는 하지만(도로교통법 제53조 제2항), 학원이나 체육시설에 통학하는 적지 않은 수의 어린이 등을 어린이통학버스 운전자가 홀로 인솔한다면 안전사고에 대한 예방이나 대처는 동승보호자가 있을 때보다 소홀해 질 수 있음은 부인하기 어렵다.

어린이통학버스를 안전하게 운전할 의무를 지는 운전자에게, 그 의무에 덧붙여 승차 중 또는 승·하차하는 어린이 등을 보호할 의무까지 부과하는 것으로는 어린이 등의 안전을 담보하기에 부족하다고 할 것이고, 별도의 동승보호자를 두어 운전자와 더불어 어린이 등을 보호하게 하는 것이 어린이통학버스를 이용하는 어린이 등의 안전을 지키는 데 필수적이라고 본 입법자의 판단이 현저히 불합리하다고 보기 어렵다.

한편, 학원 등의 운영자는 이 사건 보호자동승조항에도 불구하고 영업환경이나 영업전략에 따라 어린이통학버스 없이 학원 등을 운영하는 영업방식을 택할 수도 있다. 즉, 어린이통학버스의 운영 여부는 학원 등 운영자의 선택일 뿐만 아니라, 어린이통학버스를 운영하는 경우에도 이 사건 보호자동승조항에 따른 동승보호자를 반드시 신규로 고용해야 하는 것은 아니다. 학원 등의 운영자로서는 기존에 재직 중인 학원 강사 내지 체육시설 종사자를 동승하도록 함으로써 어린이 등의 안전을 보호하는 것도 가능하다. 또한 2005. 5. 31. 법률 제7545호로 전부개정된 도로교통법은 반드시 학원 강사 내지 체육시설 종사자가 동승보호자로서 어린이통학버스에 탑승해야 하는 부담을 덜어주기 위하여, 기존에 동승보호자로 허용된 학원 강사 내지 체육시설 종사자 이외에 '어린이통학버스를 운행하는 자가 지명한 사람'도 보호자로서 동승이 가능하도록 함으로써 학원 등 운영자의 선택의 폭을 더 넓혀 놓았다.

나아가 어린이통학버스에 보호자를 동승하도록 하는 도로교통법 규정은 이미 2001년에 도입되어 15년 이상 지속된 제도인 점, 모든 어린이통학버스에 신고의무를 부과하도록 도로교통법이 개정된 이후에도 청구인들이 운영하는 차량과 같은 승차정원 15인승 이하의 어린이 통학버스에 대해서는 영세성을 이유로 다시 2년 동안 이 사건 보호자동승조항의 시행을 유예하여 줌으로써 학원 등 운영자로서는 어린이통학버스 운행에 따른 동승보호자의 운용을 준비할 수 있는 충분한 시간이 있었던 점 등을 종합하여 보면, 이 사건 보호자동승조항이 어린이통학버스에 어린이 등과 함께 보호자를 의무적으로 동승하도록 하였다고 하여 그 의무가 학원 등 운영자의 직업수행의 자유를 지나치게 제한하여 입법형성권의 범위를 현저히 벗어났다거나 기본권 침해의 최소성 원칙에 반한다고 볼 수 없다.

다. 법익의 균형성

이 사건 보호자동승조항은, 학원 등에서 어린이통학버스를 운영하는 경우 어린이 등을 어린이통학버스에 태울 때 학원 강사 내지 체육시설 종사자 등의 보호자를 함께 동승하도록 함으로써 특별한 보호를 필요로 하는 어린이 등의 안전도를 제고하고, 안전사고의 위험으로부터 어린이 등을 보호함으로써 궁극적으로 어린이 등이 신체적·정신적 손상의 위험으로부터 벗어나 안전하고 건강한 생활을 영위하도록 하기 위한 것이다. 이와 같은 공익적 가치는 학원 등 운영자들이 어린이통학버스를 운영함에 있어 그 영업방식이 제한됨으로 인한 불이익보다 훨씬 중요하다고 할 것이므로, 이 사건 보호자동승조항은 법익의 균형성원칙에 반한다고 볼 수 없다.

라. 소 결

과잉금지원칙에 반하여 청구인들의 직업수행의 자유를 침해한다고 볼 수 없다.

019 기소유예처분취소
— 2010. 7. 29. 선고 2009헌마205

판시사항 및 결정요지

검사의 기소유예처분 이후에 그 처분의 근거가 된 법률조항에 대하여 헌법재판소의 위헌결정이 이루어진 경우, 당해 기소유예처분의 효력 및 그로 인한 청구인의 기본권 침해 여부(적극)

피청구인은 종업원의 무면허 의료행위를 이유로 개인 영업주인 청구인에 대해 의료법상 양벌규정을 근거로 이 사건 기소유예처분을 하였다. 그런데 그 이후, 위 처분의 근거 법률조항인 의료법(2007. 4. 11. 법률 제8366호로 전부 개정되고 2009. 12. 31. 법률 제9906호로 개정되기 전의 것) 제91조 제2항 중 "개인의 대리인, 사용인, 그 밖의 종업원이 제87조 제1항 제2호 중 제27조 제1항의 규정에 따른 위반행위를 하면 그 개인에게도 해당조문의 벌금형을 과한다."는 부분에 대해 형벌에 관한 책임주의에 반한다는 이유로 헌법재판소의 위헌 결정이 있었고(헌재 2009. 10. 29. 2009헌가6), 그로 인해 형벌에 관한 법률조항인 위 조항은 헌법재판소법 제47조 제2항 단서에 따라 소급하여 그 효력을 상실하였다.

따라서 위와 같이 소급하여 그 효력을 상실한 법률조항을 적용 근거로 하여 이루어진 이 사건 기소유예처분은 결국 범죄를 구성하지 않는 행위를 대상으로 그 혐의를 인정한 처분에 해당하므로 이를 취소함이 마땅하고 그로 인해 청구인의 평등권과 행복추구권이 침해되었다고 할 것이다.

020 불기소처분취소
― 1996. 3. 28. 선고 95헌마211

판시사항 및 결정요지

검사의 불기소처분으로 인한 기본권침해가 인정된 사례

피고소인이 뇌물사건의 재판확정 후 그 재판에서의 진술이 위증이라고 한 검찰에서의 자백은 모해위증죄 등으로 처벌받게 될 것까지 감수한 것으로서 쉽사리 배척될 성질의 것이 아님에도, 검사가 피고소인이 수령한 뇌물자금과 공여한 뇌물액수의 정확한 내역 및 피고소인이 위 자백을 하게 된 연유 등에 대하여 보다 면밀한 조사와 검토를 하지 아니한 채 피고소인의 자백을 배척하고 피고소인에게 혐의없음의 불기소처분을 한 것은 정의와 형평에 반하는 자의적인 수사와 증거판단을 통하여 청구인의 평등권과 재판절차진술권을 침해한 것이다.

함께 보는 판례

❶ 하나의 심판청구로 헌법재판소법 제68조 제1항에 의한 헌법소원심판청구와 동조 제2항에 의한 헌법소원심판청구를 병합하여 제기할 수 있는지 여부(적극) (2010. 3. 25. 선고 2007헌마933)

하나의 심판청구로 헌법재판소법 제68조 제1항에 의한 헌법소원심판청구와 헌법재판소법 제68조 제2항에 의한 헌법소원심판청구를 함께 병합하여 제기할 수 있다.

❷ 심판의 대상이 되는 공권력의 행사

1) 행정규칙 (2002. 7. 18. 선고 2001헌마605)

일반적으로 행정규칙은 행정조직 내부에서만 효력을 가지는 것이고 대외적인 구속력을 가지는 것이 아니어서 원칙적으로 헌법소원의 대상이 되는 '공권력의 행사'에 해당하지 아니한다. 그러나 행정규칙이 법령의 규정에 의하여 행정관청에 법령의 구체적 내용을 보충할 권한을 부여한 경우나, 재량권 행사의 준칙인 규칙이 그 정한 바에 따라 되풀이 시행되어 행정관행이 이룩되게 되면 평등의 원칙이나 신뢰보호의 원칙에 따라 행정기관은 그 상대방에 대한 관계에서 그 규칙에 따라야 할 자기구속을 당하게 되는 경우에는 대외적 구속력을 가지게 되는 바, 이러한 경우에는 헌법소원의 대상이 될 수도 있고, 또한 법령의 직접적 위임에 따라 수임행정기관이 그 법령을 시행하는데 필요한 구체적 사항을 정한 것이면, 그 제정형식은 비록 법규명령이 아닌 고시·훈령·예규 등과 같은 행정규칙이더라도 그것이 상위법령의 위임한계를 벗어나지 않는 한 상위법령과 결합하여 대외적인 구속력을 갖는 법규명령으로서 기능하게 된다고 보아야 할 것 바, 헌법소원의 청구인이 법령과 예규의 관계규정으로 말미암아 직접 기본권을 침해받았다면 이에 대하여 헌법소원을 청구할 수 있다.

2) 행정계획 (1992. 10. 1. 선고 92헌마68,76)

국립대학인 서울대학교는 특정한 국가목적(대학교육)에 제공된 인적·물적 종합시설로서 공법상의 영조물이다. 그리고 서울대학교와 학생과의 관계는 공법상의 영조물이용관계로서 공법관계이며, 서울대학교가 대학입학고사시행방안을 정하는 것은 공법상의 영조물이용관계설정을 위한 방법, 요령과 조건 등을 정하는 것이어서 서울대학교 입학고사에 응시하고자 하는 사람들에 대하여 그 시행방안에 따르지 않을 수 없는 요건·의무 등을 제한설정하는 것이기 때문에 그것을 제정·발표하는 것은 공권력의 행사에 해당된다. 그러나 서울대학교의 "94학년도 대학입학고사 주요요강"은 교육부가 마련한 대학입시제도 개선안에 따른 것으로서 대학입학방법을 규정한 교육법시행령 제71조의2의 규정이 교육부의 개선안을 뒷받침할 수 있는 내용으로 개정될 것을 전제로 하여 제정된 것이고 위 시행령이 아직 개정되지 아니한 현 시점에서는 법적 효력이 없는 행정계획안이어서 이를 제정한 것은 사실상의 준비행위에 불과하고 이를 발표한 행위는 앞으로 그와 같이 시행될 것이니 미리 그에 대비하라는 일종의 사전안내에 불과하므로 위와 같은 사실상의 준비행위나 사전안내는 행정심판이나 행정쟁송의 대상이 될 수 있는 행정처분이나 공권력의 행사는 될 수 없다. 그러나 이러한 사실상의 준비행위나 사전안내라도 그 내용이 국민의 기본권에 직접 영향을 끼치는 내용이고 앞으로 법령의 뒷받침에 의하여 그대로 실시될 것이 틀림없을 것으로 예상될 수 있는 것일 때에는 그로 인하여 직접적으로 기본권침해를 받게되는 사람에게는 사실상의 규범작용으로 인한 위험성이 이미 발생하였다고 보아야 할 것이므로 이러한 것도 헌법소원의 대상은 될 수 있다고 보아야 하고 서울대학교의 "94학년도 대학입학고사 주요요강"은 교육법시행령 제71조의2의 규정이 개정되어 그대로 시행될 수 있을 것이, 그것을 제정하여 발표하게 된 경위에 비추어 틀림없을 것으로 예상되므로 이를 제정·발표한 행위는 헌법소원의 대상이 되는 헌법재판소법 제68조 제1항 소정의 공권력의 행사에 해당된다고 할 것이며 헌법소원 외에 달리 구제방법도 없다는 말이 된다. (서울대학교의 94학년도 대학입학고사주요요강에서 인문계열 대학별고사의 제2외국어에 일본어를 제외한 것이 헌법에 위반되지 않는다고 본 사례)

3) 행정지도 (2003. 6. 26. 선고 2002헌마337)

헌법재판소법 제68조 제1항에서 규정하는 헌법소원의 대상으로서의 공권력이란 입법·사법·행정의 모든 권력이 포함됨은 물론 권력적 사실행위도 포함된다고 보는바, 피청구인은 이 사건 학칙시정요구가 헌법소원의 대상이 되는 공권력의 행사가 아니라고 다툰다.

교육인적자원부장관은 학칙으로 정한 사항이 법령에 위반된다고 인정되는 경우 법 제6조 제2항과 법시행령 제4조 제3항에 따라 학교의 장에게 그 시정을 요구하는 조치를 취할 수도 있고, 법 제60조에 따라 시정명령 또는 변경명령을 발할 수도 있는 것인데, 이 사건 학칙시정요구는 대학의 총장들에게 법령에 위반된다고 인정되는 학칙 중 교수회의 지위에 관한 사항을 개정하여 이를 시정할 것을 요구하는 형식으로서 법 제6조 제2항, 법시행령 제4조 제3항에 따른 시정요구에 해당된다.

이 사건 학칙시정요구의 법적 성격에 대하여는 그 자체로 일정한 법적 효과의 발생을 목적으로 하는 것이 아니고, 다만, 대학총장의 임의적인 협력을 통하여 사실상의 효과를 발생시키는 사실행위로서 일종의 행정지도라고 할 수 있다.

그러나 행정지도라 하더라도 그에 따르지 않을 경우 일정한 불이익조치를 예정하고 있는 경우에는 사실상 상대방에게 그에 따를 의무를 부과하는 것과 다를 바 없는 것인데, 이 사건 학칙시정요구의 경우 대학총장들이 그에 따르지 않을 경우 행·재정상 불이익이 따를 것이라고 경고하고 있어, 학교의 장으로서는 피청구인의 학칙시정요구에 따를 수밖에 없는 사실상의 강제를 받게 되므로, 이러한 시정요구는 임의적 협력을 기대하여 행하는 비권력적·유도적인 권고·조언 등의 단순한 행정지도로서의 한계를 넘어 규제적·구속적 성격을 상당히 강하게 갖는 것으로서 헌법소원의 대상이 되는 공권력의 행사라고 봄이 상당하다 할 것이다. (위 학칙시정요구에 대하여 해당대학의 교수회나 그 소속 교수들에게 헌법소원을 청구할 자기관련성이 인정되지 않는다고 본 사례)

❸ 행정심판이나 행정소송 등의 사전구제절차를 거치지 아니하고 청구한 국가인권위원회의 진정에 대한 각하 또는 기각결정의 취소를 구하는 헌법소원심판이 보충성 요건을 충족하는지 여부(소극) (2015. 3. 26. 선고 2013헌마214)

국가인권위원회는 법률상의 독립된 국가기관이고, 피해자인 진정인에게는 국가인권위원회법이 정하고 있는 구제조치를 신청할 법률상 신청권이 있는데 국가인권위원회가 진정을 각하 및 기각결정을 할 경우 피해자인 진정인으로서는 자신의 인격권 등을 침해하는 인권침해 또는 차별행위 등이 시정되고 그에 따른 구제조치를 받을 권리를 박탈당하게 되므로, 진정에 대한 국가인권위원회의 각하 및 기각결정은 피해자인 진정인의 권리행사에 중대한 지장을 초래하는 것으로서 항고소송의 대상이 되는 행정처분에 해당하므로, 그에 대한 다툼은 우선 행정심판이나 행정소송에 의하여야 할 것이다. 따라서 이 사건 심판청구는 행정심판이나 행정소송 등의 사전 구제절차를 모두 거친 후 청구된 것이 아니므로 보충성 요건을 충족하지 못하였다.

제4절 권한쟁의심판

021 법률안 변칙처리사건 [인용(권한침해), 기각]
— 1997. 7. 16. 선고 96헌라2

판시사항

1. 국회의원과 국회의장이 권한쟁의심판의 당사자가 될 수 있는지 여부(적극)
2. 야당의원들에게 개의일시를 통지하지 않음으로써 출석의 기회를 박탈한 채 본회의를 개의, 법률안을 가결처리한 경우 야당의원들의 법률안 심의·표결권의 침해 여부(적극)
3. 위와 같은 법률안 가결선포행위의 위헌 여부(인용의견이 과반수에 이르지 아니하여 기각된 예)

사건의 개요

국회부의장 오세응은 1996.12.26. 06:00경 피청구인을 대리하여 신한국당 소속 국회의원 155인이 출석한 가운데 제182회 임시회 제1차 본회의를 개의하고 국가안전기획부법중개정법률안, 노동조합및노동관계조정법안, 근로기준법중개정법률안, 노동위원회법중개정법률안, 노사협의회법중개정법률안을 상정, 표결을 하여 가결되었음을 선포하였다.

이에 새정치국민회의 및 자유민주연합 소속 국회의원인 청구인들은 1996.12.30. 피청구인이 야당 국회의원인 청구인들에게 변경된 개의시간을 통지하지도 않은채 비공개로 본회의를 개의하는 등 헌법 및 국회법이 정한 절차를 위반하여 위 법률안을 가결시킴으로써 독립된 헌법기관인 청구인들의 법률안 심의·표결권을 침해하였다고 주장하면서 그 권한침해의 확인과 아울러 위 가결선포행위에 대한 위헌확인을 구하는 이 사건 권한쟁의심판을 청구하였다.

심판대상

이 사건 심판의 대상은 피청구인이 1996.12.26. 06:00경 제182회 임시회 제1차 본회의(이하 "이 사건 본회의"라고 한다)를 개의하고 위 5개 법률안(이하 "이 사건 법률안"이라고 한다)을 상정하여 가결선포한 행위가 헌법 또는 법률에 의하여 부여받은 청구인들의 법률안 심의·표결의 권한을 침해한 것인지의 여부와 그로 인하여 위 가결선포행위가 위헌인지의 여부이다.

주문

1. 피청구인이 1996.12.26. 06:00경 제182회 임시회 제1차 본회의를 개의하고 국가안전기획부법중개정법률안, 노동조합및노동관계조정법안, 근로기준법중개정법률안, 노동위원회법중개정법률안,

노사협의회법중개정법률안을 상정하여 가결선포한 것은 청구인들의 법률안 심의·표결의 권한을 침해한 것이다.
2. 청구인들의 나머지 청구를 기각한다.

I 판단

1. 심판청구의 적법성에 관한 판단

가. 국회의원과 국회의장이 권한쟁의심판의 당사자가 될 수 있는지 여부

1) 헌법 제111조 제1항 제4호에서 헌법재판소의 관장사항의 하나로 "국가기관 상호간, 국가기관과 지방자치단체간 및 지방자치단체 상호간의 권한쟁의에 관한 심판"이라고 규정하고 있을 뿐 권한쟁의심판의 당사자가 될 수 있는 국가기관의 종류나 범위에 관하여는 아무런 규정을 두고 있지 않고, 이에 관하여 특별히 법률로 정하도록 위임하고 있지도 않다. 따라서 입법자인 국회는 권한쟁의심판의 종류나 당사자를 제한할 입법형성의 자유가 있다고 할 수 없고, 헌법 제111조 제1항 제4호에서 말하는 국가기관의 의미와 권한쟁의심판의 당사자가 될 수 있는 국가기관의 범위는 결국 헌법해석을 통하여 확정하여야 할 문제이다.

2) 헌법이 특별히 권한쟁의심판의 권한을 법원의 권한에 속하는 기관소송과 달리 헌법의 최고해석·판단기관인 헌법재판소에 맡기고 있는 취지에 비추어 보면, 헌법 제111조 제1항 제4호가 규정하고 있는 '국가기관 상호간'의 권한쟁의심판은 헌법상의 국가기관 상호간에 권한의 존부나 범위에 관한 다툼이 있고 이를 해결할 수 있는 적당한 기관이나 방법이 없는 경우에 헌법재판소가 헌법해석을 통하여 그 분쟁을 해결함으로써 국가기능의 원활한 수행을 도모하고 국가권력간의 균형을 유지하여 헌법질서를 수호·유지하고자 하는 제도라고 할 것이다.
따라서 헌법 제111조 제1항 제4호 소정의 '국가기관'에 해당하는지 아닌지를 판별함에 있어서는 그 국가기관이 헌법에 의하여 설치되고 헌법과 법률에 의하여 독자적인 권한을 부여받고 있는지 여부, 헌법에 의하여 설치된 국가기관 상호간의 권한쟁의를 해결할 수 있는 적당한 기관이나 방법이 있는지 여부 등을 종합적으로 고려하여야 할 것이다.

3) 이 사건 심판청구의 청구인인 국회의원은 헌법 제41조 제1항에 따라 국민의 선거에 의하여 선출된 헌법상의 국가기관으로서 헌법과 법률에 의하여 법률안제출권, 법률안 심의·표결권 등 여러 가지 독자적인 권한을 부여받고 있으며, 피청구인인 국회의장도 헌법 제48조에 따라 국회에서 선출되는 헌법상의 국가기관으로서 헌법과 법률에 의하여 국회를 대표하고 의사를 정리하며, 질서를 유지하고 사무를 감독할 지위에 있고, 이러한 지위에서 본회의 개의시의 변경, 의사일정의 작성과 변경, 의안의 상정, 의안의 가결선포 등의 권한을 행사하게 되어 있다.
따라서 국회의원과 국회의장 사이에 위와 같은 각자 권한의 존부 및 범위와 행사를 둘러싸고 언제나 다툼이 생길 수 있고, 이와 같은 분쟁은 단순히 국회의 구성원인 국회의원과 국회의장간의 국가기관 내부의 분쟁이 아니라 각각 별개의 헌법상의 국가기관으로서의 권한을 둘러싸고 발생하는 분쟁이라고 할 것인데, 이와 같은 분쟁을 행정소송법상의 기관소송으로 해결할 수 없고 권한쟁의심판이외에 달리 해결할 적당한 기관이나 방법이 없으므로(행정소송법 제3조 제4호 단서는 헌법재판소의 관장사항으로 되는 소송을 기관소송의 대상에서 제외하고 있으며, 같은 법 제45조는 기관소송을 법률이 정한 경우에 법률이 정한 자에 한하여 제기할 수 있도록 규정하고 있다) 국회의원과 국회의장은 헌법 제111조 제1항 제4호 소정의 권한쟁의심판의 당사자가 될 수 있다고 보아야 할 것이다.

4) 그리고 위와 같이 국회의원과 국회의장을 헌법 제111조 제1항 제4호의 '국가기관'에 해당하는 것으로 해석하는 이상 국회의원과 국회의장을 권한쟁의심판을 할 수 있는 국가기관으로 열거하지 아니한 <u>헌법재판소법 제62조 제1항 제1호의 규정도 한정적, 열거적인 조항이 아니라 예시적인 조항으로 해석하는 것이 헌법에 합치된다고 할 것이다.</u>

나. 이 사건 심판의 대상이 헌법재판소가 심사할 수 없는 국회내부의 자율에 관한 문제인지 여부
국회는 국민의 대표기관, 입법기관으로서 폭넓은 자율권을 가지고 있고, 그 자율권은 권력분립의 원칙이나 국회의 지위, 기능에 비추어 존중되어야 하는 것이지만, 한편 법치주의의 원리상 모든 국가기관은 헌법과 법률에 의하여 기속을 받는 것이므로 국회의 자율권도 헌법이나 법률을 위반하지 않는 범위내에서 허용되어야 하고 따라서 <u>국회의 의사절차나 입법절차에 헌법이나 법률의 규정을 명백히 위반한 흠이 있는 경우에도 국회가 자율권을 가진다고는 할 수 없다.</u>
헌법 제64조도 국회의 자율권에 관하여 국회는 법률에 저촉되지 아니하는 범위 안에서 의사와 내부규율에 관한 규칙을 제정할 수 있고, 의원의 자격심사·징계·제명에 관하여 자율적 결정을 할 수 있다고 규정하고 있다.
이 사건은 국회의장이 국회의원의 헌법상 권한을 침해하였다는 이유로 국회의원인 청구인들이 국회의장을 상대로 권한쟁의심판을 청구한 사건이므로 이 사건 심판대상은 국회의 자율권이 허용되는 사항이라고 볼 수 없고, 따라서 헌법재판소가 심사할 수 없는 국회내부의 자율에 관한 문제라고 할 수는 없다.

다. 그렇다면 이 사건 심판청구는 권한쟁의심판을 청구할 수 있는 국회의원인 청구인들이 국회의장을 상대로 국회의장의 본회의 개의, 법률안 상정, 가결선포행위가 그들의 권한을 침해하였다고 주장하여 권한침해의 확인과 아울러 그 행위의 위헌확인을 구하는 것으로서 적법하다.
따라서 우리재판소가 종전에 1995.2.23. 선고, 90헌라1 결정에서 이와 견해를 달리하여 헌법재판소법 제62조 제1항 제1호를 한정적, 열거적인 조항으로 보아 국회의원은 권한쟁의심판의 청구인이 될 수 없다고 판시한 의견은 재판관 황도연, 재판관 정경식, 재판관 신창언을 제외한 나머지 재판관 6인의 찬성으로 이를 변경하기로 한다.

2. 심판청구의 당부에 관한 판단

가. 이 사건 법률안의 처리경위

1996.12.23. 신한국당 소속 국회의원들의 소집요구에 따라 제182회 임시회가 소집되었으나 새정치국민회의 및 자유민주연합 소속 국회의원들의 저지로 본회의가 개의되지 못하였고, 같은 사유로 그 다음날에도 본회의가 개의되지 못하였다. 이에 피청구인은 1996.12.24. 국회환경노동위원장에게 이 사건 법률안 중 노동관계법안을 같은 날까지 심사보고할 것과 동 기간내에 심사를 마치지 못할 경우에는 중간보고하여 줄 것을 통보하였으나, 환경노동위원회는 위 일시까지 심사를 마치지 아니하였다.

피청구인을 대리한 국회부의장 오세응은 교섭단체인 새정치국민회의와 자유민주연합의 대표의원과 협의하지 않고 본회의 개의시를 변경하고, 위 교섭단체 소속 국회의원들에게는 회의의 일시를 적법하게 통지하지 아니한 채, 1996.12.26. 06：00경 신한국당 소속 국회의원 155인만이 출석한 가운데 본회의를 개의하여 이 사건 법률안을 상정한 다음 질의·토론없이 이의의 유무를 묻는 방법으로 표결하여 약 6분만에 이 사건 법률안이 출석의원 전원의 찬성으로 가결되었음을 선포하였다.

나. 권한침해확인청구에 대한 판단

1) 국회의원은 국민에 의하여 직접 선출되는 국민의 대표로서 여러 가지 헌법상·법률상의 권한이 부여되어 있지만 그 중에서도 가장 중요하고 본질적인 것은 입법에 대한 권한임은 두 말할 나위가 없고, 이 권한에는 법률안제출권(헌법 제52조)과 법률안 심의·표결권이 포함된다. 국회의원의 법률안 심의·표결권은 비록 헌법에는 이에 관한 명문의 규정이 없지만 의회민주주의의 원리, 입법권을 국회에 귀속시키고 있는 헌법 제40조, 국민에 의하여 선출되는 국회의원으로 국회를 구성한다고 규정하고 있는 헌법 제41조 제1항으로부터 당연히 도출되는 헌법상의 권한이다. 그리고 이러한 국회의원의 법률안 심의·표결권은 국회의 다수파의원에게만 보장되는 것이 아니라 소수파의원과 특별한 사정이 없는 한 국회의원 개개인에게 모두 보장되는 것임도 당연하다. 따라서 새정치국민회의 및 자유민주연합 소속 국회의원인 청구인들에게 법률안 심의·표결의 권한이 있음은 의문의 여지가 없다.

2) 국회법 제5조에 의하면 임시회의 집회요구가 있을 때에는 의장은 집회기일 3일전에 공고하여야 하고, 동법 제72조에 의하면 본회의는 오후 2시(토요일은 오전 10시)에 개의하되, 국회의 장이 각 교섭단체대표의원과 협의하여 그 개의시를 변경할 수 있으며, 동법 제76조에 의하면 국회의장은 개의일시·부의안건과 그 순서를 기재한 의사일정을 작성하고 늦어도 본회의 개의 전일까지 본회의에 보고하여야 하고(제1항 본문), 의사일정의 작성에 있어서는 국회운영위원회와 협의하되 협의가 이루어지지 아니할 때에는 단독으로 이를 결정하며(제2항), 특히 긴급을 요한다고 인정할 때에는 회의의 일시만을 의원에게 통지하고 개의할 수 있다고(제3항) 규정되어 있으므로, 임시회 집회일은 소집공고에 의하여 국회의원들에게 통지되어야 하고, 임시회 집회일 이후의 본회의 개의일시는 그 전의 본회의에서 의사일정보고를 통하여

국회의원들에게 통지되어야 하며, 특히 긴급을 요하여 의사일정보고절차를 밟을 수 없다고 인정될 때에도 회의의 개의일시만은 상당한 방법으로 국회의원 개개인에게 통지하지 않으면 아니됨이 명백하다.

3) 그렇다면 피청구인이 국회법 제76조 제3항을 위반하여 청구인들에게 본회의 개의일시를 통지하지 않음으로써 청구인들은 이 사건 본회의에 출석할 기회를 잃게 되었고 그 결과 이 사건 법률안의 심의·표결과정에도 참여하지 못하게 되었다. 따라서 나머지 국회법 규정의 위반여부를 더 나아가 살필 필요도 없이 피청구인의 그러한 행위로 인하여 청구인들이 헌법에 의하여 부여받은 권한인 법률안 심의·표결권이 침해되었음이 분명하다.

다. 이 사건 법률안 가결선포행위의 위헌확인청구에 대한 판단

1) 재판관 김용준, 재판관 김문희, 재판관 이영모의 의견

국회의 입법절차는 법률안의 제출로부터 심의·표결 및 가결선포와 정부에의 이송에 이르기까지 여러과정을 거쳐 진행되며, 그 과정에 국회의 구성원인 다수의 국회의원들이 참여하여 국민의 의사나 상충하는 이익집단간의 이해를 반영하게 된다. 이와 같은 국회 입법절차의 특성상 그 개개의 과정에서 의도적이든 아니든 헌법이나 법률의 규정을 제대로 준수하지 못하는 잘못이 있을 수 있다. 그러한 잘못이 현실로 나타날 경우 그로 인하여 일부 국회의원들의 입법에 관한 각종의 권한이 침해될 수 있는데, 이러한 사정만으로 곧바로 법률안의 가결선포행위를 무효로 한다면 이는 곧 그 법률의 소급적 무효로 되어 국법질서의 안정에 위해를 초래하게 된다.

따라서 국회의 입법과 관련하여 일부 국회의원들의 권한이 침해되었다 하더라도 그것이 입법절차에 관한 헌법의 규정을 명백히 위반한 흠에 해당하는 것이 아니라면 그 법률안의 가결선포행위를 무효로 볼 것은 아니라고 할 것인바, 우리 헌법은 국회의 의사절차에 관한 기본원칙으로 제49조에서 '다수결의 원칙'을, 제50조에서 '회의공개의 원칙'을 각 선언하고 있으므로, 이 사건 법률안의 가결선포행위의 효력 유무는 결국 그 절차상에 위 헌법규정을 명백히 위반한 흠이 있는지 여부에 의하여 가려져야 할 것이다.

이 사건 법률안은 재적의원의 과반수인 국회의원 155인이 출석한 가운데 개의된 본회의에서 출석의원 전원의 찬성으로 의결처리되었고, 그 본회의에 관하여 일반국민의 방청이나 언론의 취재를 금지하는 조치가 취하여지지도 않았음이 분명한바, 그렇다면 이 사건 법률안의 가결선포행위는 입법절차에 관한 헌법의 규정을 명백히 위반한 흠이 있다고 볼 수 없으므로 이를 무효라고 할 수 없다.

2) 재판관 이재화, 재판관 조승형, 재판관 고중석의 의견 (생략)

Ⅱ 결 론

그러므로 피청구인이 이 사건 본회의를 개의하고 이 사건 법률안을 상정하여 가결선포한 행위는 헌법에 의하여 부여받은 청구인들의 법률안 심의·표결의 권한을 침해한 것이므로 그 확인을 구하는 심판청구는 이유있어 이를 받아 들이고, 청구인들의 나머지 청구는 인용의견이 재판관 과반수에 이르지 못하므로 이를 기각하기로 하여 주문과 같이 결정하는 것이다.

022 국가인권위원회와 대통령 간의 권한쟁의 사건 [각하]
― 2010. 10. 28. 선고 2009헌라6

판시사항 및 결정요지

법률에 의하여 설치된 국가기관인 청구인에게 권한쟁의심판의 당사자능력이 인정되는지 여부(소극)

권한쟁의심판은 국회의 입법행위 등을 포함하여 권한쟁의 상대방의 처분 또는 부작위가 헌법 또는 법률에 의하여 부여받은 청구인의 권한을 침해하였거나 침해할 현저한 위험이 있는 때 제기할 수 있는 것인데, 헌법상 국가에게 부여된 임무 또는 의무를 수행하고 그 독립성이 보장된 국가기관이라고 하더라도 오로지 법률에 설치근거를 둔 국가기관이라면 국회의 입법행위에 의하여 존폐 및 권한범위가 결정될 수 있으므로 이러한 국가기관은 '헌법에 의하여 설치되고 헌법과 법률에 의하여 독자적인 권한을 부여받은 국가기관'이라고 할 수 없다. 즉, 청구인이 수행하는 업무의 헌법적 중요성, 기관의 독립성 등을 고려한다고 하더라도, 국회가 제정한 국가인권위원회법에 의하여 비로소 설립된 청구인은 국회의 위 법률 개정행위에 의하여 존폐 및 권한범위 등이 좌우되므로 헌법 제111조 제1항 제4호 소정의 헌법에 의하여 설치된 국가기관에 해당한다고 할 수 없다. 결국, 권한쟁의심판의 당사자능력은 헌법에 의하여 설치된 국가기관에 한정하여 인정하는 것이 타당하므로, 법률에 의하여 설치된 청구인에게는 권한쟁의심판의 당사자능력이 인정되지 아니한다.

023 경상남도 교육감과 경상남도 간의 권한쟁의 사건 [각하]
― 2016. 6. 30. 선고 2014헌라1

판시사항 및 결정요지

교육감과 해당 지방자치단체 사이의 내부적 분쟁과 관련한 권한쟁의심판청구의 적법 여부(소극)

가. 헌법 제111조 제1항 제4호는 지방자치단체 상호간의 권한쟁의에 관한 심판을 헌법재판소가 관장하도록 규정하고 있고, 헌법재판소법 제62조 제1항 제3호는 이를 구체화하여 헌법재판소가 관장하는 지방자치단체 상호간의 권한쟁의심판을 ① 특별시·광역시·도 또는 특별자치도 상호간의 권한쟁의심판, ② 시·군 또는 자치구 상호간의 권한쟁의심판, ③ 특별시·광역시·도 또는 특별자치도와 시·군 또는 자치구간의 권한쟁의심판 등으로 규정하고 있다. 이처럼 헌법재판소가 담당하는 지방자치단체 상호간의 권한쟁의심판의 종류는 헌법 및 법률에 의하여 명확하게 규정되어 있는바, 지방자치단체 '상호간'의 권한쟁의심판에서 말하는 '상호간'이란 '서로 상이한 권리주체간'을 의미한다.

그런데 '지방교육자치에 관한 법률'은 교육감을 명시적으로 시·도의 교육·학예에 관한 사무의 '집행기관'으로 규정하고 있으므로(제18조 제1항), 교육감을 지방자치단체 그 자체라거나 지방자치단체와 독립한 권리주체로 볼 수 없다. 따라서 교육감과 지방자치단체 상호간의 권한쟁의심판은 '서로 상이한 권리주체간'의 권한쟁의심판청구로 볼 수 없다.

나. 한편, 헌법재판소법 제62조 제1항 제3호가 정하는 지방자치단체 상호간의 권한쟁의심판의 종류를 예시적인 것으로 보아, 교육감과 지방자치단체 상호간의 권한쟁의도 헌법재판소가 관장하는 것으로 볼 수 있는지에 대해 살펴본다.

헌법은 국가기관과는 달리 지방자치단체의 경우에는 그 종류를 법률로 정하도록 규정하고 있으며(헌법 제117조 제2항), 지방자치법은 위와 같은 헌법의 위임에 따라 지방자치단체의 종류를 특별시, 광역시, 특별자치시, 도, 특별자치도와 시, 군, 구로 정하고 있고(지방자치법 제2조 제1항), 앞서 본 바와 같이 헌법재판소법은 지방자치법이 규정하고 있는 지방자치단체의 종류를 감안하여 권한쟁의심판의 종류를 정하고 있다. 즉, 지방자치법은 헌법의 위임을 받아 지방자치단체의 종류를 규정하고 있으므로 헌법재판소가 헌법해석을 통하여 권한쟁의심판의 당사자가 될 지방자치단체의 범위를 새로이 확정하여야 할 필요가 없다. 따라서 '국가기관'의 경우에는 헌법 자체에 의하여 그 종류나 범위를 확정할 수 없고 달리 헌법이 법률로 정하도록 위임하지도 않았기 때문에 헌법재판소법 제62조 제1항 제1호가 규정하는 '국회, 정부, 법원 및 중앙선거관리위원회'를 국가기관의 예시에 불과한 것이라고 해석할 필요가 있었던 것과는 달리, '지방자치단체'의 경우에는 지방자치단체 상호간의 권한쟁의심판을 규정하고 있는 헌법재판소법 제62조 제1항 제3호를 예시적으로 해석할 필요성 및 법적 근거가 없다.

다. 결국 시·도의 교육·학예에 관한 집행기관인 교육감과 해당 지방자치단체 사이의 내부적 분쟁과 관련된 이 사건 심판청구는 헌법 제111조 제1항 제4호 및 헌법재판소법 제62조 제1항 제3호의 지방자치단체 상호간의 권한쟁의심판에 해당한다고 볼 수 없다.

024 강남구선관위의 강남구에 대한 지방선거경비 산출 통보행위(강남구 등과 국회 등 간의 권한쟁의) 사건 [기각, 각하]
― 2008. 6. 26. 선고 2005헌라7

판시사항

1. 피청구인 강남구선거관리위원회의 청구인 서울특별시 강남구에 대한 지방자치단체 선거관리경비 산출 통보행위가 권한쟁의심판의 대상이 되는 처분에 해당하는지 여부(소극)
2. 피청구인 국회가 2005. 8. 4. 법률 제7681호로 공직선거법 제122조의2를 개정하여 지방선거비용을 해당 지방자치단체에게 부담시킨 행위가 지방자치단체인 청구인들의 지방자치권을 침해하는 것인지 여부(소극)

사건의 개요

피청구인 대한민국국회(이하 '국회'라 한다)는 2000. 2. 16. 법률 제6265호로 '공직선거 및 선거부정 방지법' 제122조의2를 신설하여 선거운동에 지출되는 경비는 공직선거 후보자가 부담함을 원칙으로 하되 일정한 경우에는 선거구 선거관리위원회가 공고된 선거비용 제한액의 범위 내에서 대통령 및 국회의원 선거에 있어서는 국가가, 지방자치단체의 의회 의원 및 장의 선거에 있어서는 당해 지방자치단체가 선거일 후 보전하도록 하였다.

피청구인 국회는 2004. 3. 12. 법률 제7189호로 위 법률조항을 다시 개정하여 선거비용 보전요건과 대상을 확대하였는바, 선거비용의 부담 주체를 원칙적으로 국가 또는 지방자치단체로 변경하였으며, 이에 따라 지방자치단체가 부담하는 선거비용은 대폭 증가하였다. 피청구인 국회는 2005. 8. 4.에도 법률 제7681호로 위 법률 조항을 개정하여 선거비용 보전에서 제외되는 대상을 몇 가지 명시하였다. 이 때 법률 명칭이 '공직선거 및 선거부정 방지법'에서 '공직선거법'으로 바뀌었다.

한편, 피청구인 강남구선거관리위원회는 2006. 5. 31. 실시하는 제4회 전국지방선거에 대비해 2005. 7. 29. 2004년 개정된 '공직선거 및 선거부정 방지법'에 따라 계산된 지방선거비용 합계 금 4,768,133,000원을 2006년 본예산에 편성하도록 청구인 서울특별시 강남구에 통보하였으며, 2005년 공직선거법으로 개정되자 다시 같은해 9. 26. 개정된 법률에 따라 계산된 합계 금 2,377,264,000원을 2006년도 본예산에 편성하도록 통보하였다.

이에 청구인들은 지방선거후보자가 지출한 선거운동비용을 지방자치단체의 부담으로 보전하도록 하고 있는 공직선거법 제122조의2에 대한 2005년 피청구인 국회의 법률개정 행위가 지방자치단체의 권한(지방재정권)을 침해한다는 이유로, 청구인들 중 서울특별시 강남구는 위 청구에 더하여 피청구인 강남구선거관리위원회의 청구인 서울특별시 강남구에 대한 지방선거비용 통보 행위가 자신의 지방자치권을 침해한다는 이유로, 2005. 10. 1. 이 사건 권한쟁의 심판을 청구하였다. 한편, 청구인들과 함께 피청구인 국회를 상대로 이 사건 권한쟁의 심판을 청구하였던 제주시는 2008. 6. 23. 그 청구를 취하하였다.

> **심판대상**

① 피청구인 국회가 2005. 8. 4. 법률 제7681호로 공직선거법 제122조의2를 개정한 행위가 청구인들의 지방자치권을 침해하는 것으로서 무효인지 여부
② 피청구인 강남구선거관리위원회의 청구인 서울특별시 강남구에 대한 2005. 9. 26.자 지방자치단체 선거관리경비 산출 통보행위가 청구인 서울특별시 강남구의 지방자치권을 침해한 것으로서 위헌인지 여부

> **주문**

청구인들의 피청구인 대한민국국회에 대한 심판청구를 기각하고, 청구인 서울특별시 강남구의 피청구인 강남구선거관리위원회에 대한 심판청구를 각하한다.

I 적법요건에 관한 판단

1. 권한쟁의심판청구의 당사자

가. 청구인들의 당사자 능력 및 적격 여부

헌법재판소법 제62조 제1항 제2호는 국가기관과 지방자치단체 간의 권한쟁의심판의 종류에 관하여 정하고 있는바, 청구인들은 지방자치단체인 시·군·구자치구로서 이 사건 심판청구의 당사자 능력을 보유하고 있다.

한편, 청구인들은 피청구인 국회가 2005년 공직선거법 제122조의2를 개정함으로 인해 지방자치단체가 지방선거에 소요되는 선거 경비를 상당 부분 부담하게 되었다고 주장하고, 청구인 서울특별시 강남구는 피청구인 국회의 법률개정 행위 외에도 피청구인 강남구선거관리위원회의 청구인 서울특별시 강남구에 대한 지방자치단체 선거관리경비 통보 행위가 지방선거 선거경비 부담의 원인이 되었다고 주장하는바, 지방선거의 선거경비 부담 주체를 놓고 다투는 이 사건에서 청구인들은 모두 당사자 적격이 있다.

나. 피청구인들의 당사자 능력 및 적격 여부

1) 피청구인 국회

헌법재판소법 제62조 제1항 제2호는 국가기관과 지방자치단체 간의 권한쟁의심판에 대한 국가기관측 당사자로 '정부'만을 규정하고 있지만, 이 규정의 '정부'는 예시적인 것이므로 대통령이나 행정각부의 장 등과 같은 정부의 부분기관뿐 아니라 국회도 국가기관과 지방자치단체 간 권한쟁의심판의 당사자가 될 수 있다. 따라서 피청구인 국회는 당사자 능력이 인정된다.

한편, 피청구인 국회는 선거비용의 부담주체를 정함에 있어 지방선거의 경우에는 원칙적으로 지방자치단체가 그 비용을 부담하도록 공직선거법 규정을 개정하였는바, 지방선거비용부담 문제를 둘러싼 이 사건 다툼은 바로 이로 인해 비롯된 것이므로 피청구인으로서의 당사자 적격도 인정된다.

2) 피청구인 강남구선거관리위원회

헌법재판소법 제62조는 권한쟁의심판청구의 당사자로 국가기관과 지방자치단체를 규정하고 있으므로 청구인 서울특별시 강남구가 피청구인 강남구선거관리위원회를 상대로 한 이 사건 권한쟁의 심판청구가 적법하려면 피청구인 강남구선거관리위원회가 이에 해당하여야 한다. 그런데 헌법재판소법 제62조에서 규정하고 있는 지방자치단체는 특별시·광역시·도와 시·군·자치구 등이며, 이것은 구 지방자치법 제2조 제1항에서 정하고 있는 지방자치단체의 종류와 다르지 아니한바, 각급 선거관리위원회는 권한쟁의 심판청구의 당사자가 될 수 있는 지방자치단체에는 포함되지 않는다.

한편, 위에서 본 것처럼 헌법재판소는 헌법재판소법 제62조 제1항 제2호의 '정부'를 예시적인 것으로 보고 있으므로 위 규정에서 구체적으로 나열하고 있지 않은 기관이라 하더라도 지방자치단체의 자치권을 침해할 가능성이 있는 국가기관은 권한쟁의 심판청구의 피청구인으로서 당사자능력이 인정된다고 할 것이다.

권한쟁의 심판에 있어서 당사자가 될 수 있는 국가기관이란 국가의사 형성에 참여하여 국법질서에 대하여 일정한 권한을 누리는 헌법상의 지위와 조직이라고 할 수 있다. 이러한 '국가기관'에 해당하는지 여부를 판별함에 있어서는, 그 국가기관이 헌법에 의하여 설치되고 헌법과 법률에 의하여 독자적인 권한을 부여받고 있는지 여부, 헌법에 의하여 설치된 국가기관 상호간의 권한쟁의를 해결할 수 있는 적당한 기관이나 방법이 있는지 여부 등을 종합적으로 고려하여야 할 것이다.

그런데 우리 헌법은 제114조 제1항에서 선거와 국민투표의 공정한 관리 및 정당에 관한 사무를 처리하기 위하여 선거관리위원회를 둔다고 하면서, 제2항에서 제5항까지 중앙선거관리위원회에 대해 규정하고 있는 외에 제6항에서 각급 선거관리위원회의 조직·직무범위 기타 필요한 사항은 법률로 정한다고 규정하여 각급 선거관리위원회의 헌법적 근거 규정을 마련하고 있다. 또한 헌법 제115조 제1항은 각급 선거관리위원회는 선거인명부의 작성 등 선거사무와 국민투표사무에 관하여 관계 행정기관에 필요한 지시를 할 수 있다고 규정하고 있으며, 제2항은 제1항의 지시를 받은 당해 행정기관은 이에 응하여야 한다고 규정하고, 제116조 제1항은 선거운동은 각급 선거관리위원회의 관리하에 법률이 정하는 범위 안에서 하되 균등한 기회가 보장되어야 한다고 규정하여 각급 선거관리위원회의 직무 등을 정하고 있다. 우리 헌법은 중앙선거관리위원회와 각급 선거관리위원회를 통치구조의 당위적인 기구로 전제하고, 각급 선거관리위원회의 조직, 직무범위 기타 필요한 사항을 법률로 정하도록 하고 있는 것이다.

그리고 위 헌법 규정에 따라 제정된 선거관리위원회법은 각각 9인 또는 7인의 위원으로 구성되는 네 종류의 선거관리위원회를 두고 있고, 공직선거법 제13조 제1항 제3호에 의하면, 이 사건 구·시·군 선거관리위원회는 지역선거구 국회의원 선거, 지역선거구 시·도의회의원 선거, 지역선거구 자치구·시·군 의회의원 선거, 비례대표선거구 자치구·시·군 의회의원 선거 및 자치구의 구청장·시장·군수 선거의 선거구선거사무를 담당한다.

그렇다면 중앙선거관리위원회 외에 각급 구·시·군 선거관리위원회도 헌법에 의하여 설치된 기관으로서 헌법과 법률에 의하여 독자적인 권한을 부여받은 기관에 해당하고, 따라서 피청구인 강남구선거관리위원회도 당사자 능력이 인정된다.

한편, 공직선거법 제277조 제2항은 지방의회의원 및 지방자치단체의 장의 선거의 관리준비와 실시에 필요한 일정한 경비를 당해 지방자치단체가 부담하도록 하면서 임기만료에 의한 선거에 있어서는 당해 선거의 선거기간 개시일이 속하는 연도의 본예산에 이 비용을 편성하도록 하고, 늦어도 선거기간개시일 전 60일까지 당해 시·도 선거관리위원회, 또는 당해 선거구선거관리위원회에 이를 납부하도록 하고 있으며, 보궐선거 등에 있어서는 그 선거의 실시사유가 확정된 때부터 15일까지 해당 시·도 선거관리위원회, 또는 당해 선거구선거관리위원회에 그 비용을 납부하도록 하고 있다. 또한 구 선거경비규칙에서는 시·도 위원회위원장 또는 선거구위원회위원장은 지방자치단체가 임기만료에 의한 지방선거의 선거관리경비를 본예산에 편성하는데 지장이 없도록 그 산출한 지방선거경비를 예산편성기본지침시달기한까지 당해 지방자치단체의 장에게 정해진 서식에 따라 통보하도록 하고 있다. 이러한 규정에 따라 피청구인 강남구선거관리위원회는 2005. 9. 26. 청구인 서울특별시 강남구에게 2006. 5. 31. 실시하는 제4회 전국지방선거에 대비하여 선거의 준비 및 실시 경비와 소송경비 등 합계 2,377,264,000원을 2006년도 본 예산에 편성하도록 통보한 것이다. 이와 같이 피청구인 강남구선거관리위원회는 선거관리 경비 부담에 관해 정하고 있는 규정들에 근거하여 자신의 권한을 행사한 것이므로 이 사건 심판청구의 피청구인으로서 당사자적격도 인정된다.

2. 피청구인들의 처분행위 여부와 권한침해 가능성 여부

가. 피청구인 국회의 법률개정 행위

1) 헌법재판소법 제61조 제2항에 의하면, 권한쟁의 심판청구는 피청구인의 처분 또는 부작위가 헌법 또는 법률에 의하여 부여받은 청구인의 권한을 침해하였거나 침해할 현저한 위험이 있는 때에 한하여 이를 할 수 있다. 여기서 '처분'이란 법적 중요성을 지닌 것에 한하는 것으로, 청구인의 법적 지위에 구체적으로 영향을 미칠 가능성이 있는 행위여야 한다. 헌법재판소는 위 처분과 관련하여, 처분은 입법행위와 같은 법률의 제정 또는 개정과 관련된 권한의 존부 및 행사상의 다툼, 행정처분은 물론 행정입법과 같은 모든 행정작용 그리고 법원의 재판 및 사법행정작용 등을 포함하는 넓은 의미의 공권력처분을 의미하는 것으로 보아야 한다고 판시하고 있다.

그런데 피청구인 국회는 이 사건 공직선거법의 개정을 통해 지방선거의 선거비용을 원칙적으로는 지방자치단체가 부담하도록 하고 있는바, 이와 같은 법률개정 행위는 청구인들 지방자치단체의 지방재정권에 중대한 영향을 미친다고 할 것이므로 헌법재판소법 제61조 제2항에서 규정하고 있는 '처분'에 해당된다고 할 것이다.

2) 한편, 피청구인의 행위가 권한쟁의심판청구의 대상이 되는 처분에 해당한다고 하더라도 권한쟁의심판청구가 적법하려면 그 처분으로 인해 청구인의 권한이 침해되었거나 현저한 침해의 위험성이 존재하여야 한다. 그런데 지방선거의 선거비용을 국가가 부담하여야 하는 것임에도 불구하고 피청구인 국회가 이 사건 법률개정을 통해 지방선거의 선거경비를 청구인

들과 같은 지방자치단체에 부담시킨 것이라면, 이는 청구인들과 같은 지방자치단체의 자치재정권을 침해할 개연성이 높다고 할 것이다. 따라서 이 사건 심판청구 중 피청구인 국회의 이 사건 법률개정 행위는 권한침해가능성 요건을 충족시키고 있다.

나. 피청구인 강남구선거관리위원회의 통보행위

위에서 살펴본 바와 같이 권한쟁의심판청구의 대상이 되는 '처분'에 해당하려면 처분이라고 주장된 행위가 청구인의 법적 지위에 구체적으로 영향을 미칠 가능성이 있는 것이어야 한다. 그런데 위에서 살펴본 바와 같이 피청구인 강남구선거관리위원회는 공직선거법 제277조 제2항에 따라 2006년 지방선거를 앞두고 지방선거를 원활하게 치르도록 하기 위해 강남구의회가 다음해 예산을 편성할 때 지방선거에 소요되는 비용을 산입할 수 있도록 예상되는 비용을 미리 통보하였다. 이러한 통보행위가 권한쟁의심판청구의 대상이 되는 처분에 해당하기 위해서는 이것이 청구인 서울특별시 강남구에 새로운 의무를 부과한다거나 법적 지위에 어떤 변화를 초래하여야 한다. 그런데 청구인 서울특별시 강남구의 선거비용 부담은 공직선거법에서 그렇게 정하고 있기 때문에 발생하는 것이지 피청구인 강남구선거관리위원회가 이 사건 통보행위를 하였기 때문에 새롭게 발생한 것은 아니다. 또한 피청구인 강남구선거관리위원회의 선거비용 통보행위는 미래에 발생할 선거비용을 다음 연도 예산에 반영하도록 하기 위해 미리 안내한 것에 불과하며, 이 통보행위 자체만으로 청구인 서울특별시 강남구가 2006년 예산편성 권한을 행사하는데 법적 구속을 받게 된 것은 아니다. 따라서 청구인 서울특별시 강남구의 법적 지위에 어떤 변화도 가져오지 않는 피청구인 강남구선거관리위원회의 이 사건 통보행위는 권한쟁의 심판의 대상이 되는 처분에 해당한다고 볼 수 없고, 청구인 서울특별시 강남구의 지방재정권을 침해하거나 침해할 가능성도 없다고 할 것이다.

3. 청구기간 준수 여부

가. 헌법재판소법 제63조 제1항에 따라 권한쟁의심판은 그 사유가 있음을 안 날로부터 60일 이내에, 그 사유가 있은 날로부터 180일 이내에 청구하여야 한다.

… 피청구인 국회의 법률 개정행위와 관련하여 청구기간 계산은 실제 청구인들에게 적용된 2005년 공직선거법을 기준으로 하여야 할 것인데, 2005년 공직선거법 개정은 2005. 8. 4.에 있었고, 이 사건 심판청구는 2005. 10. 1.에 접수되었으므로 청구기간을 준수하고 있다고 할 것이다.

4. 소 결

이 사건 권한쟁의 심판 사건 중 청구인들의 피청구인 국회에 대한 심판청구는 적법요건을 모두 갖추고 있다고 할 것이나, 청구인 서울특별시 강남구의 피청구인 강남구선거관리위원회에 대한 심판청구는 부적법하다고 할 것이다.

Ⅱ 본안에 대한 판단

1. 우리 헌법은 제116조 제2항에서 '선거에 관한 경비는 법률이 정하는 경우를 제외하고는 정당 또는 후보자에게 부담시킬 수 없다'고 규정하고 있는바, 이는 단지 선거공영제도를 천명하고 있는 것이므로 위 규정이 있다고 하여 각종 선거의 선거비용 부담 주체가 정당이나 후보자 이외에는 반드시 국가여야 한다는 것은 아니며, 선거의 성격이 무엇이냐에 그 경비 부담 주체도 달라질 수 있다.

2. 한편, 우리 헌법 제117조 제1항은 '지방자치단체는 주민의 복리에 관한 사무를 처리하고 재산을 관리하며, 법령의 범위 안에서 자치에 관한 규정을 제정할 수 있다.'고 규정하고, 제118조 제2항은 '……지방자치단체의 조직과 운영에 관한 사항은 법률로 정한다.'고 규정함으로써 헌법적 차원에서 지방자치단체에게 일정한 자치권을 부여하고 있다. 그리고 구 지방자치법 제9조는 지방자치단체가 행하는 자치사무에 대하여 그 범위를 정하고 있는데, 제1항은 '지방자치단체는 그 관할구역의 자치사무와 법령에 의하여 지방자치단체에 속하는 사무를 처리한다.'고 규정하고 있고, 제2항은 지방자치단체의 구역, 조직 및 행정관리 등에 관한 사무를 지방자치단체의 사무로 예시하고 있는바, 이에 의하면 지방자치단체는 그 조직을 구성할 권한, 즉, 조직고권(자치조직권)을 가지고 있다 할 것이다. 이 조직고권은 지방자치단체가 자신의 조직을 자주적으로 정하는 권능으로서 자치행정을 실시하기 위한 행정조직을 국가의 간섭으로부터 벗어나 스스로 결정하는 권한을 말하고, 이러한 조직고권이 제도적으로 보장되지 않을 때에는 지방자치단체의 자치행정은 그 실현이 불가능하게 될 것이다.

3. 지방의회의원과 지방자치단체장을 선출하는 지방선거는 지방자치단체의 기관을 구성하고 그 기관의 각종 행위에 정당성을 부여하는 행위라 할 것이므로 지방선거사무는 지방자치단체의 존립을 위한 자치사무에 해당한다 할 것이다.

4. 지방선거는 주민의 대의기관을 구성하는 민주적 방법인 동시에 대표기관으로 하여금 민주적 정당성을 확보케 함으로써 대의민주주의를 실현하기 위한 불가결한 수단이라 할 것인 바, 선거와 투표에 대한 관리가 공정하게 이루어지도록 하기 위해서는 선거와 투표관리 등의 집행 업무 담당기관을 일반행정기관과는 별도의 독립기관으로 구성하여 지방선거를 관리하도록 할 필요가 있고, 이에 이 사건 지방선거사무도 국가기관인 구·시·군 선거관리위원회가 담당하고 있다. 한편, 구 지방자치법이나 지방재정법에 비추어 보면, 지방자치단체의 사무를 다른 기관이 맡아 하고 있는 경우에도 그 비용은 원칙적으로 당해 지방자치단체가 부담하여야 할 것이므로 이 사건의 경우와 같이 지방선거의 선거사무를 구·시·군 선거관리위원회가 담당하는 경우에도 그 비용은 지방자치단체가 부담하여야 하고, 이에 피청구인 대한민국국회가 지방선거의 선거비용을 지방자치단체가 부담하도록 공직선거법을 개정한 것은 지방자치단체의 자치권한을 침해한 것이라고 볼 수 없다.

III 결 론

그렇다면, 이 사건 심판청구 중 청구인 서울특별시 강남구의 피청구인 강남구선거관리위원회에 대한 심판청구는 부적법하므로 이를 각하하기로 하고, 나머지 심판청구는 이유 없으므로 이를 기각하기로 하여 주문과 같이 결정한다. 이 결정은 재판관 김종대, 재판관 목영준의 반대의견이 있는 외에는 나머지 관여 재판관 전원의 일치된 의견에 의한 것이다.

025 국회 행안위 제천화재관련평가소위원회 위원장과 국회 행안위 위원장 간의 권한쟁의 사건 [각하]
― 2020. 5. 27. 선고 2019헌라4

판시사항 및 결정요지

청구인 국회 행정안전위원회 제천화재관련평가소위원회 위원장에게 권한쟁의심판의 청구인능력이 인정되는지 여부(소극)

헌법 제62조는 '국회의 위원회'(이하 '위원회'라 한다)를 명시하고 있으나 '국회의 소위원회'(이하 '소위원회'라 한다)는 명시하지 않고 있다. 소위원회는 국회법에 설치근거를 두고 있는데, 국회법 제57조 제1항은 위원회로 하여금 '소관 사항을 분담·심사하기 위하여' 또는 '필요한 경우 특정한 안건의 심사를 위하여' 소위원회를 둘 수 있도록 하고 있고, 같은 조 제4항은 소위원회의 활동을 위원회가 의결로 정하는 범위로 한정하고 있다. 이처럼 국회법 제57조를 설치근거로 하고, 또한 그 설치·폐지 및 권한이 원칙적으로 위원회의 의결에 따라 결정될 뿐인 소위원회는 위원회의 부분기관에 불과하여 헌법에 의하여 설치된 국가기관에 해당한다고 볼 수 없다. 따라서 소위원회가 설치된 뒤에야 비로소 존재할 수 있는 그 소위원회 위원장 또한 헌법에 의하여 설치된 국가기관에 해당한다고 볼 수 없다.

소위원회에 관하여는 국회법 제57조 제8항에 따라 위원회에 관한 조항이 준용되지만, 이에 따라 소위원회 위원장에게 인정되는 권한은 주로 소위원회 내에서의 권한일 뿐이고, 소위원회 위원장이 그 소위원회를 설치한 위원회의 위원장과의 관계에서 어떠한 법률상 권한을 가진다고 보기도 어렵다.

앞서 본 바와 같이 소위원회는 그 설치·폐지 및 권한이 위원회의 의결에 따라 결정되는 위원회의 부분기관에 불과하므로, 위원회와 그 부분기관인 소위원회 사이의 쟁의 또는 위원회 위원장과 소속 소위원회 위원장과의 쟁의가 발생하더라도 이는 위원회에서 해결될 수 있다. 따라서 위와 같은 쟁의를 해결할 적당한 기관이나 방법이 없다고 할 수 없다.

이상과 같은 점들을 종합하면, 소위원회 위원장은 헌법 제111조 제1항 제4호 및 헌법재판소법 제62조 제1항 제1호의 '국가기관'에 해당한다고 볼 수 없으므로, 권한쟁의심판에서의 청구인능력이 인정되지 않는다.

그렇다면 이 사건 소위원회 위원장으로서 청구인이 제기한 이 사건 심판청구는 청구인능력이 없는 자가 제기한 것으로서 부적법하다.

> 안건조정위원회는 국회법에 그 구성 요건 및 활동기간 등에 관한 별도의 조항을 두고 있으나, 역시 헌법이 아닌 국회법에 설치근거가 있고, 안건조정위원회의 위원장은 국회법 제57조의 소위원회 위원장과 마찬가지로 헌법에 의하여 설치된 국가기관에 해당한다고 볼 수 없다. (2020. 5. 27. 2019헌라5)

026 국회의원과 정부간의 권한쟁의 사건 [각하]
― 2007. 7. 26. 선고 2005헌라8

판시사항

1. 국회의 구성원인 국회의원이 국회를 위하여 국회의 권한침해를 주장하는 권한쟁의심판을 청구할 수 있는지, 즉 권한쟁의심판에 있어서 이른바 '제3자 소송담당'이 허용되는지 여부(소극)
2. 국회의원의 심의·표결 권한이 국회의장이나 다른 국회의원이 아닌 국회 외부의 국가기관에 의하여 침해될 수 있는지 여부(소극)

사건의 개요

대한민국 정부는 1995년부터 2004년까지 10년간 쌀에 대한 관세화를 유예받았던 특별대우를 2014년까지 10년간 추가로 연장하기 위하여 세계무역기구(WTO) 회원국들과 사이에 소위 쌀협상을 하였고, 그 결과 다시 10년간 쌀에 대한 관세화를 유예하기로 하는 내용의 "세계무역기구 설립을 위한 마라케쉬 협정 부속서 1가 중 1994년도 관세 및 무역에 관한 일반협정에 대한 마라케쉬 의정서에 부속된 대한민국 양허표 일부개정안"을 채택하게 되었다.

정부는 위 쌀협상 과정에서 이해관계국인 미국, 인도, 이집트와 사이에 쌀에 대한 관세화 유예기간을 연장하는 대가로 위 나라들의 요구사항을 일부 수용하는 내용의 각 합의문(이하 '이 사건 합의문'이라고 한다)을 작성하였다.

정부가 2005. 6. 7.경 국회에 위 양허표 개정안에 대한 비준동의안을 제출하면서 이 사건 합의문을 포함시키지 아니하자, 국회의원인 청구인들은 이 사건 합의문을 포함하여 비준동의안을 제출할 것을 요구하였고, 정부는 이를 거부하였다.

이에 청구인들은 2005. 10. 31. 위 양허표 개정안에 대한 비준동의안 제출행위와 이 사건 합의문에 대한 비준동의안 제출거부행위로 인하여 청구인들의 조약안 심의·표결권 등이 침해되었다고 주장하면서 정부를 상대로 이 사건 권한쟁의심판을 청구하였고, 그 후 2007. 4. 26. 헌법상 조약의 체결·비준 주체인 피청구인이 이 사건 합의문을 국회의 동의 없이 체결·비준한 행위로 인하여 국회의 조약 체결·비준 동의권 및 청구인들의 조약안 심의·표결권이 침해되었다고 청구취지를 변경하였다.

심판대상

피청구인이 이 사건 합의문을 국회의 동의 없이 체결·비준한 행위가 국회의 조약 체결·비준 동의권 및 청구인들의 조약안 심의·표결권을 침해하였는지 여부

주문

청구인들의 심판청구를 각하한다.

I 판 단

1. 권한쟁의심판에 있어 '제3자 소송담당'의 허용 여부

가. 헌법 제60조 제1항은 "국회는 …… 국가나 국민에게 중대한 재정적 부담을 지우는 조약 또는 입법사항에 관한 조약의 체결·비준에 대한 동의권을 가진다."라고 규정하고 있으므로, 조약의 체결·비준에 대한 동의권은 국회에 속한다. 따라서 조약의 체결·비준의 주체인 피청구인이 국회의 동의를 필요로 하는 조약에 대하여 국회의 동의절차를 거치지 아니한 채 체결·비준하는 경우 국회의 조약에 대한 체결·비준 동의권이 침해되는 것이므로, 이를 다투는 권한쟁의심판의 당사자는 국회가 되어야 할 것이다.

나. 이와 달리 국회의 구성원인 국회의원이 국회의 권한침해를 주장하여 권한쟁의심판을 청구할 수 있기 위하여는 이른바 '제3자 소송담당'이 허용되어야 한다.

소위 '제3자 소송담당'이라고 하는 것은 권리주체가 아닌 제3자가 자신의 이름으로 권리주체를 위하여 소송을 수행할 수 있는 권능이다. 권리는 원칙적으로 권리주체가 주장하여 소송수행을 하도록 하는 것이 자기책임의 원칙에 부합하므로, '제3자 소송담당'은 예외적으로 법률의 규정이 있는 경우에만 인정된다.

그런데 권한쟁의심판에 있어 헌법재판소법 제61조 제1항은 "국가기관 상호간에 권한의 존부 또는 범위에 관하여 다툼이 있을 때에는 당해 국가기관은 헌법재판소에 권한쟁의심판을 청구할 수 있다."고, 제2항은 "제1항의 심판청구는 피청구인의 처분 또는 부작위가 헌법 또는 법률에 의하여 부여받은 청구인의 권한을 침해하였거나 침해할 현저한 위험이 있는 때에 한하여 이를 할 수 있다."고 규정함으로써 권한쟁의심판의 청구인은 청구인의 권한침해만을 주장할 수 있도록 하고 있다. 즉 국가기관의 부분기관이 자신의 이름으로 소속기관의 권한을 주장할 수 있는 '제3자 소송담당'의 가능성을 명시적으로 규정하고 있지 않다(이에 반해 권한쟁의심판에 있어 '제3자 소송담당'을 허용하고 있는 독일은 기본법과 연방헌법재판소법에 부분기관이 소속된 기관을 위하여 권한쟁의심판을 청구할 수 있도록 명문의 규정을 두고 있다). 권한쟁의심판에 있어서의 '제3자 소송담당'은, 정부와 국회가 원내 다수정당에 의해 주도되는 오늘날의 정당국가적 권력분립구조하에서 정부에 의한 국회의 권한침해가 이루어지더라도 다수정당이 이를 묵인할 위험성이 있어 소수정당으로 하여금 권한쟁의심판을 통하여 침해된 국회의 권한을 회복시킬 수 있도록 이를 인정할 필요성이 대두되기도 하지만, 국회의 의사가 다수결에 의하여 결정되었음에도 다수결의 결과에 반대하는 소수 국회의원에게 권한쟁의심판을 청구할 수 있게 하는 것은 다수결의 원리와 의회주의의 본질에 어긋날 뿐만 아니라, 국가기관이 기관 내부에서 민주적인 방법으로 토론과 대화에 의하여 기관의 의사를 결정하려는 노력 대신 모든 문제를 사법적 수단에 의해 해결하려는 방향으로 남용될 우려도 있다.

따라서 권한쟁의심판에 있어 '제3자 소송담당'을 허용하는 법률의 규정이 없는 현행법 체계 하에서 국회의 구성원인 청구인들은 국회의 조약에 대한 체결·비준 동의권의 침해를 주장하는 권한쟁의심판을 청구할 수 없다 할 것이므로, 청구인들의 이 부분 심판청구는 청구인적격이 없어 부적법하다.

2. 국회 외의 국가기관에 의한 국회의원의 심의·표결권의 침해가능성 여부

국회가 헌법 제60조 제1항에 따라서 조약의 체결·비준에 대한 동의권한을 행사하는 경우에, 국회의원은 헌법 제40조 및 제41조 제1항과 국회법 제93조 및 제109조 내지 제112조에 따라서 조약의 체결·비준 동의안에 대하여 심의·표결할 권한을 가진다. 그런데 국회의 동의권과 국회의원의 심의·표결권은 비록 국회의 동의권이 개별 국회의원의 심의·표결절차를 거쳐 행사되기는 하지만 그 권한의 귀속주체가 다르고, 또 심의·표결권의 행사는 국회의 의사를 형성하기 위한 국회 내부의 행위로서 구체적인 의안 처리와 관련하여 각 국회의원에게 부여되는데 비하여, 동의권의 행사는 국회가 그 의결을 통하여 다른 국가기관에 대한 의사표시로서 행해지며 대외적인 법적 효과가 발생한다는 점에서 구분된다.

따라서 국회의 동의권이 침해되었다고 하여 동시에 국회의원의 심의·표결권이 침해된다고 할 수 없고, 또 국회의원의 심의·표결권은 국회의 대내적인 관계에서 행사되고 침해될 수 있을 뿐 다른 국가기관과의 대외적인 관계에서는 침해될 수 없는 것이므로, 국회의원들 상호간 또는 국회의원과 국회의장 사이와 같이 국회 내부적으로만 직접적인 법적 연관성을 발생시킬 수 있을 뿐이고 대통령 등 국회 이외의 국가기관과 사이에서는 권한침해의 직접적인 법적 효과를 발생시키지 아니한다.

따라서 피청구인 대통령이 국회의 동의 없이 조약을 체결·비준하였다 하더라도 국회의 체결·비준 동의권이 침해될 수는 있어도 국회의원인 청구인들의 심의·표결권이 침해될 가능성은 없다고 할 것이므로, 청구인들의 이 부분 심판청구 역시 부적법하다.

II 결론

그렇다면 청구인들의 이 사건 심판청구는 이점에서 벌써 부적법하므로 더 나아가 살펴볼 것 없이 각하하기로 하여 주문과 같이 결정한다. 이 결정은 이 사건 합의문의 조약 여부에 관한 재판관 이동흡의 별개의견과 '제3자 소송담당'의 허용 여부에 관한 재판관 송두환의 반대의견이 있는 외에는 나머지 관여 재판관의 일치된 의견에 의한 것이다.

027 지자체 사회보장사업 정비 관련 권한쟁의 사건 [각하]
— 2018. 7. 26. 선고 2015헌라4

판시사항 및 결정요지

1. 권한쟁의심판의 대상인 '처분'

헌법재판소법 제61조 제2항에 따라 권한쟁의심판을 청구하려면 먼저 청구인의 권한을 침해하거나 침해할 위험이 있는 피청구인의 '처분' 또는 '부작위'가 존재하여야 한다. 여기서의 '처분'은 입법행위와 같은 법률의 제정과 관련된 권한의 존부 및 행사상의 다툼, 행정처분은 물론 행정입법과 같은 모든 행정작용 그리고 법원의 재판 및 사법행정작용 등을 포함하는 넓은 의미의 공권력처분을 의미한다. 또한 '처분'은 법적 중요성을 지닌 것에 한하므로, 청구인의 법적 지위에 구체적으로 영향을 미칠 가능성이 없는 행위는 '처분'이라 할 수 없어 이를 대상으로 하는 권한쟁의심판청구는 허용되지 않는다. 따라서 단순한 업무협조 요청이나 견해의 표명, 상호 협력 차원에서 조언·권고한 것은 법적 구속력이 없으므로 권한쟁의심판의 대상이 되는 '처분'이라 할 수 없다.

2. 사회보장위원회가 2015. 8. 11. '지방자치단체 유사·중복 사회보장사업 정비 추진방안'을 의결한 행위(이하 '이 사건 의결행위'라 한다)에 대한 심판청구가 적법한지 여부(소극)

이 사건 의결행위는 보건복지부장관이 광역지방자치단체의 장에게 통보한 '지방자치단체 유사·중복 사회보장사업 정비지침'의 근거가 되는 '지방자치단체 유사·중복 사회보장사업 정비 추진방안'을 사회보장위원회가 내부적으로 의결한 행위에 불과하므로, 이 사건 의결행위가 청구인들의 법적 지위에 직접 영향을 미친다고 보기 어렵다. 따라서 이 사건 의결행위는 권한쟁의심판의 대상이 되는 '처분'이라고 볼 수 없으므로, 이 부분 심판청구는 부적법하다.

3. 국무총리가 보건복지부장관 및 광역지방자치단체의 장에게 위 추진방안을 통지한 행위(이하 '국무총리 통지행위'라 한다)에 대한 심판청구가 적법한지 여부(소극)

국무총리는 보건복지부장관 및 광역지방자치단체의 장에게 위 추진방안을 통지한 사실이 없으므로, 국무총리 통지행위에 대한 심판청구는 부적법하다.

4. 보건복지부장관이 2015. 8. 13. 광역지방자치단체의 장에게 '지방자치단체 유사·중복 사회보장사업 정비지침'에 따라 정비를 추진하고 정비계획(실적) 등을 제출해주기 바란다는 취지의 통보를 한 행위(이하 '이 사건 통보행위'라 한다)에 대한 심판청구가 적법한지 여부(소극)

위 정비지침은 각 지방자치단체가 자율적으로 사회보장사업을 정비·개선하도록 한 것이고, 이 사건 통보행위상 정비계획 제출은 각 지방자치단체가 정비가 필요하고 가능하다고 판단한 사업에 대하여만 정비계획 및 결과를 제출하라는 의미이며, 실제로 각 지방자치단체들은 자율적으로 사회보장사업의 정비를 추진하였다. 이 사건 통보행위를 강제하기 위한 권력적·규제적인 후속조치가 예정되어 있지 않고, 이 사건 통보행위에 따르지 않은 지방자치단체에 대하여 이를 강제하거나 불이익을 준 사례도 없다. 따라서 이 사건 통보행위는 권한쟁의심판의 대상이 되는 '처분'이라고 볼 수 없으므로, 이 부분 심판청구는 부적법하다.

> **함께 보는 판례**
>
> ❶ 국회의 법률제정행위가 권한쟁의심판의 대상이 될 수 있는 '처분'에 해당하는지 여부(적극) (2006. 5. 25. 선고 2005헌라4)
>
> 법률에 대한 권한쟁의심판도 허용된다고 봄이 일반적이나 다만, '법률 그 자체'가 아니라 '법률제정행위'를 그 심판대상으로 하여야 할 것이다.
>
> ❷ 정부의 법률안 제출행위가 권한쟁의심판의 대상이 될 수 있는 '처분'에 해당하는지 여부(소극) (2005. 12 22 선고 2004헌라3)
>
> 정부가 법률안을 제출하였다 하더라도 그것이 법률로 성립되기 위해서는 국회의 많은 절차를 거쳐야 하고, 법률안을 받아들일지 여부는 전적으로 헌법상 입법권을 독점하고 있는 의회의 권한이다. 따라서 정부가 법률안을 제출하는 행위는 입법을 위한 하나의 사전 준비행위에 불과하고, 권한쟁의심판의 독자적 대상이 되기 위한 법적 중요성을 지닌 행위로 볼 수 없다.
>
> ❸ 분쟁의 본질이 권한의 존부 및 범위 자체에 관한 청구인(포항시)과 피청구인(대한민국 정부) 사이의 직접적인 다툼이 아니라, 어업권자와 청구인, 어업권자와 피청구인 사이의 단순한 채권채무관계의 분쟁에 불과한 경우 권한쟁의 심판청구의 적법성 여부(소극) (1998. 6. 25. 선고 94헌라1)
>
> 이 사건 분쟁의 본질은 어업면허의 유효기간연장의 불허가처분으로 인한 어업권자에 대한 손실보상금채무를 처분을 행한 청구인이 부담할 것인가, 그 기간연장에 동의하지 아니한 피청구인이 부담할 것인가의 문제로서, 이와 같은 다툼은 유효기간연장의 불허가처분으로 인한 손실보상금 지급권한의 존부 및 범위 자체에 관한 청구인과 피청구인 사이의 직접적인 다툼이 아니라, 그 손실보상금채무를 둘러싸고 어업권자와 청구인, 어업권자와 피청구인 사이의 단순한 채무채무관계의 분쟁에 불과하므로, 이 사건 심판청구는 청구인이 피청구인을 상대로 권한쟁의 심판을 청구할 수 있는 요건을 갖추지 못한 것으로서 부적법하다.

028 전교조 명단 공개 사건 [각하]
― 2010. 7. 29. 선고 2010헌라1

판시사항 및 결정요지

국회의원이 교원들의 교원단체 가입현황을 자신의 인터넷 홈페이지에 게시하여 공개하려 하였으나, 법원이 그 공개로 인한 기본권침해를 주장하는 교원들의 신청을 받아들여 그 공개의 금지를 명하는 가처분 및 그 가처분에 따른 의무이행을 위한 간접강제 결정을 한 것에 대해 국회의원이 법원을 상대로 제기한 권한쟁의심판청구의 적법 여부(소극)

권한쟁의심판에서 다툼의 대상이 되는 권한이란 헌법 또는 법률이 특정한 국가기관(이하 지방자치단체를 포함한다)에 대하여 부여한 독자적인 권능을 의미하는바, 각자의 국가기관이 권한쟁의심판을 통해 주장할 수 있는 권한은 일정한 한계 내에 제한된 범위를 가지는 것일 수밖에 없으므로, 국가기관의 모든 행위가 권한쟁의심판에서 의미하는 권한의 행사가 될 수는 없으며, 국가기관의 행위라 할지라도 헌법과 법률에 의해 그 국가기관에게 부여된 독자적인 권능을 행사하는 경우가 아닌 때에는 비록 국가기관의 행위가 제한을 받더라도 권한쟁의심판에서 말하는 권한이 침해될 가능성은 없는 것이다.

청구인은 이 사건 가처분재판과 이 사건 간접강제재판으로 인해 입법에 관한 국회의원의 권한과 국정감사 또는 조사에 관한 국회의원의 권한이 침해되었다는 취지로 주장하나, 이 사건 가처분재판이나 이 사건 간접강제재판에도 불구하고 청구인으로서는 얼마든지 법률안을 만들어 국회에 제출할 수 있고 국회에 제출된 법률안을 심의하고 표결할 수 있어 입법에 관한 국회의원의 권한인 법률안 제출권이나 심의·표결권이 침해될 가능성이 없으며, 이 사건 가처분재판과 이 사건 간접강제재판은 국정감사 또는 조사와 관련된 국회의원의 권한에 대해서도 아무런 제한을 가하지 않고 있어, 국정감사 또는 조사와 관련된 국회의원으로서의 권한이 침해될 가능성 또한 없다. 따라서 이 사건 권한쟁의심판청구는 청구인의 권한을 침해할 가능성이 없어 부적법하다.

사건의 개요

1. 청구인은 한나라당 소속 국회의원이고, 청구외 전국교직원노동조합(이하 "전교조"라 한다)은 전국의 교원을 대상으로 하여 조직·설립된 단위노동조합이며, 청구외 윤○봉, 김○림, 김○남, 석○욱, 고○종, 배○연, 윤○렬, 이○식, 신○복, 정○, 김○주, 조○숙, 원○성, 홍○표, 오○익, 김○정은 초·중등학교의 교사들로 전교조에 가입한 조합원들이다(청구외 전교조와 위 조합원들 16인을 이하에서는 "이 사건 교사들"이라 한다).

2. 청구인이 교육과학기술부장관에게 "각급학교 교원의 교원단체 및 노동조합 가입현황 실명자료"(이하 "이 사건 가입현황"이라 한다)의 제출을 요청하여 2010. 3. 26.경 교육과학기술부장관으로부터 이 사건 가입현황을 제출받은 직후, 언론을 통해 이 사건 가입현황을 공개하는 방안을 검토 중이라고 밝히자, 이 사건 교사들은 이 사건 가입현황을 공개하는 것은 자신들의 사생활의 비밀과

자유, 단결권 등을 침해하는 것이라며, 청구인이 이 사건 가입현황을 인터넷 등에 공시하거나 언론 등에 공개하는 것을 금지할 것과 그 금지에 대한 간접강제금으로 위반행위 1건당 3억 원의 지급을 명하는 결정을 구하는 가처분신청을 2010. 3. 26. 서울남부지방법원에 제기하였다.

3. 서울남부지방법원 제51민사부는 2010. 4. 15. 서울남부지방법원 2010카합211 결정으로 청구인에게 "이 사건 가입현황을 인터넷 등에 공시하거나 언론 등에 공개하여서는 아니 된다."는 내용의 가처분(이하 "이 사건 가처분"이라 한다)을 명하는 한편, 이 사건 가처분이 명하는 의무를 청구인이 이행하지 않을 것이라는 점에 대하여 소명이 없다는 이유로 간접강제금 지급 신청은 기각하였다.

4. 그러나 이 사건 가처분에도 불구하고, 청구인은 2010. 4. 20. 이 사건 가입현황을 청구인이 운영하는 인터넷 홈페이지(http://www.educho.com/index.php)에 게시하는 한편, 서울남부지방법원 제51민사부가 2010카합211 사건을 심리하고 이 사건 가처분을 하여 청구인에게 고지한 행위는 청구인의 국회의원으로서의 직무를 침해하였다고 주장하며, 그 권한침해의 확인 및 이 사건 가처분과 그 결정의 고지 행위의 무효확인을 구하는 내용의 이 사건 권한쟁의심판을 2010. 4. 23. 헌법재판소에 청구하였다.

5. 한편, 이 사건 교사들은 이 사건 가처분에도 불구하고 청구인이 이 사건 가입현황을 공개한 것에 대응하여 2010. 4. 22. 서울남부지방법원에 이 사건 가처분에 대한 간접강제를 신청하였고, 서울남부지방법원 제51민사부는 2010. 4. 27. 서울남부지방법원 2010타기1011 결정으로 청구인에 대하여 "1. 이 결정을 송달받은 날부터, 이 사건 가입현황을 인터넷 등에 공시하거나 언론 등에 공개하여서는 아니된다. 2. 만약 위 1항 기재 의무를 이행하지 아니할 때에는 신청인들에게 그 의무위반이 있은 날마다 1일 30,000,000원의 비율에 의한 금원을 지급하라."는 결정(이하 "이 사건 간접강제"라 한다)을 하였다.

6. 그러자 청구인은 다시, 서울남부지방법원 제51민사부가 2010타기1011 사건을 심리하고 이 사건 간접강제를 하여 청구인에게 고지한 행위가 청구인의 국회의원으로서의 직무를 침해하였다고 주장하며, 그 권한침해의 확인 및 이 사건 간접강제와 그 결정의 고지 행위의 무효확인을 구하는 권한쟁의심판을 추가하는 내용의 청구취지변경신청서를 2010. 4. 29. 헌법재판소에 제출하였다.

029 검사의 수사권 축소 등에 관한 권한쟁의 사건 [각하]
— 2023. 3. 23. 선고 2022헌라4

□ 국회가 2022. 5. 9. 법률 제18861호로 검찰청법을 개정한 행위 및 같은 날 법률 제18862호로 형사소송법을 개정한 행위[이하 '이 사건 법률개정행위'라 한다]에 대하여 법무부장관과 검사 6명이 권한침해 및 그 행위의 무효확인을 청구한 권한쟁의심판청구가 적법한지 여부(소극)

가. 당사자적격

당사자적격이란, 구체적 권한쟁의심판 사건에서 당사자로서 소송을 수행하고 본안판단을 받을 수 있는 자격을 의미한다.

국가기관은 헌법과 법률에 의하여 부여받은 자신의 권한을 구제받기 위해서만 권한쟁의심판청구권을 가지는 것이므로, 이를 제3자가 수행하도록 하는 것은 자기책임의 원칙과 권한분할의 원리에 반한다. 따라서 피청구인의 처분 또는 부작위로 인해 침해당했다고 주장하는 헌법상 또는 법률상 권한과 적절한 관련성이 인정되는 기관만이 '청구인적격'을 가진다.

'검사'는 영장신청권을 행사하고(헌법 제12조 제3항, 제16조) 범죄수사와 공소유지를 담당하는데(검찰청법 제4조 제1항), 이 사건 법률개정행위는 이와 같은 검사의 수사권 및 소추권 중 일부를 조정·제한하는 내용이다. 따라서 검사는 이 사건 법률개정행위에 대해 권한쟁의심판을 청구할 적절한 관련성이 인정된다.

한편, '법무부장관'은 소관 사무에 관하여 부령을 발할 수 있고(헌법 제95조) 정부조직법상 법무에 관한 사무를 관장하지만(정부조직법 제32조), 이 사건 법률개정행위는 이와 같은 법무부장관의 권한을 제한하지 아니한다. 물론 법무부장관은 일반적으로 검사를 지휘·감독하고 구체적 사건에 대하여는 검찰총장만을 지휘·감독할 권한이 있으나(검찰청법 제8조), 이 사건 법률개정행위가 이와 같은 법무부장관의 지휘·감독 권한을 제한하는 것은 아니다. 따라서 법무부장관은 이 사건 법률개정행위에 대해 권한쟁의심판을 청구할 적절한 관련성이 인정되지 아니한다.

결국 청구인 법무부장관의 심판청구는 청구인적격이 없어 부적법하다.

나. 권한침해가능성

헌법재판소법 제61조 제2항은, '피청구인의 처분 또는 부작위'가 '헌법 또는 법률에 의하여 부여받은 청구인의 권한'을 '침해하였거나 침해할 현저한 위험이 있는 경우에만' 권한쟁의심판을 청구하도록 규정한다. 그러므로 청구인이 구체적으로 문제삼고 있는 '침해의 원인'인 피청구인의 행위로 인하여 해당 권한이 '침해될 가능성'이 있어야 권한쟁의심판을 청구할 수 있다.

국가기관의 '헌법상 권한'은 국회의 입법행위를 비롯한 다양한 국가기관의 행위로 침해될 수 있다. 그러나 국가기관의 '법률상 권한'은, 다른 국가기관의 행위로 침해될 수 있음은 별론으로 하고, 국회의 입법행위로는 침해될 수 없다. 국가기관의 '법률상 권한'은 국회의 입법행위에 의해 비로소 형성·부여된 권한일뿐, 역으로 국회의 입법행위를 구속하는 기준이 될 수 없기 때문이다. 따라서 문제된 침해의 원인이 '국회의 입법행위'인 경우에는 '법률상 권한'을 침해의 대상으로 삼는 심판청구는 권한침해가능성을 인정할 수 없다. 그런데 이 사건 법률개정행위는 검사의 수사권 및 소추권을 조정·배분하는 내용을 담고 있으므로, 문제된 수사권 및 소추권이 검사의 '헌법상 권한'인지 아니면 '법률상 권한'인지 문제된다.

헌법 제66조 제4항은 "행정권은 대통령을 수반으로 하는 정부에 속한다."라고 규정하는데, 여기에서의 '정부'란 입법부와 사법부에 대응하는 개념으로서의 행정부를 의미한다. 수사 및 소추는 원칙적으로 입법권·사법권에 포함되지 않는 국가기능으로 우리 헌법상 본질적으로 행정에 속하는 사무이므로, 특별한 사정이 없는 한 입법부·사법부가 아닌 '대통령을 수반으로 하는 행정부'에 부여된 '헌법상 권한'이다. 그러나 수사권 및 소추권이 행정부 중 어느 '특정 국가기관'에 전속적으로 부여된 것으로 해석할 헌법상 근거는 없다. 헌법재판소는 ①헌재 1997. 8. 21. 94헌바2 결정, ②헌재 2008. 1. 10. 2007헌마1468 결정, ③헌재 2019. 2. 28. 2017헌바196 결정, ④헌재 2021. 1. 28. 2020헌마264등 결정을 통해, 행정부 내에서 수사권 및 소추권의 구체적인 조정·배분은 헌법사항이 아닌 '입법사항'이므로, 헌법이 수사권 및 소추권을 행정부 내의 특정 국가기관에 독점적·배타적으로 부여한 것이 아님을 반복적으로 확인한 바 있다. 같은 맥락에서 입법자는 검사·수사처검사·경찰·해양경찰·군검사·군사경찰·특별검사와 같은 '대통령을 수반으로 하는 행정부' 내의 국가기관들 사이에, 수사권 및 소추권을 구체적으로 조정·배분하고 있다.

한편, 헌법 제12조 제3항과 제16조는 영장신청권을 검사에게 부여하고 있고, 청구인은 이러한 영장신청권 조항으로부터 '헌법상 검사의 수사권'이 도출된다는 취지로 주장한다. 검사의 영장신청권 조항은 1962년 제5차 개정헌법에서 처음 도입되었는데, 헌법재판소는 1997. 3. 27. 96헌바28등 결정에서, "수사단계에서 영장신청을 함에 있어 반드시 법률전문가인 검사를 거치도록 함으로써 다른 수사기관의 무분별한 영장신청을 막아 국민의 기본권을 침해할 가능성을 줄이고자 함에 그 취지가 있는 것이다"라고 판시한 바 있다. 즉, 헌법상 영장신청권 조항은, 수사과정에서 남용될 수 있는 강제수사를 '법률전문가인 검사'가 합리적으로 '통제'하기 위하여 도입되었던 것이다. 물론 헌법은 검사의 수사권에 대해 침묵하므로, 입법자로서는 영장신청권자인 검사에게 직접 수사권을 부여하는 방향으로 입법형성을 할 수 있고, 이를 통해 영장신청의 신속성·효율성을 증진시킬 수 있다. 그러나 역사적으로 형사절차가 규문주의에서 탄핵주의로 이행되어 온 과정을 고려할 때, 직접 수사권을 행사하는 수사기관이 자신의 수사대상에 대한 영장신청 여부를 스스로 결정하도록 하는 것은 객관성을 담보하기 어려운 구조라는 점도 부인하기 어렵다. 이에 영장신청의 신속성·효율성 증진의 측면이 아니라, 법률전문가이자 인권옹호기관인 검사로 하여금 제3자의 입장에서 수사기관의 강제수사 남용 가능성을 통제하도록 하는 취지에서 영장신청권이 헌법에 도입된 것으로 해석되므로, 헌법상 검사의 영장신청권 조항에서 '헌법상 검사의 수사권'까지 논리필연적으로 도출된다고 보기 어렵다.

결국 이 사건 법률개정행위는 검사의 '헌법상 권한'(영장신청권)을 제한하지 아니하고, 국회의 입법행위로 그 내용과 범위가 형성된 검사의 '법률상 권한'(수사권·소추권)이 법률개정행위로 침해될 가능성이 있다고 볼 수 없으므로, 청구인 검사의 심판청구는 권한침해가능성이 없어 부적법하다.

030 성남시와 경기도간의 권한쟁의 사건 [인용(무효확인), 인용(권한침해), 각하]
― 1999. 7. 22. 선고 98헌라4

판시사항 및 결정요지

1. 지방자치단체가 기관위임사무에 관하여 권한쟁의심판을 청구할 수 있는지 여부(소극)

 지방자치단체는 헌법 또는 법률에 의하여 부여받은 그의 권한, 즉 지방자치단체의 사무에 관한 권한이 침해되거나 침해될 우려가 있는 때에 한하여 권한쟁의심판을 청구할 수 있다고 할 것인데, 도시계획사업실시계획인가사무는 건설교통부장관으로부터 시·도지사에게 위임되었고, 다시 시장·군수에게 재위임된 기관위임사무로서 국가사무라고 할 것이므로, 청구인의 이 사건 심판청구 중 도시계획사업실시계획인가처분에 대한 부분은 지방자치단체의 권한에 속하지 아니하는 사무에 관한 것으로서 부적법하다고 할 것이다.

2. 지방자치단체인 성남시의 고유사무에 관한 국가기관으로서의 재결청인 경기도지사의 행정심판법 제37조 제2항에 근거한 직접처분이 인용재결의 범위를 넘어 성남시의 권한을 침해한 것으로서 무효임을 확인한 사례

 피청구인이 행한 두차례의 인용재결에서 재결의 주문에 포함된 것은 골프연습장에 관한 것뿐으로서, 이 사건 진입도로에 관한 판단은 포함되어 있지 아니함이 명백하고, 재결의 기속력의 객관적 범위는 그 재결의 주문에 포함된 법률적 판단에 한정되는 것이다. 청구인은 인용재결내용에 포함되지 아니한 이 사건 진입도로에 대한 도시계획사업시행자지정처분을 할 의무는 없으므로, 피청구인이 이 사건 진입도로에 대하여까지 청구인의 불이행을 이유로 행정심판법 제37조 제2항에 의하여 도시계획사업시행자지정처분을 한 것은 인용재결의 범위를 넘어 청구인의 권한을 침해한 것으로서, 그 처분에 중대하고도 명백한 흠이 있어 무효라고 할 것이다.

031 신항 명칭 결정 사건 [각하]
― 2008. 3. 27. 선고 2006헌라1

판시사항

1. 지정항만이면서 무역항인 부산항의 일부 항만구역에 건설된 신항만의 명칭결정과 관련하여 부산지방해양수산청장이 권한쟁의심판청구의 당사자로서 능력과 적격을 갖추고 있는지 여부(소극)
2. 해양수산부장관이 부산광역시와 경상남도 일대에 건설되는 신항만의 명칭을 '신항'이라고 결정한 것이 경상남도와 경상남도 진해시의 자치권한을 침해하였거나 침해할 가능성이 있는지 여부(소극)

사건의 개요

1. 정부는 21세기를 대비한 동북아 물류중심 항만을 만들기 위하여 1995년에서 2011년까지 경남 진해시 용원동 등 일대와 부산광역시 강서구 가덕도 북안 등 일대 도합 507만평에 약 9조 1,542억 원을 들여 항만공사를 진행하고 있는바, 새로 건설되는 항만 중 일부는 이미 완공되어 2006. 1. 19. 개장하였다.

2. 새로 건설되는 항만(이하 '신항만'이라고 한다)은 국제 컨테이너 중심항(Hub-Port)으로서 그 경제적 파급효과와 고용창출효과가 상당히 클 것으로 예측되고 있는데, 이 때문에 매립지에 대한 행정구역 획정 및 신항만의 명칭과 관련하여 경상남도와 부산광역시 사이에 분쟁이 예상되었다.

3. 부산광역시는 신항만의 명칭을 부산항의 하위항만(법률상 용어는 아니고 지정항만에 속하는 항만이라는 의미이다)인 '부산 신항'으로 하여야 한다고 주장한데 반하여, 경상남도는 신항만을 굳이 하위항만으로 하려면 지정항만인 '부산항'의 명칭을 '부산·진해항'으로 바꾸고 하위항만으로서의 신항만의 명칭을 '진해 신항'으로 해야 한다고 주장하여, 양 자치단체는 1997년 이후 해양수산부가 주관하는 협의회에서 수 차례 타협점을 모색하였으나 합의가 이루어지지 않았다.

4. 해양수산부장관은 2005. 12. 19. 그 소속 중앙항만정책심의회의 심의를 거쳐 무역항인 '부산항'의 명칭은 그대로 유지하고, 신항만의 공식명칭을 '신항'(영문명칭 : Busan New Port)으로 하기로 결정하였고(이하 '이 사건 명칭결정'이라고 한다), 이에 따라 부산지방해양수산청장은 부산항만시설운영세칙 제2조 제1호(부산지방해양수산청 고시 제2005-146호)를 "부산항의 항만구역 중 해상구역은 신항 ······을 말한다"라고 개정·고시하였다(이하 '이 사건 고시'라고 한다).

5. 이에 경상남도와 진해시는 2006. 1. 13. 이 사건 명칭결정 및 고시로 인하여 자신들의 자치권한이 침해되었다고 주장하면서 위 명칭결정 및 고시의 무효확인을 구하는 이 사건 권한쟁의심판을 청구하였다. 그 후 청구인들은 2006. 12. 26. 이 사건 권한쟁의심판의 피청구인을 '피청구인 대한민국 정부'에서 '1. 해양수산부장관, 2. 부산지방해양수산청장'으로 경정하여 달라는 신청을 하였고, 헌법재판소는 2007. 12. 7. 이를 허가하는 결정을 하였다.

6. 한편, 정부조직법이 2008. 2. 29. 법률 제8852호로 개정되면서 해양수산부는 국토해양부로, 부산지방해양수산청은 부산지방해양항만청으로 명칭이 변경되었고, 해양수산부장관의 소관사무는 국토해양부장관에게, 부산지방해양수산청장의 소관사무는 부산지방해양항만청장에게 각 승계되었다.(이하에서는 계속해서 변경 전의 명칭을 사용한다)

I 당사자능력 및 적격

헌법재판소법 제62조 제1항 제2호는 국가와 지방자치단체 간의 권한쟁의심판으로서 '가. 정부와 특별시·광역시 또는 도 간의 권한쟁의심판, 나. 정부와 시·군 또는 지방자치단체의 구(이하 "자치구"라 한다) 간의 권한쟁의심판'을 규정하고 있으므로, 지방자치단체인 청구인 경상남도와 청구인 경상남도 진해시 모두 이 사건 권한쟁의심판의 당사자가 될 수 있다.

한편 위 조항에 의하면 권한쟁의의 당사자인 국가기관으로서 '정부'만을 규정하고 있으나, 이는 예시적인 것으로서 정부의 부분기관이나 국회·법원 등 여타 국가기관도 당사자가 될 수 있다. 다만 이에 해당하는지 여부를 판별함에 있어서는 그 국가기관이 헌법에 의하여 설치되고 헌법과 법률에 의하여 독자적인 권한을 부여받고 있는지 여부, 헌법에 의하여 설치된 국가기관 상호간의 권한쟁의를 해결할 수 있는 적당한 기관이나 방법이 있는지 여부 등을 종합적으로 고려하여 판단하여야 한다. 이에 터잡아 피청구인 해양수산부장관의 당사자능력 여부를 살펴보면, 해양수산부장관은 헌법과 정부조직법에 의하여 행정 각 부를 구성하는 국가기관으로서 독자적인 권한을 부여받고 있으므로 권한쟁의심판의 당사자능력이 인정되고, 한편 항만에 관한 사무를 관장하는 권한을 가지고 있고(구 정부조직법 제44조 제1항, 구 항만법 제22조), 항만구역 내외의 항만시설을 지정·고시할 수 있으며(구 항만법 제2조 제6호), 그 소속 중앙항만정책심의회에서 항만구역의 지정 및 조정에 관한 사항 등을 심의하게 할 수 있는 등(구 항만법 제4조 제1항 제2·3호) 이 사건 명칭결정 권한에 관하여 적절한 관련성을 가지고 있으므로 이 사건 권한쟁의심판의 당사자적격도 인정된다고 할 것이다.

반면 피청구인 부산지방해양수산청장은 해양수산부장관의 명을 받아 소관사무를 통할하고 소속 공무원을 지휘·감독하는 자로서(해양수산부와 그 소속기관 직제 제46조 제2항) 지방에서의 해양수산부장관의 일부 사무를 관장할 뿐(위 직제 제44조), 항만에 관한 독자적인 권한을 가지고 있지 못하므로, 항만구역의 명칭결정에 관한 이 사건 권한쟁의심판의 당사자가 될 수 없다. 나아가 피청구인 부산지방해양수산청장 명의의 이 사건 고시는 해양수산부장관이 중앙항만정책심의회의 심의를 거쳐 결정한 사항을 구 항만법 제71조의 위임에 따라 외부에 알린 것에 불과하다. 그러므로 피청구인 부산지방해양수산청장은 이 사건 명칭결정에 관하여 아무런 권한이 없을 뿐 아니라 그 과정에서 어떠한 권한을 행사한 바도 없으므로 이 사건 권한쟁의심판사건에서 피청구인으로서의 적격을 갖추지 못하였다고 할 것이다. 따라서 청구인들의 피청구인 부산지방해양수산청장에 대한 권한쟁의심판청구는 당사자능력 및 적격이 없는 자에 대한 것으로서 부적법하여 각하되어야 한다.

Ⅱ 침해될 권한의 존부

1. 권한쟁의심판청구의 적법성

권한쟁의심판청구는 피청구인의 처분 또는 부작위가 헌법 또는 법률에 의하여 부여받은 청구인의 권한을 침해하였거나 침해할 현저한 위험이 있는 때에 한하여 이를 청구할 수 있으므로(헌법재판소법 제61조 제2항) 피청구인의 처분 또는 부작위로 인하여 헌법 또는 법률에 의하여 부여받은 청구인의 권한이 침해될 개연성이 전혀 없는 경우에는 권한쟁의심판청구가 부적법하다고 할 것이다.

그런데 청구인들은 위 신항만의 명칭을 부산항의 항만구역인 '신항'이라고 결정한 것이 자신들의 자치권한(자치권의 공간적 범위인 관할구역에 대한 권한)을 침해한다고 주장하므로, 이 사건 명칭결정행위가 청구인들의 자치권한을 침해하거나 침해할 위험성이 있는지를 본다.

2. '신항'의 명칭 결정이 자치사무에 해당하는지 여부

가. 지방자치제도라 함은 일정한 지역을 단위로 일정한 지역의 주민이 그 지방주민의 복리에 관한 사무·재산관리에 관한 사무·기타 법령이 정하는 사무(헌법 제117조 제1항)를 그들 자신의 책임하에서 자신들이 선출한 기관을 통하여 직접 처리하게 함으로써 지방자치행정의 민주성과 능률성을 제고하고 지방의 균형 있는 발전과 아울러 국가의 민주적 발전을 도모하는 제도이다. 즉 헌법은 제117조 제1항에서 지방자치단체의 권한으로 '주민의 복리사무처리', '재산관리' 및 '자치입법권'에 관하여 명시하고 있고, 일반적으로 지방자치단체의 자치권한에는 자치조직권, 자치인사권, 자치행정권, 자치재정권, 자치입법권 등이 포함되는 것으로 이해되고 있다.

그런데 청구인들은 이 사건 '신항'의 명칭결정권도 지방자치단체의 자치권(자치권의 공간적 범위인 관할구역에 대한 권한)에 포함된다는 취지로 주장하므로 이 사건 '신항'과 같이 특정 지방자치단체의 관할구역 내에 전부 또는 일부 소재하는 시설 등의 명칭결정권이 자치권의 범위에 포함되는지를 본다.

나. 지방자치단체의 명칭과 구역은 종전과 같이 하되, 명칭과 구역을 바꾸거나 지방자치단체를 폐지하거나 설치하거나 나누거나 합칠 때에는 법률로 정하고, 시·군 및 자치구의 관할 구역, 경계 변경은 대통령령으로 정한다(지방자치법 제4조 제1항). 또한 위와 같이 지방자치단체를 폐지하거나 설치하거나 나누거나 합칠 때 또는 그 명칭이나 구역을 변경할 때에는 관계 지방자치단체의 의회의 의견을 들어야 한다(같은 조 제2항 본문).

한편, 자치구가 아닌 구와 읍·면·동의 명칭과 구역의 변경은 그 지방자치단체의 조례로 정하고, 그 결과를 특별시장·광역시장·도지사·특별자치도지사에게 보고하여야 하며(지방자치법 제4조 제3항 단서), 리의 명칭과 구역을 변경하거나 리를 폐지하거나 설치하거나 나누거나 합칠 때에는 그 지방자치단체의 조례로 정한다(같은 조 제4항).

이와 같이, 지방자치단체의 명칭을 변경하는 등의 경우 해당 지방자치단체는 그 명칭 결정 과정에 관여하게 된다. 이처럼 지방자치단체의 명칭 결정에 있어 해당 지방자치단체의 관여를 법상 인정하고 있는 것은, 사람의 이름이 인격권과 불가분의 관계를 이루듯 지방자치단체의 명칭은 해당 지방자치단체의 정체성과 불가분의 관계를 이루기 때문이라고 볼 것이다. 따라서 지방자치단체의 해당 지방자치단체에 대한 명칭의 결정 또는 관여 권한은 자치권의 내용에 포함된다고 할 것이다.

다. 반면 지방자치법 제11조는 지방자치단체가 처리할 수 없는 국가사무를 규정하고 있는바, 이에는 외교 등 국가의 존립에 필요한 사무(제1호), 물가정책 등 전국적으로 통일적 처리를 요하는 사무(제2호), 고도의 기술을 요하는 검사·시험·연구 등 지방자치단체의 기술 및 재정능력으로 감당하기 어려운 사무(제7호) 등과 함께 국가종합경제개발계획, 국가하천, 국유림, 국토종합개발계획, 지정항만, 고속국도·일반국도, 국립공원 등 전국적 규모나 이와 비슷한 규모의 사무(제4호)도 포함되어 있다. 지방자치법이 위와 같은 사무들을 국가사무로 하고 있는 이유는 그 사무들이 특정 지방자치단체의 주민복리나 주민자치에만 관련되어 있는 것이 아니라 전국적 또는 국가적 차원에서 다루어져야 할 사무이기 때문이다. 따라서 지정항만에 관한 사무도 그것이 소재하는 특정 지방자치단체의 이익을 위해서가 아니라 국가 전체의 공동 이익을 도모하는 차원에서 이루어져야 할 것이다.

라. 이와 같이 지정항만에 관한 사무는 국가사무이므로, 새로이 건설된 항만을 독립된 지정항만으로 할 것인지, 이미 지정된 지정항만의 하위항만으로 할 것인지, 아니면 지방자치단체장이 관리하는 지방항만(구 항만법 제2조 제3항, 제22조)으로 할 것인지에 관하여는 국가가 그 결정권한을 가진다 할 것이고, 국가가 신항만을 지정항만의 하위항만으로 하기로 결정한 이상 그 항만구역의 명칭을 무엇이라 할 것인지 역시 국가에게 결정할 권한이 있다고 할 것이다.

마. 피청구인 해양수산부장관은, 비록 이 사건 신항만이 부산광역시와 경상남도 진해시에 걸쳐 위치하고 있더라도 이는 21세기를 대비한 동북아 물류 중심 항만을 만들기 위해 설치된 국가목적의 거대 항만인 점과 함께, 국가경쟁력, 국제적 인지도, 항만 이용자들의 선호도 등을 고려하여 그 소속 중앙항만정책심의회의 심의를 거친 후, 2005. 12. 19. 신항만을 지정항만인 부산항의 하위항만으로 두되, 무역항인 '부산항'의 명칭은 그대로 유지하면서, 신항만의 공식명칭을 '신항'(영문명칭 : Bu- san New Port)으로 하기로 결정하고, 부산지방해양수산청장으로 하여금 이 같은 내용을 고시하게 하였다.

바. 위에서 본 바와 같이 청구인들에게 이 사건 신항만에 대한 명칭결정 권한이 없는 이상, 이 사건 명칭결정이 청구인들의 권한을 침해하였다거나 침해할 현저한 위험이 있다고 볼 수 없으므로, 이 사건 심판청구는 부적법하다 할 것이다.

사. 나아가 청구인들은 이 사건 '신항'의 명칭결정으로 인해 항만구역과 지방자치단체의 관할구역이 상이하여짐에 따라 자신들의 관할권이 침해되었다고 주장한다. 그러나 특정 지방자치단체 내에 존재하는 항만구역에 대해 다른 지방자치단체의 명칭이 사용되고 있다고 하더라도 해당 지방자치단체의 구역 변경을 위한 별도의 법령 개정 등이 없는 한(지방자치법 제4조 제1항) 그 관할 주체가 변경되지 않을 뿐 아니라, 특정 지방자치단체의 일부 구역이 다른 지

방자치단체의 명칭을 사용하는 지정항만의 구역으로 지정되었다 하여도 특정 지방자치단체의 관할구역을 벗어났다고 볼 수도 없으므로, 청구인들의 주장은 이유 없다.

3. 소 결

결국 이 사건 명칭결정은 국가 고유의 사무이므로, 그 명칭결정으로 청구인들의 '자치권의 공간적 범위인 관할구역에 대한 권한'이 침해되었거나 침해될 현저한 위험이 없다. 따라서 이를 전제로 피청구인 해양수산부장관의 이 사건 명칭결정의 무효확인을 구하는 청구인들의 청구는 부적법하다.

III 결 론

그렇다면 청구인들의 피청구인 부산지방해양수산청장에 대한 청구는 당사자능력과 적격을 갖추지 못한 자에 대한 청구로서 부적법하여 각하하고, 피청구인 해양수산부장관에 대한 청구는 위 피청구인의 처분 또는 부작위로 인하여 헌법 또는 법률에 의하여 부여받은 청구인들의 권한을 침해하였거나 침해할 현저한 위험이 없으므로 부적법하여 각하하기로 하여 주문과 같이 결정한다.

032 수도권 소재 사립대학에 대한 학생정원 증원 규제가 지방자치단체의 대학의 설립 및 운영에 관한 자치권한을 침해하는지 여부 [각하]
― 2012. 7. 26. 선고 2010헌라3

판시사항 및 결정요지

피청구인(교육과학기술부장관)의 '2011학년도 대학 및 산업대학 학생정원 조정계획'(이하 '이 사건 수도권 사립대학 정원규제'라 한다)이 청구인(경기도)의 권한을 침해하는지 여부에 관하여, 청구인의 권한의 침해 또는 현저한 침해위험의 가능성이 없어 권한쟁의 심판청구가 부적법하다고 한 사례

고등교육법 및 같은 법 시행령, 사립학교법, 지방자치법의 관련 규정을 종합하면, 청구인의 학교 설치, 운영 및 지도에 관한 사무는 지역적 특성에 따라 달리 다루어야 할 필요성이 있는 사무로서 유아원부터 고등학교 및 이에 준하는 학교에 관한 사무에 한하여 이를 자치사무로 보아야 할 것이고, 대학의 설립 및 대학생정원 증원 등 운영에 관한 사무는 국가적 이익에 관한 것으로서 전국적인 통일을 기할 필요성이 있는 국가사무로 보아야 할 것이다.

따라서 국가사무인 사립대학의 신설이나 학생정원 증원에 관한 이 사건 수도권 사립대학 정원규제는 청구인의 권한을 침해하거나 침해할 현저한 위험이 있다고 할 수 없으므로, 이 사건 심판청구는 부적법하다.

033 강서구와 진해시간의 권한쟁의 사건 [인용(취소), 인용(권한확인), 인용(위헌확인)]
― 2006. 8. 31. 선고 2004헌라2

판시사항

1. 지방자치단체를 상대로 한 권한쟁의심판절차에서 지방자치단체 사무에 관해 단체장이 행한 처분을 취소할 수 있는지 여부(적극)
2. 당정협의내용, 추진지침, 의견서, 지방의회의 의결 등에 드러난 입법경위가 분명하고 명시적인 법률조항의 해석에 영향을 미칠 수 있는지 여부(소극)
3. 부산광역시 강서구가 진해시를 상대로, 진해시 용원동 내의 일부인 계쟁 토지가 법률에 의해 그 관할이 자신에게 옮겨졌다고 주장하면서 관할확인을 구하고, 진해시가 계쟁 토지에 대한 사무와 재산을 인계하지 아니하는 부작위가 위법하다는 확인을 구하고, 위 계쟁토지에 대해 진해시장이 한 점용료부과처분의 취소를 구하는 권한쟁의심판사건에서 청구인의 심판청구를 인용한 사례

주문

1. 진해시 용원동 1307 도로 32,094.3㎡ 중 별지 도면 표시 … 생략 … 임야 198㎡는 청구인의 관할구역에 속함을 확인한다.
2. 피청구인이 위 각 토지에 관하여 지방자치법 제5조에 의한 사무와 재산의 인계를 청구인에게 행하지 아니하는 부작위는 위법함을 확인한다.
3. 피청구인이 2004. 3. 10. 진해시 용원동 1307 도로에 대한 점용을 이유로 청구외 박○원, 황○규, 김○균, 이○화, 유○옥에게 행한 각 점용료부과처분은 이를 취소한다.

I 적법요건에 대한 판단

1. 당사자적격

가. 청구인적격

지방자치단체 상호 간의 권한쟁의심판에 있어서 청구인적격은 침해당하였다고 주장하는 헌법상 내지 법률상 권한과 적절한 관련성이 있는 자에게 인정된다.

청구인은 이 사건 법률조항에 의하여 이 사건 도로들, 제방, 섬들이 자신의 관할구역으로 변경되었는데 피청구인의 이 사건 부작위 및 점용료부과처분으로 위 토지들에 대한 청구인의 자치권한이 침해되었다고 주장하고 있는바, 주장 자체에서 일응 청구인이 주장하는 피침해권한과 청구인이 무관하다고 볼 수 없으므로 청구인에게 이 사건 심판의 청구인적격이 인정된다.

나. 피청구인적격

지방자치단체 상호 간의 권한쟁의심판의 피청구인적격은 권한을 침해하는 처분 또는 부작위를 행하여 법적 책임을 지게 되는 자에게 인정된다. 청구인이 권한침해를 야기하였다고 주장하는 이 사건 부작위 및 점용료부과처분은 모두 피청구인의 이름과 책임으로 행해진 것이므로 피청구인에게는 이 사건 심판의 피청구인적격이 인정된다.

2. 처분 또는 부작위의 존재

적법요건으로서의 "처분"에는 개별적 행위뿐만 아니라 규범을 제정하는 행위도 포함되며, 입법영역에서는 법률의 제정행위 및 법률 자체를, 행정영역에서는 법규명령 및 모든 개별적인 행정적 행위를 포함한다. 이 사건 점용료부과처분은 행정소송법상의 처분에 해당하므로 처분요건을 충족한다.

적법요건으로서의 "부작위"는 단순한 사실상의 부작위가 아니고 헌법상 또는 법률상의 작위의무가 있는데도 불구하고 이를 이행하지 아니하는 것을 말한다. 청구인의 주장과 같이 이 사건 도로들, 제방, 섬들에 대한 관할권한이 청구인에게 귀속된다면, 피청구인은 지방자치법 제5조에 의하여 청구인에게 그 사무와 재산을 승계할 의무를 부담하게 되므로 이를 이행하지 않고 있는 이 사건 부작위는 부작위요건을 충족한다.

3. "권한의 침해 또는 현저한 침해위험"의 가능성

청구인의 주장과 같이 이 사건 도로들, 제방, 섬들을 관할구역으로 하는 자치권한이 청구인에게 귀속된다고 가정한다면, 지방자치법 제5조에 의하여 그 사무와 재산을 인계할 의무를 위반한 피청구인의 이 사건 부작위 및 청구인의 관할구역에 대하여 행한 이 사건 점용료부과처분은 모두 청구인의 관할구역에 대한 자치권한을 침해하는 것이 되므로, 일응 주장 자체에서 권한침해의 가능성이 있다고 인정된다.

4. 청구기간

가. 권한쟁의의 심판은 그 (침해) 사유가 있음을 안 날로부터 60일 이내에, 그 (침해) 사유가 있은 날로부터 180일 이내에 청구하여야 하는 것이다(헌법재판소법 제63조 제1항). 이 사건 심판청구는 이 사건 부작위와 점용료부과처분이 이 사건 법률조항에 따라 청구인의 관할구역이 변경된 이 사건 도로들, 제방, 섬들에 대한 자치권한을 침해하였는지 여부의 판단을 구하는 것이다.

이 사건 부작위의 경우 현재까지 부작위가 계속됨으로써 청구인 주장의 권한침해상태가 계속되고 있어 청구기간이 계속 새롭게 진행되고 있으므로 청구기간도과의 문제가 생기지 않는다.

이 사건 점용료부과처분은 2004. 3. 10. 행하여진 것인데, 이 사건 심판은 처분일로부터 180일이 경과하기 전인 2004. 9. 1. 청구되었으므로 청구기간을 도과하지 아니하였다.

피청구인은 이 사건 법률의 시행일인 1995. 3. 1.을 기산일로 하여 180일이 경과한 후 이 사건 심판청구가 제기되었으므로 청구기간이 도과됐다고 주장한다. 살피건대, 권한쟁의심판 청구기간 180일의 기산일은 청구인 주장의 권한이 침해된 날, 즉 이 사건의 경우 점용료 부과처분일인 2004. 3. 10. 및 부작위로 인하여 관할권침해가 발생하는 날이라 할 것이고, 이 사건 법률의 시행일은 아니라 할 것이므로 피청구인의 위 주장은 이유 없다.

II 본안에 대한 판단

1. 지방자치단체의 관할구역에 대한 자치권한

가. 지방자치에 관한 헌법규정

헌법 제117조 제1항은 "지방자치단체는 주민의 복리에 관한 사무를 처리하고 재산을 관리하며, 법령의 범위 안에서 자치에 관한 규정을 제정할 수 있다"고 규정하여 지방자치제도의 보장과 함께 지방자치단체의 자치권한을 규정하고 있다. 지방자치단체는 헌법이 보장하는 자치권한으로서 자치사무처리권, 재산관리권, 자치입법권을 가진다.

나. 지방자치단체의 자치권한과 관할구역의 변경

1) 지방자치단체의 자치권한

지방자치단체란 국가 아래서 국가영토의 일부를 구성요소로 하고 그 구역 내의 주민에 대하여 지배권을 행사하는 공법상의 법인이며, 지방자치단체의 자치권한이란 자치사무처리, 재산관리, 자치입법에 있어서 지방자치단체가 국가의 지시나 감독을 받지 않고 법이 정하는 바에 따라 독자적인 책임 하에 처리할 수 있는 권한을 의미한다.

지방자치단체의 관할구역은 인적요건으로서의 주민 및 자치를 위한 권능으로서 자치권한과 더불어 지방자치의 3요소를 이루는 것으로, '지방자치단체가 자치권한을 행사할 수 있는 장소적 범위'를 뜻한다. 이것은 적극적으로는 그 구역 안에 주소를 가진 주민을 구성원으로 하여 이를 지방자치단체의 권한에 복종하게 하고, 소극적으로는 자치권한이 일반적으로 미치는 범위를 장소적으로 한정하는 효과를 가진다.

2) 지방자치법 소정의 관할구역의 변경

지방자치법 제4조 제1항은 "지방자치단체의 명칭과 구역은 종전에 의하고 이를 변경하거나 지방자치단체를 폐지·분합할 때에는 법률로써 정하되, 시·군 및 자치구의 관할구역 경계변경은 대통령령으로 정한다"라고 규정하고 있고, 같은 조 제2항은 " 제1항의 규정에 의하여 지방자치단체를 폐치·분합하거나 그 명칭 또는 구역을 변경할 때에는 관계 지방자치단체의 의회의 의견을 들어야 한다"고 규정하고 있다.

지방자치법은 경계변경을 구역변경이라고 부르고 있지만, 구역변경이란 (협의의 구역변경인) 경계변경과 폐치·분합(흡수합병, 신설합병, 또는 여러 지방자치단체의 부분을 합하여 새로운 지방자치단체를 구성하는 신설, 자기구역을 다른 지방자치단체에 배치하는 해체를 포함하는 개념임)을 포함하는 개념이다. 다만, 이하에서는 지방자치법의 법문대로 경계변경을 구역변경이라고 한다.

2. 이 사건 도로들, 제방, 섬들을 관할구역으로 하는 자치권한의 귀속 판단

(생략) … 서울특별시광진구등9개자치구설치및특별시·광역시·도간관할구역변경등에관한법률(이하 '이 사건 법률'이라 한다)이 1994. 12. 22. 법률 제4802호로 제정되어 1995. 3. 1.부터 시행되었는데, 이 사건 법률 제8조에 따라 이 사건 계쟁토지가 청구인인 부산광역시 강서구의 관할구역으로 변경되었다.

3. 이 사건 부작위와 점용료부과처분이 청구인의 권한을 침해하는지 여부

가. 이 사건 부작위

이 사건 도로들, 제방, 섬들은 청구인의 관할구역으로 변경되었으므로, 피청구인은 지방자치법 제5조에 따라 새로 그 지역을 관할하게 된 지방자치단체인 청구인에게 그 사무와 재산을 인계할 의무(법률상 작위의무)가 있다. 지방자치법 제5조 소정의 의무는 관할구역 변경으로 인한 행정의 공백이나 혼란을 제거하고 행정의 안정성과 지속성을 유지함으로써 주민을 위한 행정에 소홀하지 않도록 하는데 그 목적이 있는 것이다.

따라서, 피청구인이 청구인에게 현재까지 위 토지들에 대한 사무와 재산을 인계하지 않고 있는 이 사건 부작위는 지방자치법 제5조를 위반한 위법이 있고, 이러한 위법한 부작위는 위 토지들을 관할구역으로 하는 청구인의 자치권한을 침해하는 것이다.

나. 이 사건 점용료부과처분

… 이 사건 점용료부과처분은 피청구인이 자신의 관할구역이 아닌 청구인의 관할구역에 대하여 권한 없이 행한 것으로서 위법할 뿐만 아니라 청구인의 자치권한을 침해한 것이다.

다. 소 결

따라서 이 사건 부작위 및 점용료부과처분은 위법하고, 또한 청구인의 관할구역인 이 사건 도로, 제방, 섬들에 대한 자치권한을 침해하고 있다. 그러므로 피청구인의 이 사건 부작위는 위법함을 확인하고, 이 사건 점용료부과처분은 청구인이 주장하는 청구취지에 따라 취소되어야 한다.

III 결 론

그렇다면 청구인의 심판청구는 이유 있으므로 관여 재판관 전원의 일치된 의견으로 주문과 같이 결정한다.

034 해상경계획정(홍성군과 태안군 등 간의 권한쟁의) 사건
[인용(권한확인), 인용(무효확인), 기각, 각하]
- 2015. 7. 30. 선고 2010헌라2

판시사항 및 결정요지

1. 공유수면에 대한 지방자치단체의 관할구역과 자치권한 인정 여부(적극)

지방자치법 제4조 제1항에 규정된 지방자치단체의 구역은 주민·자치권과 함께 자치단체의 구성요소이고, 자치권이 미치는 관할구역의 범위에는 육지는 물론 바다도 포함되므로, 공유수면에 대해서도 지방자치단체의 자치권한이 미친다.

2. 공유수면에 대한 지방자치단체의 관할구역 경계 및 그 기준

지방자치법 제4조 제1항은 지방자치단체의 관할구역 경계를 결정함에 있어서 '종전'에 의하도록 하고 있고, 지방자치법의 개정연혁에 비추어 보면 위 '종전'이라는 기준은 최초로 제정된 법률조항까지 순차 거슬러 올라가게 되므로 1948. 8. 15. 당시 존재하던 관할구역의 경계가 원천적인 기준이 된다. 그런데 지금까지 우리 법체계에서는 공유수면의 행정구역 경계에 관한 명시적인 법령상의 규정이 존재한 바 없으므로, 공유수면에 대한 행정구역 경계가 불문법상으로 존재한다면 그에 따라야 한다. 그리고 만약 해상경계에 관한 불문법도 존재하지 않으면, 주민, 구역과 자치권을 구성요소로 하는 지방자치단체의 본질에 비추어 지방자치단체의 관할구역에 경계가 없는 부분이 있다는 것을 상정할 수 없으므로, 헌법재판소가 지리상의 자연적 조건, 관련 법령의 현황, 연혁적인 상황, 행정권한 행사 내용, 사무 처리의 실상, 주민의 사회·경제적 편익 등을 종합하여 형평의 원칙에 따라 합리적이고 공평하게 해상경계선을 획정할 수밖에 없다.

3. 국가기본도상의 해상경계선을 공유수면에 대한 불문법상 해상경계선으로 보아온 선례를 변경한 사례

국가기본도상의 해상경계선은 국토지리정보원이 국가기본도 도서 등의 소속을 명시할 필요가 있는 경우 해당 행정구역과 관련하여 표시한 선으로서, 여러 도서 사이의 적당한 위치에 각 소속이 인지될 수 있도록 실지측량 없이 표시한 것에 불과하므로, 이 해상경계선을 공유수면에 대한 불문법상 행정구역에 경계로 인정해 온 종전의 결정은 이 결정의 견해와 저촉되는 범위 내에서 이를 변경하기로 한다.

4. 제반 사정을 종합적으로 고려하여 형평의 원리에 따라 청구인과 피청구인 사이의 관할구역 경계를 확인한 사례 (생략)

5. 청구인의 관할권한을 확정하면서 이를 침해한 태안군수의 어업면허 처분이 무효임을 확인한 사례 (생략)

035 경상남도와 전라남도 사이의 해상경계 획정에 관한 사건 [기각]
– 2021. 2. 25. 2015헌라7

판시사항 및 결정요지

1. 공유수면에 대한 지방자치단체의 관할구역 경계획정 원리

공유수면에 대한 지방자치단체의 관할구역 경계획정은 명시적인 법령상의 규정이 존재한다면 그에 따르고, 명시적인 법령상의 규정이 존재하지 않는다면 불문법상 해상경계에 따라야 한다. 불문법상 해상경계마저 존재하지 않는다면, 주민·구역·자치권을 구성요소로 하는 지방자치단체의 본질에 비추어 지방자치단체의 관할구역에 경계가 없는 부분이 있다는 것은 상정할 수 없으므로, 권한쟁의심판권을 가지고 있는 헌법재판소가 형평의 원칙에 따라 합리적이고 공평하게 해상경계선을 획정하여야 한다.

2. 불문법상 해상경계의 성립 기준

지방자치단체 사이의 불문법상 해상경계가 성립하기 위해서는 관계 지방자치단체·주민들 사이에 해상경계에 관한 일정한 관행이 존재하고, 그 해상경계에 관한 관행이 장기간 반복되어야 하며, 그 해상경계에 관한 관행을 법규범이라고 인식하는 관계 지방자치단체·주민들의 법적 확신이 있어야 한다.

국가기본도에 표시된 해상경계선은 그 자체로 불문법상 해상경계선으로 인정되는 것은 아니나, 관할 행정청이 국가기본도에 표시된 해상경계선을 기준으로 하여 과거부터 현재에 이르기까지 반복적으로 처분을 내리고, 지방자치단체가 허가, 면허 및 단속 등의 업무를 지속적으로 수행하여 왔다면 국가기본도상의 해상경계선은 여전히 지방자치단체 관할 경계에 관하여 불문법으로서 그 기준이 될 수 있다.

3. 불문법상 해상경계의 성립을 인정한 사례

쟁송해역에 대하여 1948. 8. 15. 당시 존재하던 불문법상 해상경계를 확인할 수 있는 주요한 근거가 되는 조선총독부 육지측량부 간행의 1918년 지형도에 표시된 경계선은 국립지리원 발행의 1956년 국가기본도를 거쳐 1973년 국가기본도에 이르기까지 대체로 일관되게 표시되어 있고, 피청구인들은 1973년 국가기본도상 해상경계선을 기준으로 관할권한을 행사하여 왔으며, 해양수산부장관 역시 피청구인들의 관할권한 행사를 승인하여 왔다. 또한 수산업법 위반행위에 대한 단속 역시 1973년 국가기본도상 해상경계선을 기준으로 이루어졌음이 인정되는바, 이 사건 쟁송해역이 피청구인들의 관할구역에 속한다는 점을 전제로 장기간 반복된 관행이 존재하는 것으로 보이고, 그에 대한 각 지방자치단체와 주민들의 법적 확신이 존재한다는 점 역시 인정된다. 이상의 사정들을 종합하여 보면 쟁송해역에 대한 관할권한이 청구인들에게 귀속된다고 볼 수 없고, 따라서 피청구인들이 이 사건 쟁송해역에서 행사할 장래처분으로 인하여 헌법상 및 법률상 부여받은 청구인들의 자치권한이 침해될 현저한 위험성이 존재한다고 볼 수 없다.

036 공유수면 매립지에 관한 권한쟁의 사건 [각하]
— 2020. 7. 16. 선고 2015헌라3

판시사항 및 결정요지

매립 전 공유수면에 대한 관할권을 가졌던 청구인들이 새로이 형성된 공유수면 매립지와 관련하여 청구한 권한쟁의심판에서 청구인들의 자치권한이 침해되거나 침해될 현저한 위험이 인정되는지 여부(소극)

2009년 개정 지방자치법에서는 제4조 제3항을 신설하여 공유수면 매립지가 속할 지방자치단체를 행정안전부장관이 결정하도록 하고, 이러한 결정을 위한 신청을 의무로 규정하며, 개정 지방자치법 시행 전에 이미 준공검사를 받은 매립지라 하더라도 법 시행 후에 지적공부에 등록하려면 그 전에 행정안전부장관에의 신청 및 결정 절차를 반드시 거치도록 하였다. 그렇다면 개정 지방자치법 제4조 제3항은, 매립지의 관할에 대하여는 앞으로 같은 조 제1항이 처음부터 배제되고, 행정안전부장관의 결정에 의하여 비로소 관할 지방자치단체가 정해지며, 그 전까지 해당 매립지는 어느 지방자치단체에도 속하지 않는다는 의미로 해석함이 타당하다.

한편, 공유수면의 관할 귀속과 매립지의 관할 귀속은 그 성질상 달리 보아야 한다. 매립공사를 거쳐 종전에 존재하지 않았던 토지가 새로이 생겨난 경우 동일성을 유지하면서 단순히 바다에서 토지로 그 형상이 변경된 것에 불과하다고 보기는 어렵다. 공유수면의 매립은 막대한 사업비와 장기간의 시간 등이 투입될 뿐 아니라 해당 해안지역의 갯벌 등 가치 있는 자연자원의 상실 내지 환경의 파괴를 동반하는 등 국가 전체적으로 중대한 영향을 미치는 사업이고, 일반적으로 공유수면은 인근 어민의 어업활동에 이용되는 반면, 매립지는 주체와 목적이 명확하게 정해져 있어 매립지의 이용은 그 구체적인 내용에 있어서도 상당히 다르다. 따라서 공유수면의 경계를 그대로 매립지의 '종전' 경계로 인정하기는 어렵다.

이와 같이 개정 지방자치법의 취지와 공유수면과 매립지의 성질상 차이 등을 종합하여 볼 때, 신생 매립지는 개정 지방자치법 제4조 제3항에 따라 같은 조 제1항이 처음부터 배제되어 종전의 관할구역과의 연관성이 단절되고, 행정안전부장관의 결정이 확정됨으로써 비로소 관할 지방자치단체가 정해지며, 그 전까지 해당 매립지는 어느 지방자치단체에도 속하지 않는다 할 것이다. 그렇다면 이 사건 매립지의 매립 전 공유수면에 대한 관할권을 가졌을 뿐인 청구인들이, 그 후 새로이 형성된 이 사건 매립지에 대해서까지 어떠한 권한을 보유하고 있다고 볼 수 없으므로, 이 사건에서 청구인들의 자치권한이 침해되거나 침해될 현저한 위험이 있다고 보기는 어렵다.

037 권한침해확인결정의 기속력 사건 [기각, 기타]
― 2010. 11. 25. 선고 2009헌라12

판시사항 및 결정요지

1. 권한쟁의심판절차 계속중 청구인의 사망하여 심판절차가 종료된 사례

직권으로 살피건대, 청구인 이용삼은 헌법재판소에 이 사건 권한쟁의심판절차가 계속중이던 2010. 1. 20. 사망하였음이 당 재판소에 현저하다.

위 청구인의 심판청구이유는 2009헌라8등 사건의 권한침해확인 결정의 기속력으로 피청구인에게는 위 청구인에게 이 사건 각 법률안에 관하여 침해된 심의·표결권을 회복시켜주어야 할 의무가 있음에도 불구하고 아무런 조치를 취하지 아니한 부작위로서 위 청구인의 이 사건 각 법률안 심의·표결권을 침해하고 있으므로, 그 부작위가 위 청구인의 권한을 침해하였음을 확인해 달라는 것이다. 그런데 위 청구인은 법률안 심의·표결권의 주체인 국가기관으로서의 국회의원 자격으로 이 사건 권한쟁의심판을 청구한 것인바, 국회의원의 법률안 심의·표결권은 성질상 일신전속적인 것으로 당사자가 사망한 경우 승계되거나 상속될 수 있는 것이 아니다. 따라서 그에 관련된 이 사건 권한쟁의심판절차 또한 수계될 수 있는 성질의 것이 아니므로, 위 청구인의 이 사건 심판청구는 위 청구인의 사망과 동시에 당연히 그 심판절차가 종료되었다고 할 것이다.

따라서, 청구인 이용삼의 이 사건 권한쟁의심판절차는 2010. 1. 20. 위 청구인의 사망으로 종료되었으므로, 이를 명확하게 하기 위하여 심판절차종료를 선언함이 상당하다. 이 부분에 대하여는 관여 재판관 전원의 의견이 일치되었다.

2. 피청구인의 법률안 가결선포행위가 청구인들의 법률안 심의·표결권을 침해한 것임을 확인한 권한침해확인결정의 기속력으로 피청구인이 구체적인 특정한 조치를 취할 작위의무를 부담한다고는 볼 수 없다는 이유로, 권한침해확인결정 이후 피청구인의 부작위가 재차 청구인들의 법률안 심의·표결권을 침해한 것이라고 주장하여 제기된 권한쟁의심판청구를 기각한 사례

모든 국가기관과 지방자치단체는 헌법재판소의 권한쟁의심판에 관한 결정에 기속되는바, 헌법재판소가 국가기관 상호간의 권한쟁의심판을 관장하는 점, 권한쟁의심판의 제도적 취지, 국가작용의 합헌적 행사를 통제하는 헌법재판소의 기능을 종합하면, 권한침해확인결정의 기속력을 직접 받는 피청구인은 그 결정을 존중하고 헌법재판소가 그 결정에서 명시한 위헌·위법성을 제거할 헌법상의 의무를 부담한다.

그러나 권한쟁의심판은 본래 청구인의 「권한의 존부 또는 범위」에 관하여 판단하는 것이므로, 입법절차상의 하자에 대한 종전 권한침해확인결정이 갖는 기속력의 본래적 효력은 피청구인의 이 사건 각 법률안 가결선포행위가 청구인들의 법률안 심의·표결권을 위헌·위법하게 침해하였음을 확인하는 데 그친다. 그 결정의 기속력에 의하여 법률안 가결선포행위에 내재하는 위헌·위법성을 어떤 방법으로 제거할 것인지는 전적으로 국회의 자율에 맡겨져 있다. 따라서 헌법재판소가 「권한의 존부 또는 범위」의 확인을 넘어 그 구체적 실현방법까지 임의로 선택하여 가결선포행위의 효력을 무효확인 또는 취소하거나 부작위의 위법을 확인하는 등 기속력의 구체적 실현을 직접 도모할 수는 없다.

일반적인 권한쟁의심판과는 달리, 국회나 국회의장을 상대로 국회의 입법과정에서의 의사절차의 하자를 다투는 이 사건과 같은 특수한 유형의 권한쟁의심판에 있어서는, 「처분」이 본래 행정행위의 범주에 속하는 개념으로 입법행위를 포함하지 아니하는 점, 권한침해확인결정의 구체적 실현방법에 관하여 국회법이나 국회규칙에 국회의 자율권을 제한하는 규정이 없는 점, 법률안 가결선포행위를 무효확인하거나 취소하는 것은 해당 법률 전체를 무효화하여 헌법 제113조 제1항의 취지에도 반하는 점 때문에 헌법재판소법 제66조 제2항을 적용할 수 없다. 이러한 권한침해확인결정의 기속력의 한계로 인하여 이 사건 심판청구는 이를 기각함이 상당하다.

사건의 개요

이 사건 기록에 의하면 다음 사실이 인정된다.

1. 청구인들은 민주당, 창조한국당 또는 민주노동당 소속의 제18대 국회의원들로서 2009. 7. 23. 헌법재판소에 국회의장을 피청구인으로 한 권한쟁의심판청구를 하였던바{2009헌라8·9·10(병합)사건, 이하 ' 2009헌라8등 사건'이라 한다}, 위 청구의 심판대상은 피청구인이 2009. 7. 22. 15 : 35경 개의된 제283회 국회임시회 제2차 본회의에서 신문 등의 자유와 기능보장에 관한 법률 전부개정법률안(이하 '신문법안'이라 한다), 방송법 일부개정법률안(이하 '방송법안'이라 한다), 인터넷멀티미디어 방송사업법 일부개정법률안, 금융지주회사법 일부개정법률안의 각 가결을 선포한 행위가 청구인들의 위 각 법률안 심의·표결권을 침해하는지 여부 및 위 각 법률안에 대한 가결선포행위가 무효인지 여부였다.

2. 헌법재판소는 2009. 10. 29. 위 권한쟁의심판청구에 대하여, 피청구인이 2009. 7. 22. 15 : 35경 개의된 제283회 국회임시회 제2차 본회의에서 신문법안 및 방송법안의 가결을 선포한 행위는 청구인들의 위 각 법률안 심의·표결권을 침해한 것임을 확인하고(주문 제2항), 위 각 법률안 가결선포행위의 무효확인청구를 기각하는(주문 제4항) 결정을 선고하였다.

3. 헌법재판소가 2009. 10. 29. 2009헌라8등 사건에 대한 결정을 선고한 이후, 위 사건에서 문제가 되었던 방송법 일부개정법률(이하 '방송법'이라 한다)은 2009. 11. 1., 신문 등의 자유와 기능보장에 관한 법률(이하 '신문법'이라 한다)은 2010. 2. 1. 각 시행되었고, 위 각 법률의 시행을 위한 시행령은 2010. 1. 26. 대통령령 제22002호 및 2010. 1. 27. 대통령령 제22003호로 각 개정되어, 2010. 2. 1. 각 시행되었다.

4. 청구인들 중 박주선 외 11인은 헌법재판소의 2009헌라8등 사건의 결정이 있은 후인 2009. 11. 6. 신문법 폐지법률안(의안번호 1806485호)과 신문 등의 자유와 독립성 보장에 관한 법률안(의안번호 1806486호) 및 방송법 폐지법률안(의안번호 1806483호)과 방송매체의 자유와 독립성 보장 등에 관한 법률안(의안번호 1806484호)을 각 발의하였다.

위 4개의 법률안은 2009. 11. 9. 제284회 국회 제9차 본회의에 보고되었고, 같은 날 소속 상임위원회인 국회 문화체육관광방송통신위원회(이하 '문방위'라 한다)에 회부되었으나, 의안상정이 이루어지지 않은 상태로 현재 문방위에 계류되어 있다.

5. 청구인들은 헌법재판소가 2009헌라8등 사건의 결정주문 제2항에서 피청구인의 신문법안 및 방송법안(이하 '이 사건 각 **법률안**'이라 한다) 가결선포행위가 청구인들의 이 사건 각 법률안 심의·표결권을 침해한 것이라고 인정한 이상, 위 주문의 기속력에 따라 피청구인은 청구인들에게 이 사건 각 법률안에 대한 심의·표결권을 행사할 수 있는 조치를 취하여야 함에도 불구하고 피청구인이 아무런 조치를 취하지 않고 있고, 피청구인의 위와 같은 부작위는 청구인들의 이 사건 각 법률안 심의·표결권을 침해하는 것이라고 주장하며 2009. 12. 18. 이 사건 권한쟁의심판을 청구하였다.

심판대상

이 사건 심판의 대상은 헌법재판소가 2009. 10. 29. 2009헌라8 등 사건에서 피청구인이 이 사건 각 법률안의 가결을 선포한 행위는 청구인들의 이 사건 각 법률안 심의·표결권을 침해한 것이라는 결정을 선고한 이후에도, 피청구인이 청구인들에게 침해된 이 사건 각 법률안 심의·표결권을 회복할 수 있는 조치를 취하지 아니하는 부작위가 청구인들의 이 사건 각 법률안 심의·표결권을 침해하는지 여부이다.

주문

1. 청구인 이용삼의 이 사건 권한쟁의심판절차는 2010. 1. 20. 위 청구인의 사망으로 종료되었다.
2. 나머지 청구인들의 이 사건 심판청구를 모두 기각한다.

판례색인

[헌법재판소 결정]

헌재 1990.4.2. 선고 89헌가113	15
헌재 1991.3.11. 선고 90헌마28	253
헌재 1992.6.26. 선고 90헌아1	375
헌재 1992.10.1. 선고 92헌마68,76	438
헌재 1992.11.12. 선고 91헌가2	354
헌재 1993.5.13. 선고 92헌가10,91헌바7,92헌바24,50	384
헌재 1993.7.29. 선고 92헌바48	33
헌재 1994.4.28. 선고 89헌마221	341
헌재 1995.1.20. 선고 94헌마246	316
헌재 1996.6.26. 선고 93헌바2	338
헌재 1996.3.28. 선고 95헌마211	438
헌재 1996.1.25. 선고 95헌가5	258
헌재 1996.2.29. 선고 93헌마186	317
헌재 1997.8.21. 선고 93헌바60	344
헌재 1997.9.25. 선고 97헌가4	16
헌재 1997.7.16. 선고 96헌라2	441
헌재 1997.7.16. 선고 97헌마38	57
헌재 1997.6.26. 선고 96헌가8·9·10(병합)	373
헌재 1997.12.24. 선고 96헌마172,173(병합)	387
헌재 1998.6.25. 선고 94헌라1	460
헌재 1998.5.28. 선고 96헌가4	69
헌재 1998.10.29. 선고 96헌마186	229
헌재 1998.11.26. 선고 97헌바65	73
헌재 1999.5.27. 선고 98헌마214	201
헌재 1999.7.22. 선고 98헌라4	465
헌재 1999.11.25. 선고 98헌마55	282
헌재 1999.12.23. 선고 99헌마135	76
헌재 2000.6.1. 선고 97헌바74	340
헌재 2000.8.31. 선고 97헌가12	17
헌재 2000.7.20. 선고 98헌바63	30
헌재 2000.12.8. 선고 2000헌사471	362
헌재 2001.3.21. 선고 99헌마139·142·156·160(병합)	26
헌재 2001.7.19. 선고 2000헌마91·112·134(병합)	126
헌재 2001.9.27. 선고 2001헌아3	375
헌재 2001.9.27. 선고 2000헌마152	52
헌재 2001.11.29. 선고 99헌마494	24
헌재 2002.7.18. 선고 2001헌마605	438
헌재 2002.10.31. 선고 2001헌마557	355
헌재 2002.11.28. 선고 2002헌바45	57
헌재 2002.12.18. 선고 2002헌마52	66
헌재 2003.1.30. 선고 2001헌가4	170
헌재 2003.6.26. 선고 2002헌마337	439
헌재 2003.10.30. 선고 2002헌라1	231
헌재 2004.2.26. 선고 2001헌마718	419
헌재 2004.5.14. 선고 2004헌나1	296
헌재 2004.4.29. 선고 2003헌마814	327
헌재 2004.10.21. 선고 2004헌마554·566(병합)	3
헌재 2004.10.28. 선고 99헌바91	338
헌재 2005.2.24. 선고 2004헌바24	386
헌재 2005.6.30. 선고 2003헌마841	260
헌재 2005.6.30. 선고 2003헌바114	33
헌재 2005.11.24. 선고 2005헌마579,763	12
헌재 2005.12.22. 선고 2004헌라3	460
헌재 2005.12.22. 선고 2004헌마66	427
헌재 2006.4.27. 선고 2005헌마1190	186
헌재 2006.5.25. 선고 2003헌바115	373
헌재 2006.5.25. 선고 2005헌라4	460
헌재 2006.8.31. 선고 2004헌라2	472
헌재 2006.3.30. 선고 2004헌마246	82
헌재 2006.2.23. 선고 2005헌마403	197
헌재 2007.6.28. 선고 2005헌마772	173
헌재 2007.6.28. 선고 2004헌마643	210
헌재 2007.7.26. 선고 2005헌라8	456
헌재 2007.7.26. 선고 2006헌바40	386
헌재 2007.8.30. 선고 2003헌바51	74
헌재 2007.6.28. 선고 2004헌마644,2005헌마360(병합)	118
헌재 2007.3.29. 선고 2005헌마33	42
헌재 2007.10.25. 선고 2006헌바39	357
헌재 2008.3.27. 선고 2006헌라1	466
헌재 2008.6.26. 선고 2005헌라7	448
헌재 2008.05.29. 선고 2006헌마1096	184
헌재 2008.10.30. 선고 2006헌마1098,1116,1117(병합)	367
헌재 2009.2.26. 선고 2007헌바8, 84(병합)	356
헌재 2009.3.26. 선고 2007헌마843	212
헌재 2009.5.28. 선고 2005헌바20,22,2009헌바30(병합)	58
헌재 2009.5.28. 선고 2007헌마369	329
헌재 2009.5.28. 선고 2006헌라6	202
헌재 2009.6.25. 선고 2008헌바413	248
헌재 2009.7.30. 선고 2006헌마358	422

판례	페이지
헌재 2009.10.29. 선고 2009헌라8,9,10(병합)	284
헌재 2009.10.29. 선고 2009헌마350,386(병합)	246
헌재 2009.11.26. 선고 2008헌마385	400
헌재 2009.12.29. 선고 2007헌마1412	153
헌재 2010.3.25. 선고 2007헌마933	438
헌재 2010.5.27. 선고 2008헌마491	132
헌재 2010.7.29. 선고 2010헌라1	461
헌재 2010.7.29. 선고 2009헌마205	437
헌재 2010.9.2. 선고 2010헌마418	190
헌재 2010.10.28. 선고 2009헌라6	446
헌재 2010.11.25. 선고 2009헌라12	479
헌재 2010.12.28. 선고 2008헌바89	103
헌재 2010.12.28. 선고 2008헌라7	269
헌재 2011.8.30. 선고 2008헌마648	418
헌재 2011.8.30. 선고 2006헌마788	413
헌재 2011.4.28. 선고 2010헌마474	195
헌재 2011.3.31. 선고 2008헌바141,2009헌바14,19,36, 247,352,2010헌바91(병합)	35
헌재 2011.12.29. 선고 2010헌바368	221
헌재 2011.12.29. 선고 2007헌마1001,2010헌바88,2010 헌마173,191(병합)	163
헌재 2012.2.23. 선고 2009헌바34	350
헌재 2012.7.26. 선고 2010헌라3	471
헌재 2012.2.23. 선고 2010헌마601	172
헌재 2012.5.31. 선고 2009헌바123,126(병합)	256
헌재 2012.11.29. 선고 2011헌마786, 2012헌마188(병합)	65
헌재 2012.12.27. 선고 2011헌바117	380
헌재 2013.8.29 선고 2010헌바354	46
헌재 2013.9.26. 선고 2012헌라1	223
헌재 2013.7.25. 선고 2012헌마174	137
헌재 2013.3.21. 선고 2010헌바70,132,170(병합)	330
헌재 2014.1.28. 선고 2012헌마431,2012헌가19(병합)	86
헌재 2014.2.27. 선고 2014헌마7	376
헌재 2014.1.28. 선고 2012헌마409,510,2013헌마167(병합)	112
헌재 2014.4.24. 선고 2012헌마2	408
헌재 2014.07.24. 선고 2009헌마256, 2010헌마394(병합)	124
헌재 2014.10.30. 선고 2012헌마190,192,211,262,325, 2013헌마781,2014헌마53(병합)	139
헌재 2014.12.19. 선고 2013헌다1	91
헌재 2015.7.30. 선고 2010헌라2	476
헌재 2015.3.26. 선고 2013헌마214	440
헌재 2015.12.23. 선고 2013헌바168	102
헌재 2016.4.28. 선고 2015헌마1177·1220, 2016헌마6·17·25·64(병합))	412
헌재 2016.5.26. 선고 2015헌라1	262
헌재 2016.5.26. 선고 2015헌아20	374
헌재 2016.6.30. 선고 2013헌가1	158
헌재 2016.6.30. 선고 2013헌바370	357
헌재 2016.6.30. 선고 2014헌라1	447
헌재 2016.9.29. 선고 2015헌바331	346
헌재 2016.9.29. 선고 2016헌마287	149
헌재 2016.10.27. 선고 2014헌마797	200
헌재 2016.11.24. 선고 2015헌마902	361
헌재 2016.12.29. 선고 2015헌바63	357
헌재 2016.12.29. 선고 2015헌마509, 2015헌마1160(병합)	133
헌재 2017.5.25. 선고 2016헌마292·568(병합)	117
헌재 2017.3.10. 선고 2016헌나1	308
헌재 2018.1.25. 선고 2016헌마541	135
헌재 2018.7.26. 선고 2015헌라4	459
헌재 2018.6.28. 선고 2014헌마189	145
헌재 2018.2.22. 선고 2015헌마124	162
헌재 2018.6.28. 선고 2014헌마166	147
헌재 2018.4.6. 선고 2018헌사242, 2018헌사245(병합)	364
헌재 2019.11.28. 선고 2018헌마222	177
헌재 2019.12.27. 선고 2018헌마301·430(병합)	106
헌재 2019.12.27. 선고 2016헌마253	70
헌재 2020.5.27. 선고 2019헌라4	455
헌재 2020.5.27. 선고 2019헌라6, 2020헌라1(병합)	291
헌재 2020.4.23. 선고 2018헌마551	179
헌재 2020.9.24. 선고 2016헌마889	19
헌재 2020.4.23. 선고 2017헌마479	430
헌재 2020.5.27. 2019헌라5	455
헌재 2020.5.27. 선고 2019헌라1	238
헌재 2020.7.16. 선고 2015헌라3	478
헌재 2021.2.25.2015헌라7	477
헌재 2021.4.29. 선고 2016두39825	100
헌재 2022.1.27. 선고 2018헌마1162, 2020헌바428(병합)	279
헌재 2022.6.30.2014헌마760	396
헌재 2022.7.21. 선고 2017헌바100	167

헌재 2022.1.27. 선고 2016헌마364	322
헌재 2022.11.24. 선고 2019헌마528	110
헌재 2023.3.23. 선고 2020헌라5	208
헌재 2023.3.23. 선고 2022헌라4	463

[대법원 판결]

대법 1992.9.22. 선고 91도3317	312
대법 1996.11.12. 선고 96누1221	33
대법 1998.12.17. 선고 97다39216	75
대법 2007.1.11. 선고 2005다57752	315
대법 2016.1.28. 선고 2015다9769	407
대법 2011.5.13. 선고 2009도14442	313
대법 2009.5.21. 선고 2009다17417	406

제4판
SIGNATURE
헌법 판례 ❷ 헌법총론, 통치구조론, 헌법재판론

초판발행	2021년 06월 25일
2판발행	2022년 06월 27일
3판발행	2023년 06월 19일
4판발행	2024년 06월 28일

지은이	강성민
디자인	이나영
발행처	주식회사 필통북스
등록	제2019-000085호
주소	서울특별시 관악구 신림로59길 23, 1201호(신림동)
전화	1544-1967
팩스	02-6499-0839
homepage	http://www.feeltongbooks.com/

개별 ISBN	979-11-6792-171-0 [14360]	정가 **26,000원**
세트 ISBN	979-11-6792-169-7 [14360]	세트정가 **65,000원**

▎세트로만 판매 판매 됩니다.
▎이 책은 저자와의 협의 하에 인지를 생략합니다.
▎이 책은 저작권법에 의해 보호를 받는 저작물이므로 주식회사 필통북스의 허락 없는 무단전제 및 복제를 금합니다.